Inhalt

1. Tipps für die Stationsarbeit 1
2. Ärztliche Arbeitstechniken 45
3. Internistische Probleme 69
4. Genetik, Pränataldiagnostik, Entwicklungsstörungen 91
5. Schwangerschaft 107
6. Infektionen in der Schwangerschaft 185
7. Arzneimittel in Schwangerschaft und Stillzeit 233
8. Geburt 259
9. Geburtshilfliche Operationen 319
10. Wochenbett 339
11. Neonatologie 353
12. Mamma 393
13. Äußeres Genitale und Vagina 431
14. Urogenitale Erkrankungen 465
15. Uterus 483
16. Adnexe 521
17. Sterilität 545
18. Kontrazeption 583
19. Endokrinologie 609
20. Kinder- und Jugendgynäkologie 631
21. Psychische und psychosomatische Probleme 663
22. Ultraschall 675

Index 695

K. Goerke, J. Steller, A. Valet (Hrsg.)
Klinikleitfaden Gynäkologie Geburtshilfe

Klinikleitfaden
Gynäkologie
Geburtshilfe

10. Auflage

Herausgeber
Dr. med. Kay Goerke, Simmern/Hunsrück
Dr. med. Joachim Steller, MBA, Titisee-Neustadt
Dr. med. Axel Valet, Herborn und Dillenburg

Weitere Autoren
Prof. Dr. med. Roland Axt-Fliedner, Gießen; Prof. Dr. med. Arno J. Dormann, Köln; Prof. Dr. med. Gisela Enders, Stuttgart; PD Dr. med. Martin Enders, Stuttgart; Prof. Dr. med. Marcus Krüger, München; Prof. h.c. PD Dr. med. habil. Michael Löttge, Magdeburg; PD Dr. med. Gert Naumann, Erfurt; Prof. Dr. med. Uwe Wagner, Marburg; PD Dr. Volker Ziller, Marburg

ELSEVIER

ELSEVIER

Hackerbrücke 6, 80335 München, Deutschland
Wir freuen uns über Ihr Feedback und Ihre Anregungen an books.cs.muc@elsevier.com

ISBN 978-3-437-22205-4
eISBN 978-3-437-17180-2

Alle Rechte vorbehalten
10. Auflage 2018
© Elsevier GmbH, Deutschland

Wichtiger Hinweis für den Benutzer

Ärzte/Praktiker und Forscher müssen sich bei der Bewertung und Anwendung aller hier beschriebenen Informationen, Methoden, Wirkstoffe oder Experimente stets auf ihre eigenen Erfahrungen und Kenntnisse verlassen. Bedingt durch den schnellen Wissenszuwachs insbesondere in den medizinischen Wissenschaften sollte eine unabhängige Überprüfung von Diagnosen und Arzneimitteldosierungen erfolgen. Im größtmöglichen Umfang des Gesetzes wird von Elsevier, den Autoren, Redakteuren oder Beitragenden keinerlei Haftung in Bezug auf jegliche Verletzung und/oder Schäden an Personen oder Eigentum, im Rahmen von Produkthaftung, Fahrlässigkeit oder anderweitig, übernommen. Dies gilt gleichermaßen für jegliche Anwendung oder Bedienung der in diesem Werk aufgeführten Methoden, Produkte, Anweisungen oder Konzepte.

Obwohl alle Werbemittel mit ethischen (medizinischen) Standards übereinstimmen, stellt die Erwähnung in dieser Publikation keine Garantie oder Anerkennung der Qualität oder des Wertes dieses Produkts oder der Aussagen der Herstellerfirmen dar.

Für die Vollständigkeit und Auswahl der aufgeführten Medikamente übernimmt der Verlag keine Gewähr.

Geschützte Warennamen (Warenzeichen) werden in der Regel besonders kenntlich gemacht (®). Aus dem Fehlen eines solchen Hinweises kann jedoch nicht automatisch geschlossen werden, dass es sich um einen freien Warennamen handelt.

Bibliografische Information der Deutschen Nationalbibliothek

Die Deutsche Nationalbibliothek verzeichnet diese Publikation in der Deutschen Nationalbibliografie; detaillierte bibliografische Daten sind im Internet über http://www.d-nb.de/ abrufbar.

18 19 20 21   4 3 2 1

Für Copyright in Bezug auf das verwendete Bildmaterial siehe Abbildungsnachweis.

Das Werk einschließlich aller seiner Teile ist urheberrechtlich geschützt. Jede Verwertung außerhalb der engen Grenzen des Urheberrechtsgesetzes ist ohne Zustimmung des Verlages unzulässig und strafbar. Das gilt insbesondere für Vervielfältigungen, Übersetzungen, Mikroverfilmungen und die Einspeicherung und Verarbeitung in elektronischen Systemen.

Um den Textfluss nicht zu stören, wurde bei Berufsbezeichnungen die grammatikalisch maskuline Form gewählt. Selbstverständlich sind in diesen Fällen immer Frauen und Männer gemeint.

Begründer der Reihe: Dr. Arne Schäffler, Ulrich Renz
Planung: Petra Schwarz, München
Projektmanagement: Sophie Eckart, München
Redaktion: Karin Beifuss, Ohmden
Herstellung: Renate Hausdorf, Gräfelfing
Satz: abavo GmbH, Buchloe
Druck und Bindung: CPI books GmbH, Leck
Umschlaggestaltung: SpieszDesign, Neu-Ulm
Titel: Figur © buzzerbeater/fotolia.com; Hintergrund © Lasse Kirstensen/fotolia.com

Aktuelle Informationen finden Sie im Internet unter **www.elsevier.de**

Vorwort

„*Klinikleitfäden enthalten konkrete Informationen zum diagnostischen und therapeutischen Vorgehen, praktische Tipps und Hinweise auf vermeidbare Fehler.*" So stand es im Vorwort der ersten Auflage des Klinikleitfadens Gynäkologie Geburtshilfe im Oktober 1991. Fast 27 Jahre später erscheint der Klinikleitfaden nunmehr in der 10. Auflage und gehört damit zu den meistgelesenen Standardwerken in der Frauenheilkunde und Geburtshilfe. Dabei versuchen Herausgeber und Autoren, das aktuelle Fachwissen gesammelt, komprimiert und alltagstauglich für den jungen Assistenzarzt, aber auch für den erfahrenen Facharzt aufzubereiten und in Buchform, in Form von E-Books oder von Apps darzustellen.

Umfang und Inhalt wurden dabei stets an die jeweiligen Schwerpunktthemen der einzelnen Bereiche aus Gynäkologie, Onkologie, Endokrinologie und Geburtshilfe angepasst, neue Entwicklungen und medizinische Erkenntnisse wurden integriert und manche Themenfelder, z. B. „Infektionen in der Schwangerschaft" erstmals aktuell beschrieben. Herausgeber und Autoren versuchen damit dem Leser mit jeder Neuauflage einen Wissenstand zu vermitteln, der die aktuellen Standards im Wissensunternehmen Krankenhaus, aber auch in Praxis und Studium widerspiegelt.

Mit dieser Jubiläumsausgabe wollen die Herausgeber aber auch noch einmal auf die Entwicklungen in unserem Fachgebiet und in unserem beruflichen Umfeld zurückblicken. Zweifellos hat der medizinische Fortschritt auch vor der Gynäkologie und Geburtshilfe nicht Halt gemacht. So wurden beispielsweise die onkologischen Therapien inzwischen zum Wohle unsere Patientinnen weitestgehend standardisiert, zudem hielten minimalinvasive Operationsmethoden auch in der gynäkologischen Onkologie zunehmend Einzug. Offene Baucheingriffe sind in der Gynäkologie inzwischen die Ausnahme und wurden durch laparoskopische Eingriffe ersetzt. Standardisierte Protokolle zur Behandlung peripartaler Notfallsituationen haben in den letzten Jahren zu einem erheblich verbesserten Outcome für Mutter und Kind geführt.

Das deutsche Medizinmodell gilt immer noch als vorbildlich in der Welt. Patienten haben ein gesetzlich geregeltes Anrecht auf eine dem Stand der medizinischen Wissenschaft gemäße Behandlung. Allerdings fanden in den letzten beiden Jahrzehnten auch wesentliche Veränderungen in der medizinischen Versorgung statt: durch demografische Veränderungen und Generationenvielfalt, durch eine veränderte Einstellung junger Ärzte zum Job, durch eine Feminisierung der Medizin, durch die Ambulantisierung der Medizin und neuerdings auch durch eine Digitalisierung in der Medizin. Auswirkungen der demografischen Entwicklung sind beispielsweise eine steigende Lebenserwartung und damit verbundene Häufungen von altersassoziierten Erkrankungen. Multimorbide und zum Teil betagte Patienten sind heute in Klinik und Praxis die Regel. Dies führt im Falle einer stationären Behandlung zu erhöhtem Pflegeaufwand und zu längeren Liegezeiten im Krankenhaus.

Dem stehen Bestrebungen zu einer immer weiterreichenden Ökonomisierung der Medizin entgegen. Politische Ziele einer Vereinheitlichung der Bezahlung von stationären Krankenhausleistungen über sogenannte Diagnosis Related Groups (DRGs) sind: Liegezeiten zu verkürzen, die Vergütung von medizinischen Leistungen zu vereinheitlichen und Bettenüberkapazitäten abzubauen. Eine Folge der DRG-Einführung ist, dass kürzere Verweildauern sowie Fallzahlsteigerungen eine Arbeitsverdichtung in den Kliniken bewirken.

Schließungen von zahlreichen, vorwiegend kleineren Frauenkliniken haben in den letzten Jahren dazu geführt, dass nicht mehr überall eine zeitnahe Versorgung gerade von geburtshilflichen Patientinnen erfolgen kann oder dass Frauenkliniken aufgrund von zeitweisen Überlastungen Patientinnen abweisen müssen. Zudem nimmt der Mangel an medizinischem Fachpersonal, z. B. von Hebammen, von Schwestern und Pflegern, aber auch von Frauenärzten stetig zu.

Die Aufgabe von Ärzten und Pflege ist es dabei, nicht nur für eine stets einwandfreie und fürsorgliche Zuwendung für ihre Patienten einzutreten, sondern auch in deren Sinne auf politische Fehlentwicklungen aufmerksam zu machen, um eine oft noch vorbildliche Patientenversorgung auch in Zukunft gewährleisten zu können.

Simmern, Titisee-Neustadt und Herborn, im März 2018
Dr. med. Kay Goerke
Dr. med. Joachim Steller
Dr. med. Axel Valet

Danksagung

Dafür, dass der Klinikleitfaden nunmehr in 10. Auflage mit unveränderter Aktualität erscheint, sind die Herausgeber allen hieran Beteiligten zu großem Dank verpflichtet.

Herr Prof. Dr. med. Arno J. Dormann, Chefarzt der Medizinischen Klinik, Krankenhaus Holweide, Kliniken der Stadt Köln, war von Anfang an als Autor des Kapitels „Internistische Probleme" mit am Erfolg des Klinikleitfades Gynäkologie Geburtshilfe beteiligt. Dafür danken wir ihm ganz herzlich.

Herrn PD Dr. med. Dr. h.c. Michael Löttge, Chefarzt der Klinik für Frauenheilkunde und Geburtshilfe, Klinikum Magdeburg, danken wir sehr für die stets fachlich kompetente Bearbeitung des Kapitels „Äußeres Genitale und Vagina".

Herrn PD Dr. med. Volker Ziller, Leiter des Schwerpunkts für Gynäkologische Endokrinologie, Reproduktionsmedizin und Osteologie des Universitätsklinikums Gießen und Marburg, gilt unser Dank für seine fachlich kompetente Mitarbeit beim Kapitel „Sterilität".

Herrn Prof. Dr. Uwe Wagner, Ärztlicher Direktor unserer früheren Wirkstätte, der Klinik für Gynäkologie, Endokrinologie und Onkologie des Universitätsklinikums Gießen und Marburg, danken wir sehr herzlich für die wertvolle Unterstützung und Mitarbeit bei den Kapiteln „Äußeres Genitale und Vagina" und „Adnexe".

Frau Prof. Dr. med. Gisela Enders und Herrn PD Dr. med. Martin Enders, Institut für Virologie, Infektiologie und Epidemiologie e. V., Prof. G. Enders & Partner, Stuttgart, gilt unser besonderer Dank für die langjährige Treue und ihre stets aktuellsten und umfassenden Informationen in ihrem Kapitel „Infektionen in der Schwangerschaft", einem der Herzstücke unseres Klinikleitfadens.

Herrn Prof. Dr. med. Marcus Krüger, Chefarzt der Klinik für Neonatologie am Klinikum Harlaching und am Klinikum Schwabing, gilt unser Dank für die langjährige Mitarbeit und die umfassende Überarbeitung des Kapitels „Neonatologie".

Herrn PD Dr. med. Gert Naumann, Chefarzt der Klinik für Frauenheilkunde und Geburtshilfe des Helios Klinikums Erfurt, danken wir für die erneute kompetente Bearbeitung des Kapitels „Urogenitale Erkrankungen".

Nach Ausscheiden der bisherigen Autoren danken wir Herrn Prof. Dr. med. Roland Axt-Fliedner, Leiter der Abteilung für Pränatalmedizin und gynäkologische Sonographie am Universitätsklinikum Gießen und Marburg, ganz herzlich für die rasche, kompetente und umfassende Neubearbeitung des Kapitels „Ultraschall".

Außerdem danken wir Frau Karin Beifuss, die als aufmerksame Redakteurin zum Gelingen des Buches beigetragen hat, und den Mitarbeiterinnen des Elsevier Verlags München, Frau Sonja Frankl und Frau Sophie Eckart, für die stets konstruktive und vertrauensvolle Zusammenarbeit.

Simmern, Titisee-Neustadt und Herborn, im März 2018
Dr. med. Kay Goerke
Dr. med. Joachim Steller
Dr. med. Axel Valet

Benutzerhinweise

Der Klinikleitfaden ist ein Kitteltaschenbuch. Das Motto lautet: kurz, präzise und praxisnah. Medizinisches Wissen wird komprimiert dargestellt. Im Zentrum stehen die Probleme des klinischen Alltags. Auf theoretische Grundlagen wie Pathophysiologie oder allgemeine Pharmakologie wird daher weitgehend verzichtet.
- Vorangestellt: Tipps für die tägliche Arbeit und Arbeitstechniken.
- Im Zentrum: Fachwissen nach Krankheitsbildern bzw. Organsystemen geordnet – wie es dem klinischen Alltag entspricht.
- Zum Schluss: Praktische Zusatzinformationen.

Wie in einem medizinischen Lexikon werden gebräuchliche Abkürzungen verwendet, die im Abkürzungsverzeichnis erklärt werden.
Um Wiederholungen zu vermeiden, wurden viele Querverweise eingefügt. Sie sind mit einem Dreieck gekennzeichnet.

> Wichtige Zusatzinformationen sowie Tipps

> Notfälle und Notfallmaßnahmen

> Warnhinweise

Internetadressen: Alle Websites wurden vor Redaktionsschluss im Dezember 2017 geprüft. Das Internet unterliegt einem stetigen Wandel – sollte eine Adresse nicht mehr aktuell sein, empfiehlt sich der Versuch über eine übergeordnete Adresse (Anhänge nach dem „/" weglassen) oder eine Suchmaschine. Der Verlag übernimmt für Aktualität und Inhalt der angegebenen Websites keine Gewähr.

Die angegebenen Arbeitsanweisungen ersetzen weder Anleitung noch Supervision durch erfahrene Kollegen. Insbesondere sollten Arzneimitteldosierungen und andere Therapierichtlinien überprüft werden – klinische Erfahrung kann durch keine noch so sorgfältig verfasste Publikation ersetzt werden.

Adressen

Herausgeber

Dr. med. Kay Goerke, Hunsrück Klinik Simmern, Abt. Gynäkologie und Geburtshilfe, Brustzentrum, Holzbacher Str. 1, 55469 Simmern/Hunsrück
Dr. med. Joachim Steller, MBA, Helios Klinik Titisee-Neustadt, Klinik für Frauenheilkunde und Geburtshilfe, Jostalstr. 12, 79822 Titisee-Neustadt
Dr. med. Axel Valet, Ärztehaus Herborn, Gynäkologische Praxis, Endokrinologisches Institut, Hauptstr. 115, 35745 Herborn *und* Dill-Kliniken Dillenburg, Frauenklinik, Rotebergstr. 2, 35683 Dillenburg

Weitere Autoren

Prof. Dr. med. Roland Axt-Fliedner, Universitätsklinikum Gießen, Abt. für Pränatalmedizin und gynäkologische Sonographie, Zentrum für Frauenheilkunde & Geburtshilfe, Klinikstr. 33, 35392 Gießen
Prof. Dr. med. Arno J. Dormann, Medizinische Klinik, Standort Holweide, Gastroenterologie Kliniken Köln, Standorte Merheim und Holweide, Krankenhaus Holweide, Neufelder Str. 32, 51067 Köln
Prof. Dr. med. Gisela Enders, Institut für Virologie, Infektiologie und Epidemiologie e. V., Labor Prof. Dr. med. Gisela Enders & Kollegen MVZ, Rosenbergstr. 85, 70193 Stuttgart
PD Dr. med. Martin Enders, Institut für Virologie, Infektiologie und Epidemiologie e. V., Labor Prof. Dr. med. Gisela Enders & Kollegen MVZ, Rosenbergstr. 85, 70193 Stuttgart
Prof. Dr. med. Marcus Krüger, Klinik für Neonatologie der Städtischen Kliniken München, Sanatoriumsplatz 2, 81545 München
Prof. h.c. PD Dr. med. habil. Michael Löttge, Klinikum Magdeburg GmbH, Klinik für Frauenheilkunde und Geburtshilfe, Brustzentrum, Birkenallee 34, 39130 Magdeburg
PD Dr. med. Gert Naumann, Helios Klinik Erfurt, Klinik für Frauenheilkunde und Geburtshilfe, Nordhäuser Str. 74, 99089 Erfurt
Prof. Dr. med. Uwe Wagner, Philipps-Universität Marburg, Klinik für Frauenheilkunde und Geburtshilfe, Baldingerstr., 35043 Marburg
PD Dr. Volker Ziller, Universitätsklinikum Gießen/Marburg GmbH, Klinik für Frauenheilkunde und Geburtshilfe, Baldingerstr., 35033 Marburg

Nach der 9. Auflage ausgeschiedene Autoren
Prof. Dr. med. Meyer-Wittkopf, Rheine (Kap. Ultraschall)

Abkürzungen

Symbole

Ø	Durchmesser
→	daraus folgt; vergleiche mit
≙	entspricht/entsprechen
↑	erhöht, hoch
↓	erniedrigt, tief
5-JÜR	5-Jahres-Gesamtüberleben

A

A(a).	Arteria, -ae
a. p.	anterior-posterior
a.-v.	arteriovenös
abdom.	abdominal
ACM	A. cerebri media
ACTH	adrenokortikotropes Hormon
ACV	Aciclovir
ADH	antidiuretisches Hormon
AFP	Alpha-Fetoprotein
AGS	adrenogenitales Syndrom
AI	Aromatasehemmer Aviditätsindex
Aids	acquired immunodeficiency syndrome
AIS	Amnioninfektionssyndrom
AK	Antikörper
amb.	ambulant
AMH	Anti-Müller-Hormon
AMI	Arteria mammaria interna
Amp.	Ampulle
ant.	anterior
ANV	akutes Nierenversagen
AP	alkalische Phosphatase
aPTT	aktivierte partielle Thromboplastinzeit
art.	arteriell
AS	Aminosäure
ASR	Achillessehnenreflex
ASS	Acetylsalicylsäure
AT	Antithrombin
Ätiol.	Ätiologie
AU	Abdomenumfang
AUC	area under the curve
AVK	Arterielle Verschlusskrankheit
AZ	Allgemeinzustand

B

BÄK	Bundesärztekammer
bakt.	bakteriell
BAL	bronchoalveoläre Lavage
BB	Blutbild
bds.	beidseits, beidseitig
BE	Base Excess
bek.	bekannt
BEL	Beckenendlage
bes.	besonders
BET	brusterhaltende Therapie
BfArM	Bundesinstitut für Arzneimittel u. Medizinprodukte
BGA	Blutgasanalyse
BGB	Bürgerliches Gesetzbuch
Bili	Bilirubin
BMI	Body-Mass-Index
BPD	biparietaler Durchmesser
bpm	beats per minute (Schläge pro Minute)
BSG	Blutkörperchensenkungsgeschwindigkeit
BSR	Bizepssehnenreflex
BTK	Basaltemperaturkurve
Btl.	Beutel
BtM(G)	Betäubungsmittel(gesetz)
BtMVV	Betäubungsmittelverschreibungsverordnung
BWS	Brustwirbelsäule
BZ	Blutzucker
bzw.	beziehungsweise

C

Ca	Carcinoma/Karzinom
ca.	circa
CAM-ICU	Confusion-Assessment-Methode für die Intensiveinheit
CA-MRSA	community acquired methicillin resistant staphylococcus aureus
C-C-C	Zervix-Korpus-Kürettage
CCT	kraniale Computertomografie
cffDNA	cell-free fetal DNA (zellfreie fetale DNA)
Ch.	Charrière
chir.	chirurgisch

chron.	chronisch	Echo	Echokardiografie
CIN	zervikale intraepitheliale Neoplasie	ED	Einzeldosis
		EDTA	Ethylendiamintetraessigsäure
CK	Zervixkanal		
CK(-MB)	Kreatinkinase (Muscle-Brain-Typ)	EE	Ethinylestradiol
		EGT	errechneter Geburtstermin
CLIA	Chemiluminiszenz-Immunoassay	EIA	Enzymimmunoassay
		EK	Erythrozytenkonzentrat
CML	chronische myeloische Leukämie	EKG	Elektrokardiografie/-gramm
CMV	Zytomegalievirus	ELISA	Enzyme-linked Immunosorbent Assay
COPD	chronisch-obstruktive Lungenerkrankung	EPH	edema + proteinuria + hypertension
CRP	C-reaktives Protein		
CT	Computertomografie/-gramm	Erkr.	Erkrankung
		ERT	estrogen replacement therapy (Östrogenersatztherapie)
CTG	Kardiotokografie		
CVS	Chorionzottenbiopsie		
		erw./Erw.	erwachsen/Erwachsene
D		Erys	Erythrozyten
d	lat. die (Tag)	ET	Embryotransfer
D	Deutschland	EUG	Extrauteringravidität
d. F.	der Fälle	evtl.	eventuell
d. h.	das heißt	exspir.	exspiratorisch
D-Arzt	Durchgangsarzt	EZ	Ernährungszustand
DD	Differenzialdiagnose		
DG	Darmgeräusche	**F**	
DHC	Dihydrocodein	F	Faktor; Frauen
DHEA(-S)	Dehydroepiandrosteron (-sulfat)	FFP	Fresh Frozen Plasma
		FFTS	fetofetales Transfusionssyndrom
diab.	diabetisch		
Diab. mell.	Diabetes mellitus	FHF	fetale Herzfrequenz
Diagn./diagn.	Diagnose/diagnostisch	FL	Femurdiaphysenlänge
		FNH	fokale noduläre Hyperplasie
DIN	duktale intraepitheliale Neoplasie		
		FOD	frontookzipitaler Durchmesser
DIP	Dezeleration, Absinken der fetalen Herzfrequenz		
		FSH	follikelstimulierendes Hormon
dir.	direkt		
DNA	Desoxyribonukleinsäure	FW	Fruchtwasser
DOAK	direkte orale Antikoagulanzien	FWE	Fruchtwasserembolie
DR	Dammriss	**G**	
Drg.	Dragee	G	Gauge
DSA	digitale Subtraktionsangiografie	G6PDH	Glukose-6-phosphat-Dehydrogenase
		G-BA	Gemeinsamer Bundesausschuss
E			
E'lyte	Elektrolyte	GBS	β-hämolysierende Streptokokken der Gruppe B
E2	Estradiol		
EBV	Epstein-Barr-Virus	GDM	Gestationsdiabetes mellitus

GenDG	Gendiagnostikgesetz	**HPV**	humanes Papillomavirus
Gew.	Gewicht	**HRT**	hormone replacement therapy (Hormonersatztherapie)
GFR	glomeruläre Filtrationsrate		
GG	Geburtsgewicht		
Grundgesetz		**HSG**	Hysterosalpingografie
ggf.	gegebenenfalls	**HSK**	Hysteroskopie
GGT	Gamma-Glutamyltransferase	**HSV**	Herpes-simplex-Virus
		HT	Herzton
ggü.	gegenüber	**HVL**	Hypophysenvorderlappen
GI(T)	Gastrointestinal(trakt)	**HWI**	Harnwegsinfektion
GKV	gesetzliche Krankenversicherung	**HWS**	Halswirbelsäule
		HWZ	Halbwertszeit
GnRH	Gonadotropin-Releasing-Hormone		
		I	
GOT	Gamma-Oxalacetat-Transaminase	**i. Allg.**	im Allgemeinen
		i. c.	intrakutan
GPT	Glutamat-Pyruvat-Transaminase	**i. d. R.**	in der Regel
		i. Ggs.	im Gegensatz
Grav.	Gravidität	**i. m.**	intramuskulär
GV	Geschlechtsverkehr	**i. o.**	intraossär
Gy	Gray (Radiotherapie)	**i. R.**	im Rahmen
gyn.	gynäkologisch	**i. S.**	im Serum
		i. U.	im Urin
H		**i. v.**	intravenös
h	lat. hora (Stunde)	**ICD**	International Classification of Diseases
HAH	Hämagglutinationshemmung		
		ICI	intrazervikale Insemination
Hb	Hämoglobin	**ICR**	Interkostalraum
HbF	fetales Hämoglobin	**ICSI**	intrazytoplasmatische Spermieninjektion
HBDH	Alpha-Hydroxybutyrat-Dehydrogenase		
		IE	Internationale Einheiten
HBV	Hepatitis-B-Virus	**IfSG**	Infektionsschutzgesetz
HCG	humanes Choriongonadotropin	**IFT**	Immunfluoreszenztest
		Ig	Immunglobulin
HCV	Hepatitis-C-Virus	**IGeL**	individuelle Gesundheitsleistung
HES	Hydroxyethylstärke		
HEV	Hepatitis-E-Virus	**IKZ**	Inkubationszeit
HGH	human growth hormone (Wachstumshormon)	**IL**	Interleukin
		Ind.	Indikation
HHL	Hinterhauptslage	**inf.**	inferior
HIT	heparininduzierte Thrombozytopenie	**Inf.**	Infektion
		INR	International Normalized Ratio
HIV	humanes Immundefizienzvirus		
		insb.	insbesondere
HKSG	Hysterokontrastsonografie	**inspir.**	inspiratorisch
Hkt	Hämatokrit	**Insuff.**	Insuffizienz
HMG	humanes Menopausengonadotropin	**Intox.**	Intoxikation
		IORT	intraoperative Radiotherapie
HMV	Herzminutenvolumen		
HOPS	hirnorganisches Psychosyndrom	**ITN**	Intubationsnarkose
		ITS	Intensivstation

Abkürzungen XIII

ITV	Intensivversorgung
IUD	Intrauterine Device
IUFT	intrauteriner Fruchttod
IUGR	intrauterine growth retardation (fetale Wachstumsretardierung)
IUI	intrauterine Insemination
IUP	Intrauterinpessar („Spirale")
IUS	Intrauterinsystem
IVF	In-vitro-Fertilisation

J

J.	Jahr(e)
Jgl.	Jugendliche
JÜR	Jahresüberlebensrate

K

KG	Körpergewicht
KI	Kontraindikation
klin.	klinisch
KM	Knochenmark
KO	Komplikation
KOF	Körperoberfläche
Komb./komb.	Kombination/kombiniert
konj.	konjugiert
kons.	konservativ
Konz.	Konzentration
Kps.	Kapsel
Krea	Kreatinin
KS	Klopfschall
KSE	Kaiserschnittentbindung Kopfschwartenelektrode
KU	Kopfumfang
K-Urin	Katheterurin

L

LA	Lokalanästhesie
LÄK	Landesärztekammer
LCMV	Lymphochoriomeningitis-Virus
LDH	Laktatdehydrogenase
Leukos	Leukozyten
LGA	large for gestational age
LH	luteinisierendes Hormon
li.	links
Lig.	Ligamentum
Lj.	Lebensjahr
Lk	Lymphknoten
LL	Leitlinie
Lm	Lebensmonat
LNG	Levonorgestrel
LPI	Lutealphaseninsuffizienz
Lsg.	Lösung
Lt	Lebenstag
Lw	Lebenswoche
LWS	Lendenwirbelsäule

M

M.	Morbus; Musculus
MAO	Monoaminoxidase
MCL	Medioklavikularlinie
MCT	mittelkettige Triglyzeride
MCV	mittleres korpuskuläres Volumen
mech.	mechanisch
med.	medizinisch
MESA	mikrochirurgische epididymale Spermienaspiration
metab.	metabolisch
min	Minute
MM	Muttermund
MMR	Masern-Mumps-Röteln
Mon.	Monat
MPA	Medroxyprogesteronacetat
MRE	multiresistente Erreger
MRGN	multiresistente gram-negative Erreger
MRSA	methicillinresistenter Staphylococcus aureus
MRT	Magnetresonanztomografie
MS	multiple Sklerose
MTA	medizinisch-technische Assistentin
MTPS	medizinische Thromboseprophylaxestrümpfe
MTX	Methotrexat
MuRiLi	Mutterschaftsrichtlinien
M-Urin	Mittelstrahlurin
MuVo	Mutterschaftsvorsorge

N

n	normal
N.	Nervus
NapH	Nabelarterien-pH
NAT	Nukleinsäureamplifikationstechnik
neg.	negativ
NFC	nadelfreies Konnektionsventil

NG	Neugeborenes		PCR	polymerase chain reaction (Polymerasekettenreaktion)
NIPT	nichtinvasiver Pränataltest			
NMH	niedermolekulares Heparin		PCT	Postkoitaltest
NNR	Nebennierenrinde		PD	Pränataldiagnostik
NNRTI	nichtnukleosidale Retrotranskriptasehemmer		PDA	Periduralanästhesie/-analgesie
NOAK	neue orale Antikoagulanzien		PE	parenterale Ernährung
			PEP	Postexpositionsprophylaxe
NSAID	nichtsteroidale Antiphlogistika		periop.	perioperativ
			PID	Pelvic Inflammatory Disease
NSTEMI	Non-ST-Elevations-Myokardinfarkt			Präimplantationsdiagnostik
NVK	Nabelvenenkatheter		PIT	Postinseminationstest
NvpH	Nabelvenen-pH		PMS	prämenstruelles Syndrom
NW	Nebenwirkungen		PN	Pyelonephritis
NYHA	New York Heart Association		PNH	paroxysmale nächtliche Hämoglobinurie
			PNP	Polyneuropathie
O			pos.	positiv
o.	oder		postop.	postoperativ
o. Ä.	oder Ähnliches		PPH	peripartale Hämorrhagien
o. B.	ohne (pathologischen) Befund		PPSB	Prothrombinkomplex-Konzentrat
o. g.	oben genannt		präop.	präoperativ
OAT-Sy.	Oligo-Astheno-Teratozoospermie-Syndrom		prox.	proximal
			proz.	prozentig
oGGT	oraler Glukosetoleranztest		PSR	Patellarsehnenreflex
OH	Ovulationshemmer		PStV	Personenstandsverordnung
OHSS	ovarielles Hyperstimulationssyndrom			
			PTT	partielle Thromboplastinzeit
-ol.	-ologisch (z. B. ätiol. = ätiologisch)		P-W-S	Portio-Wackel-Schiebe-Schmerz
OP	Operation			
op.	operativ			
			Q	
P			QF	Querfinger
p. a.	posterior-anterior			
p. c.	post conceptionem		**R**	
p. m.	post menstruationem		R(Ch)T	Radio(-Chemo-)Therapie
p. o.	per os; post ovulationem		RDS	Respiratory-Distress-Syndrom
p. p.	post partum			
PAP	zytologische Beurteilung (nach Papanicolaou)		re.	rechts
			RE	Rötelnembryopathie
Pat.	Patientin		respir.	respiratorisch
path.	pathologisch		rezid.	rezidivierend
pAVK	periphere arterielle Verschlusskrankheit		RG	Rasselgeräusche
			Rh	Rhesus
PCA	patient-controlled analgesia		RH	Releasing Hormone
			RIA	Radioimmunoassay
PCOS	polyzystisches Ovarsyndrom		RKI	Robert Koch-Institut
			RNA	Ribonukleinsäure

Rö	Röntgen	sympt.	symptomatisch
RPR	Radiusperiostreflex	Syn.	Synonym
RR	relatives Risiko; Blutdruck nach Riva-Rocci	Szinti	Szintigrafie
RS	Rücksprache	**T**	
RT	Raumtemperatur	T_3, T_4	Thyroxin (dreifach, vierfach jodiert)
S		Tbc	Tuberkulose
s. c.	subkutan	Tbl.	Tablette
s. l.	sublingual	Temp.	Temperatur
s. o./u.	siehe oben/unten	TESE	testikuläre Spermienextraktion
SARS	schweres akutes respiratorisches Syndrom	TFG	Transfusionsgesetz
SEM	Skin, eye, mouth (Herpesbefall von Haut, Augen, Mund)	tgl.	täglich
		ther./Ther.	therapeutisch/Therapie
SERM	selektive Östrogen-Rezeptor-Modulatoren	Thrombos	Thrombozyten
		TIA	transitorische ischämische Attacke
SGA	small for gestational age	TK	Thrombozytenkonzentrat
SGB	Sozialgesetzbuch	TL	Teelöffel
Sgl.	Säugling	TMP	Trimethoprim
SHBG	sexualhormonbindendes Globulin	TPE	totale parenterale Ernährung
SHT	Schädel-Hirn-Trauma	TPHA	Treponema-pallidum-Hämagglutinationshemmtest
SIH	schwangerschaftsinduzierte Hypertonie		
SL	Schädellage	TPPA	Treponema-pallidum-Partikel-Assay
SMX	Sulfamethoxazol		
Sono	Sonografie	Tr.	Tropfen
SPA	Spinalanästhesie	Trim.	Trimenon
spez.	spezifisch	TRH	Thyroidea releasing hormone
SSL	Scheitelsteißlänge		
SSW	Schwangerschaftswoche	TSH	Thyroidea-stimulierendes Hormon; thyreotropes Hormon
Staph.	Staphylokokken		
Staph. aur.	Staphylococcus aureus		
stat.	stationär	TSR	Trizepssehnenreflex
STD	sexually transmitted diseases (sexuell übertragbare Krankheiten)	TVT	tiefe Venenthrombose
		TZ	Thrombinzeit
stdl.	stündlich	**U**	
STEMI	ST-Elevations-Myokardinfarkt	u.	und
		u. a.	und andere, unter anderem
StGB	Strafgesetzbuch	u. U.	unter Umständen
STH	somatotropes Hormon	U/l	Units/Liter
STIKO	Ständige Impfkommission	U1	1. Neugeborenen-Untersuchung, direkt nach Geburt
Strept.	Streptokokken		
sup.	superior		
Supp.	Suppositorien	UFH	unfraktioniertes Heparin
SVES	supraventrikuläre Extrasystolen	unbek.	unbekannt
		US	Ultraschall
Sy.	Syndrom		

V

V.	Vena
V. a.	Verdacht auf
v. a.	vor allem
VACV	Valaciclovir
vag.	vaginal
VaIN	vaginale intraepitheliale Neoplasien (VaIN
VDRL	Veneral Disease Research Laboratory
vgl.	vergleiche
vHHL	vordere Hinterhauptslage
VHL	Vorderhauptslage
VIN	vulväre intraepitheliale Neoplasie
Vit.	Vitamin
VRE	vancomycinresistente Enterokokken
VSD	Ventrikelseptumdefekt
VTE	venöse Thrombembolie
VZIG	Varicella-Zoster-Immunglobulin
VZV	Varicella-Zoster-Virus

W

wdh./	wiederholen/
Wdh.	Wiederholung
WHI	Women's Health Institute
WHO	World Health Organization (Weltgesundheitsorganisation)
Wo.	Woche
WW	Wechselwirkung

Z

z. A.	zum Ausschluss
z. B.	zum Beispiel
z. N.	zur Nacht
z. T.	zum Teil
ZNS	zentrales Nervensystem
ZPO	Zivilprozessordnung
ZT	Zyklustag
ZVD	zentraler Venendruck
ZVK	zentraler Venenkatheter

Abbildungsnachweis

Der Verweis auf die jeweilige Abbildungsquelle befindet sich bei allen Abbildungen im Werk am Ende des Legendentextes in eckigen Klammern. Alle nicht besonders gekennzeichneten Grafiken und Abbildungen © Elsevier GmbH, München.

A400	Reihe Pflege konkret. Elsevier/Urban & Fischer.
E283	Mettler, F.: Essentials of Radiology. Elsevier/Saunders, 2. Aufl. 2004.
F486	Feller, K. U./Mavros, A./Gaertner, H. J.: Ectopic submandibular thyroid tissue with a coexisting active and normally located thyroid gland: Case report and review of literature. In: Oral Surgery, Oral Medicine, Oral Pathology, Oral Radiology, and Endodontology. Volume 90, Issue 5, Pages 618–623. Elsevier, November 2000.
F407-001	Strathmann, S./et al.: Pediatric rhinogenic endocranial complications: A case report. In: International Journal of Pediatric Otorhinolaryngology Extra. Volume 6, Issue 4, Pages 185–188. Elsevier, December 2011.
J787-001	Colourbox.com / Sergey Goruppa.
L106	Henriette Rintelen, Velbert.
M588	Dr. med. Nicolas Graf, München.
O889	Prof. Dr. med. Ingeborg Brandt, Königswinter.
R132	Classen, M./Diehl, V./Kochsiek, K.: Innere Medizin. Elsevier/Urban & Fischer, 5. Aufl. 2003.
R203	Schäfer, S./et al.: Fachpflege Beatmung. Elsevier/Urban & Fischer, 4. Aufl. 2005.
T127	Prof. Dr. med. Dr. med. h. c. Peter C. Scriba, München.
T459	Prof. Dr. med. Mathias Freund, Universität Rostock.
V543	Siemens AG, München/Berlin.
E622	Maier, R./Obladen, M. (Hrsg.): Neugeborenenintensivmedizin. Evidenz und Erfahrung, 8. Auflage, Berlin/Heidelberg 2011, Springer-Verlag
F797-001	Ngan, H.Y.S., et al.: Trophoblastic disease. In: FIGO Cancer Report 2012, International Journal of Gynecology & Obstetrics, Volume 119, Supplement 2, October 2012, Pages S130–S136
F797-002	Rooth, G., Huch, A., Huch, R.: FIGO News: Guidelines for the use of fetal monitoring. In: International Journal of Gynecology & Obstetrics, Volume 25, Issue 2, April 1987, Pages 159–67
F799	Griesser, H., et al.: Gynäkologische Zytodiagnostik der Zervix. Münchner Nomenklatur III. In: FRAUENARZT 54 (2013) Nr. 11
F800-001	Merz, E., et al.: A new sonomorphologic scoring system (Mainz Score) for the assessment of ovarian tumors using transvaginal ultrasonography. Part I: A comparison between the scoring-system and the assessment by an experienced sonographer. In: Ultraschall in der Medizin. European Journal of Ultrasound, January 1998, Volume 19, Issue3, pp. 99–107 © Thieme
F801-001	American Society for Reproductive Medicine: Fertility and Sterility – Revised American Society for Reproductive Medicine classification of endometriosis: 1996, Vol. 67, May 1997, ISSN: 00150282, Elsevier GmbH

Abbildungsnachweis

G336	Sobin, L. H., Gospodarowicz, M. K., Wittekind, Ch.: TNM Classification of Malignant Tumours, 7th edition 2009, ISBN 978-1-4443-3241-4, Wiley-Blackwell
G397	Dolgin, M.: Nomenclature and Criteria for Diagnosis of Diseases of the Heart and Great Vessels. The Criteria Committee of the New York Heart Association, 9th edition 1994, Boston: Little, Brown and Company, ISBN 978-0-316-60538-0 © Lippincott Williams & Wilkins
H001	Pecorelli, S.: Revised FIGO staging for carcinoma of the vulva, cervix, and endometrium. In: International Journal of Gynecology & Obstetrics, Volume 105, Issue 2, May 2009, Pages 103–104
L106	Henriette Rintelen, Velbert
L157	Susanne Adler, Lübeck
L190	Gerda Raichle, Ulm
L231	Stefan Dangl, München
M453	Dr. med. Axel Valet, Herborn
M453/L157	Dr. med. Axel Valet, Herborn; Susanne Adler, Lübeck
M453/L231	Dr. med. Axel Valet, Herborn; Stefan Dangl, München
M454	Dr. med. Joachim Steller, Titisee-Neustadt
M455	Dr. med. Volker Duda, Marburg
M979	PD Dr. med. Gert Naumann, Erfurt
P463	Prof. Dr. med. Roland Axt-Fliedner Leiter Abteilung für Pränatalmedizin und gynäkologische Sonographie
T192	Dr. med. Kay Goerke, Rheine
T772	Dr. med. Bertram Stitz, Hünfeld
V643/L231	Softconsult, Marburg;/ Stefan Dangl, München
W329	Bundesinstitut für Arzneimittel und Medizinprodukte (BfArM), Bonn
W798	World Health Organization (WHO), Genf, Schweiz
W912	ESH/ESC Guidelines for the management of arterial hypertension: The Task Force for the management of arterial hypertension of the European Society of Hypertension (ESH) and of the European Society of Cardiology (ESC). In: Journal of Hypertension, July 2013, Volume 31, Issue 7, pp. 1281–1357 (table 3)
W913	NHS Cancer Screening Programmes, Public Health England
W915	Eastern Cooperative Oncology Group (ECOG), ECOG-ACRIN Cancer Research Group, Philadelphia, USA, Robert L. Comis MD, Group Chair
W916	Morbidity and Mortality Weekly Report (MMWR), Centers for Disease Control and Prevention (CDC), Atlanta, USA
X221	Robert Koch-Institut (RKI), Berlin

Inhaltsverzeichnis

1 Tipps für die Stationsarbeit 1
1.1 Patientenaufnahme 3
1.2 Untersuchungen 8
1.3 Rezeptausstellung 18
1.4 Arzneimitteleinnahme vor geplanten Operationen 21
1.5 Die Entlassung der Patientin 23
1.6 Sterben und Tod einer Patientin 26
1.7 Die Problempatientin 28
1.8 Meldepflichtige Infektionskrankheiten 34
1.9 Multiresistente Erreger (MRE) 35
1.10 Prophylaxe nach beruflicher HIV- oder Hepatitis-Exposition 37
1.11 Schmerztherapie bei Tumorpatienten 40

2 Ärztliche Arbeitstechniken 45
2.1 Stufenschema zur Hautdesinfektion 46
2.2 Diagnostische und therapeutische Punktionen 46
2.3 Entnahme von Material für bakteriologische Untersuchungen 53
2.4 Drainagen 55
2.5 Transfusionen 56
2.6 Infusions- und Ernährungstherapie 64
2.7 Sondenernährung über Magensonde 67

3 Internistische Probleme 69
3.1 Kardiopulmonale Störungen und Gefäßerkrankungen 70
3.2 Magen-Darm-Trakt 79
3.3 Niere 80
3.4 Schock 83
3.5 Gynäkologische Notfälle 87
3.6 Geburtshilfliche Notfälle 89

4 Genetik, Pränataldiagnostik, Entwicklungsstörungen 91
4.1 Genetische Beratung 92
4.2 Untersuchungsmethoden 93
4.3 Pränatale Schädigungen 97
4.4 Chromosomenanomalien 98
4.5 Stoffwechselerkrankungen 102
4.6 Neuralrohrdefekte 103
4.7 Strahlenexposition in der Gravidität 104

5 Schwangerschaft 107
5.1 Definitionen 109
5.2 Diagnostische Methoden 109

5.3	Initialsymptome und erste Maßnahmen 118
5.4	Schwangerenvorsorge 121
5.5	Schwangerschaftsabbruch (Interruptio, Abruptio) 129
5.6	Abort (Fehlgeburt) 133
5.7	Trophoblasterkrankungen 138
5.8	Erkrankungen in der Schwangerschaft 143
5.9	Spätgestosen 151
5.10	Gestationsdiabetes (GDM) 158
5.11	Vorzeitige Wehen, Zervixinsuffizienz 160
5.12	Mehrlingsgravidität 167
5.13	Intrauterine Wachstumsretardierung (IUGR) 172
5.14	Fetale Herzrhythmusstörungen 173
5.15	Thrombozytopenie in der Schwangerschaft 175
5.16	Fetale Fehlbildungen 177
5.17	Terminüberschreitung 178
5.18	Uterusmyome in der Schwangerschaft 180
5.19	Prostaglandine zur Abortinduktion 181
5.20	Unfälle in der Schwangerschaft 183

6	**Infektionen in der Schwangerschaft** 185
6.1	Übersicht prä- und perinatale Infektionen 186
6.2	Röteln (Rubella) 188
6.3	Zytomegalie 191
6.4	Varizellen und Herpes zoster 194
6.5	Herpes-simplex-Virus Typ 1 und 2 (Herpes genitalis) 197
6.6	Ringelröteln (Erythema infectiosum) 200
6.7	Zikavirus 202
6.8	HIV-Infektion 204
6.9	Virushepatitis 205
6.10	Enteroviren 211
6.11	Lymphochoriomeningitis (LCM) 212
6.12	Toxoplasmose 213
6.13	Lues connata (Syphilis) 216
6.14	Listeriose 218
6.15	Chlamydia trachomatis 219
6.16	Ureaplasmen und Mykoplasmen 221
6.17	Borreliose 222
6.18	Q-Fieber 224
6.19	Parasitäre Infektionen 225
6.20	Kondylome in der Schwangerschaft 229
6.21	Bakterielle Vaginose 230
6.22	Vaginalmykose 231

7	**Arzneimittel in Schwangerschaft und Stillzeit** 233
7.1	Vorbemerkungen 234
7.2	Analgetika, Antipyretika, Spasmolytika 234
7.3	Anthelminthika 236
7.4	Antiallergika 237

7.5 Antibiotika 238
7.6 Antidiabetika 239
7.7 Antiemetika 240
7.8 Antikonvulsiva 240
7.9 Antihypertensiva 241
7.10 Antihypotonika 243
7.11 Antikoagulanzien 244
7.12 Antimykotika 245
7.13 Antiphlogistika 246
7.14 Antitussiva, Bronchospasmolytika 246
7.15 Kortikoide, Sexualhormone 248
7.16 Dermatika 249
7.17 Diuretika 249
7.18 Laxanzien 250
7.19 Magen-Darm-Mittel 251
7.20 Mund- und Rachentherapeutika 253
7.21 Psychopharmaka 254
7.22 Rhinologika 256
7.23 Schilddrüsentherapeutika 256
7.24 Virostatika 257
7.25 Zytostatika 258

8 Geburt 259
8.1 Vertrauliche Geburt 261
8.2 Kreißsaalaufnahme 261
8.3 Normaler Geburtsverlauf 273
8.4 Analgesie 280
8.5 Blutungen sub partu 288
8.6 Lageanomalien 293
8.7 Geburtsstillstand 300
8.8 Vorzeitiger Blasensprung 301
8.9 Vorfälle 304
8.10 Uterusruptur 305
8.11 Fetale Azidose 306
8.12 Fetale Fehlbildungen 307
8.13 Mehrlingsgeburt 309
8.14 Geburtseinleitung 311
8.15 Pathologische Nachgeburtsperiode 314
8.16 Fruchtwasserembolie (FWE) 317

9 Geburtshilfliche Operationen 319
9.1 Indikationen und Vorbereitung 320
9.2 Episiotomie (Dammschnitt) 320
9.3 Vaginal-operative Entbindungen 323
9.4 Manualhilfe bei Beckenendlage 328
9.5 Sectio caesarea (Kaiserschnitt) 332

10 Wochenbett 339
10.1 Definition 340
10.2 Leitsymptome und Differenzialdiagnosen 340

10.3	Endokrine Umstellung	341
10.4	Rückbildung	342
10.5	Stillen	346
10.6	Sonstige Erkrankungen	348
10.7	Wundheilungsstörung	349
10.8	Wochenbettberatung	350

11 Neonatologie 353
- 11.1 Untersuchung des Neugeborenen 355
- 11.2 Reanimation des Neugeborenen 361
- 11.3 Ernährung, Rachitisprophylaxe und Impfungen 368
- 11.4 Icterus neonatorum 370
- 11.5 Früh- und Mangelgeburt, hypertrophe Neugeborene 374
- 11.6 Infektionen 375
- 11.7 Angeborene Fehlbildungen 378
- 11.8 Geburtstraumata 383
- 11.9 Neugeborenenkrämpfe 387
- 11.10 Plötzlicher Kindstod 388
- 11.11 Hautveränderungen bei Neugeborenen 389
- 11.12 Betreuung von Neugeborenen diabetischer Mütter 390

12 Mamma 393
- 12.1 Leitsymptome und Differenzialdiagnosen 394
- 12.2 Diagnostische Methoden 396
- 12.3 Mastitis 406
- 12.4 Mastodynie 407
- 12.5 Gutartige Veränderungen 407
- 12.6 Angeborene Erkrankungen 409
- 12.7 Mammakarzinom 411

13 Äußeres Genitale und Vagina 431
- 13.1 Leitsymptome und Differenzialdiagnosen 432
- 13.2 Diagnostische Methoden 432
- 13.3 Infektionskrankheiten 436
- 13.4 Lichen sclerosus 450
- 13.5 Neoplasien der Vulva 451
- 13.6 Vulvakarzinom 454
- 13.7 Vaginalkarzinom 458
- 13.8 Vorgehen bei sexualisierter Gewalt 461

14 Urogenitale Erkrankungen 465
- 14.1 Descensus uteri et vaginae 466
- 14.2 Harninkontinenz 471

15 Uterus 483
- 15.1 Leitsymptome und Differenzialdiagnosen 484
- 15.2 Diagnostische Maßnahmen 486
- 15.3 Gutartige Zervixveränderungen 495

15.4	Gutartige Veränderungen des Corpus uteri	496
15.5	Dysplasie (zervikale intraepitheliale Neoplasie [CIN])	505
15.6	Endometriumhyperplasie	506
15.7	Zervixkarzinom	507
15.8	Endometriumkarzinom	514
15.9	Uterussarkom	519
15.10	Anatomie der weiblichen Geschlechtsorgane	520

16 Adnexe 521

- 16.1 Leitsymptome und Differenzialdiagnosen 522
- 16.2 Diagnostische Maßnahmen 523
- 16.3 Extrauteringravidität (EUG, ektope Gravidität) 527
- 16.4 Salpingitis (Adnexitis) 530
- 16.5 Tuboovarialabszess 533
- 16.6 Funktionelle Ovarialzysten 534
- 16.7 Andere Ovarialtumoren 534
- 16.8 Ovarialkarzinom (Tuben-, Ovarial- und Peritonealkarzinom) 537

17 Sterilität 545

- 17.1 Leitsymptome 546
- 17.2 Diagnostische Methoden 546
- 17.3 Normaler Zyklus 559
- 17.4 Sterilitätsursachen und Therapie 561
- 17.5 Spezielle therapeutische Maßnahmen 576

18 Kontrazeption 583

- 18.1 Pearl-Index 584
- 18.2 Periodische Enthaltsamkeit und Coitus interruptus 585
- 18.3 Mechanische und chemische Verhütungsmethoden 588
- 18.4 Hormonelle Kontrazeption 598
- 18.5 Übersicht über Ovulationshemmer 606

19 Endokrinologie 609

- 19.1 Klimakterium 610
- 19.2 Hormonpräparate zur prä-, peri- oder postmenopausalen Therapie 617
- 19.3 Adrenogenitales Syndrom (AGS) 623
- 19.4 Sheehan-Syndrom 625
- 19.5 Weibliche Alopezie 626
- 19.6 Androgenisierungserscheinungen 628

20 Kinder- und Jugendgynäkologie 631

- 20.1 Leitsymptome und Differenzialdiagnosen 633
- 20.2 Diagnostik 636
- 20.3 Physiologie der Pubertät 639

20.4	Pubertätsstörungen	641
20.5	Störungen der Brustentwicklung	646
20.6	Blutungsstörungen	648
20.7	Angeborene Fehlbildungen	650
20.8	Genitale Infektionen	655
20.9	Verletzungen	657
20.10	Fremdkörper	658
20.11	Präpubertaler Lichen sclerosus	658
20.12	Genitaltumoren im Kindes- und Jugendalter	659
20.13	Sexueller Missbrauch und Misshandlung	660

21 Psychische und psychosomatische Probleme 663
21.1 Grundlagen 664
21.2 Gynäkologie 666
21.3 Geburtshilfe 670

22 Ultraschall 675
22.1 Gynäkologische Ultraschalldiagnostik 676
22.2 Geburtshilfliche Ultraschalldiagnostik 682

Index 695

1 Tipps für die Stationsarbeit

Joachim Steller, Axel Valet und Kay Goerke

1.1	**Patientenaufnahme** 3	1.5.4	Poststationäre Angebote 25
1.1.1	Generelles zur Anamnese 3	1.6	**Sterben und Tod einer Patientin** 26
1.1.2	Spezielle gynäkologische Anamnese 3	1.6.1	Die sterbende Patientin 26
1.1.3	Spezielle geburtshilfliche Anamnese 3	1.6.2	Totenbescheinigung (Leichenschauschein) 26
1.1.4	Weiteres Vorgehen 4	1.6.3	Totgeburt 27
1.2	**Untersuchungen** 8	1.6.4	Obduktion 27
1.2.1	Allgemeine körperliche Untersuchung 8	1.7	**Die Problempatientin** 28
		1.7.1	Bewusstseinsstörungen 28
1.2.2	Gynäkologische Untersuchung 11	1.7.2	Alkoholabhängigkeit und Entzugsdelir 30
1.2.3	Perkussion und Auskultation von Herz und Lunge 13	1.7.3	Suizidalität 32
		1.7.4	Verwirrtheit 33
1.2.4	Neurologische Untersuchung 15	1.8	**Meldepflichtige Infektionskrankheiten** 34
1.2.5	Verhalten in Krisensituationen des Arzt-Patient-Verhältnisses in Klinik und Praxis 17	1.8.1	Deutschland 34
		1.8.2	Österreich 34
		1.8.3	Schweiz 34
1.3	**Rezeptausstellung** 18	1.9	**Multiresistente Erreger (MRE)** 35
1.3.1	Formalia 18		
1.3.2	Betäubungsmittelverordnung 19	1.10	**Prophylaxe nach beruflicher HIV- oder Hepatitis-Exposition** 37
1.4	**Arzneimitteleinnahme vor geplanten Operationen** 21		
		1.10.1	Infektionsrisiko 37
1.5	**Die Entlassung der Patientin** 23	1.10.2	Vorgehen nach HIV-Exposition 38
1.5.1	Die Entlassung 23	1.10.3	Vorgehen nach HBV-Exposition 39
1.5.2	Der gynäkologische Arztbrief 24	1.10.4	Hepatitis C 39
1.5.3	Der geburtshilfliche Arztbrief 25		

- **1.11 Schmerztherapie bei Tumorpatienten** 40
- 1.11.1 Analgetisches Stufenschema 40
- 1.11.2 Patient-Controlled Analgesia (PCA) 43
- 1.11.3 Häufige Fehlerquellen der Therapie chronischer Schmerzen 43

1.1 Patientenaufnahme

1.1.1 Generelles zur Anamnese

Bei der Anamneseerhebung ist zu beachten, dass gyn. Probleme in ganz besonderem Maße die Intimsphäre tangieren. Für die gyn. Anamnese bedarf es eines vertraulichen Verhältnisses zwischen Arzt u. Pat. und einer entsprechenden Umgebung. Auch aus Gründen des Datenschutzes sollte der Untersucher bei der Anamnese mit der Pat. allein sein.

> **Gliederung der Anamnese**
> - Jetzige Anamnese
> - Eigenanamnese unter besonderer Berücksichtigung der gyn. Vorgeschichte
> - Familienanamnese
> - Soziale Anamnese
> - Medikamentenanamnese
> - Bei unbekannten Medikamenten ohne Verpackung: Identasuche
>   www.gelbe-liste.de/gelbe-liste-identa

1.1.2 Spezielle gynäkologische Anamnese

- Jetzige Beschwerden, Dauer, Stärke, Art u. Ort, Beziehung zu Funktionen
- Medikamente, insb. Einnahme von Hormonpräparaten, Schwangerschaftsverhütung
- Menarche, Zyklusdauer, Blutungsstärke, Schmerzen vor, während o. nach der Regel
- Termin u. Art der letzten Regel, (Peri-/Post-)Menopausenblutung
- Auffälligkeiten in der Menstruationsrhythmik: Amenorrhöen, Oligo-, Polymenorrhöen, evtl. Zykluskalender
- Auffälligkeiten im Blutungscharakter: Hypermenorrhöen, Meno-, Metrorrhagien (Kaltenbach-Schema ▶ 15.1.1)
- Zyklusabhängige Blutungen: Kohabitations-, Postmenopausenblutungen
- Zyklusabhängige Schmerzen: Dysmenorrhöen
- Zyklusunabhängige Schmerzen: Deszensus, Entzündungen, Ovarialtumoren, Uterus myomatosus, EUG
- Schmerzen o. Knoten in den Mammae (▶ 12.1), Hautveränderungen, Überwärmung, Galaktorrhö, blutige Sekretion
- Vag. Fluor: Konsistenz, Farbe, Geruch, Pruritus (▶ 13.1)
- Vorausgegangene Geburten, Aborte, EUG, gyn. OPs, Entzündungen im kleinen Becken
- Inkontinenz: Harndrang, Harnverlust bei Husten, Niesen, körperl. Belastung
- Virilisierungszeichen: Hirsutismus, Klitorishypertrophie, Stimmveränderungen

1.1.3 Spezielle geburtshilfliche Anamnese

- Ausbleiben der Regelblutung, Zeitpunkt Schwangerschaftstest pos., Konzeptionstermin, Embryonentransfer
- Vorausgegangene Geburten o. geburtshilfliche OPs (▶ 9.3, ▶ 9.5)

1 Tipps für die Stationsarbeit

- Vorausgegangene Fehlgeburten (▶ 5.6), nach Schwangerschaftsabbrüchen fragen
- Risikofaktoren aus der Anamnese: schwere Allgemeinerkr., Sterilitätsbehandlung, Uterus-OP, komplizierte Geburten, Multipara, junge Erstpara, wiederholte Spontanabortneigung, Nikotin, Alkohol
- Besonderheiten im jetzigen Schwangerschaftsverlauf: Blutungen, SIH, Rh-Konstellation, pos. AK-Titer, drohende Frühgeburt, SGA, unklarer Termin, Diab. mell. (GDM), Röteln, Syphilis, Hepatitis B, HIV, ggf. Toxoplasmose

1.1.4 Weiteres Vorgehen

Nach der Aufnahmeuntersuchung (▶ 1.2) muss entschieden werden über:

Bettruhe
- Absolute Bettruhe: z. B. bei Blutungen in der Schwangerschaft, vorzeitiger Wehentätigkeit, Lungenembolie
- **Keine Ind.:** Thrombophlebitis, Pneumonie, alte Pat., tiefe Beinvenenthrombose, entgleister Diab. mell.

Nahrungskarenz
Solange dringender op. Eingriff nicht ausgeschlossen ist (z. B. bei EUG-Verdacht) oder geburtshilflicher Eingriff unmittelbar ansteht.

Diät
Eine bes. Diät ist indiziert bei Diab. mell. (Standard bei Normalgewichtigen = 18–22 BE; Diab. in grav. ▶ 3.4), Hypertonie, Niereninsuff., Fettstoffwechselstörungen, Gicht, Pankreatitis.
- **Diät bei Adipositas:** Behandlungspflichtig sind mittelschwere u. schwere Adipositas. BMI: kg KG/(Körpergröße in m)^2. Normal F: 18–25. Zur Einleitung der Gewichtsreduktion Diät mit 300–1.000 kcal als ballaststoffreiche Mischkost, ggf. mit Vit.-Supplement. Strenge Ind.-Stellung für Null-Diät, da KO-reich. Ideal ist kontinuierliche, schonende Gewichtsabnahme. Keine Extremdiäten, z. B. nur Eiweiß. Langfristig tolerierbar ist faserreiche, vitaminreiche Reduktionskost mit mind. 50 g Eiweiß u. 100 g Kohlenhydraten pro Tag (keine Gewichtsreduktion in der Grav.; Ernährung in der Schwangerschaft ▶ 5.4.2).
- **Schonkost:** Ein Großteil der früher üblichen „Schonkosten" bei GI-Erkr. ist obsolet.

Parenterale Ernährung ▶ 2.6.

Thromboseprophylaxe (venöse Thrombembolieprophylaxe, VTE)
Unfraktioniertes Heparin (UFH; HWZ ca. 2 h), Gemisch aus Mukopolysacchariden mit unterschiedlicher Kettenlänge. **Niedermolekulare Heparine** (NMH; HWZ ca. 4 h) werden durch verschiedene Fraktionierungsverfahren aus UFH gewonnen. Aufgrund der überwiegend renalen Elimination besteht für NMH bei stark eingeschränkter Nierenfunktion ein Kumulationsrisiko. Bei allen Heparinen (Ausnahme: Danaparoid, HWZ ca. 24 h. Ind.: HIT o. HIT-Anamnese!) besteht das Risiko der Entwicklung einer heparininduzierten Thrombozytopenie vom immunallergischen Typ (HIT II).
Zur medikamentösen VTE-Prophylaxe haben sich heute allg. die NMH durchgesetzt (▶ Tab. 1.1). Sie werden auch in der Grav. gut vertragen und rufen nur selten

1.1 Patientenaufnahme

Tab. 1.1 Dosierung der NMH

Substanz	Beispielpräparat	Thromboseprophylaxe (1 ×/d s.c.)		Therapie der tiefen Beinvenenthrombose (TVT)
		Niedriges bis mittleres Risiko	Hohes Risiko	
Certoparin	Mono-Embolex®	3.000 IE	3.000 IE	
Dalteparin	Fragmin®	2.500 IE	5.000 IE	1 × 200 IE/kg/d s. c.
Enoxaparin	Clexane®	2.000 IE	4.000 IE	2 × 100 IE/kg/d s. c.
Nadroparin	Fraxodi®, Fraxiparin®	2.850 IE	5.700 IE	2 × 85 IE/kg/d s. c.
Tinzaparin	innohep®	3.500 IE	175 IE/kg KG	
Reviparin	Clivarodi® Clivarin®	1.432 IE	3.436 IE	5.726–10.307 IE s. c.
Fondaparinux (selektiver Faktor-Xa-Hemmer)	Arixtra®	1,5 mg	2,5 mg	5–10 mg/d gewichtsadaptiert s. c.

NW hervor. Heparin ist nicht plazentagängig. Hinweise auf teratogene o. embryotox. Risiken liegen nicht vor. Normale Schwangerschaft ist keine KI. Strenge Ind.-Stellung bei Abortus imminens.

NMH geht in geringem Maße in die Muttermilch über. Ein gerinnungshemmender Effekt auf den Sgl. ist nicht wahrscheinlich. Dauer u. Dosierung der Prophylaxe richten sich nach individuellem Risiko, hereditärer o. erworbener Thromboseneigung. Bei Schwangeren mit mittlerem Risiko sollte die Anwendung von NMH 12 h vor der Geburt, vor Weheninduktion o. Kaiserschnitt abgesetzt werden. Bei Schwangeren mit ther. Anwendung ggf. auf aPTT-adjustiertes i. v. appliziertes UFH umstellen.

- Op.-gyn. Pat. mit niedrigem eingriffsbedingtem VTE-Risiko sollten keine medikamentöse Prophylaxe erhalten (kleine op. Eingriffe, geringe Weichteilschädigungen). Bei zusätzlichen dispositionellen Risiken wie Infektion, Z. n. Schlaganfall mit Beinparese, akute Herzinsuffizienz (NYHA III/IV), schwere COPD, Immobilisation, Sepsis, intensivmed. Behandlung etc. sollte eine VTE-Prophylaxe durchgeführt werden.
- Pat. mit mittlerem VTE-Risiko (mittlere Eingriffe o. kleinere Eingriffe mit zusätzlichen dispositionellen Risikofaktoren s. o.) sollten eine medikamentöse VTE-Prophylaxe mit Heparinen erhalten. Zusätzlich können diese Pat. med. Thromboseprophylaxestrümpfe (MTPS) erhalten.
- Pat. mit großen gyn. Eingriffen sollten eine medikamentöse VTE-Prophylaxe neben Basismaßnahmen (Frühmobilisation, Eigenaktivierung der Wadenmuskulatur) sowie physikalische Maßnahmen (MTPS) erhalten.
- Pat. mit op. o. diagn. laparoskopischen Eingriffen u. dispositionellen Risikofaktoren sollten eine medikamentöse VTE-Prophylaxe erhalten.
- Pat. mit onkol. Eingriffen sollten eine verlängerte VTE-Prophylaxe über 4–5 Wo. erhalten.

Das Risiko für VTE-Ereignisse ist in allen Trimestern einer Grav. gleich. Vor u. nach natürlicher Geburt ist bei Frauen ohne zusätzliche Risikofaktoren eine medikamentöse VTE-Prophylaxe nicht zwingend erforderlich. Frauen mit Niedrigisikofaktoren, die keine antepartale medikamentöse Prophylaxe erhalten haben, aber per Kaiserschnitt entbunden wurden u./o. eine pos. Familienanamnese o. zusätzliche Risikofaktoren haben, sollten neben der physikalischen auch eine medikamentöse postpartale Prophylaxe mit NMH wie Enoxaparin 20 mg/d (z. B. Clexane® 20) bzw. mit Heparin, z. B. 2 × 7.500 IE/d s. c. (z. B. Liquemin®) erhalten.

- Schwangeren mit mittlerem Risiko (Schwangere mit Thrombose in der Eigenanamnese, Grav. mit wiederholten Spontanaborten o. schwerer Präeklampsie/HELLP-Sy. u. hereditärer Thrombophilie, Grav. mit homozygoter Faktor-V-Leiden-Mutation, Grav. mit familiärer Thromboseanamnese o. thrombophilen Faktoren sowie zusätzlichen Risikofaktoren wie erheblicher Adipositas, Präeklampsie, Infektion, Bettlägerigkeit) soll schon in der Frühgrav. zusätzlich zu physikalischen Maßnahmen zu einer medikamentösen VTE-Prophylaxe (NMH) geraten werden. Risiko- u. gewichtsadaptierte Anpassung der Heparindosierung!
- Bei Schwangeren mit hohem Risiko wie wiederholter Thrombose in der Eigenanamnese o. mit homozygoter Faktor-V-Leiden-Mutation o. komb. thrombophilen Faktoren u. einer Thrombose in der Eigenanamnese ist eine VTE-Prophylaxe so lange indiziert, bis der/die Risikofaktor(en) beseitigt ist/sind. Sie soll möglichst früh begonnen werden. Unabhängig vom Geburtsmodus sollte die postpartale medikamentöse u. physikalische Prophylaxe über 6 Wo. erfolgen.

Eine Geburt 12 h nach der letzten NMH-Gabe geht nicht mit einem höheren Blutungsrisiko einher. Bei elektivem Kaiserschnitt sollte die letzte prophylaktische Gabe eines NMH 12 h vor dem Eingriff erfolgen. Die Gabe bzw. Fortführung der medikamentösen VTE-Prophylaxe 4–6 h nach vag. Entbindung u. 6–12 h nach op. Entbindung erscheinen, wenn keine Blutungszeichen vorliegen, als sicher. S3-Leitlinie Prophylaxe der venösen Thrombembolie (VTE): www.awmf.org/leitlinien/detail/ll/003-001.html.

> **!** Bei Schwangeren unter VTE-Prophylaxe zur frühzeitigen Erfassung einer HIT in den ersten 3 Wo. 2 ×/Wo. die Thrombozytenzahl bestimmen. Bei hohem Risiko soll der Anti-Xa-Spiegel 3 h nach Injektion zwischen 0,35 u. 0,7 Einheiten/ml liegen. Bei gleicher Effektivität sind NMH sicherer als UFH und mit einem geringeren Blutungsrisiko verbunden.

Schmerzmittel und Schmerztherapie
▶ 7.2 und ▶ Abb. 1.1.

Leiden die Pat. unter neuropathischen Schmerzen, so erhalten sie zusätzliche Koanalgetika wie Antidepressiva, Antikonvulsiva o. Bisphosphonate (▶ Tab. 1.2).

Tab. 1.2 Koanalgetika des WHO-Stufenplans

Schmerztyp	Substanzklasse	Substanz	Dosierung und Hinweis
Neuropathisch-brennend	Antidepressivum	Amitriptylin	1 × 25–75 mg/d sedierend, abendliche Einnahme
		Clomipramin	1 × 75–100 mg/d antriebssteigernd, morgendliche Einnahme

1.1 Patientenaufnahme

Tab. 1.2 Koanalgetika des WHO-Stufenplans *(Forts.)*

Schmerztyp	Substanzklasse	Substanz	Dosierung und Hinweis
Neuropathisch-einschießend	Antikonvulsivum	Gabapentin *oder*	300–3.600 mg/d
		Pregabalin *oder*	2 × 75–300 mg/d
		Carbamazepin	200–1.800 mg/d
Neuropathisch-krampfartig	Antikonvulsivum	Oxacarbazepin *oder*	600–1.200 mg/d
		Baclofen	15–75 mg/d
Phantomschmerz	Hormone	z. B. Calcitonin	100–200 IE/d i. v.-Gabe bei akutem Phantomschmerz für 3 d
Knochenschmerz bei Metastasen	Bisphosphonate	z. B. Clodronsäure	800 mg/12 h p. o. oder i. v.
		Zoledronat	max. 3,2 g/d **Cave:** Nierenfunktion
		Pamidronsäure	Dosierung je nach Kalziumspiegel
		Calcitonin	200 IE/d
		Denosumab	120 mg alle 4 Wo.
Hirnödem	Kortikosteroide	z. B. Dexamethason	• Initial: 16–32 mg, nicht abrupt absetzen • Erhaltungsdosis: 4–8 mg Appetit- u. stimmungssteigernd, fiebersenkend

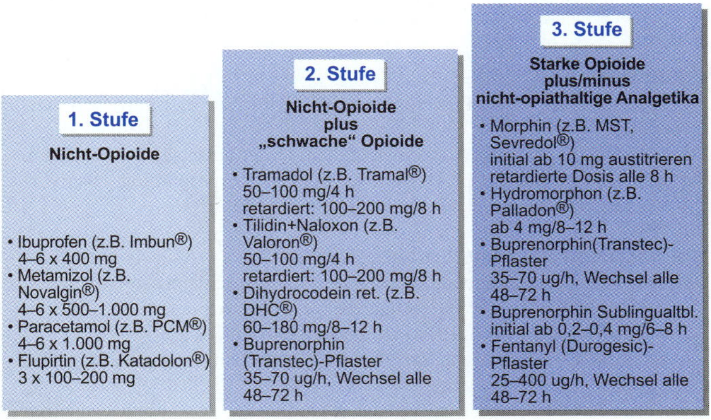

1. Stufe
Nicht-Opioide

- Ibuprofen (z.B. Imbun®) 4–6 × 400 mg
- Metamizol (z.B. Novalgin®) 4–6 × 500–1.000 mg
- Paracetamol (z.B. PCM®) 4–6 × 1.000 mg
- Flupirtin (z.B. Katadolon®) 3 × 100–200 mg

2. Stufe
Nicht-Opioide plus „schwache" Opioide

- Tramadol (z.B. Tramal®) 50–100 mg/4 h retardiert: 100–200 mg/8 h
- Tilidin+Naloxon (z.B. Valoron®) 50–100 mg/4 h retardiert: 100–200 mg/8 h
- Dihydrocodein ret. (z.B. DHC®) 60–180 mg/8–12 h
- Buprenorphin (Transtec)-Pflaster 35–70 ug/h, Wechsel alle 48–72 h

3. Stufe
Starke Opioide plus/minus nicht-opiathaltige Analgetika

- Morphin (z.B. MST, Sevredol®) initial ab 10 mg austitrieren retardierte Dosis alle 8 h
- Hydromorphon (z.B. Palladon®) ab 4 mg/8–12 h
- Buprenorphin(Transtec)-Pflaster 35–70 ug/h, Wechsel alle 48–72 h
- Buprenorphin Sublingualtbl. initial ab 0,2–0,4 mg/6–8 h
- Fentanyl (Durogesic)-Pflaster 25–400 ug/h, Wechsel alle 48–72 h

Abb. 1.1 Stufenschema der WHO für Tumorschmerz (auch anwendbar für nichtmaligne Schmerzen): bei Akutschmerz Bedarfsmedikation rektal, i. v. oder oral. Bei chron. Schmerz fest nach Zeitschema, Dosierungsintervalle nach Pharmakokinetik. Applikation rektal o. oral, nur ausnahmsweise parenteral, i. m. Injektion möglichst vermeiden. [L157]

Schlafmittel

Behandlung auf wenige Tage beschränken. Keine Kombinationspräparate! Barbiturate wegen langer HWZ u. hohen Abhängigkeitspotenzials meiden. Kurz wirksame Benzodiazepine, z. B. Oxazepam 5 mg/d p. o. 2 h vor dem Schlafen (z. B. Adumbran®) sind Mittel der Wahl. Paradoxe Reaktionen v. a. bei alten Pat. sind u. a. auf Überdosierung zurückzuführen → Dosisreduktion! Bei arteriosklerotischen Verwirrtheitszuständen Chloralhydrat 0,5–1 g (z. B. Chloraldurat®) mit einem vollen Glas Wasser 30 min vor dem Schlafen, Koffein (z. B. 1 Tasse Kaffee o. 15–20 Tr. einer Koffeeinlsg.). **Cave:** Schwangerschaft u. Stillperiode (▶ 7.21). Bei chron. Schmerzen WHO-Stufenschema (▶ Abb. 1.1).

Psychopharmaka, Antikonvulsiva
▶ 7.21 u. ▶ 7.8.

Abführmittel
Mittel der Wahl im Krankenhaus sind z. B.
- Laktulose 10–20 g/d p. o. (z. B. Laktulose Sirup®); Wirkungseintritt nach 8–10 h, Vorsicht bei Diab. mell.
- Natriumpicosulfat 50–250 mg/d p. o. (Laxoberal®); Wirkungseintritt nach 2–4 h
- Laxanzien in Schwangerschaft u. Stillperiode ▶ 7.18

1.2 Untersuchungen

1.2.1 Allgemeine körperliche Untersuchung

> Ist die Pat. blind o. schwerhörig, Personal informieren, sich immer vorstellen, deutlich artikulieren.

Allgemeines
- Allgemein- (AZ) u. Ernährungszustand (EZ): jeweils gut, reduziert o. stark reduziert
- Bewusstseinslage, Konzentrationsfähigkeit: Orientierung zu Raum, Zeit u. Person (Verwirrtheit ▶ 1.7.4), Kontaktfähigkeit, Körperhaltung. Diagn. u. Vorgehen bei Koma u. Präkoma ▶ 3.4

Inspektion von Haut und Schleimhäuten
- Exsikkosezeichen: „stehende" Hautfalten, Haut u. Schleimhäute trocken, trockene, borkige Zunge, weiche Augenbulbi, flacher schneller Puls, RR ↓
- Zyanose: Konz. des reduzierten Hb im Kapillarblut > 5 g/dl
  – Zentral: O_2-Sättigung im art. Blut < 85 % mit blauer Haut u. Zunge bei Lungenerkr., Herzvitien
  – Peripher: lokal begrenzte o. generell erhöhte O_2-Ausschöpfung bei normaler O_2-Sättigung des Blutes in der Lunge mit blauer Haut u. Akren, Zunge dagegen nicht. Ursache z. B. Herzinsuff.
- Ikterus: Gelbfärbung der Skleren ab Serum-Bili > 1,5 mg/dl (> 26 µmol/l), Juckreiz, evtl. Cholestase

- Anämie: Konjunktiven blass bei Hb < 9 g/dl. Koilonychie = Einsenkung der Nagelplatte bei Eisenmangelanämie. Anämie zusammen mit Ikterus kann Hinweis auf Hämolyse o. Malignom sein
- Ödeme: prätibial, periorbital o. sakral, ein- o. beidseitig. Anasarka. SIH/ Gestose ▶ 5.9
- Haut: Behaarung, Pigmentierung, Exantheme, Enantheme, Ekzeme, Petechien, Spidernävi z. B. bei Lebererkr.

Hände
- Trommelschlegelfinger u. Uhrglasnägel sprechen für chron. Hypoxämie
- Ölfleck-, Tüpfel- u. Krümelnägel bei Psoriasis
- Braunfärbung an Endgliedern von D_2 u. D_3 bei Raucherinnen
- Palmarerythem (bei Lebererkr.)
- Dupuytren-Kontraktur: idiopathisch, Leberzirrhose, Alkoholismus, Epilepsie
- Schwellungen im prox. Interphalangealgelenk sprechen für rheumatische Arthritis (meist mit Morgensteifigkeit u. Ulnardeviation)
- Seitlich der distalen Interphalangealgelenke liegende Knötchen sprechen für Arthrose (Heberden-Knötchen)
- Tremor bei chron. Alkoholismus, Hyperthyreose, Parkinsonismus, Leberausfallkoma (Flapping Tremor ▶ 1.7.1, ▶ 3.5)

Kopf und Hals
- Pupillen: dir. u. konsensuelle Lichtreaktion, Konvergenz, Isokorie, Konjunktiven
- Mundhöhle: Rötung o. Entzündung des Rachenrings, der Tonsillen. Zahnstatus, Gaumensegeldeviation, Belag, Ulzera, Aphten o. Enantheme auf Zunge o. Mundschleimhaut:
  - Blaue Zunge bei zentraler Zyanose
  - Himbeerzunge bei Scharlach
  - Hunter-Glossitis bei megaloblastärer Anämie
  - Vergrößerte Zunge z. B. bei Akromegalie
  - Foetor ex ore: Alkohol, säuerlicher Geruch z. B. bei Gastritis, Aceton bei diab. Ketoazidose, Foetor hepaticus bei Leberkoma, urinartig bei Urämie
  - Mikrostomie (zu kleine Mundöffnung) bei Sklerodermie
- Hirnnerven, Druckschmerz von Nervenaustrittspunkten (NAP)
- Kopf: Druck- o. Klopfschmerz, Druckschmerz von Temporalgefäßen, Ohrenstatus
- Hals: Struma, Lk-Vergrößerung, Halsvenenstauung (im Sitzen o. bei 45°-Oberkörperneigung)

Thorax
Thoraxform (Fassthorax, Trichterbrust, Kyphoskoliose), Mammae u. regionale Lk inspizieren u. palpieren (▶ 12.2.1), Lungenuntersuchung ▶ 1.2.3.

Herz und Kreislauf
- Puls: Seitenabweichung, abgeschwächter Femoralispuls bei pAVK, Aortenisthmusstenose. Frequenz (Tachykardie > 100/min, Bradykardie < 60/min), Rhythmus (regelmäßig, unregelmäßig, peripheres Pulsdefizit, Pulsus paradoxus: Pulsamplitude wird in Inspiration kleiner, z. B. bei Asthma bronchiale)
- Blutdruck: Seitendifferenz > 20 mmHg path., Manschette sollte ⅗ des Oberarms bedecken (bei kleineren Manschetten falsch hohe Werte). Distaler Rand

mind. 3 cm oberhalb der Ellenbeuge. **Cave:** Bei Dialysepat. nie am Shuntarm messen, bei Hemiplegikerinnen nicht an der gelähmten Seite, bei mastektomierten Pat. nicht an der operierten Seite.
- Herzinspektion, -palpation u. -perkussion: Pulsationen (z. B. bei Aorteninsuff. im 2. ICR parasternal), Herzspitzenstoß (normal im 5. ICR MCL; bei Linksherzhypertrophie hebend, verbreitert und nach außen unten verlagert), relative Herzdämpfung (kräftige Perkussion von außen nach innen), absolute Herzdämpfung (leise Perkussion von innen nach außen, bei Lungenemphysem fehlend o. verkleinert). Auskultation ▶ 1.2.3

Abdomen

Inspektion
- Zeichen der Lebererkr.: „Abdominalglatze", Venenzeichnung
- Aufgetriebener Bauch: Faustregel zur DD „**F**ett, **F**etus, **F**äzes, **F**latus (Luft), **F**lüssigkeit (Aszites) u. Tumor"
- Pulsationen

Palpation
- Im schmerzarmen Bereich beginnen. Druckschmerz, Resistenzen mit Verschieblichkeit, Schmerz, Größe
- Bauchdecken weich o. Abwehrspannung, Loslassschmerz, Bruchpforten
- Leberpalpation: Größe, Konsistenz, Leberpulsation (Trikuspidalinsuff.), **Courvoisier-Zeichen** (pralle, tastbare Gallenblase); hepatojugulärer Reflux bei Leberpalpation, Lebermetastasen
- Milzpalpation: wenn tastbar, bereits vergrößert, z. B. bei CML, Osteomyelosklerose, Speicherkrankheiten, hämolytischer Anämie, Inf.

Perkussion
- Lebergrenzen mit Kratzauskultation bestimmen
- Klopfschall über Abdomen (tympanitisch, gedämpft)
- Ggf. Aszitesausdehnung abschätzen (Perkussion u. Palpation der fortgeleiteten Flüssigkeitswelle; Aszites)

Auskultation Darmgeräusche (DG) mit „Totenstille" bei paralytischem Ileus u. gesteigerten, hoch gestellten, spritzenden, metallisch klingenden DG bei mech. Ileus.

Rektale Untersuchung Pat. in Linksseiten- o. Rückenlage, Beine angewinkelt. Während Pat. presst, Zeigefinger in Handschuh o. Fingerling mit Gleitmittel (z. B. Vaseline) unter leichter Drehung in Analkanal einführen.
- Anus: Fissur, Fisteln, Perianalthrombose, prolabierte Hämorrhoiden, Marisken, Tumor, Ekzem
- Analkanal: Sphinktertonus, Schmerzen, Stenose (Ca, M. Crohn), Infiltration o. Resistenzen (Ca, thrombosierte Hämorrhoiden)
- Ampulla recti: Normal ist weiche verschiebliche Darmwand, ventral derbe Portio, dorsal Os sacrum, lateral weicher Trichter des M. levator ani. Path. ist fixierte, indurierte Schleimhaut (Ca), druckdolenter (z. B. Appendizitis), fluktuierender (Douglas-Abszess) o. vorgewölbter Douglas-Raum; multiple knotige Auflagerungen auf dem Douglas-Peritoneum (Endometriose, Ovarial-Ca), Ausbuchtung der vorderen Darmwand (Rektozele)
- Stuhl: bei Rückzug des Fingers Blut am Fingerling bei Hämorrhoiden, Rektum-Ca, Polypen, M. Crohn, Colitis ulcerosa, Teerstuhl bei oberer GIT-Blutung

Nieren und ableitende Harnwege
Nierenlager palpieren (Tumor, Klopfschmerz), Nierengefäßgeräusche paraumbilikal.

Wirbelsäule
Angabe von Stauch- o. Klopfschmerz, Form (Kyphose, Lordose, Skoliose, Gibbus), Muskelverspannung, Beweglichkeit.

Extremitäten
Beweglichkeit (Spastik, Rigor, Zahnradphänomen), Gelenke (Rötung, Bewegungsschmerz), trophische Störungen (z. B. Purpura jaune d'ocre an den unteren Extremitäten bei chron. venöser Insuff.), Temperatur u. Umfang (im Seitenvergleich!), Ödeme, Varikosis (Gefäßerkr. ▶ 3.1.5).

Lymphknoten
Aurikulär, submandibulär, nuchal, zervikal, supra- u. infraklavikulär, axillär, inguinal, kubital, popliteal nach Lk tasten. Angaben über Lage, Form, Größe, Oberfläche, Abgrenzbarkeit, Konsistenz, Verschieblichkeit, Schmerzhaftigkeit.

1.2.2 Gynäkologische Untersuchung

Vorbereitung
Untersuchung aus psychol., techn. u. forensischen Gründen nur in Anwesenheit einer weiblichen Hilfsperson (Krankenschwester, Arzthelferin). Vor der Untersuchung sollte die Pat. die Blase entleeren, Urin für evtl. Diagn. zurückstellen. Der Untersuchungsstuhl sollte mit einem Wandschirm teilweise abgedeckt sein (Diskretion). Nach Entkleidung der Genitalregion (Ablegen des Slips, erst später Entkleiden des Oberkörpers) Lagerung der Pat. auf dem Untersuchungsstuhl in Steinschnittlage. Schutz des Untersuchers und ggf. der Hilfsperson durch undurchlässige Einmalhandschuhe (bei Pat. mit Latexallergie latexfreie Handschuhe).

Inspektion
Bereits während der Anamnese auf äußere Besonderheiten achten (z. B. vermehrte Behaarung des Gesichts, Haaransatz am Kopf, Akne, Stimmmodulation).

Abdomen Straff o. schlaff, adipös o. schlank, eingesunken o. aufgetrieben, Hernien, Narben.

Äußeres Genitale
- Normaler u. infantiler Status ▶ 20.2
- Behaarungstypus: Begrenzung der Schambehaarung zum Nabel hin, Übergreifen auf die Oberschenkel (Nomenklatur nach Tanner ▶ 20.3.2). Verminderte o. fehlende Behaarung
- Weitere Virilisierungszeichen, Größe von Klitoris u. kleinen Labien (▶ 19.6)
- Vulva: entzündliche Veränderungen wie Vulvitis, Bartholinitis (▶ 13.3.2), Kondylome (▶ 13.3.3), Herpes genitalis ▶ 13.3.4), parasitäre Erkr. (▶ 13.3.7), Ulzera, Leukoplakien (▶ Abb. 13.1), Lichen sclerosus (▶ 13.4), Vulva-Ca (▶ 13.6), Narben, Verletzungen, Hämatome, Fehlbildungen, Bisexualität (▶ 20.7.7)
- Hymen intakt, Introitus klaffend, Hymenalatresie (▶ 20.7.2)
- Nach Spreizen der kleinen Labien lässt man die Pat. nach unten pressen: Hervortreten der vorderen o. hinteren Vaginalwand bei Zystozele o. Rektozele, Prolaps des Uterus, Harninkontinenz (▶ 14.2)

Inneres Genitale Auswählen des Spekulums nach Introitusweite, schräges Einführen des benetzten hinteren Rinnenspekulums bei 4:00 Uhr, anschließend Drehung nach hinten um ca. 45°. Dann Einführen des vorderen Blatts. Selbsthaltespekula ebenfalls schräg einführen (schwieriger zu platzieren, erfordert Übung, Vorteil: keine Assistenz erforderlich).
- Vaginalwände: Entzündungen, Ulzera, Tumoren (▶ 13.7), Vaginalseptum
- Portio: MM-Beschaffenheit, vermehrte Absonderung, entzündliche Reizung, Polypen, Erythroplakie, Leukoplakie, klin. Ca (Exophyt, Ulkus, Krater; ▶ 13.2.1)

Kolposkopie ▶ 13.2.2, Nativpräparat ▶ 13.2.3, Zytologie ▶ 13.2.3, spezielle Abstrichdiagn. ▶ 15.2.4, Schiller-Jodprobe ▶ 15.2.2.

Palpation

Nach Spreizen der Labien Einführen des behandschuhten, angefeuchteten Zeigefingers, bei ausreichend weiter Vagina auch des Mittelfingers, mit leichtem Druck in Richtung Damm. Die äußere Hand liegt oberhalb der Symphyse flach auf und drückt die Bauchwand mit den Fingerbeeren des 2., 3. u. 4. Fingers sanft gegen den zu palpierenden Uterus bzw. gegen die Adnexe (Abb. 1.2).

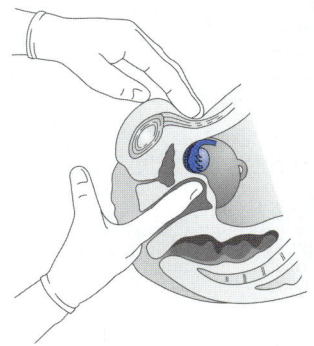

Abb. 1.2 Bimanuelle Tastuntersuchung zur Beurteilung der Adnexregion [L157]

- Vagina: mobil o. immobil, evtl. Länge, Stenosen, Narbenspangen
- Portio: Stand hoch o. tief, vorn o. hinten, re. o. li., Gestalt klobig o. zapfenförmig, Emmet-Riss, Exophyt, Krater, Portioschiebe- o. Elevationsschmerz (▶ 16.1.1)
- Uterus: Lage anteflektiert, gestreckt, retroflektiert o. verzogen, Größe u. Form hypoplastisch, normal, vergrößert o. myomdeformiert, Fehlbildungen (▶ 15.2.1, ▶ 15.4.1); Beweglichkeit mobil o. fixiert
- Adnexe: dolent, nicht dolent, verdickt, prall-elastische Resistenz, derbe Resistenz, Größe, Beweglichkeit (▶ 16.2.1)

Rektovaginale Untersuchung Nach Einführen des behandschuhten Mittelfingers in das Rektum und des behandschuhten Zeigefingers in die Vagina hinteres Scheidengewölbe austasten (▶ Abb. 1.3):
- Parametrien: Infiltrationen, Tumorbildungen (▶ 15.8)
- Douglas-Raum: Knoten o. Flüssigkeitsansammlungen (Ovarial-Ca ▶ 16.8)

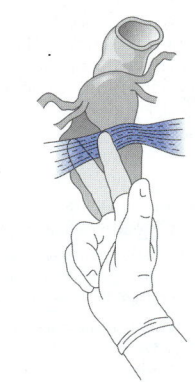

Abb. 1.3 Rektovaginale Untersuchung zur Beurteilung der Parametrien [L157]

- Septum rectovaginale (Endometriose ▶ 15.4.4)
- Rektale Untersuchung (▶ 1.2.1)

Weitere Untersuchungen
Nach Beendigung der gyn. Untersuchung sollte die Pat. ihren Unterkörper wieder ankleiden, um anschließend den Oberkörper frei zu machen. Es folgt die klin. Untersuchung der Mammae (▶ 12.2.1), falls erforderlich nach vorheriger Abnahme des Prolaktinspiegels, sowie die weitere Klärung von Androgenisierungserscheinungen (▶ 19.6).

Geburtshilfliche Untersuchung
Äußere Untersuchung ▶ 5.2.1, innere Untersuchung ▶ 5.2.2, Beckenmaße ▶ 5.2.3.

1.2.3 Perkussion und Auskultation von Herz und Lunge

Auskultation
Durchführung ▶ Abb. 1.4 und ▶ Abb. 1.5. Stärkegrade von Herzgeräuschen ▶ Tab. 1.3.

Rhythmus Frequenz, Regelmäßigkeit, peripheres Pulsdefizit (Hinweis auf Vorhofflimmern).

1. Herzton Tiefer „Myokardanspannungs- bzw. AV-Klappenschlusston". Punctum maximum über Erb. An der Herzspitze lauter als 2. HT.
- Laut bei „Stress", Fieber, Anämie, Grav.
- Paukend bei Mitralstenose
- Gedämpft bei Kontraktilitätsverminderung durch Myokarditis, Infarkt, Insuff., Perikarderguss
- Hörbar gespalten bei Schenkelblöcken u. Extrasystolie

2. Herzton Höherfrequenter „Semilunarklappenschlusston". Punctum maximum über der Herzbasis (3. ICR li. parasternal):

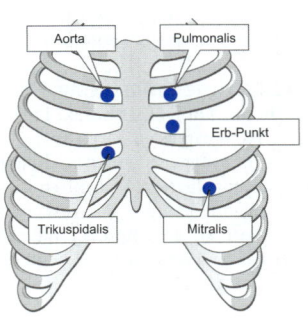

Abb. 1.4 Auskultationsareale. Aortenklappe: 2. ICR re. parasternal. Pulmonalklappe: 2. ICR li. parasternal. Mitralklappe: 5. ICR medioklavikulär. Erb-Punkt: 3. ICR li. parasternal. Trikuspidalklappe: 4. ICR re. parasternal. [L106]

Tab. 1.3 Stärkegrade der Herzgeräusche	
1/6	Sehr leise, nur während Apnoe in geräuschloser Umgebung zu hören
2/6	Leise, auch während der Atmung zu hören
3/6	Mittellautes Geräusch, nie Schwirren
4/6	Lautes Geräusch, meistens Schwirren
5/6	Sehr lautes Geräusch, immer Schwirren
6/6	Lautes Geräusch, bis 1 cm Abstand von Thoraxwand zu hören

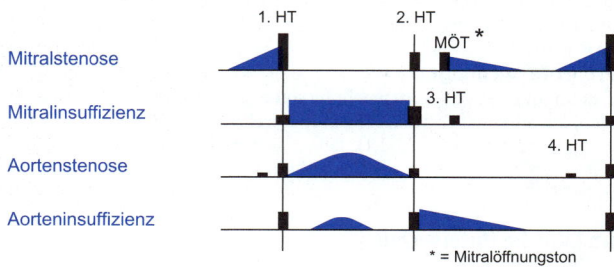

Abb. 1.5 Typische Auskultationsergebnisse bei Klappenfehlern [L190]

- Laut bei Aortensklerose, Hypertonus
- Gedämpft o. fehlend bei Aortenstenose
- Physiol., bei Inspiration verstärkte Spaltung: Aortenklappe schließt vor Pulmonalisklappe
- Paradoxe Spaltung: Pulmonalisklappe schließt vor Aortenklappe, bei Exspiration verstärkt. Bei Linksschenkelblock, Hypertonus, Aortenisthmusstenose
- Fixierte Spaltung bei Vorhofseptumdefekt
- Weite Spaltung bei pulmonaler Hypertonie u. Rechtsschenkelblock

Physikalische Untersuchung der Lunge

- Thorax: Form (Fassthorax, Trichterbrust), Mammae u. regionäre Lk inspizieren und palpieren
- Atmungstyp: Kussmaul-, Schnapp- o. paradoxe Atmung
- Lungenpalpation: Stimmfremitus („99" mit tiefer Stimme sagen lassen)
- Lungenperkussion: Pat. vorher abhusten lassen! Klopfschall (KS) ist sonor (= normal), gedämpft bei Infiltraten, Pleuraerguss o. Pleuraschwarte, hypersonor bei Emphysem u. Pneumothorax, tympanitisch über Lungenkavernen o. Darmschlingen

Tab. 1.4 Vergleich typischer physikalischer Lungenbefunde			
Diagnose	Perkussionsbefund	Stimmfremitus	Auskultation
Kardiale Stauung	gedämpft (o. normal)	normal o. ↑	feuchte, eher spätinspiratorische, nicht klingende RG
Pneumonisches Infiltrat	(stark) gedämpft	↑	feuchte, ohrnahe, frühinspiratorische, klingende RG
Pleuraerguss	gedämpft, aber lageveränderlich	aufgehoben	fehlendes Atemgeräusch, oft feuchte RG im Grenzbereich
Große Atelektase	gedämpft	↓	abgeschwächtes bis fehlendes Atemgeräusch
Chron. Bronchitis	normal	normal	trockene RG, auch feuchte, nichtklingende RG, verschärftes Exspirium
Pneumothorax	hypersonor bis tympanitisch	aufgehoben	fehlendes Atemgeräusch

1.2 Untersuchungen

- Lungengrenzen: Atemverschieblichkeit bestimmen, Seitenvergleich der Lungengrenzen

Befunde ▶ Tab. 1.4.

1.2.4 Neurologische Untersuchung

Muskeleigenreflexe

Monosynaptisch; Auslösung nach dem Alles-oder-nichts-Prinzip; keine Ermüdung. Bahnung (d. h. erleichterte Auslösung) durch Jendrassik-Handgriff (Fingerhakeln mit sich selbst für die Beinreflexe bzw. Aufeinanderbeißen der Zähne für die Armreflexe). Merkregel ▶ Tab. 1.5.

- Reflexe gelten nur als fehlend, wenn die Bahnung erfolglos war.
- Funktionsstörungen der Pyramidenbahnen führen zur **Steigerung**, periphere Nervenschädigungen zur **Abschwächung** der Eigenreflexe.

- **Patellarsehnenreflex** (PSR, L2–4): Schlag gegen das Lig. patellae 1 cm unterhalb der Kniescheibe → Kontraktion des M. quadriceps femoris
- **Achillessehnenreflex** (ASR, S1–2): Schlag auf die Achillessehne, am besten bei dorsalflektiertem Fuß → Plantarflexion des Fußes. Ausfall oft erstes Zeichen bei PNP o. Bandscheibenvorfall
- **Adduktorenreflex** (L2–L4): Schlag auf die Innenseite des Kniegelenks → Adduktion des Oberschenkels. Seitendifferenz (z. B. re. > li.) o. gekreuzter Reflex (d. h. Schlag auf die re. Seite führt zu bds. Adduktion) ist Zeichen einer Pyramidenbahnschädigung (in diesem Fall re.)
- **Bizepssehnenreflex** (BSR, C5–6): Schlag auf den auf die Bizepssehne gelegten Zeigefinger → Kontraktion des M. biceps brachii
- **Radiusperiostreflex** (RPR, C5–6): Schlag auf den auf das distale Drittel des Radius gelegten Finger (Hand soll in Mittelstellung zwischen Pro- u. Supination stehen) → sichtbare Kontraktion des M. brachioradialis
- **Trizepssehnenreflex** (TSR, C7–8): Schlag auf die Trizepssehne 2 cm oberhalb des Olekranons → Kontraktion des M. triceps

Tab. 1.5 Merkregel für wichtige Reflexe und ihre Segmente

Reflex	ASR	PSR	RPR	BSR	TSR
Segment*	1–2 (S)	3–4 (L)	5–6 (C)	5–6 (C)	7–8 (C)

* Ansteigende Folge der Segmentzahlen, wenn Reflexe am Körper von unten nach oben getestet werden

Fremdreflexe

Polysynaptisch; Lebhaftigkeit ist abhängig von Reizstärke; ermüdbar.

Der Verlust der Fremdreflexe ist ein feiner Indikator für eine Pyramidenbahnschädigung.

- **Bauchhautreflex** (BHR, Th9–12): am besten in drei Höhen prüfen; mit stumpfer Nadelspitze rasch u. energisch von **lateral nach medial** über die Bauchhaut streichen → sichtbares Zucken der Bauchmuskulatur; falsch neg. Ergebnisse bei Adipositas, Narben, Schwangerschaft; Ausfall als Frühzeichen einer MS; wichtig zur Höhenlokalisation von Rückenmarksläsionen

Pathologische Reflexe

> Frühzeichen einer ipsilateralen Pyramidenbahnläsion

- **Babinski-Reflex.**: Bestreichen des äußeren Randes der Fußsohle mit Holzstab; „Babinski pos." heißt tonische Dorsalflexion der großen Zehe, meist mit Abspreizung u. Plantarflexion der Zehen II–V
- **Gordon-Reflex:** Wadenmuskulatur kneten → wie „pos. Babinski"
- **Oppenheim-Reflex:** kräftiges Streichen entlang der Tibiakante von prox. nach distal → wie „pos. Babinski"

Sensibilität

Allgemein: „-algesie" = Schmerz, „-ästhesie" = Empfindung. Pat. soll Reize mit geschlossenen Augen erkennen.

> **Untersuchung verschiedener Modalitäten der Sensibilität**
> - Berührung: Wattebausch
> - Schmerzprüfung: Nadel, Nadelrad
> - Temperaturempfindung: Reagenzgläser mit Eis u. heißem Wasser
> - Vibrationsempfinden: Stimmgabel mit Amplitudenskala zur Quantifizierung
> - Lageempfinden: Richtung geführter Bewegungen von Fingern, Zehen
> - Zahlenerkennen: Zahlen mit dem Finger auf die Haut schreiben
> - Zwei-Punkte-Diskrimination: Greifzirkel (path. bei zentraler Sensibilitätsstörung)

Befunde
- Schmerzen
- Parästhesie: Missempfindung, Kribbeln, Ameisenlaufen, Brennen, Taubheitsgefühl
- Dysästhesie: Empfindung einer falschen Modalität, z. B. Kälte als Schmerz
- Anästhesie: fehlende Empfindung
- Hyperästhesie: Überempfindlichkeit

Nervendehnungsschmerz

- **Lasègue-Zeichen:** Gestrecktes Bein aus Rückenlage senkrecht anheben. Schmerzen bei Wurzelirritation L5–S1 o. Meningitis.
- **Kernig-Zeichen:** Pat. liegt mit im Hüft- u. Kniegelenk um 90° gebeugtem Bein auf dem Rücken. Schmerzen beim Strecken des Beins senkrecht nach oben. Hinweis auf Wurzelirritation L5–S1 o. Meningitis.
- **Umgekehrter Lasègue:** Prüfung wie Lasègue, nur in Bauchlage. Wurzelreizung L3–4.
- **Brudzinski-Zeichen:** Bei passiver Kopfbewegung nach vorn kommt es bei meningealer Reizung zu einem reflektorischen Anziehen der Beine.

- **Lhermitte-Nackenbeugezeichen:** Ruckartiges Beugen des Kopfes nach vorn führt zu Dysästhesien in Armen u. Rücken. Bei MS, HWS-Trauma u. Halsmarktumoren.

1.2.5 Verhalten in Krisensituationen des Arzt-Patient-Verhältnisses in Klinik und Praxis

Das Arzt-Pat.-Verhältnis ist von Vertrauen u. Verständnis geprägt. Gleichzeitig wird es jedoch durch die oft zu hohen Erwartungen der Pat. an den med. Fortschritt auch belastet. Durch die häufig zu leichtfertig propagierte Omnipotenz der Medizin wird den Pat. beinahe zwangsläufig eine umfassende Machbarkeit in der Medizin suggeriert.

Bei Nichteintreten eines bestimmten Heilerfolgs bzw. einer gewünschten Änderung eines körperl. Zustands entsteht bei den Pat. der V. a. ärztliches Fehlverhalten, wobei der Gedanke an eine schicksalhafte Entwicklung verdrängt wird. Häufig bestimmen Angehörige u. a. Fremdpersonen den weiteren Verlauf der Krisensituation, die sich dann ohne weitere Einflussmöglichkeit der behandelnden Ärzte verselbstständigt.

Die Pat. erwarten i. Allg. jedoch auch in Krisensituationen eine Aufrechterhaltung des Arzt-Pat.-Verhältnisses – diese Chance sollte der Arzt durch besondere Sensibilität nutzen. Ärzte fühlen sich jedoch gerade in dieser Situation ungerecht behandelt u. beleidigt und setzen sich zur Wehr, v. a. wenn sie ihre Existenz u. die ihrer Familie bedroht sehen.

Häufigste Arten von Krisensituationen

- **Eine Pat. beschwert sich in der Praxis o. im Krankenhaus über einen angeblichen Behandlungsfehler o. ein Fehlverhalten des med. Personals:** sofortiges Angebot eines klärenden Gesprächs, immer im Beisein eines Zeugen (emotionale Entgleisungen vermeiden!), sorgfältige Dokumentation. Fragen, ob die Pat. alles verstanden hat. Rechtfertigungsversuche sollten unterbleiben, da sie häufig das Gefühl erzeugen, dass etwas schiefgelaufen sei, und zur Klage führen. Im Problemfall sollte der poststat. Verlauf beobachtet werden. Kontaktaufnahme mit einweisendem Arzt.
- **Bei Entlassung klagt die Pat. über Beschwerden, die im gesamten stat. Verlauf nicht angegeben wurden:**
  - Sofortige Abklärung, Oberarzt hinzuziehen. Je nach Befund Entlassung verschieben, bis alle Unklarheiten bereinigt sind, ggf. konsiliarische Mitbehandlung veranlassen.
  - Bei Nichtbeachten droht hier im schwersten Fall eine Klage wegen unterlassener Hilfeleistung.
  - Ausführliche Dokumentation, v. a. wenn die Pat. auf einer Entlassung besteht. Aufklärung über mögliche KO, Kontaktaufnahme mit einweisendem Arzt!
- **Bei der Pat. ist es während der stat./amb. Behandlung zu einem nachweisbaren Schadensereignis gekommen, z. B. Verbrennungswunden nach Elektrokauterisation, Sturz aus dem Bett etc.:**
  - Die Pat., ggf. die Familienangehörigen sind umgehend vom Oberarzt über das Schadensereignis (und die möglichen Ursachen) zu informieren. Der Schaden ist im Krankenblatt genau, evtl. mit Foto, zu dokumentieren.
  - Konsiliarztliche Mitversorgung der Pat. z. B. durch Chirurg o. D-Arzt.

1 Tipps für die Stationsarbeit

- **Längere Zeit nach abgeschlossener Therapie erscheint die Pat. unangemeldet, häufig im Beisein ihres Rechtsbeistands und fordert ohne weitere Begründung die Herausgabe ihrer Krankenunterlagen:**
  - Rechtsgrundlage: Eigentümer der Krankenunterlagen wie Karteikarten, Akten etc. sind der Arzt bzw. das Krankenhaus. Die Pat. hat keinen Herausgabeanspruch, lediglich ein Einsichtsrecht, soweit es sich um naturwissenschaftlich objektivierbare Befunde sowie die Behandlung handelt (BGH NJW 1983, 328). Nicht zur Einsichtnahme für Pat. sind persönliche Wertungen der Ärzte, z. B. in der Anamnese, aus Informationen von Familienangehörigen o. Verdachtsdiagn. Üblicherweise werden aber Kopien (gegen Kostenerstattung) für den Rechtsbeistand angefertigt. Grundsätzlich besteht eine Holschuld. Herausgabe von Akten nur auf staatsanwaltliche Anordnung an ermächtigte Personen (Kriminalpolizei), vorher wenn möglich Kopien anfertigen.
  - Sofortige Information des verantwortlichen Arztes, der entscheidet, welche Unterlagen herausgegeben bzw. kopiert werden. Versuch eines Gesprächs mit der Pat. über die Gründe für das Begehren. Bei Kenntnis einer Schadensklage sofortige Information an die Haftpflichtversicherung.
- **Konfrontation mit Schuldzuweisungen an andere Ärzte:** häufigste Krisensituation, denen nachbehandelnde Ärzte gegenüberstehen. Sensibilität ist gefragt. Es empfiehlt sich, ein neutrales Verhalten zu bewahren, insb. bei Kenntnis über laufende Schadensklagen.
- **Cave:** Grundsätzlich obliegt dem Arzt eine Verpflichtung zur umfassenden Dokumentation. Ein Anspruch auf Einsicht in die Krankenunterlagen ergibt sich für den Patienten i. d. R. aus dem Behandlungsvertrag. Das Führen ordnungsgemäßer Krankenunterlagen u. das Einsichtsrecht können nach ZPO § 888 zivilrechtlich erzwungen werden. Grundsätzlich stellt auch der § 810 BGB (Einsicht von Urkunden) eine Anspruchsgrundlage auf Einsicht in die Krankenunterlagen dar. Schließlich resultiert auch ein Akteneinsichtsrecht aus dem Grundrecht auf informationelle Selbstbestimmung nach Art. 1 Abs. 1 u. Art. 2 Abs. 1 GG.

> Ein Abbruch des Arzt-Pat.-Verhältnisses bei gestörtem Vertrauensverhältnis ist durch den Arzt nur aus schwerwiegenden Gründen möglich. Da die Pat. einen Anspruch auf Behandlung hat, empfiehlt sich die vorherige Kontaktaufnahme mit der Rechtsabteilung der zuständigen Ärztekammer.

1.3 Rezeptausstellung

1.3.1 Formalia

Die Verschreibung von rezeptpflichtigen Arzneimitteln muss enthalten:
- Name, Berufsbezeichnung u. Anschrift des Arztes/Tierarztes/Zahnarztes
- Datum der Ausstellung
- Name u. Geburtsdatum der Pat.
- Bezeichnung des Fertigarzneimittels bzw. Wirkstoffs einschl. der Stärke
  - Bei Rezepturen die Zusammensetzung, bei Teilmengen die Bezeichnung des Fertigarzneimittels
- Darreichungsform

- Abzugebende Menge
- Gebrauchsanweisung bei Rezepturen, die in der Apotheke hergestellt werden
- Gültigkeitsdauer der Verschreibung (Privatrezepte gelten ohne Angaben 3 Mon., Kassenrezepte sollten i. d. R. innerhalb von 4 Wo. eingelöst werden)
- Eigenhändige Unterschrift des Arztes/Tierarztes/Zahnarztes
- Bei Rezepten mit Klinikstempel: Vorname u. Name des unterschreibenden Arztes in Druckschrift

1.3.2 Betäubungsmittelverordnung

Innerhalb von 30 d darf der Arzt für einen Patienten max. bis zu zwei der unter § 2 Abs. 1 Buchstabe a BtMVV aufgeführten Betäubungsmittel (www.gesetze-im-internet.de/btmvv_1998/__2.html) bis zur genannten Höchstmenge verschreiben. Wenn die Höchstmenge in diesem Zeitraum überschritten wird, ist das Rezept vom Arzt mit dem Buchstaben „A" zu kennzeichnen. Betäubungsmittelrechtlich ist z. B. wegen Sicherstellung der Therapie im Urlaub (Inland) o. Ä. keine Begrenzung der Reichdauer des BtM-Rezepts vorgesehen worden. Eine Verschreibung bis zu der in der BtMVV festgesetzten Höchstmenge ist grundsätzlich auch für mehr als 30 d möglich. Eine gültige BtM-Verschreibung darf nur bis zum 8. Tag (inkl. Verschreibungsdatum) durch eine Apotheke beliefert werden (die Frist kann nur bei ggf. erforderlicher Einfuhr eines in D nicht zugelassenen Arzneimittels überschritten werden). Substitutionsmittel dürfen nur noch mit der Fachkunde „Suchtmedizinische Grundversorgung" verordnet werden.
Jeder Verschreibungsberechtigte muss seine BtM-Rezepte diebstahlsicher aufbewahren u. vor Missbrauch schützen.

Betäubungsmittelrezept

- Die BtMVV u. ihre Änderungen werden jeweils im Bundesgesetzblatt (BGBl.) veröffentlicht. Die gültige BtMVV ist im Internet unter www.bfarm.de im Abschnitt „Bundesopiumstelle" unter „Gesetze/Verordnungen" einzusehen.
- Die Betäubungsmittelrezeptformulare (BtM-Rezepte) können über die Bundesopiumstelle angefordert werden. Sie tragen eine fortlaufende 9-stellige Rezeptnummer. Das Formular für die Erstanforderung von BtM-Anforderungsscheinen kann im Internet unter www.bfarm.de/DE/Service/Formulare/functions/Bundesopiumstelle/BtM/_node.html heruntergeladen u. ausgedruckt werden.

Das BtM-Rezept muss enthalten (▶ Abb. 1.6):
1. Name, Vorname, Geburtsdatum u. Anschrift der Pat. (Krankenkasse u. Versichertenstatus). Privatrezepte werden mit Vermerk „Privat" re. in der Zeile neben „gebührenfrei" entsprechend ausgefüllt)
2. Ausstellungsdatum
3. a) Eindeutige Arzneimittelbezeichnung, b) Menge des verschriebenen Arzneimittels in Gramm, Milliliter o. Stückzahl der abgeteilten Form. Die Angabe „1OP" bzw. „N2" hinter der Arzneimittelbezeichnung reicht nicht aus! c) Angabe der Beladungsmenge (Hierauf kann verzichtet werden, wenn sie aus der eindeutigen Arzneimittelbezeichnung hervorgeht, z. B. Fentanyl Pflaster 50 Mikrogramm/h, 5 St., enthält 8,25 mg Fentanyl)
4. Gebrauchsanweisung mit Einzel- u. Tagesgabe o. der Vermerk „gemäß schriftlicher Anweisung"
5. Bei Überschreiten der Höchstverschreibungsmenge innerhalb von 30 d (vgl. § 2 BtMVV) den Buchstaben „A", bei Nachreichen einer notfallbedingten Verschreibung den Buchstaben „N", im Falle der Verschreibung zur Substitution den Buchstaben „S"

Bundesdruckerei 01.13 Nachdruck verboten
TEIL II für die Apotheke zur Verrechnung
Krankenkasse bzw. Kostenträger
(ggf. hier: Privat)
BVG 6 Spr.St. Bedarf 9 Begr.-Pflicht Apotheken-Nummer / IK
Name, Vorname des Versicherten
Mustermann, Erika
Musterstr. 10
99999 Musterstadt
① geb. am 12.08.1964
Zuzahlung Gesamt-Brutto
Arzneimittel-/Hilfsmittel-Nr. Faktor Taxe
Kassen-Nr. Versicherten-Nr. Status
Betriebsstätten-Nr. Arzt-Nr. Datum ② 12.09.2011
Rp. (Bitte Leerräume durchstreichen)
③ Fentanyl-Pflaster 50 Mikrogramm/h, 5 St.,
enthält 8,25 mg Fentanyl
④ Alle 3 Tage 1 Pflaster aufkleben
Vertragsarztstempel
⑥ Dr. med. M. Mustermann
Arzt für Kinder- und Jugendpsychiatrie
Musterstr. 6, 99999 Musterstadt
Tel.: 01234 / 567890
Max Mustermann
Unterschrift des Arztes BtM-Rp. (12.2011)
555H
Abgabedatum in der Apotheke
123456789
Bei Arbeitsunfall auszufüllen!
Unfalltag Unfallbetrieb oder Arbeitgebernummer
Bitte kräftig und deutlich schreiben.
Muster

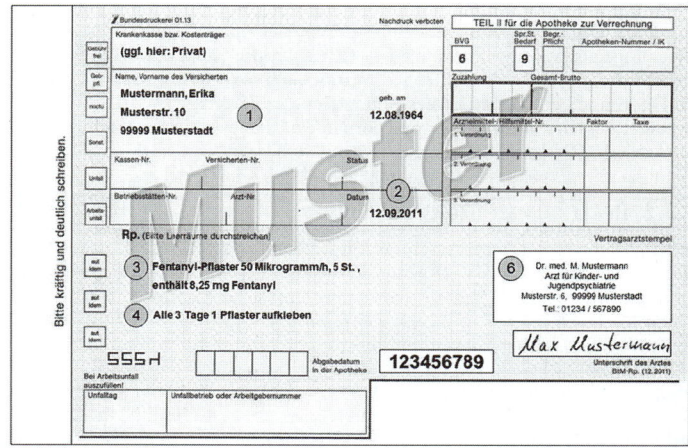

Abb. 1.6 BtM-Rezept [W329]

6. Name, Anschrift einschl. Telefonnummer u. Berufsbezeichnung o. Facharztbezeichnung des verschreibenden Arztes, eigenhändige Unterschrift des Arztes, im Vertretungsfall zusätzlich der Vermerk „i. V."
7. Bei Rezepten für den Praxisbedarf entfallen die Punkte 1 u. 4; es reicht der Vermerk „Praxisbedarf" im Patientenfeld

Betäubungsmittelanforderungsschein

Für den **Stationsbedarf** dürfen weiterhin alle Betäubungsmittel ohne Höchstmengen von den Abteilungsleitern u. ihren Vertretern auf dem Betäubungsmittelanforderungsschein rezeptiert werden. Der Verbleib des BtM ist auf Karteikarten o. in BtM-Büchern nachzuweisen, die vom Arzt (z. B. Stationsarzt) mind. 1 ×/Mon. überprüft werden müssen. Die Unterlagen sind 3 J. aufzubewahren.

Eine Verschreibung auf einem BtM-Anforderungsschein (▶ Abb. 1.7) muss folgende Angaben enthalten (§ 11 Abs. 1):

1. Name/Bezeichnung u. Anschrift der Einrichtung, für die der Stationsbedarf bestimmt ist
2. Ausstellungsdatum
3. Arzneimittelbezeichnung
4. Menge des verschriebenen Arzneimittels in: Milligramm o. Milliliter, Stückzahl der abgeteilten Form o. Größe u. Anzahl der Packungseinheiten

Betäubungsmittel-anforderungsschein 0001 23 Teil I
Anfordernde Stelle:
St. Marien Hospital, Innere Abteilung, Station 4
Minzstraße 107, 6000 Frankfurt/M. ①

Betäubungsmittelhaltiges Arzneimittel	bestellte Menge	gelieferte Menge
③ MST 30 Mundipharma	100	100
100 (hundert) Retardtabletten à 30 mg		
MST 100 Mundipharma	80	80
80 (achtzig) Retardtabletten à 100 mg		
MST 200 Mundipharma	50	50
50 (fünfzig) Retardtabletten à 200 mg		
MSR 30 Mundipharma	48	48
48 (achtundvierzig) Suppos. à 30 mg		
MSI 20 Mundipharma	100	100
100 (hundert) Ampullen à 20 mg		

– Leerzeilen bitte streichen! –
② 19.02.2008 ④ Dr. Mustermann 069/123456
Datum Name des Arztes, Zahnarztes, Tierarztes Telefon-Nr.
Dr. Muster ⑤ ⑥
Unterschrift des Arztes, Zahnarztes, Tierarztes

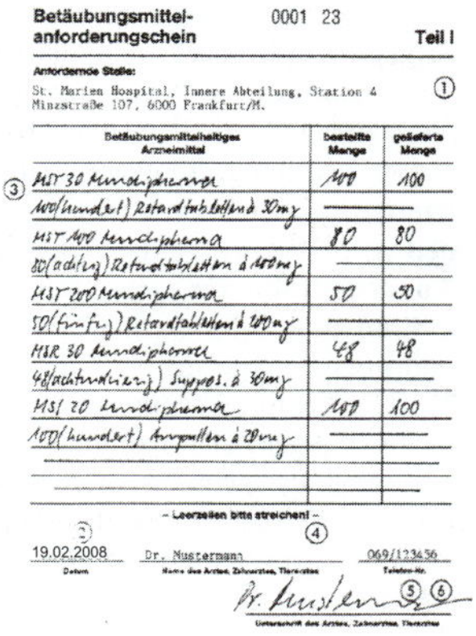

Abb. 1.7 BtM-Anforderungsschein für Stationsbedarf [L190]

5. Name u. Telefonnummer des verschreibenden Arztes
6. Unterschrift, im Vertretungsfall zusätzlich der Vermerk „i. V."

Wie auf dem BtM-Rezept muss das enthaltene BtM jetzt eindeutig bezeichnet werden, die Wdh. der Stückzahl in Worten ist nicht mehr erforderlich. Die Angaben zu 1–5 können durch eine andere Person als den Verordneten erfolgen.

Scheidet ein zur Anforderung von BtM-Anforderungsscheinen berechtigter Arzt aus, kann er die BtM-Anforderungsscheine an seinen Nachfolger in dieser Einrichtung übergeben; diese Übergabe ist intern zu dokumentieren. Das Original des Übergabeprotokolls verbleibt beim ausscheidenden Arzt, eine Kopie desselben nimmt der nachfolgende Arzt zu seinen Unterlagen. Der nachfolgende Arzt übersendet ein Formular zur erstmaligen Anforderung von BtM-Anforderungsscheinen unaufgefordert an die Bundesopiumstelle zum Bezug weiterer BtM-Anforderungsscheine.

1.4 Arzneimitteleinnahme vor geplanten Operationen

> Viele Medikamente können die OP u./o. Narkose beeinflussen (▶ Tab. 1.6). Bei Elektiveingriffen sollten deshalb bereits bei der OP-Planung mögliche KO beachtet werden.

- **Metformin:** Das Biguanid Metformin kann eine potenziell lebensbedrohliche Laktatazidose verursachen. Lt. Fachinformation muss das Antidiabetikum 48 h vor Vollnarkose abgesetzt werden. Die Fortsetzung der Ther. soll nicht früher als 48 h nach dem Eingriff erfolgen. Dies wird jedoch kontrovers diskutiert, da die HWZ von Metformin lediglich 6 h beträgt. Das Bundesinstitut für Arzneimittel u. Medizinprodukte (BfArM) hält an der o. g. Empfehlung fest. Damit Einzelfallentscheidung, Fortsetzen bis zum Vorabend der OP möglich. Glibenclamid am OP-Tag absetzen, BZ-Kontrollen!
- **ASS:** Bei koronaren Hochrisikopat. tritt das periop. Blutungsrisiko ggü. der erwiesenen Prophylaxe in den Hintergrund. Absetzen nur bei OPs mit hohem Blutungsrisiko 7–10 d vorher. Bei koronaren Hochrisikopat. sollte die Medikation mit ASS 100 nur bei absoluter KI unterbrochen werden. Antidepressiva weitergeben mit Beachtung der Interaktionen der Anästhesie!
- **Digitalis:** bei normofrequenter Arrhythmia absoluta weitergeben, Nutzen des Absetzens wg. hoher HWZ unsicher.
- **Glukokortikoide:** unabhängig von der Cushing-Schwelle weitergeben, ggf. periop. Substitution i. v.
- **Statine:** weitergeben.
- **Cumarine:** Einzelfallentscheidung, ggf. Bridging mit Heparin.
- **Direkte orale Antikoagulanzien (DOAK), neue orale Antikoagulanzien (NOAK):** Faktor-Xa-Inhibitoren wie Xarelto®, Pradaxa®, Eliquis® sollten 24–48 h (je nach Präparat) präoperativ (bei mittleren u. größeren Eingriffen) abgesetzt werden. Bei kleinen Eingriffen (z. B. Curettage) Absetzen nicht notwendig.

1 Tipps für die Stationsarbeit

Tab. 1.6 Medikamente mit möglicher Auswirkung auf Narkose/Operation

Substanzgruppe	Präparate (z. B.)	Mögliche Komplikationen	Maßnahmen
Reversible/selektive MAO-Hemmer (Moclobemid, L-Deprenyl)	Aurorix®	Interaktion mit Narkose möglich	Nutzen-Risiko-Abwägung (psychiatrisches Konsil)
Cumarine	Marcumar®, Coumadin®	Blutungsgefahr	Umsetzen auf Heparin etwa 8 d präop.
Acetylsalicylsäure	Aspirin®, Alka-Seltzer®, Thomapyrin®	Blutungsneigung ↑	evtl. Absetzen 7 d präop.
Diclofenac	Voltaren®	Blutungsneigung ↑	Absetzen 4 d präop.
Metformin	Glucophage S®	Hypoglykämie, bis zu 50 h nach letzter Einnahme	evtl. Absetzen am Vorabend präop.
Glibenclamid	Maninil®	Hypoglykämie	Absetzen am OP-Tag
Neuroleptika	Haldol®	Beta-Rezeptorblockade; Anästhetikabedarf ↓	evtl. Absetzen am Vorabend und am OP-Tag
Antidepressiva	Saroten®, Anafranil®, Hypnorex®	Tachykardie, Hypertonie. „Narkoseüberhang"	evtl. Absetzen am Vorabend und am OP-Tag
Diuretika	Furosemid®, Aldactone®, Esidrix®, Diamox®	Hypovolämie, Herzrhythmusstörungen	Absetzen am Vorabend und am OP-Tag
Digitalis	Novodigal®	Hypokaliämie, Herzrhythmusstörungen	Absetzen am OP-Tag, bei normofrequenter „Absoluta" weitergeben
Betablocker	Beloc®, Lopresor®	Rebound-Gefahr beim Absetzen	Weitergeben
Thyreostatika	Irenat®, Favistan®	Hyperthyreose	Weitergeben
Schilddrüsenhormone	L-Thyroxin®, Euthyrox®	Hypothyreose	Weitergeben
Antihypertensiva	Adalat®, Nepresol®, Presinol®, Catapresan®	Hypertonie	Weitergeben
Antikonvulsiva	Tegretal®, Rivotril®, Luminal®	Krampfbereitschaft ↑	Weitergeben
Glukokortikoide oberhalb der Cushing-Schwelle (= 30 mg Hydrokortison)	Betnesol®, Celestan®	Akute Nebenniereninsuff. (Addison-Krise)	Weitergeben, ggf. Dosis erhöhen, i. v. Gabe

Tab. 1.6 Medikamente mit möglicher Auswirkung auf Narkose/Operation *(Forts.)*

Substanzgruppe	Präparate (z. B.)	Mögliche Komplikationen	Maßnahmen
Kontrazeptiva	▶ 18.4	evtl. Minderung o. Aufhebung der Wirkung durch narkosebedingte Enzyminduktion in der Leber	Weitergeben, Low-Dose-Heparinisierung, Aufklärung über fehlenden Konzeptionsschutz
Direkte/neue orale Antikoagulanzien (DOAK/NOAK)	Xarelto®, Pradaxa®, Eliquis®	HWZ 8–18 h	24–48 h präop. absetzen

1.5 Die Entlassung der Patientin

1.5.1 Die Entlassung

Folgende Probleme müssen geklärt sein:
- **Transportart:** Ist eine **Fahrt** mit Taxi o. öffentlichen Verkehrsmitteln möglich u. zumutbar (Alltagskleidung u. Schuhe vorhanden)? Abholung durch Angehörige möglich?
- **Transportkosten:** Die Krankenkasse übernimmt die Kosten für Fahrten einschl. der Krankentransporte, wenn sie aus zwingenden med. Gründen notwendig sind (§ 60 Abs. 1 SGB V). Können die Selbstbeteiligungen für den Transport (mind. 5, max. 10 Euro) aufgebracht werden, oder liegen die Voraussetzungen zur Befreiung vor? **Cave:** Bei amb. Behandlungen gibt es nur selten eine Kostenübernahme, die unbedingt vorab mit der Krankenkasse geklärt werden sollte.
- **Fahrtüchtigkeit nach amb. Eingriffen:** Hat die Pat. einen Führerschein, muss der Arzt sie auf eine neu eingetretene Fahr*un*tüchtigkeit aufmerksam machen. Bei nicht einsichtiger Pat. ist der Arzt zur Meldung an das örtliche Straßenverkehrsamt berechtigt (nicht jedoch verpflichtet).
- **Soziale Versorgung:** Sind **Angehörige**, Nachbarn o. das (wieder-)aufnehmende Altenheim informiert? Evtl. – z. B. bei Tumorpat. – auch Hausarzt anrufen, um rechtzeitige Hausbesuche sicherzustellen.
- Ab dem 1.10.2017 muss der Pat. bei Entlassung ein Arztbrief mit Informationen zur Diagnose, Therapie, aktueller Medikation etc. mitgegeben werden.
- **Selbstversorgung:**
  - Hat die Pat. einen Hausschlüssel, um in die **Wohnung** zu gelangen?
  - Hat die Pat. zu essen? **Keine** Entlassung z. B. von alleinstehenden Diabetikerinnen am Samstagnachmittag!
  - Hat die Pat. die lebenswichtigen Verhaltensregeln verstanden (z. B. Flüssigkeitsrestriktion bei schwerer Herzinsuff., kaliumarme Diät bei dialysepflichtiger Niereninsuff.)?
  - Hat die Pat. **Medikamente?** „Tagesration" bis zum Hausarztbesuch mitgeben. Das Krankenhaus darf die zur Überbrückung benötigte Menge an Arzneimitteln nur abgeben, wenn im unmittelbaren Anschluss an die Behandlung ein Wochenende o. ein Feiertag folgt. Ab Mitte 2017 können Krankenhäuser Verordnungen für Hilfsmittel, Arzneien, Arbeitsunfähig-

keitsbescheinigungen usw. ausstellen, sodass Patienten für die nächsten 7 d nach Entlassung versorgt sind.

Evtl. Information des Krankenhaus-Sozialdienstes (z. B. AHB nach Tumorerkr.).

1.5.2 Der gynäkologische Arztbrief

Absender (Briefkopf)
Anschrift
Testfrau, Kerstin, geb. 1.9.1962, Mühlenstr. 20, 79104 Freiburg
Sehr geehrte Frau Kollegin,
Sehr geehrter Herr Kollege,
wir berichten Ihnen über oben genannte Pat., die sich vom 9.11.2017 bis zum 13.11.2017 in unserer stat. Behandlung befand.
Diagnosen
- Therapieresistente Dauerblutung bei myohyperplastischem Uterus: ICD-10: N92.1
- Eisenmangelanämie: ICD-10: 50.0

Therapie Laparoskopische Hysterektomie TLH: ICPM: 5–683.03.
Histologie Hysterektomiepräparat mit unauffälliger Portio u. Cervix uteri sowie einem Uterus myomatosus nebst initial proliferierendem Endometrium. Kein Anhalt für Malignität.
Labor bei Aufnahme Hb 10,2 g/dl, Leukozyten 5,9 tsd/ml, Thrombozyten 343 tsd/l, übrige Routineparameter im Normbereich. Hb vom 10.11.2017: 10,1 g/dl. Blutgruppe AB Rh pos.
Anamnese Die 55-jährige Pat. wurde wegen einer therapieresistenten Dauerblutung mit Eisenmangelanämie zur Hysterektomie stat. eingewiesen. Die Pat. hat zwei Kinder spontan geboren.
Aufnahmebefund Bauchdecken weich, Vulva, Vagina u. Portio unauffällig. Palpatorisch ist der Uterus retroflektiert, gut faustgroß, mobil, Adnexregion bds. frei. Vaginalsonografisch retroflektierter Uterus 102 × 62 mm, unauffällige Adnexe.
Verlauf Nach den üblichen Vorbereitungen wurde am 10.11.2017 eine laparoskopische Hysterektomie komplikationslos durchgeführt. Der postop. Verlauf war bis auf die bereits vorbestehende Anämie komplikationslos. Die Wundheilung war regelrecht. Die Pat. erhielt eine orale Eisensubstitution.
Entlassbefund und Empfehlung Spekulum: Scheidenstumpf reizlos. Palpatorisch im kleinen Becken alles weich. Inzisionen reizlos. Vaginalsonografisch Scheidenende reizlos, kein Hämatom, keine freie Flüssigkeit.

Wir entließen die Pat. am 13.11.2017 bei Wohlbefinden wieder nach Hause und empfahlen ihr eine Wiedervorstellung bei Ihnen in etwa 4 Wochen.
Besten Dank für die freundliche Zuweisung der Pat.
Mit freundlichen kollegialen Grüßen
Chefarzt   Oberarzt   Assistenzarzt

1.5.3 Der geburtshilfliche Arztbrief

Absender (Briefkopf)
Anschrift
Sehr geehrte Frau Kollegin,
Sehr geehrter Herr Kollege,
vielen Dank für die freundliche Einweisung Ihrer o. g. Pat., die sich vom 9.11.2017 bis zum 12.11.2017 in unserer stat. Behandlung befand.
Anamnese
- 31 Jahre – II. Para – II. Grav. – in der 40+5 SSW
- Blutgruppe: A Rh-pos., Rötelnschutz vorh.

Geburt Spontanentbindung am 10.11.2017 um 3:15 Uhr aus II. HHL. Damm intakt. Anästhesie: keine. Nachgeburtsperiode: Plazenta vollständig.
Entlassung
- Zeitgerechte Uterusinvolution – Fundusstand: N/4 – Portio formiert – Lochialfluss: regelrecht
- Mammae: laktierend. Labor: Hb 10,3 g/dl

Kind Jakob (m), Geburtsgewicht: 3.510 g, Länge: 53 cm, Kopfumfang: 35,0 cm, Apgar: 9/10/10, NapH: 7,32, NvpH: 7,30. Kind wurde voll gestillt, Entlassungsgewicht: 3.560 g; U2: keine Auffälligkeiten. Bili: 12,1 mg/dl. Erweitertes Stoffwechselscreening wurde durchgeführt, OAE-Screening (Hörscreening und Pulsoxymetriescreening) unauffällig.

Eine gyn.-fachärztl. Kontrolluntersuchung in 4–6 Wo. wurde empfohlen.
Mit freundlichen kollegialen Grüßen
Chefarzt   Oberarzt   Assistenzarzt

1.5.4 Poststationäre Angebote

- Gemeindeschwester u. amb. Krankenpflegeeinrichtungen: besuchen die Pat. für Verbandswechsel, Insulinspritze, Stoma- o. Ulkuspflege. Kosten werden bei med. Notwendigkeit i. d. R. von den Krankenkassen übernommen.
- Essen auf Rädern: bietet auch Diäten an (z. B. Diab.-Diät, cholesterinarme Diät).
- Heimkrankenpflege.
- Wohlfahrtsverbände (Diakon. Werk, Caritas, Malteser Hilfswerk, ASB u. a.) bieten in „Pflegestationen" Hilfsmittel an (verstellbares Bett, Toilettenstuhl, Rollstuhl).
- Sozialpsychiatrischer Dienst übernimmt Nachsorge z. B. bei Drogenabhängigkeit o. psychotischen Erkr. Kann bei Rückfall-, Suizidgefährdung o. erneutem Psychoseschub die Klinikeinweisung veranlassen.
- Selbsthilfegruppen bieten der Pat. die Möglichkeit der Konfliktbearbeitung.
- Tumorzentren: „Brückenschwestern" v. a. übernehmen z. B. die Heimkrankenpflege schwerst tumorkranker Pat., evtl. Aufnahme im Hospiz.
- Hebammenpflege: Von den Krankenkassen werden bis zu 16 Hausbesuche durch eine Hebamme innerhalb der ersten 8 Wo. nach der Geburt erstattet. Darüber hinaus sind weitere Besuche möglich, wenn eine entsprechende ärztliche Bescheinigung über die Notwendigkeit vorliegt.
- Pflegeversicherung leistet je nach Einstufung der Pflegebedürftigkeit finanzielle Zuschüsse. Vor Entlassung Kontakt mit Pflegekasse (meist Krankenkasse) aufnehmen. Sozialmed. Dienst des Krankenhauses rechtzeitig vor geplanter Entlassung einschalten.

1.6 Sterben und Tod einer Patientin

1.6.1 Die sterbende Patientin

> Der Tod einer Pat. darf nicht mit ärztlichem Versagen gleichgesetzt werden.

Liegt eine Pat. im Sterben, sollte der Arzt folgende Fragen prüfen:
- Können Sorgen der Pat. erleichtert werden (z. B. der Wunsch, ein Testament zu schreiben, ihre Kinder noch einmal zu sehen, zu Hause zu sterben)?
- Ist die Pat. schmerzfrei?
- Können für die Pat. quälende Diagn. u. Therapieformen (Bestrahlung, Chemother., parenterale Ernährung, Blutentnahmen) abgesetzt werden?
- Ist ggf. dafür gesorgt, dass keine Reanimation vorgenommen wird (Hinweis an den diensthabenden Arzt, ggf. schriftliche Festlegung in der Krankenakte o. am Bett)?
- Sind die Angehörigen u. ggf. der Hausarzt informiert?
- Hat die Pat. noch Fragen, oder wünscht sie Beistand durch einen Seelsorger?
- Ist alles getan, dass die Pat. in Ruhe (Einzelzimmer) und würdevoll sterben kann?

Diagnosekriterien des klinischen Todes
- Pulslosigkeit, Atemstillstand, Bewusstlosigkeit, weite reaktionslose Pupillen
- **Sichere Todeszeichen:** Totenflecken (nach 0–4 h, rotviolette Flecken v. a. in abhängigen Körperpartien, die nach spätestens 24 h nicht mehr wegdrückbar sind), Leichenstarre (nach 2–6 h, schreitet vom Kopf zur Peripherie hin fort u. löst sich nach 2–3 d)

1.6.2 Totenbescheinigung (Leichenschauschein)

Landesrechtliches Dokument, das von dem Arzt ausgefüllt wird, der die Leichenschau (möglichst innerhalb von 24 h nach dem Tod) vornimmt. Es besteht meist aus einem offenen Teil für amtliche Zwecke u. einem vertraulichen mit med. Angaben zur Todesursache (Grundlage der amtlichen Todesursachenstatistik). Eingetragen werden müssen:
- Personalien der Toten, Todesfeststellung, Todeszeitpunkt
- Todesart (erfordert Kenntnisse der Vorgeschichte):
  ! Bei übertragbarer Krankheit im Sinne des Infektionsschutzgesetzes Amtsarzt im örtlichen Gesundheitsamt benachrichtigen
  ! Bei unklarer Todesursache (z. B. unbek. Pat.) o. Beteiligung von Gewalt, Verletzungen, Suizid, Alkohol, Vergiftung, Vernachlässigung, OP o. Anästhesie (V. a. unnatürliche Todesursache) Staatsanwaltschaft informieren

> Totenschein nur unterschreiben, wenn mind. ein sicheres Todeszeichen vorhanden ist und eine Untersuchung am unbekleideten Körper möglich war! Der Totenschein darf in vielen Bundesländern **nicht** durch den behandelnden Arzt ausgestellt werden.

1.6 Sterben und Tod einer Patientin

1.6.3 Totgeburt

Ist ein Kind tot geboren o. unter der Geburt verstorben, muss dies spätestens am folgenden Werktag dem Standesamt mitgeteilt werden (§ 24 Personenstandsgesetz).

- **Totgeburt:** Unmittelbar p. p. hat weder das Herz geschlagen, noch die Nabelschnur pulsiert, noch die natürliche Lungenatmung eingesetzt, und das Gewicht des Neugeborenen (NG) beträgt mind. 500 g. Es erfolgt eine standesamtliche Registrierung. Zudem besteht Bestattungspflicht.
- **Lebendgeburt:** Hat sich auch nur eines der genannten Lebensmerkmale gezeigt, gilt das Kind nicht als tot geboren, sondern als Lebendgeborenes, auch wenn sein Gewicht unter 500 g liegt. Auch hier erfolgt die standesamtliche Registrierung.
- **Fehlgeburt:** Wenn sich keines der genannten Lebensmerkmale gezeigt hat und das Gewicht des Embryos o. Fetus unter 500 g liegt, besteht eine Fehlgeburt. Sie wird in den Personenstandsbüchern **nicht** beurkundet. Eine Bestattung von Fehlgeburten ist in den meisten Bundesländern zwar nicht vorgesehen, aber möglich (Bestattungsanspruch). Für die Bestattung reicht eine formlose ärztliche Bescheinigung zur Vorlage beim Friedhofsamt, eine Todesbescheinigung ist nicht erforderlich. Werden fehlgeborene Kinder nicht bestattet, dann sind Kliniken verpflichtet, für die „hygienisch einwandfreie und dem sittlichen Empfinden entsprechende Beseitigung" zu sorgen (Beseitigungspflicht). Viele Kliniken organisieren hierzu anonyme Sammelbestattungen.

Für tot geborene Kinder < 500 g sowie für Fehlgeburten besteht ein Bestattungs**recht,** ab einem Gewicht > 500 g besteht Bestattungs**pflicht.** Die Bestattungskosten müssen die Eltern tragen. Häufig werden von Kliniken Sammelbestattungen für Fehlgeburten und gemeinsame Trauerfeierlichkeiten für die Angehörigen angeboten.

1.6.4 Obduktion

Eine Obduktion erfolgt i. d. R. nach Einwilligung der Angehörigen, evtl. auch nach Ablauf einer 24-h-Frist, innerhalb der die Angehörigen Einspruch erheben können. Näheres regelt der Krankenhausbehandlungsvertrag zwischen Pat. u. Krankenhausträger. Erzwingbar ist die Obduktion bei Seuchenverdacht (nach amtsärztlichem Gutachten!) und vor einer Feuerbestattung, sofern die Todesursache nicht anders geklärt werden kann. Die gerichtliche Sektion wird vom Staatsanwalt beantragt.

Berufsgenossenschaften können zur Klärung eines Kausalzusammenhangs zwischen Arbeitsunfall u. Tod eines Versicherten eine Obduktion verlangen. Eine „versorgungsrechtlich" begründete Obduktion kann auch vom Stationsarzt im Einverständnis mit den Angehörigen angeordnet werden, um die spätere Beweislage der Hinterbliebenen zu verbessern.

1.7 Die Problempatientin

1.7.1 Bewusstseinsstörungen

> Mit dem Begriff Delirium (Delir) beschreibt man einen Zustand geistiger Verwirrung, der sich v. a. durch Störungen des Bewusstseins u. Denkvermögens auszeichnet. Zudem treten häufiger auch körperl. Krankheitszeichen auf.

Bei ca. 20 % der Pat. > 65 J. liegt im Zeitpunkt der Krankenhausaufnahme ein klin. Delir vor. Das Risiko für ein Delir steigt mit dem Lebensalter. Die Ursachen sind häufig multifaktoriell. Männer sind wg. des vermehrten Alkoholmissbrauchs häufiger betroffen als Frauen (s. auch LL Analgesie, Sedierung u. Delirmanagement in der Intensivmedizin).

Häufigkeit Die Prävalenz des Delirs beträgt auf der ITS bei beatmeten Pat. 60–80 %, bei nicht beatmeten 40–60 %. Bei chir. Pat. wird es häufiger beobachtet als bei rein internistischen Intensivpat.

Typische Symptome
- Bewusstseins- u. Wahrnehmungsstörungen, häufig mit beeinträchtigtem Gedächtnis u. Orientierungsverlust o. Denkstörungen mit kognitiven Einschränkungen
- Psychomotorische Unruhe mit starkem Bewegungsdrang u. gelegentlich schleudernden Bewegungen (Jaktationen). Manchmal kommt es zur Bettflucht
- Übertriebene Heiterkeit u./o. unbegründete Angst (affektive Störungen)
- Schlafstörungen
- Leichte Reizbarkeit u. Erregungszustände
- Halluzinationen sowohl optischer als auch akustischer Natur

Somatische Krankheitszeichen (neurovegetative Symptome)
- Fieber bis zu 38,5 °C
- Erhöhter Blutdruck u. beschleunigter Puls
- Starkes Schwitzen (Hyperhidrose)
- Hyperventilationen
- Zittern (Tremor, bes. stark beim Delirium tremens)

Die Symptome treten bei einem Delir eher plötzlich als schleichend auf und können während des Krankheitsverlaufs stark variieren. Ohne Behandlung kann das Delir schwerwiegende Komplikationen für das Herz-Kreislauf-System u. die Atmung bedeuten, die bis hin zum Tod führen können. Eine frühe Behandlung kann den Heilungsverlauf u. das Behandlungsergebnis nachhaltig verbessern, indem es die Sterblichkeit reduziert und das funktionelle Langzeitergebnis pos. beeinflusst. Das Grundprinzip folgt den Vorgaben der *Early Goal Directed Therapy* (EGDT) mit frühen, evidenzbasierten Zielvorgaben, dem Messen von klin. Parametern u. der gezielten pharmakol. Therapie, flankiert von nichtpharmakol. Präventionen u. Therapien. Der intensivmed. behandelte Pat. soll wach, aufmerksam, schmerz-, angst- u. delirfrei sein.

Delirogene (delirfördernde) Medikamente
- Sedativa/Hypnotika (insb. Benzodiazepine)
- Opiate

- Nichtsteroidale Entzündungshemmer
- Antibiotika/antivirale Therapien
- Kortikosteroide
- Anticholinerg wirksame Medikamente (Spasmolytika, Antidepressiva, Neuroleptika, Parkinsonmedikamente, Antiemetika, Antiarrhythmika)
- Antihypertensiva u. kardial wirksame Medikamente
- Dopaminagonisten.
- Antikonvulsiva (Antiepileptika)

Motorische Subtypen des Delirs und ihre Häufigkeit
- Hyperaktives Delir (5 %)
- Hypoaktives Delir (30 %)
- Mischform des Delirs (65 %)
- Subsyndromales Delir (SSD) = inkomplettes Delir mit 1–3 Symptomen

Prävention und Intervention
1. **Delir-Behandlungspfad nichtpharmakologisch:**
- Medikamentenmonitoring (s. o.)
- Ruhige u. sichere Umgebung schaffen, Angehörige integrieren
- Uhr, Brille, Hörgerät u. persönliche Utensilien bereitstellen
- Schmerzen vermeiden
- Sauerstoffversorgung verbessern
- Angst u. Stress abbauen
- Wahrnehmung fördern
- Orientierung ermöglichen
- Angepasste Kommunikation
- Ernährung -u. Elektrolythaushalt normalisieren
- Ausscheidung normalisieren
- Mobilität fördern/erhalten
- Infektionen vermeiden/behandeln
2. **Pharmakologische Frühbehandlung:**
- Hypoaktivität o. produktiv-psychotische Symptomatik: Haloperidol, Risperidon, Olanzapin
- Hyperaktivität: Haloperidol, Propofol
- Hyperaktivität u./o. Angst: Lorazepam*, Midazolam*, Levetiracetam, Propofol (**cave:** * = Hinweise auf delirogene Potenz)
- Unruhe u. vegetative Symptomatik: Alpha-2-Agonist (Clonidin) i. v. oder Betablocker (Metoprolol)

Diagnostik   Notwendig sind validierte Instrumente zur Überwachung der Analgesie, der Sedierung u. des Delirs. Durchführung mind. 1×/Schicht (alle 8 h). Abgleich/Anpassung mit den vorgegebenen Behandlungszielen. Anwendung vorgegebener Screeningmethoden, z. B. **Confusion-Assessment-Methode für die Intensiveinheit (CAM-ICU):**

I. **Beurteilung – akuter Beginn o. schwankender Verlauf des Delirs:**
   - Gibt es eine akute Veränderung des geistigen Zustandes der Pat., die wir nicht logisch erklären können?
   - Zeigt die Pat. in den letzten 24 h Veränderungen in ihrem Geisteszustand?
II. **Aufmerksamkeitsstörung:** Hatte die Pat. Schwierigkeiten, ihre Aufmerksamkeit zu fokussieren, war sie z. B. leicht ablenkbar, oder hatte sie Schwierigkeiten, dem Gespräch zu folgen?

III. **Formale Denkstörung:** Gibt es Anzeichen für unorganisiertes Denken, gezeigt in drei o. mehr falschen Antworten auf folgende 4 Fragen:
- Schwimmt ein Stein im Wasser?
- Gibt es Fische im Meer?
- Wiegt 1 kg mehr als 2 kg?
- Kann man mit einem Hammer Nägel in die Wand schlagen?

Anweisungen an den Pat.:
- Halten Sie so viele Finger hoch. (Untersucher hält 2 Finger hoch)
- Jetzt wiederhohlen Sie (die Pat.) dasselbe mit der anderen Hand. (ohne diese der Pat. vorzuzeigen)

IV. **Veränderte Bewusstseinslage:** Wie beschreiben Sie die Bewusstseinslage der Pat.?
- Wach: alert (normal)
- Hyperalert (überspannt)
- Somnolent (schläfrig, leicht erweckbar)
- Soporös: stuporös (erschwert erweckbar)

1.7.2 Alkoholabhängigkeit und Entzugsdelir

Alkoholdelir u. akute Verwirrtheitszustände zählen zu den häufigsten Ursachen für eine Krankenhausaufnahme und verlängern die Aufenthaltsdauer im Krankenhaus o. auf der ITS.

> Alkoholiker ist, wer länger als 1 J. große Mengen Alkohol konsumiert, die Kontrolle über den Alkoholkonsum verloren hat und dadurch körperl., psychisch und in seiner sozialen Stellung geschädigt ist.
> Das Anerkennen der Diagn. durch die Pat. ist Voraussetzung für eine erfolgreiche Behandlung. Daher ist bei gesicherter Diagn. eine offene Aussprache notwendig. Auch dem Arzt muss dabei klar sein: „Weniger trinken" kann nicht funktionieren!

Klinik

Alkoholfötor, verschlechterte Konzentrationsfähigkeit, Störung der motorischen Koordination, übersteigertes Selbstbewusstsein, verlangsamte Reaktionszeit, Amnesie. Periphere Gefäßerweiterung (gerötetes Gesicht), erhöhte Wärmeabgabe, gehemmte Thermoregulation mit Folge der Unterkühlung. Erbrechen, Polyurie (gehemmte ADH-Sekretion). Hypoglykämie, Azidose. Bewusstlosigkeit, Areflexie, Atemdepression, RR-Abfall. **Cave:** Auf Begleiterkr. (s. u.) achten!

Initialtherapie

- Stabile Seitenlage, bei Bewusstlosigkeit Intubation u. Beatmung
- Schockbehandlung (▶ 3.4)
- Thiamin (Vit. B_1) 100 mg/d i. v. **vor** Glukosegabe
- Glukose 20 % 50 ml i. v. bei V. a. Hypoglykämie (häufig!)
- Glukose 5 % o. 10 % 500 ml i. v. bei Volumenmangel
- Natriumbikarbonat 8,4 % (ml Lsg. = neg. BE × kg KG × 0,3) bei Azidose
! An andere Komaursachen denken, z. B. Meningitis bei alkoholinduzierter Abwehrschwäche, Drogenintoxikation, SHT, zerebrale Blutung, Apoplex, thyreotoxische Krise, diab. Koma, akute o. chron. Leberinsuff.

Weiterbehandlung

Sedativa

Indikation Unruhe u. Angst.

Dosierung Clorazepat 25–100 mg/d i. v. (z. B. Tranxilium®) o. Diazepam 2–6 × 10 mg i. v. (z. B. Valium®). Dosisanpassung nach Wirkung.

> Bei schwerer Leberinsuff. kürzer wirksame Benzodiazepine (Lorazepam, Oxazepam) anwenden.

Clonidin (z. B. Paracefan®)

Indikation Vegetative Symptome (Tremor, Schwitzen, Tachykardie).

Dosierung Beginn mit Bolusinjektion von 0,15–0,6 mg i. v. (z. B. 1–4 Amp. Paracefan®), in Einzelfällen bis zu 0,9 mg Clonidin innerhalb von 10–15 min. Weiterbehandlung mit 0,3 bis > 4 mg/d Clonidin (durchschnittlich 1,8 mg/d Clonidin = 12 Amp. Paracefan® i. v.). Dosisanpassung nach Wirkung (RR, Bradykardie!).

> Nicht unterdosieren. In Extremfällen bis 10 mg/d Clonidin notwendig. Therapie nicht zu früh und nicht abrupt beenden; über 3 d ausschleichen
> - Unter Clonidin (bradykarde) Herzrhythmusstörungen, v. a. bei E'lytstörungen (Monitorüberwachung!) möglich

Haloperidol

Indikation Psychotische Symptome (Angst, Halluzinationen, Wahn).

Dosierung 5 mg langsam i. v. (z. B. 1 Amp. Haldol®), Dosisanpassung nach Wirkung, max. 40 mg/d.

> Restriktive Anwendung; Kardiotoxizität durch Clonidin verstärkt → Rhythmusstörungen (Monitorüberwachung!)

Clomethiazol (Distraneurin®)

Dosierung Initial 4–5 × 1–2 Kps. (= 192–384 mg) Distraneurin® bzw. 4–6 × 5–10 ml (= 157,5–315 mg) Distraneurin® Mixtur tgl. o. Distraneurin® 0,8 % 500–1.500 ml/d i. v. Intensivüberwachung obligat.

Nebenwirkungen Atemdepression, Bronchospasmus, gesteigerte Bronchialsekretion (evtl. Atropin 1–2 × 0,25 mg/d).

Kontraindikationen Pneumonie, Thoraxverletzung, respir. Insuff.

> **Zusammenfassung**
> - Die Diagnose Alkoholdelir setzt eine genaue klin. u. ggf. apparative Diagnostik voraus, um organische Hirnerkr., die ebenso das Bild des deliranten Sy. zeigen, zu erkennen.

- Das unvollständige sog. Prädelir (vegetative Symptomatik o. Halluzinationen), sollte mit oralen GABAergen Substanzen behandelt werden: Clomethiazol, Benzodiazepine. Bei milder Ausprägung ist eine 6-tägige Therapie mit Carbamazepin möglich.
- Beim Vollbild des Alkoholentzugsdelirs sind Benzodiazepine u. Clomethiazol, bevorzugt in symptomgetriggerter Dosis gut wirksam. Die Komb. mit einem i. v. Neuroleptikum (z. B. Haloperidol) ist nur unter Monitorbedingen bei ausgeprägten Halluzinationen u. Erregungszuständen zu empfehlen. Haloperidol ist bei Hypokaliämie u./o. Hypomagnesiämie o. gemeinsam mit Flunitrazepam bes. arrhythmieauslösend. In therapierefraktären Fällen gibt es Erfolge mit Propofol u. Dexmedetomidin.
- Sehr schwere Verläufe machen eine parenterale Therapie auf der ITS erforderlich. Evidenzbasiert sind die Komb. Diazepam/Haloperidol u. Midazolam/Haloperidol. Zusätzlich kann Clonidin gegeben werden.
- Adjuvante Behandlung mit einer adäquaten Flüssigkeitszufuhr (bis 4.000 ml unter ZVD-Kontrolle), Magnesium (Magnesiumcitrat o. Magnesiumaspartathydrochlorid 3 × 100 mg), Elektrolytausgleich sowie Vit. B_1 (initial 100 mg i. v. oder i. m., danach 1–3 × 100 mg p. o.).
- → LL Alkoholdelir u. Verwirrtheitszustände.

Alkoholassoziierte Erkrankungen
- GIT: chron. Gastroduodenitis, chron.-rezid. Pankreatitis, Alkoholhepatitis (Fieber, Ikterus, Erbrechen), Fettleber, Leberzirrhose
- ZNS: HOPS, akute Psychose, Korsakow-Sy. (Störung des Kurzzeitgedächtnisses, Desorientiertheit, Konfabulation), Wernicke-Enzephalopathie (zerebelläre Ataxie, Augenmuskellähmung, Areflexie, Bewusstseinsstörungen), zerebrale Krampfanfälle (v. a. im Alkoholentzug), PNP
- Blut: makrozytäre Anämie (MCV oft > 100 nl). GGT ist bei chron. Alkoholabusus meist ↑ → empfindlichster Laborparameter!
- Herz: oft dilatative Kardiomyopathie, Arrhythmien
- Stoffwechsel: Diab. mell., Neigung zu Hypoglykämien

1.7.3 Suizidalität

Jährlich knapp 10.000 Selbsttötungen in Deutschland. 90 % aller Pat., die sich das Leben nehmen, sind psychisch krank. Die Suizidrate ist seit 1980 (> 18.000 Suizide im Jahr) um fast die Hälfte gesunken.
- > ⅔ der Betroffenen sind depressiv (v. a. „endogen", seltener reaktiv), 40 % von ihnen haben vorher bereits suizidales Verhalten gezeigt.
- 15 % sind Alkoholiker u. Drogenabhängige.
- 15 % verteilen sich auf andere Psychosen (Schizophrene, [früh-]demente Pat. u. a. hirnorganisch Kranke).
- Weitere Gründe sind Alter, Vereinsamung u. chron. Krankheiten.

Diagnostik Schwerpunkt für das Erkennen einer vermuteten, aber nicht geäußerten Suizidalität liegt auf der Beurteilung der Depressivität der Pat. Fragen nach Schlafstörungen, Abendhoch/Morgentief, Konzentrationsverlust, Libidoverlust, Appetit- u. Gewichtsverlust sowie Anhedonie („Das Leben macht keinen echten Spaß mehr"). Im Zweifelsfall Psychiater hinzuziehen.

Therapieansätze
- Suizidalität ansprechen!
- Nie die Pat. nach einem ersten Gespräch „ins Leere" entlassen, sondern weitere Termine fest vereinbaren und für Pat. erreichbar bleiben.
- Medikamentöse Akutther. initial z. B. mit vorwiegend sedierendem Neuroleptikum (Neurocil®, Atosil®). Weitere Ther. durch Psychiater.
- Nach Möglichkeit statt Rezept Tbl. in kleinen Mengen mitgeben.
- Einweisung bzw. Überweisung zur psychiatrisch-stat. Behandlung bei akuter psychotischer Selbsttötungsgefährdung.
- Zwangseinweisung, jedoch wenn irgend möglich, keine Entscheidungen „übers Knie brechen".

! Aus rechtlichen Gründen empfiehlt sich eine sorgfältige Dokumentation der durchgeführten diagn. u. ther. Maßnahmen.

1.7.4 Verwirrtheit

▶ 1.7.1

Ursachen
- Plötzliche Änderung der Umgebung (Krankenhauseinweisung!)
- Medikamentenüberdosierung (z. B. Benzodiazepine o. Neuroleptika)
- Medikamentenabusus (z. B. Lexotanil®, Tavor®, Rohypnol®)
- Durchgangssy. nach OP, Suizidversuch, E'lytentgleisung
- Exsikkose, Fieber, Herzinsuff., Hypoglykämie, Meningoenzephalitis. Ausführliche DD von Präkoma u. Koma ▶ 3.4

Vorgehen
- Psychiatrische Basisuntersuchung: Orientierung zu Ort, Raum u. Zeit, Kurzzeitgedächtnis, „Lebensgefühl", Wünsche an Gegenwart u. Zukunft
- Körperl. Untersuchung: Exsikkose, Tremor, Nackensteifigkeit
- Diagn.: Anämie, Leukozytose, Hyponatriämie, ggf. TSH basal, bei rascher Progredienz CCT (z. B. subdurales Hämatom, Tumor)
- Gespräch mit Angehörigen u. Hausarzt: Hat sich die Pat. verändert? Besteht Medikamenten- u./o. Alkoholabusus?
- Absetzen offenbar ungeeigneter Neuroleptika u. Hypnotika
- Sedierung: Nur wenn unbedingt nötig – besser ist oft die vorsichtige Regulierung des **Tag-Nacht-Rhythmus** durch niedrig dosierte Neuroleptika abends u. Aktivierung am Tag – im Akutkrankenhaus am besten durch Krankengymnastik (stärkt zudem das Selbstwertgefühl der Pat.)

> Bei postop. Durchgangssy.: Haloperidol 2,5 mg i. v. oder i. m. (z. B. Haldol®), Diazepam 5 mg i. v. oder i. m. (z. B. Valium®), Lorazepam 1 mg s. l. (Tavor® 1,0 Expidet)

1.8 Meldepflichtige Infektionskrankheiten

1.8.1 Deutschland

Die aktuellen Vorgaben für die Meldepflicht können beim Robert Koch-Institut (RKI, www.rki.de/DE/Content/Infekt/IfSG/Meldepflichtige_Krankheiten/Meldepflichtige_Krankheiten_inhalt.html) abgefragt werden. Oft meldet bereits das Labor.

1.8.2 Österreich

> **!** Meldung binnen 24 h!

Nach dem Epidemiegesetz
- Erkr., Sterbefälle an: Bang-Krankheit, Diphtherie, virusbedingten Meningoenzephalitiden, invasiven bakt. Erkr., Meningitiden u. Sepsis, Keuchhusten, Legionärskrankheit, Malaria, Röteln, Scharlach, Rückfallfieber, Trachom, Trichinose, Tbc, hervorgerufen durch *Mycobacterium bovis*
- Verdachtsfälle, Erkr., Sterbefälle an: Cholera, Gelbfieber, virusbedingtem hämorrhagischem Fieber, infektiösen Hepatitiden, Inf. mit dem Influenzavirus A/H5N1 o. einem anderen Vogelgrippevirus, Poliomyelitis, bakt. u. viraler Lebensmittelvergiftung, Lepra, Leptospiren- Erkr., Masern, Milzbrand, Psittakose, Paratyphus, Pest, Pocken, Rickettsiose durch *R. prowazekii,* Rotz, übertragbarer Ruhr (Amöbenruhr), SARS (schweres akutes respir. Sy.), Tularämie, Typhus (Abdominaltyphus), Puerperalfieber u. Wutkrankheit (Lyssa) sowie Bissverletzungen durch wutkranke o. wutverdächtige Tiere, Hunde- *(Echinococcus granulosus)* u. Fuchsbandwurm *(Echinococcus multilocularis)*
- Todesfälle durch subakute spongiforme Enzephalopathien

Nach dem Tuberkulosegesetz Jede Erkr. u. jeder Todesfall an Tbc (hervorgerufen durch *Mycobacterium tuberculosis),* die ärztlicher Behandlung o. Überwachung bedarf.

Nach dem Aids-Gesetz Jede manifeste Aids-Erkr. (Nachweis einer HIV-Inf. u. zumindest einer Indikatorerkr.) u. jeder Todesfall (auch wenn bereits eine Meldung über den vorausgegangenen Krankheitsfall erfolgt ist).

Nach dem Geschlechtskrankheitengesetz
- Tripper
- Syphilis
- Weicher Schanker
- Lymphogranuloma inguinale

1.8.3 Schweiz

Meldepflicht für Ärzte
- Innerhalb von 1 Tag: Anthrax, Pocken, Diphtherie, SARS, Epiglottitis, Tularämie, Meningokokkenerkr., hämorrhagisches Fieber, Botulismus, Gelbfieber, Poliomyelitis, Tollwut
- Innerhalb von 1 Wo.: Aids, Creutzfeldt-Jakob-Krankheit, Malaria, Masern

Meldepflicht für Labore
- Innerhalb von 1 Tag: *Bacillus anthracis, Clostridium botulinum, Corynebacterium diphtheriae, Francisella tularensis, Haemophilus influenzae,* hämorrhagische Fieberviren
- Innerhalb von 1 Wo.: *Campylobacter, Mycobacterium tuberculosis, Chlamydia trachomatis, Neisseria gonorrhoeae,* enterohämorrhagische *E. coli,* Plasmodien, Hepatitis-A-, -B-, -C-Viren, Prionen, HIV, *Salmonella,* Influenzavirus, *Shigella, Legionella, Streptococcus pneumoniae, Listeria monocytogenes,* Zeckenenzephalitisvirus, Masernvirus

1.9 Multiresistente Erreger (MRE)

- **MRGN (multiresistente gramnegative Erreger) u. ESBL-bildende Erreger** (Extended-Spectrum β-Lactamasen): Im Unterschied zum grampos. MRSA handelt es sich dabei um gramneg. Keime, die im menschlichen Darm als Normalflora (Enterobakterien) angesiedelt sind. Kontaminationen beim Umgang mit Fäkalien sind am wahrscheinlichsten. Dabei können die Keime, insb. bei bettlägerigen Pat., auch an anderen (Körper-)Stellen persistieren. Übertragung überwiegend über kontaminierte Hände des med. Personals o. von Flächen in der Umgebung des Pat. Präventiv Kittelpflege u. konsequente Händedesinfektion.
- **VRE (vancomycinresistente Enterokokken):** Inf. mit VRE können einen schweren Verlauf nehmen, da sie nur mit wenigen Reserveantibiotika behandelt werden können. Durch Screeninguntersuchungen, konsequente Hygiene- u. Isolierungsmaßnahmen soll die Weiterverbreitung verhindert werden.
- **MRSA (methicillinresistenter** Staphylococcus aureus), **ORSA (oxacillinresistenter** Staphylococcus aureus). Staph. aur. ist Bestandteil der Hautflora, beim Menschen sind meist vordere Nase u. Leistenregion besiedelt.
- **CA-MRSA** *(community acquired methicillin resistant staphylococcus aureus):* unabhängig von einer Krankenhausbehandlung auftretende Erreger. Bei den Pat. fehlen die üblicherweise bek. Risikofaktoren wie z. B. vorheriger Krankenhausaufenthalt o. vorliegende Behandlung mit Antibiotika.
- **LA-MRSA** *(livestock acquired methicillin resistant staphylococcus aureus):* unabhängig von einer Krankenhausbehandlung auftretende Erreger, z. B. in der Landwirtschaft bei der Masttierhaltung („livestock" = Masttier).
- Man unterscheidet zwischen Infektion u. Kolonisation mit dem jeweiligen Erreger.

> **MRSA**
> Aufgrund der besonderen klin. u. epidemiol. Relevanz müssen entsprechende Daten monatlich gesondert erfasst werden → eindeutige Zuordnung der Zahl der betroffenen Pat. pro Einrichtungseinheit (z. B. Station). Neben dem unkritischen Einsatz von Antibiotika gelten insuffiziente prophylaktische Hygienemaßnahmen und unzureichende Schulung des med. Personals mit als Grund für den starken Anstieg der MRE-Besiedlung in Krankenhäusern sowie in Alten- u. Pflegeheimen. MRE-Inf. verlängern die Verweildauer von Pat. und erhöhen deren Morbidität u. Mortalität.

Eigenschaften
- Im Vergleich zu anderen Bakterienarten unempfindlich gegen Austrocknung, können auf trockenen Oberflächen/Gegenständen lange überleben
- Produzieren ein verändertes penicillinbindendes Protein, dadurch Resistenz ggü. allen Betalaktamen (Penicilline, Cephalosporine u. Carbapeneme)

Risikofaktoren
- Patient wurde aufgenommen aus Pflegeheim, Reha-Einrichtung, anderem Krankenhaus
- Bekannte MRSA-Anamnese
- Dialysepatient
- Ständiger beruflicher Kontakt zu MRSA, z. B. auch zu landwirtschaftlichen Nutztieren (Schweine, Rinder, Geflügel)
- Intravasale Katheter (ZVK, Arterie, Dialyse-Shunt), Wunddrainagen
- Chron. Wunde (Ulcus cruris, Dekubitus), große Wundflächen (Verbrennungen)

 Die Übertragung erfolgt v. a. über die Hände.

Klinik
- Wichtigster Erreger nosokomialer Inf.: schwere Wundinf., Pneumonien u. Septitiden.
- Zunehmend amb. erworbene sog. CA-MRSA: multiple Hautabszesse, nekrotisierende Pneumonie, nekrotisierende Fasziitis.

Diagnostik
- Erregernachweis z. B. im Trachealsekret, Wundabstrich, Katheterspitze. Schnelltest bei Klinikaufnahme, Isolierung bei pos. Test auf Station, komplette Abstrichentnahme u. Isolierung, bis das endgültige kulturelle Ergebnis vorliegt. **Cave:** falsch: negatives Testergebnis möglich.
- Nachweis bei Personal zunächst im Nasenabstrich; ist dieser pos., Hautabklatsch. Ist auch dieser pos. → kein Pat.-Kontakt, Sanierung. Wird MSSA (methicillinsensibler *Staph. aur.*) nachgewiesen (10–20 % der Bevölkerung), keine Ther. notwendig.

Das RKI empfiehlt Screeningabstriche:
- Bei Pat. mit chron. Pflegebedürftigkeit, liegenden Kathetern, chron. Wunden etc.
- Beim Krankenhauspersonal bei gehäuftem Nachweis von MRSA bei mehr als zwei Pat. bei räumlichem u. zeitlichem Zusammenhang und bei nachgewiesener klonaler Identität des MRSA

Therapie
- **Kolonisation:** MRSA-Nachweis ohne Inf. → Isolierung, keine Antibiose, Versuch der Sanierung mit lokalen Desinfizienzien, z. B. Waschen mit Chlorhexidinseife, Gurgeln (Chlorhexidin). Mupirocin intranasal (z. B. Turixin®-Salbe)
- **Isolierung**: nicht erforderlich, wenn Pat. nasal o. auf gesunder Haut kolonisiert ist o. die infizierte Wunde gut bedeckt ist. Einzelzimmer, wenn Pat. stark kontaminiert ist, bei Atemwegsinf., Immunsuppression o. Besonderheiten. Kohortenisolierung möglich. Schutzkittel u. Handschuhe bei allen Tätigkeiten am Pat. Mund-Nasenschutz nur, wenn mit Verspritzen von infektiösem Material zu rechnen ist

- Angehörige informieren u. aufklären! Besucher benötigen routinemäßig keine Schutzkittel (sorgfältige Händedesinfektion ist i. d. R. ausreichend: vor u. nach dem Pat.-Kontakt und nach Verlassen des Pat.-Zimmers)
- Pflegeutensilien nach Benutzen desinfizieren. Tgl. desinfizierende Reinigung patientennaher Flächen, z. B. Entsorgung von Abfällen u. Wäsche im Zimmer, danach normale Aufbereitung u. Entsorgung, Geschirr normal aufbereiten. Andere Kliniken o. Pflegeheime informieren (z. B. vor Verlegung)
- Nach Verlegung o. Entlassung Scheuerwisch-Desinfektion des Patientenzimmers
- **Infektion:** antibakt. Ther. Reserveantibiotika wie Vancomycin u. Daptomycin, Tigecyclin o. Quinupristin/Dalfopristin (auch gegen vancomycinresistente *Staph. aur.* wirksam). Tigecyclin u. Daptomycin gelten neben Vancomycin als Mittel der Wahl

> Wegen hoher Persistenz von MRSA ist ein früher MRSA-pos. Pat. bei Wiederaufnahme bis zum Beweis des Gegenteils weiterhin als kolonisiert anzusehen.
> - Keine Antibiose bei bloßer Kolonisation ohne Inf., eine Sanierung ist fast nie zu erreichen.
> - Regelmäßige Schulung des Personals.

1.10 Prophylaxe nach beruflicher HIV- oder Hepatitis-Exposition

1.10.1 Infektionsrisiko

Das Übertragungsrisiko einer HIV-Inf. liegt nach perkutaner Exposition gegen Blut von HIV-Infizierten statistisch bei ca. 0,3–0,4 %, bei Schleimhautexposition u. Exposition entzündlich veränderter Hautpartien deutlich unter 0,1 %. Das Infektionsrisiko kann in begründeten Fällen durch den Einsatz einer medikamentösen Postexpositionsprophylaxe (PEP) um etwa 80 % reduziert werden (Empfehlungen ▶ Tab. 1.7). Angesichts des NW-Risikos ist diese nur bei deutlichem HIV-Übertragungsrisiko gerechtfertigt.

Tab. 1.7 Empfehlungen zur PEP – berufliche Exposition (aus: Deutsch-Österreichische Leitlinien zur Postexpositionellen Prophylaxe der HIV-Infektion. AWMF Register Nr. 055/004. www.awmf.org/leitlinien/detail/ll/055-004.html)	
Perkutane Verletzung mit Injektionsnadel o. a. Hohlraumnadel (Körperflüssigkeit mit hoher Viruskonz.: Blut, Liquor, Punktat, Organmaterial, Viruskultur)	Empfehlen
Tiefe Verletzung (z. B. Schnittverletzung), sichtbares Blut	Dringend empfehlen
Nadel nach i. v. Injektion	Dringend empfehlen
Oberflächliche Verletzung (z. B. mit chir. Nadel)	Anbieten
Ausnahme, falls Indexpat. Aids o. eine hohe HI-Viruskonz. hat	Empfehlen
Kontakt von Schleimhaut o. verletzter/geschädigter Haut mit Flüssigkeiten bei hoher Viruskonz.	Anbieten

Tab. 1.7 Empfehlungen zur PEP – berufliche Exposition (aus: Deutsch-Österreichische Leitlinien zur Postexpositionellen Prophylaxe der HIV-Infektion. AWMF Register Nr. 055/004. www.awmf.org/leitlinien/detail/ll/055-004.html) *(Forts.)*

Perkutaner Kontakt mit anderen Körperflüssigkeiten als Blut (wie Urin o. Speichel)	**Nicht empfehlen**
Kontakt von intakter Haut mit Blut (auch bei hoher Viruskonz.)	**Nicht empfehlen**
Haut- o. Schleimhautkontakt mit Körperflüssigkeiten wie Urin u. Speichel	**Nicht empfehlen**

1.10.2 Vorgehen nach HIV-Exposition

Das mittlere Übertragungsrisiko einer HIV-Infektion durch eine perkutane Verletzung (bei gesichert positivem Indexfall) liegt bei 1 : 300.
- Nach Nadelstich- o. Schnittverletzung ≥ 1 min bluten lassen, möglichst rasche Reinigung der Wunde mit viel Wasser u. Seife, anschließend Desinfektion mit einem viruswirksamen Hautdesinfektionsmittel ≥ 10 min
- Inspektion der Wunde auf Verletzungstiefe u. Eröffnung von Blutgefäßen (ggf. kurzer Druck auf die Umgebung der Wunde)
- Bei Kontamination von Schleimhäuten o. entzündlich veränderten Hautarealen rasche, gründliche Spülung mit viel Wasser
- Kontamination des Auges: unverzüglich reichliches Ausspülen des Auges mit Ringer-, Kochsalzlsg. o. Wasser
- Bei Kontamination der Mundschleimhaut nach Ausspeien 5 × Spülung mit einer bis 80-proz. alkoholischen Lsg., notfalls mit Leitungswasser.
- Inspektion des Instruments, das die Verletzung verursacht hat, auf sichtbare äußere Kontamination mit Blut
- Durch Arzt abklären lassen, ob tatsächlich eine HIV-Exposition vorliegt, eine medikamentöse PEP erforderlich ist und das Risiko einer Hepatitis-B-Virus-Exposition besteht (▶ Tab. 1.7)
- Bei Entscheidung für eine medikamentöse PEP schnellstmögliche Einnahme der 1. Dosis, ab der 2. Dosis von Indinavir 1 h vor u. 2 h nach Einnahme keine fett- u. proteinreichen Mahlzeiten
- Bei Ungeimpften Einleitung einer aktiven u. passiven Hepatitis-B-Immunisierung
- Umgehende Meldung beim D-Arzt u. Dokumentation als Arbeitsunfall
- Überprüfung des Infektionsstatus (HIV, HBV, HCV) sofort, nach 6 Wo., nach 3 u. 6 Mon.
- Formlose schriftliche o. telefonische Meldung an das RKI
- Weitere Informationen : www.rki.de/DE/Content/Infekt/EpidBull/Merkblaetter/Ratgeber_HIV_AIDS.html

Standardprophylaxe
Medikamente
- Raltegravir (Isentress®): 400 mg 1 Tbl. 2 ×/d **und** Tenofovir-DF/Emtricatibin (Truvada®) 254/200 mg 1 Tbl. 1 ×/d
- Alternativ zu Isentress®: Lopinavir /Ritanovir (Kaletra®) 200/50 mg 2 Tbl. 2 ×/d

- Alternativ zu Truvada®: Zidovudin /Lamivudin (Combivir®) 300/150 mg
  1 Tbl 2 ×/d

Im Falle einer (wahrscheinlichen) Schwangerschaft sollte Isentress® durch Kaletra® ersetzt werden (Risiko von Isentress® auf die embryonale Entwicklung nicht bekannt).

Vorgehensweise
- Beginn der HIV-Prophylaxe möglichst schnell, innerhalb der ersten 24 h
- Während der ersten 2 h Effektivität am größten
- Modifikation des Schemas bei antiretroviral behandelten Index-Personen
- Nach 72 h ist PEP sinnlos (Alternative: engmaschiges Monitoring)
- Bei jedem längeren Abstand (36 h) zwischen Exposition u. Prophylaxebeginn evtl. Verlängerung der Standardprophylaxe
- Dauer der HIV-Prophylaxe 4 Wo.

Vgl. www.daignet.de/site-content/hiv-therapie/leitlinien-1/Deutsch_Osterreichische%20Leitlinien%20zur%20Postexpositionellen%20Prophylaxe%20der%20HIV_Infektion.pdf

1.10.3 Vorgehen nach HBV-Exposition

Unter den durch Blut übertragbaren Infektionserregern nimmt das Hepatitis-B-Virus (HBV) eine Sonderstellung ein, da – je nach Konz. des Erregers – eine extrem hohe Übertragungswahrscheinlichkeit (bis zu 100 %) besteht.

Aktiv gegen Hepatitis B geimpfte Personen Wenn die exponierte Person vollständig u. erfolgreich aktiv gegen Hepatitis B geimpft ist (d. h. Anti-HBs nach der Grundimmunisierung bzw. der letzten Booster-Impfung > 100 IE/l) und die letzte Impfung < 10 J. zurückliegt, **keine** speziellen Maßnahmen erforderlich.

Falls die erfolgreiche Grundimmunisierung > 10 J. zurückliegt, sind ebenfalls keine speziellen Maßnahmen bzgl. Hepatitis B erforderlich, **wenn:**
- ein aktueller Anti-HBs-Titer von > 100 IE/l vorliegt **oder**
- bei der letzten betriebsärztl. Untersuchung (die nicht > 3 J. zurückliegt) ein ausreichender Schutz gegen Hepatitis B festgestellt wurde.

Wenn weder a) noch b) zutrifft, sofortige Bestimmung des Anti-HBs-Titers. Weiteres Vorgehen je nach aktuellem Anti-HBs-Titer:
- Anti-HBs-Titer > 100 IE/l: keine speziellen Maßnahmen bzgl. Hepatitis B erforderlich
- Anti-HBs-Titer < 100 IE/l: Booster-Impfung mit Aktiv-Impfstoff

Nicht gegen Hepatitis B geimpfte Personen Bei z. B. einer Nadelstichverletzung mit Blut eines Hepatitis-B-Infizierten wird Nichtgeimpften die **Simultanimpfung** durch Gabe von **Hepatitis-B**-Immunglobulin (**passive Immunisierung**) zusammen mit einer **aktiven** HBV-Impfung empfohlen.

1.10.4 Hepatitis C

Gegen **Hepatitis C** gibt es keine Impfung. Der Betroffene sollte jeweils 2–4, 12 u. 24 Wo. nach Exposition untersucht werden (Serostatus bzw. HCV-RNA-Test). Bei Nachweis einer akuten Inf. sollte bei Anstieg der **Transaminasen** und bei Nachweis von Anti-HCV-AK eine Interferon-Monother. zur Vermeidung einer Chronifizierung eingeleitet werden.

1.11 Schmerztherapie bei Tumorpatienten

Grundregeln der Therapie chronischer Schmerzen
- Klärung der Schmerzursache
- Anwendung kausaler Therapieverfahren, soweit möglich
- Regelmäßige Verordnung von Analgetika nach Zeitplan, nicht „nach Bedarf"
- Orale bzw. rektale Applikationsform, soweit möglich
- Individuell zu ermittelnde Dosis, Dosisintervalle je nach Wirkdauer der Präparate
- Stufenweiser Aufbau der Schmerzther.
- Konsequente Prophylaxe u. Behandlung der Ther.-NW (z. B. Obstipation, Übelkeit, Gastritiden)
- Einsatz von Koanalgetika (z. B. niedrig dosierte Antidepressiva, Neuroleptika)
- Multimodales Vorgehen: ggf. regionale Schmerzther. (Radiatio, Plexusblockaden, Neurolyse, Periduralkatheter), psychol. Betreuung, Physiother., Lymphdrainage
- Keine Placeboversuche
- Kontinuierliche Überprüfung der Symptome u. ihrer Ther.

1.11.1 Analgetisches Stufenschema

Allgemeine Regeln
- Keine Mischmedikation von Substanzen derselben Wirkgruppe (z. B. keine Komb. mehrerer Opioide), sonst Konkurrenz um denselben Angriffsort (z. B. Opioidrezeptoren)
- Vor einem Substanzwechsel zunächst Dosissteigerung bis zur Höchstmenge u. ausreichend lange Verabreichung, um Wirkung u. NW verlässlich zu beurteilen. Übergang auf anderes Medikament erst, wenn Präparat „austherapiert" wurde o. gravierende NW bestehen
- Bei Dauerther. stets Begleitmedikation zur Prophylaxe o. Ther. von NW (z. B. Laxanzien zur opioidbedingten Obstipationsbekämpfung, Magenschutz bei Prostaglandinsynthesehemmern)
- Schulung von Pat. u. Personal verbessert Compliance bei der praktischen Umsetzung
- Beginn der Ther. entweder mit der 1. Stufe u. bis zur ausreichenden Analgesie steigern o. gleich auf höherer Stufe einsetzen

1. Stufe: Antipyretische Analgetika
- **Paracetamol** (z. B. ben-u-ron®): wirkt analgetisch u. antipyretisch, nicht antiphlogistisch. Keine Hemmung der Prostaglandinsynthese. Schwächstes Analgetikum. Gute Verträglichkeit. **Dosierung:** bis zu 6 × 500–1.000 mg/d (= je 1–2 Supp., 25 ml Saft, 1–2 Tbl. o. Kps.). Mittel der 1. Wahl bei Kindern (ED 20 mg/kg) sowie in Schwangerschaft u. Stillzeit. Bei akuter Überdosierung (> 10 g) Leberzellnekrose
- **Nichtsteroidale Antiphlogistika (NSAID):** gute analgetische, antipyretische u. antiphlogistische Wirkung. Besonders wirksam bei Kopf-, Skelett- u. Mus-

kelschmerzen, Thrombophlebitiden, Abszessen, Tumorschmerzen (Periostschmerz, Kapselspannungsschmerz, entzündliche Begleitreaktionen).
NW: Magenbeschwerden, Ulzera, Induktion o. Verstärkung einer Niereninsuff. **KI:** Magenulzera, renale Funktionseinschränkung

- **Ibuprofen** (z. B. Imbun®): 4–6 × 400 mg/d (= je 1–2 Supp. o. Tbl.); Retardtbl.: 3 × 800 mg (= 3 × 1 Tbl.); günstigstes Wirkungs-/NW-Verhältnis
- **Acetylsalicylsäure** (z. B. Aspirin®): 6 × 500–1.000 mg/d (= je 1–2 Tbl.). **Weitere NW:** irreversible Thrombozytenaggregationshemmung, pseudoallergisches Asthma
- **Diclofenac** (z. B. Voltaren®): 4 × 50 mg/d (= je 1–2 Tbl. o. je 1 Supp.); Voltaren® resinat Kps. 1–2 × 75 mg (Retardwirkung); Voltaren® dispers Tbl. 3 × 50 mg/d (schneller Wirkungseintritt, Tbl. zerfällt im Wasserglas)
- **Indometacin:** (z. B. Amuno®) bis zu 4 × 50 mg/d (= je 1–2 Kps., je 1 Supp. o. je 1–2 TL Suspension)
- **Metamizol** (z. B. Novalgin®): wirkt analgetisch, antipyretisch u. spasmolytisch. Besonders geeignet bei kolikartigen Schmerzen. **Dosierung:** 4–6 × 500–1.000 mg/d (= je 1–2 Tbl. o. Supp., je 30–60 Tr. o. je 1 Amp. i. v.). Bei i. v. Gabe langsam injizieren, sonst starke Blutdrucksenkung durch dir. Relaxation der Gefäßmuskulatur, Anaphylaxie. Kurzinfusion bevorzugen. Seltene, aber schwere **NW:** Agranulozytose (Inzidenz 1 : 10^6), häufiger bei i. v. Applikation. Mittel der 2. Wahl!
- **Flupirtin** (z. B. Katadolon®): ähnlich wirksam wie „schwache" Opioide, v. a. bei neuropathischem Schmerz. Analgetisch, aber nicht antiinflammatorisch o. antipyretisch. Angriffspunkt wahrscheinlich im Rückenmark (Aktivierung deszendierender, antinozizeptiver Bahnen?). Senkt zusätzlich den Tonus der quergestreiften Muskulatur

2. Stufe: „Schwächere" Opioide

- **Tramadol** (z. B. Tramal®, Tramal® long): 4 × 50–100 mg/d (= je 1 Amp. i. m. oder i. v., je 1 Supp. o. Kps. o. je 20–40 Tr.). Retardtbl.: 3 × 300 mg/d (= je 2 Tbl. à 150 mg). Etwa 50 mg Tramadol ≙ 10 mg Morphin. Wirkdauer 1–3 h bzw. 6–8 h (retardiertes Tramadol). Verursacht von allen Opioiden am ehesten Übelkeit u. Erbrechen
- **Tilidin-Naloxon** (z. B. Valoron N®): bis zu 4 × 100 mg/d (= je 20–40 Tr. o. je 1–2 Kps.). Etwa 50 mg Tilidin ≙ 10 mg Morphin. Schneller Wirkbeginn, Wirkdauer 1–3 h. Durch Zusatz des Antagonisten Naloxon geringeres Missbrauchspotenzial. Tilidin-Naloxon retardiert, als Valoron® N retard à 50/100/150/200 mg Tbl. mit 8–12 h Wirkdauer
- **Codein:** Dihydrocodein retard (z. B. DHC 60/90/120® Retardtbl.) bis zu 2 × 120 mg/d. Etwa 100 mg DHC ≙ 10 mg Morphin. Wirkdauer 8–12 h. Verursacht von allen Opioiden am ausgeprägtesten Obstipation
- **Pethidin** (z. B. Dolantin®): bis zu 5 × 100 mg/d (= je 1 Amp. i. v. oder i. m., je 25–50 Tr. o. je 1 Supp.). Etwa 75–100 mg Pethidin ≙ 10 mg Morphin. Beseitigt auch postop. „Shivering", dadurch deutliche Senkung des Sauerstoffverbrauchs. Wirkdauer 3–4 h, für die Dauerther. nicht geeignet. **KI:** Pat. mit MAO-Blocker-Ther. (schwerwiegendes Exzitationssy.)

3. Stufe: „starke" Opioide

- **Piritramid** (z. B. Dipidolor®): 6 × 15–30 mg/d (= je 1–2 Amp. i. m. oder i. v.). Etwa 15 mg Piritramid ≙ 10 mg Morphin. Sehr häufig postop. eingesetztes Analgetikum. Wirkdauer 4–6 h

- **Buprenorphin** (z. B. Temgesic®, Temgesic® forte): bis zu 4 × 0,4 mg/d p. o. (= 4 × 1–2 Sublingualtbl.), bis zu 4 × 0,3 mg/d i. m., i. v. (= 4 × 1 Amp.). Etwa 0,3–0,4 mg Buprenorphin ≙ 10 mg Morphin. Gute Anwendung bei Pat. mit Schluckstörungen wegen s. l. Resorption. Nur mit hohen Dosierungen von Naloxon antagonisierbar. Wirkdauer oral 4–6 h

> **Neu:** Buprenorphin als transdermales Matrixpflaster (Transtec® 35; 52,5; 70 µg/h). Anflutung u. Abklingen des Wirkstoffs jeweils über 12 h nach Aufbringen bzw. Entfernen des Pflasters! In den ersten 12 h bisherige Schmerzmedikation beibehalten. Zusatzmedikation bei Bedarf verabreichen (Temgesic® s. l. Tbl.). Nach 3 d je nach erforderlicher Gesamttagesmenge an zusätzlichen Analgetika ggf. Dosisanpassung des Pflasters. Pflaster auf unbehaartes Gebiet von Brust o. Rücken kleben. Baden, Duschen, Schwimmen, Zerschneiden u. Verkleinern des Pflasters ist möglich.

- **Morphin:** nichtretardiertes Morphin, z. B. MSI 10/20/100/200 Mundipharma® Amp., Sevredol® 10/20 Tbl., MSR 10/20/30® Supp., retardiertes Morphin, z. B. MST 10/30/60/100/200® Retardtbl., MST Continus® 30/60/100/200 Retardkps. mit 24 h Wirkdauer, MST 20/30 Retard-Granulat®, Capros 10/20/30/60/100® Kps. je nach Schmerzintensität titrierend bis zur Schmerzfreiheit bzw. geringer, tolerabler Intensität verabreichen. Keine Obergrenze der analgetischen Wirksamkeit (kein Ceiling-Effekt), Limitierung nur durch auftretende NW
- **Fentanyl transdermal (Fentanyl TTS):** z. B. Durogesic® 25/50/75/100 µg/h = Pflaster à 2,5/5,0/7,5/10,0 mg Fentanyl
  - **Ind.:** Tumorschmerzen u. Probleme mit oralem/rektalem Applikationsweg, als Alternative zu anderen Substanzen der Stufe 3. Wirkweise: Anfluten über 12 h, dann gleichmäßige Wirkspiegel im Plasma. Wirkdauer 72 h. Alle 3 d Pflasterwechsel
  - **Dosisfindung:** z. B. PCA-Pumpe mit Fentanyl o. Morphin i. v. oder retardiertes orales Morphin plus schnell wirksames Morphin bei Schmerzspitzen. Umrechnung nach mind. 3 d:
    – Ermittelte Tagesdosis von retardiertem oralem Morphin [mg] × 0,01 = Tagesdosis Fentanyl TTS [mg] oder:
    – Fentanyl i. v. × 1,5 = Fentanyl TTS. Dann Auswahl des geeigneten Pflasters oder:
    – Sofort Fentanyl-Pflaster nach Umrechnung der bisherigen Morphindosis o. kleinstmögliche Größe auswählen u. aufkleben. In den ersten 12 h bisherige Schmerzmedikation beibehalten. Zusatzmedikation bei Bedarf verabreichen (Fentanyl, Morphin). Nach 3 d je nach erforderlicher Gesamttagesmenge an Analgetika beim Pflasterwechsel ggf. Dosisanpassung des Pflasters. Hitze steigert die Resorption. Mehrere Pflaster sind gleichzeitig möglich, Zerschneiden u. Verkleinern der Pflaster jedoch nicht (im Gegensatz zum Buprenorphin-Pflaster Transtec®)

Auswahl adjuvanter (= unterstützender) Medikamente (auf jeder Stufe einsetzbar)

- Koanalgetika des WHO-Stufenplans (▶ Abb. 1.1).
- **Amitriptylin** (z. B. Saroten®): Antidepressivum mit eigener analgetischer Wirkung in niedriger Dosierung (10–75 mg/d p. o.). Hilfreich bei als brennend emp-

fundenen Schmerzen (neuropathischer Schmerz). Einschleichend beginnen, wegen sedativer Eigenschaft Gabe z. N. Wirkung erst nach kontinuierlicher Einnahme über 1–2 Wo. in Verbindung mit anderen Analgetika beurteilbar
- **Doxepin** (z. B. Aponal®): bei zusätzlichen Schlafstörungen, Einsatz eines beruhigendes Antidepressivum mit Wirkstoffen wie Amitriptylin o. Doxepin
- **Carbamazepin** (z. B. Tegretal®): Antikonvulsivum bei als „stromschlagähnlich" empfundenen einschießenden Schmerzattacken (oft bei Nervenläsion durch Tumorinfiltration o. Trigeminusneuralgie). Einschleichender Dosisbeginn von 200 mg bis auf 400–600 mg/d p. o. Kontrolle der Leberfunktionsparameter u. des Carbamazepin-Spiegels i. S.
- **Dexamethason** (z. B. Fortecortin®): Glukokortikoid zur Reduktion entzündlicher Komponenten mit Schwellung (z. B. Leberkapselspannung, Knocheninfiltration bei Metastasen) und damit verbundenen Schmerzen. Wirkt auch unspez. stimmungsaufhellend u. appetitfördernd. Dosierung 1,5–4 mg p. o. morgens über mind. 1–2 Wo.

Weitere Hinweise zur Schmerztherapie
- Pat. in ihrer Schmerzäußerung ernst nehmen, nicht immer ist ein entsprechendes organisch-path. Korrelat nachweisbar.
- Statt Kombinationspräparaten besser Monosubstanzen einsetzen, um die jeweiligen Wirkungen u. NW besser beurteilen zu können.

1.11.2 Patient-Controlled Analgesia (PCA)

Pumpengesteuerte On-Demand-Analgesie bei postop. Wundschmerzen. Wegen des unterschiedlichen Schmerzempfindens ist so eine individuelle u. rechtzeitige Analgetikagabe bei Verlangen möglich. Eingesetzt wird meist Piritramid (z. B. 1,5 mg/ml, Bolus à 3 mg, max. Boluszahl 6/h = Sperrintervall von 10 min).
- **Vorteil:** Pat. verabreicht sich selbst innerhalb eines vorprogrammierten Rahmens (Sperrintervall, Höhe der jeweiligen Einzeldosis [ED], max. Gesamtdosis) das Analgetikum.
- **Nachteil:** nur für kooperationsfähige u. -willige Pat., Geräte noch sehr teuer, ständige kompetente Rufbereitschaft erforderlich für Probleme (z. B. ein „Akutschmerzdienst" des Krankenhauses).

Schmerzmittel sollten bei chron. Schmerzen möglichst in retardierter Form (mit verzögerter Wirkstofffreisetzung) u. längerer Wirkdauer eingenommen werden. Die Einnahme sollte nach festem Zeitschema je nach Wirkdauer des Medikaments erfolgen, um Abhängigkeit von potenziell suchterregenden Schmerzmitteln zu vermeiden. Steht in der Onkologie häufig nicht im Vordergrund.

1.11.3 Häufige Fehlerquellen der Therapie chronischer Schmerzen

- **Therapeut:** Verschreibung nur „nach Bedarf", Standarddosierung, zu schwaches Analgetikum, Unterschätzung der Schmerzintensität, bürokratische Hemmnisse der BtMVV, Angst vor Suchterzeugung u. unzureichendes Wissen über adjuvante Medikamente

- **Pat.:** Annahme, Tumorschmerzen seien nicht therapierbar; Analgetika dürften nur genommen werden, wenn „absolut notwendig"; Furcht vor Sucht; Nichteinnahme der verordneten Medikamente, Absetzen der Medikamente wegen NW ohne Rücksprache

2 Ärztliche Arbeitstechniken

Axel Valet

2.1	Stufenschema zur Hautdesinfektion 46	2.5	Transfusionen 56
2.2	Diagnostische und therapeutische Punktionen 46	2.5.1	Transfusionsgesetz (TFG) 56
		2.5.2	Blutkomponenten und ihre Indikationen 57
2.2.1	Periphere Venenpunktion 46	2.5.3	Eigenblutspende 59
2.2.2	Behandlung maligner Ergüsse 48	2.5.4	Nabelschnur-Blutentnahme zur Stammzellkonservierung 59
2.2.3	Pleurapunktion 49		
2.2.4	Peritonealpunktion (Aszitespunktion) 51	2.5.5	Vorgehen bei Bluttransfusion 59
2.2.5	Zystoskopie 52	2.5.6	Thrombozytentransfusion 61
2.2.6	Rektoskopie 52	2.5.7	Rechtliche Fragen 61
2.3	Entnahme von Material für bakteriologische Untersuchungen 53	2.5.8	Transfusionsreaktionen 62
		2.5.9	Infektionsrisiko durch Blutkomponenten 63
2.3.1	Blutkulturen 53	2.6	Infusions- und Ernährungstherapie 64
2.3.2	Urin 53		
2.3.3	Stuhl 54	2.6.1	Substrate der parenteralen Ernährungstherapie 64
2.3.4	Abstriche 54		
2.3.5	Venenkatheterspitzen 55	2.6.2	Prinzipien der parenteralen Ernährung (PE) 65
2.4	Drainagen 55		
2.4.1	Blasenkatheter 55	2.6.3	Stufenkonzept der parenteralen Ernährung 66
2.4.2	Postoperative Drainage (Redon- oder Robinson-Drainage) 56		
		2.7	Sondenernährung über Magensonde 67

2.1 Stufenschema zur Hautdesinfektion

- **Kategorie I (geringes Infektionsrisiko):** intra-, subkutane Injektionen u. Blutentnahmen
  Hautdesinfektionsmittel auftragen (Spray o. getränkte Tupfer). Abwischen der Haut mit trockenem Tupfer. Bei alkoholischen Desinfektionsmitteln ist die Einwirkzeit beendet, wenn der **Feuchtglanz der Haut** durch Verdunsten des Alkohols verschwunden ist (ca. 30 s).
  Cave: Hände- u. Hautdesinfektionsmittel sind nicht identisch. Erstere (z. B. Sterilium®) enthalten rückfettende Zusätze, die bei der Hautdesinfektion jedoch stören, weil sie die Haftung von Pflastern herabsetzen.
- **Kategorie II (mittleres Infektionsrisiko):** i. v. Verweilkanülen u. -katheter, i. m. Injektionen, Blutkulturen.
  Reinigen der Haut mit Desinfektionsmittel u. sterilem Tupfer. Erneutes Auftragen des Desinfektionsmittels u. Abwischen der Haut mit sterilem Tupfer. Einwirkzeit ca. 30 s.
- **Kategorie III (hohes Infektionsrisiko):** OPs, Punktionen von Körperhöhlen, insb. Gelenkpunktionen.
  Reinigung der Haut, Enthaarung u. Entfettung, falls erforderlich. Zweimaliges Auftragen des Desinfektionsmittels (z. B. Braunoderm® o. Octenisept®) für je 2,5 min, Gesamteinwirkzeit 5 min. Arzt muss sterile Handschuhe u. Mundschutz tragen.

> Sterile Tupfer aus Packungen mit 2–6 Stück o. Steriltrommeln entnehmen. **Sterilisierte** (= „einfache") Tupfer befinden sich in Spendern.

2.2 Diagnostische und therapeutische Punktionen

2.2.1 Periphere Venenpunktion

> **KO:** Hämolyse durch zu schnelles Aspirieren des Blutes o. Einspritzen des Blutes in die Röhrchen ohne vorherige Entfernung der Kanüle. Gerinnung bei langwieriger Venenpunktion

Mit Verweilkanüle (Braunüle®, Abbo-Cath®, Venflon®)

Bei häufigen Punktionen mit distalen Venen beginnen, um kaliberstärkere Venen zu schonen. Sinnvolle Reihenfolge: Unterarm, Handrücken, Ellenbeuge.

Material 2–3 Braunülen verschiedener Größe (Standard beim Erw. für wässrige Infusionen 17 G/Gelb o. 18 G/Grün; ▶ Tab. 2.1), Pflasterverband, ggf. Lokalanästhetikum mit 25-G-Kanüle u. 2-ml-Spritze, bei gleichzeitiger Blutabnahme 20-ml-Spritze u. Blutröhrchen (Zusätze ▶ Tab. 2.2), 5 ml physiol. NaCl-Heparin-Lsg. zum Durchspülen der Braunüle, Verschluss mit Mandrin, Stopfen o. NFC (nadelfreies Konnektionsventil), unsterile Latexhandschuhe.

2.2 Diagnostische und therapeutische Punktionen

Tab. 2.1 Durchflussraten von Verweilkanülen

Gauge (G)	22	20	18	17	16	14
Farbe	Blau	Rosa	Grün	Gelb	Grau	Weiß
Außendurchmesser (mm)	0,8	1,0	1,2	1,4	1,7	2,0
Innendurchmesser (mm)	0,6	0,8	1,0	1,2	1,4	1,7
Durchfluss (ml/min)						
• Wässrige Infusion	31	54	80	125	180	270
• Blut	18	31	45	76	118	172

Tab. 2.2 Zusätze in Blutröhrchen

Zusätze	Zweck
Plastikkügelchen	Serologie, Kreuzprobe, klin. Chemie
Na-Citrat 3,8 %	Gerinnungstests, BSG
Na-Heparin	Blutgase, HLA-Typisierung, ionisiertes Ca^{2+}
EDTA	Hämatologie
Na-Fluorid	Laktat u. Glukose

Durchführung ▶ Abb. 2.1. Desinfektion Kategorie II (▶ 2.1), Handschuhe anziehen. Bei sehr empfindlichen Pat. u. großen Braunülen (> 17 G) evtl. LA. Dabei genügen 0,1 ml 1-proz. Lidocain, was die Haut bei i. c. Applikation nur weißlich erscheinen lässt u. keine Quaddel bildet (Venenpunktion bei Quaddel erschwert). Vene stauen, möglichst prox. einer Y-Vereinigung. Haut fixieren (**Merke:** Es gibt keine „Rollvenen", nur Ärzte, welche die Haut nicht festhalten). Im 1. Schritt (▶ Abb. 2.1 a) Haut rasch durchstechen (ca. 45° zur Hautoberfläche) u. Vene flach punktieren. Wenn Blut am transparenten Kanülenansatz einströmt, Braunüle ca. 5 mm im Venenlumen vorschieben, Punktionsnadel zurückziehen u. gleichzeitig Plastikkanüle vorschieben (▶ Abb. 2.1 b); Stauschlauch lösen; Nadel entfernen,

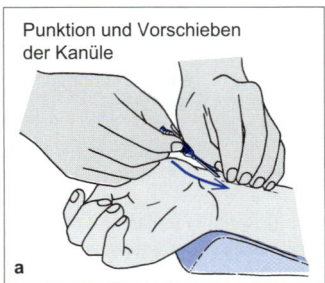
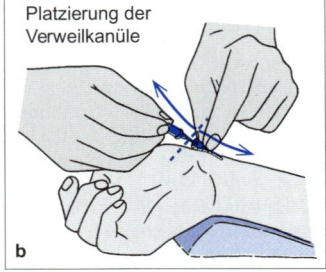

Abb. 2.1 Venenpunktion mit Verweilkanüle [L106]

dabei mit einem Finger die Vene prox. der Kanülenspitze abdrücken, Braunüle mit Stopfen o. NFC verschließen. Fixieren u. ggf. regelmäßig durchspülen.

Komplikationen
- Vene „platzt": evtl. zu steil punktiert u. Hinterwand durchstochen o. „bindegewebsschwäche" Gefäße (z. B. nach Glukokortikoiden). **Hilfe:** sofort nach Punktion Stauschlauch lösen o. Punktionsversuch ohne Stauung
- Schmerzhafte Punktion: Hautpunktion zu flach o. Punktion durch „Desinfektionsmittelpfütze"
- „Paralaufen" der Infusion o. Thrombophlebitis: Braunüle entfernen! Jede an der Punktionsstelle dolente Braunüle sofort entfernen: „Die Pat. hat immer Recht, auch wenn man nichts sieht." Je nach Schwere der Reizung Arm hochlagern u. ruhigstellen, Alkoholumschläge, ggf. Heparinsalbe, lokal o. systemisch Antiphlogistika, evtl. NMH (▶ 1.1.4)
- Hindernis: Kunststoffkanüle lässt sich nicht vorschieben, obwohl sie im Lumen liegt, z. B. bei störenden Venenklappen. Mit NaCl durchspülen u. gleichzeitig vorschieben

2.2.2 Behandlung maligner Ergüsse

 Bei Malignomen entstehen häufiger Pleuraergüsse u. Aszites.

Pleuraerguss

Ursachen Pleuraergüsse werden in eiweißarme Transsudate u. eiweißreiche Exsudate unterteilt. Transsudate häufig nicht tumorbedingt, Exsudate außer durch Tumor auch infektiös, autoimmunol. bedingt.
Bei unzureichendem Erfolg der systemischen Ther. u. vorherrschender Dyspnoe bei Pleurakarzinose u. rezid. Ergüssen aufgrund eines Mamma- o. Ovarial-Ca komplette Ergussbeseitigung durch ein- bis zweimalige Gabe von Mitoxantron in 50 % d. F. möglich, in 80 % Ergussreduktion.

Klinik Dyspnoe, bei kleinen Ergüssen bestehen häufig keine Beschwerden.

Diagnostik Perkussion u. Auskultation; Rö-Thorax; Sono. Diagn. Punktion (▶ 2.2.3) zur zytol., ggf. bakteriol. Untersuchung, Bestimmung des spez. Gew. (Transsudat spez. Gew. 1.015 g/l, Eiweiß 30 g/l; Exsudat spez. Gew. 1.015 g/l, Eiweiß 30 g/l), Eiweißbestimmung. **DD:** Tbc, Pneumonie, Rechtsherzinsuff., Hypoalbuminämie.

Therapie
- Systemische Gabe eines starken Analgetikums, z. B. Temgesic sublingual®, ggf. interpleurale Vorinstillation von 20 ml 1 % Xylocain-Lsg.
- Durchführung der Pleurapunktion siehe auch ▶ 2.2.3
- Anlage einer Pleuradrainage (Neo-Pneomocath®, Onko-Pneomocath-Katheter® o. dauerhafte Ableitung mit PleurX-Katheter®) im 5.–6. ICR in der hinteren Axillarlinie
- Komplettes Ablassen des Pleuraergusses, evtl. Spülung mit 100 ml NaCl
- Bei wiederholten Ergüssen ggf. interpleurale Gabe eines Zytostatikums, z. B. in 20 ml Verdünnungslsg.
- Bei zytol. neg. Erguss eher Instillation von Tetrazyklinen, bei zytol. pos. Erguss Zytostatika ggf. in Komb. mit Tetrazyklinen

2.2 Diagnostische und therapeutische Punktionen

- Verschluss der Drainage für 48–72 h
- Wdh. bei Zytostatika einmalig, bei fehlenden Erfolg evtl. Tetrazyklin 1.000–1.500 mg o. Doxycyclin 500–1.000 mg

Aszites

Klinik Zunahme des Bauchumfangs, Dyspnoe bei Zwerchfellhochstand.

Diagnostik Palpation; Sono; diagn. Punktion (▶ 2.2.4) mit laboranalytischer Abklärung der Aszitesursache (Zytologie, Mikrobiologie, Eiweiß, Cholesterin, Glukose, Fibronektin).

Differenzialdiagnosen Stauungsaszites (Leberzirrhose, Budd-Chiari-Sy., Alkoholhepatitis, Pfortaderthrombose), entzündlicher Aszites (bakt., Tbc, Pankreatitis), Hypalbuminämie (nephrotisches Sy., Albuminverlust-Sy.).

Therapie
- Bei fortgeschrittener Metastasierung immer Therapieversuch mit 200–300 mg Spironolacton gerechtfertigt
- Bei unzureichendem Erfolg der systemischen Ther. u. klin. Symptomatik Aszitesreduktion durch intraperitoneale Ther. indiziert (Erfolgsraten 35–60 %, NW: Peritonitis mit Schmerzen, Fieber, Nausea)
- Systemische Gabe eines starken Analgetikums (z. B. Temgesic sublingual®)
- Peritonealpunktion (▶ 2.2.4), Anlage eines geeigneten Katheters (z. B. Peritofix-Katheter)
- Ablassen des Aszites, evtl. Spülung des Peritonealraums mit 2–4 l körperwarmer NaCl-Lsg.
- Ggf. Instillation eines geeigneten Zytostatikums in 1–2 l NaCl-Lsg. über mind. 24 h bzw. auf Dauer belassen
- Wdh. alle 3–4 Wo. möglich
- Beim Ovarial-Ca: intraperitoneale AK-Ther. mit Catumaxomab (Removab®) möglich

2.2.3 Pleurapunktion

Indikationen Diagn. o. ther. Punktion eines Ergusses, Zytostatika-Instillation zur Pleurodese, Pleuraempyem, Pneumothorax.

Kontraindikation Blutungsanomalien (z. B. Hämophilie, Marcumar®-Ther.).

Material Entweder Punktionsset mit Rotanda-Spritze o. 50-ml-Spritze mit Dreiwegehahn u. sterilen Verbindungsschläuchen, 2 Punktionskanülen (z. B. Abbocath®) 16 G/Grau o. 17 G/Gelb, vorzugsweise ventilgesichert (z. B. Frekasafe®). 10 ml Lidocain 1 % mit 1 Kanüle (z. B. 21 G/Grün). 4–5 Proberöhrchen, Blutkulturflaschen (aerob/anaerob), großes Gefäß. 2 Paar sterile Handschuhe, Desinfektionslsg., braunes Pflaster, sterile Tupfer.

Komplikationen Pneumothorax, Hämatothorax, Inf., Verletzung der Interkostalgefäße, Lungenödem (**e vacuo**) bei zu schneller Punktion durch Unterdruck, Verletzung intraabdom. Organe.

Durchführung
- Evtl. Prämedikation mit Antitussivum, z. B. Paracetamol 1 g p. o. u. Codein 50 mg p. o.
- Pat. mit angehobenem Arm bequem sitzend platzieren (Pat. im Bett: Arm auf Nachttisch mit Kissen. Pat. auf Stuhl: Arm auf Stuhllehne o. Pat. Hand auf die Schulter der Gegenseite legen lassen; ▶ Abb. 2.2).

- Pleuraerguss perkutieren, auskultieren u. mit Rö-Bild vergleichen. Markierung der Punktionsstelle dorsolateral in der hinteren Axillarlinie o. Skapularlinie im ICR unterhalb des Ergussdämpfungsrandes, aber nicht tiefer als 6.–7. ICR (**cave:** Leber u. Milz). Evtl. Sono-Kontrolle. Hautdesinfektion der Kategorie II (▶ 2.1).
- Zunächst mit 1-proz. Lidocain am „Oberrand der Unterrippe" LA-Depot setzen. Dann tiefer liegendes Gewebe bis auf die Pleura parietalis infiltrieren. Durch Probepunktion die notwendige Eindringtiefe für die Punktionskanüle erkunden.

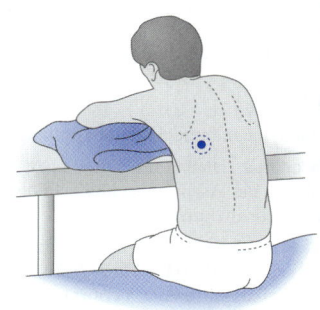

Abb. 2.2 Pleurapunktion [L106]

- Punktionskanüle senkrecht zur Haut knapp über dem oberen Rippenrand einstechen (Gefäß-Nerven-Bündel meiden), Kanüle etwas nach oben ziehen u. weiter senkrecht vorziehen („Zickzack-Technik" reduziert Pneu-Risiko). Ständige Aspiration mit aufgesetzter Spritze. Sobald sich Pleuraflüssigkeit aspirieren lässt, Stahlnadel zurückziehen (sonst Pneu-Gefahr!) u. Plastikkanüle vorschieben.
- Während eines Valsalva-Manövers ersten Schlauch, auf den unter sterilen Bedingungen ein Dreiwegehahn u. ein zweiter Schlauch montiert wurde, auf das Kanülenende setzen. 20-ml-Spritze auf Dreiwegehahn setzen u. Pleuraflüssigkeit für Bakteriologie usw. **steril** abziehen. 50-ml-Spritze auf Dreiwegehahn montieren, füllen, Dreiwegehahn drehen u. Flüssigkeit durch den Schlauch ins Gefäß spülen. Alternative bei größeren Mengen: Erguss mit Absauggerät absaugen. **Cave:** Druck nicht > 20 cm H_2O.
- Max. 1–2 l/pro Sitzung abpunktieren (sonst Gefahr des entlastungsbedingten Lungenödems!). Hustenreiz (durch Aneinanderreiben der Pleurablätter) kündigt vollständige Drainage an.
- Mit erneutem Valsalva-Manöver Kanüle entfernen, sofort Kompression mit mehrlagigem Tupfer, Pflasterverband.
- **Cave:** Pleurapunktion bei starkem Hustenreiz u. Unruhe der Pat. abbrechen.
- Im Anschluss immer Rö-Kontrolle! Inspir. Aufnahme: Resterguss, exspir. Aufnahme z. A. Pneumothorax.
- Röhrchen für Hämatologie (Zellzählung u. Differenzierung), klin. Chemie (Protein, spez. Gew., Cholesterin; ggf. zusätzlich LDH, Laktat, Glukose, α-Amylase), Mikrobiologie (Erreger u. Resistenz, Tbc-Kultur) u. Zytologie (z. B. maligne Zellen, Entzündung).
- Eiweiß > 3 g/dl u. Cholesterin > 50 mg/dl sprechen für malignen Erguss, beweisend ist die Zytologie, ggf. mehrmals wdh.

> **!** Für die Gewinnung von geringen Mengen Pleuraflüssigkeit (z. B. für Zytologie) genügt Punktion mit einer 20-ml-Spritze mit aufgesetzter Kanüle (21 G/Grün).

2.2.4 Peritonealpunktion (Aszitespunktion)

Indikationen Bakteriol., zytol. u. enzymatische Aszitesdiagn., Entlastungspunktion bei massivem Aszites, Drainage bei Peritonitis o. Abszess.

Kontraindikationen Große Ovarialzysten, Hydronephrose, Schwangerschaft. Vorsicht bei hämorrhagischer Diathese, Cumarin-Ther. u. hepatischem Präkoma.

Punktionsorte Übergang vom äußeren zum mittleren Drittel der Linie vom Nabel zur Spina iliaca ant. sup. li. (weniger Verwachsungen) o. re. sowie in der Medianlinie zwischen Nabel u. Symphyse. Epigastrische Gefäße beachten (▶ Abb. 2.3).

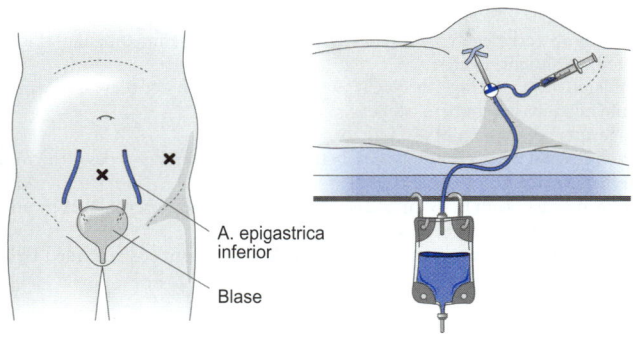

Abb. 2.3 Aszitespunktion [L106]

Durchführung Blase entleeren lassen, Hautdesinfektion, LA (25 G), Sono-Kontrolle zur Bestimmung eines Aszitesdepots.
- **Diagn. Parazentese**: 20- bis 50-ml-Spritze mit grüner Kanüle (21 G) unter Aspiration in die Peritonealhöhle einführen (leichter Widerstand beim Durchstechen der Faszienschicht). Spritze füllen, Nadel schnell zurückziehen, Klebeverband. **Cave**: Um bei massivem Aszites Nachlaufen nach Zurückziehen der Nadel zu vermeiden, „Zickzack-Stechen" → erst subkutan stechen, dann Nadel entlang des Fettgewebes vorschieben, dann erst peritoneal stechen.
- **Ther. Parazentese**: Desinfektion Kategorie III (▶ 2.1). Braunüle® (18 G/Grün o. 17 G/Weiß) nach hinten, unten u. lateral vorschieben, wobei Pat. Bauchdecke anspannen soll (pressen). Nach Entfernung der Nadel fließt Aszites im Strahl aus der Hülse. Schlauchsystem mit Dreiwegehahn, Spritze u. Auffangbeutel anschließen. Aszites spontan ablaufen lassen, ggf. mit Spritze über Dreiwegehahn aspirieren. Bei Stopp Pat. auf Punktionsseite lagern, Hülse leicht zurückziehen. Der gesamte Aszites kann (langsam!) auf einmal abgelassen werden.

> **Untersuchung des Punktats** je nach Fragestellung auf:
> - Proteingehalt, spez. Gew. (Transsudat ↔ Exsudat), Glukose, Laktat, LDH (nur Pleuraflüssigkeit bei V. a. Tumor), Zellzahl u. Differenzialzellbild
> - Bakteriol., Tbc- u. Pilzkulturen
> - Bei V. a. maligne Erkr. Zytologie (Labor benachrichtigen, Punktat zentrifugieren)

Bei Peritonealflüssigkeit:
- Bei V. a. Perforation: mikroskopische Untersuchung auf Speiseanteile
- Bei V. a. Pankreatitis: Amylase, Lipase
- Bei V. a. Blutung (Peritoneallavage): Hkt (> 2 % im Punktat beweist Blutung)

2.2.5 Zystoskopie

Indikationen V. a. Genital-Ca zum Ausschluss einer Blaseninfiltration, bei Hämaturie u. bei Nierenaufstau, Urge-Inkontinenz etc.

Durchführung
- Zystoskop bereitlegen u. Funktion prüfen (einmal zusammenbauen), Lichtquelle (Kaltlicht) prüfen
- Infusion (500 ml Ringer o. NaCl 0,9 %) zum Auffüllen der Blase anwärmen u. mit Infusionssystem bereitstellen
- Lagerung auf gyn. Stuhl
- Desinfektion der Vulva (z. B. mit Octenisept®), Desinfektion des Orificium urethrae externum (▶ 2.4.1)
- Lokalanästhetikum (z. B. Instillagel®) intraurethral applizieren u. Wirkungseintritt (nach ca. 1 min) abwarten
- Zystoskop mit Mandrin einführen, korrekte Lage durch auslaufenden Urin überprüfen
- Blase über Zystoskop vollständig entleeren
- Mandrin entfernen, Optik einführen, Lichtquelle anschließen
- Korrekte intrazystische Lage optisch überprüfen
- Blase mit angewärmter Ringer-Lsg. o. NaCl 0,9 % auffüllen (250–400 ml)
- Inspektion der gesamten Blasenschleimhaut, Orientierungshilfe: Luftblase am Blasendach
- **Achten auf:** Impression o. Infiltration, Schleimhautveränderungen
- Path. Befunde lokalisieren („bei … Uhr, Vorder-/Seiten-/Hinterwand")
- Aufsuchen beider Ureterostien (Trigonumbereich, meist auf einer Schleimhautfalte)
- Urin sollte klar u. schwallartig fließen (evtl. Nierenlager durch Hilfsperson massieren lassen)
- Evtl. Methylenblau 1–2 ml i. v. und Furosemid 20 mg i. v. (z. B. Lasix®) geben, um die Ureterostien zu identifizieren (Chromo-Zystoskopie)
- Blase über Zystoskop entleeren, dann Zystoskop entfernen
- Evtl. Pat. u. Pflegepersonal über zu erwartenden „blauen Urin" informieren, Pat. erhobene Befunde mitteilen

2.2.6 Rektoskopie

Indikationen Bei V. a. Ovarial- o. a. Genitalkarzinom z. A. einer Rektuminfiltration (alternativ: Sigmoidoskopie, Koloskopie), bei auffälligem rektalem Palpationsbefund (z. B. V. a. Polyp, Endometriose, Ca). Bei blutigem Stuhl besser Koloskopie.

Durchführung Pat. abführen (Klysma), Lagerung auf gyn. Stuhl. Lichtquelle (Kaltlicht) prüfen, Rektoskop mit Vaseline präparieren. Pat. wie „zum Stuhlgang" pressen lassen (Lösen des Sphinkterverschlusses). Rektoskop nach li. hinten einführen. Mandrin entfernen, Optik aufsetzen. Unter Luftinsufflation u. Sicht vorschieben. Beurteilung der Schleimhaut (Farbe rosig, zarte Fältelung, keine Infiltration). Path. Befunde in Zentimeter Entfernung vom Anus u. Uhrzeit angeben. Bei Schmerzen o. Passagebehinderung durch Kot Eingriff beenden. Rektoskop zurückziehen. Pat. über erhobene Befunde informieren.

2.3 Entnahme von Material für bakteriologische Untersuchungen

2.3.1 Blutkulturen

Vorbereitung Zwei Blutkulturflaschen (aerob/anaerob) auf 37 °C erwärmen; 20-ml-Spritze, Kanülen u. Desinfektionslsg. bereitlegen. Punktionsstelle entfetten, reinigen u. mit sterilen Tupfern desinfizieren; trocknen lassen.

Durchführung Etwa 20 ml Blut abnehmen. Bei vorhandenem ZVK Abnahme von zentral- **und** periphervenösem Blut. Beim Einspritzen in die Flaschen jeweils neue Kanüle verwenden. Desinfektion der Gummipfropfen, Injektion von je 5–10 ml Blut. Für aerobe Bebrütung vorgesehene Flasche mit Kanüle belüften. Flaschen mit Namen, Station, Datum u. Uhrzeit beschriften und sofort ins mikrobiol. Labor transportieren. Sofortige Verarbeitung im Labor für Nachweis der relevanten Keime unentbehrlich.
Häufigkeit u. Zeitpunkt von Blutentnahmen bei Sepsis mit intermittierendem Fieber: An Tag 1 zwei Entnahmen 1 h vor Ther.-Beginn, frühzeitig im Fieberanstieg. Nach Ther.-Beginn an Tag 1 u. 2 je zwei Entnahmen am Ende von Antibiotika-Dosierungsintervallen.

2.3.2 Urin

Mittelstrahlurin (M-Urin)

Indikationen Standardmethode; geeignet ist v. a. Morgenurin (hohe Keimkonz.). **Cave:** keine Infusionsther. (Verdünnungseffekt); stets Uringewinnung vor Beginn der Chemother.

Gewinnung Hände sorgfältig waschen, mit Einweghandtuch trocknen. Genitale mit in sauberes Wasser getauchten Tupfern reinigen, dann mit weiteren in gleicher Weise nachreinigen. Erste Urinportion (ca. 50 ml) in die Toilette o. ein Gefäß entleeren, dann – ohne den Harnstrahl zu unterbrechen – etwa 5 ml Harn in Transportröhrchen auffangen. Verschluss sofort aufsetzen u. Probe bis zur Weiterleitung in das Labor in den Kühlschrank stellen.

Katheterurin

Indikationen Einwandfreie Gewinnung von M-Urin nicht möglich.

Durchführung ▶ 2.4.1. Grundsätzlich Einwegkatheter verwenden (dennoch Risiko der Keimeinschleppung). Vorher Genitale sorgfältig reinigen (s. o.). Bei Dauerkatheter Urin nie aus dem Beutel entnehmen, sondern nach sorgfältiger Desinfektion den prox. Katheterabschnitt punktieren.

Blasenpunktionsurin

Nur bei gefüllter Blase. Aussagekräftigste Methode (Ausnahme: Urethritis).

Indikationen Kein einwandfreier M- o. K-Urin gewinnbar. Wiederholt unterschiedliche o. fragwürdige bakteriol. u. zelluläre Befunde, v. a. bei Mischinf.

Durchführung Gefüllte Blase genau perkutieren. Im Punktionsbereich Schamhaare entfernen, Haut desinfizieren. Infiltrationsanästhesie. Punktionsstelle 1–2 QF oberhalb der Symphyse, Stichrichtung senkrecht zur Hautoberfläche (20 G/Gelb, 70 mm lang). Nach Punktion Kanüle rasch zurückziehen u. Punktionsstelle einige Min. mit Tupfer komprimieren.

2.3.3 Stuhl

- Untersuchung auf pathogene Darmkeime (Salmonellen, Shigellen, Typhus, Paratyphus, Yersinien, *Campylobacter jejuni*) an 3 aufeinanderfolgenden Tagen. Nach Stuhlentleerung in sauberes Gefäß ca. doppelt bohnengroßes Stück in Stuhlröhrchen einbringen. Bei dünnflüssigem Stuhl 0,5–1 ml einsenden
- Schneller Transport (schnelles Absterben empfindlicher Keime)
- Bei V. a. Typhus u. Paratyphus in der ersten Krankheitswo. parallel Blutkulturen anlegen
- Ist kein Stuhl zu gewinnen, kann auch ein Rektalabstrich entnommen werden (nur geringe Ausbeute)

2.3.4 Abstriche

Mit Abstrichtupfer nur Material unter Sicht von verdächtigen Stellen entnehmen und in Transportröhrchen einbringen. Tupfer nie trocken einsenden, da Anzucht anspruchsvoller Keime nicht mehr gelingt. Lagerung u. Transport bei RT.

Harnröhrenabstrich

Durchführung Morgens vor dem ersten Wasserlassen; sonst nicht vor Ablauf von 1 h nach dem Wasserlassen. Vor Entnahme des Abstrichs Transportmedium auf RT bringen. Abstrich sofort o. innerhalb von höchstens 6 h an Labor weiterleiten. Harnröhrenausfluss, falls vorhanden, mit Tupfer aufnehmen u. in Transportmedium einbringen; bei fehlendem Ausfluss Tupfer mit dünnem Stiel ca. 2 cm drehend in die Urethra einführen (Genitale vorher säubern!). Bei V. a. Chlamydien-Inf. Zellabstrich (intrazellulärer Nachweis), nur Fluorabstrich ist zum Keimnachweis ungeeignet.
Zervixabstrich ▶ 15.2.4.

Material aus geschlossenen Prozessen

Kontraindikationen Tuberkulöser Abszess.

Durchführung
- Gewinnung durch sterile Punktion u. Aspiration mit Spritze
- Material in steriles Röhrchen einbringen. Lagerung u. Transport bei RT
- Bei V. a. Anaerobier-Inf. Material in Entnahmespritze lassen u. diese verschließen. Sofortiger Transport der Probe bei RT ins Labor
- Alternativ Material in vorgewärmte Blutkulturflasche einspritzen (Pleura- u. Peritonealpunktate), sofortiger Transport der Flasche in vorgewärmtem Transportgefäß ins Labor o. bei 37 °C zwischenlagern

Material aus offenen Prozessen
Mit Abstrichtupfer Sekret vom Wundrand entnehmen u. in Transportmedium einbringen. Vom Wundrand abgeschabtes Material in steriles Röhrchen mit Nährbouillon geben.

2.3.5 Venenkatheterspitzen

Chlamydiendiagn. ▶ 15.2.4; Gonorrhödiagn. ▶ 13.3.6.
Nach Hautdesinfektion im Bereich der Eintrittsstelle den Katheter mit steriler Pinzette entfernen; anschließend 3 cm der Katheterspitze mit steriler Schere abschneiden u. in ein steriles Röhrchen einbringen (z. B. ZVK-Spitze).

2.4 Drainagen

2.4.1 Blasenkatheter

Indikationen
Harnretention (postop., neurogen, Harnröhrenstriktur), Gewinnung von Blasenurin (▶ 2.3.2), Harninkontinenz o. Überlaufblase, OP-Vorbereitung, Messung der Urinmenge/Zeiteinheit, Restharnbestimmung (falls nicht sonografisch möglich), differenzierte Nierenfunktionsproben, Flüssigkeitsbilanz, Spül- bzw. Instillationsbehandlung.

Katheterarten
Einmalkatheter (vorwiegend diagn. Anwendung), Verweilkatheter (ther. Anwendung) ein- o. zweiläufig mit Blockballon, Spülkatheter zwei- o. dreiläufig mit Dreiwegehahn, Eingangs- u. Ausgangskanal sowie Blockballon.

Transurethrale Katheterisation
Material Katheter (14, 16 o. 18 Ch.), steriles Katheterset mit ein o. zwei Nierenschalen, Urinbeutel, 6 Tupfer, sterile Handschuhe, Unterlage u. Lochtuch, steriles Röhrchen, Desinfektionsmittel.
Durchführung Pat. auf Rücken lagern, Fersen zusammengestellt, Knie nach außen geneigt. Lochtuch so platzieren, dass Harnröhrenöffnung sichtbar ist. Zuerst Vulva von ventral nach dorsal desinfizieren. Dann mit li. Hand (sterile Handschuhe) Labien spreizen u. kleine Schamlippen 3 × desinfizieren. Am Schluss Harnröhrenöffnung desinfizieren. Der letzte Tupfer wird in den Vaginaleingang gebracht. Desinfektionstupfer mit Pinzette halten, nur einmal benutzen. Mit neuer Pinzette Katheter in Harnröhre einführen. Bei Dauerkathetern Blockballon mit 5–10 ml Aqua dest. füllen. Vorsichtig zurückziehen, bis federnder Widerstand spürbar. Tupfer aus Vaginaleingang entfernen.
Komplikationen HWI durch Keimverschleppung u. aufsteigende Inf. (Risiko bei Dauerkatheter 5 % pro Tag) u. nachfolgende Urosepsis, deshalb Durchführung nur unter strikter Asepsis u. Antisepsis.
Katheterwechsel Mind. alle 2 Wo. (Ausnahme: Silastik-Langzeitkatheter alle 3 Mon.). Bei trübem Urin, Hinweis auf Inkrustierung o. Inf. sofort Katheter wechseln.

Suprapubischer Blasenkatheter

Indikationen Peri- u. postop. Urinableitung, Urethralstrikturen u. -verletzungen, akuter Harnverhalt. Heute deutlich rückläufige Bedeutung.

Kontraindikationen Unterbauchtumor, v. a. Blasen-Ca.

Material Zystotomie-Set (z. B. Cystofix®), Malecot-Katheter 20 G o. 24 G, 10 ml Lidocain 1 % mit Kanüle (22 G/0,7) Skalpell, sterile Tücher u. sterile Handschuhe, Einmalrasierer.

Durchführung Gefüllte Blase palpieren u. perkutieren. Ist Blase nicht gefüllt, 500–1.000 ml Tee geben o. bei schon liegendem transurethralem Katheter retrograde Füllung. Rasur u. Desinfektion der Haut, Infiltrationsanästhesie, etwa 2–3 cm über der Symphyse in der Medianlinie. Zur Lokalisationshilfe mit noch liegender Anästhesienadel Punktionsversuch. Stichinzision der Haut mit Einmalskalpell. Punktionsbesteck in die Blase einführen u. Katheter vorschieben, danach Punktionskanüle zurückziehen u. entfernen (Kanüle an Perforationsstelle aufklappbar). Katheter je nach Typ mit Ballon blocken o. mit Naht fixieren, steriler Verband.

Komplikationen Peritonitis bei Via falsa, erhöhte Rate an vesikalen Blutungen.

Katheterwechsel Mind. alle 2 Mon., Blase 2 ×/Wo. mit steriler Kochsalzlsg. spülen.

2.4.2 Postoperative Drainage (Redon- oder Robinson-Drainage)

Indikationen Prophylaxe postop. Serome o. Hämatome bei prim. Wundverschluss.

Durchführung Prox. Ende (mit vielen Öffnungen) in Wunde einlegen, Haut von innen nach außen mit Führungsspieß o. Nadel durchstechen, Nadel am Kunststoffschaft abschneiden, Redon-Schlauch mit Hautnaht fixieren u. mit Vakuumflasche verbinden. Flasche jeden Tag erneuern, Blutverlust dokumentieren. Abhängig von Wundsekretion Drainage nach spätestens 48–72 h entfernen.

> **Intraabdominale Robinson-Drainage**
> Ind. z. B. bei ausgedehnter laparoskopischer OP zur Überwachung einer evtl. Nachblutung. Ablauf ohne Sog in einen Drainagebeutel. Kann auch Spülflüssigkeit aufnehmen. Entfernung nach 24–48 h postop.; Fadenfixierung.

2.5 Transfusionen

2.5.1 Transfusionsgesetz (TFG)

Administrative Voraussetzungen

Nach dem neuen TFG muss jedes Krankenhaus, das Blutübertragungen durchführt, einen Transfusionsverantwortlichen für die gesamte Klinik benennen. Er hat für die Einhaltung der gesetzlichen Regelungen zu sorgen u. ein Qualitätssicherungssystem einzuführen bzw. weiterzuentwickeln. Jede transfusionsmed. täti-

ge Krankenhausabteilung benennt einen Transfusionsbeauftragten. Er stellt die Durchführung der gesetzlichen Maßnahmen in der jeweiligen Krankenhausabteilung sicher.
In Krankenhäusern der Akut- u. Maximalversorgung ist eine transfusionsmed. Kommission einzurichten. Sie setzt sich zusammen aus dem Transfusionsverantwortlichen, den Transfusionsbeauftragten, dem Krankenhausapotheker, einem Vertreter der Krankenpflegeleitung sowie der leitenden MTA. Sie erarbeiten Richt- u. Leitlinien zur Umsetzung von Gesetzen u. Regelungen zur Transfusionsmedizin und erstellen somit ein internes Qualitätssicherungssystem.
Ebenfalls gesetzlich geregelt ist der blutgruppenserol. Untersuchungsumfang:
- AB0-Eigenschaften
- Rh-Faktor D
- AK-Suchtest
- Kreuzprobe
- Ggf. weitere Merkmale u. deren AK (bei pos. AK-Suchtest)

Jedes blutgruppenserol. tätige Labor muss interne u. externe Qualitätskontrollen gemäß den BÄK-Richtlinien durchführen.

Das TFG regelt auch das Meldewesen über durchgeführte Behandlungen mit Blutprodukten u. Plasmaproteinen sowie Transfusionszwischenfälle.

Regelungen zur Transfusionsdurchführung
Bei elektiven Eingriffen ist rechtzeitig die entsprechende Zahl kompatibler Blutkomponenten sicherzustellen.
Da Verwechslungen häufiger auftreten als laboranalytische Fehlbestimmungen, legt das Gesetz fest, dass der anfordernde Arzt für die Identität der Blutprobe verantwortlich ist. Vor der Blutentnahme muss das Röhrchen mit Name, Vorname, Geburtsdatum u. Einsender (ersatzweise Codenummer) beschriftet werden. Begleitpapiere (u. a. mit Angaben zur Medikation, Vortransfusionen, Schwangerschaften, ob es sich um Nabelschnurblut handelt) müssen vollständig ausgefüllt und von der abnehmenden Person unterschrieben werden. Die Blutprobe muss nach Bestimmung mind. 1 Wo. bei +4 bis +8 °C Kühlung aufbewahrt werden.

2.5.2 Blutkomponenten und ihre Indikationen
Ind.: ▶ Tab. 2.3.
- Für bestrahlte Blutpräparate: zur Prophylaxe einer Graft-vs.-Host-Reaktion bei Immunschwäche o. -suppression, KM-Transplantation o. Extrem-FG
- Für CMV-AK-neg. Präparate: hämotoonkol. Pat. (CMV-AK-neg.), Transplantationspat. (unabhängig von CMV-Status), Sgl. bis ca. 1 J., Schwangere (CMV-AK-neg., zur Vermeidung einer intrauterinen Inf.)

Geschätztes Risiko infektiöser Blutpräparate für HIV 1 : 1.000.000, HBV < 1 : 50.000, HCV 1 : 20.000.

Tab. 2.3 Blutkomponenten und ihre Indikationen

Präparat	Merkmale	Indikationen u. Besonderheiten
Erythrozytenkonzentrat (EK)	Aus 1 Blutspende (500 ml) durch Zentrifugation u. Entfernung von Buffy-Coat u. Plasma gewonnen. Enthält geringe Mengen an Leukos u. Thrombos! Lagerung bei + 4 °C je nach Stabilisator 3–5 Wo.	Akute u. chron. Anämien. Hb-Anstieg ca. 1 g/dl je EK. Immunisierung u. Reaktionen in erythrozytärem u. HLA-System möglich. Bei > 100 EK-Transfusionen Gefahr von sek. Hämochromatose
Gefiltertes EK	Durch Filter (spezielle Systeme) weitere Leuko- u. Thrombo-Reduktion um 99 % (< Immunisierungsdosis)	Chron. Ery-Substitution: hämatol. Pat., renale Anämie, geplante Transplantation, Immunsupprimierte, F im gebärfähigen Alter u. Schwangere, Kinder
Gewaschenes EK	Restplasma durch mehrfaches Aufschwemmen in NaCl 0,9 % u. Abzentrifugation weitgehend entfernt; zur sofortigen Transfusion	Äußerst seltene Ind., z. B. Plasmaunverträglichkeit, selektiver IgA-Mangel des Empfängers, paroxysmale nächtliche Hämoglobinurie (PNH)
Thrombozytenkonzentrat (TK)	Lagerung bei RT unter ständiger maschineller Bewegung. Je nach Beutel bis max. 5 d haltbar	Bei häufigerer Anwendung mit speziellem TK-Filter leukozytenarm transfundieren
• Einfach-TK	Aus einer Blutspende gewonnen (ca. $0,5 \times 10^{11}$ Thrombos in 30–50 ml Plasma)	6–10 Einfach-TK für Thrombo-Anstieg von ca. 30/nl erforderlich. Infektions- u. Immunisierungsrisiko ↑
• Zellseparator-TK	Durch Zentrifugation u. Anreicherung von einem Spender gewonnen (ca. 4×10^{11} Thrombos in 200 ml Plasma)	Spendervorauswahl möglich: HLA-kompatible Transfusion, teuer
Fresh Frozen Plasma (FFP)	Ca. 200 ml durch Citrat ungerinnbares Plasma eines Spenders, Plasmaproteine u. Gerinnungsfaktoren in physiol. Konz. 1 J. haltbar bei –30 °C. Auftauen im speziellen Gerät o. im handwarmen Wasserbad u. sofortige Transfusion	Kein Volumenersatz! Erworbene Gerinnungsstörungen, z. B. Leberinsuff., Verbrauchskoagulopathie, massiver Blutverlust. Faustregel bei Massivtransfusionen ab ca. 5. EK je 1 FFP auf 2 EK
Frischblutkonserve	Vollblutspende, nicht > 72 h lagern	Nur zur Austauschtransfusion (NG, Fehltransfusion o. schwerste Hämolysen). RS mit Transfusionsmediziner
Vollblutkonserve	Vollblutspende, > 72 h lagern	Obsolet! Besser Komponentensubstitution
Gerinnungsfaktoren-Konzentrate, PPSB, Albumin, Immunglobuline	Gepoolt aus Hunderten bis Tausenden von Einzelspenden	Fertigarzneimittel, blutgruppenunabhängig, keine „Transfusion", aber Chargendokumentation

2.5.3 Eigenblutspende

Bei allen planbaren Eingriffen, bei denen eine Transfusion in ≥ 10 % d. F. erforderlich wird, muss die Pat. laut Bundesverfassungsgerichtsurteil auf die Möglichkeit zur Eigenblutspende hingewiesen u. diese organisiert werden. Bei op. Eingriffen mit der Wahrscheinlichkeit einer Transfusion in ≥ 1 % d. F. ist die Pat. über die Risiken einer heterologen Transfusion aufzuklären (Inf., Transfusionsreaktion etc.).

In der Gynäkologie wird die Eigenblutspende aufgrund des niedrigen Transfusionsrisikos fast gar nicht mehr angewandt. Daher wird diesbezüglich auf anästhesiol. Lehrbücher verwiesen.

Retransfusion
- Sollte erfolgen, wenn Hkt unter 30 % sinkt
- Intraop.: genaue EKG-Kontrolle, da klin. Symptome der Ischämie (RR-Abfall, Tachykardie) häufig fehlen
- Zuletzt abgenommenes (jüngstes) Blut zuerst geben
- Unbedingt Bedside-Test zur Identifikation von Pat. u. Konserve!

2.5.4 Nabelschnur-Blutentnahme zur Stammzellkonservierung

Der Nutzen der Eigenspende wird kontrovers diskutiert, vereinzelt wurden erfolgreiche Behandlungen publiziert.
Cave: Blutentnahme erst nach Vertragsgestaltung des Krankenhausträgers mit der jeweiligen Firma (z. B. Vita®, Seracell®, eticur®) u. nach Genehmigung durch das Regierungspräsidium, da der Klinikbetreiber juristisch durch diese Blutentnahme zur Außenstelle eines pharmazeutischen Unternehmens wird.
Von der Nabelschnurblutentnahme zur Kryokonservierung ist die ungerichtete Nabelschnurblutspende zur Transplantation schwer Erkrankter abzugrenzen. Ähnlich wie die Blutstammzellen von Erw. können die aus Nabelschnurblut gewonnenen Blutstammzellen schwer kranken Pat. transplantiert werden. Vorteile bei der Transplantation von Blutstammzellen aus dem Nabelschnurblut sind das geringere Infektionsrisiko u. die größere immunol. Toleranz der fetalen Blutzellen. Für die Nabelschnurblutspende in Zusammenarbeit mit verschiedenen hämatoonkol. Zentren gelten ähnlich strenge Voraussetzungen wie für die Nabelschnurblutgewinnung zur Kryokonservierung.

2.5.5 Vorgehen bei Bluttransfusion

Prätransfusionelle Untersuchungen
Indikationsprüfung Ery-Gabe nur bei sympt. Anämie: Dyspnoe, Tachykardie, Angina pectoris, zerebrale Ischämie, Blutungsschock.

AB0-/Rhesus-Blutgruppenbestimmung und AK-Suchtest 10 ml Nativblut, Röhrchen mit Vorname, Name u. Geburtsdatum kennzeichnen. Arzt trägt die Verantwortung für die Vollständigkeit der Begleitpapiere u. Identität des Materials.
Cave: Die Differenzierung evtl. vorliegender irregulärer AK u. Bereitstellung entsprechender Konserven benötigt Zeit, daher bei nicht dringlichen Transfusionen (geplante OP) Material frühzeitig einsenden.

Kreuzprobe Die serol. Verträglichkeitsprobe vor jeder Bluttransfusion ist unerlässlich, dazu 5–10 ml Nativblut (nicht älter als 72 h) verwenden.

Kompatibilitätsprüfung für weitere Bluttransfusionen ▶ Tab. 2.4. 72 h nach der letzten Transfusion muss jeweils frisches Kreuzblut zur Erfassung möglicher AK-Bildung abgenommen werden; vor mehr als 3 d durchgeführte Kreuzproben verlieren ihre Gültigkeit!

Tab. 2.4 Kompatibilität von Spender- und Empfänger-Blutgruppe

Bei erythrozytenhaltigen Präparaten muss AB0- u. rhesuskompatibel transfundiert werden. Bei FFP u. TK AB0 möglichst ebenfalls rhesuskompatibel transfundieren, i. d. R. ist bei Letzteren keine Kreuzprobe erforderlich.

Empfänger-Blutgruppe	FFP-Spender-Blutgruppe	EK-Spender
0	0, A, B, AB	0
A	A, AB	A, O
B	B, AB	B, O
AB	AB	AB, A, B, O

Rhesus-System
Ein Rh-neg. Empfänger muss Rh-neg. Erys erhalten Ein Rh-pos. Empfänger kann sowohl Rh-pos. als auch Rh-neg. Erys erhalten.

Durchführung der Transfusion
- Übereinstimmung von Konservennummer, angegebenem Empfänger u. Blutgruppenbefund sowie Verfallsdatum (Unversehrtheit der Konserve, auch Verfärbung, Hämolyse) **persönlich** überprüfen.
- Nach Erwärmung auf RT (vorsichtiges Kneten) sollte die Konserve umgehend transfundiert werden. Massivtransfusionen, Transfusionen bei NG sowie bei Kälte-AK: Durchlauferwärmen mit speziellen Heizspiralen auf max. 37 °C (sonst Eiweißdenaturierung).
- Großlumiger venöser Zugang (mind. Braunüle Nr. 17 G/Gelb); keine Medikamente zusetzen, außer NaCl 0,9 % darf nichts im Zugang laufen. Immer Transfusionsbesteck mit Filter-Tropfkammer verwenden; Tropfkammer nur zur Hälfte füllen.
- Bedside-Test zur Sicherung der AB0-Identität des Empfängers ist obligat vor der Transfusion am Patientenbett durchzuführen und die Konserve nicht mehr von der Pat. entfernen.
- Einleitung der Transfusion muss durch Arzt erfolgen. Beim wachen Erw. 30–50 ml zügig transfundieren, danach Transfusion langsam stellen u. 5 min intensiv überwachen. ¼-stdl. Überwachung der Pat. während der Transfusion u. mind. 1 h danach durch Pflegekraft (Frage nach Wohlbefinden, Temp. u. Puls orientierend prüfen). Transfusionsdauer unter Nicht-Notfallbedingungen ca. 1 h.
- Zur Prophylaxe einer Volumenüberlastung (v. a. bei Herz- o. Niereninsuff.) Transfusionsdauer auf 3–4 h verlängern, ggf. Diuretika i. v.
- Bei Flüssigkeitsbilanzierung aufgedrucktes Volumen mitberechnen.
- Leeren Blutbeutel unter aseptischen Bedingungen (sauberer Plastikbeutel) nach der Transfusion für 24 h im Kühlschrank aufbewahren (ggf. Klärung von späten Transfusionsreaktionen, ▶ 2.5.8).
- Jeder Transfusionsverlauf muss schriftlich dokumentiert werden.

Massivtransfusion
- Mind. 2 großlumige Braunülen (z. B. 14 G/Braun, 16 G/Grau), evtl. Druckinfusion mit Druckinfusomat (evtl. Blutdruckmanschette um Konserve bis 100 mmHg)
- Durchlauferwärmen des Blutes s. o.
- Faustregel: Je nach initialer Gerinnung ab 5 EK Gabe von FFP, z. B. 1 FFP auf 2 EK
- **Cave:** Mangel an Gerinnungsfaktoren o. Thrombos

Notfalltransfusion
- Transfusion von EKs ohne Verträglichkeitsprobe nur bei vitaler Indikation!
- Unbedingt vor Transfusionsbeginn 40 ml Nativblut für nachträgliche Blutgruppenbestimmungen u. nachgezogene Verträglichkeitsproben abnehmen
- Bei schon bekannter Blutgruppe der Pat. erst Bedside-Test, dann Transfusion
- Bei unbekannter Blutgruppe: EKs der Blutgruppe 0 transfundieren, möglichst Rh-neg., schnellstmöglich auf tatsächliche Blutgruppe umstellen!

2.5.6 Thrombozytentransfusion

Die Bereitstellung von Thrombos benötigt viel Zeit. Daher rechtzeitig daran denken (v. a. am Wochenende!); RS mit Blutbank.

Indikationen
- Thrombopenie: dringend bei Thrombos < 10.000/µl; unter bzw. unmittelbar vor der Geburt < 50.000/µl → akute (Spontan-)Blutungsgefahr!
- Bildungsstörungen: z. B. Leukämie, Chemother., Thrombos < 20.000/µl (prophylaktisch) o. bei Thrombopenie mit klin. manifester Blutungsneigung (ther.). Großzügige Ind. bei Risikofaktoren (Alter > 60 J., septische Temp., Blutungsanamnese). Vor Beckenkammpunktion bei Thrombos < 30.000/µl
- Akuter Blutverlust o. Verbrauchskoagulopathie: ab Thrombos < 50.000/µl, erst nach Stabilisierung des Inhibitorpotenzials (ggf. AT III) u. Low-Dose-Heparinisierung
- HELLP-Sy. ▶ 5.9.3

Durchführung HLA-Typisierung bei allen chron. zu substituierenden Pat. vor der ersten Transfusion (10–20 ml heparinisiertes Blut bei RT).

Therapiekontrolle Thrombo-Anstieg bei Standarddosis 6 Einfach-TKs bzw. 1 Zellseparator-TK auf 20.000–30.000/µl. Kontrolle 1 u. 24 h post transfusionem. **Cave:** ASS u. Heparin vermindern Thrombo-Funktion.

2.5.7 Rechtliche Fragen

Aufklärung
Aufklärung über Art der Transfusion, Notwendigkeit u. Risiken muss durch Arzt erfolgen: Möglichkeit einer Immunisierung o. Unverträglichkeit, v. a. bei Wdh.-Transfusionen; mögliche Übertragung von Syphilis, Hepatitis o. HIV insb. bei

Transfusionen von Präparaten ohne Kontrolluntersuchungen (Frischblut). Möglichst schriftliche Einverständniserklärung.

Verweigerung einer Bluttransfusion
Bei klarem Bewusstsein in Kenntnis der Konsequenzen muss die Transfusion unterbleiben. Bei Bewusstlosigkeit kann transfundiert werden, falls kein entgegenstehender Wille der Pat. (schriftlich o. mündlich) bekannt ist. Unter Juristen ist dieser Punkt umstritten, da hier Gewissensentscheidung der Pat. (mit Transfusionsverweigerung) der Gewissensentscheidung des Arztes, der sein Gewissen mit dem Tod eines Pat. belastet, gegenübersteht. Mit Zeugen Jehovas sollten diese Sachverhalte deshalb bei nicht vital indizierter OP gründlich durchgesprochen u. schriftlich fixiert werden. Angehörige haben kein Bestimmungsrecht.

Verweigern Erziehungsberechtigte bei minderjähriger Pat. die Zustimmung, kann der Arzt das Vormundschaftsgericht benachrichtigen u. bei gegebener Dringlichkeit die Transfusion durchführen; in Eilfällen kann er von einer mutmaßlichen Einwilligung des Pat. ausgehen.

2.5.8 Transfusionsreaktionen

Transfusionsreaktionen
Ätiologie Am häufigsten als Folge von **antileukozytären AK** (HLA-AK) des Empfängers, wenn leuko- o. thrombozytenhaltige Konserven transfundiert wurden (febrile nichthämolytische Transfusionsreaktion).

Klinik Als Sofort- o. Frühreaktionen während o. als Spätreaktion noch Tage nach der Transfusion Unwohlsein, Fieber, Hitze- u. Beklemmungsgefühl, Übelkeit, Schüttelfrost, Tachykardie, Juckreiz, nur selten Blutdruckabfall bis zum Schock u. Atemnot (Bronchospasmus).

Hämolytische Zwischenfälle
Ätiologie Durch antierythrozytäre AK (z. B. AB0-Unverträglichkeit).

Klinik Allgemeinsymptome mit Mikrozirkulationsstörungen in allen Organen (Schmerzen in der Lendengegend, hinter dem Sternum u. den langen Röhrenknochen), Schock (RR ↓, Tachykardie, blasse, kalte Akren, evtl. Übelkeit, Erbrechen; ▶ 3.4), Verbrauchskoagulopathie u. ANV. Letalität 6–20 %.

Differenzialdiagnose Schwierige DD zur vorgenannten Transfusionsreaktion.

Bakteriell bedingte Transfusionsreaktionen
Ätiologie V. a. gramneg. Keime mit Endotoxinbildung.

Klinik Schock evtl. schon nach wenigen Millilitern, oft Hämolysen. Verunreinigung meist bei Herstellung von leukozytenarmen o. gewaschenen EKs sowie Aufschwemmen von EKs mit NaCl 0,9 % (deshalb verkürzte Haltbarkeit ≤ 8 h).

Vorgehen bei Transfusionsreaktionen
Cave: Symptomatik kann unter Narkose fehlen!

Therapie
- Transfusion sofort stoppen. Keine Transfusion neuer Konserven ohne Abklärung: Auch bei Notfalltransfusionen mind. AB0-Verträglichkeit u. das Fehlen intravasaler Hämolyse (s. u.) überprüfen

- Je nach Klinik Kortikoide i. v., H_1- u./o. H_2-Blocker i. v., ggf. Katecholamine i. v.
- Schockbehandlung (▶ 3.4). Bei V. a. bakt. Ursache Breitbandantibiotika
- **Cave:** bei Niereninsuff. Diurese aufrechterhalten (z. B. Furosemid i. v.), ggf. Mannitol
- 20.000 IE Heparin über 24 h (Prophylaxe der Verbrauchskoagulopathie)

Sicherung der Diagnose
- Verständigung des diensthabenden Transfusionsmediziners
- Die transfundierte Konserve sofort mit Transfusionsbesteck u. Begleitpapieren an das immunhämatol. Labor zurückgeben
- Sofortige posttransfusionelle Abnahme von:
  - 10 ml Nativblut u. 5 ml EDTA-Blut zur blutgruppenserol. Abklärung (häufigster Fehler: Verwechslung mit AB0-Unverträglichkeit)
  - **Nachweis intravasaler Hämolyse: Bili** steigt bereits bei einer Hämolyserate von > 5 % (normale Rate < 0,8 %) an. **LDH 1** (HBDH) steigt in seiner Aktivität bei einer Hämolyse an, wenn über 800 mg **freies Hb**/l Plasma freigesetzt wird. **Freies Hb** weist bei Konz. > 20 mg/l auf eine Hämolyse hin. Der Wert kann durch die Blutabnahmetechnik verfälscht werden (EDTA darf bei der Abnahme nicht verwendet werden; es sind Heparinröhrchen erforderlich)
  - Großes BB, Gerinnungsstatus, LDH, Hb, Bili, Haptoglobin, K^+ i. S. Urinsediment

2.5.9 Infektionsrisiko durch Blutkomponenten

Transfusion zellhaltiger Blutprodukte, FFP
Die Richtlinien zur Blutgruppenbestimmung u. Bluttransfusion schreiben folgende serol. Untersuchungen der einzelnen Blutspenden vor: Anti-HIV 1/2, HBsAg, Anti-HCV, TPHA-Test, GPT (ALT).

- Verbleibendes Infektionsrisiko auch bei neg. Serologie, weil zwischen Inf. u. AK-Bildung mehrere Wo. liegen können („diagn. Lücke")
- Geschätztes Infektionsrisiko für Deutschland: HIV 1 : 300.000 bis 1 : 1 Mio., Hepatitis B 1 : 50.000, Hepatitis C 1 : 20.000
- Pat. sorgfältig (▶ 2.5.7) aufklären

Minderung des Infektionsrisikos
Virusinaktivierung:
- Zusatz von Methylenblau zu einem FFP, Bestrahlung mit sichtbarem Licht
- Solvent-Detergent-(SID-)Verfahren

Quarantänelagerung von FFP ist seit 1.1.1995 gesetzlich vorgeschrieben (Freigabe erst nach erneuter serol. Untersuchung des Spenders 6 Mon. nach Blutspende; Verringerung der „diagn. Lücke").

Bei zellhaltigen Präparaten nicht möglich.

Plasmabestandteile

Für die Gewinnung von Plasmafraktionen werden große Mengen von Plasma aus Einzelblutspenden gepoolt (gemischt). Serol. Untersuchung (s. o.) vor der Poolung, da sonst die Sensitivität durch den Verdünnungseffekt vermindert wird. Theoretisch erhöht sich das Infektiositätsrisiko solcher gepoolten Präparate aufgrund der Spenderzahl (sorgfältige Spenderauswahl – zurzeit 70 % Importplasma, korrekte serol. Untersuchung).

Je nach Hersteller (Patentrecht) verschiedene virusinaktivierende Verfahren (z. B. Alkoholfraktionierung nach Cohn, Pasteurisierungsverfahren). Restinfektionsrisiko ist nicht auszuschließen. HBV u. HCV sind sehr viel resistenter ggü. Virusinaktivierungsverfahren als HIV!

> **Dokumentationspflicht**
> Dokumentation von Präparatenamen, pharmazeutischem Unternehmen, Chargenbezeichnung für zellhaltige Blutkonserven, Gerinnungsfaktoren (z. B. FFP, AT III, F VII, VIII, IX, XIII, Prothrombinkomplex-Präparate, Prothrombinkomplex mit Faktor-VIII-Inhibitor-Bypass-Aktivität, Fibrinogen), Gewebekleber (Fibrin), Proteinase-Inhibitoren (α_1-Antitrypsin).

2.6 Infusions- und Ernährungstherapie

2.6.1 Substrate der parenteralen Ernährungstherapie

Kohlenhydrate

Vor allem zur Energiebereitstellung. Neben Glukose werden Glukoseaustauschstoffe (Fruktose, Sorbit u. Xylit) eingesetzt, die in der Leber zu fast 70 % in Glukose verstoffwechselt werden. Tgl. Bedarf ▶ Tab. 2.5.

Glukose

Indikationen Energiezufuhr. 1 g enthält 4 kcal (17 kJ). 500 ml Glukose 50 % ≙ 1.000 kcal.

Tab. 2.5 Täglicher Nährstoffbedarf (pro kg Körpergewicht)			
	Basaler Bedarf	**Mittlerer Bedarf**	**Hoher Bedarf**
Energie	25 kcal = 105 kJ	35–40 kcal = 147–168 kJ	50–60 kcal = 210–251 kJ
Stickstoff (= Aminosäuren)	0,11 g (= 0,7 g)	0,16 g (= 1 g)	0,24–0,32 g (= 1,5–2 g)
Kohlenhydrate	3 g	5 g	7 g
Fett	1 g	1,5 g	2 g
E'lyte • Natrium • Kalium • Kalzium	• 1–1,4 mmol • 0,7–0,9 mmol • 0,1 mmol	• 2–3 mmol • 2 mmol • 0,15 mmol	• 3–4 mmol • 3–4 mmol • 0,2 mmol

2.6 Infusions- und Ernährungstherapie

Dosierung
- Max. 5 g/kg KG/d, max. Infusionsgeschwindigkeit 0,5 g/kg KG/h. Hochproz. Lsgn. > 10 % über ZVK (Reizung peripherer Venenwände)
- Bei Diab. mell., postop. u. posttraumatisch Insulinbedarf durch engmaschige BZ-Kontrollen ermitteln

Fruktose (Lävulose), Sorbit, Xylit

Indikationen Bei gestörter Glukoseverwertung Sorbit 40 % als Osmodiuretikum.

Kontraindikationen Hereditäre Fruktose- o. Sorbitintoleranz, Methanolvergiftung, fortgeschrittene Leber-, Niereninsuff., Laktatazidose, hypotone Hyperhydratation, Hyperosmolarität. **Cave:** Keine sorbithaltigen Lsgn. im Säuglingsalter verabreichen.

Dosierung Max. 3 g/kg KG/d, max. Infusionsgeschwindigkeit 0,25 g/kg KG/h.

> **Frühsymptome der Fruktoseintoleranz**
> Hypoglykämie trotz Kohlenhydratzufuhr, Bewusstseinstrübung, Schock mit metab. Azidose, Laktat ↑, Transaminasen ↑. Bei weiterer Exposition häufig therapierefraktäres tödliches Leber- u. Nierenversagen.

Aminosäuren (AS)

Indikationen Minderung der Katabolie. Energiegehalt 4 kcal/g.
- Bei Leberinsuff.: angereicherte AS-Lsgn. mit verzweigtkettigen AS Valin, Leucin u. Isoleucin, Reduktion von Methionin, Phenylalanin, Tyrosin u. Tryptophan
- Bei Niereninsuff.: angereicherte bzw. solitäre AS-Lsgn. mit essenziellen AS u. L-Histidin zur Reduktion der Harnstoffsynthese

Dosierung Max. 2 g/kg KG/d (gilt nicht bei Leber- o. Niereninsuff.), Mindestbedarf nach OP u. Traumen 1 g/kg KG.

Fette
- Hohes Energieangebot (34 kJ/g = 9 kcal/g) in kleinen Flüssigkeitsvolumina
- Einsatz erst nach der akuten Phase des Postaggressionssy.

Kontraindikationen Hypertriglyzeridämie (> 350 mg/dl = 4,0 mmol/l), diab. Ketoazidose, akute nekrotisierende Pankreatitis, akuter Myokardinfarkt, akute Thrombembolie. Vorsicht bei Gerinnungsstörungen u. floriden Inf.

Dosierung Initial 0,5 g/kg KG, unter regelmäßigem Monitoring (2 ×/Wo. Triglyzeridspiegel) u. kontinuierlicher Gabe über 24 h Steigerung auf max. 2 g/kg KG/d, bei Niereninsuff. max. 1 g/kg KG/d. Periphervenös applizierbar, jedoch **separater Zugang** nötig, nicht mit anderen Substanzen mischen. Bei mehrwöchiger parenteraler Ernährung mind. 0,2 g/kg KG/d applizieren.

2.6.2 Prinzipien der parenteralen Ernährung (PE)

Indikationen Enterale Ernährung, ggf. via Duodenalsonde nicht möglich.

Durchführung Prinzipiell peripheren Zugangsweg (Verweilkanüle) bevorzugen. Die Grenze der peripheren Verträglichkeit ist v. a. abhängig von der Osmolarität (▶ Tab. 2.6): ab ca. 800 mosmol/l (→ Angaben auf Infusionsflaschen) Ernährung über ZVK.

Tab. 2.6 Anhaltspunkte für Osmolarität

Lösung	Osmolarität (mosmol/l)
Volle'lytl-Lsg. bzw. NaCl 0,9 %	310
Volle'lyt-Lsg. mit Glukose 5 %	580
Volle'lyt-Lsg. mit Glukose 10 %	60
AS-Lsg. 10 %, E'lyt- u. KH-frei	800
AS-Lsg. 10 %, mit KH 10 % u. E'lyten	1.600
Fett-Lsg. 10 %	320
Fett-Lsg. 20 %	360

Planung
- Ernährungskonzept abhängig von Ernährungszustand, Stoffwechsellage, voraussichtlicher Dauer der PE.
- Kontinuierliche Substratzufuhr über 24 h; gleichmäßige Infusionsgeschwindigkeit, v. a. bei zentralvenöser Ernährung Pumpsysteme verwenden.
- Bei längerer (Faustregel: > 7 d) PE Multi-Vit.-Präparate u. Spurenelemente substituieren.
- Eine langfristige totale parenterale Ernährung (TPE) wird stufenweise aufgebaut (Stufenschema ▶ 2.6.3).
- Je schwerer die Stoffwechselveränderung bzw. je schlechter der Zustand der Pat., desto vorsichtiger die Ernährung aufbauen.
- Bei Beendigung einer PE langsamer enteraler Nahrungsaufbau (zunächst nur flüssig, dann Milchsuppe, Brei, leichte Kost, Vollkost). Parallel Infusionsmenge schrittweise reduzieren.

Monitoring bei zentralvenöser Ernährung Klin. u. Laborkontrollen sind v. a. zu Beginn einer Infusionsther. u. bei labiler Stoffwechsellage erforderlich. **Basisprogramm:** BZ, Laktat, Harnstoff, Triglyzeride (< 350 mg/dl), E'lyte, fakultativ NH_3 u. Urinausscheidung. Genaue Flüssigkeitsbilanzierung ist nötig. Überwachung bei Applikation von Fettemulsionen (▶ 2.6.1).

2.6.3 Stufenkonzept der parenteralen Ernährung

Stufe 1: periphervenöse Flüssigkeitszufuhr mit geringem Kalorienanteil

Indikationen Nach kleinen OP, bei gutem allg. Ernährungszustand, Dauer der Nahrungskarenz < 2 d.

Zusammensetzung E'lyt-Lsgn. u. zusätzlich ggf. 5 % Kohlenhydrate (z. B. Ringer, Stereofundin BG-5®, Jonosteril® o. Tutofusin®). **Cave:** möglichst Glukose verwenden, keine Zuckeraustauschstoffe.

Dosierungsbeispiel (70 kg) 3.000 ml/d ≙ 40 ml Wasser/kg KG, davon 2.000 ml als 5 % Glukose ≙ 100 g Glukose ≙ ca. 400 kcal/d.

Stufe 2: periphervenöse Basisernährung

Indikationen Nach mittelschweren OPs, bei leichter Katabolie, gutem allg. EZ Nahrungskarenz 2–3 d.

Zusammensetzung Meist als Komplettlsg., z. B. AKE 1100®, Periplasmal®. AS-Lsg. (z. B. Aminosteril® plus), (KH-)Lsgn. 5–10 % (z. B. Glukose 5 %), E'lyte u. Flüssigkeit (Na^+ 2–3 mmol/kg KG/d, K^+ 1–1,5 mmol/kg KG/d). Bei eingeschränkten Fettreserven zusätzlich Fettemulsionen 10–20 % (z. B. Lipofundin® MCT 20 %; eigener Zugang!).

Dosierung 1–2 g Fett/kg KG/d.

Dosierungsbeispiel (70 kg)
- 3.000 ml Kombinationslsg. aus 90 g AS ≙ 360 kcal, 150 g KH ≙ 600 kcal. Summe = 9.600 kcal
- Fakultativ plus 500 ml Fett-Lsg. 10 % (bei reduziertem AZ, eingeschränkte Fettreserven), 50 g Fett ≙ 450 kcal. Summe = 1.410 kcal ≙ 20 kcal/kg KG

Stufe 3: bilanzierte vollständige parenterale Ernährung

Indikationen Längerfristige (> 3 d) TPE, z. B. nach schwerer OP, Polytrauma, Verbrennungen; bei stark reduziertem AZ u. EZ. Zentraler Zugang erforderlich!

Zusammensetzung Aus folgenden „Baustein"-Lsgn.:
- AS-Lsg. 7,5–15 %
- KH-Lsgn. 20–50 %. Glukose bevorzugen; keine Monother. mit Glukoseaustauschstoffen!
- Dosierung von Glukose 50 %: 0,6 ml/kg KG/h, max. 3 g/kg KG/d
- Fettemulsionen 10–20 %
- E'lyte u. Flüssigkeit nach Laborkontrollen u. Bilanz
- Vit. u. Spurenelemente (Kasten)

> **Beispiel für totale parenterale Standardernährung (Dosierung/d)**
> - 70 kg: 1,75 l Volumen mit 1.900 kcal = 75 kcal/kg KG (ohne Fette)
> - 1.000 ml Glukose 40 % = 400 g Glukose = 1.600 kcal
> - 750 ml AS-Lsg. 10 % = 75 g AS = 300 kcal
> - Ca. 40 mmol KCl, 20 mmol KH_2PO_4
> - Evtl. zusätzlich 500 ml Fettemulsion 20 % = 100 g = 900 kcal
> - 1 Amp. Kalziumglukonat, 1 Amp. Vit.-B-Komplex, 1 Amp. Vit. C tägl. als Kurzinfusion i. v.
>
> Zusätzlich:
> - Fe 40 mg i. v./Mon., Folsäure 15 mg i. v./Mon.
> - E'lyt-Lsgn., Glukose 5 % je nach Flüssigkeitsbedarf

2.7 Sondenernährung über Magensonde

Indikationen Kau- o. Schluckstörungen, Minderung des AZ (Schwäche, Kachexie, große OP). **Vorteil:** keine Dünndarmatrophie, verminderte Blutungsneigung aus peptischen Läsionen, verminderte Infektionsgefahr durch ZVK.

Kontraindikationen Ulcus ventriculi o. duodeni, GIT-Blutung, Ileus, akute Pankreatitis.

> **Über Magensonde werden je nach Bedarf Formuladiäten appliziert**
> - **„Einfache Formuladiät":** bei normaler Motilität, Digestion u. Absorption. Zusammensetzung aus Eiweiß, Kohlenhydraten, Fett (v. a. langkettige Triglyzeride), E'lyten u. Vit.
> - **„Spezielle Formuladiät":** bei eingeschränkter Digestion o. Absorption (z. B. chron. Pankreasinsuff.). Kohlenhydrate vorwiegend als Oligosaccharide, Fette z. T. als mittelkettige Triglyzeride (MCT)

Applikation
- Je nach Bedarf bis max. 2–3 l/d; Applikation als Bolus: 100–300 ml innerhalb weniger Min. mit Pausen von ca. 1–2 h
- Vor jeder Nahrungsgabe aspirieren. Sind mehr als 100 ml zu aspirieren, mit der nächsten Gabe warten
- Zwischen den Applikationen Sonde abklemmen o. Beutel hoch hängen, um einen Reflux zu vermeiden
- Magensonde etwa 30 min vor Applikation öffnen
- Mit ca. 20 ml H_2O o. Tee nachspülen: verhindert Verstopfen der Sonde
- Bei Duodenalsonden empfiehlt sich die kontinuierliche Applikation über eine Ernährungspumpe, da im Dünndarm ein Reservoir fehlt; sonst allenfalls Bolusgaben von 50 ml
- Verbindungsschläuche u. Beutel alle 24 h erneuern, um bakt. Kontamination zu vermeiden
- Bei Pat. mit erhaltenem Bewusstsein Nachtpause einhalten
- Allmählicher Übergang zu oraler Ernährung

Monitoring in der Aufbauphase BZ-Tagesprofil. Alle 2 d E'lyte u. Krea, 1 × Wo. Leberwerte, Bili, Triglyzeride, Albumin u. Phosphat.

> **Komplikationen**
> - Abdominalschmerzen, Erbrechen
> - Dumping-Sy.
> - Bei Diarrhö abklären, ob Sondenkost zu kalt war, zu schnell eingelaufen ist, die Sonde zu tief liegt, die Menge zu groß war, eine bakt. Kontamination o. osmotische Diarrhö besteht
> - Hyperosmolares hyperglykämisches Koma (Tube-Feeding-Sy.)
> - Aspiration
> - Bei Gastrostomie o. Jejunostomie Peritonitisgefahr

3 Internistische Probleme
Arno J. Dormann

3.1 Kardiopulmonale Störungen und Gefäßerkrankungen 70
3.1.1 Retrosternaler Schmerz 70
3.1.2 Akute Dyspnoe 71
3.1.3 Akutes Koronarsyndrom 71
3.1.4 Arterielle Hypertonie 72
3.1.5 Tiefe Beinvenenthrombose 75
3.1.6 Lungenembolie 76
3.1.7 Asthma bronchiale 76
3.1.8 Pneumonie 78
3.1.9 Pleuraerguss 78
3.1.10 Atem- und Kreislaufstillstand 79
3.2 Magen-Darm-Trakt 79
3.2.1 Akutes Abdomen 79
3.2.2 Akute Appendizitis 79
3.3 Niere 80
3.3.1 Infektion der ableitenden Harnwege (Zystitis) 80
3.3.2 Pyelonephritis 81
3.3.3 Urosepsis 82
3.3.4 Nierensteine, Nierenkolik 82
3.4 Schock 83
3.4.1 Klinik und Diagnostik 83
3.4.2 Hypovolämischer Schock 84
3.4.3 Septischer Schock 84
3.4.4 Anaphylaktischer Schock 86
3.4.5 Hypoglykämischer Schock 86
3.5 Gynäkologische Notfälle 87
3.5.1 Allgemeines 87
3.5.2 Genitale Blutung 87
3.5.3 Akute Unterbauchschmerzen 88
3.6 Geburtshilfliche Notfälle 89

3.1 Kardiopulmonale Störungen und Gefäßerkrankungen

3.1.1 Retrosternaler Schmerz

Differenzialdiagnosen

1. **Angina Pectoris**: thorakales Druckgefühl, Beklemmung, Atemnot. Evtl. Ausstrahlung der Schmerzen in li. Axilla o. Arm. Verstärkt bei Belastung; Besserung nach Nitro. **DD akutes Koronarsy., Herzinfarkt**: kürzere Dauer, fehlende Infarktzeichen im EKG, kein Anstieg von Troponin T, CK, CK-MB, GOT, HBDH, nitrosensibel. Bei anhaltendem Schmerz, Übergang zum Präinfarktstadium fließend, im EKG meist ST-Streckensenkung/-hebung → Intensivüberwachung/Herzkatheter
2. **Akutes Koronarsy.**: lang anhaltender thorakaler Schmerz, evtl. mit Ausstrahlung in li. Axilla o. Arm. Todesangst, Schweißausbruch. Oft atypische Verläufe: Kollaps, Übelkeit, abdom. Symptomatik bei Hinterwandinfarkt
3. **Tachykarde Herzrhythmusstörungen**: retrosternales Druckgefühl, evtl. Hypotonie u. Synkope → EKG, Langzeit-EKG
4. **Perikarditis**: Pat. sitzt vor Schmerzen leicht vornübergebeugt, Schmerz in Inspiration verstärkt. Tachypnoe, flache Atmung. Evtl. perikardiales Reibegeräusch auskultierbar, Pulsus paradoxus → Echokardiogramm; Rö-Thorax: Perikardtamponade
5. **Aortendissektion**: stärkste Schmerzen mit Ausstrahlung in Rücken, Beine u. Nacken. Organdurchblutung von Herz, Gehirn, Nieren, Darm u. Extremitäten gestört, dadurch z. B. Hemiparesen, ANV o. Herzinfarkt. Sono, Echo, Rö-Thorax, CT: Mediastinalverbreiterung
6. **Lungenembolie** ▶ 3.1.6
7. **Spontanpneumothorax**: Dyspnoe, tympanitischer Klopfschall, abgeschwächtes Atemgeräusch, typisches Rö-Bild
8. **Perforiertes Ulcus ventriculi**: abdom. Abwehrspannung, „bretthartes" Abdomen; Abdomenleeraufnahme im Stehen o. in Linksseitenlage zeigt in 70 % freie Luft
9. **Akute Pankreatitis**: gürtelförmiger Oberbauchschmerz, in den Rücken ausstrahlend; Lipase ↑. GOT, GGT, BB, Leukos, Sono u. CT Abdomen

Vorgehen bei akutem retrosternalen Schmerz

- Bettruhe für 48 h, bei Dyspnoe O_2-Sättigung messen, O_2 über Nasensonde nach BGA, Sedierung, z. B. Diazepam 2–5 mg i. v. (z. B. Valium®)
- Initial Nitroglyzerin-Spray 2–3 Hübe, evtl. Nifedipin 5–10 mg s. l. o. Nitro-Perfusor 50 mg auf 50 ml NaCl 0,9 % mit 1–6 ml/h. **NW:** Hypotonie → RR-Kontrolle in kurzen Abständen! Schmerzlinderung binnen 5 min spricht für Angina Pectoris
- EKG schreiben; in den ersten 6 h nach Infarkt in 50 % unauffällig
- Blut abnehmen: Troponin T/I, CK, CK-MB, GOT. Wdh. nach 6 u. 12 h
- Bei V. a. Myokardinfarkt ASS 250 mg i. v. (z. B. Aspisol®) oder p. o. (**cave:** ASS-Allergie)
- Nochmals weitere DD durchdenken, ggf. ausschließen → bei Nachweis des Infarkts Intensivüberwachung! Frühes internistisches Konsil

3.1 Kardiopulmonale Störungen und Gefäßerkrankungen 71

3.1.2 Akute Dyspnoe

Vorgehen bei akuter Dyspnoe
- RR, Puls (z. B. Schock, hypertensive Krise), Fieber
- Auskultation: ohrnahe RG (Pneumonie), feuchte RG (Lungenödem), Spastik, verlängertes Exspirium (Asthma, exazerbierte chron. Bronchitis)
- Hochlagerung des Oberkörpers
- BGA, ggf. O_2-Gabe (z. B. 2 l/min)
- EKG: Herzinfarkt, Lungenembolie (▶ 3.1.6), Arrhythmie
- Venenverweilkanüle legen u. Blut (BB, Troponin T, CK, CK-MB, GOT) abnehmen

3.1.3 Akutes Koronarsyndrom

Einteilung
- Instabile Angina Pectoris ohne Troponinerhöhung: neu aufgetretene o. verstärkte Brustschmerzen mit EKG-Veränderungen
- Myokardinfarkt ohne ST-Elevation (NSTEMI): instabile Angina Pectoris plus Troponinerhöhung
- Myokardinfarkt mit STT-Veränderungen aber ohne STT-Hebung (NSTEMI)
- ST-Elevations-Myokardinfarkt (STEMI): Troponinerhöhung plus ST-Streckenhebung o. neu aufgetretener Linksschenkelblock

Klinik V. a. Herzinfarkt bei Angina Pectoris > 20 min, Vernichtungsgefühl, Todesangst, Übelkeit, Dyspnoe. Schmerzausstrahlung in li. u. re. Arm, Hals, Unterkiefer, Epigastrium. Fehlender Effekt von Nitroglyzerin. Prodromale Angina Pectoris in 60 %. **Cave:** Bei ca. 20–30 % der Pat. „stummer", d. h. schmerzloser Infarkt (gehäuft bei Diabetikern).

Diagnostik
- Befund: kaltschweißige Haut, Tachykardie, Hypotonie, evtl. Schock
! DD des retrosternalen Schmerzes ▶ 3.1.1
- Bei Vorliegen von zwei der drei folgenden Kriterien ist von einem Infarkt auszugehen:
  – Typische Klinik (fehlt bei 30 %)
  – Infarkttypisches EKG (fehlt bei 30 %)
  – Infarkttypischer Enzymverlauf (fehlt bei 30 %)

> **Erstmaßnahmen**
> - Sofortige Verlegung auf ITS einleiten, Pat. nicht allein lassen
> - I. v. Zugang, keine i. m. Injektionen (verfälscht Enzymdiagn., Blutungsprobleme bei Lyse!)
> - Labor: Troponin T/I, CK, GOT
> - EKG
> - Beatmung: O_2 über Nasensonde, z. B. 2–6 l/min
> - Bei V. a. Myokardinfarkt: ASS 150–300 mg i. v. (z. B. Aspisol®) oder p. o. (**cave:** ASS-Allergie), hoch dosiertes Heparin (5.000 IE als Bolus). Andere Thrombozytenaggregationshemmer o. Antikoagulanzien nach RS mit PTCA-Dienst
> - Sedierung: z. B. Diazepam 5–10 mg i. v. (Valium®), bei Übelkeit Alizaprid® 50–150 mg i. v. (Vergentan®)

- Analgetika: Opiate, z. B. Morphin 10–20 mg i. v.
- Nitroglyzerin 2 Sprühstöße (0,8 mg) s. l., danach über Perfusor 2–4 mg/h (= 2–4 ml/h) unter RR-Kontrolle. **KI:** RR_{syst} < 100 mmHg, Schock
- Bei Hypertonie evtl. Nisoldipin 5 mg i. v. (z. B. Baymycard®), jedoch erst nach adäquater Schmerzbekämpfung u. Nitroglyzerin-Gabe (s. o.). Alternativ Betablocker. **Cave:** Bradykardie

Sofortige Verlegung in kardiol. Fachabteilung mit 24-h-PTCA-Bereitschaft zur Reperfusionsther.

Monitoring EKG-Monitor, O_2-Sättigung, engmaschige Kontrolle von RR, Puls, Atmung, Atemfrequenz; bisherige Maßnahmen dokumentieren!

3.1.4 Arterielle Hypertonie

Hypertonie in der Schwangerschaft ▶ 5.9.1.

Ätiologie
- **Prim. (essenzielle) Hypertonie:** zu > 90 %, gehäuft vergesellschaftet mit Adipositas, Typ-2-Diab. mell. o. path. Glukosetoleranz, Hyperlipoproteinämie (Triglyzeride ↑, HDL ↓) u. Hyperurikämie als metabolisches Sy.
- **Symptomatische (sek.) Hypertonie:** selten
- **Schwangerschaftsinduziert (SIH):** I: isolierte SIH, II: SIH mit Proteinurie + evtl. Ödemen = Präklampsie = EHP-Gestose (▶ 5.9.1)
  - Renal bis 5 %: renoparenchymatös, renovaskulär
  - Obstruktives Schlafapnoe-Sy.: Schnarchen, nächtliche Atempausen, imperativer Schlafdrang, Adipositas
  - Vaskulär: Aortenisthmusstenose
  - Endokrin bis 5 %: prim. Hyperaldosteronismus, Hyperthyreose, Cushing-Sy., Conn-Sy., Phäochromozytom, Akromegalie
  - Medikamentös: OH, Glukokortikoide, Sympathomimetika (auch Augen- u. Nasentropfen), Psychopharmaka, Schilddrüsenhormone
  - Neurogen: Hirndruck, Sympathikotonus ↑, Sklerose der Karotissinus
  - Sonstige: SIH (▶ 5.9.1), Fieber, Hypervolämie

Diagnostik
- Labor: BSG, K^+, Na^+, BZ, BB (z. B. Polyglobulie, Anämie), Krea, Harnsäure, Gesamteiweiß, Cholesterin u. Triglyzeride, Urinstatus
- EKG: z. B. Hypertrophie- o. Ischämiezeichen
- RR: immer an beiden Armen messen
- Echo: z. B. Hypertrophie
- Oberbauch-Sono, Farbdoppler der Nieren (Nierenarterien, Nebennierentumor), Rö-Thorax

Klin. Einteilung ▶ Tab. 3.1.

Therapieprinzipien
! Bei V. a. sek. Hypertonie → Konsil Innere
- In der Schwangerschaft prim. Ther. mit kardioselektiven β_1-Rezeptor-Blockern, α-Methyldopa, Dihydralazin

3.1 Kardiopulmonale Störungen und Gefäßerkrankungen

Tab. 3.1 Klinische Einteilung der arteriellen Hypertonie* [W912]

Bereich	RR_{syst} (mmHg)	und/oder	RR_{diast} (mmHg)
• Optimal	< 120	u.	< 80
• Normal	120–129	u./o.	80–84
• Hochnormal	130–139	u./o.	85–89
Hypertonie			
• Grad 1	140–159	u./o.	90–99
• Grad 2	160–179	u./o.	100–109
• Grad 3	≥ 180	u./o.	≥ 110
• Isolierte systolische Hypertonie	≥ 140	u.	< 90
• Hypertensive Entgleisung	180–200	u.	110–130

* Nach European Society of Hypertension (ESH) u. European Society of Cardiology (ESC 2013. Clemens W in: Braun J, Dormann AJ (Hrsg.). Klinikleitfaden Innere Medizin. 13. A. München: Elsevier Urban & Fischer 2016, S. 187

- Salzrestriktion, Gewichtsreduktion; Hyperlipoproteinämie, Hyperurikämie u. Diab. mell. behandeln, Nikotinverzicht
- Regelmäßiges Ausdauertraining, kein Krafttraining (RR ↑)
- RR-Selbstmessung
- z. A. unerwünschter RR-Spitzen RR-Tagesprofil (z. B. 7, 11, 15 u. 22 h), RR-Messung nach Belastung o. 24-h-RR-Messung

Stufenschema ▶ Tab. 3.2

Tab. 3.2 Stufenschema der medikamentösen Therapie

Milde Hypertonie (RR_{diast} 90–99 mmHg)	Mittelschwere Hypertonie (RR_{diast} 100–109 mmHg)	Schwere Hypertonie (RR_{diast} > 110 mmHg)
Monother. mit Diuretikum	Komb. von • Diuretikum plus • ACE-Hemmer, Betablocker o. Kalziumantagonist	Komb. von • Diuretikum plus • Betablocker o. Clonidin plus • ACE-Hemmer/AT_1-Antagonist o. Kalziumantagonist o. Dihydralazin o. $α_1$-Blocker o. Minoxidil
oder ACE-Hemmer/AT_1-Antagonist	oder • Kalziumantagonist plus • Betablocker o. ACE-Hemmer/AT_1-Antagonist	
oder Kalziumantagonist		
oder Betablocker		

Kardioselektive $β_1$-Rezeptor-Blocker

Indikationen V. a. für junge Pat.

Kontraindikationen Dekompensierte Herzinsuff., AV-Block II–III, Bradykardie, bifaszikulärer Block, pAVK (III–IV), Asthma bronchiale, COPD.

Präparate und Dosierung
- Atenolol 1 × 50–200 mg/d p. o. (z. B. Tenormin®)
- Metoprolol 2 × 50–100 mg/d p. o. (z. B. Beloc®)

Nebenwirkungen Sedierung, Depression, GIT-Störungen, Hypoglykämie, Impotenz.

 Kardiodepression bei gleichzeitiger Gabe von Verapamil. Gefahr des AV-Blocks. Wegen Rebound-Effekt unbedingt ausschleichend absetzen!

Methyldopa
Zentral wirksamer Alphablocker.

Indikationen Mittel der Wahl zur langfristigen Therapie der SIH.

Kontraindikationen Depression, hämolytische Anämie.

Präparate und Dosierungen Methyldopa (z. B. Presinol®) 2–3 × 250–500 mg/d p. o., langsam aufdosieren.

Dihydralazin

Indikationen Mittel der 1. Wahl bei hypertensiver Krise in der Schwangerschaft.

Kontraindikationen Bewirkt reflektorische Tachykardie, NaCl-Restriktion.

Präparate und Dosierungen Dihydralazin (z. B. Nepresol®) 3 × 12,5–50 mg/d p. o.

Kalziumantagonisten

Indikationen V. a. für ältere Pat. Bei leichter o. labiler Hypertonie, bei KI gegen Betablocker.

Kontraindikation 1. Trim. der Schwangerschaft.

Präparate und Dosierungen z. B. Amlodipin 1 × 5–10 mg/d p. o. (z. B. Norvasc®).

Nebenwirkungen Tachykardie, Ödeme, Kopfschmerzen, Flush.

ACE-Hemmer

Indikationen Essenzielle Hypertonie, geringe Herzinsuff. (NYHA II/III).

Kontraindikationen Grav., Stillzeit, Niereninsuff. (Krea > 1,5 mg/dl), Nierenarterienstenose bds., Transplantatniere, gleichzeitige Ther. mit kaliumsparendem Diuretikum, Hyperkaliämie, immunsuppressive Ther., Leberinsuff.

Präparate und Dosierungen z. B. Enalapril 1 × 2,5–5 mg/d p. o. (z. B. Xanef®).

Nebenwirkungen Chron. Reizhusten (in 10 %), Hyperkaliämie, Krea-Anstieg, Hypotonie, Proteinurie, Leukopenie, Geschmacksstörungen, Exantheme.

AT$_1$-Rezeptor-Blocker

Kontraindikationen Schwangerschaft.

Präparate z. B. Telmisartan 1 × 20–80 mg/d (Micardis®).

α$_1$-Blocker
Werden meist erst bei Triple-Ther. verwendet.

Kontraindikationen Grav. u. Stillzeit.

Präparate Urapidil 2 × 30–90 mg/d p. o. (Ebrantil®).

3.1 Kardiopulmonale Störungen und Gefäßerkrankungen

Soforttherapie der hypertensiven Krise
Bei fehlender Klinik (hypertensiver Dringlichkeit) „äußere" Ursachen wie Schmerzen, Harnverhalt, Medikamentenentzug ausschließen. Pat. in ruhigen Raum legen.
In der Grav. andere Medikamente wählen (s. o.).
- Vorbehandelte Pat.: falls nötig eine zusätzliche Medikamentendosis
- Nicht vorbehandelte Pat.: ACE-Hemmer bzw. AT_1-Rezeptor-Blocker, Betablocker, Clonidin o. Schleifendiuretika
- RR-Senkung in 24–48 h ausreichend (auch ambulant möglich)
- Bei Nichtansprechen o. Klinik (hypertensiver Notfall) Glyzeroltrinitrat 2 Hübe s. l. (z. B. Nitrolingual®), nach 10–15 min. Wdh. möglich, o. Nitroperfusor (50 mg Nitroglyzerin auf 50 ml NaCl 0,9 % mit 1–6 ml/h). NW: Tachykardie, Kopfschmerz, intrakranielle Drucksteigerung; KI: zerebraler Insult
- Frequenzneutrale Alternative: Urapidil 25 mg i. v. (Ebrantil® 25) an der liegenden Pat. mit Ebrantil®-Perfusor fortführen (Dos.: 200 mg Urapidil in 50 ml, Beginn mit 100 ml/h, dann je nach Blutdruck reduzieren)
- Bei begleitender Tachykardie: Betablocker wie Metoprolol 47,5–95 mg p. o. o. 2,5–5 mg i. v. (z. B. Beloc®). Clonidin 0,15 mg i. v. oder i. m. (Catapresan®), bei Bedarf nach 30 min 0,3 mg i. v.
- Bei begleitender Bradykardie: Dihydralazin 6,25 mg langsam i. v. (Nepresol®) bei Bedarf nach 30 min mit doppelter Dosis wdh.

Ziel: RR zunächst nicht < 170/100 mmHg wegen Hirnischämiegefahr, bes. bei generalisierter Arteriosklerose.

3.1.5 Tiefe Beinvenenthrombose

Klinik
- Schmerz, Schweregefühl, Ödem (Umfangsdifferenz beider Beine > 2 cm), livide Verfärbung, prominente Venen über Tibiakante, Überwärmung, leichtes Fieber, Puls ↑
- Fußsohlendruckschmerz, Wadenschmerz bei Dorsalflexion des Fußes bei gestrecktem Bein
- KO: Lungenembolie (▶ 3.1.6), chron. venöse Insuff.

Diagnostik D-Dimere im Blut. Das Fehlen von D-Dimeren macht eine TVT sehr unwahrscheinlich (**cave:** postop. erhöht) Doppler- o. Farbdoppler-Sono. Ggf. Thrombophiliediagn. bei Pat. < 45 J.

Differenzialdiagnosen Thrombophlebitis, art. Verschluss, Erysipel, Lymphangitis, Wadenkrampf, Wurzelreizung.

Therapie der tiefen Beinvenenthrombose
- Absolute Bettruhe (bereits bei Verdacht), keine i. m. Injektionen
- NMH s. c. nach Körpergewicht, wie NaDroparin 2 × 85 IE/kg KG s. c. (Fraxiparin®); Vorteil: keine PTT-Kontrollen notwendig
- Bei KI: Vollheparinisierung: initial 10.000 IE Heparin i. v., danach über Perfusor zunächst 1.000 IE/h. Ziel: Verlängerung der PTT auf das 2- bis 3-Fache

- Nach Diagnosestellung überlappend Cumarine für 3–6 Mon., bei Lungenembolie o. Rezidiv Langzeitbehandlung. **Cave:** Patientenaufklärung
- Alternativ: DAOK/NOAK KI: Schwangerschaft, Stillzeit, schwere Leber- o. Nierenerkr. z. B. Rivaroaban (Xarelto® 2 × 15 mg p.o. 3 Wo., dann 1 × 20 p.o. mg), Apixaban (Eliquis®) 2 × 10 mg p. o. für 7 d, dann 2 × 5 mg p. o.; Edoxaban (Lixiana®) nach NMH für 5 d, dann 1 × 60 mg p. o.
- Bei KI gegen Antikoagulation evtl. Low-Dose-Heparinisierung mit UFH 3 × 5.000 IE/d s. c. oder Lenoxaparin 1 × 4.000 IE/d (Clexane®)
- Bei isolierten Unterschenkelthrombosen Thromboseprophylaxestrümpfe, Low-Dose-Heparinisierung u. Mobilisation

3.1.6 Lungenembolie

Ätiologie Meist Thrombembolie nach (postop., postpartaler) Thrombose der tiefen Bein- o. Beckenvenen.

Klinik Dyspnoe, Tachypnoe, atemabhängiger Schmerz, Husten, Hämoptyse, Symptome der tiefen Beinvenenthrombose. Bei massiver Embolie ängstliche Pat. mit hochgradiger Dyspnoe.

Diagnostik Klinisch! Unterstützend:
- Labor: D-Dimere pos.; ein Fehlen von D-Dimeren macht eine TVT sehr unwahrscheinlich (**cave:** postop. ↑)
- EKG: S_IQ_{III}, neg. T in V_{1-3}, S bis V_6, Vergleich mit Vor-EKG entscheidend!
- BGA: pO_2 ↓, pCO_2 ↓, pH ↑
- Farbdoppler der Beinvenen (Thrombose), alternativ Phlebografie
- Rö: CT-Thorax mit KM
- Ausschluss: Ventilations- u. Perfusionsszintigramm, Nachweis: Pulmonalis-DSA

Differenzialdiagnosen Herzinfarkt, akutes Rechtsherzversagen, Atemwegsobstruktion, Herzbeuteltamponade (→ Sono), Pneumothorax, Schock anderer Genese (▶ 3.4).

Notfalltherapie der akuten Lungenembolie
- Schon bei Verdacht Intensivther., häufig tödliche Rezidive!
- Bettruhe, Sedierung mit z. B. Diazepam 5 mg i. v. (z. B. Valium®) u. Schmerzbekämpfung
- Beatmung: O_2 (4 l/min) nach BGA, bei pO_2 < 50 mmHg Intubation u. maschinelle Beatmung erwägen
- Antikoagulation: Heparin initial 10.000 IE, dann Vollheparinisierung
- Alternativ DOAK/NOAK s. o.
- Ggf. Thrombolyse erwägen. Ab Tag 10 postop. (auch bei Sectio caesarea) bzw. Tag 7 Tag p. p. möglich
- Schocktherapie ▶ 3.4
! Keine i. m. Injektionen! Kein Aderlass! Nicht zu früh mobilisieren!

3.1.7 Asthma bronchiale

Definition Anfallsweise Atemnot infolge Entzündungen u. bronchialer Hyperreaktivität. Allergisches Asthma (exogen-allergische Form), nichtallergische intrin-

3.1 Kardiopulmonale Störungen und Gefäßerkrankungen

sische Form (meist durch Inf.), Mischformen möglich. Auslösende Faktoren erfragen.

Differenzialdiagnosen Lungenödem („Asthma cardiale"), Lungenembolie, chron.-obstruktive Bronchitis, Pneumothorax, Hyperventilationssy., Fremdkörperaspiration.

Therapie

> Ther. in der Schwangerschaft auf jeden Fall fortsetzen, da für den Embryo/Fetus von einer Asphyxie im Asthmaanfall größte Gefahr ausgeht.

> **Therapie der Infektexazerbation und des Status asthmaticus**
> - Sauerstoffgabe nach BGA, z. B. 4–6 l/min über Nasensonde. Möglichst BGA kontrollieren, bei Hyperkapnie Überwachung der Bewusstseinslage
> - Hoch dosierte bronchologische Ther.: β_2-Sympathomimetika, bevorzugt mit Düsenvernebler, z. B. 1,25 mg Salbutamol (z. B. Sultanol®) plus Parasympatholytikum Ipratropiumbromid (z. B. Atrovent® 4–8 Tr. einer 0,025-proz. Lsg.) in 4 ml steriler NaCl-Lsg. 0,9 %
> - Glukokortikoide: Prednisonstoß 50–100 mg i. v., ggf. 50 mg nach 4 h wdh. (z. B. Solu-Decortin H®)
> - Theophyllin: 100–200 mg initial i. v., Aufsättigungsdosis über 5 min i. v. (bei Vorther. Dosis halbieren), 600–800 mg/d i. v. im Anschluss o. 3 × 200–350 mg/d p. o. (z. B. Euphylong®), Spiegelkontrollen
> - Terbutalin: evtl. 0,25 mg s. c. (Bricanyl®). **Cave:** nicht bei Tachykardie > 130/min Antibiose: Infektexazerbation meist durch Pneumokokken, *Haemophilus influenzae*, Streptokokken. Ther. bei fehlendem Antibiogramm mit Clarithromycin 2 × 500 mg/d p. o. (z. B. Klacid®), in der Grav. Amoxicillin 4 × 750 mg p. o. bzw. 4 × 1 g/d i. v. (z. B. Amoxicillin-CT®)
> - Adjuvante Ther.: ausreichende Flüssigkeitszufuhr (p. o. oder i. v.) 100–200 ml/h, bis zu 4 l/d (**cave:** Herzinsuff.), Physiother., möglichst **keine** Sedierung, evtl. Promethazin (Atosil®)
> - Ind. zur assistierten Beatmung: progredienter pCO_2-Anstieg, Atemfrequenz > 30/min, exzessive Atemarbeit, Erschöpfung, Bewusstseinsverlust, drohender Atemstillstand

Stufentherapie ▶ Tab. 3.3.

Tab. 3.3 Antiobstruktive Dauertherapie in sechs Stufen [F800–001]

Stufe 1	β_2-Mimetikum bei Bedarf
Stufe 2	• **1. Wahl:** niedrig dosiert ICS, bevorzugt als Pulverinhalator, z. B. Budesonid 2 × 200 μg/d, entspricht ca. 5 mg Prednisolon; volle Wirksamkeit erst nach 1 Wo. Mundspülung nach Anwendung reduziert Risiko lokaler Pilzinf. • **Evtl. alternativ:** Leukotrienantagonisten wie Montelukast 1 × 10 mg abends p. o. oder Zafirlukast 2 × 20 mg/d p. o. oder 5-Lypoxygenase-Inhibitoren (z. B. Zileuton), z. B. bei analgetikainduziertem, anstrengungsinduziertem („exercise-induced") und nächtlichem Asthma

Tab. 3.3 Antiobstruktive Dauertherapie in sechs Stufen [F800–001] *(Forts.)*	
Stufe 3	• Zusätzlich Sympathomimetika: lang wirksame β₂-Mimetika (LABA) wie Formoterol 1–2 × 6 μg ≙ 1–2 × 1 ED. Bevorzugt Komb.-Präparate mit ICS verwenden • Alternativ ICS in mittlerer Dosierung als Monother. • Ggf. Komb. ICS in niedriger Dosierung plus Leukotrienantagonist o. plus Theophyllin
Stufe 4	• ICS in mittlerer Dosierung (z. B. Budesonid 2 × 800 mg/d) plus lang wirksames β₂-Mimetikum • Alternativ ICS in mittlerer Dosierung plus Leukotrienantagonist o. retardiertes Theophyllin (ther. Blutspiegel 8–20 mg/l). Dos.: initial Nichtraucher (70 kg) 2 × 350 mg/d, Raucher 3 × 350 mg/d, bei Herzinsuff. u. eingeschränkter Leberleistung nur 2 × 250 mg/d; am 3. Tag Kontrolle von Wirkung u. Verträglichkeit. Dosisanpassung nach Spiegelbestimmung (Blutentnahme mittags um 12 Uhr bei letzter Einnahme um 8 Uhr); Dosisreduktion bei gleichzeitiger Gabe von Erythromycin, Cimetidin, Allopurinol, Gyrasehemmern. NW v. a. bei Überdosierung: Übelkeit, Schwindel, Kopfschmerzen, Schlafstörungen, Tremor, tachykarde Herzrhythmusstörungen (v. a. bei Komb. mit β-Mimetika); selten Anaphylaxie (v. a. bei Aminophyllin); generalisierte Krampfanfälle meist erst bei Serumspiegeln > 5 mg/l
Stufe 5	• ICS in hoher Dosierung plus LABA • Ggf. Anti-IgE-Ther., z. B. Omalizumab (teuer!)
Stufe 6	• Zusätzlich systemische Glukokortikoide: initial Prednison-Äquivalent 30–100 mg i. v. oder p. o.; danach zügige Reduktion (z. B. 20–0–10 mg/d über 3 d, dann 15–0–5 mg/d); v. a. bei nächtlichen Dyspnoeanfällen muss ein Teil der Dosis abends gegeben werden (▶ 19.5) • Ggf. Anti-IgE-Ther., z. B. Omalizumab (teuer!)

ICS = inhalative Glukokortikoide

3.1.8 Pneumonie

Diagnostik
- Rö: bei „atypischen" Pneumonien oft Diskrepanz zwischen deutlichem Rö-Befund u. neg. Auskultationsbefund
- Labor: Leukozytose mit Linksverschiebung, BSG ↑, CRP ↑ ↑ v. a. bei bakt. Pneumonien; bei Mykoplasmen oft Kälteagglutinine nachweisbar
- Erregernachweis in Blut, Pleurapunktat, Bronchialsekret, BAL; Sputumuntersuchung nicht sinnvoll
- BGA: schlechte Progn. bei respir. Globalinsuff.

Initialtherapie Ausreichend Flüssigkeit (Fieber), bei hohem Fieber Bettruhe u. Thrombemboliprophylaxe, Antipyretika, z. B. Paracetamol 3 × 1 g/d p. o. (z. B. ben-u-ron®). Antibiose. In der Grav. prim. Amoxicillin/Clavulansäure 3 × 625–1.250 mg/d p. o. (Augmentan®), alternativ bei Penicillinallergie Clarithromycin 2 × 500 mg/d p. o. (z. B. Klacid®).

3.1.9 Pleuraerguss

Ätiologie In etwa 50 % durch maligne Tumoren verursacht, z. B. Bronchial-Ca, Pleuramesotheliom, Mamma-Ca, Hypernephrom, malignes Lymphom, metastasierendes Ovarial-Ca (Ovarial-Fibrom: Meigs-Sy.).

Klinik Oft asympt. Dyspnoe, atemabhängige Schmerzen; Klopfschalldämpfung, abgeschwächtes Atemgeräusch basal (DD: Zwerchfellhochstand).

Diagnostik
- Jeder Pleuraerguss erfordert diagn. Klärung durch Punktion
- Sono, Rö-Thorax in Seitenlage (betroffene Seite unten), um freies Abfließen (und damit Punktionsmöglichkeit) beurteilen zu können

Differenzialdiagnosen Tbc, Pneumonie, Rechtsherzinsuff.; Hypoalbuminämie, subphrenischer Abszess (Fieber, Zwerchfellhochstand), Pankreatitis (linksseitiger Pleuraerguss).

Punktion ▶ 2.2.3.

3.1.10 Atem- und Kreislaufstillstand

Klinik
- Pulslosigkeit von A. carotis u. A. femoralis
- Bewusstlosigkeit 6–12 s nach Sistieren der O_2-Zufuhr zum Gehirn
- Atemstillstand o. Schnappatmung (bei prim. Kreislaufstillstand nach 15–40 s)
- Weite, lichtstarre Pupillen (nach 30–90 s)
- Fehlender Herzschlag bei Herzauskultation (nicht zu viel Zeit verwenden!)
- Grau-zyanotische Hautfarbe (unsicheres Zeichen)

Diagnostik
- Anhand der klin. Symptomatik
- Weitere diagn. Maßnahmen (EKG, BGA, Labor) erst nach der Elementarther.
- Präkordialen Faustschlag nur bei beobachtetem Eintreten des Kreislaufstillstands, nur einmal anwenden

3.2 Magen-Darm-Trakt

3.2.1 Akutes Abdomen
▶ 16.1.1

3.2.2 Akute Appendizitis

- Appetitlosigkeit
- Zunächst ziehende, oft kolikartige Schmerzen periumbilikal o. im Epigastrium; belegte Zunge
- Übelkeit u. Erbrechen
- Nach einigen Stunden Schmerzverlagerung in den re. Unterbauch. Jetzt Dauerschmerz mit Verstärkung beim Gehen. Beugung des re. Beins bringt Entlastung
- Leichtes Fieber mit rektal-axillärer Differenz > 0,8 °C
- ! **KO:** Perforation (meist am 2. Tag). Bei gedeckter Perforation zunächst Bildung eines **perityphlitischen Infiltrats:** palpabler Tumor 3–5 d nach Symptombeginn. Bei eitriger Einschmelzung Abszessbildung

Befund
- Lokale Abwehrspannung
- Druck- u. Klopfempfindlichkeit im re. Unterbauch, bei atypischer Lage (z. B. im kleinen Becken, unter der Leber) atypische Schmerzlokalisation

- Druckpunkte: McBurney (Mitte zwischen Nabel u. Spina iliaca ant. sup.) u. Lanz (re. Drittel zwischen den beiden Spinae)
- Oft (aber nicht immer!) ipsi- u. kontralateraler Loslassschmerz
- Rektale Untersuchung (obligat): Druckschmerz (bei Beckenlage der Appendix oft einziges Symptom). Douglas-Abszess: fluktuierende Vorwölbung

Diagnostik
- Labor-Mindestprogramm: BB mit Thrombos, E'lyte, Krea, BZ, α-Amylase, Kreuzblut. Leukos > 17.000/µl sprechen für Perforation
- Urinsediment: Mikrohämaturie bei Nierenkolik, manchmal aber auch bei retrozökaler Appendix. Leukozyturie u. Bakteriurie bei Pyelonephritis
- Sono: Entzündungskriterien (nicht komprimierbare, aperistaltische Appendix, Ø > 7 mm, Kokardenphänomen, Abszess)
- Rö-Abdomen nur bei V. a. Ileus (Spiegel), Perforation (subphrenische Luft), Cholezysto- o. Nephrolithiasis

Differenzialdiagnosen Alle Ursachen eines „akuten Abdomens" (▶16.1.1). Schwierige gyn. DD: Adnexitis (oft bds.; z. B. nach gyn. OP, Geburt o. Menstruation), Follikelsprung (Zyklusmitte, kein Fieber), Tubargrav. (HCG) bzw. Tubarruptur (▶16.3), stielgedrehte Ovarialzyste (▶16.7).

Therapie Frühzeitige Appendektomie. Keine Antibiotika. In fraglichen Fällen 4–6 h beobachten, danach Laparoskopie/ggf. Laparotomie (weniger gefährlich als Perforation). Dringende OP bei Peritonitis (generalisierte Abwehrspannung).

> **Besonderheiten in der Gravidität**
> Deutliche Häufung der Appendizitis in den ersten 24 SSW. Zusätzlich diagn. Probleme, da das Zökum durch den graviden Uterus nach kranial verschoben wird (bis oberhalb der Beckenschaufel). Abdrängung des Omentum majus nach kranial mit der Folge von zunehmenden KO infolge von freien o. ungedeckten Perforationen. Peritonismus kann fehlen. BSG, Leuko-Zahlen u. Linksverschiebung im BB sind unsichere Parameter, da diese Werte durch die Grav. häufig verändert sind. **Ther:** Appendektomie, > 35. SSW Sectio, < 35. SSW ggf. Tokolyse intra- u. postop.

3.3 Niere

3.3.1 Infektion der ableitenden Harnwege (Zystitis)

Epidemiologie Bei Frauen die häufigste Infektionskrankheit überhaupt. Wird begünstigt in der Grav. (▶6.16), durch postpartalen Harnverhalt, nach vag.-op. Entbindungen (▶9.3 u. ▶9.5).

Ätiologie Erreger nichtnosokomialer HWI sind in 90 % *Enterobacteriaceae* (davon 80 % *E. coli*, seltener *Proteus* u. Klebsiellen), in ca. 5 % *Pseudomonas aeruginosa* u. Staphylokokken. Nosokomial erworbene HWI sind häufig durch „Problemkeime" wie z. B. multiresistente Staphylokokken verursacht, auch *E.-coli*-Inf. zeigen häufig Resistenzen → Antibiogramm.

Klinik Pollakisurie-Dysurie-Sy., meist kein Fieber. Voraussetzung für Ther. ist die Unterscheidung des HWI in sympt./asympt., akut/chron., prim. (idiopathisch, häufig nach GV: „Honeymoon"-Zystitis) o. sek. (z. B. iatrogen, nosokomial), obstruktiv (mit Harnaufstau) o. nichtobstruktiv u. distal/prox.

Diagnostik
- Sediment: Leukozyturie, Bakteriurie; Nitrit meist pos., evtl. Mikrohämaturie
- Urinkultur aus M-Urin mit Antibiogramm. 10^6 Keime/ml sind signifikant, bei Symptomen, Leukozyturie o. Immunsuppression auch schon 10^5/ml

Therapie
- Asympt. Bakteriurie (ca. 5 % der Frauen im Erw.-Alter): keine Ther., Ausnahme: Grav. (s. u.), Diab. mell., Immunsuppression → häufig entwickeln sich sympt. HWI
- Akute bakt. Zystitis < 7 d u. ohne Fieber: Einzeitther. mit Fosfomycin 1 × 3 g p. o. (z. B. Monuril® 3000) o. Amoxicillin 1 × 3 g p. o. (z. B. Clamoxyl®) o. Cotrimoxazol 1 × 2.880 mg (z. B. Eusaprim forte®) KI: Schwangerschaft u. Stillzeit. Kontroll-Urinkultur nach 5 d. Wirkt bei 80 % der Pat. Bessere Ergebnisse bei Ther. über 3 d. Rezid. bakt. Zystitis: erneute Einzeitther. o. Antibiose über 7 d
- Zystitis bei Grav.: Jede Zystitis in der Schwangerschaft ist therapiepflichtig. Kons. Ther.: Antibiose (auch bei nichtsignifikanter Keimzahl < 10^5), z. B. über 7 d Amoxicillin 3 × 750 mg/d o. Oral-Cephalosporin (z. B. Orelox® 2 × 200 mg/d). Stat. Ther. bei fieberhaftem u. therapieresistentem Verlauf. Kontrolluntersuchungen bis zum Wochenbett
- Diab. mell.: über 7 d Amoxicillin o. Oral-Cephalosporin o. Chinolon (z. B. Ciprofloxacin 2 × 250 mg p. o.). Kontroll-Urinkultur nach 5 d u. 6 Wo.
- Nichtgonorrhoische Urethritis: Doxycyclin 2 × 100 mg/d p. o. über mind. 1–2 Wo. (z. B. Doxy-CT®); bei Versagen Erythromycin 3 × 500 mg/d p. o. über 1–2 Wo. (z. B. Erythrocin®). Wurden Enterokokken nachgewiesen, Cotrimoxazol o. Amoxicillin über 7 d

3.3.2 Pyelonephritis

Klinik Fieber > 38 °C, Flankenschmerz. Klopfschmerzhaftes Nierenlager (re. > li.). Pollakisurie u. Dysurie können fehlen! Potenziell lebensbedrohliche Erkr., da sich jederzeit eine Pyonephrose o. Urosepsis entwickeln kann!

Diagnostik
- Labor: Sediment, Urinkultur (nach 5 d wdh.), Blutkultur, BB (Leukozytose), BSG ↑, CRP ↑ ↑. Tgl. Krea, um Nierenfunktionsverschlechterung frühzeitig zu erfassen. Gerinnungsparameter, Ein- u. Ausfuhr
- Sono (obligat): Niere vergrößert, Narben, Nierensteine, Harnaufstau
- Ggf. CT, nach der Akutphase i. v. Urogramm zur Ursachenklärung

Stationäre Therapie
- Bettruhe, regelmäßige Temperaturkontrollen
- Ausfuhr soll > 1.500 ml/d betragen
- Bei auswärts erworbener Pyelonephritis (PN): Amoxicillin 3 × 2 g/d i. v. (z. B. Amoxicillin-CT®) o. Cephalosporin z. B. Cefotaxim 2 × 2 g/d i. v. oder Chinolon (**cave:** steigende Resistenzraten), z. B. Ciprofloxacin 2 × 500 mg/d p. o.
- Bei im Krankenhaus erworbener Pyelonephritis Komb. von Cephalosporin u. Aminoglykosid, z. B. Gentamicin 1 × 3–5 mg/kg KG/d (z. B. Refobacin®) als Kurzinfusion über 30 min. Spiegelkontrolle, Nierenwerte kontrollieren!
- i. v. Ther. ca. 10 d, Aminoglykoside können meist nach Entfieberung abgesetzt werden. Nach i. v. Ther. Amoxicillin o. Cotrimoxazol p. o. über ca. 2 Wo. fortführen

3.3.3 Urosepsis

Definition Gramneg. Sepsis v. a. nach akuter PN, bei Dauerkatheter, Instrumentation (z. B. Ureteroskopie) u. Harnaufstau.

Klinik Hohes Fieber, Schüttelfrost, septischer Schock (Letalität ca. 60 %), evtl. Verbrauchskoagulopathie.

Diagnostik Urinkultur, Blutkultur. Sono z. A. von Abflusshindernis u. Abszess obligat! Labor.

Therapie
- i. v. Kombinationsbehandlung mit Cephalosporin z. B. Cefotaxim 2–4 × 2 g/d i. v. (z. B. Claforan®) u. Aminoglykosid, z. B. Gentamicin 1 × 3–5 mg/kg KG/d (z. B. Refobacin®), Spiegelkontrolle, Nierenwerte kontrollieren!
- Bei Harnaufstau o. Pyonephrose perkutane Nierenfistelung
- Low-Dose-Heparinisierung

3.3.4 Nierensteine, Nierenkolik

Klinik Solange die Steine sich nicht bewegen, häufig symptomlos.
- Nierenkolik: kolikartige Schmerzen im Rücken o. seitlichen Unterbauch, bei tief sitzendem Ureterstein Ausstrahlung in Schamlippen. Evtl. Übelkeit, Erbrechen, reflektorischer Subileus
- Hämaturie: in 70 % Mikrohämaturie, in 30 % Makrohämaturie

Diagnostik
! DD: alle Ursachen eines akuten Abdomens (▶ 16.1.1)
- Urin: Sediment (Hämaturie, Kristallanalyse), pH (↑ bei Phosphat- u. Infektsteinen), Bakterien (ggf. Kultur)
- Serum: E'lyte, Phosphat (< 0,9 mmol/l bei Hyperparathyreoidismus), Harnsäure, Krea, Bikarbonat (bei tubulärer Azidose ↓)
- Chem. o. spektroskopische Analyse abgegangener Steine (Urin sieben)
- Rö: Abdomenübersichtsaufnahme (80 % aller Steine sind rö-dicht. Ausnahme Urat- u. Xanthinsteine). DD der konkrementverdächtigen Schatten: Gallensteine, verkalkte Mesenterial-Lk, Pankreasverkalkungen, verkalkte Rippenknorpel, Phlebolithen, Kompaktainseln im Becken
- i. v. Pyelografie: Aufstau, KM-Aussparungen (DD: Blutkoagel, Tumor)
- Sono: Steinschatten (auch bei nicht rö-dichten Steinen, mäßige Sensitivität u. Spezifität!), Harnaufstau

> **Therapie der Nierenkolik**
> - Analgetika, z. B. Pentazocin 30 mg langsam i. v. (Fortral®). Bei diagn. Unsicherheit nur Paracetamol 4 × 1.000 mg/d p. o. (z. B. ben-u-ron®)
> - Spasmolytika, z. B. N-Butylscopolamin 20 mg langsam i. v. (z. B. Buscopan®), ggf. mehr
> - Reichlich Flüssigkeit (ggf. als Infusion), evtl. Schleifendiuretika, z. B. Furosemid 20–40 mg/d i. v. (z. B. Lasix®). KI: Harnverhalt
> - Temperaturkontrolle; bei V. a. HWI Urinkultur u. hoch dosierte Antibiotika wegen Urosepsisgefahr
> - Viel Bewegung. Stein geht häufig spontan ab

Prophylaxe
- Rezidivhäufigkeit 60 %!
- Prophylaxe je nach Steinzusammensetzung: reichliche Flüssigkeitszufuhr, eiweißarme Diät, ggf. oxalat- bzw. purinarm (z. B. vegetarisch). Urin ansäuern bei Phosphat- u. Infektsteinen (z. B. Mixtura Solvens-Lsg.), alkalisieren bei Harnsäure- u. Zystinsteinen (Uralyt U®). Thiaziddiuretika (senken renale Kalziumausscheidung). Konsequente Infektbekämpfung, bei obstruktiver Uropathie op. Korrektur

3.4 Schock

3.4.1 Klinik und Diagnostik

Klinik
- Lebensbedrohliches Kreislaufversagen mit kritischer Verminderung der Organdurchblutung u. nachfolgender hypoxisch-metab. Schädigung der Zellfunktion
- Veränderte Bewusstseinslage, Unruhe, Angst, Apathie, Somnolenz, Koma
- Tachykardie (**cave:** keine Betablocker!), erniedrigte RR-Amplitude (Pulsus celer et parvus)
- RR_{syst} < 90 mmHg. **Cave:** bei vorbestehender Hypertonie evtl. „normaler" RR
- Schockindex: Puls/RR_{syst} > 1,0 (normal 0,5). **Cave:** unzuverlässiger Wert!
- Kalte, feuchte, blassgraue Extremitäten (Ausnahme: septischer Schock in der Frühphase)
- Periphere Zyanose
- Hyperventilation, Dyspnoe bei metabolischer Azidose
- Oligurie (< 20 ml/h)

Diagnostik
- Klin. Untersuchung: Haut, Halsvenenfüllung, Herz u. Lungen auskultieren, Bewusstseinszustand prüfen; RR, Herz- u. Atemfrequenz, Körpertemp. Urinausscheidung (wichtiger Parameter zur Verlaufskontrolle)
- EKG: z. B. Herzinfarkt, Rhythmusstörungen
- ZVD: bei Linksherzversagen u. Lungenembolie ↑, bei Volumenmangel ↓
- Rö-Thorax: z. B. Aneurysma dissecans, Pneumothorax, Hämatothorax
- Rö-Abdomen: z. B. freie Luft
- Oberbauch-Sono (z. B. Aortenaneurysma, Herzbeuteltamponade), ggf. **Echo** (Kontraktilität, Klappenbeweglichkeit)
- Labor: BB, Gerinnung mit Fibrinogen(spaltprodukten), AT III, Blutgruppe u. Kreuzprobe, Krea u. E'lyte, BZ, CK, CK-MB, GOT, LDH, HBDH, α-Amylase, Lipase, Laktat, ggf. Alkohol; BGA

> **Management**
> - Klin. Untersuchung (s. o.): Entscheidend ist die rasche Abgrenzung des kardiogenen Schocks von anderen Schockformen.
> - Lagerung: Pat. hinlegen, Beine hochlagern. Ausnahme ausgeprägte kardiale Insuff. o. Blutungen im Bereich von Kopf, Lungen o. oberem GIT → Oberkörper hochlagern.
> - Sicherung der Atmung: O_2-Zufuhr (4–6 l/min), ggf. Intubation, Beatmung.

- Zugänge: 2–3 großlumige venöse Zugänge, später ZVK.
- Großzügige Flüssigkeitszufuhr bei Hypovolämie (möglichst unter ZVD-Kontrolle), nicht bei kardiogenem Schock!
- EKG: akutes Koronarsy. (▶ 3.1.3), Rhythmusstörungen.
- Schmerzbekämpfung (▶ Abb. 1.1; ▶ 7.2), bei Unruhe sedieren z. B. Diazepam 2–10 mg i. v. (z. B. Valium®).

3.4.2 Hypovolämischer Schock

Der hämorrhagische Schock ist für den überwiegenden Teil der periop. u. peripartalen Morbidität u. Mortalität verantwortlich. Ursache sind akute Blutverluste durch Verletzungen großer Gefäße o. durch diffuse Blutungen aus großen Wundflächen, arrodierten Tumoren o. Verletzungen von Venengeflechten im kleinen Becken sowie peripartale Blutungen. Entscheidend ist die sofortige Lokalisation der Blutungsquelle mit Blutstillung, ggf. durch Tamponade o. Ligatur der A. iliaca interna u. die korrekte Behandlung der peripartalen Blutung (▶ 8.15.2).

Ätiologie Blutverluste (v. a. Placenta-praevia-Blutung, vorzeitige Plazentalösung, Atonie). Plasma- bzw. Flüssigkeitsverluste durch Verbrennungen, Erbrechen, Durchfälle, Fistel; Peritonitis, Pankreatitis, Ileus.

Klinik Kollabierte Halsvenen (DD zum kardiogenen Schock), blasse, kalte u. feuchte Haut; starker Durst, Unruhe, Kältezittern, Tachypnoe u. Hyperventilation, Hypotonie u. Tachykardie, Oligurie.

Management
Basismaßnahmen ▶ 3.4.1.
Blutverlust einschätzen (▶ Tab. 3.4), bestimmt weiteres Vorgehen:
- **Therapie bei Verlust von < 30 % des Blutvolumens:**
  - 500–1.500 ml kolloidale Plasmaersatz-Lsg., z. B. Hydroxyethylstärke (HES)
  - Kristalloide Lsgn. (z. B. Ringer, NaCl 0,9 %), wenn neben Blutverlust eine Dehydratation o. Störung im E'lythaushalt vorliegt
- **Therapie bei Verlust von > 30 % des Blutvolumens:**
  - Zusätzlich Blut ersetzen (auf 2–3 EK 1 FFP, ▶ 2.5.2)
  - Volumenersatz, möglichst unter ZVD-Kontrolle
  - Sauerstoffgabe, ggf. Intubation u. Beatmung
  - Bei Hypotonie immer erst Flüssigkeitssubstitution
  - Bei Hypotonie trotz Volumenausgleich Dobutamin-Perfusor: 250 mg auf 50 ml NaCl 0,9 % über Perfusor 2–10 ml/h

3.4.3 Septischer Schock

Definition Schock durch freiwerdende Bakterientoxine → kapilläre Gefäßweitstellung → relative Hypovolämie. In der Gynäkologie u. Geburtshilfe sind aufstei-

Tab. 3.4 Stadien des Volumenmangelschocks

Volumen-mangel (ml)	% des Gesamt-volumens	Schwere-grad	Klinik
0–500	0–10	kein Schock	keine
500–1.200	10–25	leichter Schock	Tachykardie, kompensierter RR-Abfall, periphere Vasokonstriktion
1.200–1.800	25–35	mäßiger Schock	fadenförmiger Puls, RR ↓, Schwitzen, Angst, Unruhe, Oligurie
1.800–2.500	35–50	schwerer Schock	wie oben, aber Puls > 120, RR < 60 mmHg, Zentralisation, Anurie

gende genitale Inf., Bakteriämie u. septischer Schock vergleichsweise selten, aber dennoch die häufigste infektiöse Todesursache der jungen Frau.

Prädisponierende Faktoren Chorioamnionitis, septischer Abort, postpartale Endomyometritis, aufsteigende HWI, lokale Inf. nach Hysterektomie, Pelvic Inflammatory Disease (PID) einschl. Tuboovarialabszess.

Klinik Meist hohes Fieber mit Schüttelfrost u. Hyperventilation. Zu Beginn warme, gut durchblutete, trockene Haut: Pat. wirkt gesünder, als sie ist! Haut später kalt, zyanotisch; evtl. Hautblutungen. Bewusstsein meist eingeschränkt. ZVD anfangs normal!

Diagnostik
! Therapiebeginn nicht verzögern!
- Labor: Leukozytose o. -penie, Thrombopenie, Zeichen der Verbrauchskoagulopathie. CRP ↑ ↑. BGA: Hypoxie, Azidose, Blut- u. Urinkultur, Liquor: Ausstrich u. Kultur
- Sono: Vag.-Sono, Sono Abdomen
- Ggf. CT
- Rö-Thorax: z. B. Pneumonie, Abszess, Schocklungen-Sy.
- Chir. Konsil z. A. von Appendizitis, Divertikulitis, Darmperforation, Durchwanderungsperitonitis o. Ä.

Therapie
- Allg. Schockther. ▶ 3.4.1
- Bei ZVD ↓ Volumensubstitution mit kristalloiden u. kolloidalen Lsgn.
- Bei ZVD ↑ Dopamin o. Dobutamin über Perfusor
- Azidosekorrektur nach BGA
- Ampicillin 4 × 2 g/d i. v. (z. B. Ampicillin-CT®) plus Aminoglykosid, wie Gentamicin 1 × 3–5 mg/kg KG/d als Kurzinfusion (z. B. efobacin®; **Cave:** Nierenfunktion) plus Clindamycin 3 × 600 mg/d als Kurzinfusion (z. B. Sobelin®)

- Bei Tuboovarialabszess ist eine antibiotische Behandlung über 72–96 h zulässig, bei Misserfolg chir. Intervention. Therapiedauer mind. 10 d (▶ 16.5)
- Unmittelbare Laparoskopie bei Abszessruptur mit septischem Schock!

3.4.4 Anaphylaktischer Schock

Ätiologie Allergische Reaktion auf:
- Medikamente: oft Antibiotika (v. a. Sulfonamide u. Penicillin), Rö-KM, Lokalanästhetika, Jodide, Pyrazolone, ASS, Dextran- u. Gelatinepräparate
- Fremdeiweiße u. Polysaccharide: Insekten- u. Schlangengifte, Vakzine, Organextrakte, Allergene bei Hyposensibilisierungen

Klinik Sek. o. Min. nach Allergenzufuhr → Unruhe, Juckreiz, Niesen. Dann Schwindel, Fieber mit Schüttelfrost, Angstgefühl, Übelkeit u. Erbrechen, Durchfall, Dyspnoe mit Bronchospasmus, Larynxödem, RR-Abfall u. Tachykardie. Evtl. Krampfanfälle, Bewusstseinsverlust, Kreislaufstillstand.

> **Therapie des anaphylaktischen Schocks**
> - Unterbindung weiterer Allergenzufuhr!
> - Großlumige i. v. Zugänge legen, Dreiwegehahn
> - Adrenalin 0,25–1 mg, verdünnt in 10 ml NaCl 0,9 %, langsam i. v., ggf. nach 10 min wdh.
> - Rasche Volumenzufuhr, z. B. Ringer 1–2 l als Druckinfusion, kolloidale Plasmaersatz-Lsg.
> - Glukokortikoide: z. B. Methylprednisolon 100–500 mg i. v. (z. B. Urbason®)
> - Bei Bronchospastik Theophyllin 400 mg langsam i. v. (z. B. Euphylong®)
> - Bei Larynxödem Intubation o. Koniotomie
> - Evtl. Antihistaminika, z. B. Clemastin 2–4 mg i. v. (Tavegil®)
> - Wärmeentzug bei Fieber > 39 °C, z. B. Wadenwickel

3.4.5 Hypoglykämischer Schock

Ursachen
- **Typ 1:** BE in der Nahrung zu hoch eingeschätzt, zu langer Spritz-Ess-Abstand (Insulin gespritzt u. schlafen gelegt), nach Absetzen von Medikamenten (Pille, Kortikoide), körperlicher Belastung, Alkoholgenuss, Inf.
- **Typ 2:** Überdosierung von Sulfonylharnstoffen, zusätzliche Medikamenteneinnahme (Cumarine, Phenylbutazon, Sulfonamide, Betablocker), Reisen u. verminderte Nahrungsaufnahme, Inf.
- **Leichte Hypoglykämie:** Schweißausbruch, Blässe, Unruhe, Tremor, RR-Anstieg, periorales Missempfinden, Verhaltensauffälligkeiten (z. B. Euphorie)
- **Schwere Hypoglykämie:** Bewusstseinstrübung, neurol. Ausfälle, Koma mit zerebralen Krampfanfällen

> **Therapie der Hypoglykämie**
> - **Leichte Hypoglykämie:**
>   – Bei ersten Anzeichen sofort 10–20 g Traubenzucker o. 4–8 Stück Würfelzucker o. 1 Glas Saft mit Traubenzucker, dann 1–2 BE langsam resorbierbare Kohlenhydrate (z. B. Brot)
>   – Bei Bewusstlosigkeit o. Eintrübung Glukagon-Fertigspritze i. m. **Cave:** keine Wirkung bei alkoholinduzierter Hypoglykämie. **KI:** Grav.!

- **Schwere Hypoglykämie:**
  - Mind. 20–50 ml 40-proz. Glukose im Nebenschluss zur laufenden Infusion (Ringer-Lsg.), bis zum Aufwachen ggf. wiederholen
  - Bei Sulfonylharnstoff-Hypoglykämie Gefahr der protrahierten Hypoglykämie mit erneutem Schock → nach Aufklaren 10-proz. Glukoseinfusion, 24-h-Überwachung mit BZ-Kontrollen alle 2 h
  - Bei drohender Überwässerung alle 4 h Dexamethason 4–8 mg i. v. oder i. m. (z. B. Fortecortin®)

3.5 Gynäkologische Notfälle

3.5.1 Allgemeines

Die meisten gyn. u. geburtshilflichen Notfälle sind unter den jeweiligen Organkapiteln mit den entsprechenden Ther. ausführlich beschrieben. Nachfolgend wird deshalb nur kurz auf einzelne Erkr. eingegangen.

3.5.2 Genitale Blutung

Ätiologie
- Verletzungen von Vulva o. Vagina, Abort, Uterus myomatosus (v. a. submuköses Myom), Endometriumhyperplasie, Endometriumpolyp, Zervix-Ca, Endometrium-Ca
- Extragenitale Ursachen: Makrohämaturie, Hämorrhoidalblutung

Klinik Deutlich überperiodenstarke, meist hellrote Blutung, bei entsprechendem Blutverlust: Zeichen des hypovolämischen Schocks (▶ 3.4.2).

Diagnostik
- Anamnese: Zyklus, Vorerkr., Voroperationen, letzte Früherkennungsuntersuchung, Schwangerschaft
- Inspektion des äußeren Genitale (▶ 15.2.1), Spiegeleinstellung
- Palpation einschl. rektaler Untersuchung
- Ultraschall (US; ▶ 22.1), Urinstatus

Therapie (je nach Ursache)
- Venösen Zugang legen, Blutentnahme für BB, E'lyte, Gerinnung, HCG, Blutgruppe, Kreuzblut, Schockther. (▶ 3.4)
- Verletzungen: op. Versorgung, ggf. in Narkose
- Abort: stat. Aufnahme, je nach Abortform Bettruhe o. op. Nachräumung (▶ 5.6)
- Uterus myomatosus: Kürettage, diagn. o. op. Hysteroskopie ggf. mit hysteroskopischer Resektion eines submukösen Myoms o. hysteroskopischer Endometriumablation. Im Extremfall Hysterektomie (▶ 15.4.1)
- Zervix-Ca: bei Spiegeleinstellung PE zur histol. Sicherung, feste Scheidentamponade, ggf. Notfallbestrahlung (▶ 15.7.4)
- Endometrium-Ca: histol. Sicherung durch Hysteroskopie u. Abrasio, dann stadiengerechte Ther. (▶ 15.8)

3.5.3 Akute Unterbauchschmerzen

▶ 16.1.1.

Klinik Leitsymptome eines „akuten Abdomens" (als Einweisungsdiagn.) sind:
- Starke abdom. Schmerzen
- Abwehrspannung
- Gestörte Peristaltik

Differenzialdiagnose
- Akut einsetzend, Amenorrhö, pos. HCG → V. a. EUG (▶ 16.3)
- Zunehmende Schmerzen, meist postmenstruell, vag. Fluor, Entzündungszeichen → V. a. Adnexitis (▶ 16.4)
- Akute, meist einseitige Schmerzen, nach heftigen Bewegungen auftretend (Tanzen, Sport) → V. a. stielgedrehten Ovarialtumor (▶ 16.7)
- In Zyklusmitte auftretender Schmerz → V. a. Ovulationsschmerz, rupturierte Ovarialzyste
- Extragenitale Ursachen: Appendizitis, Zystitis, Harnleiterstein, Leistenhernie, Divertikulitis

Diagnostik
- Anamnese: Schmerz, Zyklus, Vorerkr., Voroperationen, Kontrazeption
- Untersuchung: Spiegeleinstellung u. Palpation
- Labor: BB, CRP, HCG, E'lyte, Gerinnung, Blutgruppe, Kreuzblut, Leber- u. Nierenwerte, Urinstatus
- US (▶ 22), ggf. diagn. o. op. Laparoskopie
- Häufige Diagn. in der Vier-Quadranten-Einteilung (▶ Abb. 3.1)

Therapie
- Ggf. Schockther. (▶ 3.4)
- EUG: op. Laparoskopie (▶ 16.3)
- Adnexitis: stat. Aufnahme, Bettruhe, i. v. Antibiose (▶ 16.4), ggf. laparoskopische Diagnosesicherung
- Stielgedrehter Ovarialtumor, rupturierte Ovarialzyste: op. Laparoskopie

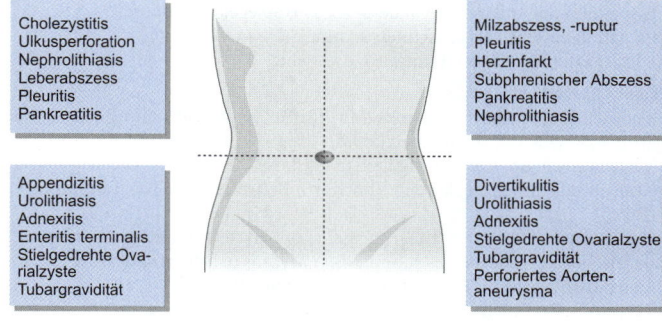

Abb. 3.1 Vier-Quadranten-Einteilung [L157]

3.6 Geburtshilfliche Notfälle

DD
- Geburtshilfliche Notfälle ▶ Tab. 3.5
- Unterbauchschmerzen ▶ Abb. 3.2.
- Vag. Blutungen ▶ Abb. 3.3.

Tab. 3.5 Differenzialdiagnosen geburtshilflicher Notfälle mit Querverweisen

Symptom	Differenzialdiagnose	Kapitel
Blutungen in der Spätschwangerschaft	Placenta praevia Vorzeitige Plazentalösung Insertio velamentosa Randsinusblutungen Thrombopenie	▶8.5.2 ▶8.5.3 ▶8.5.4 ▶8.5.5 ▶5.15
Blutungen sub partu	Placenta praevia Vorzeitige Plazentalösung Uterusruptur HELLP-Sy. Thrombopenie	▶8.5.2 ▶8.5.3 ▶8.10 ▶5.9.3 ▶5.15
Verstärkte Blutungen p. p.	Uterusruptur Uterusatonie Verletzung der Geburtswege Plazentalösungsstörungen	▶8.10 ▶8.15.2 ▶8.15.3 ▶8.15.4
Krampfanfall	SIH/Eklampsie Epilepsie Fruchtwasserembolie	▶5.9.1 ▶11.9 ▶8.16
Path. CTG	Plazentainsuff. Nabelschnurkomplikation Vorzeitige Plazentalösung SIH Uterusruptur	▶5.13 ▶8.9.1 ▶8.5.3 ▶5.9.1 ▶8.10
Akuter Abdominalschmerz	Harnverhalt, HWI HELLP-Sy. Akute Appendizitis Vorzeitige Plazentalösung	▶3.3.1 ▶5.9.3 ▶3.2.2 ▶8.5.3
Schock	Hypovolämischer Schock Uterusatonie Vorzeitige Plazentalösung FW-Embolie Uterusruptur	▶3.4.2 ▶8.15.2 ▶8.5.3 ▶8.16 ▶8.10

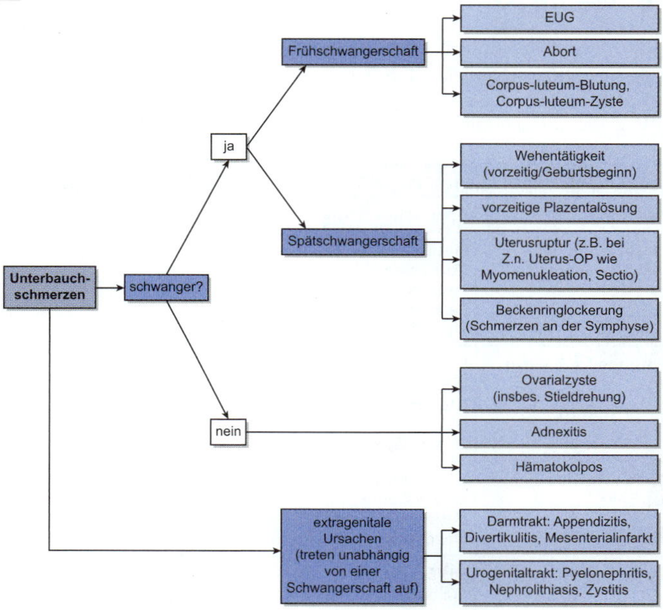

Internistische Probleme

```
Unterbauchschmerzen
├── schwanger?
│   ├── ja
│   │   ├── Frühschwangerschaft
│   │   │   ├── EUG
│   │   │   ├── Abort
│   │   │   └── Corpus-luteum-Blutung, Corpus-luteum-Zyste
│   │   └── Spätschwangerschaft
│   │       ├── Wehentätigkeit (vorzeitig/Geburtsbeginn)
│   │       ├── vorzeitige Plazentalösung
│   │       ├── Uterusruptur (z.B. bei Z.n. Uterus-OP wie Myomenukleation, Sectio)
│   │       └── Beckenringlockerung (Schmerzen an der Symphyse)
│   └── nein
│       ├── Ovarialzyste (insbes. Stieldrehung)
│       ├── Adnexitis
│       └── Hämatokolpos
└── extragenitale Ursachen (treten unabhängig von einer Schwangerschaft auf)
    ├── Darmtrakt: Appendizitis, Divertikulitis, Mesenterialinfarkt
    └── Urogenitaltrakt: Pyelonephritis, Nephrolithiasis, Zystitis
```

Abb. 3.2 Differenzialdiagnose Unterbauchschmerzen [L231/M453]

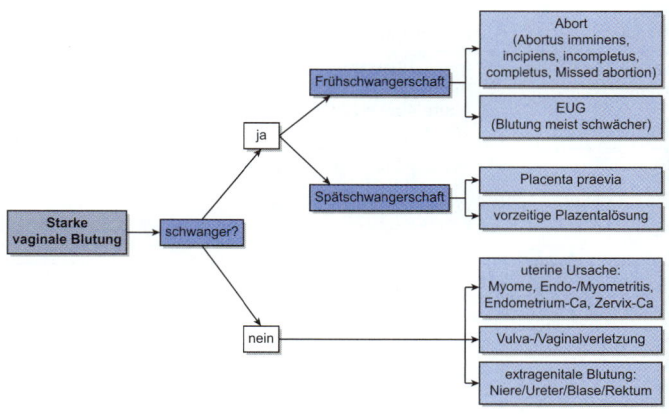

Abb. 3.3 Differenzialdiagnose vaginaler Blutungen [L231/M453]

4 Genetik, Pränataldiagnostik, Entwicklungsstörungen

Kay Goerke

4.1 **Genetische Beratung** 92
4.1.1 Gesetzliche Rahmenbedingungen 92
4.1.2 Ziele der genetischen Beratung 92
4.1.3 Indikationen zur genetischen Beratung 92
4.1.4 Durchführung der genetischen Beratung 92
4.2 **Untersuchungsmethoden** 93
4.2.1 Pränatale Diagnostik 93
4.2.2 Karyotypisierung der Eltern 94
4.2.3 Embryonale Karyotypisierung aus mütterlichem Blut (nichtinvasiver Pränataltest, NIPT) 94
4.2.4 Tripeldiagnostik 94
4.2.5 Ersttrimester-Screening 95
4.2.6 Amniozentese 95
4.2.7 Chorionzottenbiopsie 96
4.2.8 Vergleich von Amniozentese und Chorionzottenbiopsie 97
4.3 **Pränatale Schädigungen** 97
4.4 **Chromosomenanomalien** 98
4.4.1 Klassifikation 98
4.4.2 Autosomale Chromosomenanomalien 99
4.4.3 Gonosomale Chromosomenanomalien 100
4.4.4 Risiko für Chromosomenanomalien 100
4.4.5 Leitsymptome bei Fehlbildungssyndromen (postpartal) 100
4.5 **Stoffwechselerkrankungen** 102
4.5.1 Pränatale Diagnostik 102
4.5.2 Erweitertes Neugeborenenscreening 102
4.6 **Neuralrohrdefekte** 103
4.6.1 Übersicht 103
4.6.2 Hydrozephalus 104
4.7 **Strahlenexposition in der Gravidität** 104
4.7.1 Dosisgrößen und -einheiten 104
4.7.2 Allgemeine Strahlenbelastung 104
4.7.3 Strahlenbelastung des Ungeborenen bei Röntgendiagnostik der Mutter 105
4.7.4 Strahlenbedingtes Risiko 106

4 Genetik, Pränataldiagnostik, Entwicklungsstörungen

4.1 Genetische Beratung

4.1.1 Gesetzliche Rahmenbedingungen

Seit 2010 ist in Deutschland vor allen Untersuchungen, die auf einen genetischen Defekt hinweisen **könnten**, eine ausführliche Beratung u. Aufklärung durch einen qualifizierten Arzt sowie die Einholung eines Einverständnisses vorgeschrieben (Gendiagnostikgesetz, GenDG). Dies betrifft nicht nur die invasive Diagnostik, sondern u. a. auch US-Untersuchungen o. Blutentnahmen (z. B. Gerinnungsdiagnostik bei Faktor-V-Leiden-Mutation).

Explizit gibt es auch ein Recht auf „Nichtwissen", also den bewussten Verzicht auf weiterführende Diagnostik.

Die Dokumentation der Aufklärung u. das Einverständnis o. die Ablehnung der weiteren Diagnostik muss schriftlich erfolgen.

Davon abzugrenzen ist die fachhumangenetische Beratung durch einen Humangenetiker bei speziellen Fragestellungen, auf die sich die folgenden Unterkapitel beziehen.

4.1.2 Ziele der genetischen Beratung

- Auskunft über Risiken für ein Kind mit geschädigten (Erb-)Anlagen
- Informationen über die Möglichkeiten der Diagnostik, Therapie u. Prognose entsprechender Erkrankungen
- Entscheidungshilfe für bzw. gegen das Austragen einer bestehenden Schwangerschaft o. den vollständigen Verzicht auf eigene Nachkommen

4.1.3 Indikationen zur genetischen Beratung

- Alter: Mutter ≥ 35 J. u./o. Vater ≥ 45 J.
- Familienanamnese: Erbkrankheiten, Verwandtenehen, vorgeschädigtes Geschwisterkind, zwei o. mehr aufeinanderfolgende Aborte
- Psychische Belastung: behindertes Kind im Bekanntenkreis, ängstliche Persönlichkeitsstruktur der Pat.
- Exposition ggü. potenziellen Noxen (▶ Tab. 4.1):
  - Inf. der Mutter während der Grav. (z. B. Röteln)
  - Medikamente: Zytostatika, Antikonvulsiva, Antikoagulanzien
  - Alkohol- u. Drogenabusus
  - Strahlung: diagn. Rö-Untersuchungen, berufliche o. akzidentelle Strahlenexposition
  - Beruf: Facharbeiterin der pharmazeutischen, chem. o. Nuklearindustrie
- Sonografische Auffälligkeiten: beim Ersttrimester-Screening (Nackenödem) (▶ 4.2.5) o. den Untersuchungen in der 9.–12. SSW o. 19.–22. SSW (▶ 22.2.3)

4.1.4 Durchführung der genetischen Beratung

- Beratungsgespräch:
  - Anamnese: Eigen- u. Familienanamnese, Verwandtenehen, ggf. Stammbaumerstellung bis Verwandtschaft 3. Grades
  - Berechnung des statistischen Risikos für eine (genetische) Schädigung
  - Hilfe zur Bewertung der möglichen (genetischen) Schädigung

Tab. 4.1 Pränatale Schädigung in Abhängigkeit vom Zeitpunkt des Einwirkens der Noxe

Bezeichnung	Zeitpunkt	Art und Ort des Schadens
Genopathie	präkonzeptionell	Genloci
Gametopathie	präkonzeptionell	Chromosomenaberrationen
Blastopathie	Tag 1–14 (18) p. c.	Schädigungen der befruchteten Blastozyste, in deren Folge sie sich nach dem Alles-o.-nichts-Prinzip folgenlos im Uterus einnistet o. abstirbt Komplexe Fehlbildungen: Doppelbildungen, Fehlen ganzer Körperteile
Embryopathie	bis Wo. 8. p. c. (Genitalentwicklung bis Wo. 10 p. c.)	Während der Organogenese: komplexe Organfehlbildungen, schwere morphol. Defekte durch: • Virusinf. (Röteln, CMV) • Medikamente (Thalidomid, Retinol) • Strahlen (natürliche, Rö-Strahlen)
Fetopathie	ab Wo. 9 p. c.	Nach Abschluss der Organogenese Ausreifungsstörungen, physiol. Defekte durch: • Infekte • Blutgruppen- o. Rh-Inkompatibilitäten • Maternale Stoffwechselerkr. • Strahlen (natürliche, Rö-Strahlen)

- Karyotypisierung der Ehepartner (▶ 4.2.2)
- Angebot u. Beratung zur pränatalen Diagnostik (▶ 4.2.1)

4.2 Untersuchungsmethoden

4.2.1 Pränatale Diagnostik

- Nichtinvasiver Pränataltest (NIPT) ▶ 4.2.3
- Screeninguntersuchungen: Ersttrimester-Screening (▶ 4.2.5), AFP-Wert (Neuralrohrdefekte ▶ 4.6)
- Sonografische Fehlbildungsdiagn.: in 9.–14. SSW ▶ 4.2.4, ▶ 22.2.3
- Ersttrimester-Screening (Nackenfalte, NT, ▶ 4.2.5)
- Pränatale Chromosomenanalyse des Kindes: Chorionzottenbiopsie ab 12. SSW (▶ 4.2.7) o. Amniozentese ab 15. SSW (▶ 4.2.6)
- FW-Untersuchungen: AFP quantitativ (Neuralrohrdefekte) u. Cholinesterase (nur qualitativ, Neuralrohrdefekte)
- Chordozentese (Nabelschnurpunktion): ab 17. SSW

Präimplantationsdiagnostik (PID)
Im Rahmen der In-vitro-Fertilisation mögliche molekulargenetische Diagn. an einzelnen, dem Embryo entnommenen Zellen. In Deutschland zugelassen zur Vermeidung schwerer Erbkrankheiten, Tot- o. Fehlgeburt nach Beratung in einer speziellen Ethikkommission, in Österreich nur zur Behebung erblich bedingter Unfruchtbarkeit u. in der Schweiz in beiden o. g. Fällen. In Deutschland sind derzeit (2017) 5 Ethikkommissionen u. 9 Zentren zur Durchführung zugelassen.

4.2.2 Karyotypisierung der Eltern

Indikation Familienanamnestische Hinweise auf erbliche Erkr., insb. chromosomale Schädigungen.

Material 5 ml EDTA-Blut zur Aufarbeitung in humangenetischem Institut.

Auswertung Anhand der Kultur können Neumutationen gegen Erbgutschädigungen der Eltern abgegrenzt werden, die sich aufgrund von balancierten Translokationen o. eines Konduktorenstatus bei diesen selbst nicht in einem path. Phänotyp manifestieren.

4.2.3 Embryonale Karyotypisierung aus mütterlichem Blut (nichtinvasiver Pränataltest, NIPT)

Ab 9+0 SSW besteht die Möglichkeit, durch Blutentnahme bei der Mutter (20 ml) u. entsprechende Anreicherung im Labor freie fetale DNA zu extrahieren u. zu analysieren. Ab diesem Zeitpunkt ist sowohl zellfreie fetale DNA (cffDNA) als auch der Mutter im maternalen Blut vorhanden. Mit dem NIPT kann eine zielgerichtete Analyse zur präzisen Erkennung von Trisomien durchgeführt werden. Das persönliche Risikoergebnis des Tests berücksichtigt die fetale DNA-Fraktion, das Gestationsalter u. das maternale Alter.
Die Durchführung ist an die qualifizierte Beratung u. Aufklärung gebunden.

> - Schwangere mit erhöhtem BMI weisen einen deutlich niedrigeren Anteil an fetaler cffDNA auf.
> - Die Mitteilung des fetalen Geschlechts darf in D erst ab der 14+0. SSW (p. m.) erfolgen, außer bei schweren geschlechtschromosomal gebundenen Erkr.
> - Bei path. Befund ist immer eine CVS (▶ 4.2.7) o. Amniozentese (▶ 4.2.6) zur Bestätigung des Befundes indiziert.

Die komb. Sensitivität für verschiedene Trisomien (T21, T18, T13) beträgt 99 %, die Falsch-Positiv-Rate 0,15 %. Mit der X/Y-Analyse kann mit einer Genauigkeit von > 99 % das Geschlecht des Feten vorhergesagt werden. Auch das Risiko für zahlenmäßige Störungen der Geschlechtschromosomen kann bewertet werden, die Genauigkeit des NIPT variiert nach Art der festgestellten Erkr.
In D sind derzeit folgende Testsysteme verfügbar:
- **Harmony-Test**®
- **Praena-Test**®
- **Panorama-Test**®

4.2.4 Tripeldiagnostik

Älteres Screeningverfahren: Bestimmung von HCG, AFP u. E_3 aus mütterlichem Blut, zur Risikokalkulation für Chromosomenaberration (insb. Trisomie 21). Bestätigungsdiagn. eines auffälligen Testergebnisses muss durch Amniozentese erfolgen. Keine Leistung der GKV.
Die Tripeldiagn. ist vom Ersttrimester-Screening (▶ 4.2.5) abgelöst worden.

4.2.5 Ersttrimester-Screening

Ziel Zur Risikoabschätzung chromosomaler Störungen (Trisomie 13, 18 u. 21), kardialer Fehlbildungen u. grober struktureller Anomalien setzt sich zunehmend das frühe Screening im 1. Trim. der Schwangerschaft durch. Die Durchführung kann zwischen der 11. + 4. u. 13. + 6. SSW (= Scheitel-Steiß-Länge 45–84 mm) erfolgen.

Durchführung Bei dem von der *Fetal Medicine Foundation* (FMF) zertifizierten Verfahren müssen der Untersucher u. das durchführende Labor im Besitz der entsprechenden Zertifizierung sein.
- Aufklärung u. Einwilligung durch die Pat. gem. GenDG
- US-Untersuchung:
  - Messung der Nackenfalte o. Nackentransparenz (sog. NT-Screening)
  - Messung des fetalen Nasenbeins (fakultativ)
  - Fehlbildungsultraschall, fakultativ: Fehlbildungen der Extremitäten, des Kopfes, Spaltbildungen der Bauchwand o. Wirbelsäule, Zwerchfellanomalien, Anomalien der Nieren u. Harnblase sowie Ödeme (Hydrops)
- Laboruntersuchung:
  - Freies β-HCG
  - PAPP-A (Pregnancy-associated Protein A)

Auswertung Aus NT u. Laborparametern, mütterlichem Alter u. der genauen SSW wird ein individuelles Risiko für eine chromosomale Störung (s. o.) berechnet:
- Risiko < 1 : 300: CVS (▶ 4.2.7) o. Amniozentese (▶ 4.2.6) zur Chromosomenanalyse

Aktuelle Empfehlung der FMF, London:
- Risiko > 1 : 100: CVS (▶ 4.2.7) o. Amniozentese (▶ 4.2.6)
- Risiko < 1 : 1.000: keine invasive Diagn.
- Dazwischen genauere Abklärung: Sono Nasenbein, Trikuspidalklappe (Regurgitation), Ductus-venosus-Doppler, NIPT (▶ 4.2.3)

Sensitivität NT: 90 %, mütterliches Alter (> 35 J.) allein: 50 %

> - Die alleinige Messung der NT ohne Bestimmung der Laborparameter wird heute eigentlich nur noch bei Mehrlingen durchgeführt.
> - Es wird keine definitive Diagn. gestellt, vielmehr werden lediglich Wahrscheinlichkeiten berechnet.
> - **Kosten:** keine Leistung der GKV → als individuelle Gesundheitsleistung (IGeL) anbieten.

www.fmf-deutschland.info
www.fetalmedicine.com

4.2.6 Amniozentese

Definition Transabdom. Punktion der Amnionhöhle möglichst an einer plazentafreien Stelle (**cave:** Blutung, möglicherweise falsche Aussage bei blutigem FW) zur FW-Entnahme.

Indikationen Zytogenetische Untersuchung bei Schwangeren > 35 J. bzw. Kindsvater > 40–50 J., kindlichen Fehlbildungen in der Eigen- o. Familienanamnese (▶ 4.1), rechnerisch auffälliges Risiko beim Ersttrimester-Screening (▶ 4.2.5).

Durchführung Je nach Ind. ab 15. SSW, unter permanenter Sono-Kontrolle transabdom. Punktion der Amnionhöhle mit einer 20-G-(Ø 0,9 mm, 9 cm lang) o. 22-G-Aspirationskanüle (Ø 0,7 mm) an plazentafreier Stelle nach Hautdesinfektion (▶ 2.1, Kategorie III, sterile Handschuhe). Entnahme z. B. von ≤ 20 ml FW für die genetische Untersuchung. Bei Rh-neg. Pat. Rh-Prophylaxe z. B. mit 1 Amp. Rhophylac® i. m.
Die Untersuchung sollte dem geübten Pränataldiagnostiker vorbehalten bleiben. Am Folgetag unbedingt Sono zur Kontrolle der Vitalitätszeichen u. der FW-Menge.

Komplikationen Abort, vorzeitiger Blasensprung, Inf. Abortrate < 0,5 %.

Auswertung
- Chromosomenanalyse aus Kultur 2 Wo.: **Trisomien** (21, 13, 18, XXY, XXX) pränatal nachweisbar. Ebenso können bei Indexfällen in der Familie **X-chromosomale Leiden** (Muskeldystrophie Duchenne, Lesch-Nyhan-Sy., Hämophilie, X-chromosomal vererbter Hydrozephalus) sowie weitere ca. 50 erbliche **Stoffwechselstörungen** einschl. der Mukoviszidose als häufigste angeborene Stoffwechselerkr. nachgewiesen werden.
- **FISH** (Fluoreszenz-in-situ-Hybridisierung) bzw. heute weitgehend durch PCR abgelöst: 24-h-Schnelltest für numerische Chromosomenaberrationen (Chromosomen 13, 18, 21, X, Y) an unkultivierten FW-Zellen. Als parallel durchführbares Verfahren nach genetischer Beratung bei gegebener Ind. zeitliche Vorteile, ersetzt nicht die konventionellen Chromosomenanalysen (**cave**: GKV-Leistung nur bei auffälligen Feten).
- **AFP- u. Insulinbestimmung** im FW (GKV-Leistung).
- **Acetylcholinesterase**-(AChE-) pos. bei Neuralrohr-, Brust- u. Bauchwanddefekten, Turner-Sy. GKV-Leistung.
- **Bili-Bestimmung:** beim Hydrops fetalis ▶ 5.2.5, ist heute weitgehend durch die dopplersonografische Messung der V_{max} der A. cerebri media (▶ 22.2.5) u. bei path. Befunden durch die Chordozentese (ab 17+0 SSW möglich) mit Hb- u. Bili-Bestimmung sowie die Möglichkeit zur intrauterine Transfusion abgelöst.

4.2.7 Chorionzottenbiopsie

Vorteilhaft sind die frühere Diagnosestellung u. ggf. frühzeitigere Schwangerschaftsbeendigung bei Vorliegen einer genetischen Störung. Dadurch wird eine mögliche Interruptio wesentlich komplikationsärmer; außerdem ist sie für die Schwangere psychisch leichter zu verarbeiten als in einem späteren Schwangerschaftsalter.

Indikationen Zur genetischen Untersuchung in der Frühschwangerschaft (10. SSW). Schwangere > 35 J., kindliche Fehlbildungen in der Eigen- o. Familienanamnese.

Transzervikale Chorionzottenbiopsie

Kontraindikationen Abortbestreben, vag. Inf.

Durchführung Nach Desinfektion von Vulva u. Scheide Aspirationskatheter unter US-Sicht transzervikal einführen. Entnahme der Chorionzottenprobe in ein vorab mit Heparin (z. B. Liquemin®) u. Humanalbumin gespültes, mit Medium gefülltes Reagenzgefäß. Sofortige mikroskopische Kontrolle auf richtige Entnahme. Aufarbeitung in der Humangenetik. Nach Punktion strenge Bettruhe für 2 h, bei Rh-neg. Pat. Rh-Prophylaxe z. B. mit 1 Amp. Partobulin SDF® i. m.

Nebenwirkungen Abortrate liegt mit ca. 1 % etwas höher als bei der Amniozentese.

Transabdominale Chorionzottenbiopsie
Analoge Punktion des Trophoblasten von abdom. mit 1,2 mm → Aspirationsnadel (Rosa). Diese Untersuchung sollte dem erfahrenen Pränataldiagnostiker vorbehalten bleiben.
Am Folgetag unbedingt Sono zur Kontrolle der Vitalitätszeichen beim Embryo u. der FW-Menge.

4.2.8 Vergleich von Amniozentese und Chorionzottenbiopsie
▶ Tab. 4.2.

Tab. 4.2 Vergleich von Amniozentese und Chorionzottenbiopsie

Methode	Amniozentese	Chorionzottenbiopsie
Zeitpunkt	ab 15+0. SSW	ab 11+0. SSW
Durchführung	transabdominal	transabdominal, transzervikal
KO-Rate: Blutung, Abort, Leakage, Rh-Sensibilisierung	< 0,5 %	Zervikal: Gesamt < 5 %, Aborte < 2 % Abdominal: Aborte < 1 %
Dauer der Auswertung	24 h: Schnelltest-FISH 3 Wo.: struktureller Befund	24 h: Schnelltest 3 Wo.: struktureller Befund
Kulturprobleme	maternale Verunreinigungen	maternale Verunreinigungen
Interpretationsprobleme	Mosaike, Polymorphismen	Mosaike, z. T. nur Plazenta betreffend
Kontrollmöglichkeiten	Reamniozentese, Chordozentese	Amniozentese (in ca. 3 % erforderlich)

4.3 Pränatale Schädigungen

- Art u. Schwere sind weniger von der auslösenden Ursache als vielmehr von Zeitpunkt u. Intensität der einwirkenden Noxe abhängig.
- Eine Abgrenzung rein genetisch fixierter von exogenen Fehlbildungen ist nicht immer möglich.

Organogenese und ihre vulnerablen Phasen ▶ Abb. 4.1.

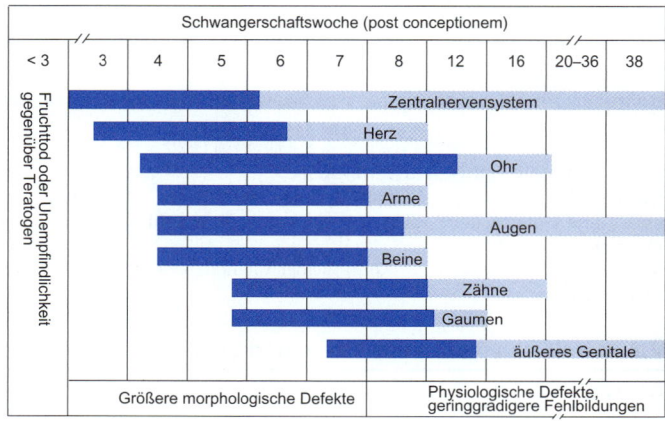

Abb. 4.1 Organogenese und vulnerable Phasen (dunkelblau: besonders empfindlich; hellblau: mäßig empfindlich) [L190]

4.4 Chromosomenanomalien

4.4.1 Klassifikation

> Die diploide Körperzelle des Menschen enthält 46 Chromosomen: 22 Autosomenpaare u. 2 Gonosomen (= Geschlechtschromosomen), XX bei weiblichem, XY bei männlichem Geschlecht. Durch Konjugation zweier Gameten bilden sich im Normalfall neu kombinierte diploide Chromosomensätze. Störungen im Ablauf der Meiose können zu verschiedenen Chromosomenanomalien führen.

Numerische Chromosomenaberrationen Folge einer Nondisjunction (Nichtauseinanderweichen) eines Chromosomenpaars während der Meiose. Durch Vervielfachung eines kompletten haploiden Chromosomensatzes entstehen Polyploidien. Zahlenmäßige Veränderungen einzelner Chromosomen innerhalb des haploiden Satzes führen zu Aneuploidien, den Mono- o. Trisomien.
- Gonosomale Mono- o. Trisomien sind normalerweise mit dem Leben vereinbar. Ausnahme: Y0 ist Letalfaktor.
- Autosomale Monosomien wirken i. d. R. als Letalfaktoren (Ausnahmen: z. B. partielle Monosomie Cri-du-chat).
- Autosomale Trisomien sind z. T. lebensfähig u. zeigen schwere phänotypische Auswirkungen. Bei gemeinsamer Grundsymptomatik finden sich variable Begleiterkr. wie Hirnanomalien mit Störungen der geistigen Entwicklung, multiple Organfehlbildungen, v. a. Herzfehler, kraniofaziale Dysmorphien.

Strukturelle Chromosomenaberrationen Auslösung durch Translokation, Deletion, Duplikation o. Inversion sowie Ring- o. Isochromosomen.

4.4.2 Autosomale Chromosomenanomalien

▶ Tab. 4.3.

Tab. 4.3 Autosomale Chromosomenanomalien

	Down-Sy.	Edwards-Sy.	Pätau-Sy.	Cri-du-chat-Sy.
Synonyme	Trisomie 21, M. Langdon-Down	Trisomie 18	Trisomie 13	Partielle Monosomie 5p-
Betroffenes Chromosom	21	Gruppe F 17 o. 18	Gruppe D 13, 14 o. 15	Deletion des kurzen Arms von 5
Gesamthäufigkeit Lebendgeborene	1 : 700	1 : 8.000 M : F = 4 : 1	1 : 4.000 bis 1 : 10.000	1 : 50.000
Klinik	Geistige Retardierung, charakteristische Dysmorphien (▶ Abb. 4.2), Muskelhypotonie, Cutis laxa, Herzvitien, Immunschwäche (Infektanfälligkeit, Leukämierate ↑)	Große Variabilität u. Komplexität: schwere psychomotorische Retardierung, primordialer Kleinwuchs, typische Gesichtsdysmorphien	Kraniofaziale Dysmorphien, Polydaktylie, Herzfehler, kapilläre Hämangiome	Katzenschreiartiges Schreien bei NG, kraniofaziale Dysmorphien
Prognose	Durch gezielte sonderpädagogische Förderung lern- u. integrationsfähig	infaust	infaust	IQ beim Kind < 50 IQ beim Erw. < 20
Lebenserwartung	ca. 60 J	90 % Letalität im 1. Lj.	70 % Letalität in den ersten 6 Mon.	

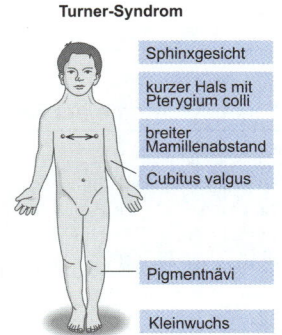

Abb. 4.2 Klinik bei Down- und Turner-Syndrom [L157]

4.4.3 Gonosomale Chromosomenanomalien

▶ Tab. 4.4.

Tab. 4.4 Gonosomale Chromosomenanomalien		
	Turner-Sy.	Klinefelter-Sy.
Charakteristika (Synonyme)	Weiblicher prim. hypergonadotroper Hypogonadismus	Männlicher prim. hypergonadotroper Hypogonadismus
Chromosomensatz	45XO o. Mosaike	47XXY o. Mosaike
Häufigkeit	1 : 3.000 Geburten (95 % der XO-Grav. enden jedoch durch Frühabort)	1 : 400 lebend geborene Knaben
Klinik	Kleinwuchs, Infantilismus, Lymphödem, Pterygium colli, Schildthorax, fakultativ Herzfehler (Aortenisthmusstenose), Infertilität	Eunuchoider Hochwuchs, Pubertas tarda, weiblicher Behaarungstyp, retardiertes Knochenalter, frühzeitige Osteoporose, verschiedene Dysmorphie-/Dysplasiezeichen
Intellekt	meist normal	häufig Oligophrenie, endokrin bedingtes hirnorganisches Psychosy.

4.4.4 Risiko für Chromosomenanomalien

▶ Tab. 4.5.

Tab. 4.5 Risiko für Chromosomenanomalien (gilt insb. für Trisomie 21)				
Alter der Mutter (J.)	Anomalien (%)	Alter der Mutter (J.)	Anomalien (%)	Alter des Vaters
31–32	0,15	40–41	2,5	Abhängigkeit vom väterlichen Alter wird als weniger entscheidend erachtet. Ein signifikant erhöhtes Risiko besteht erst ab dem 45. Lj.
33–34	0,25	42–44	4	
35–36	0,7	45–46	9	
37–39	1,5	47–48	18	

4.4.5 Leitsymptome bei Fehlbildungssyndromen (postpartal)

> Bei Dysmorphie-Fehlbildungssy. oft schwierige Zuordnung zu definierten Krankheitsbildern. Möglichst exakte Zuordnung wichtig, z. B. ob Therapieabhängigkeit, Wiederholungsrisiko für weitere Nachkommen besteht. Selbstverständlich sind nicht alle Dysmorphien genetisch bedingt.

Gesichtsanomalien
- **Mongoloide Lidachsenstellung:** Down-Sy. (▶ 4.4.2)
- **Antimongoloide Lidachsenstellung:** Cri-du-chat-Sy. (▶ 4.4.2)

4.4 Chromosomenanomalien

- **Weiter Augenabstand:** Potter-Sequenz
- **Enger Augenabstand:** maternale PKU, Pätau-Sy.
- **Kurze Lidspalten:** Alkoholembryofetopathie, Edwards-Sy.
- **Makroglossie:** Down-Sy. (▶ 4.4.2), angeborene Hypothyreose, Mukopolysaccharidosen
- **Verstrichenes Philtrum:** Alkoholembryofetopathie
- **Langes Philtrum:** (s. o.), Valproat, maternale PKU
- **Tief sitzende Ohren:** Edwards-Sy. (▶ 4.4.2), Down-Sy. (▶ 4.4.2)
- **Mikrognathie:** Edwards-Sy. (▶ 4.4.2), Turner-Sy. (▶ 4.4.3)
- **Tiefer Haaransatz:** Turner-Sy. (▶ 4.4.3)
- **Dünnes Haar:** ektodermale Dysplasie
- **Lippen-Kiefer-Gaumen-Spalte:** Pätau-Sy., Antiepileptika-Embryofetopathie
- **Grobe Gesichtszüge:** Mukopolysaccharidosen

Extremitätenfehlbildungen
- **Polydaktylie:** Pätau-Sy. (▶ 4.4.2)
- **Syndaktylie:** Cri-du-chat-Sy. (▶ 4.4.2)
- **Sandalenlücke:** Down-Sy.
- **Vierfingerfurche:** Down-Sy.
- **Extremitätenhypoplasie:** Varizellen-Embryofetopathie, Amnionbänder
- **Gelenkkontrakturen:** Potter-Sequenz
- **Radiusaplasie:** Edwards-Sy. (▶ 4.4.2)

Kleinwuchs
- **Dysproportioniert:**
  - Achondroplasie: autosomal-dominant, Makrozephalus, Lendenlordose, im Säuglingsalter Muskelhypotonie
  - Knorpel-Haar-Hypoplasie: autosomal-rezessiv, überstreckbare Gelenke; feines, spärliches Haar, Immundefekt
- **Proportioniert:** Down-Sy. (▶ 4.4.2), Turner-Sy.
- **Hochwuchs:** Marfan-Sy., Klinefelter-Sy.
- **Adipositas:** Down-Sy., Turner-Sy., Klinefelter-Sy. (▶ 4.4.3)

Innere Fehlbildungen
- **Nierenfehlbildungen:** Embryopathia diabetica, Edward-Sy., Turner-Sy., Potter-Sequenz ▶ 5.10
- **Ösophagusatresie:** Edwards-Sy.

Neurologische Auffälligkeiten
- **Erlernte Fähigkeiten ↓:** Speicherkrankheiten
- **Geistige Behinderung:** s. o.; Mikrozephalus
- **Krampfanfälle:** Stoffwechselerkr. (Naevus flammeus im Trigeminusbereich), tuberöse Hirnsklerose (White Spots u. Angiofibrome), Neurofibromatose von Recklinghausen (Café-au-Lait-Flecken u. Neurofibrome)
- **Mikrozephalus:** angeborene Inf., Alkoholembryofetopathie, maternale PKU, Pätau-Sy., Edwards-Sy.
- **Muskelhypotonie:** Muskeldystrophie, Down-Sy.
- **Myelomeningozele:** Valproat-Embryopathie, Edwards-Sy.

4.5 Stoffwechselerkrankungen

4.5.1 Pränatale Diagnostik

Bei den meisten Stoffwechselerkr. pränatale Diagnose möglich. Allerdings ist eine pränatale Diagn. nur in Fällen sinnvoll, in denen eine familiäre Belastung vorliegt u./o. die zu befürchtende Stoffwechselerkr. mit erheblichen Schäden einhergeht. Die Diagn. erfolgt durch spezialisierte Labors mithilfe von Plazentagewebe (CVS ▶ 4.2.7) o. FW (Amniozentese ▶ 4.2.6). Der Untersuchung von Plazentagewebe wird dabei meist wegen des Zeitgewinns im Hinblick auf eine mögliche Interruptio der Vorzug gegeben.

4.5.2 Erweitertes Neugeborenenscreening

Hörscreening ▶ 11.3.4.

Indikationen Das NG-Screening soll frühzeitig Stoffwechselerkr. aufdecken, die unerkannt u. unbehandelt zu ZNS-Schäden führen.

Durchführung Blutentnahme aus der Ferse meist am 3. Lt, frühestens ab der 36. Lebensstunde. Umfasst neben Hypothyreose, Phenylketonurie, Galaktosämie u. Biotinidasemangel (▶ Tab. 4.6) auch weitere Störungen wie adrenogenitales Syndrom (AGS; Häufigkeit: ca. 1 : 10.000 NG), Ahornsirupkrankheit (MSUD;

Tab. 4.6 Neugeborenenscreening

	TSH	Phenylalanin	Galaktose	Biotinidase
Erkrankung	Hypothyreose	Phenylketonurie (PKU)	Galaktosämie	Biotinidasemangel
Häufigkeit	1 : 3.000	1 : 10.000	1 : 40.000	1 : 60.000
Klassische Symptome	Struma, Nabelbruch, Icterus prolongatus	blond, blauäugig, geistig retardiert	Ikterus, Erbrechen, Lethargie, Katarakt	an Haut (Exantheme), Haaren (Ausfall), Hirn (Krampfanfälle)
Zeitpunkt des Auftretens erster Symptome	evtl. 1. Lm	mit 6 Mon.	evtl. Ende 1. Lw	evtl. mit 2 Wo.
Therapie	L-Thyroxin	phenylalaninarme Diät	laktosefreie Diät	Biotinmedikation
Prognose in Abhängigkeit vom Therapiebeginn	• Früh: IQ um 100 • Ohne: IQ 70–80	• Früh: IQ um 100 • Ab Symptom: IQ 70–80 • Ohne: IQ < 30	• Früh: IQ o. B. • Ohne: Langzeitprogn. unsicher, häufig Tod im Säuglingsalter	• Früh: IQ o. B. • Ohne: unterschiedlich
Gezielte Nachweisverfahren	TSH u. fT$_4$ i. S.; RIA o. Immunassay	Phenylalanin i. S. fluorometrisch, chromatografisch	Galaktose i. S. enzymatisch	kolorimetrische Bestimmung

Häufigkeit: ca. 1 : 20.0000 NG), Medium-Chain-Acyl-CoA-Dehydrogenase-Mangel (MCAD; Häufigkeit: ca. 1 : 10.000 NG), Long-Chain-3-OH-Acyl-CoA-Dehydrogenase-Mangel LCHAD u. Very-Long-Chain-Acyl-CoA-Dehydrogenase-Mangel (VLCAD; Häufigkeit: ca. 1: 80.000 NG), Carnitin-Palmitoyl-Transferase-I-Mangel CPT-I, Carnitin-Palmitoyl-Transferase-II-Mangel CPT-II u. Carnitin-Acylcarnitin-Translokase-Mangel (Häufigkeit: ca. 1 : 100.000 NG), Glutarazidurie Typ I GA-I (Häufigkeit: ca. 1 : 80.000 NG) u. Isovalerianazidämie (IVA; Häufigkeit: ca. 1 : 50.000 NG).

> Screeninguntersuchungen liefern grundsätzlich „nur" Verdachtsdiagn., die durch gezielte Nachweisverfahren zu sichern sind.

4.6 Neuralrohrdefekte

4.6.1 Übersicht

Epidemiologie Häufigkeit 1 : 1.000, Wiederholungsrisiko ca. 6,5 %.

Ätiologie Ursächlich kommen neben genetischen auch Umweltfaktoren in Betracht. Folsäuremangel o. ein genetisch bedingter Block im Folsäurestoffwechsel stören durch bislang nicht geklärte Mechanismen die fetale Neuralrohrentwicklung.

Pathogenese Durch Entwicklungshemmung der Neuralanlage in der frühen Embryonalperiode kommt es zu Schlussstörungen des Nervensystems. Erste Anlage des ZNS ist eine Verdickung des Ektoderms in der dorsalen Mittellinie, die sog. Neuralplatte. Diese wird durch Absenkung zur Neuralrinne u. durch Schluss u. Verlagerung ins Körperinnere bis zur 6. SSW zum Neuralrohr. Abhängig vom Ausmaß der Schlussstörung unterscheidet man:
- Totale Rachischisis: Schluss bleibt in ganzer Länge aus
- Spina bifida aperta: Schluss bleibt nur kaudal unvollständig
- Cranium bifidum, in der Extremform ein Anenzephalus: Schluss bleibt nur kranial unvollständig

Therapie Die Ther. der Dysrhaphien erfolgt operativ. Bei überhäuteten Meningozelen ist sie elektiv möglich, offene Meningozelen erfordern eine sofortige OP innerhalb der ersten 6–12 Lebensstunden wegen der Gefahr der Rückenmarkinf. mit Untergang weiteren Nervengewebes (▶11.7.5). Formen der Dysrhaphien ▶11.7.5.

Prophylaxe In prospektiven randomisierten Studien wurde die Wirksamkeit einer prophylaktischen präkonzeptionellen Folsäuregabe nachgewiesen.
Dosierung von Folsäure (z. B. Lafol®):
- Bei Pat. ohne Risikoanamnese: Folsäure 0,4 mg/d p. o.
- Bei Pat. mit Neuralrohrdefekt-Anamnese in vorausgegangener Schwangerschaft: 4 mg/d
- Bei antikonvulsiver Ther. (Phenobarbital, Phenytoin, Primidon): ≤ 0,5 mg/d p. o. wegen Gefahr der verminderten antikonvulsiven Wirkung

4.6.2 Hydrozephalus

Formen Man unterscheidet:
- Hydrocephalus internus: Erweiterung der Hirnkammern
- Hydrocephalus externus: Erweiterung von Hirnkammern u./o. Subarachnoidalraum

Der Hydrozephalus kann hypertensiv o. normoton sein, mit o. ohne Makrozephalus auftreten, isoliert o. mit anderen Strukturanomalien des ZNS einhergehen. Zeitpunkt des Auftretens: prä-, peri- o. postnatal.

Epidemiologie Häufigkeit ca. 1 : 900, davon 40 % mit Spina bifida interna, 20 % als unkomplizierter kongenitaler Hydrozephalus (Wiederholungsrisiko 1–2 %) u. 15 % X-chromosomal mit Aquäduktstenose.

Ätiologie Genetisch, infektiös, tumorös o. durch Leukomalazie z. B. infolge von Hypoxie o. Azidose.

Klinik Gespannte, vorgewölbte Fontanelle, klaffende Schädelnähte. Ggf. Makrozephalus. „Sonnenuntergangsphänomen" der Pupillen.

Therapie Shunt-OP (**cave:** *Staph.-albus*-Sepsis).

4.7 Strahlenexposition in der Gravidität

4.7.1 Dosisgrößen und -einheiten

- **Ionendosis:** durch Ionisation in Luft erzeugte elektrische Ladung bezogen auf die Masse der Luft. Einheit: 1 Coulomb/kg (C/kg); alte Einheit: 1 Rö = $2{,}58 \times 10^{-4}$ C/kg
- **Energiedosis:** im Gewebe absorbierte Strahlungsenergie bezogen auf die Masse des Gewebes. Einheit: 1 J/kg = 1 Gray (Gy); alte Einheit: 1 rad = 0,01 Gy
- **Äquivalentdosis:** mit strahlenspez. Wichtungsfaktor multiplizierte Energiedosis. Einheit: 1 Sievert (Sv); alte Einheit: 1 rem = 0,01 Sv
- **Strahlenwichtungsfaktoren für verschiedene Strahlenarten:** γ-, Rö-, Elektronenstrahlung = 1; α-Strahlung = 20
- **Effektive Äquivalentdosis** (Dosisgröße, in der Grenzwerte angegeben sind): Summe der mittleren Äquivalentdosen der exponierten Organe o. Gewebe multipliziert mit organspez. Wichtungsfaktoren. Einheit: 1 Sv
- **Gewebewichtungsfaktoren:** Keimdrüsen = 0,20 (höchster Wichtungsfaktor); rotes Knochenmark = 0,12
- **LD_{50}:** Dosis, bei der unbehandelt 50 % der Probanden sterben (= Ganzkörperbestrahlung beim Erw. von ca. 4 Gy)
- **LD_{100}:** Dosis, bei der unbehandelt 100 % der Probanden sterben (= Ganzkörperbestrahlung beim Erw. mit ca. 9 Gy)
- **Sterilisationsdosis:** bei der Frau Radiomenolyse, beim Mann irreversible Hemmung der Spermiogenese jeweils ab 5 Gy

4.7.2 Allgemeine Strahlenbelastung

Die mittlere jährliche Strahlenbelastung der deutschen Bevölkerung beträgt ca. 3,5 mSv. Davon entfallen:

4.7 Strahlenexposition in der Gravidität

- 60 % (ca. 2,0 mSv) auf natürliche Strahlenquellen wie terrestrische, kosmische u. Strahlung radioaktiver Zerfallsprodukte aus dem tägl. Umgang, etwa Baumaterialien, Inkorporation natürlicher radioaktiver Stoffe (z. B. ^{14}C)
- 40 % (ca. 1,5 mSv) auf künstliche Bestrahlung, i. Wesentl. bei med. Diagn. u. Ther., aber auch Strahlung infolge von Forschung, kerntechnischen Anlagen, radioaktiven Fallouts u. Flugreisen

4.7.3 Strahlenbelastung des Ungeborenen bei Röntgendiagnostik der Mutter

- Rö-Aufnahmen auch kritischer Regionen führen kaum zu bedenklichen Belastungen der Frucht (▶ Tab. 4.7).
- Deutlich höhere Belastungen werden bei Durchleuchtungen erreicht, z. B. bei Polytraumen oder i. R. von Angiografien.
- Bei nachträglich festgestellter Grav. Messsimulation zur genauen Ermittlung der Dosisbelastung durchführen. Ein Schwangerschaftsabbruch ist nur im Ausnahmefall med. indiziert.

Tab. 4.7 Geschätzte mittlere Strahlendosis für das Ungeborene bei Röntgendiagnostik in der Gravidität

Aufnahmetechnik/untersuchte Körperregion der Mutter	Strahlendosis (mSV*)
Konventionelles Rö	
Obere Extremität	0,01
Untere Extremität	0,01
HWS	0,02
Schädel	0,04
Thorax	0,08
BWS	0,09
Gallenblase	2,0
LWS	2,8
Abdomen-Übersicht	2,9
Hüfte	3,0
Oberer Gastrointestinaltrakt	3,6
Becken-Übersicht	4,4
Kontrastmitteluntersuchungen	
i. v. Pyelogramm	4,0
Intestinaltrakt (Barium-Kontrast)	4,4

Tab. 4.7 Geschätzte mittlere Strahlendosis für das Ungeborene bei Röntgendiagnostik in der Gravidität *(Forts.)*	
Aufnahmetechnik/untersuchte Körperregion der Mutter	Strahlendosis (mSV*)
Computertomografie	
Schädel	2,0
Thorax	6–10
Abdomen	10–25
*= mGy bei Rö-Strahlen	

Magnetresonanztomografie
Untersuchungen mit geringstmöglicher Feldstärke u. Expositionsdauer durchführen.

4.7.4 Strahlenbedingtes Risiko

> Spontane Fehlbildungsrate ca. 3 %

Strahlenempfindlichkeit der Frucht
Ohne eigentliche Schwellendosis:
- Beginnender Strahlenschaden ab etwa 0,03 Gy (30 mSv)
- Kritische Dosis für irreversible Schäden bei etwa 0,05 Gy (50 mSv)
- Ab 0,1 Gy (100 mSv) in der Frühgrav. Interruptio erwägen

> Generell in der Schwangerschaft so wenig wie möglich röntgen o. bestrahlen.

Strahlenexposition und Folgen
Der Strahlenschaden hängt vom Zeitpunkt des Einwirkens (vulnerable Phasen ▶ Abb. 4.1) u. von der Strahlenintensität pro Zeiteinheit ab (konzentrierte Strahlung beinhaltet höheres Risiko als fraktionierte, prolongierte Strahlung).
- Präimplantationsphase: „Alles-o.-nichts"-Prinzip
- Organogenese: Dysplasien, Hypoplasien
- Fetalperiode: abnehmende Fehlbildungswahrscheinlichkeit, Überwiegen allg. o. lokaler Wachstumsstörungen (ZNS, Gonaden), Induktion maligner Erkr. mit Manifestation überwiegend innerhalb der ersten 10 Lj.

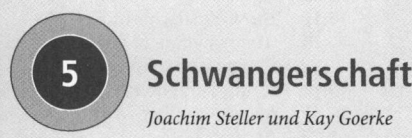

5 Schwangerschaft

Joachim Steller und Kay Goerke

5.1	**Definitionen** 109		5.6.2	Abortus imminens (drohender Abort) 133
5.2	**Diagnostische Methoden** 109		5.6.3	Abortus incipiens, incompletus, completus 134
5.2.1	Äußere Untersuchung 109			
5.2.2	Innere Untersuchung 112			
5.2.3	Beckenmaße 113		5.6.4	Missed Abortion 135
5.2.4	Humanes Choriongonadotropin (HCG) 113		5.6.5	Febriler Abort, septischer Abort 135
5.2.5	Antikörper-Suchtest 114		5.6.6	Habitueller Abort 136
5.2.6	Screening Gestationsdiabetes 115		5.7	**Trophoblasterkrankungen** 138
5.2.7	Beurteilung von Plazenta und Fruchtwassermenge 117		5.7.1	Blasenmole 138
			5.7.2	Chorionepitheliom (Chorionkarzinom) 140
5.3	**Initialsymptome und erste Maßnahmen** 118		5.8	**Erkrankungen in der Schwangerschaft** 143
5.3.1	Schwangerschaftszeichen 118		5.8.1	Frühgestosen 143
5.3.2	Berechnung von Schwangerschaftswoche (SSW) und Geburtstermin (EGT) 119		5.8.2	Sodbrennen 145
			5.8.3	Herzerkrankungen in der Schwangerschaft 145
5.3.3	Diagnostik nach Feststellung der Schwangerschaft 119		5.8.4	Gastrointestinale Erkrankungen in der Schwangerschaft 147
5.4	**Schwangerenvorsorge** 121			
5.4.1	Planung 121			
5.4.2	Beratung 122		5.8.5	Lebererkrankungen in der Schwangerschaft 148
5.4.3	Gesetzliche Bestimmungen 127			
			5.8.6	Renale Komplikationen der Schwangerschaft 149
5.5	**Schwangerschaftsabbruch (Interruptio, Abruptio)** 129			
			5.9	**Spätgestosen** 151
5.5.1	Gesetzliche Bestimmungen 129		5.9.1	Schwangerschaftsinduzierte Hypertonie (SIH, EPH-Gestose) 151
5.5.2	Durchführung der Interruptio 131			
			5.9.2	Pfropfgestose 157
5.6	**Abort (Fehlgeburt)** 133		5.9.3	HELLP-Syndrom 157
5.6.1	Grundlagen 133		5.10	**Gestationsdiabetes (GDM)** 158

5.11	**Vorzeitige Wehen, Zervixinsuffizienz** 160	5.15	**Thrombozytopenie in der Schwangerschaft** 175
5.11.1	Grundlagen 160	5.16	**Fetale Fehlbildungen** 177
5.11.2	Tokolyse 161	5.17	**Terminüberschreitung** 178
5.11.3	Cerclage 165	5.18	**Uterusmyome in der Schwangerschaft** 180
5.11.4	Pränatale Lungenreifeförderung (RDS-Prophylaxe) 166	5.19	**Prostaglandine zur Abortinduktion** 181
5.12	**Mehrlingsgravidität** 167	5.19.1	Abortinduktion bis 13+6 SSW p. m. 181
5.12.1	Besonderheiten von Zwillingsschwangerschaften 167	5.19.2	Abortinduktion 14+0–24 SSW p. m. 181
5.12.2	Fetofetales Transfusionssyndrom (FFTS) 169	5.19.3	Einleitung beim intrauterinen Fruchttod (IUFT) ab 25. SSW p. m. 182
5.12.3	Fighting-Twin-Syndrom (FTS) 171	5.20	**Unfälle in der Schwangerschaft** 183
5.13	**Intrauterine Wachstumsretardierung (IUGR)** 172		
5.14	**Fetale Herzrhythmusstörungen** 173		

5.1 Definitionen

Definitionen
- **Lage:** Beziehung von Längsachse des Kindes zur Längsachse der Mutter (Längslage – Querlage – Schräglage).
- **Stellung:** Position des Kindrückens in Beziehung zur Gebärmutter. Bei den Längslagen gilt:
  - I: Rücken li. seitlich
    - Ia: Rücken li. vorn
    - Ib: Rücken li. hinten
  - II: für re. Seite entsprechend (z. B. IIa = Rücken re. vorn)
- **Einstellung:** Beziehung des vorangehenden Teils zum Geburtskanal, z. B. bei Schädellagen Hinterhaupt (kleine Fontanelle) o. Vorderhaupt (große Fontanelle)
- **Haltung:** Beziehung der Kindsteile zueinander, besonders wichtig für den Kopf (path. z. B. gestreckter o. deflektierter Kopf) ▶ 8.6.3.

5.2 Diagnostische Methoden

Kay Goerke

- Ultraschall ▶ 22.2
- Amniozentese ▶ 4.2.6
- Chorionzottenbiopsie ▶ 4.2.7
- Ersttrimester-Screening ▶ 4.2.5
- Nichtinvasiver Pränataltest (NIPT) ▶ 4.2.3

5.2.1 Äußere Untersuchung

Veränderungen der Haut
- **Schwangerschaftsstreifen** („Striae"): Ruptur u. Retraktion der elastischen Fasern der Haut an Bauch, Hüften, Gesäß u. Mammae. Ursachen: Störung der elastischen Fasern der Haut durch Überdehnung, Störung der Elastizität des Hautgewebes durch Kortisolanstieg in der Grav. Prophylaxe (meist wenig erfolgreich): Bürstenmassage, wechselnd heiß u. kalt duschen, fetthaltige Cremes
- **Hyperpigmentation:** Linea alba (Mittellinie zwischen Nabel u. Symphyse) wird zur Linea fusca, Areolae, Gesäß u. Vulva, Stirn, Gesicht (Chloasma gravidarum)
- **Ödeme:** an abhängigen Körperpartien. **Cave:** SIH ▶ 5.9.1
- **Varizen:** an unteren Extremitäten, Vulva u. Anus

1. Leopold-Handgriff

Indikationen Feststellung von Fundusstand (▶ Abb. 5.1) u. Lage des Kindes (▶ Abb. 5.2).

Durchführung Untersuchung der Schwangeren im Liegen. Die ulnaren Kanten beider Hände umfassen den Fundus.

Typische Fundusstände:		Symphysen-Fundus-Abstand in cm:
40. SSW:	2 QF unterhalb des Rippenbogens	36
36. SSW:	am Rippenbogen (höchster Stand)	34
32. SSW:	zwischen Nabel und Xiphoid	29
28 SSW:	3 QF oberhalb des Nabels	26
24. SSW:	am Nabel	22
20. SSW:	3 QF unterhalb des Nabels	17
16. SSW:	2 QF über der Symphyse	6
12. SSW:	obere Symphysenkante	0

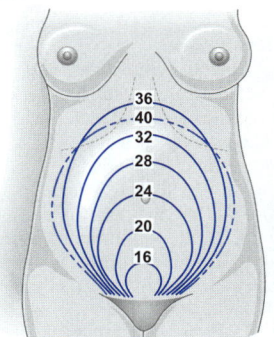

Abb. 5.1 Fundusstände [L157]

2. Leopold-Handgriff

Indikationen Ermittlung der Stellung des kindlichen Rückens:
- 1. Lage: kindlicher Rücken li.
- 2. Lage: kindlicher Rücken re.
! Merkspruch: **R**ücken **r**echts = 2-mal „R" = 2. Lage

Durchführung Beide Hände liegen seitlich dem Uterus flach an, der Rücken tastet sich als lange glatte Struktur, die kleinen Teile (Arme, Beine) erscheinen unregelmäßig u. beweglich.

3. Leopold-Handgriff

Indikationen Unterscheidung zwischen Schädel- u. Steißlagen bei noch nicht in das Becken eingetretenem vorangehendem Teil, außerdem Bestimmung des Höhenstands.

Durchführung Im Bereich des unteren Uterinsegments wird der vorangehende Teil mit Daumen u. abgespreizten Fingern der re. Hand erfasst. Der Kopf ist hart, kugelig, ballotiert (Beweglichkeit ggü. dem Rumpf), der Steiß ist schmaler, weicher, weniger beweglich.

4. Leopold-Handgriff

Indikationen Ermittelt von außen den Höhenstand des vorangehenden Teils, sofern dieser ins Becken eingetreten ist.

Durchführung Die Hände werden von kranial mit den ulnaren Kanten seitlich dem Uterus angelegt u. oberhalb der Leistenbeuge in die Tiefe vorgeschoben.

5. Leopold-Handgriff (= Zangemeister-Handgriff)

Indikationen Versuch, ein Missverhältnis zwischen Becken u. vorangehendem Teil festzustellen.

Durchführung Von der Seite aus wird eine Handfläche auf die Symphyse, die andere flach auf den vorangehenden Teil gelegt.

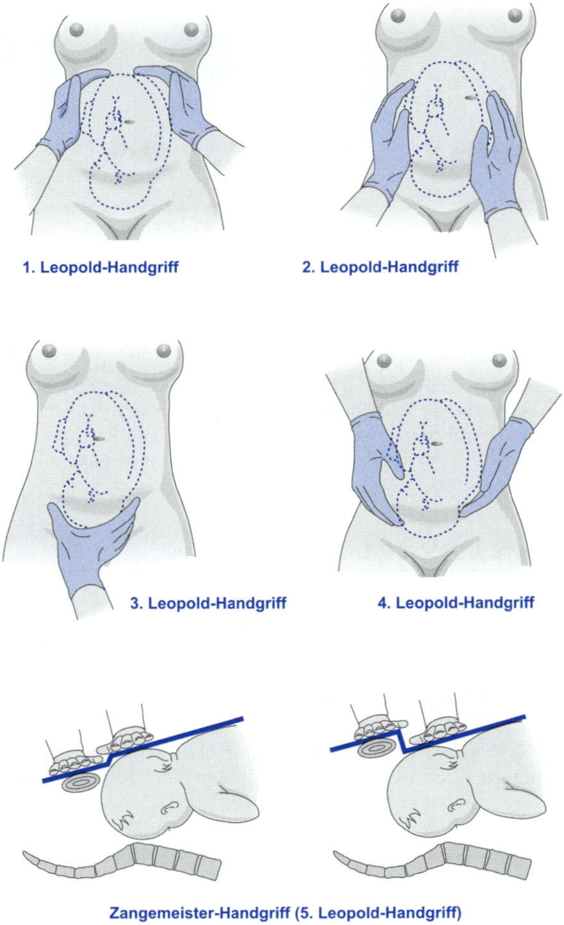

5.2 Diagnostische Methoden

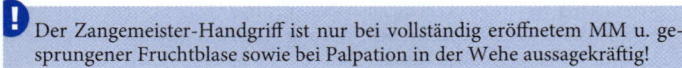

Abb. 5.2 Leopold-Handgriffe [L157]

Bewertung
- Kopf überragt Symphyse nicht: kein Missverhältnis, Zangemeister neg.
- Kopf überragt Symphyse gering: mäßig verengtes Becken
- Kopf überragt Symphyse deutlich: Missverhältnis, Zangemeister pos.

> Der Zangemeister-Handgriff ist nur bei vollständig eröffnetem MM u. gesprungener Fruchtblase sowie bei Palpation in der Wehe aussagekräftig!

Quadratische Raute: regelrecht gestaltetes Becken

Papierdrachenform: V.a. platt-rachitisches Becken

Längliches, oben und unten spitz zusammenlaufendes Becken: V.a. allgemein verengtes Becken

Schräg verengtes Becken: asymmetrische Form, z.B. bei Hüftgelenkluxation

Abb. 5.3 Michaelis-Raute [L190]

Michaelis-Raute

Indikationen Zur Abschätzung von Beckenform u. -größe.

Durchführung Im Stehen unter Anspannung der Gesäßmuskulatur stellen sich, am besten bei seitlicher Beleuchtung, im Sakralbereich vier Grübchen dar: eines unterhalb des Dornfortsatzes von LWK4, eines am oberen Rand der Analfurche, zwei jeweils seitlich über den Spinae iliacae posteriores superiores.

Bewertung ▶ Abb. 5.3.

5.2.2 Innere Untersuchung

 Bei der vag. Untersuchung (wird bei jeder Schwangerschaftsuntersuchung durchgeführt) sollen Portiolänge u. MM-Weite beurteilt werden. Die Beckenaustastung erfolgt nur bei der Erstuntersuchung. Ab der 36. SSW sollte der kindl. Kopf bei SL u. zumindest bei Erstgebärenden fest im BE zu tasten sein.

Vorgehen Lagern der Pat. auf dem gyn. Stuhl, bei der Untersuchung auf der Liege o. im Bett setzt sich der Untersucher auf die Bettkante. Palpation mit Mittel- u. Zeigefinger.

Beurteilung
- **Schambogenwinkel:** normal 90°; bei allg. verengtem Becken spitz u. verengt; bei platt-rachitischem Becken weit u. stumpf
- **Uterus:** Größe (bimanuell), Lage (v. a. in der Frühschwangerschaft), Konsistenz. Kontraktionen während der Untersuchung sind physiol., auch in der Frühschwangerschaft
- **Portio:** Lage (kreuzbeinwärts, in Führungslinie). Länge in Zentimeter angeben, nicht in QF, außen an der Portio, nicht im CK zu tasten. Konsistenz (derb, mittelfest, weich)
- **Muttermundweite:** geschlossen, Fingerkuppe einlegbar o. fingerdurchgängig. Weite ansonsten in Zentimeter angeben
- **Höhe des vorangehenden Teils:** über Beckeneingang, abschiebbar im Beckeneingang, fest im Beckeneingang, obere u. untere Schoßfugenrandebene, Interspinalebene, auf Beckenboden. Wichtig: Angabe, ob größter Durchmesser o. die Geburtsgeschwulst gemeint ist

- **Pfeilnaht u. Fontanellen:** Bei dorsoposteriorer SL sind unter der Geburt bei geöffnetem MM Pfeilnaht u. Fontanellen zu tasten:
  - Bei Kopf im Beckeneingang: Pfeilnaht quer, kleine u. große Fontanelle auf gleicher Höhe tastbar (indifferente Haltung, Kopf ist noch nicht gebeugt), kleine Fontanelle re. (II. Stellung) o. li. (I. Stellung) zu tasten
  - Beckenmitte: Pfeilnaht schräg zu tasten (I. Lage: im 1. schrägen Durchmesser, II. Lage: im 2. schrägen Durchmesser); kleine Fontanelle übernimmt die Führung (Leitstelle)
  - Beckenausgang: Pfeilnaht ist gerade zu tasten; kleine Fontanelle ist vorn
- **Beckenaustastung:** V. a. querverengtes Becken, wenn seitliche Anteile der Linea terminalis nicht erreichbar sind, V. a. Verkürzung der Conjugata vera, wenn Promontorium nicht erreichbar ist. Steißbeinbeweglichkeit, Hinterwand der Symphyse (Exostosen), Abtasten der Weichteile (Narben, ungewöhnlich straff)

5.2.3 Beckenmaße

Die Bestimmung der Beckenmaße vor der Geburt hat heute allenfalls noch historische Bedeutung. Der Versuch, von den äußeren auf die inneren Beckenmaße schließen zu wollen, ist wissenschaftlich nicht haltbar. Weitere Methoden (US, CT, MRT etc.) sind mit Fehlern behaftet o. für die Geburtsplanung wenig tauglich. Aus forensischen Gründen empfiehlt sich stets die genaue Dokumentation des geburtshilflichen Befunds (Lage, Stellung, Einstellung, Höhe des vorangehenden Teils, Beckenaustastung, erreichbares Promontorium, Geburtsverlauf, ermitteltes Kindsgewicht etc.). Im Rahmen einer Sectio caesarea können die inneren Beckenmaße (Conjugata vera) mittels Beckenzirkel ermittelt werden.

> **Innere Beckenmaße**
> - **Conjugata vera (obstetrica):** Verbindungslinie vom Promontorium zum am weitesten vorspringenden Punkt der Symphyse. Nur bei der Sectio caesarea mit dem Beckenzirkel o. radiol. zu messen. Normal bei 11 cm
> - **Querer Durchmesser:** im (querovalen) Beckeneingang 13 cm
> - **Beckenmitte:** nahezu kreisförmiger Raum, alle Durchmesser etwa 12 cm
> - **Gerader Durchmesser:** am Beckenausgang 11–12 cm
> - **Querer Durchmesser:** im (längsovalen) Beckenausgang 11 cm

5.2.4 Humanes Choriongonadotropin (HCG)

Physiologie HCG wird im Synzytiotrophoblasten gebildet u. bewirkt die Erhaltung des Corpus luteum in der Schwangerschaft. Die dort gebildeten Östrogene u. Gestagene erhalten die Decidua graviditatis so lange, bis der Trophoblast selbst genügend Progesteron produzieren kann.

Messung Etwa 10–12 d p. c. (d. h. bereits vor Ausbleiben der Regelblutung) im mütterlichen Serum nachweisbar. Die modernen Urintests werden mit Ausbleiben der Regelblutung pos.

Auswertung Verdoppelung der Serumwerte etwa alle 2 d bis zum Serummaximum in der 11. SSW, anschließender HCG-Abfall. HWZ bei hohen HCG-Werten ca. 12 h, bei niedrigen ca. 40 h (▶ Abb. 5.4). Cave: Bei Mehrlingsschwangerschaften gelegentlich stark erhöhte Werte.

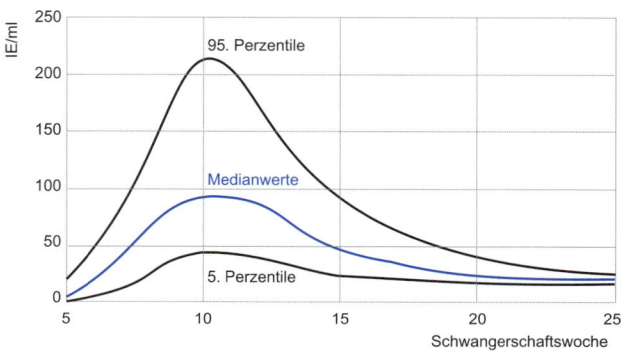

Abb. 5.4 HCG-Werte im Serum in der Schwangerschaft (IE/ml) [L190]

- **V. a. Frühabort:** Bei nicht eindeutigem US-Befund u. Ausschluss einer Termindiskrepanz Bestätigung der Diagn. durch gleichbleibend niedrige HCG-Werte über Tage o. abfallende Werte vor der 11. SSW.
- **V. a. EUG:** HCG-Werte stark ↓. Bei einer Störung der Verbindung zwischen Fruchtanlage u. Tubengefäßen fällt der HCG-Spiegel ab, beim Tubarabort rascher als bei der Tubarruptur.
- **Fehlermöglichkeiten:** falsch pos. o. erhöhte Werte durch HCG-bildende Tumoren. Bei Blasenmole o. Chorionepitheliom HCG-Spiegel > 500 IE/ml (= 500.000 IE/l). **Cave:** Koinzidenz von intakter Schwangerschaft u. Blasenmole möglich.

5.2.5 Antikörper-Suchtest

Durch irreguläre Rhesus-AK Gefahr der intrauterinen Schädigung aufgrund eines beschleunigten Abbaus der fetalen Erys (Morbus haemolyticus fetalis et neonatorum). Etwa 98 % der irregulären IgG-AK gehören zu den Anti-D-AK, einschl. Anti-D + C + E, Anti-D + K u. Anti-D + S. Auch im AB0-System (Mutter Blutgruppe 0, Kind Blutgruppe A o. B) kann es zu Unverträglichkeiten kommen. Intrauterine Schädigungen des Kindes sind aber selten, da die Oberflächenantigene der kindlichen Erys im AB0-System erst gegen Ende der Grav. voll ausgebildet sind.
Als weitere Blutgruppenmerkmale, die zur AK-Bildung in der Grav. führen können, wurden bislang identifiziert: Kell, Fya, Fyb, S, s, U, Jka, Jkb u. Dia.

Epidemiologie Die typische Rh-Konstellation (Rh-neg. Schwangere u. Rh-pos. Kind) liegt statistisch bei 12 % der Schwangerschaften vor, aufgrund von Non-Respondern (keine AK-Bildung) liegt das tatsächliche Risiko für eine Rh-Sensibilisierung bei 8 % der Schwangerschaften. Bei etwa 20 % besteht gleichzeitig eine Inkompatibilität gegen das AB0-System, sodass in der Grav. übergetretene fetale Erys bereits durch reguläre AK des AB0-Systems zerstört werden, bevor eine Rh-

Sensibilisierung stattfindet. Die Häufigkeit einer AK-Reaktion mit anderen Blutgruppenmerkmalen liegt bei 2 %.
Durch Einführung der postpartalen Rh-Prophylaxe (▶ 11.4.4) sank die Sensibilisierungsrate um 90 %. Eine nochmalige Senkung um 90 % wird von der nach den Mutterschaftsrichtlinien in der 28.–30. SSW durchzuführenden Rh-Prophylaxe erwartet (▶ 5.4.1).

Indikationen In der Frühschwangerschaft AK-Suchtest mind. gegen Antigene D, C, c, E, e, Kell, Fy u. S obligat. Wdh. der AK-Suchreaktion in der 24.–27. SSW, wenn bei der ersten keine AK nachgewiesen wurden.

Vorgehen bei positivem Test
- Bei niedrigen Titerwerten ≤ 1 : 8 (Richtwerte laborabhängig) Kontrolle nach 3–4 Wo.
- Bei Titerwerten ≥ 1 : 16 ab 17. SSW Amniozentese zur Bili-Bestimmung im FW (▶ 4.2.6), Kontrolle alle 2–4 Wo.
- Sonografische Überwachung des Feten zur Erkennung von Aszites o. Hydrops fetalis.
- Bei V. a. Anämie Nabelschnurpunktion zur dir. fetalen Zustandsbeurteilung (Blutgruppe, Hb, Bili).
- Ggf. intrauterine Transfusion gewaschener Erys der Blutgruppe 0-Rh-neg. (Chordozentese, nur in wenigen Zentren möglich).
- Evtl. vorzeitige Schwangerschaftsbeendigung ab einem geschätzten Kindsgewicht > 1.500 g nach Risikoabwägung.

> Eine frühere Gabe von Rh-AK kann ggf. zu einer Augmentation führen (Risiko der Sensibilisierung sub partu steigt).

5.2.6 Screening Gestationsdiabetes

Jeder Schwangeren, die nicht bereits einen manifesten Diab. hat, wird nach Mutterschaftsrichtlinien ein Screening auf Gestationsdiabetes (GDM) mit nachfolgend beschriebenem Ablauf angeboten.

> **Screeningablauf**
> - Im Zeitraum zwischen 24+0 u. 27+6 SSW Bestimmung der Plasmaglukosekonz. 1 h nach oraler Gabe von 50 g Glukoselsg. unabhängig vom Zeitpunkt der letzten Mahlzeit, nicht nüchtern (50 g Glukose in 200 ml Wasser innerhalb von 5 min langsam trinken lassen). Einmalige BZ-Bestimmung nach 1 h im Venenblut
> - Schwangere mit BZ-Werten ≥ 7,5 mmol/l (= 135 mg/dl) u. ≤ 11,1 mmol/l (= 200 mg/dl) erhalten zeitnah einen oralen Glukosetoleranztest (oGTT) mit 75 g Glukoselsg. nach Einhaltung von mindestens 8 h Nahrungskarenz (s. diagn. oGTT-Durchführung)
> - Auswertung ▶ Tab. 5.1

Oraler Glukosetoleranztest (oGTT)

Indikation Bei auffälligen Screeningwerten mit BZ-Werten ≥ 7,5 mmol/l (= 135 mg/dl) u. ≤ 11,1 mmol/l (= 200 mg/dl) oGTT mit 75 g Glukose indiziert.

Tab. 5.1 Auswertung des Screenings auf Gestationsdiabetes	
Werte	Interpretation
< 135 mg/dl (< 7,5 mmol/l)	Normalbefund
135–200 mg/dl (7,5–11,1 mmol/l)	Weiterführende Diagnostik (oGTT mit 75 g Glukose-Lsg.)
> 200 mg/dl (> 11,1 mmol/l)	V. a. manifesten Diab. mell., weitere Abklärung durch Diabetologen anzuraten

Bei Vorliegen von mind. einem der folgenden **Risikofaktoren** für einen GDM sollte nach Empfehlung der DGGG ein oGTT schon im 1. Trim. erfolgen:
- Übergewicht (BMI vor der Schwangerschaft ≥ 27,0 kg/m²)
- Diab. bei Eltern/Geschwistern
- GDM in einer vorausgehenden Schwangerschaft
- Z. n. Geburt eines Kindes von 4.500 g Geburtsgewicht
- Z. n. Totgeburt
- Schwere kongenitale Fehlbildungen in einer vorausgehenden Schwangerschaft
- Habituelle Abortneigung (3 Fehlgeburten hintereinander)

Bei unauffälligem Ergebnis in dieser Risikogruppe ist ein Screening bzw. der erneute oGTT in der 24+0 u. 27+6 SSW angezeigt. Bei erneut unauffälligem Resultat sollte der oGTT bei vorhandener Risikosituation letztmalig zwischen der 32. u. 34. SSW erfolgen.

Weitere Ind. außerhalb der angegebenen SSW:
- Glukosurie in der Frühschwangerschaft o. zu einem späteren Zeitpunkt
- Neuauftreten einer Glukosurie u./o. diabetesspez. Symptome (Durst, Polyurie, Gewichtsabnahme unklarer Ursache) → diagn. oGTT, wenn letzter Test > 4 Wo. zurückliegt
- Erstmalig festgestellte Makrosomie, Polyhydramnion

> Liegt der Nüchtern-BZ bereits > 110 mg/dl, soll kein oGTT mehr durchgeführt werden.

Diagnostischer oGTT

Durchführung
- Pat. kommt morgens nüchtern. 75 g Glukose in 300 ml Wasser auflösen u. innerhalb von 5 min langsam trinken lassen
- BZ-Werte im venösen Blut nüchtern, 1 u. 2 h nach Einnahme

Standardbedingungen:
- Mind. 8 h Nahrungskarenz, letzte Mahlzeit am Vorabend bis 22 Uhr
- Nicht rauchen
- Normale Ess- u. Trinkgewohnheiten in den letzten 3 d
- Keine außergewöhnliche körperliche Belastung
- Keine kontrainsulinäre Medikation am Morgen
- Testdurchführung morgens
- Während des Tests sollte Schwangere sitzen
- Keine Durchführung anderer Untersuchungen in dieser Zeit
- Keine akute Erkrankung, keine Bettruhe
- Keine Vor-OPs am oberen GIT

Auswertung Ein GDM liegt vor, wenn einer der in ▶ Tab. 5.2 genannten Grenzwerte im venösen Plasma erreicht o. überschritten wird.

> ❗ Ein GDM sollte in Zusammenarbeit mit einem erfahrenen Diabetologen eingestellt werden.

Tab. 5.2 Auswertung eines oralen Glukosetoleranztests

Messzeitpunkt	Als GDM wird das Erreichen bzw. Überschreiten eines der Werte gewertet (BZ-Wert im venösen Plasma)	
Nüchtern	≥ 92 (mg/dl)	≥ 5,1 (mmol/l)
Nach 1 h	≥ 180 (mg/dl)	≥ 10,0 (mmol/l)
Nach 2 h	≥ 153 (mg/dl)	≥ 8,5 (mmol/l)

5.2.7 Beurteilung von Plazenta und Fruchtwassermenge

- **Plazenta:** sonografische **Lokalisation des Plazentasitzes** im 1. Trim. möglich. Ab Beginn 2. Trim. sind die drei unterschiedlichen Plazentaanteile (Basalplatte, Plazentaparenchym, Chorionplatte) zu erkennen. Bei V. a. Placenta praevia endgültige sonografische Diagn. erst am Ende des 2. Trim. sicher, da durch die Ausdehnung des unteren Uterinsegments häufig aus einem tiefen Plazentasitz ein normaler Plazentasitz wird. ▶ 22.2.4
- Die sonografische Bestimmung von **Strukturveränderungen der Plazenta** gibt Hinweise auf die Plazentareife u. somit auf die Plazentafunktion. Vor der 36. SSW können Strukturveränderungen entsprechend dem Reifegrad 3 nach Grannum auf eine schlechtere Plazentafunktion (Risiko der fetalen Wachstumsretardierung) hinweisen. Darüber hinaus haben die Reifegradbestimmungen der Plazenta nur wenig klin. Bedeutung (gehäuft **plazentare Verkalkungen bei Nikotinabusus);** ▶ 22.2.4
- **Fruchtwassermenge:** sonografische Beurteilung der FW-Menge im 2. u. 3. Trim. sinnvoll. Ein **Polyhydramnion** korreliert mit Vorliegen eines Diab. mell. (GDM) u. gilt als sonografischer Softmarker für kindliche Fehlbildungen (Achondroplasie, Anenzephalie, Trisomien, Ösophagusstenose o. Ösophagusatresie, Jejunalstenose, Lippen-Kiefer-Gaumen-Spalte, Zwerchfellhernie etc.) sowie für Toxoplasmose, zystische Fibrose u. das fetofetale Transfusionssyndrom (FFTS)
- Häufigste Ursache des **Oligohydramnions** ist der (vorzeitige) Fruchtblasensprung. Zudem wichtiger Parameter für die Beurteilung der Plazentaleistung, z. B. bei Terminüberschreitung o. fetaler Wachstumsretardierung (IUGR). Die FW-Menge kann auch erniedrigt sein bei verminderter fetaler Urinproduktion bzw. -ausscheidung, z. B. bei Potter-Sy., FFTS, Triploidien etc.
    - **Bestimmung des Fruchtwasserindex** („amniotic fluid index"; **AFI**): Bauch der Schwangeren (im 3. Trim.) wird in vier Quadranten aufgeteilt, in jedem Quadranten wird sonografisch größtes vertikales FW-Depot gemessen u. aufsummiert. Das **FW-Volumen** nimmt zwischen der 16. u. 20. SSW durchschnittlich um 50 ml/Wo. zu, in der 20. SSW beträgt das FW-Volumen etwa 400 ml. Bis 34. SSW ständiger Anstieg der FW-Menge auf ca. 1.000 ml, danach bis zum Termin Abfall auf ca. 800 ml. In der 42. SSW nur noch 500 ml (Beurteilung ▶ Tab. 5.3).

– **Bestimmung des größten FW-Depots** („single deepest pocket", **SDP**): Eine alternative Bestimmung der FW-Menge ist vertikale Messung des größten Depots; untere u. obere Normgrenzen sind Werte von 2 bzw. 8 cm (Beurteilung ▶ Tab. 5.4).

> Ab errechnetem Geburtstermin (EGT) AFI < 7 cm = Oligohydramnion!

Tab. 5.3 Beurteilung des Fruchtwasservolumens anhand der AFI-Tabelle

Anhydramnion	< 5 cm
Oligohydramnion	5–8 cm
Normal	8–18 cm
Polyhydramnion	> 18 cm

Tab. 5.4 Beurteilung des Fruchtwasservolumens anhand der SDP-Tabelle

Oligohydramnion	< 1 cm
Grenzwertig	< 2 cm
Normal	> 2 cm u. < 8 cm
Polyhydramnion	> 8 cm

Einem Cochrane-Review zufolge zeigt die Bestimmung des **AFI** im Vergleich zum **SDP** einen Trend zur Überdiagnostizierung eines Oligohydramnions. Andere Quellen sehen die AFI-Messung als besser geeignet an.

5.3 Initialsymptome und erste Maßnahmen
Kay Goerke

5.3.1 Schwangerschaftszeichen

- **Unsicher:** Ausbleiben der Menstruation, Übelkeit, Erbrechen, Mastodynie, Hyperpigmentation der Areolae u. der Linea fusca (▶ 5.2.1), livide Verfärbung von Introitus u. Vagina, Zunahme des Bauchumfangs
- **Wahrscheinlich:** sek. Amenorrhö, Uterusvergrößerung mit Konsistenzwechsel (Kontraktionen), einseitige, aufgelockerte Vorwölbung des Uterus (Piskacek-Zeichen), leichte Komprimierbarkeit des unteren Uterinsegments (Hegar-Zeichen), pos. HCG (DD: Blasenmole, Chorionepitheliom, Ovarialtumor ▶ 5.2.4), Basaltemperatur ↑
- **Sicher:** in der Sono fetale Herzaktion (ab 5.–6. SSW ▶ 22.2.2), Registrierung der fetalen Herztöne (mit sensitiver Technik ab 12. SSW), Fühlen von Kindsteilen (ab 18. SSW), Fühlen der Kindsbewegungen (ab 20. SSW)

5.3.2 Berechnung von Schwangerschaftswoche (SSW) und Geburtstermin (EGT)

Dauer der normalen Schwangerschaft: 267 Tage p. c.; 281 Tage p. m. (gerechnet vom 1. Tag der letzten Regelblutung an bei 28-Tage-Zyklus).

> **Berechnung des Entbindungstermins (Naegele-Regel)**
> EGT = 1. Tag der letzten Regel + 7 Tage − 3 Mon. + 1 Jahr ± X
> (X = abweichende Tage vom 28-tägigen Zyklus)

Beispiel 32-Tage-Zyklus, letzte Periode am 13.3.2018: EGT = 13.3. + 7 Tage − 3 Mon. + 1 J. + 4 Tage = 24.12.2018.

Die SSW wird in abgeschlossenen Wo. plus den abgelaufenen Tagen angegeben (z. B. Schwangerschaft entspricht 36+3 SSW, die Pat. ist in der begonnenen 37. SSW; bei der Geburt würde es sich um eine Frühgeburt handeln, weil vor Abschluss der 37. SSW).

4 % der Kinder kommen am berechneten Termin zur Welt, 26 % innerhalb von 7 d um den EGT u. 66 % innerhalb von 3 Wo. um den EGT.

5.3.3 Diagnostik nach Feststellung der Schwangerschaft

Anamnese
- Zyklusanamnese: Menarche, Zykluslänge, letzte Periode, Blutungsstärke, Ovulationstermin, Konzeptionstermin
- Vorausgegangene Schwangerschaften u. Geburten sowie KO. Nach Interruptiones fragen
- Bestehende o. vorausgegangene Allgemeinerkr. u. OP (nicht nur gyn.)
- Impfstatus, insb. Rötelnimpfung
- Bestehende Schwangerschaftsbeschwerden wie Hyperemesis, Mastodynie, gestörte Blasen-/Darmfunktion
- Familienanamnese: genetische Belastung durch Erbkrankheiten, geburtshilfliche Probleme. Bei Risiken o. Alter > 35 J. Pränataldiagnostik ▶ 4.2 empfehlen!
- Sozialanamnese: Berufstätigkeit, familiäre Belastung
- Akzeptanz der Schwangerschaft

Untersuchungen

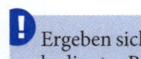
Ergeben sich i. R. der Mutterschaftsvorsorge Anhaltspunkte für ein genetisch bedingtes Risiko (z. B. Alter ab 35 J.), Aufklärung über humangenetische Beratung u./o. humangenetische Untersuchung.

Körperliche Untersuchung
- Auskultation von Herz u. Lunge
- RR-Messung
- Feststellung des KG

- Untersuchung des M-Urins auf Eiweiß, Zucker u. Sediment, ggf. bakteriol. Untersuchungen (z. B. bei auffälliger Anamnese, RR-Erhöhung, Sedimentbefund)
- Hb-Bestimmung, bei < 11,2 g pro 100 ml (= 70 % Hb) Zählung der Erys

Nachfolgende Untersuchungen unabhängig von der Behandlung von Beschwerden u. Krankheitserscheinungen im Abstand von ca. 4 Wo.:
- Gewichtskontrolle
- RR-Messung
- Untersuchung des M-Urins auf Eiweiß, Zucker u. Sediment, ggf. bakteriol. Untersuchungen (z. B. bei auffälliger Anamnese, Blutdruckerhöhung, Sedimentbefund)
- Hb-Bestimmung im Regelfall ab 6. Mon., falls bei Erstuntersuchung normal; wenn < 11,2 g je 100 ml (= 70 % Hb) Zählung der Erys
- Kontrolle des Gebärmutterstands
- Kontrolle der kindlichen Herzaktionen
- Feststellung der Lage des Kindes

In den letzten 2 Schwangerschaftsmon. je zwei Untersuchungen.

Ultraschall Im Verlauf der Schwangerschaft soll ein Ultraschallscreening mittels B-Mode-Verfahren durchgeführt werden (▶ 22.2):
- Von Beginn der 9. bis zum Ende der 12. SSW (1. Screening)
- Von Beginn der 19. bis zum Ende der 22. SSW (2. Screening)
- Von Beginn der 29. bis zum Ende der 32. SSW (3. Screening).

Ziele: Bestimmung des Gestationsalters, Kontrolle der somatischen Entwicklung des Fetus, Suche nach auffälligen fetalen Merkmalen, frühzeitiges Erkennen von Mehrlingsschwangerschaften. Ggf. Ersttrimester-Screening (▶ 4.2.5).

Gynäkologische Untersuchung Inspektion u. Palpation der Mammae ▶ 12.2.1, vag. Untersuchung (▶ 5.2.2) mit Spiegeleinstellung, zytol. Abstrich, Kolposkopie (▶ 13.2.2), Chlamydienabstrich in der Frühschwangerschaft.

Labordiagnostik Entsprechend den Mutterschaftsrichtlinien:
- Hb, Bestimmung von Blutgruppe u. Rh-Faktor, AK-Suchtest (▶ 5.2.5), 2. AK-Suchtest 24.–27. SSW
- Möglichst früh: Lues-Suchreaktion (TPHA; ▶ 6.13), Röteln-Hämagglutinationshemmtest bei unklarem Impfstatus (pos. > 1 : 16; ▶ 6.2). HIV-Screening nur mit schriftlichem Einverständnis der Frau. HBsAg bei allen Schwangeren nach der 32. SSW möglichst nahe am Geburtstermin (▶ 6.8), bei begründetem Verdacht: Infektionsserologie, z. B. Toxoplasmose (▶ 6.12), Zytomegalie ▶ 6.3, Parvovirus B19 ▶ 6.6

Beratung der Schwangeren

▶ 5.4.2. Mutterpass anlegen bzw. von vorhergehenden Schwangerschaften vorhandenen Mutterpass vervollständigen.

Mutterpass Im Mutterpass werden alle für die Betreuung der Schwangeren wichtigen Daten zusammengefasst. Er bietet Platz für die Eintragungen von zwei Schwangerschaften.
- Außenseite: Namen der Schwangeren eintragen (verringert die Verwechslungsgefahr z. B. im Kreißsaal)
- Seite 1: Stempel des/der betreuenden Arztes/Hebamme, Terminplanung für die Schwangere
- Seiten 2 u. 3: Personalien u. serol. Untersuchungen (Blutgruppe, AK-Suchteste, Rötelntiter, Chlamydien-Ag aus der Zervix, LSR, HBsAg)

- Seite 4: Angaben zu vorangegangenen Schwangerschaften möglichst genau (Geburtsmodus, SSW, bei Aborten o. Interruptiones SSW, mögliche KO)
- Seite 5: Anamnese; Kopfzeile (Alter, Größe, Gewicht, Parität) nicht vergessen; Angaben zu dieser Schwangerschaft, Beratung der Schwangeren
- Seite 6: bes. Befunde in der Grav., Terminbestimmung
- Seiten 7 u. 8: Gravidogramm, Verlauf dieser Schwangerschaft, Eintrag der Untersuchungen (▶ Tab. 5.5)
- Seite 9: Besonderheiten u. Maßnahmen zu Katalog A + B, stat. Behandlung in der Grav., CTG-Befunde
- Seiten 10 u. 11: Möglichkeit, die gemessenen Sono-Daten entsprechend der SSW einzutragen
- Seiten 12 u. 13: sonografische Kontrolluntersuchungen, Normkurven für das fetale Wachstum
- Seite 14: weiterführende Sonos, Doppler-Sono
- Seite 15: Eintragungen zu Geburt u. Wochenbett
- Seite 16: Untersuchung nach Abschluss des Wochenbetts

Tab. 5.5 Häufige Abkürzungen für vaginale Untersuchungen

P (Portio)		MM (innerer Muttermund)	
+	In voller Länge erhalten (3 cm)	ø	Geschlossen
½	Verkürzt auf die Hälfte	Fk	Für Fingerkuppe eingängig
⅓	Verkürzt auf 1 cm	Fe	Für Finger eingängig
ø	Verstrichen	Fd	Für 1 Finger durchgängig
		2 Fd	Für 2 Finger durchgängig

5.4 Schwangerenvorsorge

Kay Goerke

5.4.1 Planung

Gemäß Mutterschaftsrichtlinien:
- **Untersuchungen:** alle 4 Wo., in den letzten 2 Mon. alle 2 Wo., ab EGT alle 2 d, spätestens ab 10 d über EGT stat. Einweisung.
- **Bei jeder Untersuchung:** RR, Körpergewicht, Stand der Gebärmutter, kindliche Herzaktion, Lage des Kindes, MM-Befund.
- **Labor:** M-Urin (Eiweiß, Zucker, Sediment), evtl. Bakteriologie. Hb (wenn bei Erstuntersuchung normal: ab 6. Mon.).
- **Chlamydiennachweis:** bei jeder Schwangeren möglichst früh Chlamydienabstrich aus der Zervix.
- Serol. Untersuchungen auf Inf.:
  - z. B. Röteln bei Schwangeren ohne dokumentierte zweimalige Impfung, Lues, Hepatitis B
  - Bei begründetem V. a. Toxoplasmose u. a. Inf.
  - z. A. einer HIV-Inf.; auf freiwilliger Basis nach vorheriger ärztlicher Beratung der Schwangeren mit dokumentiertem Einverständnis
  - Blutgruppenserol. Untersuchungen während der Schwangerschaft mit Rh-Faktor u. AK-Suchtest

- 2. AK-Suchtest bei allen Schwangeren in 24.–27. SSW
- HBsAg nach 32. SSW, möglichst nahe am EGT. Die HbsAg-Untersuchung entfällt bei nachgewiesener Immunität (z. B. Schutzimpfung, Impfpass)
- **Ultraschall:** 1. Screening 9.–12. SSW; 2. Screening 19.–22. SSW, 3. Screening 29.–32. SSW
  Nach der letzten Änderung der Mutterschaftsrichtlinien findet beim 2. Screening eine erweiterte Diagnostik statt. Die Schwangere muss aber auf ihr Recht auf Nichtwissen hingewiesen werden (auch wenn dieses natürlich mit der Geburt des Kindes endet). Falls die Mutter keine erweiterte sonografische Fehlbildungsuntersuchung wünscht, wird lediglich die Größe des Kindes bestimmt.
- **Doppler-Sono:** nur bei Ind. wie V. a. Wachstumsretardierung, schwangerschaftsinduzierte Hypertonie/Präeklampsie/Eklampsie, Z. n. Präeklampsie/Eklampsie, Z. n. Mangelgeburt/IUFT, Auffälligkeiten der FHF, begründetem V. a. Fehlbildung/fetale Erkr., Mehrlingsschwangerschaften (mit diskordantem Wachstum), Abklärung bei V. a. Herzfehler/Herzerkr. Erweiterte Ind. sind präexistente gefäßrelevante mütterliche Erkr. wie Hypertonie, Nephropathie, Diab. mell., Autoimmunerkr., Gerinnungsstörungen.
- **CTG:** in der 26.–27. SSW nur bei drohender Frühgeburt, ab 28. SSW nur bei Herztonalteration, V. a. vorzeitige Wehen. CTG-Wdh. nur bei CTG-Alteration, Mehrlingsgrav., IUFT bei vorausgegangener Schwangerschaft, Übertragung, Blutung, medikamentöser Wehenhemmung (▶ 8.2.2).
- **Rhesusprophylaxe:** bei Rh-neg. Schwangeren bei neg. Anti-D-AK in der 28.–30. SSW 300 µg Anti-D-Immunglobulin, z. B. Rhophylac®. Bei jedem Kind einer Rh-neg. Mutter ist der Rh-Faktor (und wenn pos. auch die Blutgruppe) zu bestimmen. Bei Rh-pos. Kind u. nach Abort o. Totgeburt (auch ohne Rh-Faktorbestimmung) ist bei der Rh-neg. Schwangeren innerhalb von 72 h eine Rh-Prophylaxe (s. o.) durchzuführen.
- **Medikamente:** empfohlene Substitution mit Folsäure 0,4 mg/d, z. B. Folsan®, nach Möglichkeit 4 Wo. vor der Konzeption bis zur abgeschlossenen 12. SSW zur Prophylaxe eines Neuralrohrdefekts. Frauen, die bereits mit einem Kind mit Neuralrohrdefekt schwanger waren, 5 mg Folsäure tgl. über den gleichen Zeitraum. Nur dann ist eine Verordnung als GKV-Leistung möglich. Jodid 200 µg während Schwangerschaft u. Stillzeit, evtl. Fe-Substitution. Medikamentenverordnung im Rahmen der MuVo i. d. R. nur zur Ther. u. nicht zur Prophylaxe möglich.

Aktuelle Fassung der Mutterschaftsrichtlinien: www.g-ba.de/informationen/richtlinien/19/

5.4.2 Beratung

Arzneimittel
Ind. in der Grav. so streng wie möglich stellen (▶ 7).

Ernährung
Schwangerschaft heißt nicht „Essen für zwei"! Übergewicht vermeiden, aber auch keine Abmagerungskur in der Schwangerschaft. Im Verlauf der Grav. steigt v. a. der Vit.- u. Mineralstoffbedarf erheblich an, während der Energiebedarf nur geringfügig erhöht ist. Dies macht eine sorgfältige Lebensmittelauswahl notwendig;

5.4 Schwangerenvorsorge

ballaststoffreiche Kost (z. B. Brot, Getreideflocken, Reis, Nudeln, Hülsenfrüchte, Gemüse, Salat, Obst) ist zu empfehlen. Die sicherste Grundlage bildet eine vollwertige Ernährung durch abwechslungsreiche Mischkost, die reichlich pflanzliche u. mäßig tierische Lebensmittel enthält.

Dem häufig auftretenden Heißhunger auf bestimmte Speisen („saure Gurken") kann nachgegeben werden, sofern hieraus keine einseitige Ernährung resultiert.

Energiebedarf
- 19–25 J.: 2.200 kcal/d, ab 4. Mon. 2.500 kcal/d
- 26–45 J.: 2.000 kcal/d, ab 4. Mon. 2.300 kcal/d

Mahlzeitenhäufigkeit 5–6 kleine Mahlzeiten tgl., davon eine warme Mahlzeit mit Kartoffeln, Gemüse o. Salat u. Fleisch (3 × pro Wo.), Fisch (2 × pro Wo.) o. Vollkorngetreide bzw. Hülsenfrüchte.

Jod und Fluor Zwei Seefischmahlzeiten pro Wo., jodiertes u. fluoriertes Speisesalz verwenden. Substitution von 200 µg/d Jodid.

Folsäure Zur Vermeidung von Neuralrohrdefekten wird die Gabe von Folsäure 0,4 mg/d p. o. (z. B. Folsan®), am besten schon vor der Konzeption beginnend, empfohlen. **Cave:** Auf Privatrezept verordnen.

Kochsalz 10 g/d, meist durch verstecktes Kochsalz in Nahrung schon erreicht.

Flüssigkeit Mind. 1–1,5 l/d, kalorienreiche Getränke (z. B. Cola) meiden, besser Mineralwasser, ungesüßte Kräuter- u. Früchtetees.

Vegetarische Ernährung Mit Milch, Milchprodukten u. Eiern bei sorgfältiger Lebensmittelauswahl möglich. Streng vegetarische Ernährung ist ungeeignet.

Spezielle Hinweise
- Milch u. Milchprodukte: 450 ml/d, Austausch gegen Käse u. Joghurt möglich (Quark ist relativ kalziumarm!)
- Fleisch u. Wurst: 90 g/d, magere Wurst- u. Fleischwaren von Schwein, Rind u. Geflügel bevorzugen (magerer Bratenaufschnitt, gekochter Schinken, Corned Beef, Geflügelwurst). Fleisch unpaniert zubereiten. Kein Verzehr von rohem Fleisch (Tatar), Rohwurst (Salami, Mett- u. Teewurst) o. Leber. **Cave:** Toxoplasmose, Salmonellose
- Seefisch: 1 × pro Wo. etwa 200 g mageren (Seelachs, Kabeljau, Schellfisch) u. 1 × pro Wo. fetten Fisch (Hering, Makrele) zubereiten. Keinen rohen Fisch (Sushi)
- Eier: 2–3 Eier pro Wo., wegen Salmonellengefahr nur erhitzte Eierspeisen mit festem Dotter
- Fette: 30 g/d, Pflanzenfette mit mehrfach ungesättigten Fettsäuren bevorzugen (Soja, Sonnenblumen-, Maiskeim- u. Distelöl). Auf versteckte Fette in Wurst, Käse, frittierten Speisen, Kuchen u. Süßigkeiten achten
- Brot- u. Getreideprodukte: 280 g/d, empfehlenswert sind Vollkornbrot u. -backwaren sowie ungesüßte Müslimischungen
- Kartoffeln, Reis, Teigwaren: 200 g/d, 5 × pro Wo. Kartoffeln (keine Fertigprodukte), einmal Naturreis, einmal Vollkornteigwaren
- Gemüse, Salat: 250 g/d, davon einen Teil als Rohkost. Inländische Frischware entsprechend der Jahreszeit verwenden (keine Konserven). Vitaminschonende Zubereitungsart wählen
- Obst: 250 g/d. Bei Säften nur reine Fruchtsäfte (mit Wasser o. Mineralwasser verdünnen)
- Süßigkeiten: leere Kalorienträger. Süßhunger möglichst mit süßem Obst o. Fruchtsäften stillen

> **Tägliche Zulage ab 4. Mon. (etwa 300 kcal/d)**
> - Müsli (1,5 Becher Joghurt, 1,5 EL Haferflocken, ½ Orange, einige Nüsse) oder
> - 1 Scheibe Vollkornbrot, 1 kleine Scheibe Käse, 1 TL Butter/Margarine oder
> - 3 EL Gemüse, 2 EL Kartoffeln, 1 TL Margarine o. Öl

Geburtsvorbereitung
▶ 8.4.8. Entspannungsübungen durchbrechen den Teufelskreis Spannung–Schmerz–Angst–Spannung. Geburtsvorbereitungskurse werden ab 28.–32. SSW unter Anleitung einer Hebamme o. Krankengymnastin empfohlen.

Genuss-/Suchtmittel
Generelle Verbote können zu Schuldgefühlen o. Ablehnungsreaktionen ggü. dem Ungeborenen führen.
- **Koffein (Kaffee, Tee, Cola):** nicht mehr als 5 Tassen am Tag, da sonst mit erhöhter Rate fetaler Mangelentwicklungen zu rechnen ist. Pro 100 mg Koffein tgl. (= 1 Tasse Kaffee o. 2 Dosen Cola) steigt außerdem das Risiko für eine Fehlgeburt um etwa 20 %.
- **Alkohol:** Grundsätzlich kein Alkohol in der Schwangerschaft! Auch in geringeren Dosen Alkoholtoxizität (fetales Alkoholsy. [FAS]).
- **Nikotin (auch Passivrauchen):** durch Gefäßkontraktion Mangelentwicklung des Kindes. Kinder können bei Geburt Symptome des Nikotinentzugs aufweisen. Rauchen in der Familie fördert p. p. die Allergie- u. Asthmaneigung des Kindes sowie akute u. chron. Entzündungen der Atemwege.
- **Drogenabhängigkeit (Opiate):** Ein Entzug in der Schwangerschaft stellt für das Kind meist ein höheres Risiko dar als die weitere Drogeneinnahme. Auf Methadon übergehen, wenn die Kooperation der Pat. gewährleistet ist (Schwangerschaft, Geburt sowie die Zeit bis 6 Wo. p. p. stellt eine Verordnungsindikation für Methadon dar, kann vom behandelnden Gynäkologen mit Fachkunde „Suchtmedizinische Grundversorgung" auf BtM-Rezept verordnet werden).

Geschlechtsverkehr
▶ 21.2.4. Gegen GV ist bei normalem Graviditätsverlauf nichts einzuwenden. Bei Blutungen in der Grav., vorzeitiger Wehentätigkeit, Zervixinsuff., Uterusfehlbildungen, Placenta praevia o. habituellen Aborten → sexuelle Karenz (bei Orgasmus Uteruskontraktion, Ejakulat ist prostaglandinhaltig).

Gewicht
Die physiol. Gewichtszunahme in der Grav. beträgt bei schlanken Frauen 12,5–18 kg. Schwangere im mittleren Gewichtsbereich sollten 11,5–16 kg zunehmen, übergewichtige Frauen 7–11,5 kg. Übergewichtige Frauen sollten in der Schwangerschaft nicht abnehmen. Die Zunahme verteilt sich auf die Schwangerschaftsdauer wie folgt:
- 1.–3. Mon.: keine wesentliche Zunahme
- 4.–6. Mon.: 200–250 g/Wo.
- 7.–10. Mon.: 400–500 g/Wo.

> Bei Gewichtsabnahme in der Frühschwangerschaft an Hyperemesis (▶ 5.8.1), bei übermäßiger Gewichtszunahme im letzten Trim. an SIH (▶ 5.9.1) denken.

Impfungen

Aktive Impfungen sind, abgesehen von Tetanus u. Poliomyelitis, in der Grav. kontraindiziert. Bei passiven Impfungen treten nur IgG-AK (z. B. Polyglobuline bei Hepatitis A, Masern) diaplazentar auf den Fetus über. Spez. Immunglobuline sollten möglichst direkt nach Exposition verabreicht werden u. stehen für Hepatitis B, FSME, Mumps, Röteln, Tollwut u. Varizellen zur Verfügung (▶ 6).

Während der Schwangerschaft mögliche Impfungen
- **Diphtherie:** Impfung vorzugsweise im 2. o. 3. Trim., sofern kein ausreichender Impfschutz (v. a. bei Reisen in endemische Länder, V. a. Exposition).
- **Tetanus:** Grundimmunisierung zu Beginn der 2. Schwangerschaftshälfte durchführen. Bei Verletzungen Auffrischung bzw. Simultanimpfung abhängig vom Impfstatus möglich.
- **Poliomyelitis:** Für den parenteralen Impfstoff ist die Schwangerschaft keine KI.
- **Hepatitis A:** nur bei eindeutiger Ind.
- **Hepatitis B:** nur bei eindeutiger Ind., bei NG HBsAg-pos. Mütter Simultanprophylaxe.
- **Influenza:** aktive Impfung mit Spaltvakzine o. Subunit möglich u. empfohlen.

Während der Schwangerschaft kontraindizierte Impfungen
In der Schwangerschaft sollten keine Impfungen mit Lebendvakzine durchgeführt werden. Streng kontraindiziert sind Impfungen gegen:
- **Masern:** bei Masernkontakt humanes Masern-Ig, wenn keine Immunität. Schwangerschaftsausschluss vor einer Impfung, nach Impfung für 3 Mon. zuverlässige Kontrazeption.
- **Mumps:** Schwangerschaftsausschluss vor einer Impfung, nach Impfung für 3 Mon. zuverlässige Kontrazeption.
- **Röteln:** bei Rötelnkontakt Prophylaxe mit Röteln-Ig bis 7 d nach Exposition.
- **Varizellen:** passive Immunprophylaxe möglich. NG, deren Mütter 7 d vor bis 2 d nach der Entbindung erkrankt sind, werden passiv immunisiert.

Eine strenge Nutzen-Risiko-Abwägung ist erforderlich bei Impfungen gegen:
- Cholera
- FSME
- Gelbfieber
- Hepatitis A
- Hepatitis B
- Influenza
- Japanische Enzephalitis
- Meningokokken-Krankheiten
- Pneumokokken-Krankheiten
- Tollwut (als Prophylaxe)
- Typhus

Als sicher (möglichst erst ab dem 2. Trimester) gelten Impfungen gegen:
- Diphtherie
- Kinderlähmung (Poliomyelitis, IPV)
- Tetanus

Ramadan
Muslimischer Fastenmon., durch eigenen Kalender in jedem Jahr zu einem anderen Zeitpunkt. Das Fasten einer Schwangeren ist nach dem Koran „Sünde", dieses ist aber den Frauen meist nicht bekannt. Einige wichtige Probleme sind:
- Bei Emesis gravidarum Verstärkung der Beschwerden möglich
- Verschlechterung einer SIH wegen ungenügender Eiweißzufuhr
- Beschwerden durch E'lytverschiebungen wie Kaliummangel
- Fälle von Thrombopenie wurden beschrieben (DD HELLP-Sy. ▶ 5.9.3, Thrombozytopenie in der Schwangerschaft ▶ 5.15)
- Hb-Erniedrigung durch Eisenmangel

Reisen
Zusätzlich zu den Reiseanstrengungen belasten Milieu- u. Klimawechsel sowie ein evtl. Arztbesuch in fremder Umgebung die Schwangere. Vorsicht vor Tropenreisen (Infektionsgefahr, notwendige Lebendimpfungen, große Hitze). Abzuraten ist von längeren Autofahrten (▶ Abb. 5.5). Tragen schwerer Koffer u. Höhenaufenthalte > 2.500 m sind zu meiden, gegen Seilbahnfahrten bestehen keine generellen Bedenken. Ggf. bei der Krankenkasse Behandlungsschein fürs Ausland besorgen.
Cave: Schwangerschaftserkr. sind bei Reiserückholversicherungen von der Leistungspflicht meist ausgeschlossen!

Die beste Zeit für Reisen in der Schwangerschaft liegt zwischen der 14. u. 28. SSW. Im 1. Trim. besteht ein erhöhtes Fehlgeburtsrisiko, gegen Ende der Schwangerschaft wird Reisen beschwerlicher; Unfall- u. Erkrankungsrisiken nehmen zu.

Relative KI für Reisen:
- Angeborene o. erworbene Herzerkr. u. chron. Lungenerkr.
- Anamnestische Thrombose bzw. Embolie
- Chron. Erkr., GDM, schwere Anämie
- Z. n. wiederholten Frühgeburten, drohende Fehlgeburt o. Blutungen in der jetzigen Schwangerschaft
- Zervixverschlussinsuff.
- Vorzeitige Wehen, Frühgeburt o. vorzeitiger Blasensprung < 37. SSW bei vorausgegangenen Schwangerschaften
- Z. n. SIH

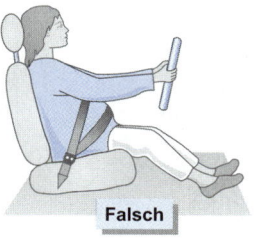

Abb. 5.5 Angurten in der Gravidität [L157]

5.4 Schwangerenvorsorge

- Plazentaanomalien
- Reisen in große Höhen (> 4.500 m)
- Reisen in Gebiete, in denen gehäuft Inf. durch Insekten o. Nahrungsmittel übertragen werden
- Reisen in Malariagebiete, in denen Erreger gegen Chloroquin (z. B. Resochin®) resistent sind
- Reisen in Regionen, für die Impfungen mit Lebendimpfstoffen (z. B. Gelbfieber) erforderlich sind

Fliegen Für die Schwangerschaft birgt das Fliegen in modernen Verkehrsflugzeugen keine wesentlichen Risiken. Die zusätzliche geringe kosmische Strahlenbelastung stellt keine KI zur Flugreise dar. Wegen der großen Variation des Geburtstermins sollte in den letzten 4 Wo. der Schwangerschaft nur auf Kurzstrecken geflogen werden. Wegen der Schichtdienstbelastung ist die berufliche Tätigkeit an Bord für Schwangere nicht zulässig.

Alle Fluggesellschaften verlangen ab der 32. SSW ein ärztliches Attest. Meist ab der 36. SSW keine Beförderung mehr möglich. Vor geplanter Reise unbedingt informieren.

Relative KI für Flugreisen: Terminnähe, Neigung zu Früh- u. Fehlgeburten, ausgeprägte Anämie, kardiopulmonale Erkr., große Angst. Absolute KI sind ausgeprägte Schwangerschaftspathologien wie z. B. Placenta praevia.

Sport
Zu vermeiden sind Kraftsportarten, Leistungssport u. Sportarten, die mit starker Erschütterung einhergehen (Reiten, Tennis!). Außerdem Vorsicht bei Sportarten, die nicht spontan unterbrochen werden können (Segeln, Bergsteigen). Ideal sind Schwimmen, Radfahren, Wandern, leichte Gymnastik.

Sodbrennen
▶ 5.8.2. Häufiger Befund in der Schwangerschaft bedingt durch Weitstellung der Hohlorgane, Druck auf den Magen durch den Uterus. Nicht durch Hyperazidität. Ther.: fünf kleine Mahlzeiten, nach dem Essen nicht flach liegen. Nüsse helfen gut puffern.

Stillvorbereitung
Abhärten der Brustwarze durch Massieren der Brust zur Areola hin, frische Luft, Sonneneinstrahlung, Brust abbrausen, frottieren, keinen BH tragen (Mamille scheuert an der Kleidung). KI: drohende Frühgeburt (Oxytocin-Ausschüttung).

5.4.3 Gesetzliche Bestimmungen

Mutterschutzgesetz
Das Mutterschutzgesetz regelt die Beschäftigungsmöglichkeiten u. den Kündigungsschutz in der Grav. Untersagt sind u. a.:
- Tätigkeiten, wenn Leben o. Gesundheit von Mutter o. Kind nach ärztlichem Zeugnis gefährdet sind.

- Arbeiten, bei denen die Schwangere gesundheitsgefährdenden Stoffen, Gasen o. Strahlen, Staub, Kälte, Hitze, Lärm o. Erschütterungen ausgesetzt ist (z. B. Narkosegase, Rö- o. Gammastrahlung, Sterilisationsgase).
- Beschäftigung in den letzten 6 Wo. der Schwangerschaft (Berechnung nach EGT), außer auf ausdrücklichen Wunsch der Mutter.
- Absolutes Beschäftigungsverbot in den ersten 8 Wo. nach der Entbindung, bei Frühgeburten (Geburtsgewicht < 2.500 g o. Beendigung der Schwangerschaft vor 37 abgeschlossenen Wo.) u. Mehrlingen 12 Wo. nach der Entbindung.
- Arbeit nach 20:00 Uhr u. vor 6:00 Uhr sowie an Sonn-/Feiertagen (Ausnahmen möglich).
- Überstunden.
- Arbeiten, die regelmäßiges Stehen erfordern. Pausenräume mit Sitzgelegenheit müssen vom Arbeitgeber zur Verfügung gestellt werden. Nach dem 5. Mon. dürfen Schwangere nicht länger als 4 h stehend beschäftigt werden.
- Regelmäßiges Heben von Lasten > 5 kg bzw. gelegentliches Heben von Lasten > 10 kg.
- Akkordarbeit, Fließbandarbeit mit vorgeschriebenem Arbeitstempo.
- Ab dem 3. Mon. Arbeit auf Beförderungsmitteln.
- Kündigung während der Schwangerschaft u. innerhalb von 4 Mon. nach Entbindung, unberührt hiervon bleiben zeitlich befristete Arbeitsverträge (z B. Assistenzarztverträge mit „planmäßiger Kündigung").
- In der Gynäkologie sollten schwangere Ärztinnen wegen der erhöhten Infektionsgefahr nicht im Kreißsaal o. auf einer Intensivstation eingesetzt werden. Auch Tätigkeiten im Bereitschaftsdienst zwischen 20:00 u. 6.00 Uhr sind nicht erlaubt. Ein Einsatz im OP kann ggf. nach RS mit dem Betriebsarzt gestattet werden (neg. HIV- u. Hepatitis Serologie der Pat.). Umgang mit Zytostatika, Rö-Strahlen (Mammografie) o. in der Nuklearmedizin (Skelettszintigramm, Sentinel LK) ist zu vermeiden.

Aus den vorgenannten Verboten dürfen der Schwangeren keine finanziellen Nachteile entstehen. Der Arbeitgeber ist verpflichtet, den Durchschnittsverdienst aus der Zeit vor der Schwangerschaft (Durchschnittsgehalt der letzten 3 Mon. vor Eintritt der Schwangerschaft) weiterzubezahlen.

Medizinische Versorgung von Schwangeren
Die Mutterschaftsrichtlinien bestimmen den Umfang der Betreuung u. die diagn. Maßnahmen in der Schwangerschaft (▶ 5.4.1); u. a. zählen hierzu:
- Kontrolle der kindlichen Herzaktion (ab 28. SSW)
- Lagefeststellung des Kindes (ab 30. SSW)
- Drei Ultraschall-Untersuchungen (9.–12. SSW, 19.–22. SSW u. 29.–32. SSW, ▶ 22.2)

Elternzeit
Anspruch auf Elternzeit haben Mütter u. Väter, die in einem Arbeitsverhältnis stehen. Darüber hinaus kann Elternzeit geltend gemacht werden zur Betreuung des Kindes:
- auch bei fehlender Sorgeberechtigung mit Zustimmung des sorgeberechtigten Elternteils,
- wenn der Vater noch nicht wirksam als Vater anerkannt o. über seinen Antrag auf Vaterschaftsfeststellung noch nicht entschieden wurde,
- von der Partnerin, dem Partner mit Zustimmung des sorgeberechtigten Elternteils,

- das in Vollzeitpflege aufgenommen wurde mit Zustimmung des sorgeberechtigten Elternteils,
- das mit dem Ziel der Annahme aufgenommen wurde etc.

Für den Anspruch auf Elternzeit müssen außerdem folgende Voraussetzungen vorliegen:
- Berechtigte(r) lebt mit dem Kind im selben Haushalt,
- betreut u. erzieht überwiegend selbst und
- arbeitet während der Elternzeit nicht mehr als 30 Wochenstunden.

Ein Anspruch auf Elternzeit besteht bis zur Vollendung des 3. Lj des Kindes. Wenn die Eltern ganz o. teilweise gemeinsam Elternzeit in Anspruch nehmen, bleibt die Gesamtdauer von bis zu 3 J. bestehen. Allerdings wird es künftig die Möglichkeit geben, einen Teil der Elternzeit (bis zu 1 J.) mit Zustimmung des Arbeitgebers bis zum 8. Lj des Kindes zu nehmen. Bei Mehrlingsgeburten u. bei kurzer Geburtenfolge stehen den Eltern für jedes Kind 3 J. Elternzeit bis zur Vollendung des 3. Lj zu.

Zudem haben Eltern unter bestimmten Bedingungen einen Rechtsanspruch auf Teilzeitarbeit.

Elterngeld
Anspruch auf Elterngeld haben Mütter u. Väter in D, die
- ihre Kinder nach der Geburt selbst betreuen,
- nicht mehr als 30 h/Wo. berufstätig sind,
- mit ihren Kindern in einem Haushalt leben und
- einen Wohnsitz o. ihren Aufenthaltsort in D haben,
- ein zu versteuerndes Jahreseinkommen < 500.000 Euro (Alleinstehende < 250.000 Euro) haben

> Weitere Informationen
> - Deutschland: Bundesministerium für Familie, Senioren, Frauen und Jugend, www.bmfsfj.de/bmfsfj/service/publikationen/elterngeld--elterngeldplus-und-elternzeit-/73770
> - Österreich: Bundesministerium für Familie und Jugend, www.bmfj.gv.at/familie/finanzielle-unterstuetzungen/kinderbetreuungsgeld-ab-1.3.2017/infoline-kinderbetreuungsgeld.html
> - Schweiz: derzeit weder Elternzeit noch Elterngeld

5.5 Schwangerschaftsabbruch (Interruptio, Abruptio)

Kay Goerke

5.5.1 Gesetzliche Bestimmungen

> Nach § 218a Abs. 2 StGB sind Schwangerschaftsabbrüche aus med. u. kriminol. Ind. (s. u.) nicht rechtswidrig. Alle anderen Schwangerschaftsabbrüche sind rechtswidrig, werden aber innerhalb der ersten 12 Wo. p. c. nicht verfolgt, wenn nach dem Beratungskonzept verfahren wird (§§ 218a Abs. 1, 219 StGB).

Beratung

Die Beratung dient dem Schutz des ungeborenen Lebens. Sie hat sich von dem Bemühen leiten zu lassen, die Frau zur Fortsetzung der Schwangerschaft zu ermutigen u. ihr Perspektiven für ein Leben mit dem Kind zu eröffnen. Sie soll ihr helfen, eine verantwortliche u. gewissenhafte Entscheidung zu treffen. Dabei muss der Frau bewusst sein, dass das Ungeborene in jedem Stadium der Schwangerschaft auch ihr ggü. ein eigenes Recht auf Leben hat u. dass deshalb nach der Rechtsordnung ein Schwangerschaftsabbruch nur in Ausnahmesituationen in Betracht kommen kann, wenn der Frau durch das Austragen des Kindes eine Belastung erwächst, die so schwer u. außergewöhnlich ist, dass sie die zumutbare Opfergrenze übersteigt.

Die Schwangere muss in einer durch Ärztekammern o. Regierungspräsidien anerkannten Beratungsstelle (auch anonym) beraten werden. Das Beratungsgespräch muss mindestens 3 volle Tage vor dem Beginn der Interruptio erfolgt sein (z. B. Beratung Montag 14:00 Uhr, Wartetage Dienstag, Mittwoch, Donnerstag, frühester Beginn der Einleitung der Interruptio Freitag um 0:00 Uhr).

Die Beratung sollte einerseits ergebnisoffen, andererseits aber auch im Sinne der Schwangerschaftserhaltung durchgeführt werden. Umfang der Beratung:
- Vonseiten der Schwangeren Darlegung der Gründe für den Abbruch
- Je nach Sachlage med., soziale, juristische o. psychische Beratung
- Darlegung praktischer u. finanzieller Hilfen bei Fortsetzung der Schwangerschaft
- Angebot der Unterstützung bei Geltendmachung von Unterhaltsansprüchen, Wohnungssuche, Betreuungsmöglichkeiten für das Kind o. Fortsetzung der Ausbildung
- Anfertigung eines anonymen Protokolls

 Die Beratungsstelle u. die den Abbruch durchführende Institution müssen personell u. organisatorisch voneinander getrennt sein. Einer Ind.-Stellung durch eine dritte Person bedarf es nicht mehr.

Kostenübernahme

Die Kosten für Abbrüche aus med. u. kriminol. Ind. werden von den Krankenkassen übernommen, die Kosten für Abbrüche auf Wunsch der Frau können bei niedrigem Einkommen auf Antrag von der Krankenkasse erstattet werden.

Indikationen zum Schwangerschaftsabbruch

- **Medizinische Indikation:** jederzeit während der Schwangerschaft, wenn eine Gefährdung für Gesundheit o. Leben der Mutter besteht, die anders nicht abgewendet werden kann. Diese Gefährdung kann auch psychischer Natur sein (z. B. bei schweren kindlichen Fehlbildungen). Keine Beratungspflicht, keine zeitliche Frist. Der Arzt muss die Frau auf die Möglichkeit der Beratung hinweisen u. auf Wunsch an eine Beratungsstelle vermitteln.
- **Kriminologische Indikation:** liegt vor, wenn die Schwangerschaft durch Vergewaltigung o. ein anderes Sexualdelikt (nach §§ 176–179 StGB: z. B. sexueller Missbrauch von Kindern o. widerstandsunfähiger Mädchen o. Frauen u. bei sexueller Nötigung) entstanden ist. Der Abbruch ist bis zur 12. SSW p. c. (14. SSW p. m.) möglich. Eine Beratung gemäß § 219 StGB ist anders als nach früherem Recht nicht mehr erforderlich. Jeder in D approbierte Arzt ist prinzipiell befugt, eine kriminol. Ind. festzustellen.

- Es ist nicht erforderlich, dass wegen der fraglichen Straftat Anzeige erstattet wurde o. diese anderweitig (z. B durch ärztliche Untersuchung direkt nach der Tat) dokumentiert ist.

5.5.2 Durchführung der Interruptio

Vorbereitung
- Sono zum Beweis einer intrauterinen Grav., Feststellung der SSW
- Überprüfung der Ind., des erfolgten Beratungsgesprächs einschl. vorgeschriebener Bedenkzeit (3 volle Tage)
- Aufklärung der Schwangeren über den Eingriff u. das Narkoseverfahren, Einverständniserklärung unterschreiben lassen
- Blutentnahme für BB, Gerinnung, E'lyte, Blutgruppe, venöser Zugang, EKG

Operativer Schwangerschaftsabbruch
▶Tab. 5.6.

Tab. 5.6 Medikamentöse und chirurgische Interruptio

	Medikamentös (Mifegyne® + Prostaglandin)	Chirurgisch (Absaugen o. Kürettage, ggf. nach Prostaglandin-Priming)
Zeitpunkt	Bis zum 49. Tag (gerechnet ab Beginn der letzten Regelblutung)	Ab 7. SSW (gerechnet ab Beginn der letzten Regelblutung)
Dauer	Mehrere Tage: 1. Tag Mifegyne®, 3. Tag Prostaglandin, einige Stunden später Ausstoßung (bei 3–5 % chir. Eingriff erforderlich). Kontrolluntersuchung nach 10–14 d	Nur wenige Min., Kontrolluntersuchung nach 4–6 Wo.
Vorteile	Frühe Durchführung, keine Narkose	Rasche Durchführung unter Narkose
Nachteile	Blutungen, Schmerzen, evtl. unvollständiger Abbruch, Behandlung über mehrere Tage, stärkere Blutung	Selten: Verletzungen von Zervix o. Uterus, Inf. mit nachfolgender Infertilität, unvollständige Kürettage

Gravidität < 12. SSW
- Priming 3–6 h vor Eingriff mit Gemeprost 1 mg (z. B. Cergem®[1]) ins hintere Scheidengewölbe
- Allgemein- o. Leitungsanästhesie (z. B. PDA, Parazervikalblock)
- Vag. Untersuchung (Größe des Uterus, Konsistenz, Öffnung des CK)
- Dilatation des CK mit Hegarstiften bis Größe 12, Kürettage des Cavums mit stumpfer Kürette o. Saugkürettage, bis kein Material mehr gewonnen werden kann
- Zur Uteruskontraktion Oxytocin 3 IE in 50 ml NaCl
- Nachkürettage der Tubenwinkel mit kleinerer Kürette

---

[1] Cergem® ist in D nur noch über die internationale Apotheke erhältlich.

- Bei Blutung Methylergometrin 0,1–0,2 mg in 50 ml NaCl (z. B. Methergin®). **Cave:** kardiovaskuläre KO

Gravidität > 12. SSW
- Abortinduktion ▶ 5.6. **Cave:** bei pulmonaler Hypertonie o. Bronchospasmen. Überwachung von RR, Puls
- Nach Eröffnung des MM (vag. Untersuchung) evtl. Durchtrittsnarkose einleiten
- Ggf. Entwicklung des Feten
- Zur Uteruskontraktion Oxytocin 3 IE in 50 ml NaCl
- Manuelle Lösung der Plazenta, wenn nicht bereits spontan ausgestoßen
- Nachkürettage des Cavums mit großer, stumpfer Kürette, bis kein Material mehr gewonnen werden kann, Nachkürettage der Tubenwinkel mit kleinerer Kürette
- Methylergometrin 0,1–0,2 mg in 50 ml NaCl (z. B. Methergin®). **Cave:** kardiovaskuläre KO

Postoperatives Vorgehen
- Alle Pat.: Überwachung von RR, Puls, Blutung ex utero nicht über Periodenstärke (= etwa 6 Vorlagen/d), Temperatur, Material zur histol. Untersuchung weiterleiten
- Bei Rh-neg. Pat.: Rh-Prophylaxe, z. B. 1 Amp. Rhophylac® i. m. (▶ 11.4.4)
- Bei Grav. > 16. SSW: Milcheinschuss verhindern. Cabergolin einmalig 1 mg p. o. innerhalb von 24 h (z. B. Dostinex®)
- Bei V. a. unvollständige Kürettage (periodenstarke Nachblutung, Fieber, großer u. weicher Uterus) US, HCG-Verläufe, evtl. Nachkürettage unter Antibiotikaschutz, z. B. Cefuroxim 3 × 1,5 g/d i. v.

Medikamentöser Schwangerschaftsabbruch
▶ Tab. 5.6.
- Nur bis zur 7. SSW möglich (49. Tag der Grav.).
- Gilt als schonende Alternative zum chir. Eingriff.
- Mifegyne® darf nur in Einrichtungen im Sinne des § 13 des Schwangerschaftskonfliktgesetzes u. nur auf Verschreibung eines dort behandelnden Arztes eingenommen werden.

Durchführung Einnahme des Anti-Gestagens (z. B. RU 486®, Mifegyne®). Dadurch kommt es zum Absterben der Schwangerschaft. Am Folgetag Ausstoßung der abgestorbenen Frucht, z. B. durch vag. Applikation von Gemeprost (z. B. Cergem®-Vaginal Supp.[2]). Voraussetzung: intakte intrauterine Grav. (US mit pos. Herzaktion). **Cave:** Wegen Einnahme bis zum Ende der 7. SSW sehr enges Zeitfenster.

Verhaltensmaßnahmen für Patientin
- Pat. ist in einer extremen Konfliktsituation. Situative Zuwendung, Gespräch anbieten
- Ggf. sichere Kontrazeption (▶ 18) empfehlen, z. B. Spirale bei nächster Menses einsetzen, Ovulationshemmer
- Nächste Menstruation ist in 4–6 Wo. zu erwarten
- Vollbäder u. GV meiden, solange noch eine Schmierblutung besteht (etwa 5–10 d)
- Nachuntersuchung in 4 Wo. empfehlen

---

[2] Cergem® ist in D nur noch über die internationale Apotheke erhältlich.

5.6 Abort (Fehlgeburt)
Joachim Steller

5.6.1 Grundlagen

Tubarabort ▶ 16.3.

Definition
- **Frühabort** (bis zur 13+6 SSW p. m.): Jedem 2. Spontanabort liegt ein nicht entwicklungsfähiges Schwangerschaftsprodukt (chromosomale o. exogene Störung) zugrunde.
- **Spätabort** (14+0 SSW bis Gewicht < 500 g), vorausgesetzt, das Kind zeigt keine Lebenszeichen wie Atmung, Herzschlag o. Nabelschnurpulsationen. Evtl. Abklärung mütterlicher Aborturschen wie Uterusmalformationen (▶ 20.7.5), Myoma uteri (▶ 5.18), Zervixinsuff. (▶ 5.11), Inf. (▶ 6).

Epidemiologie Etwa 50 % der Konzeptionen gehen spontan zugrunde. Bezogen auf die Anzahl der Geburten sind nur etwa 10–15 % klin. als Abort erkennbar. Wahrscheinlichkeit eines chromosomal bedingten Aborts korreliert mit früher SSW. Im 1. Trim. ca. 50 %, im 2. Trim. ca. 25 % Chromosomenaberrationen (autosomale Trisomien 16, 21, 22 u. 15 in ca. 50–60 %, X-Monosomien ca. 10–15 %, Triploidien ca. 15 %, Tetraploidien ca. 5 %, strukturelle Aberrationen ca. 5–8 %) → habituelle Abortneigung (▶ 5.6.6). Eine pos. Korrelation zwischen mütterlichem Lebensalter u. chromosomalen Aberrationen besteht nur für die Trisomien.

> **Definitionen**
> - **Abort (gem. PStV):** keine Lebenszeichen nach Geburt, Gewicht < 500 g (Keine Verpflichtung zur Meldung beim Standesamt. Keine Bestattungspflicht. Im Rahmen der Regelungen zum Umgang mit den sog. „Sternenkindern" können Eltern auf Wunsch mit einer Bescheinigung des Krankenhauses eine Anzeige der Geburt beim zuständigen Standesamt vornehmen lassen. Kliniken bieten häufig Sammelbestattungen mit einer Gedenkstunde für „Sternenkinder" an.)
> - **Totgeburt (gem. PStV):** keine Lebenszeichen nach Geburt, Gewicht ≥ 500 g o. Teil einer Mehrlingsgeburt mit mind. einer Lebend- o. Totgeburt. (Meldepflicht ggü. dem Standesamt, Bestattungspflicht)

5.6.2 Abortus imminens (drohender Abort)

Klinik Leichte bis mäßige, schmerzlose vag. Blutung in der Schwangerschaft ohne tastbare Öffnung des MM bei noch intakter Schwangerschaft (▶ Abb. 5.6 a).

Diagnostik
- Uterusgröße normal, Uterus weich, CK geschlossen
- Sonografisch intakte Grav. (▶ 22.2.2)
- HCG zeitgerecht (▶ 5.2.4)
- Keine Temperaturerhöhung, Infektparameter (Leukozyten, CRP) neg.
- Normale Gerinnung (Quick, PTT)

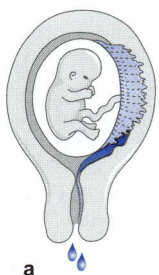 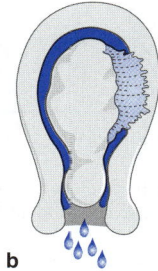 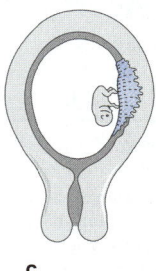

Abb. 5.6 Abortstadien:
a) Abortus imminens (MM geschlossen, Schwangerschaft intakt, leichte Blutung)
b) Abortus incipiens (MM öffnet sich, fehlende Vitalitätszeichen, stärkere Blutung)
c) Missed Abortion (MM geschlossen, Schwangerschaft nicht intakt, keine Blutung) [L157]

Therapie
- Absolute Bettruhe, möglichst in der Klinik
- Koitusverbot bis mehrere Tage nach vollständigem Sistieren der Blutung
- **Tokolytika,** falls erforderlich in späterer SSW (▶ 5.11.2)
- Hormonther.: Progesteron Vaginal Tbl. 200 mg/d (z. B. LUTINUS®) o. oral à 100 mg (z. B. Utrogest®) 2 Kps./d bei V. a. Corpus-luteum-Insuff. (▶ 17.4.3)
- Vorsichtige Untersuchungen in Abständen von etwa 10–12 d
- HCG- u. Sono-Kontrollen (Vitalitätszeichen ▶ 22.2.2) alle 2–3 d
- Bei Rh-neg. Pat.: Rh-Prophylaxe, z. B. 1 Amp. Rhophylac® i. m. (▶ 11.4.4)

> Da zwischen dem Umfang der Zottenablösung u. der Stärke u. Dauer der Blutung eine Beziehung besteht, ist diese ein progn. Faktor. Andererseits ist eine kurzzeitige, auch stärkere Blutung nicht entscheidend für den weiteren Schwangerschaftsverlauf.

5.6.3 Abortus incipiens, incompletus, completus

Definition Der Abortus incipiens geht mit einer irreversiblen Schwangerschaftsstörung einher, die kein kons. Vorgehen mehr rechtfertigt. Die inkomplette Uterusentleerung kann gefährliche KO (Blutung, Inf., Plazentapolyp, Chorionepitheliom) nach sich ziehen (▶ Abb. 5.6 b).

Klinik Mittelstarke bis starke Blutung (Koagelabgang, Gewebsabgang). Ziehende, wehenartige Unterbauchschmerzen.

Diagnostik
- Uterus entsprechend der Norm o. kleiner, Uterusmuskulatur kontrahiert, CK geöffnet, Abortgewebe im CK (A. incipiens) o. in der Vagina (A. incompletus)
- Sonografisch häufig keine Vitalitätszeichen (▶ 22.2.2)
- Keine Temperaturerhöhung, Infektparameter (Leukozyten, CRP) neg.
- HCG evtl. ↓ (▶ 5.2.4), Gerinnung im Normbereich

Therapie

- Ausreichenden venösen Zugang (Braunüle®) schaffen
- Prostaglandin-Priming: bei nicht ausreichend geöffnetem MM etwa 4–6 h vor op. Eingriff Gemeprost 1 mg supp. (Cergem®[3]), evtl. ausreichend Analgetika, z. B. Pethidin (Dolantin®), und Spasmolytika, z. B. N-Butylscopolamin (z. B. Buscopan®) i. m. oder Supp.
- Kürettage ggf. nach Zervixdilatation in Narkose
- Oxytocin 3 IE in 50 ml NaCl o. Methylergometrin (z. B. Methergin®) 0,1–0,2 mg in 50 ml NaCl/i. m. unter o. nach Kürettage. **Cave:** kardiovaskuläre KO
- Anti-D-Prophylaxe bei Rh-neg. Frauen ▶ 11.4.4

> Komplette Ausstoßung oft nicht nachweisbar, deshalb (fast) jeden Abort als Abortus incompletus behandeln! Ausnahme: unterperiodenstarke Blutung, strichförmiges Endometrium, HCG-Titer < 100 IE/l. **Cave:** Ausschluss Tubargrav., ▶ 16.3

5.6.4 Missed Abortion

Definition Form einer Fehlgeburt, bei der die abgestorbene Frucht über Tage o. Wo. im Uterus zurückgehalten wird.

Klinik Sistieren des Uteruswachstums, häufiger bräunliche Schmierblutung. Nach > 5 Wo. kann es in etwa ¼ d. F. zu Gerinnungsstörungen kommen (▶ Abb. 5.6 c).

Diagnostik
- Uterus klein, derb, CK geschlossen
- Sonografisch keine Vitalitätszeichen (▶ 22.2.2)
- Keine Temperaturerhöhung, Infektparameter (Leukozyten, CRP) neg.
- HCG ↓ (▶ 5.2.4), Gerinnung im Normbereich

Therapie
- Unter ausreichend Analgetika wie z. B. Pethidin (Dolantin®) o. Spasmolytika wie z. B. N-Butylscopolamin (z. B. Buscopan®) i. m. oder Supp. Abortinduktion ▶ 5.19
- Kürettage ggf. nach Zervixdilatation
- Anschließend evtl. Oxytocin 3 IE in 50 ml NaCl o. Methylergometrin (z. B. Methergin®) 0,1–0,2 mg in 50 ml NaCl/i. m. unter o. nach Kürettage. **Cave:** kardiovaskuläre KO
- Anti-D-Prophylaxe, z. B. mit Rhophylac® bei Rh-neg. Frauen (▶ 11.4.4)

5.6.5 Febriler Abort, septischer Abort

Temperaturerhöhungen bis 38 °C ohne Kreislaufreaktionen sprechen für einen febrilen Abort (= lokale Endometriuminf.); ein darüber hinausgehender Temperaturanstieg, ggf. mit Schocksymptomatik für ein komplizierendes septisches Geschehen. Auftreten häufig nach inkomplettem Schwangerschaftsabbruch u. unvollständiger Abortkürettage. DD ▶ Tab. 5.7.

---

[3] Cergem® ist in D nur noch über die internationale Apotheke erhältlich.

Tab. 5.7 Differenzialdiagnose febriler und septischer Abort

	Febriler Abort	Septischer Abort
Klinik	• Leichte o. stärkere vag. Blutung • Evtl. putrider Fluor • Unterbauchschmerzen • Temperaturerhöhung ≤ 38 °C • Fehlende Kreislauf-KO	• Leichte o. stärkere vag. Blutung • Putrider Fluor • Unterbauchschmerzen • Temperaturerhöhung > 38 °C • Schüttelfrost • Kreislauf-KO (Hypotonie, Tachykardie, evtl. auch Untertemp.) • Evtl. Oligurie, Anurie, Tachypnoe, Bewusstseinstrübung, Unruhe
Diagnostik	• Portio-Schiebe- u. Elevationsschmerz • HCG ↓ • Infektlabor	• Portio-Schiebe- u. Elevationsschmerz • HCG ↓ • Infektlabor • Thrombozytopenie, Mangel an plasmatischen Gerinnungsfaktoren, gesteigerte Fibrinolyse
Therapie	• Antibiotikather. mit Cefotaxim 3 × 2 g/d i. v. (Claforan®) u. Metronidazol 2 × 500 mg/d i. v. (Clont®) • Wenn Pat. fieberfrei → Kürettage evtl. nach Prostaglandin-Priming, ▶ 5.19 • Anti-D-Prophylaxe bei Rh-neg. Frauen ▶ 11.4.4	• Venöser Zugang u. Volumensubstitution • Ventilationskontrolle (O₂-Gabe, BGA) • Antikoagulation: Heparin 2.500–5.000 IE i. v. initial, dann 20.000 IE/d per infusionem o. NMH s. c. ▶ 1.1.4 • Antibiose: Cefotaxim 3 × 2 g/d i. v. (Claforan®) u. Metronidazol 2 × 500 mg/d i. v. (Clont®) • Entleerung des Uterus (Prostaglandin-Priming, ▶ 5.19) • Schonende Kürettage • Schockbehandlung: falls erforderlich Dopamin 100–600 µg/min o. Noradrenalin bis 100 µg/min, Kortikoide (▶ 3.4) • Anti-D-Prophylaxe bei Rh-neg. Frauen ▶ 11.4.4

5.6.6 Habitueller Abort

Definition
WHO-Definition: drei o. mehr aufeinanderfolgende Fehlgeburten vor der 20. SSW. Häufigkeit ca.1 % der fertilen Frauen.

Ätiologie
Als mögliche Ursachen werden diskutiert:
- **Genetisch:** Häufigkeit genetischer Defekte nimmt mit dem Alter der Mutter zu. Aborte im 1. Trim. in 50–60 % durch genetische Defekte bedingt, v. a. Trisomie, X-Monosomie u. Polyploidie. Chromosomale Defekte bei 4 % der Aborte (0,2 % der Normalbevölkerung).
- **Anatomisch:** bei bis zu 25 % der Pat. angeborene uterine Anomalien. Deutlich erhöhtes Abortrisiko bei Uterusseptum, Uterus bicornis, Uterus duplex u. submukösen Myomen.
- **Mikrobiologisch:** V. a. Ureaplasma urealyticum u. *Chlamydia trachomatis*. Rezid. Spätaborte im 2. Trim. vermutlich vermehrt bei bakt. Vaginose (▶ 6.21).

5.6 Abort (Fehlgeburt)

- **Endokrin:** Hyper- u. insb. Hypothyreose (Senkung der Abortrate von 71,4 auf 9,5 % durch Ther. der Hypothyreose), PCO-Sy., metab. Sy.
- **Psychisch:** Emotionaler Stress bei jeder Fehlgeburt kann kumulativ mit Depression einhergehen.
- **Immunologisch:**
  - Alloimmunol.: Verschiebung des immunol. Gleichgewichts zugunsten einer TH_1-Immunantwort mit erhöhter NK-Zell-Aktivität (natürliche Killerzellen). Bei hoher peripherer NK-Zellzahl 3,5-fach erhöhtes Abortrisiko. **Cave:** Ausschlussdiagn.
  - Autoimmunol. (Antiphospholipid-Sy.): Prävalenz pos. Anticardiolipin-AK 5–50 %, für Lupus-Antikoagulans 0–20 %. Unbehandelte Frauen mit wiederholt pos. Anticardiolipin-AK o. Lupus-Antikoagulans Risiko von bis zu 90 % für Abort o. schwere Schwangerschafts-KO
- **Thrombophilie:** häufig Faktor-V-Leiden-Mutation, Prothrombin-Mutation u. Protein-S-Mangel

Wiederholungsrisiko ▶ Tab. 5.8.

Tab. 5.8 Wiederholungsrisiko für Aborte

Vorangegangene Aborte	Zukünftiges Abortrisiko (%)
0	11–15
1	12–24
2	19–35
3	25–46

Diagnostik

- Sorgfältiger gyn. Status, ggf. Sono, Hysteroskopie
- Abklärung angeborener thrombophiler Faktoren: Faktor-V-Leiden-Mutation, Prothrombin-Mutation u. Protein-C- u. -S-, PAI-Polymorphismus
- Abklärung autoimmunol. Probleme: Antiphospholipid-AK
- Ausschluss endokriner Ursachen: TSH, Androgene, evtl. oGTT mit Insulinbestimmung
- Ausschluss genetischer Ursachen: genetische Beratung der Eltern u. Chromosomenanalyse beider Partner, evtl. Karyotypisierung des Abortmaterials

Weitere fakultative Diagnostik

- Basaltemperatur messen (▶ 17.2.3)
- Zervixabstrich: insb. Ureaplasmen, Chlamydien, Mykoplasmen
- Serum-AK: Listerien, *Toxoplasma*, Chlamydien, ZMV, *Treponema pallidum*, Rötelnvirus
- Follikelphasendiagn.: einschl. Gonadotropine, Androgene, Prolaktin; TSH basal zu Zyklusbeginn ▶ 17.2.4
- Lutealphasendiagn. z. A. einer ovariellen Dysfunktion (▶ 17.2.4, ▶ 17.4.3) ggf. einschl. Endometriumbiopsie (▶ 17.2.10)
- Abklärung einer Uterusmalformation z. B. durch Sono, Hysteroskopie, Chromolaparoskopie (▶ 17.2.11); bei etwa 10 % der Frauen mit Gebärmutterfehlbildungen bestehen gleichzeitig Nierenmalformationen (i. v. Pyelogramm)

Therapie
- Bei angeborener Thrombophilie NMH, z. B. Dalteparin 2.500 IE/d s. c. (z. B. Fragmin P®)
- Bei Antiphospholipid-Sy. UFH, z. B. Heparin-Na 2 × 5.000 IE/d s. c. oder NMH plus ASS 100 mg/d bis ca. 36. SSW
- Frühzeitige Hospitalisierung, evtl. Progesteron 2 × 100 mg/d als Vaginaltbl. (z. B. Lutinus®) oder 2 × 100 mg/d p. o. (z. B. Utrogest® 1 × 2 Kps., Progestan® 1 × 2 Kps., Famenita® 200 mg 1 Kps./d).
- Evtl. Amniozentese zur Chromosomenanalyse in der Frühschwangerschaft (▶ 4.2.6)
- Behandlung einer vorbestehenden mütterlichen Erkr. z. B. Hypo- o. Hyperthyreose o. eines Diab. mell. (▶ 3.4)
- Hyperprolaktinämie: Dopaminagonisten o. Prolaktinhemmer (▶ 17.4.3)
- Hyperandrogenämie: Dexamethason z. B. 0,5 mg/d abends p. o. bei 75 kg KG (z. B. Fortecortin®)
- Lutealphasendefekt: Stimulationsbehandlung, z. B. mit Clomifen u. HCG (▶ 17.4.3), evtl. Progesteronsubstitution (s. o.)
- Uterusmalformation: evtl. Septumresektion, Myomenukleation (▶ 20.7.5)
- Erneuter Abort: Karyogramm, evtl. Blutgruppe des Feten
- Wiederholte Spätaborte: nach Abklärung von Uterusfehlbildungen o. -myomen ggf. prophylaktischer Cerclage (▶ 5.11.3) in der 14.–16. SSW o. kompletter MM-Verschluss
- Psychosomatisch orientierte Ther.: Frauen leiden häufig unter massiven Schuldgefühlen u. Gefühl der Insuff. Betreuung im Sinne von „tender loving care" (fester Ansprechpartner in spezialisiertem Institut, Besprechung aktueller Probleme, engmaschige Betreuung im 1. Trim. einschl. US-Diagn., Beruhigung bei Problemen, pos. Einstellung des Teams)

5.7 Trophoblasterkrankungen
Joachim Steller

> S2k-Leitlinie Gestationelle u. nichtgestationelle Trophoblasterkrankungen, Stand: Dezember 2015; www.awmf.org/leitlinien/detail/ll/032-049.html

5.7.1 Blasenmole

Epidemiologie Häufigkeit: 1 : 3.000 Schwangerschaften.

Pathophysiologie Hydropische Degeneration des Zottenstromas sowie Proliferation der Trophoblastepithelien (Synzytium u. Langhans-Zellen) mit traubenartig geordneten hydropischen Bläschen bis Bohnengröße. Ätiologie ist weitgehend unbekannt, frühzeitige Entwicklungsstörung der Frucht.

Klinik Uterine Blutung, ziehende wehenartige Unterbauchschmerzen. Vereinzelt Abgang von „Bläschen" aus dem CK, auffällig intensiv wachsender Uterus, fehlende Vitalitätszeichen, häufig Hyperemesis gravidarum (▶ 5.8.1). Risiken ▶ Tab. 5.9.

5.7 Trophoblasterkrankungen

Tab. 5.9 Risiken bei Blasenmole

Gefahren	Komplikationen
• Blutungsgefahr • Perforationsgefahr bei Kürettage • Unvollständige Uterusentleerung • In etwa 2 % später Chorion-Ca	• Torsion o. Ruptur von Luteinzysten • Gestosen • Infektionen

Einteilung villöse Trophoblasterkrankungen Abhängig von Morphologie u. klin. Erscheinungsbild unterscheidet man in Anlehnung an die WHO-Klassifikation:
- **Partialmole:** zytogenetisch in > 90 % Triploidie. Sonografisch meist vergrößerte Plazenta, evtl. mit blasigen Strukturen durchsetzt. β-HCG-Werte nur teilweise erhöht. Embryo bzw. Fetus regelmäßig entwickelt.
- **Blasenmole (komplette Mole):** stark vergrößerte Plazenta mit Vermehrung der Zottenmasse im Abradat, diffus von traubenförmig angeordneten Zottenblasen durchsetzt. Sonografisch neben vergrößertem Uterus zystische Strukturen ohne Fetalanlage. β-HCG-Werte generell erhöht.
- **Invasive Mole (destruierende Mole):** Nachweis von Molenzotten im Myometrium, seltener nach vaskulärer Verschleppung in extrauteriner Lokalisation wie Vagina u. Lungen. In der Regel persistierende u./o. ansteigende β-HCG-Werte. Vaginalsonografischer Nachweis von Einblutungen bzw. echodichtes Bezirke im Myometrium. Zusätzlich ovarielle Thekaluteinzysten möglich. **Cave:** Eine bereits bestehende Metastasierung in Lunge, Leber bzw. weiblichem Genitale muss klin. u. röntgenol. ausgeschlossen werden.

Diagnostik
- Befund: großer, sehr weicher Uterus, Luteinzysten der Ovarien (in etwa 10 % d. F. als Folge der Überstimulation)
- Labor: mehrfach stark erhöhte β-HCG-Werte (500.000 bis > 1 Mio. IE/l)
- Sono: typisches „Schneegestöber"-Bild der Plazenta, z. T. diskontinuierliches Tiefenwachstum in Dezidua u. Myometrium (= destruierende Blasenmole)
- Rö-Thorax: selten Metastasierung in die Lunge (= destruierende metastasierende Blasenmole)
- Selten: blaurote Knoten in der Scheidenwand (= ektope chorioepitheliale Wucherungen, ▶ 5.7.2)

Therapie
- Mind. 2 EK bereitstellen
- Prostaglandine zur Unterstützung der Spontanausstoßung, z. B. Gemeprost 1 mg 3–6 h präop. intravag. (z. B. Cergem®[4]) u./o. Sulproston-Infusion (Nalador®) (▶ 5.19)
- Anschließend behutsame Nachtastung, ggf. Saugkürettage nach vorsichtiger Zervixdilatation mit Hegarstiften, Oxytocin-Dauertropf, z. B. 10 IE/h in 500 ml Glukose 5 %. **Cave:** Perforationsgefahr!
- Antibiotikaschutz: periop. o. über 5–6 d Piperacillin 3 × 2–4 g i. v. (Pipril®) o. Cefuroxim 3 × 1,5 g i. v.
- Hysterektomie: als Notfallmaßnahme bei unstillbarer Blutung

---

[4] Cergem® ist in D nur noch über die internationale Apotheke erhältlich.

Weiteres Vorgehen Wöchentl. β-HCG-Kontrolle. Durchschnittlich 3 Wo. nach Entfernung der Blasenmole sind die β-HCG-Tests neg. Weiterhin wöchentl. Kontrollen, bis 3 × neg. Ergebnis. Spätestens 12 Wo. nach Entfernung der Blasenmole sollte β-HCG-Titer i. S. neg. sein. Aufgrund der hohen Perforationsgefahr besteht keine Garantie für die Vollständigkeit des Abradats, ggf. nach einigen Wo. Reküretage auch z. A. eines Chorion-Ca erforderlich.

Nichtvillöse Trophoblasterkrankungen

Chorionkarzinom
Eine der aggressivsten Neoplasien des Menschen, unbehandelt Letalität von > 90 % innerhalb von 1 J. Kennzeichen ist Proliferation des Zyto- u. Synzytiotrophoblasten mit ausgeprägter Angioinvasion. Führendes klin. Symptom sind dysfunktionelle Blutungen. Diagn. wird am Abrasiomaterial gestellt. Daneben stark erhöhte β-HCG-Werte (> 100.000 U/l). Bei > 50 % geht eine Blasenmole voraus. Bei einem Teil der Pat. findet sich zum Zeitpunkt der Diagnosestellung bereits eine Metastasierung.

Plazentabett-Tumor
Placental site trophoblastic tumor (PSTT): Plazentabettknötchen (PSNs) als noduläre Form bzw. *placental site plaque* bei plaqueartiger Morphologie sind tumorähnliche Läsionen des intermediären Trophoblasten. Meist Zufallsbefunde im Abradat o. Hysterektomiepräparat bei Frauen im reproduktiven Alter. PSNs sind generell benigne, eine Kontrolle mit β-HCG-Bestimmung ist nicht indiziert.

Epitheloider Trophoblasttumor
Epitheloid trophoblastic tumor (ETT): erst in jüngster Zeit beschriebene, vom intermediären Trophoblasten ausgehende Entität, von der bislang rund 50 Fälle publiziert sind. Leitsymptom ist dysfunktionelle Blutung, gefolgt vom Tumornachweis mit Vergrößerung des Uterus. β-HCG nahezu immer gering ↑ (< 2.500 IU/ml). Von den beschriebenen Fällen zeigte ¼ einen malignen Verlauf.

Hyperplastische Implantationsstelle des Plazentabetts
Exaggerated placental site: in der älteren Literatur als synzytiale Endometritis bezeichnet. Hyperproliferation des intermediären Trophoblasten im Bereich der plazentaren Implantationsstelle, meist benigne.

5.7.2 Chorionepitheliom (Chorionkarzinom)

Definition Trophoblastneubildungen, die über die Dezidua hinauswuchern, in die Blutbahn einbrechen u. rückbildungsfähige Fernmetastasen setzen. Die Einteilung erfolgt nach abnehmender Prognose u. schlechter werdender Ansprechbarkeit auf die Behandlung.

Einteilung
- Destruierende Blasenmole mit o. ohne Metastasierung
- Nichtmetastasierendes Chorion-Ca
- Metastasierendes Chorion-Ca vom Low-Risk-Typ: Frauen < 39 J., 1 o. 2 vorausgegangene Schwangerschaften, Intervall zwischen klin. Manifestation u. letzter Grav. < 6 Mon., Serum-HCG-Konz. < 100.000 IE/l, Metastasen auf kleines Becken u./o. Lunge beschränkt
- Metastasierendes Chorion-Ca vom High-Risk-Typ: Frauen > 39 J., ≥ 3 vorausgegangene Schwangerschaften, Intervall zwischen klin. Manifestation u.

5.7 Trophoblasterkrankungen

letzter Schwangerschaft > 6–12 Mon., HCG > 100.000 IE/l, metastatische Absiedlungen in Gehirn, Nieren; Rezidive nach vorausgegangener Ther.

Ätiologie 50 % d. F. im Anschluss an eine Blasenmole, 25 % im Anschluss an einen Abort u. weitere 25 % im Anschluss an o. während einer normalen Grav.

Klinik
- Unregelmäßiges Weiterbluten nach Blasenmolen- o. Abortkürettage o. erneutes Einsetzen von abnormen Blutungen o. lang anhaltende Blutung im Wochenbett
- Bei Kurzatmigkeit u. blutigem Auswurf → V. a. Lungenmetastasen
- Bei blaurot blutenden Knoten in der Vagina o. an der Vulva → Scheiden- o. Vulvametastasen
- Bei Ikterus o. uncharakteristischen Oberbauchbeschwerden → V. a. Lebermetastasen
- Bei zerebralen Symptomen → V. a. Hirnmetastasen

Diagnostik
- Labor: HCG i. S. massiv ↑ (bis > 1 Mio. IE/l)
- Palpation: großer weicher Uterus
- Sono: Uterus (sog. „Schneegestöber"-Bild ist bei den heutigen hochauflösenden US-Geräten kaum noch zu sehen; es zeigen sich intrauterin eher kleinzystische Veränderungen), kleines Becken (Ovarialzysten, Metastasen)
- Rö-Thorax: Ausschluss von Lungenmetastasen
- Ggf. Diagn.-Sicherung durch Abrasio. **Cave:** Verschleppung von Tumormaterial
- Metastasendiagn.: Sicherung von Fernmetastasen bei Symptomatik (selten: Leber, Knochen, ZNS) durch Sono, Szinti u. CT. Diagn. Laparoskopie bei V. a. Metastasierung in das kleine Becken; Tumormarkerkontrolle SP-1

Klassifikation ▶ Tab. 5.10; FIGO-Risikoscore ▶ Tab. 5.11.

Tab. 5.10 TNM-Klassifikation gestationsbedingter Trophoblasterkrankungen* [F797-001]

TNM-Kategorie	FIGO-Stadium	
TX	–	Primärtumor kann nicht beurteilt werden
T0	–	Kein Anhalt für Primärtumor
T1	I	Tumor auf den Uterus beschränkt
T2	II	Tumor breitet sich auf andere Genitalstrukturen aus: Vagina, Ovarien, Lig. latum, Tube (Metastasen o. dir. Ausdehnung)
M1a	III	Lungenmetastasen mit o. ohne Nachweis einer genitalen Lokalisation
M1b	IV	Alle anderen Fernmetastasen (z. B. Hirn) mit o. ohne Lungenmetastasen

* Gültig für Blasenmole, invasive Mole, Chorion-Ca, PSTT u. ETT. N-Kategorie nicht vorgesehen. Quelle: Interdisziplinäre kurzgefasste aktuelle Leitlinien der DGGG, DKG u. AGO zu Trophoblasttumoren, gestationellen u. nichtgestationellen Trophoblasterkr.

Tab. 5.11 Gestationsbedingte Trophoblasterkrankungen; FIGO-Risikoscore [F797-001]

FIGO-Score*	Punktwert			
	0	1	2	4
Alter (Jahre)	< 40	> 40	–	–
Vorangegangene Schwangerschaft als	Blasenmole	Abort	Term-Grav.	–
Intervall zwischen vorangegangener Schwangerschaft u. Beginn der Chemother. (Mon.)	< 4	4–6	7–12	> 12
	0	1	2	4
HCG-Werte (IU/l) vor Ther.	< 10^3	>10^3–10^4	>10^4–10^5	> 10^5
Größter Tumordurchmesser (inkl. intrauteriner Lokalisation, cm)		3–4	≥ 5	–
Metastasenlokalisation	Lunge	Milz, Nieren	GIT	Hirn, Leber
Vorangegangene Chemother.	–	–	Monother.	> 2 Medikamente

* Ermittlung des Score-Werts durch Addition der Punktwerte: 0–6 Punkte: Low-Risk-Gruppe. Quelle: Interdisziplinäre kurzgefasste aktuelle Leitlinien der DGGG, DKG u. AGO zu Trophoblasttumoren; gestationellen u. nichtgestationellen Trophoblasterkr. ≥ 7 Punkte: High-Risk-Gruppe.

Therapie Die Leitlinien der DGGG, DKG u. AGO empfehlen folgendes Chemotherapie-Regime bei gestationsbedingten trophoblastären Neoplasien:
- **Methotrexat-Monother.:** Methotrexat (MTX) 50 mg/d i. m. an Tag 1, 3, 5, 7 plus Calciumfolinat 7,5 (15) mg/d p. o. (z. B. Leucovorin®), beginnend 30 h nach MTX-Gabe
- **Actinomycin-D-Monother.:** Actinomycin D 10 µg/kg/d i. v. an Tag 1–5. Wdh. nach mind. 7 d Pause
- **EMA/CO:**
  - Tag 1: Etoposid 100 mg/m² i. v. über 30 min, MTX 300 mg/m² i. v. über 12 h, Actinomycin D 0,5 mg i. v. als Bolus
  - Tag 2: Etoposid 100 mg/m² i. v. über 30 min, Actinomycin D 0,5 mg i. v. als Bolus, Calciumfolinat 2 × 15 mg p. o. (beginnend 24 h nach MTX)
  - Tag 3: Kalziumfolinat 2 × 15 mg p. o.
  - Tag 4: Vincristin 1,4 mg/m² i. v. (max. 2 mg) als Bolus, Cyclophosphamid 600 mg/m² i. v. über 30 min
  - Wdh. nach 6 d Pause
- **Zusätzlich bei Hirnmetastasen:** MTX 1 g/m² i. v. über 24 h an Tag 1, Calciumfolinat 3 × 30 mg/d i. v. (beginnend 32 h nach MTX) an Tag 2–4, MTX 12,5 mg intrathekal an Tag 8
- **BEP:** Bleomycin 30 mg i. v. als Bolus an Tag 1 u. 8, Etoposid 100 mg/m² i. v. über 30 min u. Cisplatin 20 mg/m² i. v. über 1 h (**cave:** Hydratation) an Tag 1–5. Wdh. an Tag 22

- **EP/EMA:** Etoposid 150 mg/m² i. v. über 30 min u. Cisplatin 75 mg/m² i. v. (3 × 25 mg über jeweils 4 h) an Tag 1. Etoposid 100 mg/m² i. v. über 30 min, MTX 300 mg/m² i. v. über 12 h u. Actinomycin D 0,5 mg i. v. als Bolus an Tag 8. Calciumfolinat 4 × 15 mg p. o. (alle 12 h, Beginn 24 h nach MTX) an Tag 9–10. Wdh. nach 4 d Pause

- Vor jedem Zyklus werden (Diff-)BB, Thrombos, HCG, Leber- u. Nierenwerte kontrolliert, während des Zyklus täglich BB u. Thrombos, 2-tgl. Kontrolle der Leber- u. Nierenwerte!
- Nach etwa 2-jähriger Rezidivfreiheit sind erneute Schwangerschaften diskutabel.
- Antidot bei toxischen Reaktionen auf MTX ist Folinsäure 3–6 mg/d i. m. (Leucovorin®).

5.8 Erkrankungen in der Schwangerschaft
Joachim Steller

5.8.1 Frühgestosen

Durch die Grav. ursächlich bedingte Systemerkrankung der Mutter im 1. Trim.

Ptyalismus gravidarum

Klinik Vermehrter Speichelfluss (Hypersalivation), meist im 2.–4. Schwangerschaftsmon., wahrscheinlich durch verstärkte Parasympathikuswirkung (DD: Erkr. der Speicheldrüse = Sialodenitis o. der Mundhöhle = Stomatitis). Gelegentlich komb. mit unangenehmem Geschmacksempfinden. Ähnlich der Hyperemesis gravidarum häufig mit psychosomatischen Problemen assoziiert.

Therapie
- Mundspülen mit Adstringenzien, z. B. Salviathymol®, Mallebrin®, Myrrhe-Tinktur o. Salbeitee
- Promethazin 3 × 25–50 mg/d p. o. (z. B. Promethazin-neuraxpharm®, Atosil®) oder
- Atropinsulfathaltige Tr. (Meditonsin®) 5 Tr. mehrmals tgl. o. Atropinsulfat Drg. (z. B. Dysurgal®) ½–1 Tbl. morgens (**cave:** Off-Label-Use)
- Anticholinergika, z. B. Butylscopolamin (Buscopan® Drg.) 2–3 ×/d (**cave:** Off-Label-Use)

Hyperemesis gravidarum

Häufigkeit 50–90 % aller Schwangeren leiden an Übelkeit u. Erbrechen, 0,5–2 % an einer Hyperemesis gravidarum.

Risikofaktoren
- Migrationshintergrund
- Adipositas
- Mehrlingsgrav., Trophoblasterkr.
- Hyperemesis gravidarum in vorangegangener Schwangerschaft

- Nulliparität
- Metab. Ursachen: z. B. Hyperthyreose, Hyperparathyreoidismus, Leberdysfunktion, Störungen des Lipidmetabolismus
- Ernährungsstörungen: Bulimie, Anorexie
- Psychosomatische Ursachen
- Vermutlich Zusammenhang zwischen Übelkeit, Erbrechen u. erhöhter HCG-Produktion
- Auch Östrogene, Progesteron, adrenale u. hypophysäre Hormone lösen vermutlich Hyperemesis aus
- *Helicobacter-pylori*-Inf. u. Schilddrüsenüberfunktion können ebenfalls für eine Hyperemesis gravidarum verantwortlich sein

Klinik
- Meist in der 6.–8. SSW einsetzendes Erbrechen. Bei 20 % Übergang in persistierendes, häufiges Erbrechen (5–10 ×/d), unabhängig von der Nahrungsaufnahme
- Gewichtsabnahme > 5 %
- Erschwerte Nahrungs- u. Flüssigkeitsaufnahme mit Dehydratation, Azidose durch mangelnde Nahrungsaufnahme, Alkalose durch HCl-Verlust u. Hypokaliämie
- Exsikkose, brennender Durst (Wasserverlust), Temperatur ↑ („Durstfieber")
- Foetor ex ore (Acetongeruch)
- Leberaffektionen (Nekrosen, fettige Degeneration) mit Ikterus können Begleiterscheinungen sein
- Selten Benommenheit u. geistige Verlangsamung bis zum Delir

Einteilung
- Grad 1: Krankheitsgefühl ohne Stoffwechselentgleisung
- Grad 2: ausgesprochenes Krankheitsgefühl mit Stoffwechselentgleisung, Dehydratation u. E'lytentgleisung

Komplikationen
Kreislaufversagen, Nierenversagen, Leberversagen mit Ikterus. Bei Hyperemesis mit Stoffwechselstörungen gehäuft Plazentainsuff.

Diagnostik
- Labor: E'lyte, Gesamteiweiß, BZ, kleines BB, Bili, Transaminasen, GGT, evtl. Hepatitisserologie zur DD
- Urin: Aceton, Eiweiß, Urobilinogen u. Porphyrin ↑

Differenzialdiagnosen
Hepatitis, Gastroenteritis.

Therapie
- In leichten Fällen Akupunktur
- Nahrungskarenz
- Metoclopramid 4 × 10 mg/d p. o. (z. B. Paspertin®) zur Verbesserung der GI-Motilität
- Vitamin B_6 (Pyridoxin) 3 × 10–25 mg/d, mit niedriger Dosis beginnen
- Dimenhydrinat 2 × 62 mg/d i. v. oder 3–4 × 50 mg/d p. o. oder 3 × 1 Supp. tgl. (z. B. Vomex A®-Supp.) oder
- Ondansetron 2–4 mg i. v. (Zofran®) oder 4 mg oral (Zofran zydis®) alle 6–8 h (**Cave:** Off-Label-Use)
- Promethazin 12,5–25 mg i. v./p. o. (z. B. Promethazin-neuraxpharm®, Atosil®), bis zu 6 ×/d (**cave:** Off-Label-Use!)
- Parenterale Ernährung: 2.500–3.000 ml 3-proz. Aminosäurelsg. mit Kohlenhydraten u. E'lyten (900–1.000 kcal) sowie 1 Amp. Medivitan®, evtl. 500 ml Lipidemulsion (550 kcal), evtl. Humanalbumin 20 % 2–3 × 50 ml

- Korrektur des E'lytdefizits (▶ 2.6)
- Meclozin 25–100 mg/d ist Mittel der Wahl, in D aber nicht mehr erhältlich

 Das leichte morgendliche Erbrechen in der Frühschwangerschaft bedarf keiner bes. Therapie!

5.8.2 Sodbrennen

Häufigkeit Tritt bei 40–80 % aller Schwangeren auf, Beschwerden nehmen im Lauf der Schwangerschaft häufig zu u. verschwinden oft erst nach der Entbindung.

Klinik Hinter dem Brustbein lokalisiertes brennendes Gefühl, teils schmerzhaft, teils krampfartig, das vom mittleren Oberbauch bis in die Halsgrube aufsteigt. Der Schmerz kann spontan o. mit der Nahrungsaufnahme auftreten. Bei länger anhaltenden Beschwerden kann eine Refluxösophagitis entstehen. Saures Aufstoßen, Völlegefühl.

Diagnostik Bei über Wo. anhaltendem tgl. Sodbrennen: Gastroduodenoskopie (insb. bei zusätzlichen Schluckbeschwerden, Bluterbrechen, Teerstuhl).

Therapie
- Allgemeinmaßnahmen:
  - Meiden von fetten Speisen, Süßigkeiten, Pfefferminze, Kaffee, kohlensäurehaltigen Getränken, unverdünnten Säften mit hohem Fruchtsäuregehalt
  - Nahrungsaufnahme auf 4–6 kleine Mahlzeiten verteilen
  - Meiden später Abendmahlzeiten (> 3 h vor dem Zubettgehen)
  - Kopfende des Bettes 20 cm höher stellen
- Medikamente:
  - **Antazida:** Magnesium- u. Aluminiumhydroxid, z. B. Gelusil Lac® 3–4 × 1 Kau-Tbl. tgl. o. Megalac® Almasilat/-mint Suspension 3–4 × 1 Btl. puffern die Magensäure gut, werden nur in Spuren resorbiert, trotzdem strenge Ind.-Stellung im 1. Trim. **Cave:** Natriumbikarbonat sollte nicht mehr eingesetzt werden → führt zu metab. Azidose mit mütterlicher u. fetaler Ödemneigung.
  - **H_2-Rezeptoren-Blocker,** falls keine Besserung eintritt, z. B. Cimetidin (Tagamet®). Cimetidin passiert zwar die Plazentaschranke, in zahlreichen Berichten ist jedoch gut dokumentiert, dass keine unerwünschten Effekte auf den Feten o. Fehlbildungen auftreten.

Komplikationen
- Ulzera können zu narbigen Strikturen am Ösophagus führen.
- Umwandlung des Plattenepithels des Ösophagus in ein spezialisiertes Zylinderepithel (Barrett-Mukosa). Selten kann bei weiter bestehender Symptomatik nach Jahren bis Jahrzehnten ein Barrett-Ca entstehen.

5.8.3 Herzerkrankungen in der Schwangerschaft

Physiologie
- **Schwangerschaftshydrämie** o. physiol. Schwangerschaftsanämie durch Zunahme des Blutvolumens um ca. 40 %, wobei das Plasmavolumen um ca. 45 % u. das Ery-Volumen um ca. 30 % zunehmen

- **Verbesserte Organperfusion:** von Uterus (zusätzlich 400–600 ml Blutfluss/min), Nieren u. Haut. Bedingt durch Zunahme des Schlagvolumens (leichte Hypertrophie des Myokards) u. der Herzfrequenz um ca. 10–15 SpM. Zunahme des HMV um max. 40–50 % (Maximum in der 28. SSW)
- **Blutdruckveränderungen:** in der Frühgrav. leichter RR-Abfall um 5–10 mmHg systolisch, im Verlauf Normalisierung.
  - Hypotonie: Bei ca. 8 % aller Graviden besteht eine Hypotonie (RR mehrmals < 100/60 mmHg), was zu Minderdurchblutung der Plazenta führen kann. Ab 13. SSW ist bei subjektiven Beschwerden (Schwindel, Orthostasereaktion) eine Ther. mit Ergotaminpräparaten, z. B. Dihydroergotaminmesilat 3 × 20 Tr. p. o. (Dihydergot® plus) möglich (▶ 7.10).
  - Hypertonie: RR > 140/90 mmHg ist behandlungsbedürftig (z. B. SIH, Spätgestose, Pfropfgestose; ▶ 7.9).

Folgen Der totale periphere Widerstand fällt im Verlauf der Grav. ab, dies führt zu einer Stimulation des Angiotensin-Systems. Während einer normalen Grav. ist die Empfindlichkeit der Arterien für Angiotensin (AT) II reduziert, und es resultiert kein RR-Anstieg. Bei Präklampsie besteht eine erhöhte Empfindlichkeit mit konsekutiver Hypertonie.

Der Venendruck steigt besonders im Bereich der unteren Extremitäten durch Kompression der V. cava inferior mit Druckerhöhungen von bis zu 25 cmH$_2$O. Deshalb kann es zur Ausbildung o. Verstärkung von Varizen im Bereich von Vulva, Analbereich (Hämorrhoiden) u. unteren Extremitäten kommen. Weitere KO: V.-cava-Kompressionssy.

> Verschiebung der elektrischen Herzachse im EKG durch hoch stehenden Uterus.

Risikogravidität bei kardialer Vorerkrankung
Häufigkeit 0,8–3 %, davon 80–90 % rheumatische Vitienerkr.

Klinik und Vorgehen
Evtl. kardiol. Betreuung, vor geplanter Grav. EKG, Belastungs-EKG, Echokardiogramm. Die Klinikaufnahme sollte 2–3 Wo. vor EGT erfolgen.
- Schweregrade ▶ Tab. 5.12
- **Stadium I–II:** kein erhöhtes Risiko bei sorgfältiger ärztlicher Betreuung. Eine vag. Entbindung ist anzustreben, dabei sind PDA sowie VE o. Forzepsentbin-

Tab. 5.12 Schweregrade der Herzkrankheit in graviditate nach NYHA (New York Heart Association) [G397]

I	Vor der Schwangerschaft keine Beschwerden
II	Leichte Einschränkung der Leistungsfähigkeit vor der Schwangerschaft
III	Zeichen der kardialen Dekompensation bei leichter körperlicher Belastung vor der Schwangerschaft
IV	Zeichen der kardialen Dekompensation in Ruhe vor der Schwangerschaft

Pat. mit Vorhofflimmern/-flattern u./o. art. Embolien sind den Gruppen III/IV zuzuordnen.

dung großzügig zu indizieren (Erleichterung der Eröffnungs- u. Austreibungsperiode)
- **Stadium III–IV:** bei optimaler Überwachung Schwangerschaft möglich. Klinikeinweisung ab 30.–34. SSW (Ind. zur Sectio großzügiger stellen), bei Vitien mit Rechts-links-Shunt, z. B. M. Fallot, ist die Ind. zum Schwangerschaftsabbruch vor der 14. SSW gegeben

Kritische Perioden:
- 28.–34. SSW: Anpassung an erhöhtes HMV
- Geburtsperiode
- Postpartal erhöhtes Risiko der kardialen Dekompensation durch plötzliche Umstellung der Hämodynamik

> Bei kongenitalen u. erworbenen Herzvitien, Klappenersatz, Z. n. rheumatischem Fieber evtl. Antibiotikaprophylaxe mit Cephalosporin i. v., z. B. Cefazolin 2 g i. v. (z. B. Cefazolin-saar®) 1 h präop., 6 h postop. u. evtl. 12 h postop. bzw. peripartal.

5.8.4 Gastrointestinale Erkrankungen in der Schwangerschaft

Mundhöhle
Erhöhte Anfälligkeit ggü. Karies u. Parodontose bei verminderter Blutzirkulation in der Gingiva u. veränderter Speichelzusammensetzung (pH), Frühgestosen (Ptyalismus gravidarum, Hyperemesis gravidarum ▶ 5.8.1). Lokale Entzündungen der Gingiva, Reizhypertrophie, Entstehung von Angiogranulomen (Schwangerschaftsepulis), die zu Blutungen neigen.

Abdomen
Zwerchfellhochstand (insb. letztes Trim.) mit konsekutiver Refluxösophagitis (ggf. Antazida o. Prokinetika). Nausea o. Emesis gravidarum ▶ 5.8.1. Obstipation durch relaxierenden Einfluss des Progesterons u. mech. Einflüsse (ggf. Laxanzien).
- Paralytischer Ileus durch Tonusverlust, fließender Übergang zu Obstipation
- Mech. Ileus (▶ 3.2.2) v. a. in der 16.–20. SSW, wenn der Uterus aus dem kleinen Becken in den Bauchraum tritt u. in der 32.–36. SSW, wenn der kindliche Kopf in das kleine Becken tritt. Vor allem Adhäsionsileus u. Volvulus

> **Vorgehen**
> - Sofortige OP bei Strangulation, Mesenterialinfarkt, Dickdarmileus mit Gefahr der Gangrän
> - Magen- u./o. Dünndarmsonden (Dennissonden)
> - Flüssigkeits- u. E'lytsubstitution: ZVD zwischen 4 u. 8 cmH$_2$O
> - Antibiotika: z. B. Cefotaxim 3 × 2 g/d i. v. (Claforan®), bei septischem Verlauf in Komb. mit Gentamicin 1 × 3–5 mg/kg KG/d i. v. (z. B. Refobacin®, Spiegelkontrolle, Dosisanpassung bei Niereninsuff.) u./o. Metronidazol 3 × 500 mg/d i. v. (z. B. Clont®)
> - Bei paralytischem Ileus hohe Einläufe u. Darmstimulation mit Metoclopramid, Bepanthen u. Neostigmin (z. B. 6 Amp. Paspertin® + 6 Amp. Dexpanthenol® + 6 Amp. Prostigmin® in 500 ml Ringer-Lsg. mit 40–80 ml/h)

5.8.5 Lebererkrankungen in der Schwangerschaft

Leberlabor
Parameter für die Integrität der Leberzelle:
- Transaminasen: Bei Schäden gelangen GOT (AST) u. GPT (ALT) ins Serum. Bei schwerer Leberdystrophie können die Transaminasen abfallen.
- Cholestase-Enzyme: GGT, AP, LAP (GGT ↑ bei toxischer Schädigung, v. a. Alkohol).
- GLDH: bei Leberzellnekrosen ↑.
- Syntheseleistung: Albumin, Cholinesterase (CHE), Gerinnungsfaktoren des Prothrombin-Komplexes. Bei Leberinsuff. sind Quick, CHE, AT III u. Albumin ↓.

Physiologische Veränderungen der Leberwerte während der Gravidität
↓: CHE, GGT, Ges.-Eiweiß u. Albumin
↑: AP, LAP, Gerinnungsfaktoren I, II, VII, VIII, IX
Sonstige Werte unverändert

Ikterus in der Gravidität
Ikterus in der Schwangerschaft ist kein seltenes Ereignis. Differenzialdiagn. ist zu unterscheiden zwischen:
- **Icterus in graviditate:** ein Ikterus, der auch außerhalb der Schwangerschaft auftreten kann, z. B. virale Hepatitis
- **Icterus e graviditate:** ein schwangerschaftsspez. Ikterus. Hierzu gehören:

Intrahepatische Schwangerschaftscholestase (ICP)
Akute, erst in der 2. Schwangerschaftshälfte bzw. oft erst im 3. Trim. auftretende intrahepatische Cholestase. Häufigkeit 0,1–0,2 %, bei vorausgegangener Schwangerschaftscholestase Rezidivrate von 40–60 %. Die Pathogenese ist multifaktoriell; neben einer hereditär erhöhten Sensibilität ggü. Östrogenen in der Grav. werden exogene Faktoren u. eine genetische Prädisposition (Mutation von Chromosom 7q21) diskutiert.

Klinik Klin. Leitsymptom ist der Pruritus, zuerst v. a. im Bereich der Handflächen u. Fußsohlen (meist im 3. Trim.). **KO:** kindliche Mortalität ↑, vorzeitige Wehen, Frühgeburtenrate deutlich ↑, selten fetale Wachstumsretardierung. Bei ausgeprägten therapieresistenten Fällen kann eine vorzeitige Beendigung der Grav. erforderlich sein.

Diagnostik GGT, ALAT u. AP ↑ (bei Schwangerschaft immer ↑, daher allein nicht aussagekräftig), LAP, Bili (dir.), Hepatitisserologie neg.

Differenzialdiagnosen Hepatitiden (▶ 6.9), Arzneimittelschäden der Leber, andere Cholestasen.

Therapie Ursodesoxycholsäure 15 mg/kg KG/d ab 2. Trim. (Ursofalk®) o. Colestyramin 1–2 × 4 g/d p. o. (Quantalan®), Vit. K (zur periop. Blutungsprophylaxe).

Prognose Vollständige Reversibilität aller Symptome nach Beendigung der Schwangerschaft.

Akute Schwangerschaftsfettleber
Seltene, schwere Schwangerschafts-KO mit erhöhtem Mortalitätsrisiko für Mutter u. Kind. Ursache nicht geklärt, in etwa ¼ d. F. liegt Überlappung mit HELLP-Sy. vor.

Klinik Gegen Ende der Grav. anhaltende Übelkeit mit Erbrechen u. Oberbauchschmerzen, Ikterus in 85 % d. F. Im fortgeschrittenen Stadium Nierenversagen, Gerinnungsstörungen, Bewusstseinstrübung. Zeichen des Leberversagens: zusätzlich Foetor hepaticus (wie frische Leber o. Lehmerde) mit Apathie → Schläfrigkeit → Koma.

Diagnostik Bili, AP u. Transaminasen mäßig ↑, Thrombos ↓, PTT verlängert, Leukozytose; CT (Dichteminderung durch die Verfettung), ggf. Biopsie, möglichst postpartal (Histologie: diffuse, läppchenzentrierte Verfettung der Hepatozyten, plurivesikulär, kleinvakuolär).

Differenzialdiagnosen Schwere Gestose (▶ 5.8.1) mit Leberbeteiligung, HELLP-Sy. (▶ 5.9.3), fulminant verlaufende Virushepatitis.

Therapie ITV! Supportive Maßnahmen (Protonenpumpenhemmer, Vermeidung von Hypoglykämien). Symptomatisch. Rechtzeitige Beendigung der Schwangerschaft verbessert die Prognose!

5.8.6 Renale Komplikationen der Schwangerschaft

Latente (asymptomatische) Bakteriurie
HWI sind die häufigsten KO während der Grav. (ca. 7 %), bei 30 % besteht initial eine asympt. Bakteriurie (normal 5 % d. erw. Frauen) > 10^5/ml Keime im M-Urin o. Keime im suprapubischen Punktat. Diagn. u. Ther. bei Bakteriurie ▶ 3.3.1. Jeder HWI ist in der Grav. behandlungsbedürftig.

> **Nierenaufstau**
> Bei den meisten Schwangeren ist ein Aufstau des Nierenbeckens (meist re.) bis max. 2,5 cm (sonografisch) normal. Ther. erst bei Beschwerden mit Spasmolytika (z. B. Buscopan® supp.) o. mit Analgetika (z. B. Paracetamol-CT®) o. bei gleichzeitigem HWI Einleitung einer Antibiose (▶ 3.3.1). Selten auch Anlage eines Doppel-J-Katheters erforderlich.

Pyelonephritis gravidarum
Tritt bei ca. 2 % aller Graviden auf, re. > li.

Anamnese Latente (asympt.) Bakteriurie, Fehlbildungen der ableitenden Harnwege (tonogene Dilatation der Ureteren), HWI vor der Grav., Steinleiden.

Klinik, Erreger, Therapie ▶ 3.3.2. **Langzeitther.** für ca. 4 Wo. u. postpartale Urinkontrollen, ggf. auch Sono-Kontrolle der ableitenden Harnwege.

Akutes Nierenversagen (ANV)
Ätiologie Akutes Kreislaufversagen (Schock, Blutverlust, Trauma), Hämolyse (artifizieller Abort, Blutgruppenunverträglichkeit), E'lytdysbalancen (Hyperemesis), Inf. mit Sepsis (septischer Abort, Urosepsis), EPH-Gestose u. Eklampsie.

Klinik Initiale Oligo-, Anurie, im Verlauf Polyurie mit Restitutio. In der Phase der Oligo-, Anurie Gefahr der Hyperhydratation, Hyperkaliämie u. Urämie (Stickstoff ↑ mit Übelkeit, Erbrechen, Somnolenz, Koma), toxische Herzschädigung.

Therapie Bei *prärenalem* ANV (Schock, Volumenverluste, Herz- u. Kreislaufversagen) adäquate Kreislaufstabilisation. Bei *intrarenalem* ANV Entlastung der Niere von Entgiftungsfunktion, prospektives Handeln, frühe Verlegung zur Dialyse.

Vorbestehende Nierenerkrankungen
- **Glomerulonephritis GN:** Verlauf der GN vom Typ-IgA/Minimal-Change-GN gering beeinflusst, bei anderen GN-Formen kann rasche Progredienz einsetzen (engmaschiges Monitoring). GN als Erstmanifestation ist seltene KO, Gefahr der Spätgestose (Pfropfgestose ca. 70 % ▶ 5.9.2)
- **Kongenitale Zystennieren:** günstiger Grav.-Verlauf mit schlechter Prognose für Mutter u. Kind bei beginnender art. Hypertonie. **Cave:** zunehmende Nierenfunktionsstörung
- **Dialysepat.:** meist im fertilen Alter amenorrhoisch, bei Grav. hohe fetale Mortalität, evtl. bei zunehmender Anämie Erythropoietin-Ther. einleiten o. ergänzen

Nierentransplantierte
Risiken in der Schwangerschaft
- Abstoßungsreaktion des Transplantats während der Grav. eher selten, gehäuft aber in der Postpartalperiode
- Verschlechterung der Nierenfunktion (etwa 20 % der Pat.)
- Hypertonie (etwa 25 % der Pat.)
- Erhöhte Infektionsgefahr (etwa 60 % der Pat., bakt. Inf. u. insb. *Herpes simplex* u. CMV)
- Frühgeburten (etwa 45 %)
- Wachstumsretardierung (etwa 20 %, wohl als Folge der Immunsuppression)

Vorgehen
- Prinzipiell ist bei normaler Nierenfunktion (keine Proteinurie, Krea < 1 mg/dl) nicht von einer Schwangerschaft abzuraten.
- Ausschluss erblicher Nierenerkr. (z. B. polyzystische Nieren).
- Zeitpunkt frühestens 2 J. nach Transplantation, bis dahin Reduzierung der immunsuppressiven Ther.
- Überwachung der Schwangerschaft in Kooperation mit geburtshilflichem Zentrum, Nephrologen u. Pädiatern.
- Weiterführung der Immunsuppression (Azathioprin o. Ciclosporin A).
- Weiterführung der Kortikoid-Dauerther. **Cave:** In der Regel ist kein Effekt auf die Lungenreifung zu erwarten.
- Engmaschige Kontrolle von Nierenfunktion, Blutdruck, Fetometrie alle 14 d bis 30. SSW, dann wöchentl.
- Großzügige Ind. zur Lungenreifebehandlung (▶ 5.11.4).
- Prim. Sectio caesarea meist nicht notwendig, da die transplantierte Niere nicht im kleinen Becken liegt. OP-Bericht der Transplantation anfordern.
- Erstversorgung des NG durch Pädiater.
- Postpartale Antibiotikaprophylaxe: immunsupprimierte Pat. z. B. Cefuroxim 3 × 1,5 g i. v. über 10 d (Elobact®).

5.9 Spätgestosen

Joachim Steller

5.9.1 Schwangerschaftsinduzierte Hypertonie (SIH, EPH-Gestose)

Epidemiologie

S1-Leitlinie Hypertensive Schwangerschaftserkrankungen: Diagnostik und Therapie. Stand: Dezember 2013, www.awmf.org/leitlinien/detail/ll/015-018.html

Neben der Blutung in graviditate häufigste Schwangerschafts-KO (6–8 % der Schwangeren). Auftreten meist im letzten Schwangerschaftsdrittel. Verursacht ca. 20 % der perinatalen Sterblichkeit, gehäufte mütterliche Sterbefälle.
In der Früherkennung muss bei etwa 20 % der Pat. mit anamnestisch bek. SIH bei nachfolgenden Grav. mit einer leichten SIH u. bei etwa 25 % sogar mit einer schweren SIH gerechnet werden. Eine vorangegangene schwere Präeklampsie im 2. Trim. geht bei etwa 65 % der Pat. mit einem identischen Komplikationsrisiko einher; Gleiches gilt für das HELLP-Sy.

Risikofaktoren
- **Anamnestisch:** Z. n. SIH, BMI > 30, vorbestehender Diab. mell., familiäre Gestosebelastung, vorbestehende Nierenerkr., Erstparität, Alter > 40 J., chron. (präexistente) Hypertonie, Antiphospholipid-Sy. Autoimmunerkr., ethnische Herkunft (afroamerikanisch) etc.
- **Schwangerschaftsassoziierte Risiken:** erhöhter RI der Aa. uterinae > 24. SSW, bilaterales Notching, Mehrlingsschwangerschaft, Z. n. IVF/Eizellspende, GDM, Hydrops fetalis, Trisomien, Blasenmole etc.
▶ Tab. 5.13.

Zuverlässige Laborparameter zur Vorhersage einer hypertensiven Schwangerschaftserkr. fehlen. Der persistierende bilaterale Notch der Aa. uterinae soll mit einem deutlich erhöhten Präklampsierisiko assoziiert sein (▶ 22.2.5).

Klassifikation der hypertensiven Erkrankungen in der Schwangerschaft
- **Gestationshypertonie (SIH):** RR-Anstieg nach der abgeschlossenen 20. SSW ≥ 140/90 mmHg ohne Proteinurie bei zuvor normalen RR-Werten

Tab. 5.13 Schwangerschaftsinduzierte Hypertonie

E = Ödeme	Nur generalisierte Ödembildung ist als Risikohinweis zu werten (rapide Gewichtszunahme). 500 g/Wo. höchstzulässige Gewichtszunahme in den letzten 3 Mon. der Grav. Alleinige Anwesenheit von peripheren Ödemen hat keine Bedeutung als Risikofaktor
P = Proteinurie	> 0,3 g/l im 24-h-Urin
H = Hypertonie	RR-Anstieg > 140/90 mmHg (Leitsymptom)

- **Präeklampsie:** Gestationshypertonie ≥ 160/110 mmHg nach der abgeschlossenen 20. SSW mit Proteinurie (≥ 300 mg im 24-h-Sammelurin), Nierenfunktionseinschränkung Krea ≥ 0,9 mg/dl u./o. Oligurie < 500 ml/24 h u./o. Leberbeteiligung (Transaminasenanstieg, Oberbauchschmerzen) u./o. Lungenödem u./o. Thrombozyten < 100.000/µl u./o. neurol. Symptomatik (Kopfschmerzen, Sehstörungen) u./o. fetale Wachstumsretardierung (evtl. mit path. Doppler
- **Drohende Eklampsie:** zusätzlich ZNS-Symptome (Kopfschmerzen, Ohrensausen, Augenflimmern, Sehstörungen, Somnolenz, Übelkeit, Erbrechen, Hyperreflexie, motorische Unruhe), begleitet von Hämokonz., Oligurie (< 500 ml/d), evtl. Thrombozytenabfall
- **Eklampsie:** tonisch-klonische Krämpfe i. R. einer Präeklampsie (nur in 50 % mit ausgeprägter Hypertonie). Infolge einer Spastik der Hirngefäße tonisch-klonische Krämpfe mit Zungenbiss, Zyanose, Bewusstlosigkeit, im Anschluss Koma. Die Folgen sind Mikrozirkulationsstörungen mit Kapillarschäden, Hämorrhagien in ZNS, Leber u. Nebennieren, Gewebsnekrosen evtl. mit Amaurose, Nieren- u. Herzversagen. Müttersterblichkeit bei einem Anfall 5 %, bei > 5 Anfällen > 38 %. Perinatale Letalität 8–27 %
- **HELLP-Syndrom:** Trias aus Hämolyse, erhöhten Leberenzymen u. erniedrigten Thrombozyten < 100.000/µl
- **Propfpräeklampsie (Pfropfgestose):** chron. Hypertonie: präkonzeptionell o. in der 1. Schwangerschaftshälfte diagn. Hypertonie mit RR ≥ 140/90 mmHg über > 12 Wo.

Indikationen zur stationären Einweisung hypertensiver Schwangerer
SIH-Schweregradeinteilung ▶ Tab. 5.14.
- RR ≥ 150/100 mmHg o. RR > 140/90 mmHg unter antihypertensiver Ther.
- Proteinurie u. rasche Ödembildung bzw. Gewichtszunahme von > 1 kg/Wo.
- Prodromalstadien (Augenflimmern, Kopfschmerzen etc.)
- Hypertonie in Begleitung weiterer Risikofaktoren (z. B. mütterliche Erkr., GDM, frühes Gestationsalter < 34. SSW., Mehrlingsgrav., mangelnde Kooperation)
- Oberbauchschmerzen unklarer Genese
- Thrombozytopenien < 150.000/mm³
- Fetale Bedrohung (IUGR, suspektes CTG, path. Doppler, Oligohydramnion etc.)

Tab. 5.14 Schweregradeinteilung der schwangerschaftsinduzierten Hypertonie

	0 Punkte	1 Punkt	2 Punkte	3 Punkte
RR_{syst} (mmHg)	< 140	140–160	160–180	> 180
RR_{diast} (mmHg)	< 90	90–100	100–110	> 110
Protein im Urin (g/l/d)	< 0,3	0,3–1	1–3	> 3

Auswertung: 1–3 Punkte: leicht; 4–6 Punkte: mittelschwer; 7–9 Punkte: schwer

Diagnostik und Verlaufskontrolle
▶ Abb. 5.7.

5.9 Spätgestosen

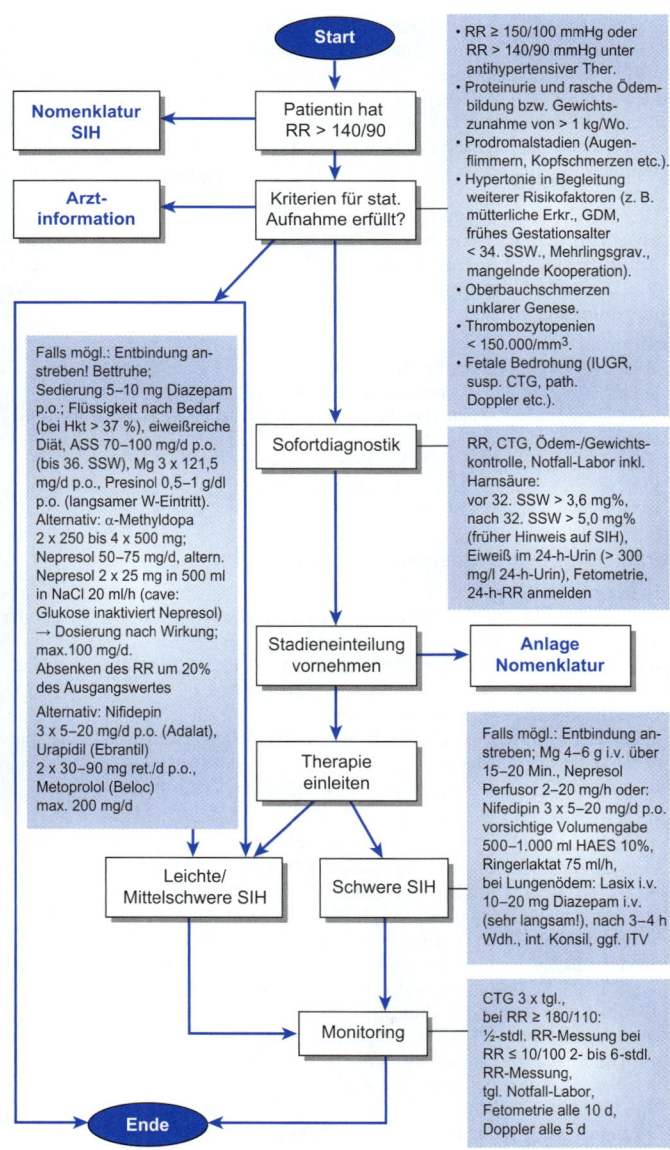

Abb. 5.7 Schwangerschaftsinduzierte Hypertonie [L157/M453]

Bei stationärer Aufnahme
- Bei Aufnahme Frage nach Oberbauchschmerzen, Übelkeit, Parästhesien, Augenflimmern (als Vorboten eines eklamptischen Anfalls)
- RR-Kontrolle, CTG, Ödem- u. Gewichtskontrolle (rasche Ödemzunahme mit Gewichtszunahme > 1 kg/Wo.)
- Kleines BB inkl. Hkt, E'lyte, Krea, Harnsäure (Anstieg auf > 3,6 mg% vor der 32. SSW u. > 5,0 mg nach der 32. SSW häufig früher Hinweis auf SIH), Gesamteiweiß, Blutzucker, GOT, GPT, GGT, LDH, Gerinnung, Thrombos, fakultativ AT III
- Urinausscheidung (> 500 ml/24 h)
- Eiweiß im Sediment bzw. im 24-h-Urin (Grenzwert 300 mg/l 24-h-Urin)
- Fetometrie (▶ 22.2.3), Doppler-Sono (▶ 22.2.5), ggf. Geburtseinleitung (bei V. a. intrauterine Dystrophie in Terminnähe ▶ 8.2.4), je nach Befund ggf. Sectioentbindung

Monitoring
- Tägl. 1–3 × CTG-Kontrolle
- Je nach Ausmaß der Hypertonie ½- bis 6-stdl. RR-Kontrolle, Puls
- Tägl. Krea, E'lyte, Gesamteiweiß, BB, Thrombos, Leberwerte, Harnsäure, Gewichts-, Ödemkontrolle
- Alle 10 d Fetometrie (▶ 22.2.3) u. Bestimmung der FW-Menge (▶ 5.2.7)
- Evtl. tgl. bis wöchentl. Doppler-Sono (▶ 22.2.5)
- RDS-Prophylaxe (24.–34. SSW)

Therapie bei leichter oder mittelschwerer SIH
Allgemeine Maßnahmen
- Bettruhe, ggf. kurzzeitige Sedierung, z. B. mit Diazepam 5–10 mg/d p. o. oder Supp. (z. B. Valium®)
- Flüssigkeit nach Bedarf (Dursten nicht sinnvoll), Flüssigkeitszufuhr bei Hkt > 37 %
- Eiweißreiche Diät bei Hypalbuminämie
- ASS 70–100 mg/d p. o. (z. B. Aspirin®), ab 2. Schwangerschaftshälfte bis max. 36. SSW (zur Prophylaxe)
- Magnesium 3 × 121,5 mg/d p. o. (z. B. Magnesium Verla®)

Antihypertensiva ▶ Tab. 5.15.
- α-Methyldopa 0,5–1 g/d p. o. (z. B. Presinol®). Langsamer Wirkungseintritt (4–5 d), zur Ther. von leichteren Fällen o. in Komb. mit Dihydralazin. NW: Bei > 2 g/d Gefahr von Mekoniumileus u. fetaler Lethargie; **oder**
- Dihydralazin 50–75 mg/d p. o. (z. B. Nepresol®), alternativ 2 × 25 mg in 500 ml NaCl 0,9 % i. v. (Glucose inaktiviert Nepresol®!), Infusionsgeschwindigkeit anfangs 20 ml/h. Dosierung nach RR-Verhalten, max. 100 mg/d. Ther. der 1. Wahl. Wirkungsbeginn nach etwa 10–20 min, Wirkungsmax. nach 20–40 min. **Cave:** Rascher Wirkungseintritt. RR sollte um nicht mehr als 20 % des Ausgangswerts/h gesenkt werden. Langfristiges Ziel: RR_{syst} 150–160 mmHg, RR_{diast} 90–100 mmHg. NW: Tachykardie, Kopfschmerzen, Schwindel, Nausea, Erbrechen, Parästhesien in den Extremitäten
- Ggf. Nifedipin 3 × 5–20 mg/d p. o. (z. B. Adalat®) **oder**
- Urapidil 2 × 30–90 mg ret. tgl. p. o. (z. B. Ebrantil®) **oder**
- Metoprolol bei leichteren Fällen, langsamer Wirkungseintritt, max. 200 mg/d p. o. (z. B. Beloc®). NW: mütterliche u. kindliche Bradykardien, fetale Adaptationsstörungen (Antidot: Atropin). Mittel der 2. Wahl

5.9 Spätgestosen

Tab. 5.15 Medikamente zur SIH-Therapie

Medikament	Präparat	Bemerkungen
α-Methyldopa	Presinol®	Mittel der 1. Wahl zur Behandlung der leichten o. mittelschweren SIH, Wirkbeginn erst nach mehreren Tagen
Bedingt geeignet zur Primärtherapie		
Dihydralazin	Nepresol®	NW: Kopfschmerzen, Flush, Tachykardie (bei schweren Verlaufsformen Mittel der Wahl, ggf. in Komb. mit α-Methyldopa)
Metoprolol	Beloc®	Risiko fetaler Wachstumsretardierung
Nifedipin	Adalat®	Im 1. Trim. fetales Fehlbildungsrisiko
Nicht geeignet zur Primärtherapie		
Diuretika (z. B. Furosemid)	Lasix®	Beeinträchtigung der uteroplazentaren Versorgung (nur bei Lungenödem, Herzinsuff. etc.)
ACE-Hemmer (z. B. Lisinopril)	Acerbon®	NW: ANV beim NG, Teratogenität, Oligohydramnion
AT$_1$-Antagonisten (z. B. Losartan)	Lorzaar®	

- Entbindung ist kausale Ther. der SIH.
- Bei anhaltendem RR ≥ 170/110 mmHg stat. antihypertensive Ther., bei bek. Hochdruck o. Pfropfkonstellation (Nierenerkr., Diab. mell.) bereits ab RR$_{diast}$ > 90–100 mmHg.
- Bei Zeichen fetaler Gefährdung (path. CTG o. Doppler) Schwangerschafts- bzw. Geburtsbeendigung.

Therapie bei schwerer SIH oder drohender Eklampsie
Sofern keine sofortige Entbindung bzw. Sectio möglich:
- Stabilisierung des mütterlichen Zustands (▶ Tab. 11.15)
- Antikonvulsiva: Magnesiumsulfat 4–6 g i. v. über 15–20 min (z. B. Magnorbin®), Erhaltungsdosis 1–2 g/h bis 24–48 h p. p., **cave:** Atemstillstand bei Überdosierung (als Antidot: 10 ml Kalziumglukonat 10 % langsam i. v.)
- Antihypertensiva: Dihydralazin (Nepresol®) als Bolus 6,25–12,5 mg über 2 min, ggf. Wdh. nach 20 min i. v. oder via Perfusor 2–20 mg/h o. Urapidil (z. B. Ebrantil®). 6–24 mg/h als Dauerinfusion via Perfusor. Ggf. Initialther. mit Nifedipin 5 mg/d p. o., Wdh. nach 20 min möglich (z. B. Adalat®)
- Vorsichtige Volumengabe: 500–1.000 ml kolloidale Lsg. (HAES 10 %) o. Ringerlaktat (75 ml/h)
- Bei Hämostasestörung (z. B. Fibrinogen < 120 mg/dl) Gefrierplasma. Kein Heparin, solange aktive Blutung o. erhöhte Blutungsgefahr (und anstehende op. Entbindung)
- Bei Lungenödem o. Herzinsuff. Furosemid i. v. (z. B. 10–20 mg Lasix®). **Cave:** RDS-Prophylaxe u. Partusisten® ggf. kontraindiziert

- Diazepam bei schwerer SIH 10–20 mg sehr langsam (!) i. v. (z. B. Valium®), bei drohender Eklampsie o. Eklampsie 30(–40) mg sehr langsam i. v. Nach 3–4 h ggf. weitere Injektion von 20(–40) mg i. v. bis max. 120 mg/d
- Ggf. 3 × 50 ml/d Humanalbumin 20 % u. Plasmaexpander bei ZVD < 4 cmH$_2$O

Therapie bei Eklampsie – Intensivtherapie
- Oberkörperhochlagerung, kein grelles Licht, für Ruhe sorgen. Bei Bewusstlosigkeit stabile Seitenlage
- O$_2$-Gabe 2–4 l/min, bei Atemstillstand Intubation, Beatmung
- In sehr schweren Fällen Narkose mit Relaxation u. Intubation
- I. v. Zugang mit langsamer Infusion (zum Offenhalten)
- Antihypertensive Therapie nach Sistieren des Anfalls bleibt meist Klinik vorbehalten, z. B. Dihydralazin-Bolusinjektion ¼–½ Amp. à 25 mg über 2 min i. v. (z. B. Nepresol Inject®). Stabilisierung des mütterlichen Zustands (▶ Tab. 11.15)

Monitoring
- Engmaschige (5–10 min) RR-Kontrolle, EKG-Monitoring, ZVD-Kontrolle (sollte nicht höher als 5 cmH$_2$O liegen)
- Stunden-Urin, Kontrolle von Atmung u. Herzfrequenz (Monitorüberwachung), Absaug- u. Beatmungsbereitschaft, Atemwege freihalten, Azidoseausgleich
- CTG-Dauerüberwachung

Antikonvulsiva
- Magnesiumsulfat 4–6 g i. v. über 15–20 min (z. B. Magnorbin®), Erhaltungsdosis 1–2 g/h bis 24–48 h p. p. **Cave:** Atemstillstand bei Überdosierung (als Antidot: 10 ml Kalziumglukonat 10 % langsam i. v.)
- Sedierung: evtl. Diazepam 10–20–40 mg sehr langsam i. v. (z. B. Valium®)

Antihypertensiva Nach Beendigung des Anfalls Dihydralazin 6,25–12,5 mg als Bolus über 2 min i. v. (z. B. Nepresol Inject®), anschließender Dauertropf (s. o.). **Cave:** plötzlicher RR-Abfall. Optimal ist RR-Senkung um 10 mmHg/h u. nicht unter 140/90 mmHg!

Weitere Maßnahmen
- Evtl. Low-Dose-Heparinisierung, z. B. 3 × 5.000 IE (z. B. Liquemin®) o. Dalteparin 2.500–5.000 IE (Fragmin® P/-Forte)
- Diuretika u. Humanalbumin nach ZVD-Kontrolle (s. o.)
- Ggf. FFP, TK (▶ 2.5.6), AT-III-Substitution
- Evtl. Tokolytika (z. B. Fenoterol-Infusion ▶ 5.11.2)

Beendigung der Gravidität Ab der 34. SSW sollte die Pat. rasch entbunden werden (Oxytocintropf, Amniotomie ▶ 8.14, ggf. Vakuumextraktion ▶ 9.3.2). Vag. Entbindung (bei stabilem mütterlichem u. kindlichem Zustand) o. Sectio „nach Klinik". Bei Erstgebärenden, unreifem Befund o. bes. Dringlichkeit ist die für die Mutter risikoreichere Sectio häufig unvermeidbar.

> **Besondere Risiken**
> Neurol. Spätschäden, Nierenversagen, intraabdom. o. intrakranielle Blutungen, akute Schwangerschaftsfettleber, Lungenödem, vorzeitige Plazentalösung, intrauterine Asphyxie, IUFT. Evtl. 6–12 Wo. p. p. neurol. Kontrolluntersuchung der Mutter.

5.9.2 Pfropfgestose

Ursache sind präexistente Organerkr. (Nephropathie, Diab. mell., Hypertonie). Symptome treten meist bereits vor der 24. SSW auf, häufig schwerer Verlauf. Betroffen sind ältere u. mehrgebärende Frauen. Therapie ▶ 5.9.1.

5.9.3 HELLP-Syndrom

Definition Sonderform des SIH mit Hämolyse (H), erhöhten Leberenzymen (EL) u. niedrigen Plättchenzahlen (LP). Häufigkeit etwa 1 : 300 Geburten.

Klinik Schmerzen im re. Oberbauch bzw. im Epigastrium, teilweise begleitet von Übelkeit u./o. Erbrechen, ggf. in Verbindung mit starken Kopfschmerzen u. Sehstörungen als Hinweis auf eine drohende Eklampsie.

Diagnostik
- Labor: Hämolysezeichen (Hb ↓, Bili u. LDH ↑, Haptoglobin ↓, Bili-Spaltprodukte im Urin), Leberenzymerhöhung (Transaminasen, GGT u. evtl. AP), Thrombozytenabfall < 100.000/mm³, Thrombinzeit ↓, D-Dimere ↑, Hkt ≥ 38 %. Evtl. Harnsäureanstieg auf > 5,0 mg%, Krea-Anstieg als Zeichen der Niereninsuff. u. Proteinurie i. R. der Gestosesymptomatik
- Evtl. Blutdruckanstieg auf > 140/90 mmHg

Differenzialdiagnosen Akute Hepatitis, Cholezystolithiasis, Medikamentenintoxikation, idiopathisch-thrombozytopenische Purpura, idiopathischer Schwangerschaftsikterus, akute Schwangerschaftsfettleber.

Therapie Intensivther. ▶ 5.9.1.
- **Thrombozytenkonzentrat** (TK, ▶ 2.5.6), zum Zeitpunkt der Geburt sollte die Thrombozytenzahl > 50.000/mm³ liegen; bei Thrombozytenzahlen < 20.000/mm³ besteht die Gefahr einer spontanen Blutung.
- Vor der 32.–34. SSW kons. Behandlungsversuch (z. B. RDS-Prophylaxe) unter Intensivmonitoring nur bei stabilem Zustand von Mutter u. Kind. Bei Thrombozytenzahl < 50.000/mm³ abhängig von subaqualer Blutungszeit TK-Gabe vor op. Eingriffen erwägen. Bei Fibrinogen < 100 mg/dl Gabe von FFP.
- **Schwangerschaftsbeendigung:** meist erforderlich (perinatale Letalität in schweren Fällen > 10 %, mütterliche Letalität ca. 3,5 %). Bei erheblicher Frühgeburtlichkeit (< 32.–34. SSW) wird derzeit ein kons. Vorgehen unter engmaschigem maternalen u. fetalen Monitoring u. RDS-Prophylaxe im Perinatalzentrum angestrebt. **KO:** postop. intraabdom., subfasziale sowie atonische Blutung, die in Einzelfällen zur puerperalen Hysterektomie zwingen kann. Gelegentlich wurden mütterliche Leberrupturen mit massiven intraabdom. Blutungen beobachtet.

> - Es besteht keine Korrelation zwischen mütterlicher Thrombozytopenie u. kindlichem Hirnblutungsrisiko.
> - Postpartale Heparingabe erst, wenn Thrombozyten > 100.000/mm³ u. Fibrinogen > 150–200 mg/dl.

5.10 Gestationsdiabetes (GDM)

Joachim Steller

Screening ▶ 5.2.6.

Definition Erstmals in der Schwangerschaft aufgetretene o. diagnostizierte Glukosetoleranzstörung. Geschätzte Häufigkeit 7–20 %. Ein unentdeckter o. schlecht eingestellter GDM geht mit einem wesentlich erhöhten Risiko für Mutter u. Kind prä-, intra- u. postpartal einher. Früherkennung u. gute Einstellung des GDM hat oberste Priorität.

Risiken
- **Mutter:**
  - Mortalität 0,5 % (bei sehr guter Zuckereinstellung nicht erhöht); zugleich rascheres Voranschreiten von diab. Früh- u. Spätkomplikationen (z. B. Retino-, Nephropathie)
  - Verschlechterung der diab. Stoffwechsellage
  - Häufig HWI. **Cave:** Pyelonephritis, Urosepsis
  - Disposition zur Gestose bzw. Pfropfgestose (▶ 5.9.1, ▶ 5.9.2)
- **Kind:**
  - Diab. Embryopathie (4–10 %): 2–3 × häufiger als bei Nichtdiabetikern, v. a. Fehlanlage der Beine, Herzfehler, Nierenfehlbildungen
  - Diab. Fetopathie (40 %): Makrosomie, Retardierung funktioneller Reifungsprozesse. Geburtsmech. Probleme infolge der Makrosomie
  - Perinatale Mortalität (etwa 6 %): Plazentainsuff., IUFT v. a. ab der 34. SSW
  - Polyhydramnion (10 %) als Folge fetaler Polyurie
  - Atemnotsy. durch mangelnde Lungenreifung, postpartale Stoffwechselprobleme durch häufige Hypoglykämien, Polyzythämie, Hypokalzämie, Hyperbilirubinämie

Risikofaktoren
- **Anamnestisch:** BMI > 30 vor Schwangerschaft, körperliche Inaktivität, familiäre Diabetesbelastung, PCO (Insulinresistenz), Medikamenteneinnahme mit neg. Einfluss auf den Glukosestoffwechsel (z. B. Betablocker, Glukokortikoide, verschiedene Antidepressiva), RR > 140/90 mmHg, Alter > 45 J., KHK, pAVK, zentral art. Makroangiopathie
- **Schwangerschaftsassoziierte Risiken:** vorangegangene Geburt eines Kindes > 4.500 g, GDM in vorheriger Schwangerschaft, habituelle Aborte in der Anamnese, übermäßige Gewichtszunahme in der jetzigen SS, (Glykosurie), Polyhydramnion, Makrosomie (AU ↑)

Diagnostik Screening (zwischen 24+0 u. 27+6 SSW obligat) ▶ 5.2.6. Nach der 24. SSW mit unauffälligem oGTT-Screening: Sollte sich hier ein Risikofaktor während der bestehenden Schwangerschaft (z. B. Glykosurie, Polyhydramnion, fetale Makrosomie) ergeben, ist der oGTT zu wiederholen.
US-Fetometrie, dicker Hautmantel mit Doppelkontur (▶ 22.2.3).

Überwachung
- Diät-Schulung, bei guter Compliance BZ-Selbstkontrollen
- Optimale BZ-Einstellung (< 100 mg/dl) präkonzeptionell = keine erhöhte Fehlbildungsrate
- HbA_{1c} alle 4 Wo.
- CTG-Kontrolle, ab der 28. SSW

5.10 Gestationsdiabetes (GDM)

- Fetometrie (▶ 22.2.3) ab der 30. SSW 2–3 ×/Wo.
- Doppler-Sono bei fetaler Wachstumsretardierung (IUGR)
- RR-Kontrollen, Proteinurie u. Gestoselabor 1–2 ×/Wo.
- Augenhintergrundkontrolle

Therapie
- Falls diätetisch (nicht < 16 BE/d) nicht ausreichend einstellbar (BZ-Werte > 100 mg/dl): Insulingabe, evtl. Insulinpumpentherapie. Ziel: kapilläre Blutglukosewerte nüchtern u. präprandial < 90 mg/dl, 1 h nach Beginn der Mahlzeit < 140 mg/dl u. 2 h nach Beginn der Mahlzeit < 120 mg/dl. Bei Insulinther. präprandial > 60 mg/dl
- Verzicht auf Süßstoff Cyclamat

- Keine oralen Antidiabetika, da teratogen. Einnahme bis zur 10. SSW stellt keine Ind. zur Interruptio dar.
- Erhöhter Insulinbedarf bei Inf. u. „Stress". **Cave:** postpartaler BZ-Abfall → iatrogene Hypoglykämie.

Geburtshilfliches Management
- **Bei unkomplizierten Fällen u. guter Diabeteseinstellung:** BZ-Werte < 120 mg/dl; ggf. Abwarten bis zum Termin, ggf. Geburtseinleitung (▶ 8.14) in Terminnähe (möglichst Termin nicht überschreiten).
- Eine Biometrie zum Geburtstermin. Bei geschätztem Gewicht > 4.500 g prim. Sectio caesarea anraten. Vorliegen eines GDM gilt als Risikofaktor für Schulterdystokie. Jede Pat. über mögliche Schulterdystokie aufklären.
- **Bei KO** (schlechte BZ-Einstellung, Makrosomie, Polyhydramnion, IUGR etc.) **und unbefriedigender Einstellung:** ggf. stat. Aufnahme nach der 32. SSW, falls erforderlich vorzeitige Geburtsbeendigung (möglichst bei angenommener o. nachgewiesener Lungenreife; ▶ 5.11.4). Evtl. Amniozentese → Lecithin u. Insulin im FW (▶ 5.2.6). **Cave:** Partusisten® u. Glukokortikoide sind diabetogen.
- **Bei geplanter Geburt o. Sectio caesarea:** BZ sollte zwischen 80 u. 130 mg/dl (4,4–7,2 mmol/l) liegen. Bei insulinpflichtigem GDM 2-stdl. Messung. Bei Bedarf Insulindosis (kurz wirksame Insuline) individuell anpassen. Bei diätetisch guter Einstellung sind BZ-Messungen sub partu i. d. R. nicht erforderlich.
- **Postpartal:** i. d. R. Insulintherapie postpartal beenden.
- 4-Punkte-Tagesprofil am 2. Tag p. p., evtl. ergänzt durch 2. Tagesprofil. Bei Blutglukose-Werten nüchtern > 100 mg/dl u./o. postprandial > 160 mg/dl Fortführung der Blutglukose-Selbstmessungen für 1 Wo. unter häuslichen Bedingungen, bei persistierend erhöhten Werten RS mit betreuendem Diabetologen.
- Postpartale Insulintherapie indiziert bei Blutglukosewerten > 200 mg/dl o. hyperglykämischen Symptomen. Bei diätetisch gut eingestellten Schwangeren postpartale Blutglukosekontrolle nicht erforderlich.
- Erneuter oGTT 6–12 Wo. nach der Geburt.

Neugeborenes (vgl. ▶ 11.12)
- Unmittelbar p. p. BZ-Bestimmung. Wenn keine weiteren Risikofaktoren (z. B. Makrosomie, IUGR) vorliegen, kann das Kind bei BZ > 40–45 mg/dl in der Geburtsklinik verbleiben.
- Weitere BZ-Kontrollen nach 2, 4, 6 h.

- Bei Werten < 40–45 mg/dl Verlegung in eine neonatol. Intensiveinheit, da Gefahr für Hypoglykämie, Atemnotsy., Hyperbilirubinämie, Störungen des E'lyt- u. Wasserhaushalts, innere Fehlbildungen, Herzvitien.
- Bei Verlegung auf NG-Station: nach 3 Messungen des BZ > 45 mg/dl im Abstand von 2 h (präprandial) sind keine weiteren Maßnahmen mehr erforderlich.
- Häufigere kleine Mahlzeiten.

5.11 Vorzeitige Wehen, Zervixinsuffizienz
Joachim Steller

5.11.1 Grundlagen

> Symptome der drohenden Frühgeburt sind vorzeitige Wehentätigkeit, Zervixreifung u. vorzeitiger Blasensprung vor der abgeschlossenen 37. SSW (▶ 8.8).

Ätiologie
- **Mütterliche Ursachen:**
  - Früh- u. Fehlgeburten in der Vorgeschichte
  - Aufsteigende vag. Inf. u. HWI
  - Körperliche u. psychische Überforderung
  - Psychosomatische Störungen
  - Schlechte soziale u. wirtschaftliche Bedingungen
  - Schwere Erkr. der Mutter, wenn ein Fortbestand der Schwangerschaft das Leben der Mutter gefährden würde, z. B. HELLP-Sy.
  - Rauchen, Alkohol- u. Drogenmissbrauch
  - Endokrine Störungen
  - Z. n. Sterilitätsbehandlung
- **Uterusbezogene Faktoren:**
  - Anatomische Beeinträchtigung der Zervix, z. B. nach Konisation
  - Anatomische Beeinträchtigung des Uterus, z. B. Myome
  - Uterine Blutungen, z. B. bei Placenta praevia o. bei vorzeitiger Lösung
  - Polyhydramnion
  - Z. n. mehreren Schwangerschaftsabbrüchen
- **Kindliche Faktoren:**
  - Schwerwiegende intrauterine Mangelversorgung, fetaler Disstress
  - Kindliche Fehlbildungen o. schwerwiegende Erkr. des Kindes
  - Mehrlingsschwangerschaft

Kriterien für therapiebedürftige Uterusaktivität   ▶ Tab. 5.16.
- Kontraktionsfrequenz > 6 Kontraktionen/h mit einer Dauer von etwa 30 s mit o. ohne Zervixwirksamkeit
- Progrediente Verkürzung o. Eröffnung der Zervix auch ohne Nachweis einer vorzeitigen Wehentätigkeit (ggf. sonografisch trichterförmige Eröffnung des inneren MM)

Diagnostik
- Anamnese, s. o.
- Sicherung des Gestationsalters (EGT, Frühultraschall), CTG (Wehen, fetaler Zustand; ▶ 8.2.2)

5.11 Vorzeitige Wehen, Zervixinsuffizienz

Tab. 5.16 Mittelwerte der physiologischen Kontraktionsfrequenz in der Schwangerschaft

Bis 26. SSW	2 Kontraktionen/h
26.–28. SSW	3 Kontraktionen/h
29. SSW	4 Kontraktionen/h
30.–32. SSW	5 Kontraktionen/h
33. SSW	4 Kontraktionen/h
34.–37. SSW	5 Kontraktionen/h

- Zervixlänge sonografisch (Normwert bis zur 36. SSW: 4,8 cm ± 1 cm) u. palpatorisch, Konsistenz der Zervix (weich, derb), MM-Weite (Bishop-Score, ▶ 5.17)
- Fetometrie ▶ 22.2.3
- Evtl. Doppler-Sono
- Zervixabstrich z. A. einer Inf. (▶ 15.2.4), Vaginal-pH (alkalische Werte korrelieren nach Saling mit erhöhter FG-Rate)
- Urinstatus
- Infektparameter (Leukozyten, CRP)

Therapie
- Bettruhe, bei kindlicher Unreife Klinikeinweisung, Koitusverbot ggf. bis abgeschlossene 37. SSW
- Behandlung von mütterlichen Begleiterkr., z. B. HWI, Schilddrüsenfunktionsstörungen
- Lactobacillus-Vaginal-Supp. (z. B. Vagiflor®) bei alkalischem Vaginal-pH
- Lokale Ther. (z. B. Sobelin® Vag-Creme) bei path. Vaginalabstrich
- Antibiose, z. B. mit Cefotaxim 3 × 2 g/d i. v. (Claforan®) bei V. a. Inf. des unteren Eipols (pos. Infektparameter, path. Zervixabstrich). Inf. mit GBS ▶ 11.6.3
- Tokolyse ▶ 5.11.2
- RDS-Prophylaxe ▶ 5.11.4
- Ggf. Cerclage o. Cerclage-Pessar (▶ 5.11.3). **Cave:** Infektionsrisiko, Kolpitis
- Prozedere bei vorzeitigem Blasensprung ▶ 8.8

5.11.2 Tokolyse

Epidemiologie
Frühgeburten haben einen großen Anteil an der perinatalen Morbidität u. Mortalität. Die Zahl der sehr kleinen o. frühen Frühgeburten hat in den letzten Jahren zugenommen. Neben hoher Mortalität besteht bei sehr frühen Frühgeburten das Risiko schwerwiegender Langzeitschäden.

Indikationen
- Spontane vorzeitige Wehentätigkeit zwischen der 24+0. u. 34+0. SSW (schmerzhafte, palpable, länger als 30 s andauernde Kontraktionen, die häufiger als 3 ×/30 min auftreten); ▶ Abb. 5.8
- Verkürzung der funktionellen Zervixlänge (transvag. sonografische Messung)
- MM-Erweiterung

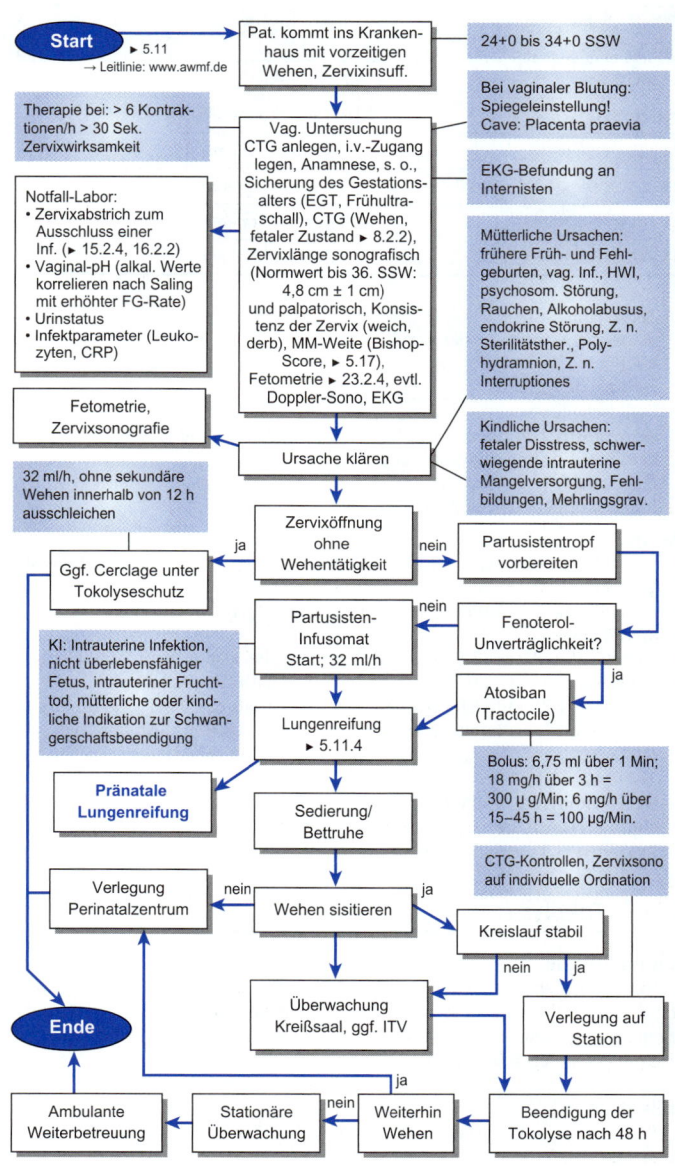

Abb. 5.8 Frühgeburtsbestrebungen [L157/M453]

Kontraindikationen
- Intrauterine Inf.
- Nicht überlebensfähiger Fetus o. IUFT.
- Mütterliche o. kindliche Ind. zur Schwangerschaftsbeendigung.
- < 24. SSW: Vor 24+0. SSW ist medikamentöse Tokolyse i. d. R. nicht indiziert. Individuelle Ausnahmen können bestehen.
- > 34+0. SSW: Nach 34+0. SSW frühgeburtsbedingte kindliche Morbidität u. Mortalität gering, daher medikamentöse Tokolyse wegen der NW für die Mutter u. des ungünstigen Nutzen-Risiko-Verhältnisses für den Feten meist nicht mehr indiziert. Individuelle Ausnahmen können bestehen.

> Haupteffekt der Tokolyse (Betamimetika, Atosiban, Nifedipin, Indometacin) ist die Verlängerung der Schwangerschaft um 2–7 d ggü. Placebo, ohne dass dies nach der bisherigen Datenlage Einfluss auf die perinatale Mortalität hat.

Durchführung

Verfügbare Substanzen Zur Tokolyse eingesetzt werden v. a. Betamimetika, Oxytocin-Rezeptorantagonisten, Kalziumantagonisten, Magnesium, Prostaglandinsynthesehemmer u. NO-Donatoren:
- In D sind Fenoterol (Partusisten®), Atosiban (Tractocile®) u. Magnesiumsulfat zugelassen. Fenoterol ist nur in D zur Tokolyse zugelassen. Atosiban wurde in Europa von der *European Agency for the Evaluation of Medical Products* als Tokolytikum zugelassen.
- Für Magnesiumsulfat fehlt ein eindeutiger Wirkungsnachweis bzgl. der Hemmung vorzeitiger Wehen, und es war mit einer Erhöhung der kindlichen Mortalität assoziiert, wenn sehr hohe Dosen angewendet wurden (Loading-Dose 4–6 g Magnesiumsulfat, Erhaltungsdosis 2–4 g/h über > 24 h).
- Einer aktuellen Metaanalyse zufolge reduziert die prophylaktische Gabe von Progesteron (100–200 mg/d vag.) bei asympt. Einlingsschwangerschaft u. Zervixlänge < 25 mm sowie bei Z. n. Frühgeburt die Frühgeburtenrate um 50 %. Bei Gemini o. höhergradigen Mehrlingsschwangerschaften ist Progesteron nicht wirksam.

Für Nifedipin (z.B. Adalat®), NO-Donatoren u. Indometacin wurde die Zulassung als Tokolytikum weltweit von den Herstellern nicht beantragt. Nicht zugelassene Tokolytika sollten nur nach ausführlicher Information der Pat. u. Einholen des Einverständnisses für die Off-Label-Anwendung eingesetzt werden. Es bleibt dabei dem einzelnen Arzt überlassen, das Medikament in Eigenverantwortung u. mit dem Risiko der Haftung für entstehende Gesundheitsschäden außerhalb des Anwendungsgebiets zu verwenden.

Substanzwahl
- Atosiban, Betamimetika u. Nifedipin sind äquieffektiv in der Hemmung vorzeitiger Wehen.
- Atosiban ist die nebenwirkungsärmste Substanz. Nifedipin hat ebenfalls wenige NW, Fenoterol hat die meisten NW. Dennoch kann die Bolustokolyse mit Fenoterol die Rate subjektiver NW senken.
- Atosiban ist teuer.

- Nifedipin, Indometacin und NO-Donatoren sind für die Behandlung in der Schwangerschaft nicht zugelassen, können aber oral bzw. perkutan gegeben werden, während Fenoterol u. Atosiban parenteral verabreicht werden.

Dosierung ▶ Tab. 5.17.

Tab. 5.17 Dosierungen der Tokolytika	
	Dosierung
Fenoterol (Partusisten®)	• i. v. über Perfusor/Infusomat: initial 2 µg/min; Steigerung um 0,8 µg alle 20 min (max. 4 µg/min) • Perfusor-Bolustokolyse: Beginn: 3–5 µg alle 3 min
Atosiban (Tractocile®)	i. v. über Perfusor/Infusomat • 6,75 mg über 1 min (Bolus) • 18 mg/h über 3 h = 300 µg/min • 6 mg/h über 15–45 h = 100 µg/min
Progesteron	z. B. Utrogestan® 2 × 1 Tbl. à 100 mg/d vag. bis zur 36. SSW (für orale Gabe kein ausreichender Wirkungsnachweis)
Nifedipin (Adalat®)	Die optimale Dosis von Nifedipin zur Behandlung vorzeitiger Wehen wurde bisher nicht eindeutig definiert. Gebräuchliche Dosierung: • 10 mg p. o. alle 20 min mit bis zu 4 Dosen (Aufsättigung), gefolgt von • 20 mg p. o. alle 4–8 h. Alternativ nach der Aufsättigung retardiertes Nifedipin (Nifedipin CR 30, 60) in 2 o. 3 Dosen mit Höchstdosis 150 mg/d
Indometacin (Indo-CT®)	• Initial 50 mg p. o., dann 25 mg alle 4–6 h • Rektal initial 100 mg, dann 25 mg p. o. alle 4–6 h (nicht länger als 48 h, nur bis zur 32. SSW)
NO-Donatoren (Nitroderm®)	Die optimale Dosis von NO-Donatoren zur Behandlung vorzeitiger Wehen wurde bisher nicht eindeutig definiert. Bisher in Studien verwendete Dosierungen sind: • 1–2 Pflaster mit 10 mg/d, bis zu • 1–2 Pflaster mit 50 mg/d

Die Gabe von Atosiban ist in folgenden Situationen sinnvoll:
- Therapieversagen auf Betamimetika
- Nicht tolerierte mütterliche NW unter Betamimetika
- Erhöhtes Risiko eines Lungenödems (z. B. Präeklampsie, Herz-Lungen-Nierenerkr. der Mutter, Mehrlingsschwangerschaft)

Vorgehen
- Kurzzeitige Tokolyse über 48 h mit Betamimetika, v. a. zur Lungenreifeinduktion. Dauertokolyse mit Betamimetika nicht mehr i. R. der Zulassung möglich (z. B. bei sympt. Placenta praevia u. frühes Schwangerschaftsalter), nur im Off-Label-Use.
- Für orale Tokolyse mit Betamimetika u./o. Magnesium fehlt der Wirkungsnachweis.

- Keine Komb. von Tokolytika wegen der erhöhten NW
- Keine routinemäßige Anwendung von Antibiotika bei erhaltener Fruchtblase

5.11 Vorzeitige Wehen, Zervixinsuffizienz

Zusätzliche Maßnahmen bei vorzeitiger Wehentätigkeit zwischen 24+0. u. 34+0. SSW:
- In-utero-Verlegung in ein Perinatalzentrum
- RDS-Prophylaxe mit Betamethason (2 × 12 mg i. m. im Abstand von 24 h).
- Lungenreifeinduktion zwischen der 24. u. 34. SSW reduziert die perinatale Morbidität u. Mortalität signifikant.
- Engmaschige fetale Überwachung mit CTG u. US (Biometrie u. Doppler-Sono).

5.11.3 Cerclage

Definition Zervixschlingung mit dem Ziel des op. Verschlusses des Zervixkanals (CK). Die Erfolge einer prophylaktischen o. „therapeutischen" Cerclage sind fraglich. Daher strenge Ind.-Stellung.
- Prophylaktisch ab 14.– 16. SSW z. B. bei Mehrlingsgrav., Z. n. rezid. Spätaborten.
- Ther. max. bis 28. SSW bei drohender o. vorzeitiger MM-Eröffnung.
- Die echte isthmozervikale Insuff. ist einzig akzeptierte Ind. der Cerclage (Häufigkeit 1–2 %).

Voraussetzungen
- Ggf. Bestimmung des Reinheitsgrades (max. II) ▶ 15.2.4
- Bakteriol. CK-Abstrich (keine pathogenen Keime)
- Scheidendesinfektion (z. B. mit Octenisept® o. Fluomycin®N Vaginalsupp.)
- Neg. Infektlabor (CRP, Leukos)
- Cerclage spätestens in der 36. SSW lösen, bei zervixwirksamer Wehentätigkeit sofort
- Evtl. antibiotische Behandlung über 8–10 d, z. B. mit Amoxibeta® 3 × 1 g/d p. o.

Durchführung
- Nach McDonald: Legen einer Tabaksbeutelnaht mit nicht resorbierbarem Material um die Zervix (▶ Abb. 5.9b)
- Nach Shirodkar: Durchziehen eines Kunststoffbandes von einer queren vorderen u. hinteren Kolpotomie aus, ggf. nach Abpräparation der Harnblase (▶ Abb. 5.9a)

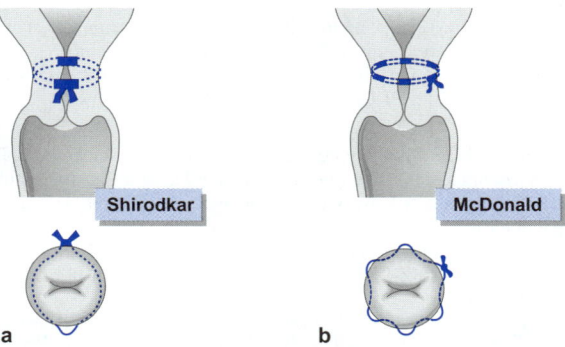

Abb. 5.9 Cerclage: a) nach Shirodkar, b) nach McDonald [L157]

- **Totaler Muttermundverschluss (TMMV):** soll eine mech. Barriere zur Vermeidung einer aufsteigenden bakt. Inf. in das Cavum uteri bilden
  - Früher TMMV nach vollendeter 12. SSW u. vor der 16. SSW bei belasteter geburtshilflicher Anamnese, später TMMV jenseits der 16. SSW o. bei schwerer Zervixinsuff. mit Eröffnung des CK u. insb. Fruchtblasenprolaps
  - Nach Desepithelialisierung der Endozervix Verschluss des CK mit zwei zirkulären resorbierbaren Endonähten. Querriegelverschluss auf dem Niveau der Ektozervix mit vertikalen Einzelknopfnähten. Danach fortlaufende, MM-adaptierende u. -abdichtende Naht der Zervixhaut
- **Cerclage-Pessar (z. B. nach Arabin):** MMV durch konvex geformte Silikonschale mit zentraler Öffnung. NW: häufige Kolpitis, vorzeitige Wehen

> Bei etwaiger Sectio caesarea Lösen der Cerclage nicht vergessen.

5.11.4 Pränatale Lungenreifeförderung (RDS-Prophylaxe)

Definition Medikamentöse Steigerung der intraalveolären Surfactantsynthese bei drohender o. im Gang befindlicher Frühgeburt zwischen der 24. u. der abgeschlossenen 34. SSW zur Vermeidung eines Respiratory-Distress-Sy. (RDS).

Voraussetzung Die Verschiebung der Geburt, ggf. mit Tokolytika, muss möglich u. vertretbar sein.

Indikationen
- Drohende Frühgeburt zwischen der 24. u. der abgeschlossenen 34. SSW
- Erwartete fetale Unreife bei vorzeitigem Blasensprung u. neg. Infektparametern vor der abgeschlossenen 34. SSW
- Vorzeitige Geburtseinleitung aufgrund schwerer mütterlicher Erkr. wie EPH-Gestose, GDM u. Ä.
- Vorzeitige Geburtseinleitung aufgrund anderweitiger Ind. bei nicht gegebener Lungenreife (▶ 5.2.7 zur Lecithinbestimmung)
- **KI:** schwere Inf., Ulcus duodeni, kürzliche OP am GIT

Durchführung
- Betamethason 2 × 12 mg i. m. im Abstand von 24 h (3 Amp. Celestan® solubile 4 mg). Lungenreife etwa 12 h nach der 2. Gabe anzunehmen
- Dexamethason 4 × 6 mg alle 12 h i. m. (z. B. Fortecortin®) alternativ in bes. Fällen wie schwerer EPH-Gestose, GDM (bessere Steuerbarkeit)

Monitoring
- Unter gleichzeitiger tokolytischer Behandlung mit β-Mimetika (z. B. Partusisten®) in jedem Fall intensive Überwachung der Pat. mit Ein- u. Ausfuhrkontrolle, RR-, Puls- u. E'lytkontrolle, regelmäßige Auskultation der Lunge (**cave:** Lungenödem)
- Analoge Überwachung bei bestehender EPH-Gestose, bei GDM engmaschigere Kontrollen des BZ-Spiegels, ggf. mit Anpassung der Insulindosierung

> Bei vorzeitigem Blasensprung 12 h, spätestens jedoch 18 h nach Blasensprung Einleitung einer Antibiose (▶ 8.8). 4- bis 6-stdl. Kontrolle der Infektparameter (Leukos, CRP), regelmäßige Temperaturkontrollen u. CTG-Kontrollen.

5.12 Mehrlingsgravidität
Joachim Steller

5.12.1 Besonderheiten von Zwillingsschwangerschaften

Epidemiologie
- Häufigkeit der spontanen Mehrlingsschwangerschaften: Gemini 1 : 85, Drillinge 1 : 85^2 (= 1 : 7.225) Vierlinge 1 : 85^3 (= 1 : 614.125; Hellin-Regel)
- Starke Zunahme der Mehrlingsgrav. aufgrund der reproduktionsmed. Möglichkeiten u. des höheren Alters der Schwangeren (Risiko für Mehrlingsgrav. steigt mit zunehmenden Alter)
- Mehrlinge haben im Vergleich zu Einlingen eine höhere perinatale Morbidität u. Mortalität, die von der **Chorionizität** u. **Amnionizität** abhängt. Ersttrimester-Sonografie daher von zentraler Bedeutung!

Einteilung

> - **Zygozität:** monozygot (eineiig) u. dizygot (zweieiig)
> - **Chorionizität:** monochorial (1 Plazenta) u. dichorial (2 Plazenten)
> - **Amnionizität:** monoamnial (1 Fruchthöhle) u. diamnial (2 Fruchthöhlen)

Zygozität ⅓ aller Gemini sind eineiig (monozygot), ⅔ sind zweieiig (dizygot). Die Zygotie ist in der Schwangerschaft nicht sicher diagnostizierbar (und für die Schwangerschaftsbetreuung unwichtig!).

Chorionizität Wichtiger Faktor für die Einschätzung des Morbiditäts- u. Mortalitätsrisikos von Mehrlingen. Zwischen 10. u. 14. SSW sonografische Unterscheidung zwischen mono- u. dichorialen Gemini möglich = Vorhandensein des Lambda-Zeichens (λ-Zeichen) o. Twin Peak Sign (T-Sign). Schwangere kann so frühzeitig einem **Risikokollektiv** zugeordnet werden! Die Mortalität von monochorialen Zwillingsschwangerschaften ist 2- bzw. 4-fach höher als von dichorialen. Monochoriale Zwillinge haben im Vergleich zu dichorialen ein doppeltes Frühgeburtlichkeitsrisiko < 32 SSW u. ein 4-fach erhöhtes Risiko für fetale Wachstumsretardierung.

Amnionizität Mittels transvag. US nach der 7. SSW lässt sich die Amnionizität einer monochorialen SS bestimmen (Fehlen einer Trennwand innerhalb der Fruchthöhle).

> Auch das **Mortalitätsrisiko der Mutter** mit Mehrlingsschwangerschaft ist etwa doppelt so hoch wie bei Einlingsschwangerschaft. Das Risiko für eine SIH, Präeklampsie, Eklampsie o. postpartale Blutung steigt um das 2- bis 3-Fache. Weitere häufige maternale KO sind Hyperemesis, GDM, Cholestase, akute Fettleber, Thrombembolien etc.

- **Dichoriale-diamniale Gemini** (Häufigkeit: ca. 80 %): völlig getrennte o. am Rand verschmolzene Plazenten, Trennmembran aus Amnion – Chorion – Chorion – Amnion. Im Ultraschall sog. λ-Zeichen o. T-Sign (Ultraschall-

struktur am Ursprung der Trennmembran durch das Vorhandensein von Choriongewebe zwischen den beiden Amnionhöhlen, zuverlässigster Indikator zur Festlegung der Chorionizität, ▶ Abb. 5.10).
- **Monochoriale-diamniale Gemini** (Häufigkeit ca. 20 %): Teilung im frühen Blastozystenstadium mit Spaltung der inneren Zellanteile (Embryoblast). Gemeinsame Plazenta, Trennmembran aus Amnion – Amnion, Fehlen des λ-Zeichens. **Risiken:** Aufgrund von plazentaren Gefäßverbindungen kommt es zum Blutaustausch zwischen den Feten, in 10–15 % zum FFTS (▶ 5.12.2). Bei der *Twin-Reversed-Arterial-Perfusion*-Sequenz (TRAP; Häufigkeit 1 %) fließt desoxygeniertes Blut zum anderen Zwilling u. verursacht Fehlentwicklungen von Kopf, Herz u. oberen Extremitäten.
- **Monochorial-monoamniote Gemini** (Häufigkeit ca. 1 %): Zwillinge teilen sich eine Plazenta u. eine Fruchthöhle, sodass zwischen ihnen keine Trennwand besteht, Fehlen einer Trennwand u. des λ-Zeichens. **Risiken:** Neben o. g. Risiken häufigere Nabelschnurverdrillungen (bereits im 1. Trimester auffindbar) mit IUFT. Gefahr, dass der lebende Zwilling über die Gefäßanastomosen in die Plazenta o. den Körper des anderen Zwillings Blut verliert (kann zum Tod o. hypoxischen Hirnschaden dieses Zwillings führen). Zur Vermeidung ggf. prophylaktische Hospitalisation nach der 28. SSW u. RDS-Prophylaxe!
- **Monochorial-monoamniote siamesische Gemini** (Kranio-, Pygo- o. Thorakopagus; Häufigkeit 0,3–0,5 %). Fehlen einer Trennwand u. des λ-Zeichens. Durch unvollständige Teilung des Embryoblasten sind die Kinder an ein o. mehreren Körperteilen zusammengewachsen. Die Zwillinge teilen sich eine Plazenta u. eine Fruchthöhle.

> - Wenn im US bis zur 14. SSW mit fehlendem λ- o. T-Sign zu erkennen ist, dass es sich um monochoriale Zwillinge handelt (Morbiditäts- u. Mortalitätsrisiko um ein Vielfaches ↑, häufigere US-Kontrollen erforderlich), steht zugleich fest, dass die Zwillinge monozygot sind.
> - Dizygote Zwillinge sind immer dichorial-diamnial (zwei befruchtete Eizellen, gleich- o. verschiedengeschlechtlich, genetisch immer unterschiedlich).

Diagnostik der Mehrlingsschwangerschaft
- Uterus größer, als es dem Schwangerschaftsalter entspricht (▶ Abb. 5.1)
- Bauchumfang am Geburtstermin > 100 cm
- Fühlen von vielen kleinen Teilen (▶ Abb. 5.2)
- Sonografischer Nachweis mehrerer Feten (▶ 22.2.3)
- Nachweis o. Fehlen einer Trennwand u. des λ-Zeichens (▶ Abb. 5.10)
! **DD:** großes Kind (z. B. diab. Mutter), Polyhydramnion, hochstehender Fundus bei engem Becken o. Placenta praevia

Komplikationen Infolge der mech. u. funktionellen Mehrbelastung kommt es bei Mehrlingsschwangeren in sehr viel höherem Maße zu Schwangerschaftsbeschwerden u. -KO:
- Frühgeburtlichkeit (durchschnittliche Tragzeit bei Zwillingen 37+1 SSW, Drillingen 33+0 SSW, Vierlingen 31+4 SSW)
- Intrauterine Wachstumsretardierung
- FFTS ▶ 5.12.2

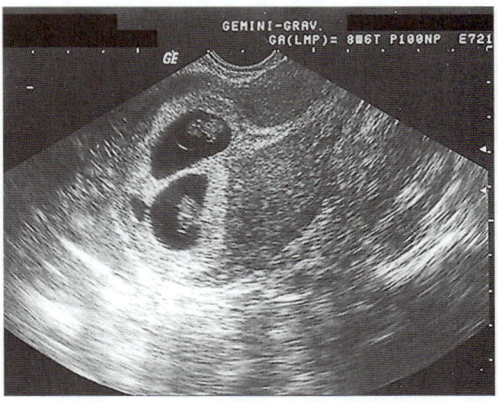

Abb. 5.10 Dichoriale Geminigravidität der 9. SSW. Deutlich zu sehen ist die als λ-Zeichen bezeichnete Trennung der beiden Fruchthöhlen. [M453]

- Fehlbildungen, Chromosomenanomalien u. Entwicklungsstörungen
- Erhöhte Rate an Hypoxien v. a. des 2. Zwillings bei vag. Geburten, z. B. aufgrund vorzeitiger Plazentalösung
- Lageanomalien
- Polyhydramnion ▶ 5.2.7
- Dyspnoe-Neigung infolge von Zwerchfellhochstand
- Häufiger Hyperemesis gravidarum, SIH, Varizen- u. Ödembildung, Thrombosen, Embolien etc.

Betreuung und Therapie
- Häufige Schwangerschaftsvorsorgeuntersuchungen: bis zur 28. SSW 2-wöchentl., anschließend wöchentl.
- Prophylaktische Vit.- u. Eisensubstitution
- CTG ab der 28. SSW wöchentl.
- Ab der 28. SSW Arbeitsunfähigkeitsbescheinigung
- Bis zur 14. SSW sonografische Unterscheidung zwischen monochorialen u. dichorialen sowie zwischen diamnialen (2 Fruchthöhlen) u. monoamnialen (1 Fruchthöhle) Zwillingen notwendig
- Regelmäßige Sono-Kontrollen zur frühzeitigen Erkennung von Wachstumsretardierung o. FFTS
- Frühzeitige Ther. bei vorzeitiger Wehentätigkeit (▶ 5.11)
- RDS-Prophylaxe bei höhergradigen Mehrlingen
- Bei > 2 Feten evtl. prophylaktische Cerclage in der 14.–16. SSW (▶ 5.11.3)
- Sonografische Abklärung der Lagebeziehung der Feten ante partum
- Besonderheiten unter der Geburt ▶ 8.13

5.12.2 Fetofetales Transfusionssyndrom (FFTS)

Häufigkeit 1–2 % aller Mehrlingsschwangerschaften.

Klinik Voraussetzung ist Monochorionizität der Zwillinge. Über plazentare Gefäßanastomosen wird Blut von einem Zwilling (Donor) zum anderen (Rezipient) transfundiert. Klin. manifestiert sich das FFTS zwischen der 15. u. 26. SSW als:

- **Polyhydramnion beim Rezipienten** (größtes FW-Depot von ≥ 8 cm vor der 20. SSW u. ≥ 10 cm zwischen der 20. u. 26. SSW, große Harnblase als Zeichen der Polyurie).
- **Oligohydramnion beim Donor** (größtes FW-Depot ≤ 2 cm, leere o. sehr kleine Harnblase als Zeichen der Oligurie).
- **Folgen beim Donor:** aufgrund des Blutverlusts u. der daraus resultierenden Anämie Wachstumsverzögerung mit Oligo- u. Anhydramnie. In schweren Fällen ist der Donor fest in die Eihaut eingeschlossen („stuck twin").
- **Folgen beim Rezipienten:** aufgrund der Übertransfusion Polyzythämie mit Erhöhung von intravasalem Volumen, glomerulärem Filtrationsdruck u. Urinproduktion. Es resultieren ein Polyhydramnion sowie eine Herzinsuff. mit Ausbildung eines Hydrops fetalis.

Diagnostik
- Monochorionizität im Frühultraschall der 10.–14. SSW (λ-Zeichen nicht vorhanden, ▶ Abb. 5.11)
- Diskonkordantes Zwillingswachstum > 15 %
- Poly-/Oligohydramniesequenz
- Plazenta mit unterschiedlichen Echogenitäten – Plazentaanteil des Rezipienten hydropisch
- Häufig Insertio velamentosa (▶ 8.5.4)

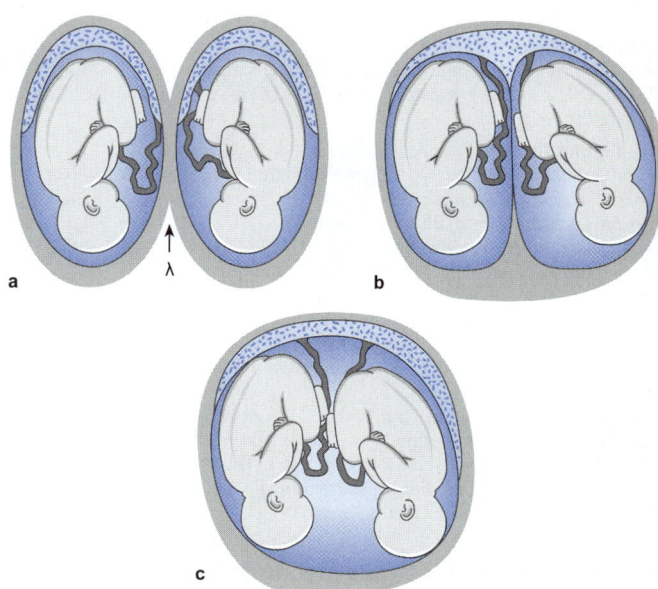

Abb. 5.11 Plazentationstypen: a) dichorial-diamnial, b) monochorial-diamnial: Lambda-Zeichen o. Twin Peak Sign, c) monochorial-monoamnial [L157]

- Doppler: evtl. unterschiedliche Flussindizes, evtl. Nachweis der Gefäßanastomosen im Farbdoppler (▶ 22.2.5)
- Fetale Nackentransparenz in der 11.–14. SSW auch bei Mehrlingen bester Marker für chromosomale Erkr., Diskrepanz der Nackentransparenz ist frühes Zeichen eines FFTS

Prognose Letalität beim ausgeprägten FFTS ohne Therapie 80–90 %. Wiederholte FW-Entlastungspunktionen können zu einer Schwangerschaftsprolongation führen, die kausale Ther. ist die fetoskopische Laserkoagulation der Anastomosen. Ohne Ther. versterben 50–70 % der Feten. Ursachen des IUFT sind Herzinsuff., Hypoxie u. Nabelschnurkompressionen. Donor u. Rezipient sind gleichermaßen betroffen. Für den überlebenden Zwilling besteht die Möglichkeit der Erholung – daneben wird eine hypotensive Ischämie mit Leber- u. Hirninfarkten o. eine Transfusion von thromboplastischen Proteinen u. Toxinen mit Gerinnungsstörungen u. toxischer Schädigung des Fetus beschrieben. Weitere KO sind vorzeitige Wehentätigkeit u. vorzeitiger Blasensprung.

Therapieansätze
- Wiederholte Amniozentese zur intrauterinen Druckverminderung.
- Transplazentare Digoxinther.: Durch Digitalisierung der Schwangeren, im oberen ther. Bereich dosiert, soll eine Herzinsuff. beim Rezipienten vermindert werden.
- Selektiver Fetozid ist umstritten. Bei frühzeitiger Diagnosestellung wird in schweren Fällen ein Schwangerschaftsabbruch diskutiert.
- Bettruhe, Tokolyse, Lungenreifeinduktion.
- Laserkoagulation der Gefäßanastomosen: einzige kausale Therapiemöglichkeit. Letalität etwa 30 % (z. B. MH Hannover, Universitäts-Frauenklinik Marburg, AKH Hamburg-Barmbek).

5.12.3 Fighting-Twin-Syndrom (FTS)

Differenzialdiagn. schwer abgrenzbares Konfliktsy. zwischen Gemini mit mütterlichen Manifestationen an Uterus u. Blasenwand.

Klinik Bes. bei zweieiigen männlichen Zwillingen (→ Genetik!). Ab 2. Trim. leidet die Schwangere v. a. nachts unter boxkampfartigen intrauterinen Ruhestörungen. **KO:** vorzeitige Kontraktionsneigung, Dranginkontinenz-Beschwerden (▶ 14.2.3).

Diagnostik
- **Sono:** meist beide Feten in BEL u. in Oppositionsstellung zueinander. Beide zeigen hypodense Strukturen an distalen Unterarmenden (▶ Abb. 5.12), gelegentlich auch Os-nasale-Frakturen.

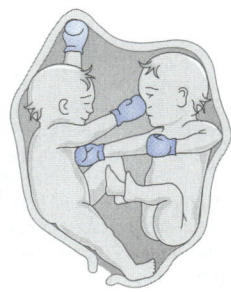

Abb. 5.12 Fighting-Twin-Syndrom [L157]

- **Labor:** nach „fighting event" mütterlicher Katecholamin-Spiegel stark ↑ (im 24-h-Urin Anstieg > 600 nmol/d).
- **CTG:** ante partum sowie praktisch immer während Eröffnungsphase Spontan-DIP ohne äußerliche Ursache (**cave:** Fehlinterpretation als fetale Hypoxie ▶ 8.2.2, ▶ 8.11).

Vorgehen
- Kurzes Glockenläuten innerhalb von 20 s sowie geduldiges Auszählen mit ruhiger, fester Stimme bis 10
- Rasche Zufuhr eines Sedativums erwägen, z. B. 0,3–0,5 l Hefeweizen p. o. soll ggü. echten Psychopharmaka genauso effektiv, aber NW-ärmer sein
- Autogenes Training für den Vater mit dem Ziel der Beruhigung der Partnerbeziehung. Dadurch entspannende Langzeitwirkung auf uterine Konfliktsituation
- Kleine fetale Psychotherapie nur in wenigen Zentren möglich, vorher Kostenübernahme klären

Prognose   Gutartig, in 90 % lebhafte Perinatal- u. Kindheitsperiode, jedoch gehäuft mütterliche Erschöpfungszustände.

5.13 Intrauterine Wachstumsretardierung (IUGR)

Joachim Steller

Definition   Reduziertes fetales Wachstum durch Unterschreitung der 10. Perzentile. Häufigkeit: 3–5 % aller Geburten. Perinatale Mortalität in der Schwangerschaft sowie in der NG-Periode um den Faktor 2–3 erhöht. Kurz- u. Langzeitmorbidität von Feten mit IUGR signifikant erhöht, insb. bei Manifestation in früher Schwangerschaft.

Ursachen   Inf., chromosomale Störungen, Drogen, Stoffwechselerkr. führen durch Störung des fetalen Wachstums in der frühen Schwangerschaft eher zur symmetrischen Wachstumsretardierung, Störungen im maternalen System u. unzureichende Ernährung werden häufiger in der späteren Schwangerschaft (28.–30. SSW) wirksam (asymmetrische Retardierung).
- **Fetale Ursachen:**
  - **Endogen:** chromosomale Aberrationen (Trisomie 13, 18, 21, Turner-Sy.), Fehlbildungen (Achondroplasie, Potter-Sy., Anenzephalus), Stoffwechseldefekte, Sichelzellenanämie
  - **Exogen:** intrauterine Inf. wie Toxoplasmose, Röteln, Herpes, Zytomegalie, Strahlenexposition
- **Uteroplazentare Insuff.:**
  - **Präplazentar:** Sauerstoffmangel (Höhenexposition), Hyperthermie, Mangelernährung, toxische Einflüsse (Nikotin, Alkohol, Drogen, Medikamente)
  - **Maternal:** Anämie, Hypertonie/Präeklampsie, chron. Nierenerkr., Diab. mell., systemischer Lupus erythematodes, zyanotische Herzvitien
  - **Plazentar:** Placenta praevia, Chromosomenmosaik, gestörte Plazentation (mit o. ohne Uteruspathologie), multiple Infarkte, Mehrlingsschwangerschaft

Klinik   Mangelnde Größenzunahme des Uterus. Fundusstand u. Bauchumfang kleiner als der SSW entsprechend, mangelhafte Gewichtszunahme der Mutter.

Diagnostik Fetometrie: Kopf-Thorax-Diskrepanz spricht für eine Wachstumsretardierung gegen Ende der Schwangerschaft. Bei symmetrischer Wachstumsretardierung Beginn der Mangelentwicklung etwa in Schwangerschaftsmitte (Normkurven für den fetalen Wachstumsverlauf s. hintere Umschlagseite).
- Doppler-Sono: *Brain Sparing* der A. cerebri media, RI-Anstieg in den Nabelarterien. Der diastolische Flussverlust bzw. die Flussumkehr ist von bes. Bedeutung für die Beurteilung einer fetalen Gefährdung; ▶ 22.2
- Sonografische Bestimmung der FW-Menge (▶ 5.2.7)
- Kontrolle der Atem-, Körper- u. Extremitätenbewegungen
- CTG
- Non-Stresstest
- Evtl. Amniozentese zur chromosomalen Diagn. (**cave:** strenge Ind., da ohne ther. Konsequenz), ggf. Chordozentese zur Infektionsserologie

Therapie
- Vermeidung schädigender Faktoren (Nikotin, Alkohol etc.)
- Ther. ursächlicher Erkr. (Stoffwechselerkr., SIH etc.)
- Verordnung von Schonung u. Bettruhe zur Verbesserung der plazentaren Durchblutung
- Evtl. Tokolytika (▶ 5.11.2) u. RDS-Prophylaxe zwischen der 24. u. 34. SSW (▶ 5.11.4)
- Intensivüberwachung des Fetus (s. o.)
- Bislang keine Beweise für die Wirksamkeit von Vasodilatatoren, Hämodilution o. niedrig dosierter ASS
- Beendigung der Schwangerschaft bei Zeichen einer Hypoxie o. Minderversorgung des Feten. Großzügige Ind.-Stellung zur Sectio caesarea
- Evtl. intrauterine Verlegung in neonatol. Zentrum
- Evtl. Gabe von NMH bei Faktor-V-Leiden-Mutation, Antithrombin, Protein-C- u. -S-Mangel sowie Antiphospholipid-Sy.

5.14 Fetale Herzrhythmusstörungen
Joachim Steller

Fetale Herzrhythmusstörungen sind überwiegend durch den physiol. Umbau u. Reifung der fetalen kardialen Reizbildungs- u. Leitungssysteme bedingt. Über 90 % der fetalen Herzrhythmusstörungen sind passagere supraventrikuläre Extrasystolen (SVES), die vom Feten gut toleriert werden. Als den Feten gefährdende Rhythmusstörungen gelten mit 10 % supraventrikuläre Tachykardien u. Tachyarrhythmien, der kongenitale AV-Block, die Sinustachy- u. Sinusbradykardie sowie Vorhofflimmern u. -flattern.

Formen der fetalen Rhythmusstörungen
- Arrhythmien 80 %
- Tachykardien 7–10 % (Frequenz > 180 SpM)
- Bradykardien 3–5 % (Frequenz < 100 SpM)

Mögliche Ursachen Idiopathisch (am häufigsten); mütterliche Faktoren (Rauchen, Koffein, Alkohol, Medikamente wie Betablocker o. Betamimetika, Autoimmunkrankheit), fetale Herzfehler (bei Bradykardien bis 40 %), Virusmyokarditis o. kardiale Tumoren.

Diagnostik Erstdiagn. häufig bei Auskultation, CTG o. Ultraschall. (**Cave:** Zu hoher Auflagedruck beim Ultraschall o. Vena-cava-Sy. kann eine „physiol." temporäre Bradykardie verursachen).

- **Ausführlicher Ultraschall:** neben Biometrie u. Fehlbildungsdiagn. (Herzfehler häufigste schwere kongenitale Fehlbildung!). Bei Herzfehlern bes. Augenmerk auf weitere kardiale o. extrakardiale Fehlbildung z. B. im Rahmen eines Syndroms (Hydrops fetalis als Zeichen einer Herzinsuff.). Routinediagnostik bei jeder Grav. in der 19.–22. SSW.
- **Vierkammerblick:** Normalbefund: Herzfläche ⅓ der Thoraxfläche, Herzachse nach li. im Winkel 45°, Ventrikel- u. Vorhofseptum bilden ein Kreuz, beide Ventrikel etwa gleich groß, interventrikuläres Septum u. Seitenwände gleich dick, gleiche Bewegungen des li. u. re. Herzens, AV-Klappen öffnen u. schließen simultan, Ventrikelseptum intakt, Foramen ovale mit nach li. bewegender Klappe.
- **Fetale Echokardiografie:** zusätzlich Darstellung der art. Ausflusstrakte, kurze Herzachse mit Überkreuzen der Gefäße, Darstellung von Aortenbogen u. Venenzufluss bds., Ausschluss eines Situs inversus.
- **M-Mode-Sono:** Darstellung der Bewegung der Vorhof- u. Ventrikelwände sowie der Atrioventrikular- u. Semilunarklappen. Vorhof- u. Ventrikelkontraktion müssen mit einer M-Mode-Linie erfasst werden, um das zeitgleiche Verhalten beurteilen zu können.
- **Farbdopplersonografie:** Mit der Farbdopplersonografie können zusätzliche Informationen über die Flussrichtung der untersuchten Region gewonnen werden. Das Dopplerfenster muss den Ein- u. Ausfluss in die Kammer erfassen. Mit dem Doppler der Nabelschnur kann eine Extrasystolie differenziert werden. SVES erscheinen manchmal als ventrikulärer Block (▶ Abb. 5.13).

Therapie ▶ Tab. 5.18.
- Vermeidung mütterlicher Faktoren (Koffein, Alkohol, Nikotin, Medikamente)
- SVES mit hoher Spontanremissionsrate (nicht therapiebedürftig)
- Ventrikuläre Extrasystolen (selten) sind Zeichen einer Myokarditis o. Myokarddekompensation (bei Obstruktion der Ausflussbahnen)
- Ausschluss assoziierter Fehlbildungen
- Überwachung von Dekompensationszeichen (Hydrops, Kammer- bzw. Vorhoferweiterung), erhöhter Rückfluss (A-Kurve) im Doppler der V. cava inferior (VCI)
- Bei fehlendem Anhalt für fetale Herzinsuff. zunächst keine Ther., weiterhin engmaschige Überwachung (Ultraschall 1 ×/Wo.)

> **Pharmakotherapie, systemisch über die Mutter (oder über Nabelschnurpunktion)** in folgenden Situationen:
> - **Supraventrikulärer Tachykardie** (führt unbehandelt oft innerhalb weniger Tage zur fetalen Herzinsuff.): im Akutfall mit Dekompensation (Hyd-

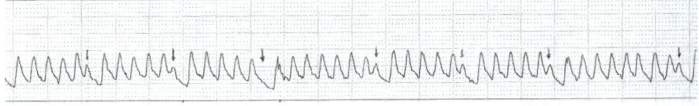

Abb. 5.13 Doppler der Nabelschnur: Die zweigipflige Kurve der AV-Klappen-Kurve zeigt im 2. Gipfel eine Vorhofkontraktion. Die 3. SVES zeigt sich als ventrikulärer Block. [M454]

Tab. 5.18 Transplazentare antiarrhythmische Therapie

Wirkstoff (Präparat)	Wirkung	Dosierung
β-Acetyldigoxin (Novodigal®)	Mittel der Wahl bei Vorhofflattern, Re-Entry-Tachykardie mit kurzer AV-Überleitung bei fehlendem Hydrops. Verlangsamt die Reizleitung im AV-Knoten u. die Ventrikelfrequenz. Bei hydropischen Feten schlechtere Plazentagängigkeit, sodass keine ausreichenden Wirkspiegel erzielt werden!	• Initiale Sättigung 3 × 0,4 mg/d i. v. über 2–3 d • Erhaltungsdosis bis 3 × 0,2 mg/d • Ther. Serumspiegel 2,0–2,5 ng/ml
Flecainid (Tambocor®)	Verzögert die Überleitung in fast allen Leitungsbahnen, ohne Veränderung der Repolarisierung	• Initiale Sättigung 2 × 150 mg/d • Erhaltungsdosis 2–3 × 100 mg/d • Ther. Serumspiegel 200–1.000 ng/ml
Amiodaron (Amiodaron ratiopharm®)	Antiarrhythmikum, verlängert Repolarisation u. wirkt minimal neg. inotrop. Einsatz bei Hydrops fetalis u. therapierefraktären Rhythmusstörungen. Wegen langer HWZ ideal zur dir. Gabe über die Nabelschnur	• Initiale Sättigung 1.200–1.600 mg p. o., i. v. • Erhaltungsdosis 200 mg alle 8 h
Sotalol (Sotalex®)	Antiarrhythmikum u. Betablocker, verlängert Repolarisation u. wirkt neg. inotrop	• Initiale Sättigung 80–160 mg p. o. alle 12 h • Erhaltungsdosis 160 mg alle 8 h

rops) Adenosin p. o. oder über Nabelschnur Digoxin (u./o. Flecainid) als Langzeitther.
- **Ventrikulärer Tachykardie:** evtl. Lidocain über Nabelschnur, dann Flecainid systemisch über die Mutter.
- **Bradykardie:** kein effektiver Ansatz von Antiarrhythmika. Hoch dosierte Steroide o. Plasmaaustausch bei Immunerkr. der Mutter. Bei lebensfähigem Feten Beendigung der Schwangerschaft, OP eines Herzfehlers, evtl. Pacemaker.

5.15 Thrombozytopenie in der Schwangerschaft

Kay Goerke

Thrombozytopenien finden sich in 6–15 % aller Schwangerschaften; häufig leicht ausgeprägt. Meist verursacht durch Hämodilution u./o. verstärkten Thrombozytenabbau. Häufige Form: Gestationsthrombozytopenie (leichte Thrombozytopenie im 3. Trim., die sich nach der Geburt spontan zurückbildet u. zu keiner Thrombozytopenie beim NG führt). Weiterhin Immunthrombozytopenie (idiopathische thrombozytopenische Purpura, ITP), angeborene

> Thrombozytopathie, medikamenteninduzierte Thrombozytopenie u. Von-Willebrand-Sy. Zudem mit verschiedenen Erkr. assoziiert, z. B. Präeklampsie, HELLP-Sy., hämolytisch-urämisches Sy., disseminierte intravasale Gerinnung (DIC), Antiphospholipid-Sy., maligne Erkr., Infekt, Vitaminmangel etc.

Ursachen Klin. relevante Thrombozytopenien bei erhöhtem Thrombozytenabbau i. R. eines HELLP-Sy., einer Autoimmunerkr. (ITP, M. Werlhof o. systemischer Lupus erythematodes) sowie medikamenteninduziert (z. B. heparininduzierte Thrombozytopenie) o. Thrombozytenabfall bei Placenta-praevia-Blutung o. a. peripartaler Blutung.

Klinik Thrombozytenabfall < 100.000/µl, ggf. klin. u. laborchem. Zeichen eines HELLP-Sy. (▶ 5.9.3), petechiale Blutungen (eher selten). Häufigkeit einer schwangerschaftsbedingten Autoimmunthrombozytopenie bei etwa 1 : 1.000.000. Thrombozytopenie mit wiederholten Aborten finden sich beim Antiphospholipid-Sy. (AK gegen körpereigene Phospholipide, insb. gegen Kardiolipide in den Mitochondrien).

Diagnostik
- Labor: BB, CRP, Gestoselabor (Bili u. LDH, Haptoglobin, GPT, GOT, GGT, Harnsäure, evtl. AP), Urinstatus (Eiweiß, Bili-Spaltprodukte)
- RR-Kontrollen
- Evtl. antithrombozytäre u. antinukleäre AK, Thrombozytenfunktionstest, HIPA-Test („heparin induced platelet activation")
- DD zwischen ITP u. Gestationsthrombozytopenie im Hinblick auf den Fetus klin. wichtig (Risiko einer neonatalen Thrombozytopenie bei ITP)

Therapie
- Evtl. Ther. eines HELLP-Sy. (▶ 5.9.3)
- Bei heparininduzierter Thrombozytopenie, falls Heparinisierung erforderlich, Absetzen des Heparins u. Umsetzen auf das Heparinoid Danaparoid (Orgaran®)
- Absetzen weiterer möglicherweise auslösender Medikamente (Chinin, Cotrimoxazol, Rifampicin, Paracetamol, Carbamazepin, Diclofenac, Ibuprofen, Vancomycin)
- Evtl. RDS-Prophylaxe (▶ 5.11.4)

Bei fehlender hämorrhagischer Diathese u. Thrombozyten > 50.000/µl ist ein abwartendes Verhalten gerechtfertigt, bei < 10.000/µl eine weitere Behandlung erforderlich:
- Prednisolon 20–100 mg/d p. o. oder 1 mg/kg KG über 2–4 Wo. (Decortin H®)
- Falls erfolglos: Immunglobuline (IVIG) 0,4 g/kg KG über 5 d (Sandoglobulin®). Alternative Dosierung 1 g/kg KG über 8 h; i. d. R. rascher Thrombozytenanstieg innerhalb von 6 h, bei unzureichendem Ansprechen Wdh. nach 48 h
- Bei Thrombozytenabfall < 10.000/µl Thrombozytenkonzentrate, evtl. op. Schwangerschaftsbeendigung. **Cave:** Zur Sectio Thrombozytenzahl möglichst > 20.000/µl anheben
- Bei reifen Kindern u. mütterlichen Thrombozyten > 50.000/µl Spontangeburt möglich

> Antithrombozytäre AK werden transplazentar auf den Fetus übertragen. Die kindliche Morbidität beruht meist auf einer zerebralen Hämorrhagie. Zur Einschätzung des kindlichen Geburtsrisikos evtl. kindliche Thrombozyten

bestimmung im Kopfschwartenblut o. über Chordozentese. Bei fetalen Thrombozyten < 50.000/µl Geburt durch Sectio caesarea. Post-partum-Kontrolle der Thrombozytenwerte beim NG über mind. 1 Wo.

5.16 Fetale Fehlbildungen
Kay Goerke

Genetik ▶ 4, geburtshilfliches Management ▶ 8.12, Behandlung des NG ▶ 11.7.

Epidemiologie Die Häufigkeit fetaler Fehlbildungen liegt bei 3,5 %, in Ländern mit niedriger Säuglingssterblichkeit sind sie die häufigste perinatale Todesursache (▶ 11.7).

Ätiologie Etwa 25 % der Entwicklungsstörungen beruhen auf Genmutationen u. Chromosomenaberrationen, 10 % auf exogenen Noxen (evtl. erheblich mehr), bei 65 % ist die Ursache bislang unbekannt. Bei den exogenen Giften spielen neben Arzneimitteln Alkohol u. Nikotin eine wesentliche Rolle. Bei regelmäßigem Alkoholkonsum von 30–50 mg/d sind bis zu 10 % der Kinder geschädigt. Bei Raucherinnen ist das Abort-, Frühgeburten- u. Mangelgeburtenrisiko deutlich erhöht, ebenso die perinatale Mortalität.

Einteilung Schwere äußere Fehlbildungen (Häufigkeit in Klammern), die u. a. Einfluss auf den Geburtsmodus haben (▶ 8.12; ▶ Abb. 5.14):
- **Hydrozephalus** (0,13 %): Erweiterung des Subarachnoidalraums (Hydrocephalus externus) bzw. des Ventrikelsystems (Hydrocephalus internus)
- **Mikrozephalie** (0,01 %): path. Verkleinerung von Umfang u. Inhalt des Hirnschädels, häufig mit weiteren Schädeldeformitäten verbunden

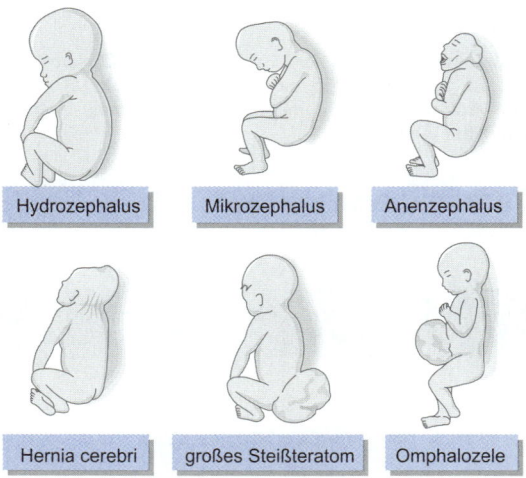

Abb. 5.14 Schwere äußere Fehlbildungen [L157]

- **Spina bifida:** Hemmungsfehlbildung mit angeborener Spaltbildung der WS, geschlossen (Spina bifida occulta) o. offen (Spina bifida aperta), Spina bifida totalis (Rachischisis) als stärkster Grad mit Offenliegen des Rückenmarks (▶ 4.6, ▶ 11.7.5)
- **Großes Steißteratom** (0,3 %): embryonale Mischgeschwulst am Beckenende
- **Omphalozele:** Nabelschnurbruch mit Ausstülpung der Bauchorgane, häufig komb. mit weiteren Fehlbildungen
- **Gastroschisis:** echter Bauchwanddefekt mit Austreten der Organe (Darm, evtl. Leber) vor die Bauchwand

Diagnostik US-Untersuchungen dienen der frühzeitigen Erkennung möglicher Fehlbildungen (▶ 22.2.3). Bereits im 1. Trim. (▶ 4.2.5) können so zahlreiche fetale Anomalien diagnostiziert o. vermutet werden. Indir. Hinweiszeichen sind:
- Oligo- o. Polyhydramnion
- Frühe Wachstumsretardierung bei gesichertem Schwangerschaftsalter
- Disproportionen im Größenverhältnis einzelner Körperabschnitte
- Veränderungen von Körperoberfläche u. -kontur
- Abnormales Bewegungsmuster des Feten
- Strukturauffälligkeiten der Plazenta
- Großer Dottersack
- Fehlen einer Nabelarterie
- Innere Strukturanomalien des Feten

Eine definitive Abklärung genetischer Fehlbildungen erfolgt durch Amniozentese (▶ 4.2.6) o. Chorionzottenbiopsie (▶ 4.2.7).

Embryopathien
Erkrankungen der Embryonalzeit, die mit o. ohne Fehlbildungen einhergehen (▶ 4.3). Ursächlich kommen v. a. Virusinf. (▶ 6), Arzneimittel, Chemikalien, Genussgifte (Alkohol, Nikotin etc.), stoffwechselbedingte Erkr. (z. B. Diab. mell.) u. ionisierende Strahlen (▶ 4.7) infrage.

Fetopathien
Schädigung der Frucht zwischen der 11. u. 40. SSW p. m. Organe u. Extremitäten sind nach dem 3. Schwangerschaftsmon. bereits ausgebildet, Schädigung betrifft differenzierte Strukturen (z. B. Zytomegalie- o. Toxoplasmose-Embryopathie, Alkoholembryopathie etc.).

5.17 Terminüberschreitung
Kay Goerke

S1-Leitlinie Vorgehen bei Terminüberschreitung und Übertragung. Stand: Februar 2014, www.awmf.org/leitlinien/detail/ll/015-065.html

Einteilung
- Mehr als 40 % aller Schwangeren gebären nach dem errechneten Geburtstermin (EGT).
- Einflussfaktoren: Primigravidität, niedriger sozioökonomischer Status, BMI > 35 sowie männliches Geschlecht des Feten.

5.17 Terminüberschreitung

- Wiederholungsrisiko 30–40 %.
- **Rechnerische Übertragung:** Geburtstermin wird um mehr als 7–10 d überschritten.
- **Echte Übertragung:** Überschreiten des Geburtstermins um > 14 d. Geht meist mit Plazentainsuff. u. einer steil ansteigenden perinatalen Sterblichkeit einher (ab 38+0 SSW kontinuierlich ansteigendes Risiko für IUFT, subpartalen o. neonatalen Tod sowie Risiken der fetalen Morbidität. Zunahme dieses Ereignisses bei Schwangeren > 35 J. u. besonders > 40 J. sowie bei BMI > 30, Nikotinabusus u. Erstgravidität).
- Wichtigste Ursache ist mangelhafte Erregbarkeit der Uterusmuskulatur (Rezidivneigung).
- Mit zunehmender Terminüberschreitung höhere Rate an fetalen Makrosomien > 4.000 g.

> Vor invasiver Diagn. o. Ther. unbedingt erneute Terminberechnung unter Berücksichtigung von Zyklusanomalien, Einnahme oraler Kontrazeptiva, Stärke der letzten Blutung, Termin der ersten Kindsbewegungen, Frühultraschall u. Uterusgröße.

Monitoring
Mit Erreichen des EGT Überprüfung, ob eine risikoarme Schwangerschaft vorliegt. Bei risikoarmer Einlingsgrav. ohne spez. Schwangerschaftsrisiken (z. B. GDM, Präeklampsie, Oligohydramnion o. IUGR):
- **Bestimmung von Fundusstand u. Uterusgröße** ▶ 5.2
- **Sono:** Fetometrie, FW-Menge, Reifegrad der Plazenta (▶ 5.2.7, ▶ 22.2.3 u. ▶ 22.2.4)
- **Ab Terminüberschreitung:** mind. 2-tägige CTG-Kontrolle (▶ 8.2.2) (lt. Leitlinie CTG besteht eine Evidenz hierfür erst bei Terminüberschreitung ohne zusätzliche Risiken ab 41+0)
- Aufklärung der Schwangeren: BMI > 30 erhöht das Risiko für IUFT auch unabhängig von einer Terminüberschreitung um den Faktor 1,6. Weitere Risiken für IUFT: Alter, Parität, Nikotinabusus
- **Ab dem 7. Tag nach EGT:** stat. Aufnahme anraten.
  - Tgl. 2–3 CTG-Kontrollen
  - Festlegen des Zervix-Scores (Bishop-Score ▶ Tab. 5.19)
  - Geburtseinleitung ab ET + 7 anbieten, ab ET + 10 empfehlen

Therapie Medikamentöse Zervixreifung bei:
- Bishop-Score < 4: durch intrazervikale Prostaglandin-E2-Gel-Applikation 0,5 mg in 2,5 ml (z. B. Prepidil®) unter CTG-Dauerüberwachung (▶ Tab. 5.19)
- Bishop-Score ≥ 4: durch Oxytocin-Infusion (▶ 8.14) o. 1–2 mg PgE2-Gel intravag. (Minprostin®-E2-Vaginalgel), evtl. Wdh. nach 6 h o. Propess® 10 mg o. Misodel® vag. Freisetzungssystem unter CTG-Überwachung. NW: Überstimulation, Übelkeit, Brechreiz, Diarrhö. **Cave:** Keine gleichzeitige Oxytocin-Zufuhr! (▶ 8.14)
- **Cave: fetale Gefährdungssituation** (z. B. suspektes CTG, grünes FW, Oligohydramnion, IUGR): Geburtseinleitung ggf. durch Oxytocin über Infusomaten u./o. vag. Blasensprengung bei geburtsreifem Befund, ggf. Sectio. Bei V. a. fetale Asphyxie, relatives Missverhältnis, Lage- o. Einstellungsanomalie rechtzeitige Ind. zur Sectio stellen

Tab. 5.19 Zervix-Score (Bishop-Score = Summe der Punkte)			
Zervix-Score	Punkte	Zervix-Score	Punkte
Länge der Portio		Muttermunddilatation	
2 cm 1 cm ½ cm Verstrichen	0 1 2 3	Geschlossen 1 cm geöffnet 2 cm geöffnet 3 cm geöffnet	0 1 2 3
Konsistenz der Portio		Leitstellen	
Derb Mittel Weich	0 1 2	2 cm über I-Linie (Interspinal- ebene) 1 cm über o. I-Linie 1–2 cm unter I-Linie	0 1 2
Stellung der Portio			
Sakral Medio-sakral Zentriert	0 1 2		

5.18 Uterusmyome in der Schwangerschaft

Joachim Steller

Epidemiologie Ungefähr 20–50 % der von Myomen betroffenen Frauen befinden sich im gebärfähigen Alter. Bei Schwangeren ab dem 35. Lj liegt die Wahrscheinlichkeit bei 20 %. Inzidenz zunehmend mit dem Anteil älterer Erst- o. Mehrgebärender.

Komplikationen
- **Abortrisiko:** wird in der Literatur mit 14–58 % angegeben (bei durchschnittlicher Abortrate in der Gesamtbevölkerung von etwa 10 %)
- **Weitere KO:** Anämien (90,5 %), abdom. Beschwerden (39,4 %), Blutungen in der Frühschwangerschaft (20 %), vorzeitige Wehen (60–70 %), erhöhte Frühgeburtsneigung, regelwidrige Kindslagen (23 %), chron. nutritive Plazentainsuff. bei Insertion der Plazenta im Myombereich (45 %), vorzeitige Plazentalösung u. Blasensprünge, op. Entbindungen ↑, Störungen der Nachgeburtslösung ↑, Placenta accreta o. increta ↑, Atonien ↑, verzögerte Uterusinvolution p. p., Myomnekrosen durch Involutionsvorgänge p. p., fibrinolytische Koagulopathie durch Aktivatoren im Myomgewebe ↑, Thrombembolierisiko ↑
  – Häufig kommt es zu einem deutlichen Myomwachstum in der 1. Schwangerschaftshälfte, ggf. mit Erweichung, Nekrosen u. a. degenerativen Veränderungen.
  – Myomknoten können ein Geburtshindernis darstellen.

Diagnostik Meist sonografisch (▶ 22.1.2), palpatorisch bei großen Vorderwandmyomen, die beim schwangeren Uterus durch die Bauchdecken zu tasten sind.

Therapie
- **Vorzeitige Wehentätigkeit:** Hospitalisierung u. Einleitung einer tokolytischen Ther. (▶ 5.11.2), ggf. RDS-Prophylaxe (▶ 5.11.4). Ind. zur Myomenukleation in der Schwangerschaft sehr zurückhaltend stellen, evtl. nur bei therapieresistenten Beschwerden (vorübergehende myombedingte Beschwerden

sind häufig u. bilden sich oft unter unspez., evtl. analgetischer u. tokolytischer Ther. zurück).
- **Entbindungsmodus nach Myomenukleation:** keine eindeutigen Regeln, Uterusruptur sub partu nach Myomektomie ist selten, Sectiorate ca. 50 %. Großzügige Sectioind. bei protrahiertem Geburtsverlauf.

- Große Myome möglichst vor geplanter Schwangerschaft operieren.
- Uterotonika bei komplikationsloser Nachgeburtsperiode sparsam verwenden (**cave:** Myomnekrosen).
- Hohe Rezidivrate: ca. 40 % Rezidive innerhalb der ersten 2,5 J. nach Myomektomie. Nach Enukleation von > 3 Myomknoten liegt die Rezidivrate bei 60 %.

5.19 Prostaglandine zur Abortinduktion
Joachim Steller

5.19.1 Abortinduktion bis 13+6 SSW p. m.

Ziel Zervixerweichung vor op. Kürettage, Minimierung des Blutverlusts, Reduktion von Folgeschäden.

Vorgehen Gemeprost 1 mg Vaginaltbl. 3–6 h präop. (z. B. Cergem®[5]), evtl. Wdh. Bei stärkeren Blutungen:
- Während des Eingriffs Sulproston 500 µg (z. B. Nalador®) auf 500 ml NaCl 0,9 % = 1,7 µg/ml, bis 8,3 µg/min ≙ 100–500 ml/h, max. Gesamtdosis 1.500 µg/d über Infusomaten
- Nach Ausräumung ggf. Sulproston 500 µg (z. B. Nalador®) auf 500 ml NaCl 0,9 % = 1,7 µg/ml, bis 8,3 µg/min ≙ 100–500 ml/h, max. Gesamtdosis 1.500 µg/d über Infusomaten. **Cave:** Glukose inaktiviert Nalador!

5.19.2 Abortinduktion 14+0–24 SSW p. m.

Ziel Zervixerweichung, Entleerung des Uterus, Minimierung des Blutverlusts, Reduktion von Folgeschäden (Nachkürettage empfohlen).

Vorgehen
- **Zervixreifung:** Gemeprost 1 mg Vaginaltbl. (z. B. Cergem®, s. Fußnote 5), Wdh. alle 3–12 h (max. 5 mg Gemeprost/d) o. PgE2-Gel 0,5 mg intrazervikal alle 4–6 h (Prepidil®) bis mind. Hegar 12 erreicht ist
- **Wehenindikation:** Sulproston 500 µg in 250 ml NaCl 0,9 % (z. B. Nalador®) auf 500 ml NaCl 0,9 % = 1,7 µg/ml, bis 8,3 µg/min ≙ 100–500 ml/h, max. Gesamtdosis 1.500 µg/d über Infusomaten. Kürettage nur bei tonisiertem Uterus (Sulproston- o. Oxytocin-Infusion)

Bei Spätaborten sind alle Prostaglandine mit relativer KI belegt. Bei Z. n. Sectio caesarea z. B. stellt dies besondere Probleme dar, besondere Aufklärungspflichten.

---
[5] Cergem® ist in D nur noch über die internationale Apotheke erhältlich.

5.19.3 Einleitung beim intrauterinen Fruchttod (IUFT) ab 25. SSW p. m.

Ziel Ausstoßung der Schwangerschaft mit Plazenta.

Vorgehen
- **Zervixreifung:** Gemeprost 1 mg vag. (z. B. Cergem®) nur bis zur 26. SSW, Wdh. alle 3–6 h (max. 5 mg in 24 h) o. PgE2-Gel 0,5 mg intrazervikal alle 3–6 h (z. B. Prepidil®) bis zur Geburt o. ausreichender Zervixreifung. **Besser:** Vag.-ther. System mit 10 mg Dinoproston (Propress®), kontinuierliche Freisetzung von 0,3–0,4 mg/h bei zugelassener Liegezeit von 24 h, Einlage zervikal problemlos möglich, kann bei uteriner Hyperaktivität problemlos gezogen werden. Leider sehr teuer. Alternative: entfernbares vag. Misoprostol-Freisetzungssystem (Vaginalinsert Misodel®, **cave** Überstimulation), allerdings nur zur Geburtseinleitung ab der 37. SSW zugelassen.
- **Weheninduktion:** frühestens 3 h nach Gemeprost o. PgE2-Gel beginnen. Sulproston 500 µg (z. B. Nalador®) auf 500 ml NaCl 0,9 % = 1,7 µg/ml, bis 8,3 µg/min ≙ 100–500 ml/h, max. Gesamtdosis 1.500 µg/d o. PgE2-Gel 1–2 mg intravag. (Minprostin®) o. Oxytocin bis 12 mIE/min i. v.
- **NW:** ab Sulproston 500 µg/h zunehmend Übelkeit, Spasmen im Ober- u. Mittelbauch, Bronchospasmus, pulmonale Hypertonie; selten Bradykardien, Koronarspasmen.
- **Abortinduktion mit Misoprostol:** Das Präparat ist sehr viel kostengünstiger, allerdings in D nicht für diese Ind. zugelassen (in D zudem vom Markt genommen u. nur noch über internationale Apotheken erhältlich). **Cave:** Off-Label-Ther. sind möglicherweise nicht durch den Haftpflichtversicherer abgedeckt, daher empfiehlt es sich, eine entsprechende Stellungnahme einzuholen.
- Bei Z. n. Sectio caesarea o. Ä. bes. Aufklärungspflichten bei der Anwendung von Prostaglandinen.

Anwendung von Misoprostol (Cytotec®)
Cave: Off-Label-Use!
- Zervixpriming bei Interruptio: 2 h vor dem Eingriff 2 Tbl. Cytotec® anfeuchten und intravag. einlegen (Zeitplan beachten!)
- Abortinduktion nüchterne Pat., 200–400 µg p. o./s. l. oder vag., z. B. 200 µg 10–16 h präop p. o. oder 400 µg 2–4 h präop. p. o. oder 400 mg s. l. oder vag. 3 h präop. Cytotec® (max. 5 × 200 µg/d)
- Abortinduktion nach der 24. SSW: nüchterne Pat., Misoprostol (Cytotec®) dosisreduziert 100 µg alle 6 h vag., danach Dosisreduktion empfehlenswert, z. B. 50 µg Misoprostol alle 6 h vag. Falls erforderlich, Dosissteigerung max. bis 200 µg

Merke:
- Aufklärung der Pat. über Präparat (Off-Label-Use! Erwiesene Wirkung, ausreichende internationale Erfahrung; prim. jedoch für andere Ind. vorgesehen)
- Stdl. Kreislauf- u. Temperaturkontrolle. Temperaturanstieg bis 38,5 °C möglich, ggf. auch Schüttelfrost
- Bei Schmerzind. Buscopan®-Supp. o. Pethidin-hameln® i. m.
- Wenn nach 2 d kein Erfolg, Umsteigen auf Cergem® nach üblichem Schema

Geburtseinleitung ▶ 8.14.
Terminüberschreitung ▶ 5.17.

5.20 Unfälle in der Schwangerschaft
Kay Goerke

> Trotz des recht guten Schutzes des Ungeborenen vor mech. Einwirkungen in der Fruchtblase kann es durch Unfälle (Sturz auf den Bauch, Verkehrsunfall etc.) zu folgenden Problemen für die Schwangerschaft kommen:
> - Vorzeitige Plazentalösung ▶ 8.5.3
> - Vorzeitiger Blasensprung ▶ 8.8
> - Auslösung von Wehen
> - Intrauteriner Fruchttod

Diagnostik
- Anamnese: gezielt auch nach Arbeits- o. Wegeunfall fragen, dann unbedingt D-Arzt hinzuziehen
- CTG zur Kontrolle von fetalen Herztönen u. Wehentätigkeit
- Ultraschall: Plazentahaftfläche, FW-Menge
- Spiegeleinstellung: Blutung, FW-Abgang
- Evaluation sonstiger Verletzungen (Haut, innere Organe), Rö-Untersuchung bei V. a. Frakturen, einfache Übersichtsaufnahmen sind in der Grav. vertretbar (▶ 4.7.3), ggf. Konsil mit Urologen, Chirurgen, Neurologen o. Internisten

Therapie
- Stat. Aufnahme über 24 h zur Beobachtung, CTG-Kontrolle, ggf. Sono-Kontrolle
- Bei äußeren Verletzungen: Tetanusschutz erfragen, ggf. auffrischen (nur passive Impfung!)
- Plazentalösung: je nach SSW u. Lebensfähigkeit des Kindes ggf. sofortige Entbindung per Sectio caesarea
- Vorzeitiger Blasensprung: je nach SSW kons. Maßnahmen o. Entbindung
- Vorzeitige Wehentätigkeit: Tokolyse, stat. Aufnahme

6 Infektionen in der Schwangerschaft

Gisela Enders, Martin Enders und Joachim Steller

6.1 Übersicht prä- und perinatale Infektionen 186
6.2 Röteln (Rubella) 188
6.3 Zytomegalie 191
6.4 Varizellen und Herpes zoster 194
6.5 Herpes-simplex-Virus Typ 1 und 2 (Herpes genitalis) 197
6.6 Ringelröteln (Erythema infectiosum) 200
6.7 Zikavirus 202
6.8 HIV-Infektion 204
6.9 Virushepatitis 205
6.10 Enteroviren 211
6.11 Lymphochoriomeningitis (LCM) 212
6.12 Toxoplasmose 213
6.13 Lues connata (Syphilis) 216
6.14 Listeriose 218
6.15 Chlamydia trachomatis 219
6.16 Ureaplasmen und Mykoplasmen 221
6.17 Borreliose 222
6.18 Q-Fieber 224
6.19 Parasitäre Infektionen 225
6.19.1 Therapie 225
6.19.2 Malaria 228
6.20 Kondylome in der Schwangerschaft 229
6.21 Bakterielle Vaginose 230
6.22 Vaginalmykose 231

6.1 Übersicht prä- und perinatale Infektionen

Gisela Enders und Martin Enders

Seit der ursprünglichen Einführung des amerikanischen Begriffs **ToRCH** (**T**oxoplasma gondii, **R**ubellavirus, **C**MV, **H**SV) ist eine Vielzahl von Viren u. anderen Mikroorganismen mit dem Risiko kongenitaler, peri- u. frühpostnataler Inf. in Zusammenhang gebracht worden. Das **O** („**O**ther infectious organisms") steht nun u. a. auch für *Treponema pallidum* (Erreger der Lues/Syphilis), Varizella-Zoster-Virus (VZV), Lymphochoriomeningitisvirus, *Neisseria gonorrhoeae, Mycobacterium tuberculosis,* Enteroviren, *Chlamydia trachomatis* u. B-Strept. sowie seit Kurzem für das Zikavirus. Der Buchstabe **H** repräsentiert auch die **H**epatitis-B, -C- u. E-Viren, **H**IV, **H**PV u. das **h**umane Parvovirus B19.

Infektionen (Inf.) mit dem Masern- o. Influenzavirus können bei der Schwangeren zu einem schweren Verlauf mit dem Risiko für einen neg. Schwangerschaftsausgang (z. B. Frühgeburt) führen. Auf diese Inf. u. auf die Tbc wird nachfolgend nicht eingegangen.

Die Bedeutung der einzelnen Inf. für die Schwangere, den Feten u. das NG bzw. Kind muss im Hinblick auf eine Veränderung der Epidemiologie, der Präventionsmöglichkeiten (z. B. Impfung) o. der Neuentdeckung von schwangerschaftsrelevanten Auswirkungen altbekannter o. neuer Erreger von Zeit zu Zeit neu analysiert werden.

In ▶ Tab. 6.1 u. ▶ Tab. 6.2 sind die wichtigsten pränatal (kongenital), perinatal o. frühpostnatal erworbenen Inf. mit bewiesenen bzw. mit nicht bewiesenen Folgen für Mutter, Fetus u. Kind aufgeführt. Die einzelnen Inf. werden entsprechend ihrer Reihenfolge in den Tabellen abgehandelt. Die an anderer Stelle des Leitfadens beschriebenen Inf. sind durch Querverweise gekennzeichnet.

Tab. 6.1 Infektionen in der Schwangerschaft mit bewiesenen Folgen für Mutter, Fetus und Kind

Erreger	Risiko für klin. Folgen bei den möglichen Übertragungswegen Mutter → Kind [Hauptrisiko: +, geringes Risiko (+)]			Mütterliche, fetale u. kindliche Folgen
	pränatal	perinatal	frühpostnatal	
Viren				
Rötelnvirus[1] [MuRiLi]	+			Rötelnembryopathie (RE)
Zytomegalie-Virus[1] (CMV)	+			CMV-bedingte Schädigung (CID), Spätmanifestationen
Varicella-Zoster-Virus[1] (VZV)	+	+	(+)	Maternale VZV-Pneumonie, kongenitales VZV-Sy. (CVS), schwere neonatale VZV
Herpes-simplex-Virus 1, 2[1] (HSV)	(+)	+	(+)	Mütterl. Primärinf., Meningitis, Hepatitis, Herpes neonatorum, HSV-Fetopathie

6.1 Übersicht prä- und perinatale Infektionen

Tab. 6.1 Infektionen in der Schwangerschaft mit bewiesenen Folgen für Mutter, Fetus und Kind *(Forts.)*

Erreger	Risiko für klin. Folgen bei den möglichen Übertragungswegen Mutter → Kind [Hauptrisiko: +, geringes Risiko (+)]			Mütterliche, fetale u. kindliche Folgen
	pränatal	perinatal	frühpostnatal	
Viren				
Parvovirus B19[1] (Ringelröteln)	+			Hydrops fetalis, Abort, intrauteriner Fruchttod (IUFT)
Zikavirus[2]	+	?	?	ZNS-Anomalien, Arthrogryposis multiplex congenita
HIV[1] [MuRiLi]		+	(+)	Chron. Infekt → Aids
Hepatitis-A-Virus		(+)		Nur selten NG-Inf.
Hepatitis-B-Virus[1] [MuRiLi] Hepatitis-C-Virus		+	(+)	Chron. Infekt → Leber-Ca
Hepatitis-E-Virus[3] Genotyp 1,2	+			Maternal fulminanter Verlauf, Abort, IUFT
Enteroviren (Coxsackie-/Echovirus)	(+)	+	(+)	Neonatale Sepsis, Myokarditis, Enzephalitis, Pränatale Inf.
Lymphochoriomeningitis-Virus[4] (LCMV)	+			Abort, IUFT, neonataler Tod, Hydrozephalus, Chorioretinitis
Humane Papillomaviren (HPV; ▶ 6.20, ▶ 13.3.3)		+		Larynxpapillom
Protozoen/Bakterien				
Toxoplasma gondii[1]	+			Kongenitale Toxoplasmose → Chorioretinitis, ZNS-Schäden
Treponema pallidum[1] (Syphilis, Lues; ▶ 13.3.6) [MuRiLi]	+	(+)		Abort, Totgeburt, Frühgeburt, Lues connata
Listeria monocytogenes[1] (Listeriose)	+	+	+	Abort, Totgeburt, Frühgeburt, kongenitale Listeriose

Tab. 6.1 Infektionen in der Schwangerschaft mit bewiesenen Folgen für Mutter, Fetus und Kind (Forts.)

Erreger	Risiko für klin. Folgen bei den möglichen Übertragungswegen Mutter → Kind [Hauptrisiko: +, geringes Risiko (+)]			Mütterliche, fetale u. kindliche Folgen
	pränatal	perinatal	frühpostnatal	
Protozoen/Bakterien				
Neisseria gonorrhoeae[1] (Tripper; ▶ 13.3.6)		+		Konjunktivitis
B-Streptokokken[1] (▶ 11.6.3)		+		Sepsis, Letalität ca. 60 %, Abort, Totgeburt
Chlamydia trachomatis[1] [MuRiLi]		+		Abort? Frühgeburt? Konjunktivitis, Pneumonie
Coxiella burnetii (Q-Fieber)	(+)	+	+	Abort, Frühgeburt, SGA

[1] wichtigste Erreger; [2] Tropen, Subtropen; [3] Asien, Afrika, Mittelamerika; [4] seltene Inf.; [MuRiLi]= Bestandteil der Mutterschaftsrichtlinien

Tab. 6.2 Infektionen in der Schwangerschaft mit nicht bewiesenen Folgen für Mutter, Fetus und Kind

Erreger (Bakterien)	Fragliches Risiko für klin. Folgen bei den möglichen Übertragungswegen Mutter → Kind [Hauptrisiko: +, geringes Risiko (+)]			Folgen für Mutter, Fetus u. Kind
	pränatal	perinatal	frühpostnatal	
Borrelia burgdorferi	(+)			Kindliche Anomalien, z. B. am Herzen, in neueren prospektiven Studien nicht bewiesen
Ureaplasma urealyticum, Mycoplasma hominis	(+)	(+)		Pneumonien, bronchopulmonale Dysplasien u. Meningitiden beschrieben

6.2 Röteln (Rubella)

Gisela Enders und Martin Enders

Erreger ist das Rötelnvirus, einziger Vertreter des Genus Rubivirus (Familie der Togaviren).

Epidemiologie

Von allen Inf. in der Schwangerschaft sind die Röteln wegen ihrer hohen Fehlbildungsrate (Rötelnembryopathie, RE) am meisten gefürchtet. Die gegen Röteln ergriffenen Maßnahmen (verschiedene Impfstrategien seit 1969, generelle Kinder-

6.2 Röteln (Rubella)

impfung seit 1980, verbesserte Labordiagn. u. obligatorische Mutterschaftsvorsorge seit 1971) haben in D den Rückgang akuter Röteln in der Schwangerschaft u. damit den Rückgang der RE auf < 1 Fall pro 100.000 Lebendgeburten bewirkt. Die Durchimpfungsraten sind bei Kindern hoch (Schuleingangsuntersuchungen 2014: Impfquoten: 1. Impfung 96 %, 2. Impfung 92 %), bei Jgl. jedoch noch nicht ausreichend. Die Seronegativrate bei Schwangeren (Alter 15–40 J.) beträgt in D durchschnittlich ca. 2–3 %, liegt aber bei jungen Schwangeren (Alter 15–20 J.) bei ca. 9 %.

Infektionsrisiko in der Schwangerschaft
- Ansteckung durch Tröpfcheninf.
- Inkubationszeit (IKZ): 14–21 d
- Kontagiositätsindex < 40 %, Ansteckungsrisiko bei familiärem Kontakt am höchsten
- Diaplazentare Übertragung auf den Feten
- RE-Risiko ist abhängig vom Gestationsalter bei mütterlicher Primärinf. mit Hauptrisiko in Frühschwangerschaft (▶ Tab. 6.3). **Cave:** Nicht jede fetale Rötelnvirusinf. führt zu RE, fetale Infektionsraten höher als RE-Raten
- Re-Inf. treten i. Allg. nur bei früher Geimpften auf; sind aber wegen geringer Wildviruszirkulation heute extrem selten. Bei Re-Inf. in der Frühschwangerschaft besteht nur ein sehr geringes RE-Risiko

Tab. 6.3 Embryopathie-Risiko bei symptomatischen mütterlichen Röteln in der Schwangerschaft

Präkonzeptionell bis 10 Tage nach letzter Regel	Bis < 12. SSW	12. bis 17. SSW	> 17. SSW
ca. 3,5 %	65–25 %	20–8 %	ca. 3,5 %
Kein erhöhtes Fehlbildungsrisiko	Hauptrisiko klassisches u. erweitertes Rötelnsy.	Meist isolierte Hördefekte	Kein erhöhtes Fehlbildungsrisiko

Klinik

Schwangere Die Rötelnvirusinf. verläuft bei Kindern zu 50 %, bei Jgl. u. Erw. in > 30 % uncharakteristisch ohne das rötelntypische Exanthem. Arthralgien u. rheumatische Beschwerden treten vorwiegend bei jungen Frauen auf.

Fetus Sonografische Marker (z. B. IUGR, Hepatosplenomegalie, Kardiomegalie, echogener Darm) aufgrund des meist frühen Schwangerschaftsabbruchs nur selten dokumentiert.

Neugeborenes
- Kongenitale Rötelnvirusinf. mit Voll-/Teilsymptomatik der RE (Rötelnsy.) o. asympt.
- Gesamtletalität: 13–25 % bei Vollbild der RE
- Klassische Trias des Rötelnsy. (Gregg-Sy.): Organfehlbildungen an Auge (Katarakt), Ohr (Innenohrschwerhörigkeit, Taubheit) u. Herz (meist offener Ductus Botalli)
- Erweitertes Rötelnsy.: z. B. Dystrophie, Mikrozephalie, statomotorische u. geistige Retardierung, Hepatosplenomegalie mit Ikterus, Anämie, Exanthem,

Myokarditis, Pneumonie, Thrombozytopenie, geringes Geburtsgewicht, Enzephalitis, Hepatitis, Knochenveränderungen

Kind
- Late-Onset-Rötelnsy.: Beginn im 4.–8. Lm, interstitielle Pneumonie, Meningoenzephalitis, chron. Gastroenteritis, Rötelnexanthem, Vaskulitis
- Spätmanifestationen (Jugend): Diab. mell., progressive Panenzephalitis, Hörschäden, Krampfleiden

Diagnostik

Schwangere Seit 1971 obligater Bestandteil der Mutterschaftsrichtlinien. Änderung 8/2011: Bei Nachweis von 2 dokumentierten Röteln-Impfungen wird Immunität angenommen, d. h. keine Röteln-AK-Bestimmung erforderlich.
- **Serologie:**
  - Bestimmung der Immunitätslage mittels Immunoassay (z. B. EIA, CLIA, HAH)
  - Bei V. a. akute Inf. (rötelnverdächtige Symptome o. Kontakt) HAH, IgG- u. IgM-AK-Teste u. ggf. Zusatzteste durchführen, Nachweis einer Primärinf. durch Serokonversion bzw. signifikanten HAH-Titer/IgG-AK-Anstieg u. hohe IgM-Werte 1–2 Wo. nach Infektionsbeginn. IgM-AK persistieren i. d. R. etwa 4–12 Wo.

> **!** Lange persistierende IgM-AK sind bei 2–3 % der gesunden Schwangeren oft mehrere Jahre nach früherer Inf. o. Impfung nachweisbar, deshalb pos. IgM-Befunde durch Zusatzteste abklären.

- **Zusatzteste:** Eingrenzung des Infektionszeitpunkts in der Frühschwangerschaft mit IgG-Aviditäts- (Aviditätsindex, AI) u. IgG-Immunoblot-Test (E2-Bande):
  - Hoher AI mit Nachweis der E2-Bande ist Hinweis für eine mind. 3–4 Mon. zurückliegende Erstinf. o. Impfung
  - Niedriger AI u. Fehlen der E2-Bande spricht für kürzliche Primärinf. (in den letzten 3 Mon.) o. auch für kürzliche Impfung!
- **Erregernachweis:** heute Rötelnvirus-RNA-Nachweis mittels Nukleinsäureamplifikationstechnik (NAT); Einsatz vorrangig in der Pränatal- u. NG-Diagn.

Pränatale Diagnostik
- **Invasive Pränataldiagnostik:**
  - Ind.: akute Röteln (1.–11.) 12.–17. SSW, selten bei Re-Inf. bis 12. SSW o. wenn Ursache von pos. IgM nicht abklärbar
  - Methode: Nachweis von RV-RNA in Chorionzotten, FW u./o. Fetalblut (zusätzlich: IgM) möglich; diagn. Vorgehen mit einem in der Rötelndiagnostik erfahrenen Speziallabor abstimmen

Neugeborenes Nachweis der kongenitalen Inf. mit u. ohne RE-Symptomatik durch HAH-bzw. IgG- u. IgM-AK-Bestimmung im Nabelschnur- o. kindlichen Blut. IgM-AK pos. in > 95 % bei RE u. auch bei intrauterin infizierten NG ohne Symptome bis 1.–4. Lm. Die IgM-AK-Befunde werden unterstützt durch den Nachweis von RV-RNA mit dem NAT i. U. u. RA-Sekret bis ca. 6. Lm v. a. bei Fällen mit RE.
Bei RE sind persistierende IgG-AK langfristig in niedrigen Titern nachweisbar; diese sind nach der MMR-Impfung im 12. Lm von den durch die Impfung gebildeten AK nicht mehr zu unterscheiden.

> **Meldepflicht nach Infektionsschutzgesetz (IfSG)**
> Namentlich: Krankheitsverdacht, Erkr., Tod an Röteln einschl. RE, dir. u. indir. Nachweis von Rötelnvirus ▶ 1.8.1

Therapie
Keine spez. Ther. vorhanden. Bei akuten Röteln vor der 12. SSW (sehr hohes RE-Risiko!) steht Schwangerschaftsabbruch zur Diskussion.

Prophylaxe
- **Expositionsprophylaxe** kaum möglich
- **Passive Prophylaxe:** kein spez. Immunglobulin (Ig) vorhanden, Ig-Gabe nicht mehr empfohlen
- **Aktive Prophylaxe:** generelle Kinderimpfung 2 × mit MMR o. MMR-Varizellen; im gebärfähigen Alter: ungeimpfte Frauen o. Frauen mit unklarem Impfstatus 2 ×, einmal geimpfte Frauen 1 × impfen mit MMR
- Rötelnimpfung in Schwangerschaft: Rötelnimpfung innerhalb von 4 Wo. vor u. in Grav. vermeiden, bei versehentlicher Impfung in diesem Zeitraum keine Ind. für pränatale Diagn. o. Schwangerschaftsabbruch; bisher kein Fall einer impfvirusbedingten KO bei Mutter o. Kind beschrieben; Risiko ca. 2–4 % für asympt. fetale Inf.
- Empfehlung: Beschäftigungsverbot von seroneg. schwangeren Angestellten v. a. in der vorschulischen Kinderbetreuung bis zur 20. SSW (i. d. R. auch für angestellte Lehrerinnen an öffentlichen Schulen mit Kindern bis 18 J.)

> **Verbleibende Probleme**
> - Frage der langfristigen Immunität bei niedrigen Röteln-AK-Werten u. rückläufiger Wildviruszirkulation
> - Risiko akute Röteln/RE-Fälle durch importierte Röteln u. bei Impfverweigerern

6.3 Zytomegalie
Gisela Enders und Martin Enders

Erreger ist das Zytomegalievirus (CMV), ein β-Herpesvirus.

Epidemiologie
Häufigste kongenitale Inf. mit kindlicher Schädigung bei Geburt u. später. Weltweit sind 0,2–2 % aller NG mit dem Virus infiziert (in D ca. 0,2–0,4 %) u. ca. 13 % der Infizierten sind bei Geburt sympt. („congenital inclusion disease", CID-Sy.). Die CMV-Seronegativrate im gebärfähigen Alter beträgt in D 50–55 %; jährlich infizieren sich ca. 0,5–1 % der seroneg. Schwangeren erstmals mit CMV.

Infektionsrisiko in der Schwangerschaft
- Ansteckung erfolgt durch Schmierinf. u. nur bei längerem engem Kontakt (Sexualkontakt, Kontakt mit CMV ausscheidenden Kindern).
- Übertragung auf den Feten während der mütterlichen Virämie transplazentar.

- Das Virus wird auch perinatal bei der Passage durch den Geburtskanal, aber v. a. frühpostnatal – hauptsächlich beim Stillen – von CMV-seropos. Müttern durch Reaktivierung des Virus in der Brustdrüse auf das NG übertragen.
- Transmissionsrate bei mütterlicher Primärinf. um Konzeption bis zum 2. Trim. liegt bei 30–40 % u. steigt im 3. Trim. auf 70 % an.
- Die frühpostnatale Inf. kann insb. bei sehr unreifen FG (< 32. SSW, < 1.500 g) ein Erkrankungsrisiko darstellen.

Schädigungsrisiko des Kindes

Risiko für kindliche Schädigungen besteht v. a. nach mütterlicher Primärinf. um den Konzeptionstermin u. im 1. Trim.; im 3. Trim. ist es gering. Bei vor der Schwangerschaft seropos. Frauen beträgt die fetale Infektionsrate durch rekurrierende Inf. (Reaktivierung o. Reinf.) in der Schwangerschaft < 1 %. Schwere Schäden sind nach Rekurrenz möglich, deren Häufigkeit ist aber unbekannt.

Klinik

Schwangere Primärinf.: Abgeschlagenheit, Lk-Schwellungen, Fieber, Hepatitis, Thrombozytopenie, > 80 % oligo-/asympt. Rekurrierende Inf. verlaufen klin. meist inapparent.

Fetus Bei fetaler Inf. sind die Hauptauffälligkeiten im US: Ventrikelerweiterung im ZNS, Mikrozephalie, Höhlenergüsse (z. B. Aszites), Wachstumsretardierung, Plazentomegalie, Hepatomegalie, echoreiche Läsionen in Leber u. a. Organen, hyperechogener Darm!

Neugeborenes

- 87 % der kongenital infizierten NG sind bei Geburt asympt.
- 13 % der NG weisen unterschiedlich schwere Symptomatik auf – von systemischen Manifestationen (z. B. Frühgeburtlichkeit, geringes Geburtsgewicht, petechiale Blutungen, Ikterus u. Thrombozytopenie) bis zu ZNS-Symptomen (z. B. Mikrozephalie u. intrakranielle Verkalkungen, Hördefekte, Lethargie u. Krämpfe). Die Mortalitätsrate in den ersten Lw wurde früher mit ca. 10 % angegeben, heute mit 4 %.

Kind

- Bei den bei Geburt sympt. Kindern sind bleibende, zumeist multiple Schäden, v. a. Innenohrschwerhörigkeit (41–58 %), Mikrozephalie (52 %), ein IQ < 70 (55 %) sowie Sprach- (27 %) u. Sehstörungen (22 %) zu erwarten.
- Bei den bei Geburt asympt. Kindern kommt es in 13,5 % zu Spätmanifestationen wie kognitiven Störungen o. neurol. Beeinträchtigungen (6,5 %), Innenschwerhörigkeit (7 %) kann bis zum Schulalter verzögert auftreten.

Diagnostik

Schwangere CMV-Screening wird gegenwärtig selektiv als IGeL – vor u. in der Grav. durchgeführt.
- **Serologie:** Feststellung des Immunitätsstatus vorrangig durch IgG-AK-Bestimmung. Zusätzliche IgM-AK-Bestimmung erfasst akute Inf.
  - Neg. IgG-AK-Befund: Beratung zur Expositionsprophylaxe (s. u.), evtl. sequenzielles AK-Screening
  - Nachweis einer Primärinf. durch IgG-Serokonversion bzw. signifikanten Anstieg der IgG-AK u. hohe IgM-AK-Werte bei niedrigem IgG-AI. Bei pos. IgM-Befund: Eingrenzung des Infektionszeitpunkts mit Zusatztesten (IgG-Avidität, Immunoblot)

6.3 Zytomegalie

- Rekurrierende Inf. serol. schwer zu charakterisieren; z. T. erhöhte IgG-AK- u. schwach pos. IgM-AK-Werte bei moderatem bis hohem IgG-AI
- **Erregernachweis:** CMV-DNA-Nachweis quantitativ mit der NAT im Blut zum Nachweis einer virämischen Phase. Bei pos. Befund kann nicht zwischen prim. u. rekurrierender Inf. differenziert werden. Ein neg. Befund schließt eine akute Inf. nicht aus.

Pränatale Diagnostik
- Bei serol. bestätigter Primärinf. US-Kontrollen DEGUM II/III ab der 19. SSW, evtl. zusätzlich fetales MRT (> 25. SSW).
- FW-Entnahme ab der 21. SSW (mind. ≥ 8–10 Wo. nach geschätzter Serokonversion) zum Erregernachweis (NAT, Schnell-Zellkulturtest). Pos. Befunde bestätigen fetale Inf. Bei gleichzeitig das ZNS betreffenden US-Auffälligkeiten ist die Geburt eines geschädigten Kindes zu erwarten.

Neugeborenes CMV-DNA-Nachweis (NAT) u. Virusnachweis (Schnell-Zellkulturtest) im Urin (Speichel) bis zu 10 d nach Geburt bzw. retrospektiv DNA-Nachweis im Blutstropfen auf Guthrie-Karten beweist intrauterine Inf.; neg. Befund der Trockenblutkarte schließt intrauterine Inf. nicht aus. Mit kommerziellen Testmethoden sind bei kongenital Infizierten bei Geburt nur in 60 % IgM-AK, jedoch in 90 % CMV-DNA im Blut nachweisbar.

Therapie

Schwangere
- Eine antivirale Therapie mit Virostatika in der Schwangerschaft wird zurzeit nicht empfohlen, kann aber in Einzelfällen (gesicherte sympt. fetale Inf.) in Erwägung gezogen werden.
- Als Heilversuch kann bei nachgewiesener fetaler Inf. die Gabe von CMV-Hyperimmunglobulin erwogen werden (Off-Label-Anwendung).
- Bei nachgewiesener fetaler Inf. u. schwerwiegenden US-Auffälligkeiten steht ein Schwangerschaftsabbruch zur Diskussion.

Neugeborenes
- Bei sympt. infizierten NG, v. a. bei ZNS-Symptomatik u. Hörstörungen: antivirale Therapie mit Ganciclovir i. v. oder Valganciclovir p. o.
- Hauptziel ist die Erhaltung des Hörvermögens.

Prophylaxe

> Wichtigste derzeitige prophylaktische Möglichkeiten sind hygienische Maßnahmen.

- **Expositionsprophylaxe** für seroneg. Schwangere, v. a. beim Umgang mit Kindern bis zu 3 J.: kein Mundküssen, sorgfältige Händehygiene nach Windelwechsel u. nach Umgang mit bespeichelten Spielsachen, keine gemeinsamen Ess- u. Trinkgefäße.
- **Heilversuch** (Off-Label): Präventive Gabe von CMV-Hyperimmunglobulin bei Schwangeren mit gesicherter Primärinf. um Konzeption bis zum 2. Trim. kann mit dem Ziel, das Risiko einer intrauterinen Inf. des Feten zu vermindern, erwogen werden.
- **Aktive Impfung** zurzeit nicht verfügbar.

- **Empfehlung:** Beschäftigungsverbot von seroneg. angestellten Schwangeren v. a. in der vorschulischen Kinderbetreuung für die gesamte Grav. bei Betreuung von Kindern < 3 J.

Keine Meldepflicht nach IfSG

6.4 Varizellen und Herpes zoster

Gisela Enders und Martin Enders

Erreger ist das Varicella-Zoster-Virus (VZV), ein α-Herpesvirus, das zwei verschiedene klin. Sy. verursacht: Varizellen (Windpocken) durch exogene Erstinf. u. Zoster (Gürtelrose) durch endogene Reaktivierung.

Epidemiologie
Einziges natürliches Reservoir ist der Mensch. In D sind 3–4 % der Frauen im gebärfähigen Alter seroneg.; somit ist nur ein geringer Prozentsatz für eine Varizelleninf. in der Grav. gefährdet. Seit Einführung der Kinderimpfung 2004 ist das Risiko einer Ansteckung geringer geworden.

Varizellen

Infektionsrisiko in der Schwangerschaft
- Ansteckung durch Tröpfcheninf. über Rachensekret, Direktkontakt über Bläschenflüssigkeit
- Ausscheidung über den Rachen bereits 2–3 d vor Exanthemausbruch
- Virus ist hoch kontagiös (Kontagionsindex nahe 1,0), IKZ: 14–16 d (Bereich: 8–21 d)
- Bei Varizellen in der Grav. besteht für die Mutter das Risiko einer VZV-Pneumonie.
- Bei mütterlicher Inf. in den ersten 20 SSW (selten bis 28. SSW): Risiko für fetales bzw. kongenitales Varizellen-Sy. (CVS) ca. 1,4 %
- Bei Kind von Mutter mit Varizellen im 2./3. Trim. gelegentlich (1,1 %) frühpostnataler Zoster in den ersten 2 Lj
- Bei mütterlichen Varizellen um den Geburtstermin Risiko neonataler schwer verlaufender Varizellen (8 %)

Klinik

Schwangere Krankheitsverlauf im Erw.-Alter schwerer als in der Kindheit. Wichtigste KO in der Schwangerschaft ist VZV-Pneumonie, v. a. im 2./3. Trim., mit Mortalität von 20–40 % ohne i. v. Aciclovir-Ther. u. ohne Intensivmaßnahmen (Mortalität mit ACV-Ther. 0–14 %).

Fetus Bei kongenitalem Varizellensy. im US charakteristische Stigmata wie Gliedmaßenhypoplasie, IUGR, hyperechogene Läsionen/Verkalkungen in verschiedenen Organen nachweisbar.

Neugeborenes
- **Kongenitales Varizellensy.:** Charakteristische Symptome sind Hautskarifizierung, Ulzerationen, Narben, Gliedmaßenhypoplasien, Paralysen u. Muskelatrophien, Katarakt u. Augendefekte, Krampfanfälle, psychomotorische Retardierung u. Hirnatrophie.

- **Neonatale Varizellen** (erste 10–12 LT): Hauptrisiko für schweren Verlauf bei mütterlichen Varizellen 5 d vor bis 2 d nach der Geburt und v. a. bei FG. Bei mütterlicher Inf. > 5 d vor Geburt meist guter Verlauf.
- **Frühpostnataler Zoster** (1.–2. Lj): typische Effloreszenzen in Dermatomen im Thoraxbereich, leichter Verlauf, Rekurrenz selten.

Diagnostik

> Aufgrund der hohen Seropositivrate im gebärfähigen Alter gibt es kein obligatorisches VZV-Screening in der Grav. Entsprechend der Richtlinie zur Empfängnisregelung u. zum Schwangerschaftsabbruch soll vor einer Schwangerschaft bei unklarer Immunitätslage eine VZV-AK-Bestimmung durchgeführt u. dokumentiert werden (gesonderte Bescheinigung o. Impfbuch). Bei neg. Befund wird die zweimalige Impfung empfohlen.

Schwangere
- **Serologie:**
  - Feststellung der Immunitätslage bei Kontakt durch IgG-(IgM-)AK-Bestimmung. Bei neg. o. grenzwertigen IgG-Befunden trotz zweimaliger Impfung kann Immunantwort mittels hochsensitivem Immunoassay überprüft werden.
  - Bei V. a. Windpocken serol. Bestätigung 3–5 d nach Exanthembeginn durch Nachweis von IgM-AK, niedriger IgG-Avidität bzw. signifikantem IgG-Anstieg innerhalb von 14 d. Niedrige IgG-Titer werden bei VZV-Kontakt i. Allg. asympt. geboostert.
- **Erregernachweis:** Bei V. a. Varizellen/Zoster sollte immer auch der Nachweis von Virusgenomen in Bläscheninhalt/Abstrich mittels NAT erfolgen.

Pränatale Diagnostik Bei Varizellen bis 21. (28.) SSW invasive PD nicht generell empfohlen, jedoch US-Kontrollen. Bei auffälligem US FW-Entnahme u. evtl. auch Fetalblutentnahme frühestens 6 Wo. nach Exanthembeginn u. nicht vor der 21. SSW. VZV-DNA-Nachweis mittels NAT im FW u. evtl. Fetalblut; IgM-Nachweis im Fetalblut geringere Sensitivität.

Neugeborenes/Kind
- Unauffälliges NG von Mutter mit akuten Varizellen in Schwangerschaft (bis 36. SSW): Nabelschnurblut IgG-pos., IgM-neg. → passive AK
- Kind mit kongenitalem Varizellensy. von Mutter mit Varizellen in Grav. (bis 28. SSW): VZV-DNA-Nachweis in EDTA-Blut, Mekonium, Urin, Rachensekret, Liquor u. Abstrichen von Hautläsionen sowie ggf. in Gewebebiopsien; IgM i. S. nicht verlässlich nachweisbar, aber lange persistierende IgG > 8. Lm
- Kind von Mutter mit Varizellen um Geburtstermin: klinisch bis 12. LT überwachen. Bei V. a. neonatale Varizellen mit z. T. schwer verlaufender Klinik: serol. signifikante IgG- u. IgM-AK-Titeranstiege; VZV-DNA-Nachweis in Bläscheninhalt, Liquor, Blut u. Rachensekret

Therapie

Schwangere
- Orale ACV-Ther. möglichst innerhalb von 24 h nach Auftreten der ersten Bläschen, 5 × 800 mg/d für 7–10 d. Bislang kein Hinweis auf Teratogenität. Strenge Indikationsstellung im 1. Trim.

- Varizellenpneumonie: sofort i. v. ACV-Ther. (30–45 mg/kg KG/d verteilt auf 3 Gaben, max. 2,5 g/d) u. intensivmed. Betreuung
- Akute Varizellen um den Geburtstermin ▶ Tab. 6.4

Management des Neugeborenen
- Bei V. a. bzw. diagnostizierten Varizellen bei Mutter u./o. NG: Rooming-in, aber Isolierung von Nichtimmunen
- Stillen möglich, bei floriden Effloreszenzen evtl. Brustmilch abpumpen
- NG bis ≥ 12 d stat. überwachen u. zu Hause bis zum 28. Tag
- Zu VZIG-Gabe an das NG ▶ Tab. 6.4

Tab. 6.4 Maßnahmen bei Varizellen um Geburtstermin

Beginn mütterlicher Varizellen	Maßnahmen
> 5 d **vor** Entbindung:	• **Schwangere:** ACV oral 5 × 800 mg/d • **NG*:** kein VZIG
5 d vor bis 2 d **nach** Entbindung	• **Schwangere:** ACV oral 5 × 800 mg/d • **NG*:** VZIG 1 ml/kg KG i. v.; Überwachung für 12–14 d u. bei den ersten Krankheitszeichen: ACV i. v. 10–15 mg/kg alle 8 h als 1-stündige Infusion über 5–7 d
> 2 d **nach** Entbindung	• **Mutter:** ACV oral 5 × 800 mg/d • **NG*:** kein VZIG, ACV i. v. bei den ersten Krankheitszeichen (s. o.)

ACV = Aciclovir; VZIG = Varizellen-Hyperimmunglobulin, * Reifgeborene.

Prophylaxe
- **Expositionsprophylaxe:** kaum erfolgreich.
- **Passive Prophylaxe:**
  - Schwangere: Bei Kontakt mit Windpocken sicherheitshalber Immunstatus bestimmen; bei seroneg. Befund → VZIG-Gabe möglichst früh innerhalb von 3 d, max. bis zu 10 d nach Exposition (d. h.: > 1 h mit infektiöser Person in einem Raum, Face-to-face-Kontakt, Haushaltskontakt), Varitect® i. v. 1 ml/kg KG
  - VZIG an NG nach Windpocken der Mutter 5 d vor bis 2 d nach Geburt (▶ Tab. 6.4)
  - FG nach Exposition in Neonatalperiode: geb. ab 28. SSW→ VZIG bei fehlender mütterlicher Immunität; geb. vor 28. SSW → VZIG immer (unabhängig von Immunstatus der Mutter); Dosierung: Varitect® i. v. 1 ml/kg KG (ggf. in Verbindung mit antiviraler Chemoprophylaxe) → Verhinderung o. Abschwächung der Erkr.
  - Bei ausgebrochenen Varizellen → VZIG-Gabe überflüssig
- **Aktive Prophylaxe:**
  - Generelle Kinderimpfung seit 2004; aktuell: 2 Impfdosen im Abstand von 4–6 Wo., Nachholimpfungen bei allen ungeimpften Kindern u. Jgl. ohne Varizellenanamnese mit 2 Impfdosen
  - Indikationsimpfung bei seroneg. Frauen mit Kinderwunsch u. bei Erw. in Risikogruppen mit Lebendimpfstoff Varilrix® o. Varivax® in 2 Dosen im Abstand von mind. 4–6 Wo.
  - Bei Frauen im gebärfähigen Alter mit unklarer Immunitätslage für Varizellen → AK-Bestimmung u. ggf. Impfung

- **Empfehlung:** Beschäftigungsverbot von seroneg. angestellten Schwangeren v. a. in der vorschulischen Kinderbetreuung für die gesamte Schwangerschaft. Bei med. Personal auf Entbindungs- u. NG-Stationen sollte immer der VZV-Immunstatus bekannt sein.

VZV-Impfung innerhalb von 4 Wo vor u. in Grav. vermeiden; bei versehentlicher Impfung aber keine Ind. für invasive PD o. Schwangerschaftsabbruch.

Herpes zoster
Reaktivierte VZV-Inf.: Häufigkeit 0,5–2/1.000 Schwangerschaften.

Infektionsrisiko in der Schwangerschaft
KO: selten disseminierter Zoster; bei mütterlichem Herpes zoster im 1.–3. Trim.: Kein Risiko für ein kongenitales Varizellen-Sy.
Infektionsrisiko des NG bei mütterlichen Zosterläsionen um Entbindung unwahrscheinlich: Schutz durch passive mütterliche AK anzunehmen.

Diagnostik
Erregernachweis mittels NAT: schneller Anstieg der VZV-IgG-AK, IgG-Avidität hoch; VZV-IgA- u. -IgM-AK in 40–50 % d. F. nachweisbar. Bei lumbosakralen Effloreszenzen Herpes simplex ausschließen (NAT aus Läsionen).

Therapie
Schwangere Systemische antivirale Ther. bei ausgeprägter Symptomatik/schwerem Verlauf.

Management des Neugeborenen
- Bei Herpes zoster der Mutter:
  - Rooming-in; Mutter u. NG von Nichtimmunen isolieren
  - Keine VZIG-Gabe an das NG
  - Läsionen bei der Mutter abdecken. Stillen möglich, wenn keine Effloreszenzen im Brustbereich; sonst Muttermilch abpumpen

Meldepflicht nach IfSG
Namentlich: Krankheitsverdacht, Erkr., Tod bei Windpocken, dir. u. indir. Nachweis von VZV, soweit der Nachweis auf eine akute Inf. hindeutet

6.5 Herpes-simplex-Virus Typ 1 und 2 (Herpes genitalis)
Gisela Enders und Martin Enders

Erreger ist das Herpes-simplex-Virus (HSV) Typ 1/2, ein α-Herpesvirus.

Klassifikationen des HSV-Status
- Primärinf.:
  - Serokonversion für HSV 1 o. HSV 2 bei HSV-1- u. HSV-2-Seronegativität (auch als: „Prim. Erstepisode" bezeichnet)

- Serokonversion für den HSV-Typ, für den bisher Seronegativität bestand (auch als „nichtprim. Erstepisode" bezeichnet)
- Rekurrierende Episode: Reaktivierung/Re-Inf. mit demjenigen HSV-Typ, für den bereits Seropositivität bestand
- Latenz: Seropositivität bei neg. Erregernachweis

Epidemiologie

Reaktivierung von HSV Typ 2 mind. doppelt so häufig wie von Typ 1. In westeuropäischen Ländern ist Herpes neonatorum selten (< 5/100.000 Lebendgeburten).

Infektionsrisiko in der Schwangerschaft

- Mutter-Kind-Transmission sehr selten intrauterin, hauptsächlich intra partum u. gelegentlich frühpostnatal
- Risiko einer perinatalen Transmission bei vag. Geburt ist abhängig von der Art der mütterlichen Inf. (Primärinf./Rekurrenz) u. der Konz. der Virusexkretion in der Zervix bei Wehenbeginn. Höchstes Transmissionsrisiko nach Primärinf. im 3. Trim. Das Risiko für Herpes neonatorum beträgt bei einer prim. Erstepisode zum Zeitpunkt der Geburt 57 %, bei einer nichtprim. Erstepisode 25 %, bei Rekurrenz 2 %.

Klinik

Schwangere

- Prim. HSV-Inf. sind in 50 % asympt., bei HSV-Rekurrenz ist dies in 70–80 % der Fall.
- Ulzerationen, Brennen, Schmerzen, Fluor, Dysurie, Dyspareunie, gelegentlich Temperaturerhöhung, vergrößerte schmerzhafte Lk in der Leiste. **Cave:** klin. keine sichere Unterscheidung von Primärinf. u. Rezidiv. KO einer Primärinf.: Meningitis, Enzephalitis, Hepatitis

Neugeborenes   Hauptmanifestationen des Herpes neonatorum:

- Disseminiert (ZNS, Lunge, Leber, Nebenniere, lokalisiert/Haut, Auge, Mund [SEM]). Symptombeginn 6–12 d nach Geburt, Letalität ohne Ther. > 80 %, mit Ther. > 15 %
- ZNS-Symptomatik (Enzephalitis, Meningitis in 37–48 % ohne SEM) mit Symptombeginn 16–18 d nach Geburt, Letalität ohne Ther. > 50 %, mit Ther. 15 %, in > 50 % neurol. u. ophthalmol. Schäden sowie rekurrierende Hautbläschen
- SEM-Symptomatik mit Symptombeginn 6–7 d nach Geburt, keine erhöhte Letalität, aber in > 20 % neurol. Schäden u. rezid. Bläschen

Diagnostik

Schwangere   Das HSV-Screening ist keine Untersuchung der MuRiLi.
- **Serologie:**
  - Gesamt-AK gegen Typ 1 u. 2 mittels EIA
  - AK mittels Immunoblot/EIA mit typspez. Antigen
  - IgM-Titerbestimmung unzuverlässig (pos. IgM-Befund ist nicht beweisend für eine HSV-Primärinf., neg. IgM-Befund schließt weder eine HSV-Primärinf. noch eine Rekurrenz aus)
- **Erregernachweis:**
  - Aus Bläscheninhalt, Mund-/Genitalabstrich
  - Typspez. NAT bzw. Typisierung nach Anzucht in Zellkultur

6.5 Herpes-simplex-Virus Typ 1 und 2 (Herpes genitalis)

- **Vorgehen:**
  - In (Früh-)Schwangerschaft Herpes-genitalis-Anamnese der Schwangeren u. ihres Partners erfragen
    - Bei anamnestischem Hinweis auf genitale HSV-Inf. kann die Bestimmung des HSV-Immunstatus erfolgen [auch beim Partner zum Ausschluss/Nachweis einer Serodiskordanz, ggf. Beratung zu Präventionsmaßnahmen (Kondome, Abstinenz)]
    - Bei neg. HSV-1- u./o. HSV-2-AK-Befund: ggf. AK-Kontrolle in der 36. SSW zum Nachweis/Ausschluss einer Serokonversion/prim. Inf. in der Grav.
  - Bei V. a. Herpes genitalis:
    - Beginn antivirale Ther. (strenge Indikationsstellung im 1. Trim.); Abstrich für Erregernachweis mittels NAT/Anzucht u. typspez. HSV-IgG-AK-Bestimmung zur Diff. prim./rekurrierende Inf.
    - Bei Diagnose HSV-Primärinf. → Fortsetzung der antiviralen Ther.; antivirale Prophylaxe (Suppressionstherapie) ab 36+0 SSW bis zur Geburt
    - Bei Diagnose HSV-Rekurrenz → Fortsetzung der antiviralen Ther. nur bei ausgeprägter Symptomatik; bei häufigen Rezidiven antivirale Prophylaxe (Suppressionstherapie) ab der 36+0 SSW bis zur Geburt

Pränatale Diagnostik HSV-bedingte Embryo-/Fetopathien sind extrem selten; ggf. Erregernachweis aus FW bei US-Auffälligkeiten unklarer Genese (z. B. Mikrozephalie, Hepatosplenomegalie, IUGR), insb. wenn in der Grav. ein Herpes genitalis vorlag.

Neugeborenes/Kind
- Bei sympt. u. asympt. NG Erregernachweis (NAT, Zellkultur) aus Rachensekret, Augenabstrich, EDTA-Blut
- Bei sympt. NG zusätzlich Erregernachweis aus Liquor
- Abnahme am 2. Lt, virol. (vorrangig) u. serol. Überwachung in den ersten 4 Lw, bei klin. Verdacht sofortige Klinikeinweisung u. Hochdosisther.

Therapie

Die Ther. mit ACV oral ist wegen geringerer Bioverfügbarkeit weniger wirksam als mit ACV i. v. Im Vergleich zu ACV oral hat Valaciclovir (VACV) oral eine 3- bis 5-fach höhere Bioverfügbarkeit.

ACV u. VACV sind offiziell weder für Schwangere noch für NG zugelassen, jedoch werden beide Präparate sowohl in der Grav. als auch für das NG eingesetzt. Bei ACV-Applikation in der Grav. wurde keine erhöhte Fehlbildungsrate im Vergleich zur Normalpopulation beobachtet.

Schwangere
- Bei HSV-Primärinf.: ACV 3 × 400 mg/d p. o. für 7–10 d bzw. 5 × 200 mg/d p. o. für 7–10 d oder VACV 2 × 500 mg/d für 7–10 d
- Schwer verlaufende Erkr. (disseminierte Inf., Meningitis, Enzephalitis, Hepatitis, Pneumonie): im 1.–3. Trim. ACV 10 mg/kg KG i. v. alle 8 h für 14 d
- Rezid. Genitalherpes (bei ausgeprägter Symptomatik): wie bei Primärinf., nur kürzere Therapiedauer (5 d)
- Suppressionsther. (Prophylaxe) ab 36+0 SSW bis zur Entbindung ACV 3 × 400 mg/d p. o. oder VACV 2 × 250 mg oder 2 × 500 mg/d p. o.

Neugeborenes
- Mit Herpes neonatorum:
  - ACV 20 mg/kg KG i. v. alle 8 h für 21 d. Anschließende Suppressionstherapie mit ACV 900 mg/m^2 KOF in 3 ED über 6 Mon senkt Rezidivrate, verbessert Prognose bei ZNS-Beteiligung

- Asymptomatisch:
  - Mit hohem Infektionsrisiko (z. B. Primärinf. zum Zeitpunkt der Geburt u. vag. Entbindung): prophylaktisch ACV i. v. 20 mg/kg KG alle 8 h für 14 d
  - Mit geringem Infektionsrisiko (z. B. rekurrierende HSV-Inf. mit u. ohne Läsionen bei Geburt): klin. u. virol. Kontrollen in den ersten 4–6 Lw, bei klin. Verdacht sofort stat. Einweisung u. Einleitung der Hochdosisther.

Prophylaxe
- Primärinf. im 1./2. Trim.: antivirale Therapie u. Suppressionsther. (ab SSW 36+0), Symptomfreiheit bei Geburt → vag. Entbindung erwägen
- Primärinf. im 3. Trim.: antivirale Therapie u. Suppressionsther. (ab SSW 36+0), elektive Sectio empfohlen (insb. bei Inf. < 6 Wo vor Geburt)
- Rekurrenz: antivirale Ther. nach Schwere der Symptome, Suppressionsther. erwägen; Läsionen bei Geburt → Sectio (vor bzw. < 4 h nach Blasensprung)
- Genitale Läsionen u./o. pos. Virusnachweis zum Entbindungstermin, HSV-Status unbekannt: Sectio (vor bzw. < 4 h nach Blasensprung)
- Nach Entbindung: Mutter mit Herpes-labialis-Effloreszenzen → keine Trennung vom (reifen) NG; Mundschutz bis zur Abheilung der Läsionen; evtl. systemische antivirale Ther. zur Verkürzung der Krankheitsdauer; Stillen bei Mundschutz möglich; hygienische Maßnahmen
- Mutter mit sympt. Herpes genitalis → keine Trennung vom NG, hygienische Maßnahmen
- Med. Personal u. Besucher mit Herpes-labialis-Effloreszenzen, -Pharyngitis, -Stomatitis o. HSV-Nagelbettgeschwür („herpetic whitlow") → keine unmittelbare Betreuung von Mutter u. NG bzw. kein enger Kontakt
- Zurzeit kein Impfstoff verfügbar

> Keine Meldepflicht nach IfSG

6.6 Ringelröteln (Erythema infectiosum)
Gisela Enders und Martin Enders

Erreger ist das Parvovirus B19 (B19V), Gattung Erythrovirus.

Infektionsrisiko in der Schwangerschaft
- Seronegativitätsrate im gebärfähigen Alter: in D ca. 30–40 %.
- Ansteckung überwiegend durch Tröpfcheninf., seltener durch Blut, EK o. Plasmaprodukte.
- IKZ: 13–18 d (bis Exanthembeginn).
- Ansteckungsgefahr ist ca. 8 d vor Symptombeginn am höchsten; sinkt nach Auftreten der klassischen Symptome bzw. der IgG-AK rasch ab.
- Das Virus kann bei akuter Inf. während der gesamten Grav. transplazentar auf den Feten übertragen werden. Gesamttransmissionsrate: 30–50 %.
- Eine akute Inf. (in ca. 30 % asympt.) in der Grav. bleibt in über 90 % d. F. ohne Folgen für das werdende Kind.

Klinik

Schwangere
- Verlauf im Erw.-Alter in etwa 30 % ohne das girlandenförmige Exanthem. In 30–40 % erhöhte Temp., uncharakteristisches Exanthem u. Lk-Schwellungen. Oft Polyarthralgien der kleinen Gelenke einzige Manifestation.
- Gelegentlich persistieren Gelenkbeschwerden über mehrere Mon.

Fetus > 95 % der fetalen KO werden in den ersten 12 Wo. nach mütterlicher Inf. beobachtet, in Einzelfällen > 16 Wo.
- Abortrate in der Frühschwangerschaft ca. 8 %.
- Rate des Hydrops fetalis bezogen auf die gesamte Schwangerschaft: 4 %; bei mütterlicher Inf. 9.–20. SSW: 6–10 %; > 20. SSW: 0,5 %. Spontanremission des Hydrops ist möglich.
- Fetale KO überwiegend durch Hemmung der fetalen Erythropoese u. dadurch bedingte Anämie (Hauptzielzellen: erythropoide Vorläuferzellen).
- Hydrops fetalis wird hauptsächlich durch Herzinsuff. bei schwerer u. anhaltender Anämie verursacht.
- B19V-assoziierte Myokarditis kann zur Entstehung der Herzinsuff. beitragen.
- Schwere Hypoxämie bzw. Anoxie beeinträchtigt kardiale Pumpfunktion.
- Zeichen der intrauterinen B19V-Inf. (US/Doppler): Flussbeschleunigung in der A. cerebri media (ACM; Anämie), Kardiomegalie, Trikuspidalinsuff., Hautödem, Höhlenergüsse (Aszites, Perikard-/Pleuraerguss).

Neugeborenes Bisher keine Fälle von Fehlbildungen beschrieben. Über einen möglichen Zusammenhang zwischen schwer verlaufender intrauteriner B19V-Inf. (schwerer Hydrops fetalis) u. neurol. Entwicklungsstörungen wird spekuliert.

Diagnostik

Schwangere Das B19V-Screening ist keine Untersuchung der MuRiLi.

> Differenzialdiagnostisch müssen Röteln-, Masern-, Scharlach-, EBV-, Enterovirus-Inf. o. Exanthema subitum ausgeschlossen werden.

- **Serologie:**
  - Bei Kontakt o. verdächtigen Symptomen in der Grav. IgG- u. IgM-AK-Bestimmung im EIA
  - Zusatztest: IgG-Line-Assay (epitop- u. antigenspez. AK) zur Eingrenzung des Infektionszeitpunkts
  - Interpretation der serol. Ergebnisse:
    – IgG pos., IgM neg. → frühere Inf., Schutz ist anzunehmen. **Cave** bei auffälligem US/Doppler, da IgM-AK evtl. schon unter der Nachweisgrenze
    – IgM pos., IgG neg. bis schwach pos. → akute Inf., Vorgehen s. „Pränatale Diagnostik" (▶ 4.2.1)
    – IgG u. IgM neg. → bisher keine Inf., Kontrolle in 2(–3) Wo.

> - 10–20 % der Mütter mit nachgewiesenem B19V-bedingtem Hydrops sind bei Diagnosestellung bereits IgM-neg.! Deshalb serol. Zusatzteste u. DNA-Nachweis durch NAT
> - B19V-DNA nach akuter Inf. häufig über mehrere Mon. in niedriger Konz. (≤ 10.000 IU/ml) im Blut nachweisbar

- **Erregernachweis:** B19V-DNA-Nachweis in der NAT in EDTA-Blut, Plasma, Serum, Einsatz als Zusatztest/Bestätigungstest (hohe Viruslast im Akutstadium, Schwangere mit B19V-bedingten KO sind meist B19V-DNA pos. i. S.) u. bei PD

Pränatale Diagnostik (PD)
- Bei bestätigter akuter mütterlicher Inf. wöchentl. Farbdoppler u. US für eine Dauer von 10–12 Wo. p. i. (abhängig vom Gestationsalter zum Zeitpunkt der mütterlichen Inf.)
- Bei auffälligem Dopplerbefund (signifikante Zunahme der max. systolischen Fließgeschwindigkeit in der ACM als Hinweis auf fetale Anämie) o. US-Befund in einer pränataldiagn. Einrichtung: FW, Aszites u. Fetalblut zum B19V-DNA-Nachweis in NAT (IgM-AK-Bestimmung im Fetalblut nicht verlässlich), zusätzlich Hb-, Retikulozyten- u. Thrombozytenbestimmung
- Bei relevanter fetaler Anämie bzw. auffälligen Befunden sofortige intrauterine Transfusion

Die intrauterine Transfusion senkt bei schwerem Hydrops die fetale Mortalität (Beobachtungsstudien).

Neugeborenes/Kind B19V-DNA-Nachweis im Nabelschnurblut/Blut des NG, B19V-IgG/IgM-AK-Bestimmung, evtl. IgG-Verlaufskontrolle im 1. Lj. Ind. wird kontrovers diskutiert. Nachweis bzw. Ausschluss einer intrauterinen Inf. sind nur in Einzelfällen von klin. Relevanz. Bei möglicherweise später auftretenden Entwicklungsstörungen anderer Genese ist retrospektiv kein Ausschluss einer intrauterinen B19V-Inf. möglich.

Therapie
- Antivirale Substanzen nicht verfügbar; fetale Ther. durch intrauterine Transfusion (s. Abschnitt „Pränatale Diagnostik").
- Akute Inf. in Schwangerschaft ist keine Ind. für einen Schwangerschaftsabbruch.

Prophylaxe
- Expositionsprophylaxe kaum erfolgreich.
- Postexpositionsprophylaxe (PEP): kein spez. B19V-Hyperimmunglobulin verfügbar; PEP mit Immunglobulinen aufgrund fehlender Evidenz nicht empfohlen.
- Aktive Impfung steht nicht zur Verfügung.
- Beschäftigungsverbot für seroneg. Schwangere: in den meisten Bundesländern in vorschulischen Einrichtungen bis zur vollendeten 20. SSW.

Keine Meldepflicht nach IfSG

6.7 Zikavirus

Gisela Enders und Martin Enders

Der Erreger ist das Zikavirus, ein umhülltes Einzelstrang RNA-Virus der Gattung Flavivirus. Zurzeit werden genetisch eine afrikanische u. eine asiatische Viruslinie unterschieden.

Epidemiologie
Größere Ausbrüche (asiatische Viruslinie): 2007 in Mikronesien, 2013–2015 in Frz.-Polynesien. Ab 2015 epidemische Ausbreitung in Mittel- u. Südamerika, rückläufige Tendenz seit Ende 2016. Bisher keine autochthonen Infektionen in Europa.

Infektionsrisiko in der Schwangerschaft
- Übertragung durch Stechmücken (in erster Linie *Aedes aegypti*) u. sexuell
- IKZ: 3–12 d
- Übertragung intrauterin (Transmissionsrate unbekannt), intrapartum? (bisher nur 2 Fälle bekannt)
- Zusammenhang mit kongenitalen Anomalien gilt als gesichert; Schädigungsrate ca. 10 % (Mikrozephalie < 5 %) insb. nach Inf. im 1. Trim., evtl. auch 2. Trim., eher nicht 3. Trim. (Datenlage begrenzt)

Klinik
Schwangere Krankheitsverlauf nicht schwerer als bei Nichtschwangeren. In 20–40 % Exanthem, Kopf-, Muskel-, Gelenkschmerzen, Fieber, Konjunktivitis.

Fetus Spontanabort (Häufigkeit?); ZNS-Auffälligkeiten (z. B. Mikrozephalie, Ventrikulomegalie, intrakranielle Verkalkungen, Migrationsstörungen, Kleinhirnhypoplasie, Corpus-callosum-Anomalien).

Neugeborenes ZNS-Auffälligkeiten, Arthrogryposis multiplex congenita, Augendefekte, Hördefekte (?), Langzeitfolgen bei asympt. Infizierten unbekannt.

Diagnostik
Schwangere
- In der Akutphase ist der Erregernachweis vorrangig (aus Urin u. Vollblut).
- Mehr als 4–6 Wo. nach Erkr.-Beginn bzw. letzter mögl. Exposition schließt ein neg. AK-Nachweis (IgM-AK, IgG-AK, neutralisierende AK) eine akute/kürzliche Inf. mit sehr hoher Wahrscheinlichkeit aus.

Pränatale Diagnostik
- US-Auffälligkeiten ab ca. 8–12 Wo nach Symptombeginn im 1. Trim., meist nach 20. SSW
- Invasive PD: Aussagekraft unklar, insb. neg. Vorhersagewert

Neugeborenes/Kind PCR aus Nabelschnurblut, Urin; IgG-, IgM-AK, Liquordiagnostik bei neurol. Auffälligkeiten.

Therapie
Antivirale Therapie nicht verfügbar, bei akuter Inf. in Schwangerschaft u. schwerwiegenden fetalen Auffälligkeiten → Schwangerschaftsabbruch erwägen.

Prophylaxe
- Aktive u. passive Prophylaxe nicht verfügbar
- Expositionsprophylaxe:
  - Schwangere: keine Reise in Risikogebiete, ggf. konsequenter Mückenschutz
  - Sexualpartner von Schwangerer nach Reise in Risikogebiet: Kondomgebrauch, Abstinenz über gesamte Schwangerschaft
  - Reiserückkehrer: Kondomgebrauch/Verhütung einer Schwangerschaft für 6 Mon. (CDC, USA: weibliche Reiserückkehrer nur 8 Wo.)

Meldepflicht nach IfSG
Nicht namentlich: dir. o. indir. Nachweis des Zikavirus, soweit der Nachweis auf eine akute Infektion hinweist

6.8 HIV-Infektion
Gisela Enders und Martin Enders

Erreger sind die Retroviren HIV-1 u. HIV-2. Sie sind die Ursache der Immunschwäche Aids.

Epidemiologie
Ende 2015 waren nach Angaben der WHO weltweit ca. 36,7 Mio. Menschen mit HIV infiziert. In Deutschland liegt die geschätzte Zahl der HIV-Infizierten Ende 2015 bei > 84.700, die Anzahl der Neuinf. bei 3.200 (weltweit 2,1 Mio.). Der Anteil der Frauen an den HIV-Infizierten u. Aids-Pat. ist wie in allen Industriestaaten deutlich geringer als derjenige der Männer. In D liegt der Anteil der infizierten Frauen an allen HIV-Infizierten bei 16 %.

Infektionsrisiko in der Schwangerschaft
- In D sind die wichtigsten Infektionsrisiken bei Frauen, die nicht aus Hochprävalenzländern stammen, heterosexuelle Kontakte und i. v. Drogengebrauch.
- Mutter-Kind-Übertragung pränatal, intrapartal u. durch Muttermilch möglich (Gesamtübertragungsrate ohne Intervention: 14–42 %). Heute kann die Inf. des NG durch antiretrovirale mütterliche u. kindliche Ther., Sectio u. Stillverzicht weitgehend (< 1 %) verhindert werden.
- 2015 wurden 26 Mutter-Kind-Transmissionen neu diagnostiziert: 22 Kinder waren bereits infiziert eingereist, 4 Kinder wurden in D geboren, in 3 Fällen war den Schwangeren kein HIV-Test angeboten worden.

Klinik
Schwangere HIV-Inf. können jahrelang klin. unauffällig verlaufen u. führen im Spätstadium zu Aids. Bei der prim. HIV-Inf. ähneln die Symptome einem grippalen Infekt.

Neugeborenes Ohne die heute verfügbare Ther. kam es früher bei ca. 25 % der infizierten NG innerhalb des 1. Lj zu Aids, 25 % waren auch noch im Jugendalter asympt. Ein erhöhtes Risiko für kindliche Fehlbildungen aufgrund einer mütterlichen HIV-Inf. besteht nicht.

Diagnostik
Schwangere
- **HIV-Test:** Der HIV-Test soll nach MuRiLi jeder Schwangeren empfohlen werden. Die Beratung zum HIV-Test u. die Durchführung ist im Mutterpass zu dokumentieren. Die Testung sollte möglichst früh in der Grav. erfolgen u. kann bei erhöhtem Risiko im Verlauf der Schwangerschaft wiederholt werden.
- **Serologie/Erregernachweis:** Bei reaktivem Befund im HIV-Suchtest der 4. Generation (komb. AK- u. p24-Antigennachweis) Absicherung durch serol. Bestätigungstest (z. B. Immunoblot) bzw. durch Erregernachweis mittels

NAT. Bei einer Pat., deren HIV-Test der 4. Generation mehr als 6 Wo. (bzw. deren HIV-Test der 3. Generation mehr als 12 Wo.) nach Risikokontakt neg. ist, kann eine HIV-Inf. mit großer Sicherheit ausgeschlossen werden.
- **Beratung:** Ausschluss einer HIV-Inf. auch bei fehlenden Risikofaktoren empfehlen. Bei Vorliegen einer HIV-Inf. Hinweis auf heutige Therapiemöglichkeiten u. Management in der Grav. zur Vermeidung einer Inf. des Kindes.

Pränatale Diagnostik Invasive PD nur bei strenger Indikationsstellung u. unter Berücksichtigung der Viruslast.

Neugeborenes/Kind Zum Ausschluss einer HIV-Inf. bei Kindern HIV-pos. Mütter sind 2 neg. HIV-NAT-Befunde notwendig: der erste nach ca. 1 Mon., der zweite nach dem 3. Lm. Eine abschließende serol. Kontrolle (Verschwinden der mütterlichen Leihantikörper) soll bei HIV-exponierten Kindern mind. einmalig nach dem vollendeten 18. Lm erfolgen.

Therapie

Schwangere Antiretrovirale Ther. entsprechend den Leitlinien (Deutsch-Österreichische Leitlinie zur HIV-Therapie in der Schwangerschaft u. bei HIV-exponierten NG, S2k-Leitlinie, Stand Mai 2014). Die Sectio am wehenfreien Uterus reduziert die vertikale Transmissionsrate; sie war bis 2008 fester Bestandteil des Managements bei Schwangeren. Aktuell ist bei entsprechenden Voraussetzungen (antivirale Kombinationsther. der Schwangeren, Viruslast zeitnah zum Entbindungstermin < 50 Kopien/ml, Abklärung weiterer geburtshilflicher Risiken) eine vag. Entbindung möglich. Bei erhöhtem Risiko für eine vertikale HIV-Transmission (z. B. Frühgeburtlichkeit, erhöhte Viruslast kurz vor Geburt trotz Kombinationsther.) kann die HIV-Transmissionsprophylaxe risikoadaptiert gesteigert werden.

Eine HIV-Inf. der Schwangeren ist keine Ind. für einen Schwangerschaftsabbruch.

Neugeborenes/Kind Ther. entsprechend den nationalen Richtlinien (Deutsch-Österreichische Leitlinie zur HIV-Therapie in der Schwangerschaft u. bei HIV-exponierten NG, Stand Mai 2014).

Prophylaxe
Postpartale Prophylaxe des NG i. v. oder oral entsprechend oben zitierter Leitlinie. Stillverzicht empfohlen.

Meldepflicht nach IfSG
Nicht namentlich: dir. o. indir. Nachweis (Meldung erfolgt dir. an das RKI)

6.9 Virushepatitis
Gisela Enders und Martin Enders

Hepatitis A
Erreger ist das Hepatitis-A-Virus, ein kleines unbehülltes RNA-Virus der Familie *Picornaviridae,* Genus Hepatovirus.

Epidemiologie
In Ländern mit hohem Hygienestandard ist die Erkr.-Häufigkeit rückläufig. 2016 wurden in D 1.070 Fälle gemeldet, das entspricht einer Inzidenz von ca. 1 : 100.000. Die Hepatitis A ist jedoch weiterhin als Reiseinf. (40–50 % aller in D gemeldeten Fälle) wichtig. Epidemiol. Daten, die speziell die Schwangerschaft betreffen, sind nicht verfügbar, da Inf. in der Grav. weltweit selten vorkommen.

Infektionsrisiko in der Schwangerschaft
- I. d. R. fäkal-orale Übertragung (kontaminierte Lebensmittel, Trinkwasser, Schmierinf.). Inf. durch Blut, Blutprodukte u. sexuelle Kontakte sind ebenfalls möglich.
- IKZ: 2–6 Wo., Infektiosität besteht bei Erkrankten meist im Zeitraum von 1–2 Wo. vor bis 1 Wo. nach Auftreten des Ikterus bzw. der Transaminasenerhöhung, selten protrahierte Inf. (z. B. bei Immunsuppression).
- Transmissionen während der Geburt (durch Exposition zu mütterlichen Fäzes) u. durch das Stillen (daher nicht kontraindiziert) sind Ausnahmen.
- Infizierte NG u. Sgl. können das Virus wochenlang über den Stuhl ausscheiden u. stellen somit eine Infektionsquelle dar.

Klinik
Schwangere Krankheitsverlauf nicht schwerer als bei Nichtschwangeren. In retrospektiven Studien wird aber auf ein erhöhtes Risiko für z. B. vorzeitige Wehen hingewiesen.

Neugeborenes Kindliche Fehlbildungen nach Inf. in der Schwangerschaft sind nicht bekannt. Bei Sgl. verläuft die Inf. meist milder als bei Erw. u. häufig anikterisch.

Diagnostik
Schwangere Das Hepatitis-A-Screening ist keine Untersuchung der MuRiLi.
- **Serologie:** Als serol. Suchtest kann der Anti-HAV-Gesamtantikörper-EIA verwendet werden. Wenn dieser Test pos. ausfällt, sollte Anti-HAV-IgM bestimmt werden.
- **Klin. u. klin.-chem. Untersuchungen:** Oberbauch-Sono, Bestimmung von Transaminasen (GPT > GOT), Bili i. S., Bili u. Urobilinogen i. U. sowie Quick-Wert als Syntheseparameter.
- **Erregernachweis:** Während der akuten Erkr. erfolgt der Nachweis der Hepatitis-A-RNA durch NAT zuerst im Stuhl u. dann auch im EDTA-Blut. Dadurch können sowohl pos. IgM-Befunde als auch die Infektiosität abgeklärt werden.

Pränatale Diagnostik Nicht indiziert.

Neugeborenes RNA-Nachweis durch NAT in Stuhl u. EDTA-Blut, Bestimmung von Anti-HAV-IgM.

Therapie
Keine spez. Ther. verfügbar.

Prophylaxe
- **Expositionsprophylaxe:** effektive Hygienemaßnahmen
- **Passive Immunisierung:** Mit einem Standard-Ig (mit einem AK-Titer von mind. 100 U/ml): bei Personen mit erhöhtem Komplikationsrisiko postexpositionell simultan zu 1. Impfung; bei NG von Müttern mit akuter Hepatitis A 3 Wo. vor bis 3 Wo. nach Geburtstermin

- **Aktive Hepatitis-A-Impfung:** in erster Linie bei Reisen in Gebiete mit hoher Hepatitis-A-Prävalenz, aber auch bei beruflich gefährdeten Personen indiziert u. kann auch in der Schwangerschaft durchgeführt werden, da es sich um einen inaktivierten Impfstoff handelt

In einigen Bundesländern besteht beim Auftreten von Hepatitis A ein Beschäftigungsverbot für seroneg. Schwangere in vorschulischer Tagesbetreuung u. für angestellte Lehrerinnen (Wiederzulassung meist 51. Tag nach letztem Erkrankungsfall).

> **Meldepflicht nach IfSG**
> Namentlich: Krankheitsverdacht, Erkr., Tod an Virushepatitis sowie bei dir. u./o. indir. Nachweis einer akuten Inf.

Hepatitis B

Erreger ist das Hepatitis-B-Virus (HBV), ein DNA-Virus der Familie *Hepadnaviridae*.

Epidemiologie

Die Hepatitis B ist weltweit eine der häufigsten Infektionskrankheiten. Man geht davon aus, dass ca. 2 Mrd. Menschen die Inf. durchgemacht haben u. etwa 300–400 Mio. chron. infiziert sind. In D tragen ca. 5 % der Bevölkerung Anti-HBc-IgG als Seroprävalenzmarker, ca. 0,6 % sind HBsAg-pos. (chron. HBV-Inf.). 2016 wurden in D 3.472 Fälle einer akuten Hepatitis B gemeldet. Seit 1995 wird von der STIKO die Impfung aller Kinder gegen Hepatitis B empfohlen.

Infektionsrisiko in der Schwangerschaft

- Der sexuelle Infektionsweg ist in D am häufigsten geworden.
- IKZ: 2–6 Mon.
- Aufgrund der hohen Infektiosität einiger chron. Infizierter ist auch eine Übertragung durch Haushaltskontakte (z. B. gemeinsame Verwendung von Zahnbürsten) möglich.
- Bei HBsAg-pos. Müttern mit hoher Viruslast (oft gleichzeitig HBeAg-pos.) liegt das Risiko der Mutter-Kind-Übertragung ohne vorbeugende Maßnahmen bei 80–90 %. Chron., lediglich HBsAg-pos. „Träger"-Mütter infizieren ihre Kinder in 10–20 %.
- Die perinatale Inf. ist ein bes. wichtiger Infektionsweg. Das Übertragungsrisiko kann mithilfe der postnatalen Simultanimpfung deutlich vermindert werden (Restrisiko bei hoher maternaler Viruslast ca. 9–10 %). Nach perinataler Inf. werden 90 % der Kinder chron. infiziert, im Vergleich zu nur 5–10 % der Personen, die sich erst nach dem 12. Lj infizieren.
- Eine frühpostnatale Inf. kann durch engen Kontakt von NG mit infizierten Eltern/Angehörigen erfolgen. Übertragung durch Muttermilch nicht bewiesen.

Klinik

Schwangere Die Inf. führt wie bei Nichtschwangeren bei ca. ⅓ der Infizierten zu einer akuten ikterischen Hepatitis, in einem weiteren ⅓ zu einem anikterischen Verlauf, u. beim verbleibenden ⅓ verläuft die Inf. asympt.

Neugeborenes Meist symptomfrei, sehr selten fulminant, oft chron. (s. o.).

Diagnostik

Schwangere HBsAg-Screening ab der 32. SSW ist in D seit 1994 obligater Bestandteil der MuRiLi.
Gemäß AWMF-Leitlinie 021/011 (10/2017: aktuell in Überarbeitung) besteht darüber hinaus eine Ind. zur Hepatitis-B-Diagn. bei Personen mit Migrationshintergrund aus Regionen mit erhöhter HBsAg-Prävalenz (unabhängig von einer Grav.). Bei Schwangeren aus Hochprävalenzregionen evtl. HBsAg-Screening in Frühschwangerschaft durchführen → ermöglicht ggf. frühzeitige Ther.

Serologie/Erregernachweis:
- Laborparameter für die Diagn. der verschiedenen Hepatitis-B-Stadien ▶ Tab. 6.5.
- Bei pos. HBsAg-Screening → restliche HBV-Diagn. inkl. quantitativem HBV-DNA-Nachweis u. Bestimmung von Anti-Hepatitis-D-AK (abhängig davon, ob die Hepatitis B bekannt ist u. evtl. kürzlich bereits eine HBV-Diagn. erfolgte) sowie ggf. zusätzlich Ausschluss einer HIV- u. HCV-Inf.
- Quantitativer DNA-Nachweis durch NAT dient zur Beurteilung der Infektiosität u. der Abschätzung des perinatalen Infektionsrisikos.

Pränatale Diagnostik PD nicht sinnvoll, da Mutter-Kind-Transmission meist perinatal erfolgt. Bei hochinfektiösen Frauen Amniozentese möglichst vermeiden, da iatrogene Inf. nicht gänzlich ausgeschlossen werden kann.

Neugeborenes Gemäß AWMF-LL Nr. 021/011 (10/2017: aktuell in Überarbeitung) sollten bei jedem NG einer HBsAg-pos. Mutter HBsAg u. HBeAg untersucht werden, um eine intrauterine Inf. auszuschließen; im 7–8. Lm (4–8 Wo. nach Abschluss der Grundimmunisierung) sollte der Säugling auf HBsAg, Anti-HBs-AK u. Anti-HBc-AK untersucht werden, um Impfversager/Durchbruchsinfektionen zu erkennen; v. a. ▶ Tab. 6.5.

Therapie

Gemäß Leitlinie AWMF 021/011 (03/2017: aktuell in Überarbeitung) besteht die Möglichkeit, insb. bei hoher Viruslast, zur Reduktion des Transmissionsrisikos eine antivirale Ther. mit Nukleosid-/Nukleotidanaloga (Off-Label, z. B. Tenofovir) auch in der Schwangerschaft zu beginnen.

Prophylaxe

- **Expositionsprophylaxe:** Personen mit wechselnden Sexualpartnern → Gebrauch von Kondomen; bei i. v. Drogenabhängigen → keine gemeinsamen Nadeln; innerhalb der Familie → übliche Hygiene.
- **Aktive Prophylaxe:** Kinderimpfung u. Indikationsimpfung s. STIKO-Empfehlungen. Impfung kann (bei entsprechender Ind.) auch in der Grav. durchgeführt werden (vorzugsweise im 2. u. 3. Trim.).

Tab. 6.5 Diagnostik der verschiedenen Stadien der Hepatitis-B-Infektion

Status	Laborparameter				
	HBsAg	Anti-HBc-AK	Anti-HBc IgM-AK	Viruslast HBV-DNA	Anti-HBs-AK
Akute Inf.	pos.	pos.	pos.	pos.	neg.
Chron. Inf.	pos.	pos.	neg./(pos.)	pos./neg.	neg.
Abgelaufene Inf.	neg.	pos.	neg.	neg.	pos.
Nach HBV-Impfung	neg.	neg.	neg.	neg.	pos.

- **NG-Prophylaxe:**
  - NG von HBsAg- o. HBV-DNA-pos. Müttern erhalten sofort bzw. innerhalb von 12 h postnatal simultan Hepatitis-B-Ig u. kontralateral die erste Impfung. Die 2. u. 3. Impfung erfolgt in der 4. Lw bzw. im 6. Lm.
  - Bei NG von Müttern mit unbekanntem HBsAg-Status wird unmittelbar postnatal mit der Grundimmunisierung mit dem Hepatitis-B-Impfstoff begonnen u. der HBsAg-Status der Mutter bestimmt. Bei pos. HBsAg-Befund wird bei NG umgehend die passive Immunisierung nachgeholt (nach dem 7. LT nicht mehr empfohlen).
  - Durch die Simultanimpfung wird eine Inf. des NG in > 95 % vermieden. Unter dieser Voraussetzung kann gestillt werden.

Sectio wird nicht generell empfohlen, nur bei akuter Inf. in der Spätschwangerschaft mit hoher HBV-DNA-Viruslast u. bei Koinf. mit HIV.

In einigen Bundesländern: Beschäftigungsverbot für seroneg. Schwangere: z. B. bei Tätigkeiten in Behindertenkindergärten, Betreuung behinderter Jugendlicher.

Meldepflicht nach IfSG
Namentlich: Krankheitsverdacht, Erkr., Tod an Virushepatitis sowie dir. u./o. indir. Nachweis einer akuten Inf.

Hepatitis C

Erreger ist das Hepatitis-C-Virus (HCV), ein RNA-Virus der Familie *Flaviviridae*, Genus Hepacivirus mit 11 Genotypen u. > 70 Subtypen.

Epidemiologie

Etwa 3 % der Weltbevölkerung sind chron. mit HCV infiziert. In D liegt die Prävalenz von HCV-AK in der Bevölkerung bei ca. 0,3 %, bei Drogenabhängigen bei 57–73 %, bei HIV-Infizierten bei 20–30 %. 2016 wurden in D 4.371 Fälle einer bisher nicht bekannten Hepatitis C gemeldet. Weder die HCV-Inf. der Frau noch die des Partners sind eine KI für eine Schwangerschaft.

Infektionsrisiko in der Schwangerschaft

- Überwiegend parenterale Übertragung, selten durch Sexualkontakt. In etwa 30 % d. F. ist der Übertragungsmodus weiterhin nicht klar erkennbar.
- IKZ: 2–24 Wo.
- Transmission meist perinatal durch Kontakt mit mütterlichem Blut, selten spät intrauterin. Die vertikale Transmissionsrate von der infizierten Mutter auf das Kind beträgt 1–6 %. Bei Koinf. mit HIV erhöht sich die Transmissionsrate auf bis zu 36 %.

Klinik

Schwangere Bei > 75 % aller HCV-Inf. zunächst subklin. Verlauf; bei < ¼ tritt initial eine klin. manifeste akute Hepatitis auf. Ohne Behandlung gehen > 50 % der Inf. in einen chron. Verlauf über u. 2–35 % dieser Pat. entwickeln eine Leberzirrhose mit hohem Risiko für ein hepatozelluläres Ca.

Neugeborenes Die meisten infizierten NG sind asympt. In einigen Fällen treten milde u. vorübergehende Symptome wie z. B. Hepatomegalie o. abdom. Beschwerden auf. Die meisten perinatal infizierten Kinder weisen zumindest in den ersten beiden Lj intermittierend o. persistierend erhöhte Transaminasen auf.

Diagnostik

Schwangere Das HCV-Screening ist keine Untersuchung der MuRiLi.
- **Serologie:** Als Suchtest wird der AK-Nachweis (z. B. mittels ELISA) eingesetzt. Zur Bestätigung: Immunoblot (Line-Blot-Assay). Bei kürzlichem Risikokontakt ist zu beachten, dass die AK-Bildung mehrere (meist 6–8) Wo., in einzelnen Fällen auch mehrere Mon. in Anspruch nehmen kann.
- **Erregernachweis:** Zum Ausschluss bzw. zur Bestätigung einer Virämie ist bei pos. AK-Nachweis eine quantitative RNA-Bestimmung mit NAT sinnvoll.

Pränatale Diagnostik Nicht angezeigt, da überwiegend peripartale Übertragung, bei Ind. aus genetischen Gründen ist iatrogenes Risiko bei der Amniozentese nicht gänzlich auszuschließen.

Neugeborenes HCV-RNA-Nachweis ab U3 (4.–6. Lw), davor ist ein pos. RNA-Nachweis nur eingeschränkt verwertbar. Leihantikörper sind bis zum Alter von 12–18 Mon. nachweisbar (abschließende Kontrolle zu diesem Zeitpunkt).

Therapie
Die meisten der verfügbaren Substanzen sind während der Grav. kontraindiziert. Der Einsatz neuerer Medikamente (z. B. Ledipasvir + Sofosbuvir), die nach FDA in die Kategorie B eingeteilt werden, ist in Einzelfällen unter strenger Nutzen-Risiko-Abwägung prinzipiell möglich. Eine Hepatitis-C-Inf. mit pos. RNA-Befund in der Schwangerschaft ist keine Ind. für einen Schwangerschaftsabbruch.

Prophylaxe
Expositionsprophylaxe: Hygienemaßnahmen, Vermeidung von Nadelstichverletzungen.
Bei chron. Inf. wird keine Sectio empfohlen, evtl. aber bei Primärinf. mit hoher Viruslast gegen Ende der Schwangerschaft. Verzicht auf Überwachung des Kindes bei Geburt mittels invasiver Maßnahmen (KSE u. fetale Blutentnahme).
Vom Stillen wird nicht abgeraten. Stillverzicht bei HCV/HIV-Koinf., bei aktivem Drogenkonsum, bei extrem Frühgeborenen u. Verletzungen der Mamille empfohlen. Beim NG außer den üblichen Hygienevorschriften keine bes. Maßnahmen (keine Isolierung).

> **Meldepflicht nach IfSG**
> Namentlich: Krankheitsverdacht, Erkr., Tod an Virushepatitis sowie dir. u./o. indir. Nachweis einer akuten HCV-Inf. bzw. einer bisher unbek. Hepatitis C

Hepatitis E
Erreger ist das Hepatitis-E-Virus (HEV), ein nicht umhülltes RNA-Virus der Familie der *Herpesviridae* mit 4 Genotypen.

Epidemiologie
- Genotyp 1 u. 2: epidemisch u. sporadisch in Asien, Afrika, Zentralamerika (i. e. in Ländern mit niedrigem Hygienestandard). Der Mensch ist der einzige bekannte Wirt.
- Genotypen 3 u. 4: sporadisch (authochthon) in Industrieländern, (Zoonose, Hauptreservoir: Schweine). 2016 wurden in D 1.983 Fälle gemeldet.

Infektionsrisiko in der Schwangerschaft
- Inf. mit Genotyp 1 o. 2 hauptsächlich fäkal-oral durch kontaminiertes Wasser, mit Genotyp 3 o. 4 durch Verzehr von rohem o. nicht durcherhitztem Schweinefleisch o. Wild
- Übertragung durch Blutprodukte u. Transplantate möglich
- IKZ: 15-64 d (Median 40 d)
- Fulminate Verläufe bei der Schwangeren (insb. im 3. Trim.) mit hoher Mortalität (Genotyp 1)
- Erhöhtes Risiko für Schwangerschaftsverlust, Frühgeburtlichkeit, Tod des NG nach Geburt (Genotyp 1/2)
- HEV kann intrauterin u. perinatal übertragen werden; Morbidität u. Mortalität sind aufgrund der geringen Fallzahlen (u. evtl. „Bias") noch unzureichend charakterisiert. Letale Verläufe kommen vor
- Bislang kein Hinweis auf eine Übertragung durch Stillen

Klinik
Die meisten HEV-Inf. verlaufen asympt. Das klin. Bild der Hepatitis E ähnelt dem der Hepatitis A. In der Grav. sind fulminante Verläufe mit Leberversagen häufiger (s. o.). In Einzelfällen chron. Verläufe bei Immunsupprimierten.

Diagnostik
AK im IgG-/IgM-ELISA bzw. Immunoblot u. Virus-RNA-Nachweis im Stuhl/Blut (NAT).

Therapie
Eine Behandlung mit Ribavirin o. pegyliertem Interferon-α ist in der Schwangerschaft prinzipiell kontraindiziert u. muss ggf. im Einzelfall entschieden werden.

Prophylaxe
Expositionsprophylaxe: Hygienemaßnahmen, in der Schwangerschaft Reisen in endemische Länder vermeiden.
Aktive Impfung steht zurzeit nicht zur Verfügung.

Meldepflicht nach IfSG
Namentlich: Krankheitsverdacht, Erkr., Tod an Virushepatitis sowie der dir. u./o. indir. Nachweis einer akuten Inf.

6.10 Enteroviren
Gisela Enders und Martin Enders

Erreger: Polioviren 1-3, Coxsackie-A- u. -B-Viren, Echo- u. Enteroviren. Nach neuer Nomenklatur Einteilung in 4 Spezies: Enterovirus A, B, C, D.

Epidemiologie
- Natürliche Inf. mit Polioviren spielen in Europa keine Rolle mehr. Es wurde von der WHO 2002 als poliofrei zertifiziert.
- Polio-Einschleppinf. z. Zt. unwahrscheinlich (2017 weltweit nur 10 Fälle in Afghanistan, Nigeria).
- In gemäßigten Klimazonen saisonale Häufung von Enterovirus-Inf. im Spätsommer u. Herbst.

Infektionsrisiko in der Schwangerschaft
- Ansteckung mit Enteroviren vorwiegend fäkal-oral (in Entwicklungsländern v. a. über kontaminiertes Wasser), bei frisch Erkrankten auch Tröpfcheninf.
- IKZ: 7–14 d
- Über intrauterine Inf. wird in Einzelfällen berichtet, häufiger perinatal (spätintrauterin diaplazentar o. durch Kontakt mit erregerhaltigen Sekreten bzw. Stuhl unter Geburt o. postnatal); auch Übertragung über Muttermilch scheint möglich zu sein
- Nach perinataler Übertragung Risiko für schwere sepsisartige Krankheitsverläufe bei NG ↑

Bei Inf. mit Coxsackie-/Echoviren im 1. u. 2. Trim. nur ausnahmsweise kindliche Schädigungen (z. B. ZNS, kardiovaskulär, pulmonal). Bei hoch fieberhaften Erkr. kann es gelegentlich, bedingt durch das hohe Fieber, auch zum Abort o. IUFT kommen.

Klinik
- Häufig asympt. Verlauf, aseptische Meningitis, Herpangina, Hand-Fuß-Mund-Krankheit, hämorrhagische Konjunktivitis, Atemwegserkr., Perikarditis, Myokarditis etc. möglich.
- Perinatale Inf. können zu schwerer neonataler Erkr. führen: Sepsis, Meningoenzephalitis, Myokarditis, Hepatitis, Koagulopathie bis hin zum kardiogenen Schock; hohe Mortalität, ⅔ der überlebenden Kinder entwickeln eine chron. Kardiomyopathie.

Diagnostik
- Erregernachweis in Stuhl, Liquor, Rachenabstrich, Bläscheninhalt, EDTA-Blut, FW mittels NAT bzw. Virusanzucht. Für die Typisierung werden molekularbiol. bzw. (nach Virusanzucht) serol. Methoden eingesetzt.
- Serologie aufgrund ausgeprägter Kreuzreaktionen u. wegen bes. in der Akutphase unzureichender Sensitivität für die Diagn. nicht geeignet.

Therapie
Sympt., eine spez. antivirale Ther. ist nicht verfügbar.

Prophylaxe
Die wichtigste prophylaktische Maßnahme: gründliches Händewaschen. Ig-Gabe an das NG bei Inf. mit Enteroviren kurz vor Partus o. bei schwerer Symptomatik (Myokarditis) in Erwägung ziehen.
Impfung gegen Poliomyelitis entsprechend den Impfempfehlungen der STIKO.

 Keine Meldepflicht nach IfSG

6.11 Lymphochoriomeningitis (LCM)
Gisela Enders und Martin Enders

Erreger ist das Lymphochoriomeningitis-Virus (LCMV) aus der Familie der *Arenaviridae*.

Epidemiologie
Natürliches Reservoir sind hauptsächlich Nagetiere (Mäuse, Hamster, Meerschweinchen – auch als Haustiere). Die i. d. R. asympt. chron. infizierten Tiere scheiden das Virus über Urin u. Fäzes aus. Keine Übertragung von Mensch zu Mensch, selten Virusübertragung nach Organtransplantation (Leber, Lunge, Niere).

Infektionsrisiko in der Schwangerschaft
Seit 1955 wurden 58 Fälle von kongenitaler Lymphochoriomeningitis beschrieben, davon 34 Fälle seit 1993 hauptsächlich in den USA u. 6 Fälle (1998) aus Westdeutschland. Letzter publizierter Fall 2017 in Frankreich.
Die Inf. kann im 1. Trim. einen Abort auslösen, im 2. u. 3. Trim. zum intrauterinen o. frühen neonatalen Tod, zu Hydrozephalus u. Chorioretinitis führen.

Klinik
Die Inf. bei Erw. verläuft mild u. unspez., in seltenen Fällen als Meningitis o. Meningoenzephalitis.

Diagnostik
IgG-/IgM-AK-Bestimmung im IFL, ELISA bzw. durch den Nachweis neutralisierender AK, RNA-Nachweis in der NAT, Erregernachweis in Zellkultur.

Therapie
Keine antivirale Ther. verfügbar.

Prophylaxe
Schwangere sollten den dir. Kontakt mit Hamstern u. Mäusen sowie deren Exkrementen meiden.

 Keine Meldepflicht nach IfSG

6.12 Toxoplasmose
Gisela Enders und Martin Enders

Erreger ist das Protozoon *Toxoplasma gondii*.

Epidemiologie
Bis zu ⅓ der Weltbevölkerung ist infiziert. Seropositivrate bei Frauen im gebärfähigen Alter in Mitteleuropa u. in D: 25–30 %.

Infektionsrisiko in der Schwangerschaft
- Endwirt ist die Katze, der Mensch ist Zwischenwirt. Inf. des Menschen v. a. durch ungenügend erhitzte zystenhaltige Fleisch- u. Wurstwaren, erregerkontaminierte Erde o. Lebensmittel (Salat, Gemüse, Obst).
- Bei Erstinf. der Mutter können die Erreger in allen Stadien der Schwangerschaft die Plazenta passieren.
- Transmissionsrate ohne Ther. im 1. Trim.: ca. 25 %, im 2. Trim. etwa 54 % u. im 3. Trim. ≥ 65 % (nach frühen Studien mit Nachweis von *Toxoplasma* mittels Mausinokulationsversuchen aus Plazentageweben bei Geburt).
- Kein Hinweis durch Übertragung mit der Muttermilch.

- In D stellen Reinfektionen i. d. R. kein Risiko dar.
- Die Rate der Primärinf. in Schwangerschaft wird aktuell auf 1,3 % geschätzt.

Klinik

Schwangere Akute Inf. in > 80 % oligo- bzw. asympt.; < 10 % grippeähnliche Beschwerden o. Lk-Schwellungen.

Fetus Hydrozephalus, Retinochorioiditis, intrakranielle Verkalkungen. Schädigungsrate beim infizierten Fetus (ohne Ther. in Grav.) bei Inf. im 1. Trim. ≥ 80 %, im 2. Trim. 80–20 %, im 3. Trim. < 20 %.

Neugeborenes Über 80 % der infizierten Kinder sind asympt. Etwa 10 % der infizierten Feten zeigen bei Geburt klin. Zeichen einer floriden Entzündung (z. B. Fieber, Splenomegalie, Hepatomegalie), bei < 5 % klassische Trias mit Hydrozephalus, Retinochorioiditis u. intrazerebralen Verkalkungen.

Kind Spätmanifestationen: Bei 30 % der asympt. NG (nach Ther. in Grav. u. im 1. Lj) Entwicklung u. Reaktivierung retinochorioidaler Herde; ohne Ther. bis zu 80 %.

Diagnostik

Schwangere Toxoplasmose-AK-Screening ist kein Bestandteil der MuRiLi, allerdings ist eine serol. Abklärung bei Vorliegen von Symptomen o. relevantem Kontakt indiziert.

- **Serologie (Befundbewertung im 1. Trim.):**
  - IgG neg., IgM neg. → Infektionsrisiko, Beratung zur Expositionsprophylaxe, ggf. IgG-Kontrollen alle 8 Wo.
  - IgG pos., IgM neg. → Schutz vor Erstinfektion, keine weitere Titerkontrolle erforderlich
  - IgG pos., IgM pos., IgG-AI niedrig → akute Inf., ggf. Zusatzteste (z. B. IgA-Test, IgG- u. IgM-Immunoblot)
  - IgG pos., IgM pos., IgG-AI hoch → länger zurückliegende Inf. bzw. lang persistierendes IgM
  - IgG-Serokonversion: frische bzw. kürzliche Inf.
  - IgG-Titeranstieg u. hohes IgM, Bestätigung durch niedrigen AI → frische bzw. kürzliche Inf.
- **Erregernachweis:** ohne Bedeutung

> Durch den meist asympt. Verlauf (> 80 %) ist eine Inf. nur anhand der serol. Befunde erkennbar.

Pränatale Diagnostik Regelmäßige US-Kontrollen. Erstinf. im 1. Trim. u. adäquate Ther.: geringes Transmissionsrisiko (< 2 %); Sensitivität der Toxo-PCR im FW nach Inf. im 1. Trim.: 57 % (95%-CI 38–74), gesamte Schwangerschaft: 79 % (95%-CI 76–82).

- Bei serol. V. a. akute o. kürzliche Erstinf. im 2. Trim. o. bei auffälligem US → Amniozentese u. Toxoplasma-DNA-Nachweis im FW mittels NAT.
- Bei auffälligem US u. neg. Ergebnis im FW → Toxoplasma-DNA-Nachweis u. IgM-AK, IgA-AK-Nachweis im fetalen Blut nach der 22./23. SSW.
- Bei auffälligem US (ZNS) u. Nachweis einer intrauterinen Inf. ist das Risiko schwerwiegender Schädigungen beim NG hoch.

6.12 Toxoplasmose

Neugeborenes
- IgG pos., IgM neg., IgA neg., Immunoblot Mutter/Kind Profil neg. → passive mütterliche AK
- IgG pos., IgM o. IgA o. Immunoblot Mutter/Kind Profil o. zelluläre Immunantwort (ELISPOT) pos. → eigene kindliche Immunantwort – kongenitale Inf.
- Toxoplasma-DNA-Nachweis NAT im Blut, Liquor, Plazenta

Kind Serol. Verlaufskontrollen bis zum Verschwinden der passiven mütterlichen IgG-AK (i. d. R > 8.–11. Lm) → bei IgG-Persistenz: Nachweis kongenitaler Inf.

Therapie

Schwangere
- **Medikamentöse Therapie:**
  - Bis 14+6 SSW: Spiramycin p. o. 9 Mio. IE/d verteilt auf 3 Gaben (z. B. Rovamycine®).
  - Ab 15+0 SSW: Pyrimethamin plus Sulfadiazin plus Ca-Folinat (Kombinationsther.) über mind. 4 Wo. als Ther. der Wahl. Während der Kombinationstherapie Folsäure absetzen.
  - Pyrimethamin 1. Tag 50 mg, ab 2. Tag 25 mg/d p. o. (Daraprim®).
  - Sulfadiazin 50 mg/kg KG/d bis max. 4 g/d p. o. in 3–4 Gaben (Sulfadiazin-Heyl®).
  - Ca-Folinat 2–3 × 5 mg/d p. o. (z. B. Lederfolat®); Folsäure absetzen.
  - Bei pos. DNA-Nachweis im FW: Ther. bis zum Ende der Schwangerschaft.
  - Frühzeitige Ther. senkt das Risiko für schwere ZNS-Schädigungen.
- **Schwangerschaftsabbruch:** Vor einem Schwangerschaftsabbruch sollte zuerst eine PD durchgeführt werden. Eine Ind. besteht nur bei auffälligem US-Befund u. vorrangig bei DNA-Nachweis im FW u. Fetalblut bzw. zweitrangig IgM-Nachweis im Fetalblut.

Neugeborenes Verschiedene Therapieschemata, abhängig von klin. Symptomen (s. DGPI, aktuelle Auflage); i. d. R. werden folgende Medikamente eingesetzt:
- Standardtherapie bei kongenitaler sympt. Toxoplasmose (12 Mon.):
  - Pyrimethamin 1 mg/kg KG/d p. o. (Daraprim®)
  - Sulfadiazin (50)–100 mg/kg KG/d p. o. in 2 Teildosen (Sulfadiazin-Heyl®)
  - Ca-Folinat 10 mg/Wo. p. o. in 2 ED (z. B. Lederfolat®)
- Bei akuten Entzündungszeichen des ZNS o. am Auge zusätzlich bis zum Abklingen der entzündlichen Prozesse: Kortikosteroide (Prednisolon®) 1,5 mg/kg KG/d p. o. in 2 Teildosen

Prophylaxe

Expositionsprophylaxe bei Toxoplasmose-seroneg. Schwangeren:
Zu vermeiden sind:
- Verzehr roher o. nicht ausreichend erhitzter Fleisch- u. Wurstwaren, Rohmilchprodukte
- Kontakt mit Katzenkot u. katzenkotkontaminierter Erde (Gartenarbeit, Spielen im Sandkasten)
- Verzehr von erregerkontaminierten ungewaschenen Nahrungsmitteln (Salat, Gemüse, Fallobst)

Keine **passive** u. **aktive Prophylaxe** verfügbar.

> **Meldepflicht nach IfSG**
> Nicht namentlich: nur bei kongenitaler Toxoplasmose dir. o. indir. Nachweis (Meldung erfolgt direkt an das RKI)

6.13 Lues connata (Syphilis)

Gisela Enders und Martin Enders

Erreger ist ein gramneg. Bakterium, die Spirochäte *Treponema pallidum* spp. *pallidum*

Epidemiologie
Einziges Reservoir ist der Mensch. Die Zahl der bei NG bzw. Kindern diagnostizierten Fälle von Lues connata liegt seit Einführung des IfSG in D im Jahr 2001 bei 1–5 Fällen/J. Die Zahl der gemeldeten Syphilisfälle bei Erw. ist bundesweit seit 2010 kontinuierlich auf 6.834 Fälle (Frauenanteil 6,2 %) im Jahr 2015 angestiegen.

Infektionsrisiko in der Schwangerschaft
- Diaplazentare Übertragung zu jedem Zeitpunkt der Grav. möglich, gehäuft nach der 16./18. SSW. Inf. des Kindes bei der Passage der Geburtswege möglich.
- Die Inf. des Feten kann in jedem Stadium, auch in der späten Latenz der nicht o. ungenügend behandelten Mutter erfolgen.
- Infektionsrisiko sinkt mit Abstand zur mütterlichen Primärinf. In Abhängigkeit vom Erkrankungsstadium zum Zeitpunkt der Entbindung wurden bei unbehandelter Syphilis folgende Infektionsraten beschrieben: prim. Syphilis 29 %, sek. Syphilis 59 %, frühlatente Syphilis 50 % u. spätes Latenzstadium 13 %.
- Erhöhte Inzidenz von Spontanaborten, Totgeburten, Frühgeburtlichkeit u. Hydrops fetalis sowie erhöhte neonatale Sterblichkeit bei nicht o. unzureichend behandelter Syphilis der Schwangeren abhängig vom mütterlichen Erkrankungsstadium (prim., sek., frühes Latenzstadium, späte Latenz, Tertiärstadium).

Klinik

Schwangere ▶ 13.3.6.

Fetus Hinweis auf fetale Inf. im US: Hepatomegalie, Aszites, Hydrops fetalis, hydropische Plazenta.

Neugeborenes Nur 30–50 % der infizierten NG haben bei Geburt Symptome: z. B. Atemnotsy., Ödeme bzw. Hydrops fetalis, Hepatosplenomegalie, Hautefloreszenzen, Anämie, Ikterus, vorgewölbtes Abdomen.

Kind Die meisten bei Geburt noch klin. unauffälligen Kinder entwickeln in den ersten 2 Lj typische Symptome des Frühstadiums (Lues connata praecox) wie Coryza syphilitica, Pseudoparalyse, Pemphigus syphiliticus. Spätstadium: Lues connata tarda ab dem 3. Lj, z. B. Sattelnase, Hutchinson-Zähne, Säbelscheidentibia, mentale Retardierung.

Diagnostik

Schwangere ▶ 13.3.6. Das AK-Screening ist eine Untersuchung nach MuRiLi im 1. Trim.

6.13 Lues connata (Syphilis)

- **Serologie:** In D wird die Diagn. einer Syphilis serol. erstellt. Derzeit *Treponema-pallidum*-Hämagglutinationshemmtest (TPHA) o. *Treponema-pallidum*-Partikel-Assay (TPPA) o. alternativ Immunassays (IA) als Suchreaktion. Bei pos. Befund folgende Teste zur weiteren Abklärung:
  - Bestätigungstest: z. B. Fluoreszenz-*Treponema-pallidum*-Antikörper-Absorption (FTA-Abs.), Immunassay (IA), Immunoblot (IB) o. TPPA/TPHA; Methode mit anderem Antigenkonzept als der Suchtest.
  - Nicht treponemenspez. Cardiolipin-Flockungsreaktion (z. B. Veneral Disease Research Laboratory [VDRL] -Test).
  - IgM-AK-Nachweis (IFT o. IB). **Cave:** Fehlende IgM-AK schließen Therapiebedürftigkeit nicht aus.

> Bei Schwangeren mit Risikoanamnese (frühere Syphilis, Prostitution, Drogenmissbrauch, Einwanderung aus Gebieten mit hoher Inzidenz etc.) Wdh. der Syphilisserologie zu Beginn des 3. Trim. zur Vermeidung der kongenitalen Syphilis.

Pränatale Diagnostik Bei auffälligem US (z. B. Hepatomegalie, Aszites, Hydrops fetalis, hydropische Plazenta) sollte eine invasive PD (DNA-Nachweis im FW u. Fetalblut, IgM-AK- u. VDRL-Bestimmung im Fetalblut) durchgeführt werden.

Neugeborenes/Kind TPPA/TPHA-Test, IgM-AK in IFT o. IB, VDRL Mutter/Kind mit Verlaufskontrolle. Evtl. AK-Bestimmung im Liquor.

Therapie

Schwangere Bei Penicillinallergie, Koinf. mit HIV, V. a. Neurosyphilis u. tertiäre Syphilis sowie bei auffälligem US o. Erstdiagn. nach der 20. SSW sollte das weitere Vorgehen mit einem Spezialisten abgesprochen werden. Ansonsten:
- Frühsyphilis: Benzylpenicillin-Benzathin (Tardocillin®) 2,4 Mio. IE als Einmalgabe i. m.
- Spätsyphilis o. unbek.: Benzylpenicillin-Benzathin (Tardocillin®) 1 × 2,4 Mio. IE/. i. m. an den Tagen 1, 8 u. 15.

! Jarisch-Herxheimer-Reaktion bei erregerreichem Sekundärstadium möglich (z. B. mit Fieber, Schüttelfrost, Zunahme o. Intensivierung o. Neuauftreten eines Exanthems). Zur Vermeidung kann einmalig 30–60 min vor der ersten Antibiotikagabe 1 mg Prednisolon-Äquivalent/kg KG p. o. oder i. v. verabreicht werden.

Neugeborenes
- Kein Hinweis auf kongenitale Syphilis: reifes NG ohne Symptome, IgM u. VDRL neg., Mutter in/vor Grav. adäquate Ther., Nachsorge gewährleistet → keine antibiotische Behandlung, Verlaufskontrollen, bis Leihantikörper nicht mehr nachweisbar sind.
- V. a. kongenitale Syphilis o. unzureichende bzw. zu späte Behandlung der Mutter in der Grav.: 200.000–250.000 IE/kg KG/d Penicillin G i. v. über 14 d (Aufteilung der Tagesdosis: 1. Lw: 2 ED, 2.–4. Lw: 3 ED, ab der 5. Lw: 4 ED). Bei Therapieunterbrechung > 24 h soll die komplette Therapie wiederholt werden.

> **Meldepflicht nach IfSG**
> Nicht namentlich: dir. o. indir. Nachweis des Erregers (Meldung erfolgt direkt an das RKI)

6.14 Listeriose

Gisela Enders und Martin Enders

Erreger ist das begeißelte grampos. Stäbchen *Listeria monocytogenes.*

Epidemiologie
Erreger ubiquitär nachweisbar. 2016 wurden 28 Fälle von NG-Listeriose gemeldet; Inzidenz in der Altersgruppe < 1 J.: 3,3 Erkr./100.000.

Infektionsrisiko in der Schwangerschaft
- Inf. hauptsächlich durch kontaminierte Lebensmittel, Schmutz- u. Schmierinf.
- Da es sich nicht um eine zyklische Allgemeininf., sondern um eine zur Generalisierung neigende Lokalinf. handelt, kann eine IKZ im herkömmlichen Sinn nicht angegeben werden.
- Diaplazentare Inf. des Feten zu jedem Zeitpunkt der Schwangerschaft möglich.
- Infizierte Schwangere scheiden die Erreger mehrere Mon. über den Stuhl u. nach Entbindung 7–10 d über Lochialsekret u. Urin aus.

Klinik

Schwangere
- Erkr. verläuft oligosympt., grippeähnlich o. zweiphasig, zunächst mit Fieber, Schüttelfrost, Lk-Schwellung, Pharyngitis, Diarrhö o. HWI. Nach 14 d erfolgt ein erneuter Temperaturanstieg, ggf. Zeichen eines Amnioninfektsy. Nach Entbindung schnelle Besserung
- Häufigkeit von IUFT/Totgeburt: 3–27 %, Frühgeburtlichkeit ca. 20 %

Neugeborenes
- Frühinf. (Early-Onset, 1.–5. LT): Granulomatosis infantiseptica, septische Hautmetastasen (makulopapulös), Sepsis, RDS, Pneumonie, Zyanose, Krampfanfälle (Meningitis), Durchfälle, Hepatosplenomegalie, Letalitätsrate trotz gezielter Chemother. hoch (etwa 30 %)
- Spätinf. (Late-Onset, > 6.–40. LT): Meningitis, Meningoenzephalitis, Sepsis. Prognose deutlich besser als bei Frühinf.
- Letalität bei NG: ca. 10 %

Diagnostik

Schwangere Erregernachweis mittels Anzucht o. NAT aus Vaginal-Rektal-Abstrich, FW, Plazentagewebe o. Lochialsekret. bzw. mittels Blutkultur. AK-Nachweis i. S. mit KBR- u. Agglutinationstest hat außer bei Titeranstiegen > 2 Titerstufen nur geringe diagn. Bedeutung; ein pos. AK-Befund erlaubt keine Aussage zur Immunitätslage.

Neugeborenes Erregernachweis mittels Kultur o. NAT in Mekonium, Ohr-Rachen-Abstrich, Blut, Urin, Magensaft, Liquor.

Therapie

Schwangere Ampicillin hoch dosiert 2,0 g i. v. alle 4 h über 14–20 d. Die Ther. sollte mind. bis 2 Wo. nach Abklingen der mütterlichen Symptome u. Normalisierung der Entzündungsparameter fortgeführt werden. Bei Penicillinallergie muss im Einzelfall eine geeignete Alternativther. geklärt werden, z. B. Trimethoprim/Sulfamethoxazol (TMP/SMX), TMP-Dosis 10–15 T/kg KG/d i. v. verteilt auf 4 Gaben, SMX-Dosis richtet sich nach der TMP-Dosis; TMP im 1. Trim. kontraindiziert; im 3. Trim. wird immer wieder auf das Risiko eines Kernikterus unter Sulfonamid-Ther. (SMX) hingewiesen, Inzidenz allerdings unbekannt.

Obwohl infizierte Mütter große Mengen an Listerien im vag. Sekret u. in den Fäzes ausscheiden u. bei infizierten NG Haut, Schleimhaut u. viele Organe mit Listerien besiedelt sind, ist eine erhöhte Gefährdung für gesunde Erw. (z. B. med. Personal) nicht bekannt. Trotzdem Isolierung von Mutter u. Kind sowie sorgfältige Desinfektion.

Neugeborenes
- Komb. aus: Ampicillin i. v. 200 mg/kg KG/d in 4 ED u. Gentamicin i. v. 5 mg/kg KG/d in 1 ED.
- Dauer bei neonataler Sepsis: 10–14 d, bei ZNS-Inf. mindestens 14–21 d. Die Aminoglykosid-Ther. kann bei gutem Therapieansprechen nach 5–7 d beendet werden.
- Dauer bei zerebralen Abszessen mind. 6 Wo., bei Endokarditis mind. 4, besser 6 Wo. (bei deutlicher klin. Stabilisierung kann Aminoglykosid-Ther. nach 10–14 d beendet werden).

Prophylaxe
Expositionsprophylaxe
- Verzicht auf Genuss von rohem Fleisch, roher Milch u. daraus hergestellten Produkten (z. B. Rohmilchkäse).
- Verpackte Lebensmittel (Wurst, Fisch, vorgeschnittener Salat) möglichst lange vor Ablauf der angegebenen Haltbarkeit verbrauchen *(L. monocytogenes* vermehrt sich auch bei Kühlschranktemperaturen).
- Absoluter Schutz ist aufgrund des ubiquitären Vorkommens von Listerien nicht möglich.

Meldepflicht nach IfSG
Dir. Erreger aus Blut, Liquor u. a. prim. sterilen Substraten, Abstriche von NG

6.15 Chlamydia trachomatis
Gisela Enders und Martin Enders

Der Erreger ist ein intrazelluläres Bakterium. Für die Schwangerschaft sind die *Chlamydia-trachomatis*-Serotypen D–K von Bedeutung.

Epidemiologie
In D wurden im Zeitraum 1/2008–3/2013 in der Altersgruppe der 15- bis 19- u. 20- bis 24-jährigen Frauen ein Positivanteil von 6,8 bzw. 6,0 % ermittelt. Bei den

25- bis 29- bzw. 30- bis 34-Jährigen lag er bei 3,2 bzw. 1,6 %. Bei Risikogruppen (z. B. STD-Sprechstunde) beträgt der Positivanteil bis zu 20 %.

Infektionsrisiko in der Schwangerschaft
- Übertragung der Serotypen D–K erfolgt durch sexuellen Kontakt sowie perinatal.
- IKZ: bis zu 3 Wo.
- *C.-trachomatis*-Elementarkörperchen infizieren Epithelzellen der Urethra, Zervix, Rektum, Bindehaut der Augen, Bindegewebszellen (kein Plattenepithel).
- Infektionsrisiko für NG nach vag. Entbindung der nicht o. unzureichend behandelten Schwangeren.

Klinik
Schwangere Asympt. Verlauf in etwa 90 %. In ca. 10 % Zervizitis, Salpingitis, Chorioamnionitis, Endometritis u. evtl. Abort o. Frühgeburt. Spätfolgen wie z. B. PID, EUG, Tubarschäden, Tubenverschluss u. Infertilität.

Neugeborenes Nach vag. Entbindung Konjunktivitis möglich. Wird meist am 5.–14 LT klin. apparent, führt nie zu Erblindung o. Korneaschäden. Pneumonie zw. 1. u. 3. Lm möglich.

Diagnostik
Schwangere Das *Chlamydia-trachomatis*-Screening (Erregernachweis) ist seit 1996 obligater Bestandteil der MuRiLi.
- **Serologie:** IgG-, IgA-AK u. in der Mikroimmunfluoreszenz, EIA, Immunoblot. In erster Linie angezeigt bei V. a. aszendierende, invasive Inf., z. B. PID, tubare Sterilität, reaktive Arthritis etc. Das Fehlen spez. AK schließt eine behandlungsbedürftige *C.-trachomatis*-Inf. nicht aus.
- **Erregernachweis:** generell vorrangig vor Serologie, aus Urin, zervikalen Abstrichen: Nachweis mittels NAT. Bei pos. Ergebnis immer auch Partneruntersuchung! Antigen-Schnellteste sind ungeeignet!

Neugeborenes
- Erregernachweis in Augenabstrichen o. Trachealsekret mittels NAT
- Pneumonie: zusätzlich IgG-, IgM-AK-Bestimmung

Therapie
Schwangere
- Genitale Inf.: Therapie 1. Wahl: Azithromycin 1,0 g p. o. einmalig, Therapie 2. Wahl: Erythromycin 4 × 500 mg/d p. o. 7 d oder 2 × 500 mg/d p. o. 14 d (Erythromycin-Estolat in Grav. wegen Hepatotoxizität kontraindiziert)
- Bei Makrolid-Unverträglichkeit Amoxicillin 3 × 500 mg/d über 7 d
- Partneruntersuchung/Therapie obligat
- Therapieerfolgskontrolle (NAT) 8 Wo nach Behandlungsbeginn

Neugeborenes
- Bei Konjunktivitis bzw. Pneumonie: Therapie 1. Wahl: Erythromycin-Ethylsuccinat oral 40–50 mg/kg KG/d oder Erythromycin-Estolat oral 30–40 mg/kg KG/d jeweils für 14 d
- Therapie 2. Wahl: Azithromycin 10 mg/kg KG/d einmalig o. tgl. über 3 d

Prophylaxe

Jährliches Screening von nichtschwangeren Frauen < 25 J. (Urinprobe, NAT) sowie Screening in der Schwangerschaft u. vor einem Schwangerschaftsabbruch (Verhinderung postabortaler Endometritis).

 Keine Meldepflicht nach IfSG

6.16 Ureaplasmen und Mykoplasmen

Gisela Enders und Martin Enders

Ureaplasmen *(Ureaplasma urealyticum, U. parvum)* u. Mykoplasmen *(Mycoplasma hominis, M. genitalium)* sind zellwandlose Bakterien u. Bestandteil der normalen Genitalflora (s. u.). Besiedelung des Urogenitaltrakts bei asympt. Frauen mit Ureaplasmen (v. a. *U. parvum*) in 40–80 %, mit Mykoplasmen (v. a. *M. hominis*) in 21–53 %.

Infektionsrisiko in der Schwangerschaft

Die Übertragung erfolgt meist über Sexualkontakt u. Schmierinf. u. die des NG spät intrauterin durch aszendierende Inf. o. sub partu.

Klinik

Schwangere V. a. Urethritis u. Vaginitis.

Neugeborenes Bei mütterlicher *Ureaplasma*-Inf. wurden v. a. bei FG Pneumonien, bronchopulmonale Dysplasien u. ZNS-Inf., bei mütterlicher *M.-hominis*-Inf. v. a. ZNS-Inf. beschrieben. Die Bedeutung von *M. genitalium* als Infektionserreger bei NG ist unklar.

 Ureaplasmen sind v. a. mit Chorioamnionitis, Abort, Frühgeburtlichkeit u. postpartalem/postabortalem Fieber sowie bei FG/NG mit pulmonalen Erkr. assoziiert. *M. hominis* ist der häufigste Verursacher von postpartalem Fieber, selten Verursacher von PID o. Pyelonephritis. Die Assoziation mit Vaginose, Zervizitis u. Spontanaborten ist beschrieben. *M. genitalium* ist v. a. mit Zervizitis u. PID assoziiert; die insgesamt unsichere Datenlage für diesen Erreger ist auf den schwierigen Nachweis u. somit fehlende Studien zurückzuführen. Eine sichere Zuordnung sämtlicher Erreger zu Krankheitsentitäten wird durch den häufigen Erregernachweis bei asympt. Frauen erschwert.

Diagnostik

Schwangere Erregernachweis vorrangig: Anzucht auf Spezialnährboden (keine Nährmedien für Anzucht von *M. genitalium* verfügbar!) o. DNA-Nachweis mittels NAT aus Genitalabstrichen, FW, Douglassekret u. Plazentagewebe. AK-Nachweis im Wachstumshemmtest möglich (Spezifität der AK nicht gewährleistet).

Neugeborenes (s. Schwangere). Erregernachweis aus Trachealabsaugsekret, Nasen-Rachenabstrich u. Liquor.

Therapie der Ureaplasma- bzw. Mykoplasma-Infektion
Keine generelle Therapieempfehlung aufgrund der unklaren pathogenetischen Relevanz der Erreger (▶ Tab. 6.6).

 Keine Meldepflicht nach IfSG

Tab. 6.6 Therapie der Infektionen mit Urea- bzw. Mykoplasmen

Erreger	Schwangere	Neugeborenes
Ureaplasma urealyticum/parvum	Clarithromycin 2 × 250–500 mg p. o. für 7–10 d	Erythromycin 10–50 mg/kg KG/d i. v. Bei ZNS-Inf. keine Empfehlung – einzelfallabhängig
Mycoplasma hominis	Clindamycin 0,6–1,8 g in 3–4 Dosen/d p. o., ggf. Clindamycin-Vaginalcreme lokal, für 7–10 d	Keine Empfehlung – einzelfallabhängig
Mycoplasma genitalium	Azithromycin 1. Tag 1 × 500 mg, 2.–5. Tag 1 × 250 mg p. o.	

6.17 Borreliose
Gisela Enders und Martin Enders

Erreger ist die Spirochäte *Borrelia burgdorferi* sensu lato.

Epidemiologie
Die Lyme-Borreliose ist in Westeuropa u. den USA die häufigste durch Zecken übertragene Infektionskrankheit. *Borrelia burgdorferi* wird in Europa durch die Schildzecke Ixodes ricinus übertragen. In D, A u. CH wird eine Durchseuchungsrate der Zecken in Abhängigkeit vom Entwicklungsgrad (Larve, Nymphe, adulte Zecke) von 5–40 % angenommen.

 Beim Stich einer adulten Zecke ist das Infektionsrisiko gering, wenn die Zecke rasch (innerhalb von < 24 h) entfernt wird.

Infektionsrisiko in der Schwangerschaft
Je nach klin. Symptomatik der Erstmanifestation variiert die IKZ z. B. für Stadium I: Erythema migrans Tage bis Wo., für Stadium II: Leitsymptom Meningopolyneuritis Garin-Bujadoux-Bannwarth Wo. bis Mon. u. für Stadium III: Lyme-Arthritis u. Acrodermatitis chronica atrophicans Herxheimer Mon. bis Jahre. Pränatale Inf. sind möglich, aber nach aktuellem Stand sehr selten. Kindliche Auffälligkeiten nicht bewiesen.

 Bei anderen durch Zecken übertragenen Infektionskrankheiten (z. B. FSME, Anaplasmosen, Ehrlichiosen, Babesiosen o. Rickettsiosen) sind in Europa bisher keine kindlichen Schädigungen bekannt.

Klinik

Schwangere ▶ Tab. 6.7.

Neugeborenes Einzelfallbeobachtungen mit Fehlbildungen von Herz (VSD), ZNS u. Augen in neueren prospektiven Studien nicht bewiesen. In Endemiegebieten kein erhöhtes Fehlbildungsrisiko.

Tab. 6.7 Symptome der Borreliose

Stadium	IKZ	Klinische Manifestationen			
		Haut	Nervensystem	Gelenke	Sonstiges
I: früh lokalisiert	Tage bis Wo. (Mon.)	Erythema migrans (EM), Lymphozytom	Kopfschmerzen	Arthralgien	Fieber, Myalgien, (Lymphadenopathie)
II: früh disseminiert	Wo. bis Mon.	(Lymphozytom), multiple Erytheme	Meningoradikulitis, Fazialisparese, Meningitis	Arthralgien, Arthritis	Karditis, Augenbeteiligung (Hepatosplenomegalie)
III: spät/chron.	Mon. bis J.	Akrodermatitis chronica atrophicans (ACA)	Enzephalomyelitis, Polyneuropathie	Chron. Arthritis, Arthropathie	Chorioretinitis, Vaskulitis

Diagnostik

Schwangere und Neugeborenes

- **Serologie:** IgG-/IgM-AK-Bestimmung; bei grenzwertigen o. pos. Befunden: Zusatztest Immunoblot. Bei V. a. Neuroborreliose wird neben einem Liquorstatus zum Nachweis einer intrathekalen AK-Synthese ein Liquor/Serumpaar mit gleichem Abnahmedatum untersucht.
- **Erreger:** DNA-Nachweis mittels NAT in Hautbiopsaten, Gelenkpunktaten eingeschränkt auch im Liquor.

Therapie

Schwangere ▶ Tab. 6.8. Keine Ind. zur Interruptio.

Neugeborenes von Mutter mit akuter Borreliose in der Schwangerschaft Übliche klin. Untersuchungen sowie Nabelschnurblut o. kindliches Blut für IgG-/IgM-AK u. Borreliennachweis mittels NAT. Bei Seropositivität IgG-Verlaufskontrolle bis zum 7. Lm durchführen. Im Fall vom Auffälligkeiten bei Geburt zusätzlich ein Stück Plazenta für den Erregernachweis asservieren.

Beschäftigungsverbot für seroneg. Frauen in manchen Bundesländern bei möglichem Zeckenkontakt (z. B. Waldkindergarten).

 Keine Meldepflicht nach IfSG

Tab. 6.8 Therapie der Borreliose in der Schwangerschaft

Stadien der Erkrankung	Antibiotikum	Dosierung Erwachsene
I: früh lokalisiert	Amoxicillin	3 × 750–1.000 mg/d p. o. 21 d
	Ausweichpräparat bei KI für Amoxicillin:	
	Cefuroxim (**Cave:** pseudomembranöse Kolitis)	2 × 500 mg/d p. o. 21 d
	Azithromycin (strenge Indikationsstellung)	1 × 500 mg/d p. o. 10–14 d
II: früh disseminiert	Ceftriaxon (z. B. Rocephin®)	2(–4) g/d i. v. 14–21 d
	Cefotaxim (z. B. Claforan®)	3 × 2 g/d i. v. 14–21 d
	Ersatzpräparat: Penicillin G	4 × 5 Mio. IE/d i. v. für 14–21 d

6.18 Q-Fieber

Gisela Enders und Martin Enders

Erreger ist *Coxiella burnetii*, ein obligat intrazelluläres, gramneg. Bakterium.

Epidemiologie
Q-Fieber ist eine mit Ausnahme Neuseelands weltweit verbreitete Zoonose. Die meisten Erkr. treten i. R. von Ausbrüchen auf. Natürliches Reservoir sind Rinder, Schafe, Ziegen, Katzen, Hunde, Vögel u. Zecken. Letztere sind für die Übertragung auf den Menschen nicht bedeutsam. Bei Säugetieren hohe Ausscheidung während der Entbindung (hohe Erregerlast in Plazenta).

Infektionsrisiko in der Schwangerschaft
- Mensch infiziert sich durch Inhalation infizierter Stäube (Kot von z. B. Schafen, Rindern, Ziegen) auch über größere Distanzen u. durch dir. Kontakt mit infizierten Tieren, bes. deren Geburtsprodukten u. der kontaminierten NG, durch kontaminierte Kleidung, durch Verarbeiten von Fleisch o. a. tierischen Produkten.
- Übertragung durch Nahrungsmittel hat untergeordnete Bedeutung.
- IKZ: 3–30 d.
- Das Risiko für KO (Abort, Frühgeburt) ist abhängig vom Schwangerschaftsstadium, in dem die Inf. erfolgte, u. am höchsten unbehandelt im 1. Trim.

> - Bei Geburt hohe Ansteckungsgefahr für Hebamme u. Gynäkologen (Plazenta!). Immer Schutzkleidung, Mundschutz, Handschuhe tragen!
> - *C. burnetii* kann in die Muttermilch übertreten, deshalb bei akuter Inf. auch bei Ther. nicht stillen!

Klinik
Schwangere Inf. verläuft in etwa 50 % asympt. o. als grippeähnliche Erkr. mit hohem Fieber, schwerem Krankheitsgefühl u. Husten. In bis zu 40 % Begleithepa-

titis. In der Grav. häufig Übergang in chron. Form durch verminderte T-Zell-vermittelte Immunität. Bei chron. Q-Fieber Endokarditis als Haupterkr. bei Erw., unbehandelt wird hohe Letalität angegeben! Nur in etwa 30 % ist unauffälliger Schwangerschaftsverlauf zu erwarten. Akute Inf. kann zu Abort u. Frühgeburtlichkeit führen.

Neugeborenes SGA u. Frühgeburt.

Diagnostik

Schwangere und Kind
- **Serologie:**
  - Akute Inf.: Phase-II-IgG- Serokonversion bzw. Phase-II-IgG/IgM-AK deutlich pos.; Phase-I-AK können auch pos. sein.
  - Chron. Inf.: Persistenz hochpos. Phase-II-/Phase-I-IgG-AK > 6– 12 Mon.
- **Erregernachweis:** mittels NAT u. durch Anzucht möglich

Therapie

Schwangere Trimethoprim-Sulfamethoxazol, 160/800 mg 2 Kps./d, für die Dauer der Schwangerschaft (Trimethoprim ist im 1. Trim. kontraindiziert), auf Entwicklung einer megaloblastären Anämie achten! Nach der Schwangerschaft auf chron. Inf. testen.

Nichtschwangere
- Akute Erkr.: Doxycyclin 2 × 100 mg/d p. o. über 3–4 Wo.
- Chron. Erkr.: Doxycyclin 2 × 100 mg/d p. o. + Hydroxychloroquin 3 × 200 mg/d p. o. (ophthalmol. Kontrollen!) über 18 Mon.

Neugeborenes Aufgrund der seltenen Inf. keine verlässlichen Daten zur Ther.

Meldepflicht nach IfSG
Dir. o. indir. Nachweis des Erregers bei Hinweis auf akute Inf.

6.19 Parasitäre Infektionen

Gisela Enders und Martin Enders

6.19.1 Therapie

Bei der Ther. parasitärer Inf. in der Grav. (▶ Tab. 6.9 u.▶ Tab. 6.10) ist zu berücksichtigen, dass nur wenige Parasiten eine Gefahr für den Feten darstellen. So sind bei sämtlichen Wurminf. keine Schädigungen bekannt, dies gilt selbst für Arten, bei denen eine Larvenwanderung stattfindet; auch die Darmprotozoen gelten in dieser Hinsicht als ungefährlich. Da die meisten Medikamente gegen diese Parasiten in der Schwangerschaft nur eingeschränkt einsetzbar sind, ist es daher empfehlenswert, eine Therapie bis nach der Geburt zurückzustellen, sofern keine unmittelbar behandlungsbedürftige Inf. o. vitale Ind. vorliegt. Lediglich bei Gewebsprotozoonosen wie etwa Toxoplasmose, Malaria o. Leishmaniosen ist wegen möglicher Gefährdung von Kind u./o. Mutter eine sofortige Ther. erforderlich.

Tab. 6.9 Antiparasitäre Therapie in der Schwangerschaft – ausgewählte Erreger

Parasit Krankheitsbild	Substanz (Beispielpräparat)	Dosis	Bemerkungen
Trichomonas (T.) vaginalis Kolpitis	Metronidazol (z. B. Clont®)	Einmalig 2,0 g p. o. Alternativ: 2 × 500 mg/d p. o. über 7 d	Immer Partner mitbehandeln. Kann bei entsprechender Ind. in der gesamten Grav. angewendet werden. Manche Experten raten von einer Gabe im 1. Trim. ab. Ther. in der Stillzeit: Applikation nach der letzten Stillmahlzeit am Abend, um die „nächtliche Pause" zu nutzen (Reduktion der Expositionszeit für den Sgl.)
Entamoeba (E.) histolytica Asympt. Darmlumeninf.	Paromomycin (z. B. Humatin®)	25–30 mg/kg/d p. o., verteilt auf 3 Tagesdosen (max. 3 × 500 mg/d) für 10 d	Nachweis von *E. histolytica* sollte durch Zusatzteste gesichert sein. Die Differenzierung von apathogenen Formen *(E. dispar, E. moshkovskii)* von *E. histolytica* ist nur mit spez. Ag-Tests o. NAT möglich. Sicherheit von Paromomycin in der Grav. nicht ausreichend evaluiert. Lt. Fachinformation KI in Schwangerschaft u. Stillzeit. Allerdings kaum Resorption nach oraler Gabe, daher bei adäquater Dosierung keine Fetopathien zu erwarten. Ind. im 1.–3. Trim.
Entamoeba (E.) histolytica Amöbenruhr, Amöbenleberabszess	Metronidazol (z. B. Clont®)	3 × 10 mg/kg KG/d (max. 3 × 800 mg/d) i. v. (i. v. Ther. zumindest in der Initialphase) Fortführung mit 3 × 750 mg/d p. o. (Gesamttherapiedauer: 10 d)	Therapieeinleitung möglichst stat.; Mitbetreuung durch Tropenmediziner sollte gegeben sein; meist müssen Amöbenleberabszesse – im Ggs. zu bakt. Leberabszessen – nicht drainiert/gespült werden. Wirkt nicht ausreichend gegen intraluminale Formen. Daher Nachbehandlung mit darmlumenwirksamem Medikament (z. B. Paromomycin, Humatin®) notwendig (s. o.). Ind. im 1.–3. Trim.
Ascaris lumbricoides (Spulwurm) Askariasis	Mebendazol (z. B. Vermox®)	2 × 100 mg/d p. o. für 3 d	Ind. im 2. u. 3. Trim.

Tab. 6.9 Antiparasitäre Therapie in der Schwangerschaft – ausgewählte Erreger *(Forts.)*

Parasit Krankheitsbild	Substanz (Beispielpräparat)	Dosis	Bemerkungen
Enterobius vermicularis (Madenwurm) Enterobiasis, Oxyuriasis	Pyrvinium (z. B. Pyrcon®, Molevac®)	5 mg (= 7,5 mg Pyrviniumembonat)/kg als Einmaldosis (max. 400 mg Pyrvinium)	Perianaler Pruritus; fäkal-orale Direktinf., ind. Inf. durch kontaminierte Gegenstände u. Nahrungsmittel, Staubeier Kaum Resorption, daher Mittel der Wahl bei Enterobiasis in der Schwangerschaft. Rotfärbung des Stuhls. Ggf. Behandlung nach ca. 2 u. 4 Wo. wdh. Ind. im 1.–3. Trim.
Ancylostoma duodenale, Necator americanus (Hakenwurm) Ankylostomiasis, Hakenwurminf.	Mebendazol (z. B. Vermox®)	2 × 100 mg/d p. o. für 3 d	Gewichtsverlust, Anämie, Enteritis; i. d. R. in den Subtropen u. Tropen erworben. Ind. im 2. u. 3. Trim.
Taenia saginata (Rinderbandwurm); *T. solium* (Schweinebandwurm) intestinaler Bandwurmbefall	Praziquantel (z. B. Cesol®) Niclosamid (z. B. Yomesan®)	Einmalig 5–10 mg/kg KG Einmalig 2 g p. o.	Unspez. GI-Beschwerden. Ind. im 2. u. 3. Trim.
Neurozystizerkose (i. d. R. durch *Cysticercus cellulosae*, die Larve von *T. solium*)	Albendazol (z. B. Eskazole®)	12–15 mg/kg KG/d verteilt auf 2–3 Dosen für 7–14 d	Kann sich als Präeklampsie/Eklampsie (Kopfschmerzen, Erbrechen, Krampfanfälle) präsentieren. Nach Anwendung im 1. Trim. hochauflösender US im Verlauf empfohlen. Ther., falls möglich, nach der Schwangerschaft durchführen. Die spez. anthelminthische Ther. ist sehr umstritten!
	Kortison (z. B. Dexamethason)	2 × 4 mg/d	V. a. bei Ventrikelbeteiligung u. ausgedehnter Neurozystizerkose. Neurochir. Intervention bei Hydrozephalus, ggf. vorzeitige Entbindung (Wahl des Entbindungsmodus/Anästhesie abhängig von klin. Bild u. ZNS-Status). Ther., falls möglich, nach der Schwangerschaft durchführen

Tab. 6.9 Antiparasitäre Therapie in der Schwangerschaft – ausgewählte Erreger *(Forts.)*

Parasit Krankheitsbild	Substanz (Beispielpräparat)	Dosis	Bemerkungen
Sarcoptes scabiei var. hominis (Krätze)	Permethrin (z. B. Infectoscab®) Benzylbenzoat (z. B. Antiscabiosum®)	Lokale Ther.	Synthetische Pyrethroide wie Permethrin sind v. a. im 1. Trim. Mittel der 2. Wahl. Wdh. der Behandlung nach 8 d empfohlen. Weltweit werden zunehmend Resistenzen gegen Permethrin beobachtet
Pediculus humanus capitis Pediculosis (Lausbefall)	Kokosöl o. Pyrethrumextrakt, Permethrin (z. B. Infectopedicul®)	Lokale Ther.	

6.19.2 Malaria

Erreger sind *Plasmodium* (P.) spp. *[P. falciparum* (Malaria tropica); *P. ovale* u. *P. vivax* (Malaria tertiana); *P. malariae* (Malaria quartana)].

 Von Reisen in Malaria-Endemiegebiete ist in der Schwangerschaft abzuraten.

Infektionsrisiko in der Schwangerschaft

Insb. bei Malaria tropica erhöhtes Abortrisiko sowie erhöhtes Risiko für kompliziert verlaufende Inf. bei der werdenden Mutter v. a. im 2. u. 3. Trim. (z. B. Lungenödem, schwere Hypoglykämien v. a. unter Chininther.).

Therapie

- Ther. der Malaria tropica (▶ Tab. 6.10) sollte möglichst unter stat. Bedingungen erfolgen. Bei unkomplizierter „Nicht-falciparum"-Malaria auch amb. Ther. möglich. Die Pat. sollte durch einen erfahrenen Tropenmediziner mitbetreut werden.
- Therapieregime (Präparat [evtl. Kombinationsther.], Applikation, Dosis, Dauer etc.) wird u. a. bestimmt durch:
  - Plasmodienart, Parasitendichte
  - Schwere der Erkr. (unkomplizierte Malaria bzw. schwere Malaria)
  - Gestationsalter
  - Reiseanamnese
  - Vormedikation u. Begleiterkr.

- Mögliche KI, z. B. für Mefloquin, bei psychischen Störungen.
- Für Atovaquon-Proguanil stehen weniger Daten zur Ther. in der Grav. zur Verfügung als für Artesiminin-Derivate.

Tab. 6.10 Behandlung der Malaria in der Schwangerschaft

Krankheitsbild	Therapie
Unkomplizierte Malaria tertiana u. quartana	**Chloroquin-Base** (z. B. Resochin®) (1.–3. Trim.): • 10 mg/kg KG als Initialdosis p. o. • 6 h nach Therapiebeginn: 5 mg/kg KG p. o. • 24 h nach Therapiebeginn: 5 mg/kg KG p. o. • 48 h nach Therapiebeginn: 5 mg/kg KG p. o. Primaquin (indiziert bei Malaria tertiana) sollte in der Schwangerschaft nicht verabreicht werden. Für die Dauer der Schwangerschaft wird die Fortführung von Chloroquin-Base in prophylaktischer Dosis empfohlen. Nach Ausschluss eines Glukose-6-Phosphat-DH-Mangels kann die Primaquin-Gabe p. p. erfolgen. Für Primaquin liegen keine ausreichenden Erkenntnisse zur Stillzeit vor
Unkomplizierte Malaria und V. a. chloroquinresistenten *P.-vivax*-Stamm (z. B. nach Aufenthalt in Indonesien o. Pazifikregion)	**Mefloquin** (Lariam®), evtl. **Chininsulfat oral** ohne Clindamycin (Dosierungen s. u.)
Unkomplizierte Malaria tropica (nach Aufenthalt in Resistenzgebieten: aktuelle Situation beachten)	**Mefloquin** (2.–3. Trim.) • 750 mg einmalig als Initialdosis p. o. • 6 h nach Therapiebeginn: 500 mg p. o. • 12 h nach Therapiebeginn: 250 mg p. o.
Unkomplizierte Malaria und V. a. mefloquinresistenten *P.-falciparum*-Stamm (z. B. nach Südostasienaufenthalt)	**Chininsulfat** (1.–3. Trim.): 10 mg/kg KG 3 ×/d p. o. (600 mg alle 8 h) für 7 d mit Clindamycin 5 mg/kg KG 3 ×/d für 7 d
Komplizierte Malaria tropica Management auf ITS in enger Zusammenarbeit mit Tropenmediziner o. tropenmed. Einrichtung. **Cave:** Hypoglykämien v. a. bei Chininther., Niereninsuff., Herzrhythmusstörungen (QT-Zeit), Lungenödem, Anämien u. Thrombozytopenien, zerebrale Malaria! Ggf. Dosisanpassungen unter Spiegelkontrollen notwendig	**Chinindihydrochlorid per infusionem i. v.** (1.–3. Trim.) • Loading-Dose: 20 mg/kg KG über 4 h (! keine Loading-Dose nach Gabe von Mefloquin o. Chinin während der vorausgegangenen 24 h) • Weiter mit 10 mg/kg KG 3 ×/d i. v. • Sobald orale Ther. möglich: Umstellung auf Chininsulfat 10 mg/kg KG 3 ×/d p. o. und Clindamycin 5 mg/kg KG 3 ×/d p. o. für 7 d

6.20 Kondylome in der Schwangerschaft

Joachim Steller

Epidemiologie

Während der Schwangerschaft ist das Risiko für eine klin. Manifestation einer latenten Inf. mit humanen Papillomaviren (HPV) erhöht. Spontanremissionen sind postpartal möglich! Die peripartale Transmissionsrate der Viren bei HPV-pos. Müttern liegt bei 3 %. Eine Inf. des NG mit HPV ist selten. Das Risiko für das Auftreten von Larynxpapillomen bei Kindern von HPV-pos. Müttern wird mit 7 auf 1.000 Geburten geschätzt. Die Annahme der prophylaktischen Wirkung der Sectio caesarea ist fragwürdig.

Erreger
HPV 6 + 11 (s. auch ▶ 13.3.3).

Infektionsrisiko in der Schwangerschaft
Die Inf. des NG geht sowohl von sichtbaren als auch von subklin. HPV-Inf. des mütterlichen Genitales aus. Ein gewisses Risiko für die Übertragung auf das NG unter der Geburt scheint für Erstgebärende < 20 J. zu bestehen.

Klinik
Schwangere Seltene KO ist die Verlegung der Geburtswege durch Condylomata gigantea (Buschke-Löwenstein-Tumoren).

Neugeborenes Übertragung von HPV-Inf. unter der Geburt kann zu genitoanalen Warzen sowie zu Larynxpapillomen führen.

Diagnostik
▶ 13.3.6.

Therapie
Ggf. operative Sanierung von kondylomatösen Läsionen des äußeren Genitales u. der Vagina in der 34./35. SSW.
Diskrete Befunde sollten nicht saniert, sondern ca. 8 Wo. nach der Geburt kontrolliert werden.
- **Trichloressigsäure (bis zu 85 %):** wird vom Arzt mit einem Wattetupfer auf die Warzen aufgebracht. Sehr gute Resultate bei kleinen, weichen Kondylomen. Therapie wöchentlich wdh.; Vorteil ist eine Abheilung ohne Narbenbildung u. eine sichere Anwendung in der Schwangerschaft.
- **Chir. Ther.:** Elektrokauter o. CO$_2$-Laser/Nd-YAG-Laser. Lokalanästhesie immer erforderlich, bei ausgedehntem Befall Vollnarkose erwägen. Superinf. der Wundflächen könnten zu einer aufsteigenden Inf. mit vorzeitiger Wehentätigkeit u./o. Blasensprung führen.
- **Sectio:** Eine zwingende Ind. zur prim. Sectio ist nur gegeben, wenn die Geburtswege durch extensive Kondylome verlegt sind. Schon die Annahme der prophylaktischen Wirkung der Sectio caesarea ist fraglich u. umstritten, da trotz prim. Sectio Larynxpapillome aufgetreten sind.

> Podophyllotoxin, Imiquimod u. Interferon sind während der Grav. kontraindiziert.

6.21 Bakterielle Vaginose
Joachim Steller

Die bakt. Vaginose ist ein wesentlicher Faktor der Frühgeburtlichkeit. Über Freisetzung von Proteasen u. Phospholipase A2 kommt es zu vorzeitiger Zervixreifung, vorzeitiger Wehentätigkeit o. vorzeitigem Blasensprung (▶ 8.8). Häufigkeit bis 20 %. Zudem steigt das Risiko einer späten Fehlgeburt (14.–24. SSW) an. Häufige Erreger sind z. B. B-Strept. (▶ 11.6.3), *E. coli*, *Staph. aureus*.

Klinik Dünnflüssiger homogener Fluor mit Amingeruch (v. a. nach Alkalisierung mit 10 % KOH).

Diagnostik pH-Wert der Scheide > 4,5, Nachweis von Clue Cells im Nativpräparat, Keimabstrich.

Therapie Ansäuern des Scheidenmilieus mit Döderlein-Präparat (z. B. Vagiflor® Vaginalsupp.) über 7 d in Komb. mit einer Antibiose:
- Lokale intravag. Behandlung mit Metronidazol 500–1.000 mg/d (z. B. Vagimid®) über 5–7 d, alternativ nach dem 1. Trim. 2.000 mg oral als Einmaltherapie o.
- Clindamycin 5 g über 5–7 d (Sobelin® Vaginalcreme), alternativ nach dem 1. Trim. 2–4 × 300 mg/d p. o. (Sobelin® Kps.) über 5–7 d

6.22 Vaginalmykose

Joachim Steller

In der Grav. ist das Wachstum von Hefepilzen in der Scheide begünstigt. Erreger ist in 80 % *Candida albicans*. Die vag. Kolonisation findet von Mund u. After aus statt.

Epidemiologie Häufigkeit: 10–30 %. Risiken: Etwa 10 % Candidämien bei FG < 1.000 g, 4 % Candidämien bei FG < 1.500 g, 2 % Candidose als Todesursache von FG. Bei reifen NG Ursache einer Dermatitis u. Besiedelung des GIT.

Klinik Weißlicher vag. Fluor, evtl. Pruritus.

Diagnose Nativ- u. Keimabstrich, prophylaktischer Vaginalabstrich zur Pilzkultur ab der 34. SSW.

Therapie Lokale Ther. mit Clotrimazol (z. B. Canesten® 6 Kombi) Ovula u. Creme über 1–6 d.

7 Arzneimittel in Schwangerschaft und Stillzeit

Joachim Steller

7.1	Vorbemerkungen 234	7.15	Kortikoide, Sexualhormone 248
7.2	Analgetika, Antipyretika, Spasmolytika 234	7.16	Dermatika 249
7.3	Anthelminthika 236	7.17	Diuretika 249
7.4	Antiallergika 237	7.18	Laxanzien 250
7.5	Antibiotika 238	7.19	Magen-Darm-Mittel 251
7.6	Antidiabetika 239	7.20	Mund- und Rachentherapeutika 253
7.7	Antiemetika 240	7.21	Psychopharmaka 254
7.8	Antikonvulsiva 240	7.22	Rhinologika 256
7.9	Antihypertensiva 241	7.23	Schilddrüsentherapeutika 256
7.10	Antihypotonika 243	7.24	Virostatika 257
7.11	Antikoagulanzien 244	7.25	Zytostatika 258
7.12	Antimykotika 245		
7.13	Antiphlogistika 246		
7.14	Antitussiva, Bronchospasmolytika 246		

7 Arzneimittel in Schwangerschaft und Stillzeit

7.1 Vorbemerkungen

- Mehr als 70 % aller Schwangeren nehmen im 1. Schwangerschaftsdrittel Medikamente ein.
- Fast alle Substanzen passieren die Plazenta bzw. gehen in die Muttermilch über.
- In Schwangerschaft u. Stillzeit Arzneimittel grundsätzlich nur bei strenger Ind. unter Berücksichtigung des Risikos für Mutter u. Kind verordnen.
- Arzneimitteldosierung so niedrig wie möglich halten.
- Monother. anstreben. Bewährte statt neuartige Wirkstoffe verordnen.
- Verschiedene Substanzen, die beim Menschen Anwendung als Arzneimittel finden, sind im Tierversuch **embryotoxisch** o. **fetotoxisch**. In vielen Fällen ist unklar, ob diese Wirkstoffe beim Menschen die gleichen Wirkungen entfalten.
- Kaum ein Medikament – in ther. Dosen eingenommen – rechtfertigt den Abbruch einer gewünschten intakten Schwangerschaft.
- Im Einzelfall können zusätzlich nichtinvasive feindiagn. Maßnahmen hilfreich sein.

Medikamente der 1. Wahl in der Schwangerschaft
- Antibiotika: Penicillin, Cephalosporine, Erythromycin, Metronidazol
- Malaria-Prophylaxe: Chloroquin, Proguanil
- Analgetika, Antiphlogistika: Paracetamol, Ibuprofen (**cave**: im letzten Trim.)
- Antiasthmatika: Salbutamol, Glukokortikoide, Cromoglycinsäure, Theophyllin
- Antitussiva: Dextromethorphan, Codein, Bromhexin, Acetylcystein, Ambroxol
- Antihistaminika: Clemastin, Dimetinden, Mebhydrolin, Pheniramin
- Antiemetika: Meclozin, Metoclopramid
- Psychopharmaka: Phenothiazine, trizyklische Antidepressiva, Diphenhydramin, Citalopram, Sertralin
- Antimykotika: Nystatin, Clotrimazol

7.2 Analgetika, Antipyretika, Spasmolytika

Gesicherte Hinweise auf Teratogenität liegen nicht vor.

Schwangerschaft ▶ Tab. 7.1.

- **Salicylate:** hemmen in höherer Dosis (> 500 mg) die Prostaglandinsynthese u. führen zu einer Senkung des fetalen Prostaglandinspiegels. Mögliche Folge: vorzeitiger Verschluss des Ductus Botalli. Langzeitther. in hoher Dosis kann eine hämorrhagische Diathese bei Mutter u. Kind bedingen. Wegen einer möglichen Wehenhemmung im letzten Schwangerschaftsdrittel in höherer Dosierung kontraindiziert
- **Paracetamol:** in der Schwangerschaft Mittel der Wahl. Wirkt analgetisch u. antipyretisch u. ist nicht embryotoxisch
- **Nichtsteroidale Antiphlogistika** (z. B. Ibuprofen): sind bei längerer antiphlogistischer Ther. zu bevorzugen. **Cave:** vorzeitiger Verschluss des Ductus Botalli ab 28. SSW

7.2 Analgetika, Antipyretika, Spasmolytika

- **Tramadol:** bei entsprechender Ind. Verwendung in der gesamten Grav. möglich
- **Metamizol, Phenazon, Propyphenazon u. Mischpräparate:** sind in der Grav. zu meiden
- **Phenylbutazon:** hemmt in höherer Dosis die Prostaglandinsynthese → im letzten Schwangerschaftsmon. meiden

Alle stark wirksamen Analgetika können bei subpartaler Anwendung eine Atemdepression beim NG verursachen. Längere pränatale Anwendung z. B. von Morphin u. Codein führt zu Entzugserscheinungen bei Mutter u. Kind.

Stillzeit ▶ Tab. 7.1.

- **ASS:** Eine gelegentliche Einnahme während der Stillzeit ist für den Sgl. unbedenklich.
- **Paracetamol:** sollte bei der stillenden Mutter wegen der herabgesetzten Leberfunktion des Sgl. nur gelegentlich u. in niedriger Dosierung eingesetzt werden.
- **Opiate:** Wiederholte Gaben von Morphin, Codein, Pethidin u. Methadon können beim Sgl. rasch kumulieren.

Tab. 7.1 Analgetika in Schwangerschaft und Stillzeit

Freiname	Handelsname (Beispiel)	Schwangerschaft	Stillzeit
Acetylsalicylsäure	Aspirin®	Keine hoch dosierte Langzeitther., keine Einnahme ante partum o. präop.	Gelegentliche Einnahme unbedenklich
Atropin	Atropinsulfat Braun®	Bei Anwendung in der Frühschwangerschaft leicht erhöhte Fehlbildungsrate	Keine Bedenken, Laktationshemmung
Codein	In verschiedenen Schmerz- u. Hustenmitteln	Atemdepression, Entzugserscheinungen beim NG	KI, in Muttermilch doppelte Plasmakonz.
Ergotamin	In diversen Migränepräparaten	KI, Abortgefahr im 1. Trim.	KI
Ibuprofen	Urem forte®	Im 1. u. 2. Trim. Mittel der Wahl, im 3. Trim. vorzeitiger Verschluss des Ductus Botalli	Kaum Übertritt in die Muttermilch, wahrscheinlich unbedenklich
N-Butylscopolamin	Buscopan®	Strenge Ind.-Stellung, Veränderung der fetalen Herzfrequenz möglich	Strenge Ind.-Stellung, auf anticholinerge Symptome beim NG achten
Metamizol	Novalgin®	Mögliche NW auf Hämatopoese, evtl. vorzeitiger Verschluss des Ductus Botalli, vermehrt Wilms-Tumoren	Strenge Ind.-Stellung

Tab. 7.1 Analgetika in Schwangerschaft und Stillzeit (Forts.)

Freiname	Handelsname (Beispiel)	Schwangerschaft	Stillzeit
Morphin	MST- o. MSR-Mundipharma®	Atemdepression, Entzugserscheinungen	Konz. in Muttermilch u. Plasma gleich hoch, Kumulation möglich
Paracetamol	ben-u-ron®	Im 1. u. 2. Trim. Mittel der Wahl	In niedriger Dosis unbedenklich
Pentazocin	Fortral®	Bei subpartaler Gabe Atemdepression möglich	Einmalige Gabe unbedenklich, bei wiederholter Gabe Kumulationsgefahr
Pethidin	Dolantin®	→ Pentazocin	→ Pentazocin
Phenylbutazon	Ambene®	KI. Pulmonale Hypertonie u. Anurie, im 3. Trim. vorzeitiger Verschluss des Ductus Botalli	Vom Stillen ist abzuraten
Piritramid	Dipidolor®	Bei subpartaler Gabe Atemdepression möglich	Einmalige Gabe unbedenklich, bei wiederholter Gabe Kumulationsgefahr
Piroxicam	Pirobeta®	KI. Pulmonale Hypertonie u. Anurie, im 3. Trim. vorzeitiger Verschluss des Verordnung Botalli	Vom Stillen ist abzuraten
Tramadol	Tramal®	Anwendung in Grav. möglich. Bei subpartaler Gabe Atemdepression möglich	Einmalige Gabe unbedenklich, bei wiederholter Gabe Kumulationsgefahr

7.3 Anthelminthika

▶ Tab. 7.2.

- **Mebendazol:** in hoher Dosierung bei der Ratte teratogen. Bei anderen Tierspezies u. beim Menschen bisher keine Hinweise auf erhöhte Fehlbildungsrate
- **Pyrantel:** auch in sehr hoher Dosierung in Tierversuchen nicht fruchtschädigend, Erfahrungen beim Menschen liegen allerdings nicht vor
- **Niclosamid:** wird vom GIT nicht resorbiert, daher keine KI
- **Praziquantel:** wird rasch resorbiert. Teratogene NW bisher nicht bekannt, dennoch wird in der Schwangerschaft (v. a. im 1. Trim.) Zurückhaltung empfohlen. Es wurden nachweisbare Muttermilchkonz. gefunden, eine Gefährdung des Sgl. ist bei kurzzeitiger Ther. nicht anzunehmen

Tab. 7.2 Anthelminthika in Schwangerschaft und Stillzeit

Freiname	Handelsname (Beispiel)	Schwangerschaft	Stillzeit
Mebendazol	Vermox®	Keine Teratogenität	Keine Bedenken
Niclosamid	Yomesan®	Keine Teratogenität	
Pyrantel	Helmex®	Wird zu 15 % resorbiert, in der Grav. relativ kontraindiziert	Strenge Ind.-Stellung
Praziquantel	Cesol®	Zurückhaltung in der Schwangerschaft, v. a. im 1. Trim.	Gefährdung des Sgl. bei sehr kurzer Ther. nicht anzunehmen

7.4 Antiallergika

Antihistaminika haben sich bei der Behandlung allergischer Symptome als nicht teratogen erwiesen (▶ Tab. 7.3). In der Grav. sind H_1-Antihistaminika wie Clemastin u. Dimetinden neueren Präparaten vorzuziehen. Chlorphenoxamin geht in die Muttermilch über, die Plasma-HWZ beim Sgl. liegt bei 100 h.

Tab. 7.3 Antiallergika in Schwangerschaft und Stillzeit

Freiname	Handelsname (Beispiel)	Schwangerschaft	Stillzeit
Azelastin	Allergodil®	Embryo- o. fetotoxischer Effekt unwahrscheinlich, bei systemischer Anwendung besser Loratadin o. Cetirizin	Bei längerer Anwendung Sedierung beim Sgl.
Bamipin	Soventol®	Keine Bedenken	Keine Bedenken
Cetirizin	Zyrtec®	Keine Bedenken	Keine Bedenken. Bei längerer Anwendung Sedierung beim Sgl.
Chlorphenoxamin	Systral®	Keine Bedenken bei kurzzeitiger lokaler Anwendung	Bei längerer Anwendung Sedierung beim Sgl., Plasma-HWZ beim Sgl. etwa 100 h
Clemastin	Tavegil®	Bei Tier u. Mensch kein embryotoxisches o. teratogenes Risiko	Substanz geht in Muttermilch über, Sedierung u. Unruhe beim Sgl.
Dimetinden	Fenistil®	Kein embryotoxisches Risiko bekannt, besser Loratadin o. Cetirizin	→ Clemastin

Tab. 7.3 Antiallergika in Schwangerschaft und Stillzeit *(Forts.)*

Freiname	Handelsname (Beispiel)	Schwangerschaft	Stillzeit
Loratadin	Loraderm®	Kein embryotoxisches Risiko bekannt	→ Clemastin, zudem Mundtrockenheit u. Tachykardien
Mizolastin	Zolim®	Spärliche Datenlage, besser Loratadin o. Cetirizin	→ Clemastin

7.5 Antibiotika

Schwangerschaft
Zur Behandlung von bakt. Inf. in der Grav. u. Stillzeit sind unter den β-Lactam-Antibiotika die Penicilline u. Cephalosporine am besten untersucht. Als Alternative stehen Makrolide (z. B. Erythromycin) zur Verfügung.
- **Aminoglykoside:** in der Schwangerschaft kontraindiziert. Neben verschiedenen Skelettschädigungen können sie nephro- u. ototoxische Wirkungen aufweisen.
- **Amoxicillin/Clavulansäure:** Ther. der Wahl bei bakt. Inf. in der Grav., kein Abstillen erforderlich.
- **Cephalosporine:** gehören in der Grav. zu den Antibiotika der 1. Wahl, ältere Cephalosporine sind zu bevorzugen.
- **Erythromycin:** in der Grav. unbedenklich.
- **Penicilline:** gehören in der Grav. zu den Substanzen der 1. Wahl.
- **Lincomycin u. Thiamphenicol:** sind in der Schwangerschaft unbedenklich, embryotoxische Wirkungen sind nicht bekannt.
- **Tetrazykline:** lagern sich in den entwickelnden Röhrenknochen u. Zähnen des Feten ab u. sind in der Grav. nicht anzuwenden.

Stillzeit Auch bei stillenden Müttern können bei einigen Antibiotika Schädigungen für das Kind nicht ausgeschlossen werden. Neben dem Übertritt der Substanzen in den kindlichen Organismus ist daran zu denken, dass bereits kleine Antibiotikamengen die Darmflora des Kindes stören, Resistenzen erzeugen u. zu einer Sensibilisierung führen können.
- **Aminoglykoside:** kaum gefährlich für den kindlichen Organismus, sie erscheinen nur in Spuren in der Muttermilch.
- **Ampicillin, Amoxicillin:** Sensibilisierung, auch wenn die Konz. in der Muttermilch eher gering sind.
- **Cephalosporine:** werden in unterschiedlichen Konz. in die Muttermilch ausgeschieden.
  - Cefadroxil u. Cefalotin: liegen in eher höheren Konz. in der Muttermilch vor.
  - Cefoxitin u. Cefroxadin: treten kaum in die Muttermilch über.
- **Tetrazykline:** Eine längerfristige Gabe während der Stillzeit ist auf jeden Fall zu vermeiden.
- **Erythromycin:** hoch dosierte i. v. Ther. in der Stillzeit kontraindiziert (Gefahr des Kernikterus!).

> **Kontraindizierte Antibiotika**
> - Chloramphenicol während Grav. u. Stillzeit keinesfalls geben.
> - Tetrazykline sind in der Grav. kontraindiziert.
> - Sulfonamide u. Trimethoprim sollten wegen der hohen Konz. in der Muttermilch nicht in der Stillzeit eingesetzt werden.

7.6 Antidiabetika

Die teratogene Wirkung oraler Antidiabetika ist zwar nur im Tierversuch bewiesen, trotzdem gilt es als obligat, diab. Pat. vor Beginn der Schwangerschaft bzw. sofort nach deren Feststellung auf Insulin umzustellen (▶ Tab. 7.4). Die Fortführung einer oralen Antidiabetikather. rechtfertigt keinen risikobegründeten Schwangerschaftsabbruch.

Lediglich für Tolbutamid liegen Untersuchungen der Muttermilchkonz. vor. Diese sind hier deutlich niedriger als im Plasma. Auswirkungen auf den Sgl. sind nicht zu erwarten. Dennoch Kinder gut beobachten (BZ-Kontrollen).

Tab. 7.4 Antidiabetika in Schwangerschaft und Stillzeit

Freiname	Handelsname (Beispiel)	Schwangerschaft	Stillzeit
Acarbose	Glucobay®	KI	Keine exakten Untersuchungsergebnisse
Dapagliflozin	Forxiga®	KI	KI, geht in die Muttermilch über
Glibenclamid	Maninil®	KI	Keine exakten Untersuchungsergebnisse
Gliclazid	Diamicron Uno®		Keine ausreichende Erfahrung beim Menschen
Glimepirid	Amaryl®		
Gliquidon	Glurenorm®		Keine ausreichende Erfahrung beim Menschen
Metformin	Glucophage®		Keine kindlichen Hypoglykämien bekannt, Stillen theoretisch möglich
Nateglinid	Starlix®		Keine ausreichende Erfahrung beim Menschen
Pioglitazon	Actos®		
Repaglidine	Novo Norm®		
Insuline		Mittel der Wahl	Keine Bedenken, BZ-Kontrollen

7.7 Antiemetika

Bei der Anwendung von Antiemetika in der Schwangerschaft (▶ Tab. 7.5), z. B. bei der Behandlung der Hyperemesis gravidarum, ist generell Zurückhaltung angezeigt, v. a. im 1. Trim. Für alle Antiemetika gilt, dass beim Menschen keine Fehlbildungen zu erwarten sind, obwohl die Substanzen im Tierversuch partiell teratogen sind.

Metoclopramid ist während der Stillzeit nach Möglichkeit zu meiden, da bereits sehr niedrige Konz. bei Sgl. erhebliche zentralnervöse NW auslösen können.

Tab. 7.5 Antiemetika in Schwangerschaft und Stillzeit

Freiname	Handelsname (Beispiel)	Schwangerschaft	Stillzeit
Dimenhydrinat	Vomex A®	Keine Bedenken	Keine Bedenken
Meclocin	Agyrax®		
Metoclopramid	Paspertin®	Strenge Ind.-Stellung, Methämoglobinbildung beim NG u. FG möglich	KI
Ondansetron	Zofran®	Strenge Ind.-Stellung, keine embryotoxische Wirkung	Strenge Ind.-Stellung
Granisetron	Kevatril®		

7.8 Antikonvulsiva

Schwangerschaft ▶ Tab. 7.6.

> Bei Kindern epileptischer Mütter besteht auch ohne medikamentöse Ther. ein erhöhtes Fehlbildungsrisiko.

- **Phenytoin, Trimethadion, Primidon, Valproinsäure** u. Komb. mit **Phenobarbital:** Fehlbildungsrisiko ↑. Die Häufigkeit des Hydantoinsy. (Phenytoin) liegt bei 10 %.
- Klinik: geistige u. körperliche Retardierung, Hypertelorismus, Skelettdefekte, Herzfehler, faziale Dysmorphie, Hypoplasie der Nägel u. Fingerendphalangen, Spaltbildungen.
- **Valproinsäure:** Kinder, die im Mutterleib Valproat ausgesetzt waren, haben ein hohes Risiko für schwerwiegende Entwicklungsstörungen (in bis zu 30–40 % d. F.) u./o. für angeborene Fehlbildungen (in ca. 10 % d. F.). Valproat sollte deshalb Mädchen, weiblichen Jugendlichen, Frauen im gebärfähigen Alter o. Schwangeren nur verschrieben werden, wenn andere Arzneimittel nicht wirksam sind o. nicht vertragen werden. Bei Einnahme von Valproat zusammen mit anderen Arzneimitteln erhöht sich das Risiko für kindliche Fehlbildungen darüber hinaus.

Maßnahmen bei Epileptikerinnen während der Schwangerschaft:
- Vor der Schwangerschaft eine genetische Beratung durchführen lassen.
- Harmlosere Substanzen sind Clonazepam, Ethosuximid u. Carbamazepin.

- In der Frühschwangerschaft besonders niedrig einstellen.
- Ausreichende Substitution von Folsäure, z. B. 1 × 5 mg/d p. o. (z. B. Folsan®).

Stillzeit
- **Phenytoin, Valproinsäure:** werden nicht o. in kaum messbaren Konz. in die Muttermilch ausgeschieden. Bei Behandlungen der Mutter mit Valproinsäure sind die Kinder in der Stillphase gut zu beobachten (Lebertoxizität, Störung des Fibrinogenstoffwechsels).
- **Carbamazepin, Ethosuximid, Primidon, Phenobarbital:** werden in die Muttermilch ausgeschieden u. können beim Sgl. zu Müdigkeit u. Trinkschwäche führen. Serumkontrollen bei Mutter u. Kind sind empfehlenswert. Ein Stillverbot ist bei keiner dieser Substanzen indiziert.

Tab. 7.6 Antikonvulsiva in Schwangerschaft und Stillzeit

Freiname	Handelsname (Beispiel)	Schwangerschaft	Stillzeit
Carbamazepin	Tegretal®	In der Grav. als weniger teratogene Substanzen anwendbar	Müdigkeit u. Trinkschwäche beim Sgl. möglich. Serumkontrolle bei Mutter u. Kind. Kinder in der Stillphase gut beobachten
Clonazepam	Rivotril®		
Ethosuximid	Petnidan®		
Phenytoin	Phenhydan®	Bei etwa 10 % d. F. Fehlbildungssy. (Hydantoin-Sy.) KI	Serumkontrolle bei Mutter u. Kind. Kinder in der Stillphase gut beobachten
Mesuximid	Petinutin®	Zwischen 20. u. 40. Schwangerschaftstag möglichst niedrig dosieren, keine Komb. mit Phenobarbital	Müdigkeit u. Trinkschwäche beim Sgl. möglich. Serumkontrolle bei Mutter u. Kind. Kinder in der Stillphase gut beobachten
Phenobarbital	Luminal®		
Primidon	Mylepsinum®		
Valproinsäure	Leptilan®	KI	KI

7.9 Antihypertensiva

Für die meisten Antihypertensiva haben sich aus Tierversuchen keine Hinweise auf Teratogenität ergeben (▶ Tab. 7.7).

- **α-Methyldopa:** eignet sich für die antihypertensive Ther. leichterer Fälle in der Schwangerschaft. Das Präparat wirkt über eine Senkung des Sympathikotonus.
- **ACE-Hemmer:** (Captopril u. a.) in der Grav. kontraindiziert. Die Substanzen gehen in die Muttermilch über.
- **Clonidin:** im Tierversuch embryoletal; die Dosis liegt weit über dem ther. Anwendungsbereich beim Menschen.
- **Diazoxid:** wegen seiner Wirkung auf den Glukosestoffwechsel für eine Dauerther. in der Schwangerschaft nicht geeignet. Im Tierversuch teratogen.

- **Hydralazin:** starker blutdrucksenkender Effekt durch Verringerung des peripheren Widerstands bei Zunahme des Herzzeitvolumens. Möglicherweise wird hierdurch die uteroplazentare Durchblutung verbessert.
- **Nifedipin** u. a. Kalziumantagonisten: im Tierversuch embryotoxisch.
- **Betablocker wie Propranolol:** bei Daueranwendung evtl. Wachstumsretardierung, neonatale Hypoglykämie u. Verminderung der kardiovaskulären Kompensation von Stress, gleiche NW werden auch den Betablockern Metoprolol u. Acebutolol zugeschrieben. Keine Teratogenität.
- **Rauwolfia-Alkaloide:** Im letzten Trim. kann es zu nasaler Hypersekretion, Lethargie u. Atemdepression des NG kommen. Während der Stillzeit sollten diese Medikamente nicht zur Anwendung kommen.
- **Methyldopa, Hydralazin:** können zwar in der Muttermilch nachgewiesen werden, die Aufnahme der Substanzen durch den Sgl. ist aber zu gering, um Organwirkungen auszulösen.
- **Angiotensin-II-Antagonisten** (z. B. Candesartan, Eprosartan, Irbesartan, Losartan, Telmisartan u. Valsartan): sollten in Schwangerschaft u. Stillzeit gemieden werden, da derzeit noch keine ausreichenden Erfahrungen vorliegen.

Tab. 7.7 Antihypertensiva in Schwangerschaft und Stillzeit

Freiname	Handelsname (Beispiel)	Schwangerschaft	Stillzeit
Acebutolol	Tredalat®	Hochdruckther. in der Grav., bei Langzeitgabe Wachstumsretardierung, neonatale Hypoglykämie, Herzfrequenzsenkung beim NG möglich	KI
α-Methyldopa	Presinol®	Keine Bedenken. Mittel der 1. Wahl in der Grav.	Keine Bedenken
Clonidin	Catapresan®	Teratogenität nicht bekannt, strenge Ind.-Stellung im 1. Trim., Reservemedikation in der Grav.	
Diazoxid	Proglicem®	Nur im Notfall anzuwenden	KI
Dihydralazin	Nepresol®	Keine Bedenken. Mittel der 1. Wahl in der Grav.	Keine Bedenken
Metoprolol	Beloc®	Mittel der 1. Wahl in der Grav., bei Langzeitgabe Wachstumsretardierung, neonatale Hypoglykämie, Herzfrequenzsenkung beim NG möglich	Schädigungen beim Sgl. nicht bekannt. Auf Kreislauf-KO u. Hypoglykämien beim NG achten
Nifedipin	Adalat®	Nur zur Gestosether.	KI

Tab. 7.7 Antihypertensiva in Schwangerschaft und Stillzeit *(Forts.)*			
Freiname	Handelsname (Beispiel)	Schwangerschaft	Stillzeit
Propranolol	Dociton®	Hochdruckther. in der Grav., bei Langzeitgabe Wachstumsretardierung, neonatale Hypoglykämie, Herzfrequenzsenkung beim NG möglich	Schädigungen beim Sgl. nicht bekannt. Auf Kreislauf-KO u. Hypoglykämien beim NG achten
Rauwolfia-Alkaloide	Briserin®	Bei Anwendung im letzten Trim. nasale Hypersekretion, Lethargie u. Atemdepression des NG möglich	KI
Urapidil	Ebrantil®	Nur zur Gestosether.	Strenge Ind.-Stellung
ACE-Hemmer			
Captopril Enalpril Fosinopril Lisinopril	Captobeta® Xanef® Dynacil® Acercomp® Acerbon®	KI	Vermeiden

7.10 Antihypotonika

Embryotoxische Wirkungen beim Menschen sind bei den in ▶ Tab. 7.8 aufgeführten Antihypotonika nicht bekannt.

- **Dihydroergotamin:** bei parenteraler Gabe stärkere uterotonische Wirkung als bei oraler Applikation, diese ist daher in der Schwangerschaft kontraindiziert. Auch bei oraler Gabe ist eine Vasokonstriktion der Uteringefäße mit uteriner Mangeldurchblutung nicht auszuschließen.
- **Norfenefrin:** hat wehensteigernden Effekt mit möglicher Plazentaminderperfusion u. ist deshalb bei Schwangerschafts-KO nicht indiziert.

Tab. 7.8 Antihypotonika in Schwangerschaft und Stillzeit			
Freiname	Handelsname (Beispiel)	Schwangerschaft	Stillzeit
Dihydroergotamin	Dihydergot®	Nur bei Migräne o. erheblicher Hypotonie, uterine Minderperfusion nicht auszuschließen	Keine Bedenken bei niedriger Dosierung
Etilefrin	Effortil®	Keine Bedenken bei niedriger Dosierung	
Midodrin	Gutron®		
D-Kampfer	Korovit®	Keine Bedenken	Keine Bedenken

7.11 Antikoagulanzien

Schwangerschaft ▶Tab. 7.9.
- **Cumarine:** können in der Frühschwangerschaft ein charakteristisches Fehlbildungssy. (**Cumarin-Embryopathie**) mit Hypoplasie der Nasenknochen, Chondrodysplasia punctata u. geistiger Retardierung hervorrufen. Störungen des ZNS nach Gabe im 2. o. 3. Trim. (wahrscheinlich durch fetale Blutungen bedingt). Blutungsneigung bei NG ↑.
- **Heparin:** gilt als das Mittel der Wahl in der Grav. Wegen seines hohen Molekulargewichts kann es die Plazentaschranke nicht passieren u. wirkt somit nicht teratogen. Unter Vollheparinisierung keine PDA, sub partu nicht mehr als 15.000 IE Heparin. NMH passieren die Plazentaschranke ebenfalls nicht. Ihre Vorteile können in der Schwangerschaft genutzt werden.

Stillzeit
- **Cumarine:** Die Beurteilungen über die Gefährlichkeit von Cumarinderivaten in der Stillzeit sind uneinheitlich. Ggf. Blutungsstörungen beim NG. Warfarin u. Acenocoumarol werden nicht in die Muttermilch ausgeschieden u. gelten in der Stillzeit als unbedenklich.
- **Heparin:** keine Ausscheidung in die Muttermilch, NMH treten geringfügig in die Muttermilch über, ein gerinnungshemmender Effekt beim Sgl. ist unwahrscheinlich.
- **Neue Antikoagulanzien** wie **Rivaroxaban** (Xarelto®) sind bei der Thrombosether. u. der langfristigen Sekundärprophylaxe von thrombembolischen Ereignissen sowie zur langfristigen Schlaganfallprophylaxe bei Vorhofflimmern zugelassen. Prospektive Studien ließen kein teratogenes Potenzial von Rivaroxaban in der Grav. erkennen. Allerdings sollte aufgrund der begrenzten Datenlage vor Eintritt einer geplanten Schwangerschaft auf erprobte Alternativen der Antikoagulation zurückgegriffen werden. **Clopidogrel** (Plavix®) ist zur Sekundärprophylaxe nach ischämischem Insult, Myokardinfarkt, bei Hämodialyse u. bei Bestehen einer pAVK zugelassen. In Komb. mit ASS kann Clopidogrel auch beim ACS eingesetzt werden. Clopidogrel darf bei ASS-Unverträglichkeit o. unzureichender Thrombozytenaggregationshemmung in der Schwangerschaft angewendet werden.

Tab. 7.9 Antikoagulanzien in Schwangerschaft und Stillzeit (▶ Tab. 1.1)

Freiname	Handelsname (Beispiel)	Schwangerschaft	Stillzeit
Cumarine			
Phenprocoumon	Marcumar®	KI	Beurteilungen uneinheitlich, Blutungen beim NG möglich
Warfarin	Coumadin®		

Tab. 7.9 Antikoagulanzien in Schwangerschaft und Stillzeit (▶ Tab. 1.1) *(Forts.)*

Freiname	Handelsname (Beispiel)	Schwangerschaft	Stillzeit
Heparine			
Heparin-Natrium	Liquemin N®	Mittel der Wahl	Keine Bedenken
Certoparin	Mono-Embolex®	Kein teratogenes o. embryotoxisches Risiko	
Dalteparin	Fragmin P®	Keine Bedenken	
Enoxaparin	Clexane®		
Nadroparin	Fraxiparin®	Kein teratogenes o. embryotoxisches Risiko	
Reviparin	Clivarin®		
Tinzaparin	Innohep®	Keine Bedenken	

7.12 Antimykotika

▶ Tab. 7.10.
- **Amphotericin B:** soll wegen erheblich erhöhten Abort- u. Frühgeburtenrisikos in der Grav. nur bei lebensbedrohlichen generalisierten Mykosen eingesetzt werden
- **Clotrimazol:** lokale Ther. (z. B. Vaginalmykosen)
- **Flucytosin:** kann teilweise zu Fluorouracil metabolisiert werden → im Tierversuch teratogen. Auch beim Menschen muss eine Teratogenität angenommen werden
- **Griseofulvin:** ist im Tierversuch teratogen. In ther. Dosis scheint es beim Menschen nicht teratogen zu wirken, eine systemische Anwendung sollte aber vermieden werden
- **Ketoconazol:** potenziell teratogen, Anwendung in der Schwangerschaft vermeiden
- **Miconazol:** wirkt in 5-facher ther. Dosis embryoletal → strenge Ind.
- **Nystatin:** wirkt wegen toxischer Allgemeinreaktionen nur lokal

Tab. 7.10 Antimykotika in Schwangerschaft und Stillzeit

Freiname	Handelsname (Beispiel)	Schwangerschaft	Stillzeit
Amphotericin B	AmphoMoronal®	Systemische Ther. kontraindiziert	Systemische Ther. kontraindiziert
Fluconazol	Diflucan®	Strenge Ind.-Stellung, im 1. Trim. kontraindiziert	Bei zwingender Ind. Stillen möglich
Flucytosin	Acontil®	Strenge Ind.-Stellung, im 1. Trim. kontraindiziert	KI

Tab. 7.10 Antimykotika in Schwangerschaft und Stillzeit *(Forts.)*

Freiname	Handelsname (Beispiel)	Schwangerschaft	Stillzeit
Griseofulvin	Griseo-CT®	KI	
Ketoconazol	Nizoral®		
Miconazol	Daktar®	Mittel der Wahl in der Grav.	Bei lokaler Behandlung keine Bedenken
Nystatin	Moronal®	Mittel der Wahl in der Grav.	Keine Bedenken

7.13 Antiphlogistika

▶ Tab. 7.11.
- **Aescin:** ist bei Tier u. Mensch nicht teratogen. Fraglich nephrotoxisch
- **Diclofenac, Orgotein u. Oxyphenbutazon** gelten ebenfalls nicht als embryotoxisch. Ebenso wie Phenylbutazon u. Salicylate hemmen sie im 3. Trim. die Prostaglandinsynthese → KI in höherer Dosierung
- **Nichtsteroidale Antiphlogistika (NSAID):** z. B. Ibuprofen, Indometacin u. Diclofenac; können im 1. u. 2. Trim. eingesetzt werden

Tab. 7.11 Antiphlogistika in Schwangerschaft und Stillzeit

Freiname	Handelsname (Beispiel)	Schwangerschaft	Stillzeit
Aescin	Reparil®	Strenge Ind.-Stellung; im 3. Trim. kontraindiziert (vorzeitiger Verschluss des Ductus Botalli, NG-Hämorrhagien)	Falls indiziert, in der Stillzeit besser Ibuprofen
Diclofenac	Voltaren®		
Phenbutazon	Ambene®		
Bromelain	traumanase®	Keine Bedenken	Keine Bedenken

7.14 Antitussiva, Bronchospasmolytika

▶ Tab. 7.12.
- **Acetylcystein:** nicht embryo- o. fetotoxisch, in der Stillzeit gut verträglich.
- **Ambroxol:** weder beim Tier noch beim Menschen embryotoxisch o. teratogen.
- **Clobutinol:** im Tierversuch embryotoxisch, im 1. Trim. Kontraindiziert.
- **Codeinhaltige Präparate:** können sub partu eine neonatale Atemdepression begünstigen. Das Derivat Dextromethorphan ist in der Grav. vorzuziehen.
- **Betamimetika:** wie Carbuterol, Clenbuterol, Fenoterol, Hexoprenalin, Isoprenalin, Orciprenalin, Salbutamol u. Terbutalin zeigen wehenhemmende Wirkung. Im letzten Trim. tokolytische Effekte besonders beachten.

7.14 Antitussiva, Bronchospasmolytika

- **Dextromethorphan:** antitussiver Effekt wie Codein. Im Tierexperiment teratogen, Risiko offenbar nicht auf den Menschen übertragbar.
- **Salbutamol, Theophyllin:** im Tierversuch teratogen, offenbar auf den Menschen nicht übertragbar. Sie werden in die Muttermilch ausgeschieden u. können beim Sgl. zu erheblichen Kumulationen führen. In der Stillzeit in hoher Dosierung daher kontraindiziert.
- **Orciprenalin, Fenoterol:** keine exakten Daten bekannt. Aufgrund der Pharmakokinetik dieser Substanzen ist anzunehmen, dass es zu keiner wesentlichen Gefährdung des Sgl. kommt.
- **Benproperin, Clobutinol, Dropriozinin, Eprazinon, Isoaminil, Noscapin, Pentoxyverin u. Pipazetat:** unzureichend untersucht.

Tab. 7.12 Antitussiva und Bronchospasmolytika in Schwangerschaft und Stillzeit

Freiname	Handelsname (Beispiel)	Schwangerschaft	Stillzeit
Acetylcystein	Fluimucil®	Keine Bedenken	Keine Bedenken
Ambroxol	Mucosolvan®	Keine Bedenken, strenge Ind.-Stellung im 1. Trim.	
Bromhexin	Bisolvon®	Keine Bedenken	
Clenbuterol	Spiropent®	Keine Bedenken, tokolytisch wirksam	Keine exakten Daten
Codeinderivate	Codicaps®	Strenge Ind.-Stellung, sub partu atemdepressiv	Substanz geht in die Muttermilch über, bei zwingender Ind. Stillen möglich
Dextromethorphan	Hustenstiller® ratiopharm	Kurzzeitige Gabe möglich	Kurzzeitige Gabe möglich
Fenoterol	Berotec®	Keine Bedenken, tokolytisch wirksam	Keine Bedenken, Sgl. gut überwachen
Orciprenalin	Alupent®	Tokolytisch wirksam, im 1. Trim. kontraindiziert	
Pflanzliche Extrakte	In zahlreichen Expektoranzien	Keine Bedenken	Keine Bedenken
Salbutamol	Sultanol®	Strenge Ind.-Stellung, tokolytisch wirksam	Kumulation, vom Stillen ist abzuraten
Terbutalin	Bricanyl®	Keine Bedenken, tokolytisch wirksam	Bei Überdosierung kindliche Unruhe u. Tachykardie
Theophyllin	Broncho-Euphyllin®	Mittel der 2. Wahl	Stillen möglich

7.15 Kortikoide, Sexualhormone

▶ Tab. 7.13.
- **Kortikoide:** bei einigen Tierarten teratogen. Beim Menschen werden Spaltbildungen, Frühgeburtlichkeit, Retardierung u. die Induktion einer Nebenniereninsuff. bei ausreichend hoch dosierter Dauereinnahme diskutiert. Das Risiko scheint allerdings gering zu sein.
- **Ethisteron, Norethisteron:** virilisierende Steroide, die bei weiblichen Feten in extrem hoher u. lang andauernder Dosierung in der Phase der Genitaldifferenzierung eine Klitorishypertrophie hervorrufen können.
- **Chlormadinonacetat, Cyproteronacetat:** Steroide mit feminisierender Wirkung; sind in den Ovulationshemmern (OH) Neo-Eunomin®, Belara® u. Diane® enthalten. Einnahme in der Grav. hat wegen der zu niedrigen Konz. keinen Einfluss auf den Feten. Gleiches gilt für die übrigen OH. Für einige Gestagene wird ein erhöhtes teratogenes Risiko angenommen. Bei hoch dosierter Androcur®-Ther. während der Phase der Sexualdifferenzierung ist eine Ind. zur Interruptio gegeben, sofern es sich um einen männlichen Feten handelt.

> Kurzfristige Kortikoidgaben in mittlerer Dosierung stellen kein Stillhindernis dar, höhere Dosen über einen längeren Zeitraum können auch auf das Kind unterschwellige Wirkung haben.

Tab. 7.13 Kortikoide und Sexualhormone in Schwangerschaft und Stillzeit

Freiname	Handelsname (Beispiel)	Schwangerschaft	Stillzeit
Androgene		KI	KI
Kortikoide		Geringes Risiko von Spaltbildung u. a. Fehlbildungen bei höherer Dauerdosierung	Kurzfristige Gaben in mittlerer Dosis kein Stillhindernis
Gestagene (Ind. u. Dosierung ▶ 18.4)			
Chlormadinonacetat	Belara®	In niedriger Dosierung keine feminisierende Wirkung	Schädigungen beim Sgl. bisher nicht bekannt, möglichst vermeiden
Cyproteronacetat	Diane®, Androcur®	KI	KI
Dydrogesteron	Duphaston®	Keine Bedenken	Bei niedriger, kurzfristiger Dosierung kein Stillhindernis
Progesteron	Utrogest®	Bei Corpus-luteum-Insuff. u. vorzeitige Wehen	
Medroxyprogesteronacetat	MPA Gyn®, Depot-Clinivir®	KI, bei niedriger Dosierung keine erhöhte Fehlbildungsrate	Strenge Ind.-Stellung, bei niedriger, kurzfristiger Dosierung kein Stillhindernis
Östrogene (Ind. u. Dosierung ▶ 18.4)		Keine erhöhte Fehlbildungsrate	

Tab. 7.13 Kortikoide und Sexualhormone in Schwangerschaft und Stillzeit *(Forts.)*

Freiname	Handelsname (Beispiel)	Schwangerschaft	Stillzeit
Ovulationshemmer (Ind. u. Dosierung ▶ 18.4)		Für komb. OH keine erhöhte Fehlbildungsrate	Keine Bedenken bei niedrig dosierten OH o. Minipille

7.16 Dermatika

▶ Tab. 7.14.

- **Aciclovir:** Virustatikum, bislang keine teratogenen Effekte nachgewiesen (▶ 7.24)
- **Ammoidin:** bei Mensch u. Tier zwar keine teratogene Wirkung, beeinträchtigt aber den Zellstoffwechsel
- **Etretinat:** wegen des hohen Gehalts an einem Vit.-A-Derivat absolut teratogen → schwere Entwicklungsdefekte des Gehirns (Meningoenzephalozelen, -myelozelen), einseitige Anophthalmie, kraniofaziale Defekte, Defekte der Wirbelsäule u. Extremitäten sowie des Ventrikelsystems. Wegen langer HWZ ist Interruptio noch 2 J. nach Absetzen der Ther. indiziert
- **Fusidinsäure:** dermal angewandtes Antibiotikum, keine Teratogenität
- **Idoxuriden, Tromantadin** (Virustatika): KI in der Grav.
- **Jodhaltige Präparate:** sollten in der Grav. nicht bedenkenlos verabreicht werden

> Behandlungen der Wahl bei Kondylomen in der Schwangerschaft sind Abtrag, Kryotherapie o. Trichloressigsäure.

Tab. 7.14 Dermatika in Schwangerschaft und Stillzeit

Freiname	Handelsname (Beispiel)	Schwangerschaft	Stillzeit
Aciclovir	Zovirax®	Kurzfristige Anwendung möglich bei strenger Ind. (▶ 7.24)	Strenge Ind.-Stellung bei systemischer Ther., bei lokaler Anwendung keine Bedenken
Tromantadin	Viru-Merz®	Strenge Ind.-Stellung, im Tierversuch nicht embryotoxisch	

7.17 Diuretika

▶ Tab. 7.15.

Schwangerschaft Teratogene Wirkungen sind weder im Tierversuch noch beim Menschen bekannt.

! Da i. R. hypertensiver Erkr. in der Schwangerschaft häufig ohnehin eine Hypovolämie vorliegt, Diuretika nur unter strenger Ind.-Stellung einsetzen

- **Benzothiadiazine:** passieren leicht die Plazenta u. können zu E'lytstörungen u. neonataler Thrombopenie führen
- **Triamteren:** fetotoxisches Risiko im 2. u. 3. Trim., Folsäuremangel kann eine Megaloblastose begünstigen

Stillzeit
- Wegen des generellen Dehydratationsrisikos für den Sgl. sind alle Diuretika in der Stillzeit unter strenger Ind.-Stellung einzusetzen.
- **Acetazolamid, Furosemid, Hydrochlorothiazid, Spironolacton:** sind für den Sgl. wahrscheinlich unbedenklich, Möglichkeit der Laktationshemmung. Bei Herzinsuff. in der Schwangerschaft ist Hydrochlorothiazid Mittel der Wahl.
- **Chlortalidon:** ist zwar nur in geringen Konz. in der Muttermilch enthalten, wegen der langen HWZ u. der damit verbundenen Kumulationsgefahr beim Sgl. ist aber vom Stillen abzuraten.

Tab. 7.15 Diuretika in Schwangerschaft und Stillzeit

Freiname	Handelsname (Beispiel)	Schwangerschaft	Stillzeit
Acetazolamid	Diamox®	Strenge Ind.-Stellung, Therapie nur bei fehlenden Alternativen	Keine Bedenken, Dehydratationsrisiko
Amilorid	Diaphal®	Nur indiziert, wenn kaliumsparendes Diuretikum erforderlich	KI
Chlortalidon	Hygroton®	Strenge Ind.-Stellung	
Furosemid	Lasix®	Mittel der 2. Wahl	Keine Bedenken, Dehydratationsrisiko
Hydrochlorothiazid	Esidrix®	Mittel der 1. Wahl	
Spironolacton	Aldactone®	KI	
Triamteren	Dytide®	KI	Ernste Schädigungen beim Sgl. nicht bekannt, Dehydratationsrisiko

7.18 Laxanzien

▶ Tab. 7.16.
- **Aloehaltige Präparate:** passieren die Plazenta; erzeugen eine starke Hyperämie der Unterleibsorgane u. können abortiv wirken.
- **Bisacodyl:** nur geringfügige enterale Resorption, Anwendung in Grav. u. Stillzeit ist möglich.
- **Natriumpicosulfat:** im 1. Trim. kontraindiziert, es besteht ein embryotoxisches u. teratogenes Risiko beim Menschen.
- **Sennoside, Cascaroside:** enthalten Anthrachinone, die über den GIT in die Muttermilch übertreten können. In der Stillzeit sind sie daher kontraindiziert. Auch bei Kindern stillender Mütter wurden nach Einnahme von **phenolphthaleinhaltigen Präparaten** Durchfallerscheinungen registriert. Diese

Präparate sollten in der Stillzeit nicht eingesetzt werden. Pflanzliche Quellmittel erscheinen in der Stillzeit als Mittel der Wahl.
- **Rizinus** wird gelegentlich zur Geburtseinleitung eingesetzt. Wirkt direkt auf die Prostaglandinrezeptoren der Muskelzellen der Gebärmutter u. des Darms. Neben den abführenden Symptomen kommt es zur Anregung von Gebärmutterkontraktionen u. häufiger zur Überstimulation. Sehr häufige NW: Übelkeit, Durchfall. Übertritt in den kindlichen Organismus denkbar mit Risiko der Mekoniumaspiration. **Cave:** Off-Label-Use-Medikation, Arzthaftungsrisiken beachten!

Tab. 7.16 Laxanzien in Schwangerschaft und Stillzeit

Freiname	Handelsname (Beispiel)	Schwangerschaft und Stillzeit
Pflanzliche Laxanzien		
Aloe	Kneipp-Abführ Drg. N®	KI
Rizinusöl	Rizinuskapseln®	
Glycerol	Glycilax®	Mittel der Wahl
Laktulose	Bifiteral®	
Quellmittel		
Leinsamen		Keine Bedenken
Chemisch definierte Laxanzien		
Bisacodyl	Dulcolax®	Keine Bedenken
Natriumpicosulfat	Laxoberal®	Strenge Ind.-Stellung, KI im 1. Trim. u. Stillzeit
Sorbit	Microklist®	Keine Bedenken

7.19 Magen-Darm-Mittel

▶ Tab. 7.17.

Schwangerschaft
- **Lithiumhaltige Antazida:** in der Grav. kontraindiziert.
- **Loperamid:** Wegen noch nicht ausreichender Erfahrung beim Menschen wird in der Grav. zur Vorsicht geraten. Keine Hinweise auf Teratogenität.
- **Neomycin:** bei Darmulzera u. Niereninsuff. in der Grav. ungeeignet.
- **Sulfonamidhaltige Mittel:** KI in den letzten Wo. der Grav.
- **Bromocriptin:** in der Grav. absetzen. Makroprolaktinome bilden sich in der Grav. oft spontan zurück. Bei ophthalmol. Problemen erneute Ind. zur Therapie!
- **Aloe enthaltende Verdauungsenzymkombinationen:** KI in der Grav.
- **Cimetidin, Ranitidin:** Zwar sind keine Blutbildungsstörungen wie bei den zuerst entwickelten H_2-Antihistaminika bekannt, wegen einer vermutlich größeren Empfindlichkeit des Embryos sollten sie in der Grav. aber nur unter strenger Ind.-Stellung eingesetzt werden.

- **Metoclopramid:** Mittel der Wahl bei Motilitätsstörungen des oberen GIT in der Schwangerschaft. Kann beim NG u. FG eine Methämoglobinbildung bewirken.
- **Pyridostigmin u. Neostigmin:** Cholinergika. Anwendung in der Schwangerschaft nur bei postop. Atonie von Darm u. Blase.

Stillzeit
- **Cimetidin:** konnte in erheblichen Konz. in Muttermilch nachgewiesen werden u. ist daher in der Stillzeit möglichst zu vermeiden
- **Atropinhaltige Präparate:** sollten wegen möglicherweise toxischer NW auf das Kind u. möglicher Verminderung der Milchproduktion v. a. in der Stillzeit nicht eingesetzt werden
- **Metoclopramid:** kann über die Muttermilchausscheidung beim Sgl. zu zentralnervösen NW führen

Tab. 7.17 Magen-Darm-Mittel in Schwangerschaft und Stillzeit

Freiname	Handelsname (Beispiel)	Schwangerschaft	Stillzeit
Antidiarrhoika			
Atropinsulfat	Dysurgal®	Falls indiziert, Anwendung in der Grav. möglich. Anstieg der kindlichen HF möglich, sub partu evtl. Maskierung einer fetalen Hypoxie	Substanz geht in die Muttermilch über, Schäden beim Sgl. bisher nicht bekannt, Laktationshemmung
Colipräparate	Colibiogen®	Keine Bedenken	Keine Bedenken
Kohle	Kohle-Kompretten®		
Loperamid	Imodium®	Mittel der Wahl, keine Langzeittherapie	Strenge Ind.-Stellung
Milchsäurebildner	Hylak plus acidophilus®	Keine Bedenken	Keine Bedenken
Pektin	Diarrhoesan®		
Pflanzliche Adsorbenzien	Aplona®		
Tannin	Tannalbin®		
Antazida			
Hydrotalcit	Talcit®	Keine Bedenken	Keine Bedenken
Salze (Al, Bi, Mg, Ca, P)	Maaloxan®		
Magaldrat	Riopan®		

Tab. 7.17 Magen-Darm-Mittel in Schwangerschaft und Stillzeit (Forts.)

Freiname	Handelsname (Beispiel)	Schwangerschaft	Stillzeit
Enzympräparate			
Protease, Lipase, Amylase, Trypsin, Pankreatin etc.	Nortase®	Keine Bedenken, keine aloehaltigen Kombinationspräparate!	Keine Bedenken
Gastritis- und Ulkusmittel			
Cimetidin	Cimetidin acis®	Strenge Ind.-Stellung, antiandrogene Wirkung möglich	Möglichst vermeiden, besser Famotidin
Famotidin	FADUL®	Besser Ranitidin	Mittel der 1. Wahl
Methanthelinbromid	Vagantin®	Strenge Ind.-Stellung	Strenge Ind.-Stellung, Hemmung der Laktation
Metoclopramid	Paspertin®	Mittel der Wahl, Methämoglobinbildung bei NG u. FG möglich	KI
Pantoprazol	Gastrozol®	Besser Omeprazol	Keine Bedenken
Omeprazol	Antra®	Mittel der 1. Wahl	Keine Bedenken
Ranitidin	Ranitidin ratiopharm®	Mittel der 1. Wahl	Besser Omeprazol o. Pantoprazol
Karminativa			
Dimeticon	Lefax®	Keine Bedenken	Keine Bedenken
Pflanzliche Karminativa	Carminativum®		
Salzsäure	Enzynorm®		

7.20 Mund- und Rachentherapeutika

▶ Tab. 7.18. Polyvidonjod-Lsgn. sind in der Grav. u. Stillzeit zurückhaltend anzuwenden u. dürfen keinesfalls geschluckt werden (NW auf fetale Schilddrüse).

Tab. 7.18 Mund- und Rachentherapeutika in Schwangerschaft und Stillzeit

Freiname	Handelsname (Beispiel)	Schwangerschaft	Stillzeit
Adstringenzien			
Aluminiumchlorat	Mallebrin®	Keine Bedenken	Keine Bedenken

Tab. 7.18 Mund- und Rachentherapeutika in Schwangerschaft und Stillzeit (Forts.)			
Freiname	Handelsname (Beispiel)	Schwangerschaft	Stillzeit
Ätherische Öle			
Anis-, Kampfer-, Pfefferminz-, Eukalyptusöl etc.	Salviathymol N®	Keine Bedenken	Keine Bedenken
Desinfizienzien			
Chlorhexidin	Chlorhexidindigluconat® Lsg.	Keine Bedenken	Keine Bedenken
Hexidin	Hexoral®		
Polyvidonjod	Betaisodona®-Lsg.	Strenge Ind.-Stellung, nicht schlucken!	

7.21 Psychopharmaka

▶ Tab. 7.19.

- **Amitriptylin** (trizyklisches Antidepressivum): wirkt weder bei Tier noch Mensch teratogen. Mittel der Wahl zur Depressionsther. in der Schwangerschaft.
- **Lithium-Langzeitther.:** im 1. Trim. vermehrt kardiovaskuläre Fehlbildungen (ca.10 %), ZNS-Schäden u. erhöhte perinatale Morbidität. Bei Behandlungsnotwendigkeit in der Frühgrav. häufiger niedrige Dosen verabreichen u. den Serumspiegel wöchentl. kontrollieren. Die Lithium-Plasmakonz. bei gestillten Kindern entsprechen denen der stillenden Mütter. Vom Stillen wird abgeraten.
- **Haloperidol** u. a. Butyrophenon-Neuroleptika (Trifluperidol): sollten in der Schwangerschaft nur nach strenger Ind.-Stellung verordnet werden.
- **Benzodiazepine:** können bei Gabe sub partu beim NG gelegentlich eine Atemdepression bewirken, die HWZ beim NG ist deutlich erhöht. Regelmäßige höhere Diazepam-Dosen während der Stillzeit führen zu NW beim Sgl. (Lethargie, Trinkschwäche, EEG-Veränderungen).
- **Phenothiazine:** schwache Assoziationen mit kardiovaskulären Fehlbildungen, Mikrozephalien u. Syndaktylien. Nicht in der Stillzeit einsetzen, da sie in relativ hohen Muttermilchkonz. ausgeschieden werden u. beim Sgl. zur Kumulation neigen. Phenothiazine u. Thioxanthene sind in der Grav. Mittel der Wahl in der Behandlung eines psychotischen Sy.
- **Serotonin-Wiederaufnahmehemmer** wie Citalopram, Fluoxetin, Fluvoxamin, Paroxetin u. Sertralin: können mit kleinen Fehlbildungen u. neurol. Entzugssymptomen beim NG assoziiert sein u. sind in der Grav. allenfalls Mittel der 2. Wahl. In der Stillzeit nicht empfohlen.

7.21 Psychopharmaka

Tab. 7.19 Psychopharmaka in Schwangerschaft und Stillzeit

Freiname	Handelsname (Beispiel)	Schwangerschaft	Stillzeit
Antidepressiva			
Amitriptylin	Saroten®	Mittel der 1. Wahl	Mittel der 1. Wahl, Sgl. gut überwachen
Clomipramin	Anafranil®	Besser Sertralin o. Citalopram	Präparat geht in die Muttermilch über, Schädigungen beim Sgl. bisher nicht bekannt
Imipramin	Tofranil®	Besser Sertralin o. Citalopram	
Lithiumcarbonat	Lithium-Apogepha®	In den ersten 4 Schwangerschaftsmon. u. sub partu kontraindiziert, Herzfehlbildungen	KI
Tranquillanzien, Hypnotika			
Bromazepam	Lexotanil®	Besser Diazepam o. Lorazepam	In höherer Dosierung o. bei Langzeitther. kontraindiziert
Chlordiazepoxid	Librium®		
Diazepam	Valium®	Nur zur Kurzzeittherapie	
Lorazepam	Tavor®		
Oxazepam	Adumbran®		
Neuroleptika (Butyrophenone, Phenothiazine)			
Haloperidol	Haldol®	Strenge Ind.-Stellung	Strenge Ind.-Stellung, Sgl. gut überwachen
Levomepromazin	Levopromazin-neuraxpharml®	Im 1. Trim. insgesamt schwache Assoziationen mit kardiovaskulären Fehlbildungen möglich, Promethazin Mittel der 1. Wahl	KI, Neigung zur Kumulation
Perphenazin	Perphenazin-neuraxpharm®		
Promethazin	Promethazin-neuraxpharm®		
Fluoxetin	Fluctin®	Besser Sertralin u. Citalopram	Strenge Ind.-Stellung, Sgl. gut überwachen
Paroxetin	ParoLich®	Strenge Ind.-Stellung, abruptes Absetzen vermeiden	
Sertralin	Sertra®	Mittel der Wahl	Mittel der 1. Wahl
Citalopram	Cipramil®	Mittel der Wahl	Mittel der 1. Wahl
Fluvoxamin	Fevarin®	Besser Sertralin u. Citalopram	Strenge Ind.-Stellung, Sgl. gut überwachen

7.22 Rhinologika

▶ Tab. 7.20.
- **Phenylephrin** (α-Sympathomimetikum): → lokal zur Abschwellung der Nasenschleimhaut o. als Mydriatikum. Eine systemische Ther. ist möglich.
- **Oxymetazolin, Xylometazolin** (Imidazolderivate): ausschließlich Affinität zu α-Rezeptoren → nur lokale Anwendung. Keine NW in Grav. u. Stillzeit.
- **Dimetinden:** systemische Anwendung. Wichtigste NW ist zentral-dämpfender Effekt, bei Kindern deutlich ausgeprägter als beim Erw.

Freiname	Handelsname (Beispiel)	Schwangerschaft	Stillzeit
Tab. 7.20 Rhinologika in Schwangerschaft und Stillzeit			
Systemische Therapie			
Carbinoxamin	Rhinopront®	Strenge Ind.-Stellung, besser Loratadin	Strenge Ind.-Stellung
Dimetinden	Vibrocil®		Substanz geht in die Muttermilch über, Schädigungen beim Sgl. nicht bekannt
Loratadin	Lora Adgc®	Mittel der 1. Wahl	Mittel der 1. Wahl
Lokale Therapie			
Oxymetazolin	Nasivin®	Keine Bedenken	Keine Bedenken
Xylometazol	Olynth®		

7.23 Schilddrüsentherapeutika

▶ Tab. 7.21.

Klinik
- Jodmangel bzw. Hypothyreose bei Schwangeren: Verdopplung der Fehlgeburtenrate, erhöhte Frühgeburtlichkeit u. Entwicklung einer Struma
- Hyperthyreose: in Frühgrav. u. Postpartalzeit erhöhte Krankheitsaktivität. 2. u. 3. Trim. remissionsbegünstigend

Therapie Ein M. Basedow in der Grav. sollte thyreostatisch behandelt werden. Eine Hyperthyreose wirkt teratogen, nicht jedoch niedrig dosierte Thyreostatika. Mittel der Wahl sind Propylthiouracil u. Thiamazol: initial 10–20 mg/d, Erhaltungsdosis 2,5–5 mg/d, keine Komb. mit Levothyroxin, Auslassversuch im 2. Trim. möglich. Erhöhte Rezidivgefahr in der Laktationsphase (Überwachung notwendig), niedrig dosierte Thyreostatika (Thiamazol bis 15 mg/d u. Propylthiouracil bis 150 mg/d) sind unbedenklich.

Eine prophylaktische Jodsubstitution von 200 µg/d wird in Grav. u. Stillzeit empfohlen; jodhaltige Expektoranzien, Desinfektionsmittel etc. sind in der Grav. zu vermeiden.

Tab. 7.21 Schilddrüsentherapeutika in Schwangerschaft und Stillzeit

Freiname	Handelsname (Beispiel)	Schwangerschaft	Stillzeit
Schilddrüsenhormone			
Levothyroxin	Euthyrox®	Genaue Dosisüberwachung in der Grav.	Keine Bedenken (physiol. Substanz)
Jod	Jodetten®	Zur Prophylaxe 200 µg/d empfohlen	
Thyreostatika			
Carbimazol	Carbimazol-Henning®	Plazentagängig, möglichst niedrige Dosierung	Hohe Dosen sind KI
Perchlorat	Irenat®	KI	
Thyreostatika			
Thiamazol	Favistan®	Möglichst niedrige Dosierung	
Thiouracil	Propycil®	Mittel der Wahl	Geringe Ausscheidung über die Muttermilch, kein absolutes Stillverbot

7.24 Virostatika

▶ Tab. 7.22.

Falls notwendig, können auch Schwangere antiviral behandelt werden. Eine antivirale Therapie sollte vor Ablauf von 48 h nach Symptombeginn gestartet werden.

- **Aciclovir** (Zovirax®): bei äußerer Anwendung unproblematisch, eine systemische Gabe in der Spätschwangerschaft ist nur bei disseminierter Herpes- o. Varizellenerkr. indiziert.
- **Amantadin** (Amantadin-CT®): sollte in der Schwangerschaft nicht zur Ther. der Influenza eingesetzt werden. Verschiedene Fehlbildungen wurden in der Literatur beschrieben.
- **Zidovudin®** ist als einziges Präparat zur Prophylaxe einer HIV-Transmission in der Grav. zugelassen. Nach heutiger Kenntnis ist eine Zidovudin-Monother. bei niedriger Viruslast ausreichend. Bei hoher Viruslast zusätzlich NNRTI (nichtnukleosidale Retrotranskriptasehemmer) o. Proteasen-Inhibitoren. Eine Teratogenität ist bislang für keine der Substanzen nachgewiesen, allerdings wurden Frühgeburtlichkeit u. fetale Anämien beschrieben.
- **Ribavirin** (Copegus®, Virazole®): in der Grav. nur bei vitaler Ind. erlaubt, im Tierversuch teratogen.
- **Brivudin** (Zostex®), **Cidofovir** (Vistide®), **Oseltamivir** (Tamiflu®), **Zanamivir** (Relenza®), **Entacavir** (Baraclude®) u. **Adefovir dipivoxil** (Hepsera®): nur bei zwingender Ind. in der Grav. Oseltamivir am besten erprobt.
- **Telbivudin** (Sebivo®) ist nicht embryotoxisch.

> Durch eine antiretrovirale Ther. in der Schwangerschaft u. eine elektive Sectioentbindung konnte die perinatale HIV-Transmission von 15 auf 2,6 % gesenkt werden.

Tab. 7.22 HI-Virostatika in Schwangerschaft und Stillzeit

Freiname	Handelsname (Beispiel)	Schwangerschaft	Stillzeit
Nukleosidanaloga (NRTI)			
Zidovudin	Retrovir®	Mittel der Wahl	NG von HIV-infizierten Müttern sollten nicht gestillt werden
Lamivudin	Epivir®	Strenge Ind.-Stellung, Teratogenität nicht bekannt	
Stavudin	Zerit®		
Didanosin	Videx®		
Abacavir	Ziagen®		
Nichtnukleosidale Retrotranskriptasehemmer (NNRTI)			
Nevirapin	Viramune®	Strenge Ind.-Stellung, hepatotoxisch, Frühgeburtlichkeit, Resistenzentwicklung	NG von HIV-infizierten Müttern sollten nicht gestillt werden
Etravirin	Intelence®		
Evavirenz	Sustiva®		
Proteaseinhibitoren			
Indinavir	Crixivan®	Strenge Ind.-Stellung, hepatotoxisch, nephrotoxisch	NG von HIV-infizierten Müttern sollten nicht gestillt werden
Ritonavir	Norvir®		
Saquinavir	Invirase®		
Fosamprenavir	Telzir®	Strenge Ind.-Stellung	
Atazanavir	Reyataz®		
Darunavir	Prezista®		
Lopinavir	Kaletra®	KI	

7.25 Zytostatika

Für die meisten Zytostatika gilt die Grav. als KI; in Tierversuchen u. beim Menschen starke teratogene Wirkungen. Auch wenn manche Zytostatika nur in nichttoxischen Konz. in der Muttermilch nachweisbar sind, sollte nicht gestillt werden.

8 Geburt
Joachim Steller

8.1 Vertrauliche Geburt 261	8.5.6 Sonstige Blutungsursachen 292
8.2 Kreißsaalaufnahme 261	**8.6 Lageanomalien** 293
8.2.1 Normaler Verlauf 261	8.6.1 Beckenendlage (BEL) 293
8.2.2 Kardiotokografie (CTG) 263	8.6.2 Querlage 296
8.2.3 Non-Stress-Test 269	8.6.3 Regelwidrige Schädellagen 297
8.2.4 Oxytocin-Belastungstest (Stresstest) 270	8.6.4 Einstellungsanomalien 298
8.2.5 Mikroblutanalyse (MBU) oder Fetalblutanalyse (FBA) 271	**8.7 Geburtsstillstand** 300
8.3 Normaler Geburtsverlauf 273	8.7.1 In der Eröffnungsperiode 300
8.3.1 Geburtsmechanik 273	8.7.2 In der Austreibungsperiode 301
8.3.2 Eröffnungsperiode 275	**8.8 Vorzeitiger Blasensprung** 301
8.3.3 Austreibungsperiode 276	**8.9 Vorfälle** 304
8.3.4 Nachgeburtsperiode 277	8.9.1 Nabelschnurvorfall 304
8.4 Analgesie 280	8.9.2 Vorfall kleiner Teile 305
8.4.1 Grundlagen 280	**8.10 Uterusruptur** 305
8.4.2 Anästhesiologisches Vorgehen bei Sectio caesarea 280	**8.11 Fetale Azidose** 306
8.4.3 Periduralanästhesie (PDA) 281	**8.12 Fetale Fehlbildungen** 307
8.4.4 Spinalanästhesie 282	8.12.1 Hydrozephalus 308
8.4.5 Pudendusblock 282	8.12.2 Anenzephalus 308
8.4.6 Spasmoanalgetika 283	8.12.3 Steißteratome 308
8.4.7 Lokalanästhesie 285	8.12.4 Potter-Sequenz (renofaziale Dysplasie) 308
8.4.8 Komplementärmedizinische Maßnahmen 285	8.12.5 Genetisch bedingte Fehlbildungen 309
8.5 Blutungen sub partu 288	**8.13 Mehrlingsgeburt** 309
8.5.1 Mögliche Ursachen 288	8.13.1 Terminplanung und Geburtsmodus 309
8.5.2 Placenta praevia 288	8.13.2 Geburtshilfliche Besonderheiten 309
8.5.3 Vorzeitige Plazentalösung 290	8.13.3 Geburtsleitung 310
8.5.4 Insertio velamentosa 291	**8.14 Geburtseinleitung** 311
8.5.5 Randsinusblutung 292	

8.15 Pathologische Nachgeburtsperiode 314
8.15.1 Mögliche Ursachen 314
8.15.2 Uterusatonie 314
8.15.3 Verletzungen der Geburtswege 316
8.15.4 Plazentalösungsstörungen 316

8.16 Fruchtwasserembolie (FWE) 317

8.1 Vertrauliche Geburt

Vertrauliche Geburt
Die Regelung will heimliche Geburten außerhalb von med. Einrichtungen unnötig machen u. verhindern, dass NG ausgesetzt o. gar getötet werden. Die vorgeburtliche Beratung u. Begleitung der Schwangeren erfolgt durch Beratungsstellen nach §§ 3 u. 8 Schwangerschaftskonfliktgesetz (SchKG). Der Schwangeren wird für mind. 16 J. Anonymität zugesichert. Die Pat. muss ihre Daten nur der Beraterin offenbaren, die zur Geheimhaltung verpflichtet ist. Die Daten werden versiegelt u. sicher verwahrt. Die persönlichen Daten der Mutter dürfen frühestens nach 16 J. u. nur vom Kind eingesehen werden (falls die Mutter zustimmt). Unter einem zuvor von der zuständigen Beratungsstelle vergebenen Pseudonym wird die Schwangere zur Geburt im Krankenhaus registriert. Adresse ist die Anschrift der zuständigen Beratungsstelle. Das Kind wird nach der Geburt vom Jugendamt in Obhut genommen. Es wird unter einem behördlich festgelegten Namen ins Geburtsregister eingetragen u. erhält einen Vormund. Die Abrechnung der Geburt erfolgt über das Bundesamt für Familie u. zivilgesellschaftliche Aufgaben (BAFzA), 50964 Köln, Telefon: 0221/3673-0, Hotline 0800/404 00 20. Homepage: www.geburt-vertraulich.de.

Anonyme Geburt
Die Schwangere gibt ihre Identität nicht preis, ihre Personenstandsdaten können nicht erfasst werden. Ihre Daten sind grundsätzlich von niemandem ermittelbar. Das Recht des Kindes auf Kenntnis der eigenen Abstammung ist hier nicht durchsetzbar u. steht dem Recht der Mutter auf informationelle Selbstbestimmung nach. Der Europäische Gerichtshof für Menschenrechte (EGMR) in Straßburg gewährt lt. Urteil vom 13.2.2003 Straffreiheit für Frauen, die sich entscheiden, für ihre Kinder Unbekannte zu bleiben. Anonym geborene Kinder haben auch in Zukunft keinen Anspruch darauf, die Identität ihrer Eltern zu erfahren. Eine Abrechnung der Entbindung ist in diesen Fällen nicht möglich, da kein Kostenträger hinterlegt ist. In D wird versucht, mithilfe der Regelungen zur „vertraulichen Geburt" eine Alternative zur anonymen Geburt zu schaffen.

8.2 Kreißsaalaufnahme

8.2.1 Normaler Verlauf

Indikationen
- Regelmäßige Wehen alle 10 min o. häufiger
- Blasensprung (auch bei Verdacht)
- Vag. Blutung in der Spätschwangerschaft
- Geplante Sectio caesarea (z. B. bei BEL)
- Terminüberschreitung > 7–10 d

Vorgehen bei Aufnahme
- **Kontrolle der fetalen Herztöne** durch Anlage eines CTG zur Aufzeichnung der Wehentätigkeit u. der fetalen Herzaktion (▶ 8.2.2)

- **Mutterpass:** Überprüfung von Geburtstermin u. Schwangerschaftsverlauf u. zur frühzeitigen Erkennung möglicher Risikofaktoren, z. B. vorausgegangene geburtshilfliche OP, Aborte, Blutgruppenunverträglichkeit, Diab. mell. (GDM), SIH, Lageanomalien u. fetale Wachstumsretardierung) B-Strept.-Befund, HbsAg
- **Anamnese:** Fragen nach internistischen Vorerkr., Allergien und v. a. gyn. u. abdom. OP. Genau nach Kürettagen u. Interruptiones fragen (wird häufig nicht erwähnt). Besonderheiten bei vorausgegangenen Entbindungen wie Dauer des Geburtsverlaufs, verstärkte peripartale Blutung, unvollständige Plazenta, vag.-op. oder op. Entbindung. Auffälligkeiten im jetzigen Schwangerschaftsverlauf wie Abortbestrebungen, vorzeitige Wehentätigkeit, Blutungen u. Abgang von Flüssigkeit aus der Vagina
- **Körperliche Untersuchung:** Perkussion u. Auskultation der Lunge, Auskultation des Herzens, Inspektion u. Palpation der Mammae, Nierenlager auf Klopfschmerz prüfen, Inspektion bes. der unteren Extremitäten auf Ödeme u. Varizen. Leopold-Handgriffe ▶ 5.2.1
- **Vag. Untersuchung** (▶ 5.2.2): Beurteilung von Länge der Portio, Eröffnung des Muttermunds (MM), vorangehendem Kindsteil, Höhenstand, Fontanellenlokalisation, Fruchtblase u. Beschaffenheit des Beckens. Ggf. Entnahme eines Vaginalabstrichs zur mikrobiol. u. Nativuntersuchung (v. a. bei vorzeitigem Blasensprung). Exakte Dokumentation des geburtshilflichen u. des inneren Beckenbefunds
- **Sono** (▶ 22.2): bei schmerzhafter Wehentätigkeit häufig nur orientierend möglich. Wichtig sind fetale Lage u. Herzaktion, Sitz der Plazenta, FW-Menge, biparietaler Kopfdurchmesser, Kopfumfang, Abdomenquerdurchmesser, Abdomenumfang u. Femurlänge. Fetale Gewichtsbestimmung
- **Blutentnahme:** bei geburtsreifem MM-Befund (ca. 3 cm) u./o. guter Wehentätigkeit Blutentnahme mit dem Legen einer großlumigen Braunüle® verbinden. Abgenommen werden sollten BB mit Thrombos, E'lyte, evtl. Gerinnung; zusätzlich bei:
  - V. a. EPH-Gestose: Gesamteiweiß, Krea, Harnsäure, Leberwerte u. Urinstatus
  - V. a. HELLP-Sy.: Leberwerte (Serum-GOT, Serum-GPT, GGT, Bili), Haptoglobin, Krea, Harnsäure, Urinstatus
  - PDA: INR, PTT (evtl. Fibrinogen)
  - BEL, Gemini, Z. n. Sectio o. a. KO bei früheren Entbindungen: INR, PTT, Blutgruppe
  - V. a. Blasensprung: CRP, BB
  - HbsAg, falls noch nicht durchgeführt o. vor der abgeschlossenen 32. SSW

Vorbereitung der Gebärenden Sofern die Aufnahmeuntersuchung keine Besonderheiten ergeben hat u. in nächster Zeit mit der Geburt gerechnet wird:
- Klysma zur Darmentleerung (ein voller Darm stellt ein Geburtshindernis dar)
- Vollbad bei erhaltener Fruchtblase o. Dusche bei gesprungener Fruchtblase u. fest in das Becken eingetretenem Kopf
- Bei anstehender Sectio Rasur zumindest suprapubisch
- Aufklärung der Schwangeren über den weiteren Geburtsablauf u. je nach Risikokonstellation (wie Terminüberschreitung, fetale Makrosomie, GDM, erhöhtes Risiko für Schulterdystokie etc.) über Alternativen zur vag. Geburt sowie über die verschiedenen Möglichkeiten der Analgesie unter der Entbindung (▶ 8.4)

- Evtl. Nahrungskarenz bei evtl. erforderlicher Vollnarkose; Braunüle® legen u. evtl. Infusionen mit glukosehaltigen Halb- o. Eindrittel-E'lytlsgn. (z. B. Sterofundin® BG-5 o. Sterofundin®)

8.2.2 Kardiotokografie (CTG)

Prinzip

Simultane Aufzeichnung von Mustern der fetalen Herzfrequenz (FHF) u. der Uterusaktivität (CTG = „cardiotocography"). Bei der Messung der HF kann entweder dopplersonografisch über die Bauchdecken o. dir. am kindlichem Kopf (o. Steiß) ein elektrisches Potenzial abgeleitet werden. Die FHF wird aus der Messung der Abstände zweier Herzaktionen berechnet. Die Kontraktionen des Uterus werden i. d. R. über einen mech. Druckaufnehmer über den Bauchdecken aufgezeichnet.

Ziel Frühzeitige Erkennung fetaler Gefahrenzustände zur rechtzeitigen Intervention. Unter der Geburt regelmäßige Intervallaufzeichnungen, in der späteren EP u. in der AP CTG-Dauerregistrierung.

Indikationen für eine antepartale CTG-Registrierung Mütterliche Anämie (Hb < 10 g/dl), fetale Arrhythmien, Blutungen in der Spätschwangerschaft, Blutgruppeninkompatibilität, Bluthochdruck (≥ 140/90 mmHg), Diab. mell., suspekte fetale Dopplerbefunde, Drogen- o. Nikotinabusus, Polyhydramnion (AFI > 25 cm), virale o. bakt. Inf. (z. B. Parvovirus B19, AIS), verminderte Kindsbewegungen, orthostatische Probleme bei der Mutter, Mehrlingsschwangerschaft, Oligohydramnion („single pocket" < 2 cm), Terminüberschreitung > 7 d, abdom. Trauma, vorzeitige Wehen o. drohende Frühgeburt, fetale Wachstumsretardierung (< 10. Perzentile).

Durchführung

- Papiervorrat vor Anlegen des CTGs prüfen; CTG-Streifen mit Datum, Uhrzeit, Name, Vorname, Geburtsdatum, errechnetem Termin o. SSW u. derzeitiger Medikation beschriften. Mindestregistrierdauer = 30 min, Schreibgeschwindigkeit 1 cm/min. Bei suspektem FHF-Muster ist die Registrierung zu verlängern.
- Kindslage u. Stellung bestimmen (Leopold-Handgriffe ▶ 5.2.1).
- Pat. in Linksseitenlage bringen, um Vena-cava-Kompression zu vermeiden.
- Tokografie-Aufnehmer über dem Fundus mit elastischem Gurt befestigen. Bei Gummi-Allergie Textilgurte verwenden.
- Max. der kindlichen Herztöne meist über dem kindlichen Rücken.
- Transducer mit Ultraschallgel vorbereiten u. mit Gurt fixieren.
- Bei guter Aufzeichnung Papiervorschub anstellen (1 cm/min), Registrierung über mind. 30 min.
- Bei path. Mustern ggf. Weckversuch, Lagewechsel (andere Seite, Becken hoch) u./o. Partusisten-intrapartal® (▶ 8.11), O_2-Gabe, evtl. fetale BGA, MBU (▶ 8.2.5), Ausnahme: Austreibungsperiode, stattdessen ggf. vag.-op. Entbindung.

Kopfschwartenelektrode (KSE)
- Bei bes. Ind. wie schlecht abzuleitenden Herztönen, path. CTG, Gemini etc.
- **Durchführung:** Abspülen der Vulva (z. B. mit Octenisept®), vag. Untersuchung (▶ 8.2.1). Einführen der Elektrode im Führungsstab (geringere

> Verletzungsgefahr) u. Aufsetzen am tiefsten Punkt des vorangehenden Teils, **nicht** über einer Fontanelle. Einbringen der Elektrode in die Kopfhaut mit einer 180°-Drehung im Uhrzeigersinn. Entfernen der Einführhilfe. Anschluss an das CTG, bei guter Registrierung Papiervorschub anstellen, Legen der KSE dokumentieren.
> - Max. 1 % fetales Infektionsrisiko. Nur bei geöffneter Fruchtblase o. mit gleichzeitiger Amniotomie möglich, nicht bei Placenta praevia!

Auswertung

> **Grundfragen an das CTG**
> - HF des Fetus (Baseline, Basisfrequenz)
> - Oszillationsamplitude (Bandbreite)
> - Oszillationsfrequenz (Nulldurchgänge)
> - Akzelerationen o. Dezelerationen

Die Kardiotokografie erlaubt in 99 % d. F. die Vorhersage der Geburt eines lebensfrischen Kindes bei Registrierung eines normalen HF-Musters. Path. HF-Muster, die einen O_2-Mangel des Kindes in utero signalisieren, lassen sich frühzeitig erkennen (hohe Sensitivität der Methode). Nur schwacher Zusammenhang zwischen path. HF-Mustern u. klin. Zustand des Kindes bei Geburt (geringe Spezifität der Methode). Path. HF-Muster sind nach Möglichkeit zu verifizieren. Häufigkeit der kindlichen Zerebralparese in den letzten 30 J. weitgehend konstant (0,2 %). In < 10 % d. F. bestand dabei eine schwere Asphyxie unter der Geburt.

Zusammenhang zwischen intrapartalem O_2-Mangel des Kindes u. schweren neurol. Spätfolgen nur möglich, wenn schwere u. anhaltende Asphyxie im CTG klin. mit protrahierter Kreislaufzentralisation u. extremer metab. Azidämie bei Geburt kombiniert ist:
- Anhaltende schwere CTG-Alterationen.
- Persistierend (> 5 min) erniedrigter Apgar von < 5.
- Schwere Azidämie vom metab. Typ (pH < 7,00).
- Base Excess (BE) ≥ –16.
- Neurol. Symptome (Krämpfe, Koma, Hypotonien) in der Neonatalphase.
- Multiorganschäden (Herz-Kreislauf, gastrointestinal, renal, pulmonal).
- Die kindlichen Multiorganschäden sollten laborchem. bestätigt werden.

Fetale Herzfrequenz

Baseline Mittelwert der FHF über 5–10 min. Norm: 120–160 SpM.

Tachykarde Veränderungen
- **Antepartale Tachykardien** treten bei etwa 5 % der Feten auf, z. B. bei Stress, Hypotonie, Fieber der Mutter, nach akustischen o. taktilen Reizen o. unter pharmakol. Beeinflussung (Betamimetika). Eine derartige Tachykardie sollte spätestens nach 2 h sistieren, andernfalls ist nach anderen Ursachen (z. B. AIS) zu fahnden. Bei fetalen Arrhythmien finden sich häufig schwere Tachykardien von > 180/min. Eine Hypoxietachykardie ist meist mit weiteren path. CTG-Veränderungen vergesellschaftet (eingeengte o. silente Oszillation, fehlende Akzelerationen, Dezelerationen etc.).
  - Leichte Tachykardie: Anstieg der HF über 10 min auf > 160/min

- Schwere Tachykardie: Anstieg der HF über 10 min auf > 180/min
- **Akzeleration:** Frequenzbeschleunigung über ≤ 10 min. Physiol. kindliche Reaktion auf Stress o. in Komb. mit spontanen o. induzierten Kindsbewegungen. Fehlende Akzelerationen können eine kindliche Beeinträchtigung anzeigen (Kind kann aber auch schlafen → ggf. Weckversuch).

Bradykardie
- **Bradykardien** können auftreten infolge von Dauerkontraktionen, beim Vena-cava-Sy., bei Störungen der kardialen Reizbildung (selten!). Sie können auch zentral bedingt sein (z. B. beim Anenzephalus). Die Hypoxiebradykardie tritt häufig begleitet von weiteren vorherigen CTG-Alterationen auf (silentes CTG, Verminderung der Umkehrpunkte etc.) u. stellt eine Ind. zur sofortigen Geburtsbeendigung dar.
  - Leichte B.: Abfall der HF über 3 min auf < 120/min
  - Schwere B.: Abfall der HF über 3 min auf < 100/min
- **Dezeleration** (▶ Abb. 8.1, ▶ Abb. 8.2):
  - *Typ I* (= Frühdezeleration, „Einer-Dip"): zeitgleich zur Wehentätigkeit Abfall der HF um > 20 SpM (spiegelbildlich zur Wehe). Kindliche Vagusreaktion bei Druckerhöhung auf den kindlichen Kopf. Persistenz > 30 min stellt Ind. zur Tokolyse sub partu dar, ggf. MBU (▶ 8.2.5).
  - *Typ II* (= Spätdezeleration, „Zweier-Dip"): Frequenzabfall erst nach dem Höhepunkt der Wehe, regelmäßig bei hypoxischen Gefährdungen des Kindes. **Vorgehen:** umgehender Lagewechsel, O_2-Gabe und i. v. Tokolyse (z. B. mit Partusisten intrapartal®), evtl. MBU (▶ 8.2.5) erforderlich. Bei Persistenz Ind. zur umgehenden Geburtsbeendigung.
  - *Variable Dezeleration:* Komb. von Typ I u. Typ II, häufig als Zeichen einer Nabelschnur-KO. **Vorgehen:** Lagewechsel, i. v. Tokolyse, O_2, evtl. MBU. Bei anhaltenden Dezelerationen u./o. ungünstigen Zusatzkriterien (Abflachung der Anstiegssteilheit, Nichterreichen der vorherigen Frequenz, ge-

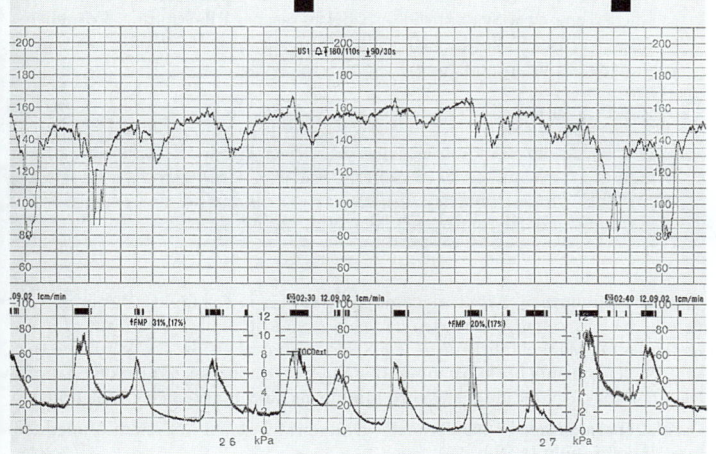

Abb. 8.1 CTG mit eingeschränkter Oszillation und Dip II [M454]

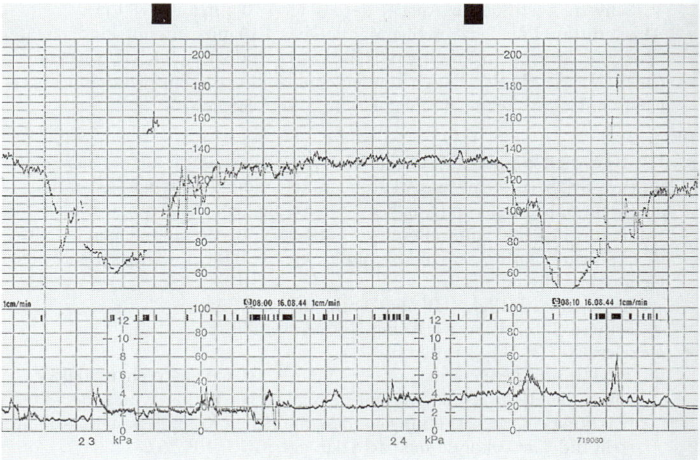

Abb. 8.2 Schwere variable Dezelerationen [M454]

doppelte Dezeleration, Oszillationsverlust) sowie evtl. erniedrigtem pH bei der MBU → op. Geburtsbeendigung erforderlich.
- *Typ 0* (= Spike, Dip 0): kurzfristiger Frequenzabfall (< 30 s) unabhängig von Wehentätigkeit. Dip 0 können ohne erkennbare Ursache auftreten o. Ausdruck eines kindlichen Singultus sein. Sie stellen ggf. eine Ind. zur intensiveren CTG-Überwachung dar. Häufige Dip 0 können auf eine Nabelschnur-KO hinweisen.
- **Prolongierte Dezeleration** („Badewanne"): tiefe Dezeleration mit sehr langsamer Erholung (über mehrere Min.) sub partu bei Dauerkontraktionen, Vena-cava-Sy., nach PDA o. bei zu rascher RR-Senkung. **Vorgehen:** Lagewechsel, Tokolyse, evtl. Volumensubstitution. Bei Persistenz umgehende Geburtsbeendigung.

> Dezelerationen müssen grundsätzlich als Warnsignale drohender hypoxämischer Gefährdung angesehen werden. Der Grad der Gefährdung des Kindes korreliert mit Gestationsalter, Ursache u. Ausprägung der Dezelerationen, bek. geburtshilflichen Risiken (z. B. AIS, Plazentainsuff. bei IUGR) u. den begleitenden Veränderungen des Säure-Basen-Status.

Oszillationsfrequenz Anzahl der Änderung der HF je Zeiteinheit. Bestimmt werden die Nulldurchgänge (Kreuzen der gedachten Mittellinie) pro Minute. Ein anhaltender O_2-Mangel führt zur fetalen Kreislaufzentralisation: Das kindliche Herz schlägt gleichförmig bei konstantem Blutangebot. Dadurch sinkt die Oszillationsfrequenz auf < 6 Nulldurchgänge pro Minute bis hin zum silenten Oszillationstyp.

Oszillationsamplitude (= Bandbreite) Differenz zwischen höchstem u. niedrigstem Umkehrpunkt (▶ Abb. 8.3).
- Saltatorische Bandbreite: > 25 SpM
- Undulatorische Bandbreite (Normalbefund): 10–25 SpM

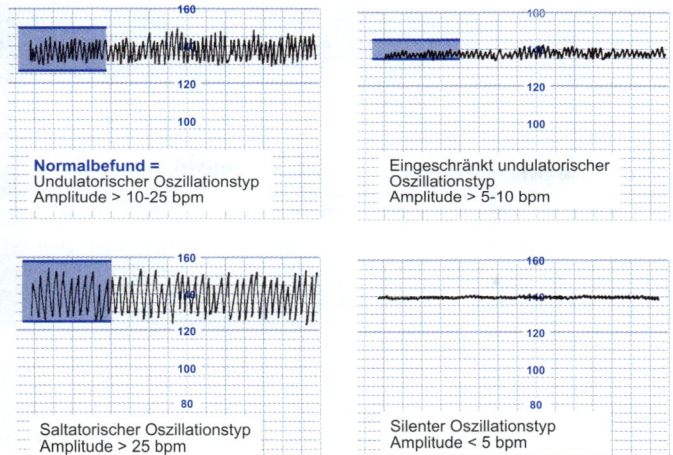

Abb. 8.3 Oszillationsamplitude der Herzfrequenz im CTG [L190]

- Eingeengte Bandbreite: 5–10 SpM
- Silente Bandbreite: < 5 SpM
- ! Ein **saltatorischer** Oszillationstyp kann auf eine Nabelschnur-KO hinweisen u. gilt als Warnsymptom.
- ! Eingeschränkt undulatorische o. silente Oszillationstypen finden sich bei Hypoxiegefährdung, treten aber auch unter zentralsedierenden Pharmaka o. beim physiol. Ruhezustand des Feten auf (Verschwinden nach Weckversuch). Bisweilen auch bei Schwangeren, die zu wenig Flüssigkeit aufgenommen haben. Maßnahme: Infusion mit ggf. kurzfristiger Besserung des Oszillationstyps.
- ! Betarezeptorenblocker u. a. Antihypertonika können eine Blockade des sympathischen Nervensystems des Feten verursachen (Abflachung von Akzelerationen, Brady- o. Tachykardien).

Fischer-Score In Anlehnung an den Apgar-Score werden 5 Kriterien mit je 0–2 Punkten bewertet (▶ Tab. 8.1). Voraussetzungen: Registrierung über mindestens 30 Min., das jeweils ungünstigste Kriterium wird berücksichtigt. Gilt lediglich für die antenatale, nicht für die subpartale CTG-Beurteilung.

Tab. 8.1 Fischer-Score			
Punkte	0	1	2
Baseline (SpM)	< 100 o. > 180	100–110 o. 160–180	110–160
Bandbreite (SpM)	< 5	5–10 o. > 25	10–25
Nulldurchgänge/Min.	< 2	2–6	> 6
Akzelerationen	keine	periodisch	sporadisch

Tab. 8.1 Fischer-Score *(Forts.)*

Punkte	0	1	2
Dezelerationen	späte, variable D. mit ungünstigen Zusatzkriterien*	variable	keine, sporadische Dip 0

Beurteilung:
- 8–10 Punkte: normaler fetaler Zustand anzunehmen
- 5–7 Punkte: Warnsignal (CTG unter Belastung angezeigt)
- ≤ 4 Punkte: bedrohliche fetale Gefährdung (Schwangerschaftsbeendigung)

* Ungünstige CTG-Zusatzkriterien: flacher Wiederanstieg, Oszillationsverlust in der Dezeleration, Verlust der kurzen Akzeleration vor der Dezeleration, Fortbestehen der kompensatorischen Akzeleration nach der Dezeleration, ursprüngliche Basalfrequenz wird nicht erreicht, gedoppelte Dezelerationen

FIGO-Score Subpartale Überwachung bei risikofreier Schwangerschaft kontinuierlich o. intermittierend alle 30 min bis max. 2 h. In der späten Eröffnungs- u. Austreibungsperiode kontinuierliches CTG. Bei Risikogeburt kann kontinuierliche CTG-Überwachung während gesamter Eröffnungs- u. Austreibungsperiode erforderlich sein (▶ Tab. 8.2).

Tab. 8.2 Modifizierter FIGO-Score

Parameter	Grundfrequenz (SpM)	Bandbreite (SpM)	Dezelerationen (D.)	Akzelerationen
Normal	110–160	≥ 5	keine	sporadisch vorhanden
Suspekt	100–109 161–180	< 5 und ≥ 40 min, > 25	frühe variable D.*, einzelne verlängerte D. bis 3 min	periodisch mit jeder Wehe
Pathologisch	< 100; > 180; sinusoidal (≥ 10 SpM, Dauer ≥ 10 min)	< 5 und > 90 min	atypische variable D, einzelne variable D. > 3 min	Fehlen ≥ 40 min

Beurteilung:
- **Normal:** alle vier Beurteilungskriterien normal
- **Suspekt:** mind. ein Beurteilungskriterium suspekt, alle anderen normal
- **Path.:** mind. ein Beurteilungskriterium path. bzw. ≥ 2 suspekt
- Bei suspektem CTG intensivierte Überwachung. Bei path. CTG (≥ 2 suspekte o. 1 path. Parameter) Einleitung geeigneter Maßnahmen (z. B. Lagewechsel, Tokolyse, MBU etc.) erforderlich. Keine invasiven Maßnahmen bei fehlenden Akzelerationen

Kinetokardiotokografie (K–CTG)

Aufzeichnung der fetalen Körper- u. Extremitätenbewegungen mithilfe des Ultraschalldopplers nach Anzahl u. Dauer, die durch unterschiedliche Balkenlängen auf einem dritten Kanal aufgezeichnet werden. Liefert als weiteres Kriterium zur Interpretation der FHF die Einbeziehung fetaler Bewegungsprofile während Schlaf- u. Wachrhythmen. Eine Verkürzung der Dauer fetaler Kindsbewegungen ist ein früher Hinweis auf eine drohende Gefährdung.

Automatisierte CTG-Auswertung
Computerisierte Analyse der antenatalen FHF (elektronische Online-Auswertung) nach den sog. Dawes-Redman-Kriterien mit dem Ziel einer fetalen Zustandsbeurteilung in kurzer Zeit (10 Min). Standardisiertes optionales Programm in Fetalmonitoren.

ST-Strecken-Analyse (STAN) bei direktem fetalem EKG
Messbarer Anstieg der T-Wellen-Amplitude infolge eines vermehrten Glykogenabbaus der Myokardzellen während der Geburt ab der 36. SSW. Bei path. Signalen häufig weit fortgeschrittene fetale Hypoxämie/Hypoxie.

Fetale Pulsoxymetrie
Messung der subpartalen O_2-Sättigung $FSpO_2$ an der kindlichen Wange o. am Skalp. Nach derzeitiger Datenlage nicht empfohlen.

Weitere Methoden für die fetale Zustandsbeurteilung
- Beurteilung des FW-Volumens: jenseits des Geburtstermins empfindlichster Parameter hinsichtlich der Vorhersage einer Geburtsazidose (verminderte FW-Menge frühes Hinweiszeichen für beginnende Plazentainsuff. mit erhöhter perinataler Morbidität. Ab 37 + 0 SSW nimmt FW-Menge um ca. 30 %/Wo. ab (▶ 5.2.7).
- Beurteilung der Plazenta (vermehrte Kalkeinlagerungen u. Infarktareale = Reifegrad 3). Geringe Aussagekraft über fetale Gefährdungssituation (▶ 22.2.4).
- Doppler-Sono: (führt in 30 % d. F. zur Reduktion der perinatalen Mortalität, ohne die op. Interventionsrate zu erhöhen) (▶ 22.2.5).

8.2.3 Non-Stress-Test

 Der Non-Stress-Test berücksichtigt ausschließlich das Vorkommen von Akzelerationen in Abhängigkeit von spontanen o. induzierten Kindsbewegungen.

Durchführung
- CTG-Registrierung möglichst in Linksseitenlage (zur Vermeidung eines Vena-cava-Kompressionssy.)
- Werden keine spontanen Akzelerationen beobachtet, nach 20 min Weckversuch (akustisch z. B. durch Klingeln, Rasseln o. mech. durch inneren o. äußeren Reiz, z. B. durch vag. Untersuchung, Lagewechsel)

Auswertung
- Progn. günstig, wenn in einem Zeitraum von 20 min mind. zwei spontane Akzelerationen von 15 SpM u. 15 s Dauer auftreten.
- Werden zwei o. mehr Akzelerationen in den folgenden 20 min nach Weckversuch beobachtet, ist Normalzustand anzunehmen.
- Falls spontan o. nach Weckversuch keine Akzelerationen zu verzeichnen sind u. ein path. CTG-Befund zu erheben ist, ist eine intrauterine Gefährdung wahrscheinlich. Bei kindlicher Reife Ind. zur Schwangerschafts-/Geburtsbeendigung stellen.

8.2.4 Oxytocin-Belastungstest (Stresstest)

Definition Registrierung des FHF-Musters unter Belastung durch medikamentös hervorgerufene Wehen zur Simulation der physiol. Geburtsbelastung des Feten bzw. Erprobung der plazentaren Leistungsreserve.
Cave: Falsch-positiv-Rate von ca. 50 %, als reiner Belastungstest nicht mehr zu empfehlen.

> Wegen der hohen Falsch-positiv-Rate, der schlechten Reproduzierbarkeit u. der mangelnden Spezifität wird der Oxytocin-Belastungstest heute nur noch selten eingesetzt, eher im Sinne einer Geburtseinleitung.

Indikationen Fetale Wachstumsretardierung, suspektes CTG, Oligohydramnion, Terminüberschreitung.

Kontraindikationen Präexistente CTG-Veränderungen, die auf eine vitale Gefährdung des Kindes hinweisen. Ausreichende Wehentätigkeit, drohende Frühgeburt, Placenta praevia, Querlage.

Durchführung In Terminnähe bzw. wenn ausreichende fetale Reife zu erwarten ist.
- Pat. nüchtern lassen, ggf. Labor (BB, E'lyte, Gerinnung, Blutgruppe), Anlegen eines ausreichenden i. v. Zugangs
- CTG-Registrierung in Linksseitenlage über 15 min am wehenlosen Uterus (Vorlauf)
- Zeigen sich eingeschränkt undulatorische o. silente HF-Muster → Weckversuch
- Oxytocin 3 IE (z. B. Orasthin® 0,5 ml) in 500 ml Glukose 5 % o. NaCl 0,9 % i. v. über Infusomaten. Beginn mit 15 ml/h, Steigerung um 15 ml/h alle 15 min bis zum Auftreten von regelmäßigen, gut tastbaren Kontraktionen über 30 min. Dosierung i. d. R. 60 ml/h, max. 180 ml/h. Spätestens nach Infusion von 500 ml Beendigung des Stresstests
- Fortsetzung der CTG-Registrierung bis zum Sistieren der Wehen, mind. für weitere 30 min nach Infusionsende (Nachlauf)
- CTG-Kontrolle nach 2 h
- Bei Überstimulation mit Anstieg des Basaltonus u. evtl. path. HF-Muster: Beendigung der Oxytocin-Zufuhr u. Tokolyse (▶ 8.11)
- Bei unauffälligem CTG-Muster weiteres Abwarten gerechtfertigt

> **Weitere Belastungstests**
> - **Prostaglandin-Belastungstest:** Nach intrazervikal o. intravag. appliziertem PgE$_2$-Gel z. B. 0,5 (1, 2) mg (z. B. Prepidil® Gel, Minprostin® E2 Vaginalgel) sind bei etwa 85 % der Pat. nach etwa 10 min unkoordinierte Uteruskontraktionen zu erwarten, bei 15 % eine regelmäßige Wehentätigkeit. Ind. daher erst ab der 37. SSW
> - **Kniebeugen-Belastungstest** nach Saling: Durch körperliche Belastung in Form von 10–15 Kniebeugen kommt es zur kurzzeitigen uterinen Minderdurchblutung, die im Normalfall keine Änderung der FHF zur Folge hat. Tritt infolge eingeschränkter Reservekapazität der Plazenta eine Dezeleration auf, ist der Test als path. zu werten (falsch pos. auch bei orthostatischer Dysregulation, daher evtl. Behandlung mit Effortil®)

- **Mamillenstimulationstest:** wegen fehlender Steuerbarkeit der körpereigenen Oxytocinausschüttung nicht anwenden!

Vena-cava-Kompressionssyndrom
Druck des Uterus in Rückenlage auf V. cava inf. u. Beckenvenen, hierdurch verminderter venöser Rückfluss zum Herzen mit konsekutivem Abfall von HMV u. RR (v. a. in den letzten SSW). Bei Ablauf einer Wehe o. Presswehe kommt es zur Aufrichtung des Uterus u. Dekompression der V. cava inf., insofern ist während der Presswehen die Rückenlage ungefährlich.

Klinik
- Mutter: Puls- u. Atemfrequenz steigen, RR-Abfall, Schwindel, Übelkeit, ggf. Bewusstseinsverlust
- Kind: Abfall der HF, typisches CTG: Die Vena-cava-Dezeleration gleicht einer länger anhaltenden prolongierten Dezeleration (▶ 8.2.2). Bei Vena-cava-Dezeleration Lage der Pat. auf CTG notieren!
- KO: vorzeitige Plazentalösung (▶ 8.5.3)

Differenzialdiagnosen Orthostatische Dysregulation, Hypotonie nach Spinal- o. Periduralanästhesie, Volumenverlust.

Therapie Linksseitenlage, CTG in Seitenlage.

Auch bei PDA u. Sectio caesarea, daher OP nur in Linksseitenlage (▶ 15).

8.2.5 Mikroblutanalyse (MBU) oder Fetalblutanalyse (FBA)

Indikationen
- V. a. intrauterine fetale Hypoxie. Die MBU setzt voraus, dass die Fruchtblase gesprungen ist o. eröffnet wurde u. die Blutentnahme aus der Kopfhaut möglich ist (▶ Tab. 8.3).
- Anhaltende fetale Tachykardien o. Bradykardien.
- Mittelschwere u. schwere Dezelerationen, leichte Spätdezelerationen, anhaltende Frühdezelerationen.
- Abnahme der Oszillationsfrequenz < 2/min bzw. eine Bandbreite < 10 SpM.
- Jede Form subjektiv o. objektiv schwer zu interpretierender CTG-Befunde.

Tab. 8.3 MBU-Auswertung (nach Saling)	
pH	Auswertung
≥ 7,25	Normal
7,20–7,24	Präazidose (während der Eröffnungsphase → Kontrolle nach 5 min)
7,15–7,19	Leichte Azidose (latente Gefährdung, Kontrolle nach 2 min)
7,10–7,14	Mittelgradige Azidose (Gefährdung, umgehend Entbindung)
7,05–7,09	Fortgeschrittene Azidose (höchste Gefahr)
< 7,05	Schwere Azidose

- Steht der kindliche Kopf bereits im Beckenausgang, ist auf eine MBU zu verzichten u. stattdessen eine vag.-op. Geburtsbeendigung anzustreben.

Risiken und Fehler Nachblutungen u. Inf. der Inzisionsstelle sind selten. Falsche Werte bei Geburtsgeschwulst, Luftbeimengungen, zu langer Lagerung der Blutprobe u. falscher Eichung des BGA-Geräts.

Kontraindikationen HIV-Positivität, floride Hepatitis, florider Herpes genitalis o. Gerinnungsstörungen. In der Austreibungsperiode besser vag.-op. Geburtsbeendigung.

Durchführung Möglichst rasch, spätestens 5–10 min nach der beobachteten CTG-Alteration Lagerung der Pat. in Steinschnittlage (Beinhalter) o. Seitenlage, äußeres Genitale säubern (z. B. Octenisept®). Einführen des größtmöglichen Amnioskops. Evtl. Betupfen der Inzisionsstelle mit Paraffinöl, um Tropfenbildung zu begünstigen. Inzision mit einer 2 mm langen Klinge (bei unzureichender Kapillarblutgewinnung V-förmige Inzision), Auffangen der Blutstropfen in einer heparinisierten Glaskapillare, Luftbeimengung vermeiden (▶ Abb. 8.4).

> **Kritische Grenze, die geburtshilfliches Handeln erforderlich macht**
> - In der Eröffnungsperiode pH 7,25
> - In der Austreibungsperiode pH 7,20
> - Bei fortschreitendem Abfall in den prä- o. azidotischen Bereich intrauterine Reanimation (▶ 8.11) u. op. Geburtsbeendigung (▶ 9.5 u. ▶ 9.3)

> **Basendefizit**
> Weiterer Parameter zur Beurteilung der Gefährdung:
> - Normales Basendefizit, Anstieg des CO_2 → respir. Azidose: bei kurzfristiger Nabelschnurkompression
> - Hohes Basendefizit, normales CO_2 → metab. Azidose: bei lang anhaltenden Durchblutungsverminderungen

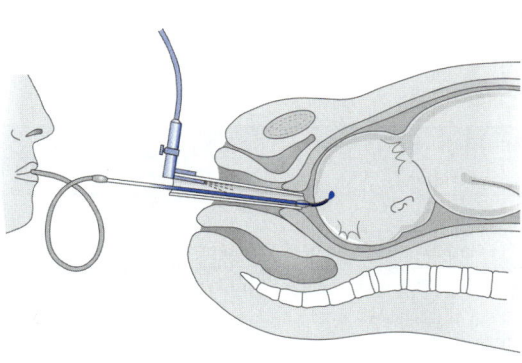

Abb. 8.4 Technik der Fetalblutentnahme [L157]

8.3 Normaler Geburtsverlauf

8.3.1 Geburtsmechanik

 Der normale Geburtsverlauf teilt sich ein in drei Phasen:
- Eröffnungsperiode
- Austreibungsperiode
- Nachgeburtsperiode

Anatomische Voraussetzungen Die Form des Beckens wird bestimmt durch den **querovalen** Beckeneingang, die nahezu kreisförmige Beckenmitte u. den **längsovalen** Beckenausgang. Da Kopfform sowie Schultergürtel des Kindes ebenfalls in etwa einem Oval entsprechen, muss das Kind beim Durchtritt durch das Becken insgesamt 5 Drehbewegungen ausführen. Um das Durchtrittsplanum zu verkleinern, kommt es zur Beugung (Flexion) des Kopfes (wer einem Kind ein enges Kleidungsstück über den Kopf ziehen will, weiß, dass dieses am besten vom Hinterhaupt aus gelingt!). Beim Durchtritt des Kopfes am Beckenausgang erfolgt dann die Deflexion.

1. **Eintritt in den Beckeneingang:** Um optimal in den Beckeneingang eintreten zu können, stellt sich der Kopf quer ein (1. Drehung). Der Rücken des Kindes ist also seitlich, die Pfeilnaht ist bei der vag. Untersuchung quer zu tasten. Da noch keine Flexion eingesetzt hat, sind häufig sowohl große als auch kleine Fontanelle tastbar (▶ Abb. 8.5a).
2. **Durchtritt durch die Beckenhöhle:** Beim Passieren der Beckenhöhle macht der Kopf drei passive Bewegungen gleichzeitig:
   - Tiefertreten
   - Flexion (Kinn auf der Brust; 2. Drehung)
   - Rotation (Drehung um 90°, sodass das Kind zum Rücken der Mutter schaut; 3. Drehung)
3. Durch die Flexion gelangt die kleine Fontanelle in die Führungslinie, die große Fontanelle ist nicht mehr tastbar. Die Drehung des Kopfes bewirkt zunächst eine Schrägstellung der Pfeilnaht (▶ Abb. 8.5b). Ist die Rotation abgeschlossen, tastet sich die Pfeilnaht vertikal (Kopf ist „ausrotiert", Pfeilnaht „gerade", ▶ Abb. 8.5c).
4. **Austritt aus dem Beckenausgang:** Die eigentliche Geburt des Kopfes besteht in einer Deflexion, wobei die mütterliche Symphyse für den Hinterkopf als Anstemmpunkt dient (4. Drehung). Es werden also nacheinander Hinterhaupt, Vorderhaupt, Stirn, Gesicht u. Kinn über den Damm geboren (▶ Abb. 8.5d).
5. **Äußere Drehung:** Im Moment der Geburt des Kopfes am längsovalen Beckenausgang passen die Schultern genau in den querovalen Beckeneingang hinein. Zur Geburt der Schultern muss jetzt eine weitere Drehung um 90° während des Durchtritts durch die Beckenhöhle erfolgen, damit diese am Beckenausgang längs stehen (5. Drehung). Das Kind dreht sich hierbei i. d. R. wieder in die ursprüngliche Stellung zurück (▶ Abb. 8.5e). Die Rotation des Kindes kann an der äußeren Drehung des Kopfes verfolgt werden. Zunächst wird dann die vordere Schulter unter der Symphyse geboren (die hintere Schulter weicht dabei in die Kreuzbeinhöhle aus, hier besteht keine knöcherne Begrenzung) u. anschließend die hintere Schulter (▶ Abb. 8.5f).

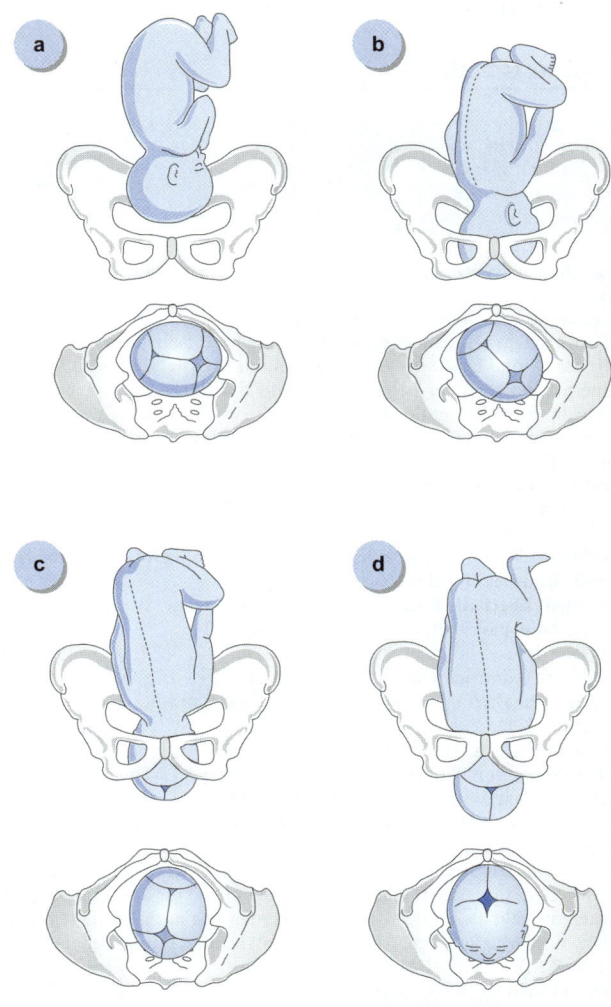

Abb. 8.5 Normaler Geburtsverlauf [L157]:
a) Eintritt des Kopfes bei II. Schädellage (Rücken re.)
b) Rotation in Beckenmitte, Pfeilnaht im II. schrägen Durchmesser
c) Kopf auf Beckenboden (BB), Pfeilnaht gerade
d) Geburt des Kopfes über den Damm, Pfeilnaht gerade

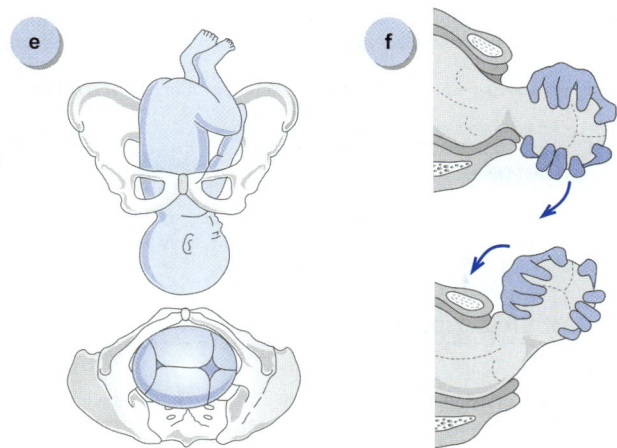

Abb. 8.5 Forts.
e) Äußere Drehung des Kopfes; Schultern stehen jetzt gerade
f) Geburt der Schultern

8.3.2 Eröffnungsperiode

Definition Beginnt nach anfänglich unregelmäßiger Wehentätigkeit mit den ersten Geburtswehen (regelmäßige Wehen alle 3–6 min) o. nachdem die Fruchtblase gesprungen ist. Sie dauert bei Erstgebärenden etwa 7–10 h, bei Mehrgebärenden etwa 4 h u. endet bei vollständig geöffnetem MM.
Bei normalem Verlauf passt sich der vorangehende Teil dem Geburtskanal an. Zuerst stellt sich der Kopf z. B. bei vorderer Hinterhauptslage (vHHL) mit querer Pfeilnaht im querovalen Beckeneingang ein. Im weiteren Verlauf tritt der Kopf tiefer, beugt (Verminderung des Umfangs) u. dreht sich. Am Ende der Eröffnung steht der Kopf mit gerader Pfeilnaht u. führender kleiner Fontanelle im längsovalen Beckenausgang.

> **Lagerungsregel**
> Man lagert die Frau stets auf die Seite der Stelle des kindlichen Kopfes, die zur Leitstelle werden soll, z. B. I. HHL (kleine Fontanelle li. vorn) → Lagerung auf die li. Seite.

Blasensprung
- **Vorzeitiger Blasensprung:** Fruchtblase springt vor Beginn der Eröffnungsperiode; → Gefahr einer aufsteigenden Inf. mit Fieber u. Entwicklung eines AIS (▶ 8.8, ▶ 11.6).
- **Frühzeitiger Blasensprung:** Fruchtblase springt während Eröffnungsperiode.
- **Rechtzeitiger Blasensprung:** bei vollständig eröffnetem MM, bei etwa ⅔ aller Geburten (verspätet: einige Zeit nach vollständiger Eröffnung).

- **Hoher Blasensprung:** Fruchtblase springt oberhalb des MM-Bereichs, der untere Blasenpol bleibt erhalten (Vorblase ist palpabel).
- **Zweizeitiger Blasensprung:** Nach erfolgtem hohem Blasensprung springt die Vorblase.
- **Falscher Blasensprung:** Ruptur des Chorions, Amnion bleibt erhalten.

> Ab dem Zeitpunkt des Blasensprungs befindet sich die Schwangere unter der Geburt, auch wenn noch keine Wehen bestehen.

Nach erfolgtem Blasensprung Gebärende sofort hinlegen, Herztonkontrolle, vag. Untersuchung (Gefahr des Nabelschnurvorfalls, ▶ 8.9.1). Aufstehen erst, wenn der kindliche Kopf sicher fest im Beckeneingang ist.

8.3.3 Austreibungsperiode

Definition
Bei vollständig eröffnetem MM (MM nicht mehr tastbar) u. Leitstelle des vorangehenden Teils auf Beckenboden u. Pfeilnaht im geraden Durchmesser soll die Schwangere in max. 3–4 Presswehen/10 min 2–3 × pro Wehe mitpressen. Dabei zeigt sich das „Hochsteigen" des Kopfes durch das Klaffen des Anus u. die Vorwölbung des Damms an. Beim „Durchschneiden" bleibt der Kopf kurz vor dem Austritt in der Vulva stehen.

Dammschutz
Zur Temporegulierung beim Durchschneiden des Kopfes, Verminderung von Weichteilverletzungen (▶ Abb. 8.6).

Durchführung
Meist in Rückenlage bei stark gespreizten u. angezogenen Beinen. Geburtshelfer bzw. Hebamme steht auf der re. Seite.

Kopfentwicklung Bei Geburt aus vHHL liegt die li. Hand auf dem Hinterhaupt. Die Finger halten die Stirn zurück, bis das Hinterhaupt unter der Symphyse ent-

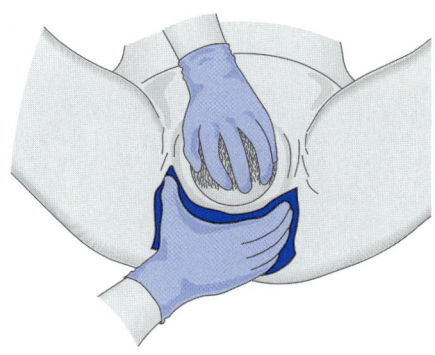

Abb. 8.6 Dammschutz [L157]

wickelt ist u. die Nackenhaargrenze als Drehpunkt unter der Symphyse liegt. Die re. Hand wird an den Damm gelegt u. führt den Kopf symphysenwärts der li. Hand entgegen. Gleichzeitig Anus u. Damm mit einem sterilen Tuch so abdecken, dass der Dammrand noch sichtbar bleibt. Bei der Kopfentwicklung aus vHHL zeigt sich erst der Scheitel, dann unter Deflexion Stirn, Gesicht u. Kinn. Bei verzögertem Kopfdurchtritt in der Pressperiode droht Gefahr für das Kind durch Hypoxie (▶ 8.11). Unterstützende Handgriffe bei schwieriger Kopfentwicklung o. bei path. CTG:

- **Ritgen-Handgriff:** Rechte Hand an den Hinterdamm legen (zwischen Steißbeinspitze u. Anus) u. Kinn tasten. Mit Druck gegen das Kinn wird der Kopf hochgedrückt.
- **Kristeller-Handgriff** (Hilfsperson): Mit einer Hand o. beiden Händen den kindlichen Steiß am Fundus uteri umfassen o. mit dem Unterarm am Fundus wehensynchronen Druck in Richtung der Führungslinie ausüben. Die Anwendung ist umstritten u. gilt mancherorts als Kunstfehler.

Schulterentwicklung Der Kopf wird mit flachen Händen gefasst u. das Hinterhaupt bei der nächsten Wehe in Richtung des Rückens gedreht (dabei darf das Kind nicht überdreht werden). Die vordere Schulter unter Senkung des Kopfes bis zur Oberarmmitte entwickeln, dann den Kopf ohne Zug anheben u. die hintere Schulter entwickeln (bes. auf den Damm achten; erhöhte Gefahr eines Dammrisses). Der übrige Körper folgt dann leicht. Vorläufiges o. späteres Abnabeln. Dabei etwa 10 cm Nabelschnur stehen lassen u. zwischen zwei Klemmen durchtrennen. Das endgültige Abnabeln erfolgt bei der späteren Versorgung des Kindes. Schulterdystokie ▶ 9.3.4.

8.3.4 Nachgeburtsperiode

Definition Dauer vom Abnabeln des Kindes bis zur Ausstoßung der Plazenta. Die Nachgeburtswehen verkleinern den Uterus u. damit die Plazentahaftfläche. Es bildet sich ein retroplazentares Hämatom, u. die Plazenta wird ausgestoßen. Zur Beschleunigung des Lösungsprozesses u. damit zur Minimierung des Blutverlusts evtl. direkt p. p. Oxytocin 3 IE in 50 ml NaCl als Kurzinfusion (z. B. Orasthin®) o. dir. i. v. applizieren.

Lösungszeichen (zur Beurteilung des Lösungszustands der Plazenta)
- **Schröder-Zeichen:** Uterus schmal, hart, kantig u. nach re. oben verzogen.
- **Ahlfeld-Zeichen:** Bändchen an Nabelschnur, im Vulvabereich angebracht, rückt mit fortschreitender Lösung vor.
- **Küstner-Zeichen:** Plazenta ist nicht gelöst, wenn sich die Nabelschnur bei steil hinter der Symphyse eindrückender Hand noch zurückzieht.

Ablösungsmodus
- **Modus nach Schultze:** zentrale Lösung der Plazenta (in 80 % d. F.); die Mitte der Plazenta erscheint zuerst in der Vulva.
- **Modus nach Duncan:** laterale Lösung am unteren Rand, die sich nach oben fortsetzt; der untere Rand wird zuerst geboren. Dabei Blutung während der gesamten Ablösephase (Blutverlust ist etwas größer als beim Modus Schultze).

Manuelle Expression (nur bei gelöster Plazenta)
- **Baer-Handgriff:** Verkleinerung des Bauchraums durch Fassen einer Bauchfalte zwischen Nabel u. Symphyse u. Mitpressen der Frau bei einer Nachwehe. Kann die Plazenta so nicht exprimiert werden →

- **Credé-Handgriff:** Uterus so umfassen, dass der Daumen auf der Vorderseite, die übrigen vier Finger auf der Rückseite liegen. Bei der folgenden Wehe wird der Uterus sakralwärts gedrückt u. die Plazenta exprimiert.

> Nie fest an der Nabelschnur ziehen!

Nachbehandlung Nach Kontrolle der Plazenta u. der Eihäute auf Vollständigkeit bei Risikokonstellationen wie Geminigeburt, Multiparität, Z. n. atonischer Nachblutung ggf. Gabe von Methylergometrin 0,1–0,2 mg i. v. (z. B. Methergin®) in 50 ml NaCl oder i. m. oder 10–20 IE Oxytocin (z. B. Orasthin®) in mind. 50 ml NaCl. Bei verstärkter Blutung 20–40 IE Oxytocin (z. B. Orasthin®) in mind. 50 ml NaCl u./o. 0,2–0,4 mg (max. 0,5 mg) Methylergometrin (z. B. Methergin®) in mind. 50 ml NaCl oder i. m. (▶ 8.15.2).
Der physiol. Blutverlust der Plazentalösung liegt bei 200–400 ml.
! Die prophylaktische Gabe von Oxytocin u. Methylergometrin führt zur signifikanten Reduktion postpartaler Blutungskomplikationen. Seltene NW sind:
 – Mütterliche Hypotonien u. Folgereaktionen durch das Oxytocin
 – Vasokonstriktionen mit kardialer u. zerebraler Dekompensation durch Methylergometrin (**cave:** kontraindiziert bei kardialer Anamnese mit Sensationen)

Pathologische Nachgeburtsperiode (▶ 8.15)
Inzidenz von peripartalen Hämorrhagien (PPH) kontinuierlich ansteigend. Inzidenz von lebensbedrohlichen peripartalen Blutungen in der westlichen Welt bei 2 : 1.000 Geburten. Mütterliche Mortalität an PPH in Industriestaaten ca. 1 : 100.000, in Entwicklungsländern ca. 1 : 1.000! *Ursachen:* Zunahme von Uterusatonien u. Plazentaimplantationsstörungen u. ansteigende Raten an vag.-op. Geburten u. Kaiserschnittentbindungen.
Das mütterliche Risiko der path. Nachgeburtsperiode wird häufig falsch eingeschätzt. *Risikofaktoren:* Adipositas (BMI > 35), maternales Alter (≥ 30 J.), Placenta praevia, vorzeitige Plazentalösung, Plazentaretention, prolongierte Plazentarperiode, Mehrlingsgrav., Z. n. PPH, fetale Makrosomie, SIH, HELLP-Sy., Polyhydramnion, lang anhaltende Oxytocingabe, Geburtseinleitung, protrahierte Geburt, Notsectio u. elektive Sectio caesarea, vag.-op. Entbindung, Episiotomie, Damm-/Zervixriss, antepartale Blutung, Von-Willebrand-Sy., Anämie (< 9 g/dl), Fieber unter der Geburt.
Ein Großteil der maternalen Todesfälle aufgrund einer PPH ist durch adäquate Maßnahmen vermeidbar (▶ Tab. 8.4). Bei visueller Beurteilung wird das Ausmaß der Blutung i. d. R. um 30–50 % unterschätzt. Nach Sectio caesarea muss in 5–10 % d. F. mit einem Blutverlust (BV) von ≥ 1.000 ml gerechnet werden; die Rate an erhöhtem BV ist nach elektiver Sectio signifikant niedriger als nach sek. Sectio.

8.3 Normaler Geburtsverlauf

Tab. 8.4 Spezielle Maßnahmen bei peripartalen Hämorrhagien

Arzt	Hebamme	Medikamente	Intervention
Anhaltende Blutung > 15 min p. p. u./o. Blutverlust > 300 ml			
Großlumiger Zugang, Plazentainspektion, Uterusbeurteilung (Tonus? Koagel?) → Credé-Handgriff Spekulumeinstellung (Blutungsquelle?)	Blasenkatheter, Eisblase, Volumengabe (z. B. Kolloide), RR-Kontrolle (kontinuierlich)	3 IE **Oxytocin** in Kurzinfusion (ggf. 2 ×) + 10–20 IE (bis max. 40 IE) Oxytocin (z. B. Orasthin®) in 500 ml NaCl über 30 min. **Cave:** Nach lang dauernder Oxytocin-Augmentation sub partu sind die Oxytocin-Rezeptoren besetzt. Eine erneute Oxytocingabe bei PPH daher unwirksam!	Versorgung Geburtsverletzung; ggf. manuelle Plazentalösung bei Plazentaretention
Bei Blutung > 30 min p. p. u./o. Blutverlust > 500 ml			
Ultraschall, **Info Hintergrunddienst**	Antithrombosestrümpfe anziehen, Bett organisieren, ggf. Credé übernehmen	10–20 IE (bis max. 40 IE) **Oxytocin** (z. B. Orasthin®) in 500 ml NaCl u./o. 0,2–0,4 mg (max. 0,5 mg) **Methylergometrin** (z. B. **Methergin®**) in mind. 50 ml NaCl **Cave:** kardiale Anamnese bzw. kardiale Sensationen, Eklampsie, Präeklampsie	Ggf. instrumentelle Nachtastung, ggf. Naht Zervix- u./o. (hoher) Scheidenriss
Blutet es weiter u./o. bei Blutung > 60 min p. p. u./o. Blutverlust > 1.000 ml			
Gerinnungslabor (BB, INR, PTT, Fibrinogen), zweiter großlumiger Zugang, Kreuzblut **Info Anästhesie u. OP-Team**	zusätzliche Hilfe organisieren	**Sulproston i. v.** (= **Nalador®**) 1 Amp. = 500 µg auf 500 ml NaCl 0,9 % 100–500 ml/h *nur* per Infusomat, max. Gesamtdosis 1.500 µg/d!!! **Cave:** Glukose inaktiviert Sulproston! **Falls die Blutung nicht sistiert:** Nalador-Tropf kurzfristig bis auf 1.000 ml/h erhöhen	Bimanuelle Uteruskompression Kavumtamponade: Bakri-Ballon Einlage intrakavitär (max. Füllung mit 500 ml steriler Lsg. über max. 24 h) Sono-Kontrolle!

Tab. 8.4 Spezielle Maßnahmen bei peripartalen Hämorrhagien *(Forts.)*

Arzt	Hebamme	Medikamente	Intervention
Bei Blutung > 1.500 ml			
Wdh. Gerinnungslabor Konserven u. FFP je nach Labor anfordern	OP-Vorbereitung	Gabe von **Tranexamsäure** 2 g i. v. (durch Anästhesie); danach ggf. Gabe von Fibrinogen 2–4 g i. v., FFP/EK/TK erwägen	Chir. Blutstillung im OP (z. B. bei Ruptur), B-Lynch-Naht, Hysterektomie

> **Geburt außerhalb des Krankenhauses**
> Teilweise herrscht in Kliniken die Meinung, eine Geburt sei erst mit der Geburt der Plazenta abgeschlossen. Aus der formalen Sicht des Personenstandsgesetzes (PStG) ist die Geburt das vollständige Ausscheiden des Kindes aus dem Mutterleib. Auf die Geburt der Plazenta kommt es nicht an.
> Für den Sonderfall der außerklin. Geburt sind die Ausfüllhinweise zum QS-Bogen 16/1, Feld 60 zu beachten: „Entbindung des Kindes vor Klinikaufnahme". Für das außerhalb des Krankenhauses geborene Kind kann der QS-Filter eine Dokumentationspflicht für den Bogen NEO – Neonatologie auslösen. Für Mutter u. Kind ist bei Aufnahme ein eigener Fall anzulegen.

8.4 Analgesie

8.4.1 Grundlagen

Jede Schwangere möglichst frühzeitig über Methoden, NW u. Risiken der einzelnen zur Geburtserleichterung verfügbaren Analgesieformen informieren. Die Entscheidung über deren Anwendung liegt bei der Schwangeren selbst, der Geburtshelfer ist ihr Berater. Die grundsätzliche Entscheidung der Schwangeren kann jedoch unter der Geburt jederzeit überdacht u. revidiert werden. Dabei hängt die Wahl der Analgesie von der geburtshilflichen Situation u. der Schmerzursache ab. Meptazinol ist das gebräuchlichste Opiat, das unter der Geburt zur Schmerzstillung eingesetzt wird.

8.4.2 Anästhesiologisches Vorgehen bei Sectio caesarea

Ind.-Stellung u. damit konkrete Festlegung des zeitlichen Vorgehens durch den Geburtshelfer. Hieraus leiten sich das anästhesiol. Vorgehen u. die Wahl des Anästhesieverfahrens ab (▶ Tab. 8.5).

- Sectio in Allgemeinanästhesie i. d. R. nur bei KI für Regionalanästhesien (Ausnahme Notfallsectio!)
- Frühzeitige Anlage einer PDA bei Risikogeburten

8.4 Analgesie

Tab. 8.5 Anästhesiologisches Vorgehen bei Sectio caesarea

Indikation		Verfahren (mit Rangfolge)
Notfall	Vitale Ind. für Mutter/Kind	ITN
Dringlich	Drohende intrauterine Hypoxie, Kindsentwicklung < 30 min	SPA, ITN, PDA (bei liegendem Katheter)
Elektiv	z. B. BEL	SPA, PDA, ITN

ITN = Intubationsnarkose, SPA = Spinalanästhesie, PDA = Periduralanästhesie

8.4.3 Periduralanästhesie (PDA)

Indikationen Starker Geburtsschmerz (▶ Abb. 8.7); Wunsch nach Schmerzlinderung, protrahierter Geburtsverlauf bei zervikaler Dystokie u. Geburtseinleitung; SIH (Verbesserung der plazentaren Perfusion); Anästhesie für Sectio caesarea (neben der PDA); Risikogeburten (Gemini, Frühgeburt, BEL-Geburt).

Kontraindikationen Neurol. Erkr. (z. B. bestehende Epilepsie); Gerinnungsstörungen; Inf. im Gebiet der Punktionsstelle; Sepsis; Allergie gegen LA; schwere Hypotonie ($RR_{syst.}$ < 80 mmHg).

Vorbedingung Aktuelle normale Gerinnung (vom gleichen Tag); kooperative Pat. (evtl. kurzfristige Tokolyse zur Ausschaltung sehr schmerzhafter Wehentätigkeit); PDA-erfahrener Arzt.

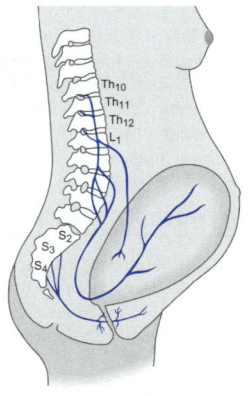

Abb. 8.7 Leitungsbahnen für den Geburtsschmerz. Eröffnungsperiode: Segmente Th10–L1. Austreibungsphase: zusätzlich L2–S4 [L157]

Durchführung Die Kreißende sitzt mit gekrümmtem Rücken. Nach Desinfektion u. Lokalinfiltration der Haut im Bereich der Punktionsstelle Punktion des Periduralraums (zwischen Dura mater spinalis u. Lig. flavum) zwischen den Lendenwirbeln L2 u. L3 o. zwischen L3 u. L4 u. Einführen eines Periduralkatheters. Sterile Injektion von 2 ml Lokalanästhetikum, z. B. Bupivacain 0,25 % (z. B. Carbostesin®) als Testdosis z. A. einer intravasalen Injektion (KO: Herz-Kreislauf-Insuff. u. zerebraler Krampfanfall, tritt bei Testdosis in geringerer Ausprägung auf) u. der subarachnoidalen Injektion (KO: totale Spinalanästhesie mit Atemlähmung, bei Testdosis mäßige Ateminsuff.). Anschließend Injektion von etwa 10 ml Bupivacain 0,25 % zur Schmerzbekämpfung unter der Geburt (Th11–S4). Die Wirkdauer beträgt etwa 2–3 h, Nachinjektionen sind möglich. **Cave:** CTG-Daueruüberwachung notwendig!

> - Bei Sectio caesarea wird eine Analgesie von Th6–S3 angestrebt, dazu fraktioniert max. 20–25 ml Bupivacain 0,5 % injizieren.
> - Eine weitere KO ist der Blutdruckabfall, der meist durch die Gabe von Plasmaexpander (z. B. 250 ml HEAS-steril® 10 %) u. die schnelle Infusion einer Voll-E'lytlsg. beherrscht werden kann.

8.4.4 Spinalanästhesie

Indikationen Regelanästhesieverfahren für die elektive Sectio caesarea.

Kontraindikationen und Vorbedingungen Wie PDA.

Durchführung Die Kreißende sitzt mit gekrümmtem Rücken. Nach Desinfektion u. Lokalinfiltration der Haut im Bereich der Punktionsstelle wird mit einer Spinalkanüle zwischen L2 u. L3 o. zwischen L3 u. L4 von hinten (median) in der Ebene der Dornfortsätze o. mit leichter seitlicher Abweichung von 10° (paramedian) punktiert. Bei Durchtritt durch die Dura tropft der klare Liquor cerebrospinalis aus der Nadel heraus, bei blutigem Liquor muss ggf. neu punktiert werden. Verabreichung des Anästhetikums nach Testdosis als Bolus. Je nach benutzter Substanz stehen für den op. Eingriff 1–2,5 h zur Verfügung. **Cave:** CTG-Daueruuml;berwachung notwendig!

8.4.5 Pudendusblock

Prinzip Blockade des N. pudendus u. seiner Verzweigungen (N. dorsalis clitoridis, N. perinealis, N. labialis) zur Ausschaltung des perinealen Dehnungsschmerzes u. zur perinealen Muskelrelaxation. Dadurch Analgesie von Dammbereich, Vulva u. unterem Vaginaldrittel ohne Beeinflussung von Wehenschmerz u. Pressdrang.

Indikationen Schmerzausschaltung u. Relaxation der Beckenbodenmuskulatur während der Pressperiode, vag.-op. Entbindung vom Beckenboden; frühzeitiger Episiotomie (v. a. bei Frühgeburten, falls keine PDA).

Durchführung ▶ Abb. 8.8. Transvag. Palpation der Spina ischiadica mit Zeige- u. Mittelfinger. Einführen der Injektionsnadel über eine Führungshülse (Iowa-Trompete, Kobak-Nadel o. Führungshülse nach Jung). Durchstechung der Scheidenhaut u. des Lig. sacrospinale medial u. 1 cm kaudal der Spina ischiadica, in einer Eindringtiefe von etwa 5 mm liegt hier der ungeteilte N. pudendus. Nach Aspiration z. A. einer intravasalen Injektion werden bds. 10 ml einer 1-proz. Mepivacain-Lsg. (Scandicain® 1 %) injiziert. Auch bei tiefer als auf Interspinalebene stehender Leitstelle ist bei Anwendung der Führungshülse die gefahrlose Injektion noch möglich.

Komplikationen Systemische KO nur bei intravasaler Injektion (Aspirationstest). In etwa 5 % partielle o. komplette Ausschaltung des N. ischiadicus (bin-

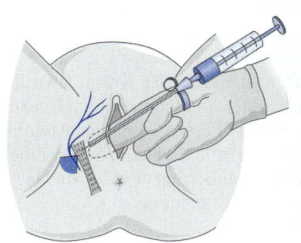

Abb. 8.8 Pudendusblock [L157]

nen 24 h reversibel). Scheidenhämatome in 0,1 % durch Verletzung der pudendalen Gefäße (selten op. Revision nötig). Abszesse in der Fossa ischiorectalis nach Durchstechung des Rektums in 0,06 % (Eröffnung u. Drainage des Abszesses nötig).

8.4.6 Spasmoanalgetika

Spasmolytika
In der Eröffnungsphase kann über die Ausschaltung von Spasmen durch z. B. Butylscopolamin Supp. oder i. v. (z. B. Buscopan®), z. B. 2 Amp. = 2 ml 2 % in 500 ml Halb-E'lytlsg. (Wdh. möglich), eine teilweise Entspannung der Kreißenden erreicht werden. Damit u. mit einer guten Atemtechnik kann häufig der Circulus vitiosus „Spasmen-Angst-Schmerzen" durchbrochen werden.

Analgetika
▶ Tab. 8.6.

Tab. 8.6 Analgesie unter der Geburt

Substanz	Handelspräparat (Beispiel)	Indikation	Applikation/Dosierung	Wirkdauer
Spasmolytika				
Butylscopolamin	Buscopan®, BS-ratiopharm® Zäpfchen	Frühe Phase der Eröffnungsperiode, verzögerte MM-Eröffnung, leichter bis mäßiger Schmerz	• p. o.: 20 mg • Supp.: 10–20 mg • i. v.: 10–20 mg • i. m./s. c.: 10–20 mg • Max. Tagesdosis: 50 mg	1–2 h
Beruhigungsmittel				
Diazepam	Diazepam-ratiopharm®	Nur bei sehr unruhigen Pat. indiziert	• p. o.: 5 mg • Diazepam-Supp.: 5 mg • i. v.: max. Tagesdosis 5–10 mg sehr langsam i. v.	Über mehrere Stunden, Wirkungsverstärkung über zusätzliche Schmerzmedikation
Promethazin	Atosil®		• p. o.: 25–50 mg • i. v.: 100 mg sehr langsam i. v. • Max. Tagesdosis: 100 mg	

Tab. 8.6 Analgesie unter der Geburt (Forts.)

Substanz	Handelspräparat (Beispiel)	Indikation	Applikation/Dosierung	Wirkdauer
Opiate				
Tramadol	Tramal®	Stärkere Geburtsschmerzen in der Eröffnungsperiode o. selten in der verzögerten Austreibungsperiode	• p. p.: 50–100 mg (Tbl.) **oder** 50 mg (Kps.) • i. v.: 50–100 mg • i. m./s. c.: 50–100 mg • Max. Tagesdosis: 200–400 mg	2–3 h, Sedierung u. Atemdepression bei Kind u. Mutter. Opiate nicht untereinander kombinieren
Meptazinol	Meptid®	Gebräuchlichste Anwendung sub partu	• i. v.: 50–100 mg • i. m.: 100–150 mg, max. 2 mg/kg KG	
Pethidin	Dolantin®		• Supp.: 100 mg • i. v.: ½–1 Amp., max. 2 Amp. à 50 mg unter der Geburt • i. m., s. c.: 1–1½ Amp. à 50 mg	
Anästhesie				
Lokalanästhesie		Vor Episiotomie	▶8.4.7	30–60 min
Pudendusblock		Vor vag.-op. Geburt u./o. Episiotomie	▶8.4.5	30–60 min
PDA (SPA bei Sectio!)		Protrahierte Eröffnungsperiode, starker Geburtsschmerz, Risikogeburt sowie auf Wunsch	▶8.4.3	2–4 h

Pethidin (Dolantin®)
Neben Meptid® das in der Geburtshilfe gebräuchlichste Opiat. Bei einer guten Analgesie u. Spasmolyse haben alle Opiate NW wie Atemdepression u. Sedierung bei der Mutter u. evtl. beim NG (schnelle Plazentapassage).
- **Dos.:** Bei guter Wehentätigkeit wird Pethidin normalerweise bis zu einer Gesamtdosis von 100 mg i. m. injiziert (evtl. in 2 Fraktionen).
- **NW:** Bis zu 1 h nach Applikation sind keine neg. Wirkungen beim NG zu beobachten. Bei längerem Zeitabstand (am stärksten bei der Gabe von Pethidin 2–3 h vor der Geburt) muss mit einer Atemdepression u. einer neurol. Beeinträchtigung des NG gerechnet werden.
- **Antidot:** Naloxon, 0,01 mg/kg KG s. c., i. m. oder i. v. Evtl. bei der Gabe von Pethidin gleich aufziehen (1 Amp. Naloxon 1 ml = 0,4 mg; 1 : 10 mit NaCl verdünnen, 1 ml verdünnte Lösung entspricht dann der Dosis für ein NG von 4 kg KG) und bereit legen.

Meptazinol (Meptid®)
Opioid-Analgetikum. Fällt neben Tramadol nicht unter das BtM-Gesetz. HWZ: 2,3 h.
- **Dos.:** alle 2–4 h im 1. Abschnitt der Geburt 100–150 mg Meptazinol, max. 2 mg/kg KG i. m. oder s. c., max. Tagesdosis 400 mg
- **NW:** Sedierung, Übelkeit, Erbrechen, hypotensive Kreislaufreaktionen, Bradykardie
- **Antidot:** Naloxon (s. o.), Naltrexon (Nemexin®)

Tramadol (Tramal®)
Vollsynthetisches Analgetikum mit morphinähnlicher Wirkung.
- **Dos.:** 100 mg i. m. oder s. c., max. Tagesdosis 400 mg.
- **NW:** Sedierung, häufig Übelkeit, Erbrechen. Nach hoher Dosis Krampfanfälle möglich
- **Antidot:** Naloxon weniger wirksam!

Lachgas (LIVOPAN®)
- Indiziert, wenn aus med. Gründen keine PDA möglich o. es für das Setzen einer PDA zu spät ist.
- **Dos.:** intermittierende Gabe von bis zu 15 l/min o. alternativ über eine Maske/Mundstück mit Demand-Ventil
- **NW:** Übelkeit u. Erbrechen (bis zu 8,4 %), Schwindel (bis zu 2,4 %), Halluzinationen (bis zu 1 %). Engmaschige Überwachung von Mutter u. Kind!

8.4.7 Lokalanästhesie

> Neben den Leitungsanästhesien wie PDA (▶ 8.4.3) u. Pudendusblockade (▶ 8.4.5) kann auch eine Infiltration des Damms mit Lokalanästhetika durchgeführt werden.

Indikationen Schmerzlose Durchführung u. Versorgung der Episiotomie; Naht von Scheiden- u. Dammrissen.

Durchführung Fächerförmige Infiltration des Dammgewebes von der hinteren Kommissur aus mit Lokalanästhetika ohne Adrenalinzusatz, z. B.:
- Mepivacain 1 % (Scandicain®), max. ED 300 mg = 30 ml
- Lidocain 1 % (Xylocain®), max. ED 200 mg = 20 ml
- Bupivacain 0,5 % (Carbostesin®), max. ED 150 mg = 30 ml

Komplikationen Nur bei versehentlicher intravasaler Injektion (Aspirationstest).

8.4.8 Komplementärmedizinische Maßnahmen

In der Geburtsvorbereitung

Akupunktur und Moxibustion
Teilgebiet der Traditionellen Chinesischen Medizin TCM („acus" = Nadel, „punctio" = Stich). Moxen bezeichnet den Vorgang der Erwärmung von Körperpunkten. Hierbei verglimmen Beifußfasern (Moxa) in der Nähe von bestimmten Therapiepunkten. In der TCM werden ca. 400 verschiedene Akupunkturpunkte be-

schrieben, die auf sog. Meridianen liegen. Hierin fließen die Lebensenergie Chi u. auch Qi durch den Körper. Durch die Reizung bestimmter Punkte kann laut chinesischer Lehre der Energiefluss reguliert werden: Ein Zuviel an Energie wird gebremst, ein möglicher Mangel wird behoben, Blockaden werden gelöst. Auch Hitze wirkt i. R. der Moxibustion auf den Fluss des Chi u. Qi.

Wissenschaftlich bewiesene u. anerkannte Wirkungen der Akupunktur sind: Schmerzlinderung, milde Sedierung u. entzündungshemmende Wirkung. Die Wirkungen beruhen auf einer Stimulation körpereigener Mechanismen der Schmerzlinderung (deszendierende Schmerzhemmung) u. einer Hormonfreisetzung (POMC → Endorphine, ACTH).

Durchführung Eine Akupunktursitzung dauert bis ca. 30 min. Vor dem Einstich der Akupunkturnadel wird die Akupunkturstelle leicht massiert u. desinfiziert. Verwendung von Einmalnadeln (0,3 mm × 30 mm). Möglichst immer im Liegen nadeln (**cave:** Hypotonie). Während einer Akupunktursitzung werden so wenige Punkte wie möglich gestochen.

In der TCM gibt es keine wirkliche geburtsvorbereitende Akupunktur. Die vorgeburtliche Akupunktur dient lediglich der Entspannung u. dem beruhigendem Einfluss auf Mutter u. Kind.

- **Ab der 36. SSW** bis zur Geburt werden folgende Punkte genadelt:
  - Ma 36 wirkt gegen Rebellieren des Magen-Qi u. leitet den Energiefluss nach unten.
  - Gb 34 soll die uterine Muskelkontraktion unter der Geburt koordinieren.
  - MP 6 ist der Zusammenfluss aller weiblicher Meridiane (Milz-Pankreas, Niere u. Leber) am Bein.
- **Ab der 38. SSW** kommt der Punkt Bl 67 dazu, ab Termin zusätzlich der Punkt Di 4, der einer Wehenförderung dient. Bei ängstlichen Schwangeren kann zur Entspannung Du 20 genadelt werden.

Homöopathie

Die Heilmethode der Homöopathie beruht nach den Veröffentlichungen des deutschen Arztes Samuel Hahnemann (1755–1843) auf dem Ähnlichkeitsprinzip: Ähnliches soll durch Ähnliches geheilt werden. Grundsubstanzen werden wiederholt im Verhältnis 1 : 10 oder 1 : 100 oder in höherer Verdünnung mit Wasser oder Ethanol verschüttelt oder mit Milchzucker verrieben. Bei sog. Hochpotenzen, bei denen Ausgangsstoffe so stark verdünnt werden, dass sie nicht mehr nachweisbar sind, liegt laut Hahnemann das Besondere an dem Verfahren darin, dass eine „im inneren Wesen der Arzneien verborgene geistartige Kraft" wirksam wird. Dass Krankheiten materielle Ursachen haben könnten, hielt Hahnemann seinerzeit für reine Spekulation. So lehnte er die Existenz von Keimen, *„innerlich verborgenen, obgleich noch so fein gedachten Wesen"* als Krankheitsauslöser ab. Erst 1876 konnte der deutsche Arzt Robert Koch (1843–1910) am Modell des Milzbranderregers *(Bacillus anthracis)* den eindeutigen Zusammenhang zwischen einer Krankheit und einem bakt. Erreger nachweisen. Somit betrachtete Hahnemann Krankheiten als *„geistartige Verstimmungen"* der *„Lebenskraft"* bzw. des *„Lebensprinzips"*.

Eine homöopathische Standardbehandlung zur Geburtsvorbereitung gibt es nicht. Grundsätzlich besteht kein Grund, homöopathische Mittel allein zur Geburtsvorbereitung zu verabreichen.

Bachblütentherapie

Die Bachblütentherapie wurde in den 1930er-Jahren von dem britischen Arzt Edward Bach gegründet. Blüten u. Pflanzenteile, in Wasser gelegt o. gekocht, sollen ihre „Schwingungen" auf das Wasser übertragen; anschließend werden durch starke Verdünnungen sog. Blütenessenzen hergestellt. In der Geburtsvorbereitung werden folgende Blütenessenzen eingesetzt: *Mimulus* (gefleckte Gauklerblume), *Red Chestnut* (Rote Kastanie), *Aspen* (Espe), *Sherry Plum* (Kirschpflaume) u. *Star of Bethlehem* (Doldiger Milchstern).

Aromatherapie
Anwendung ätherischer Öle als Medikament o. zur Steigerung des Wohlbefindens ist Bestandteil der Phytotherapie (Pflanzenheilkunde). Die Duftstoffe führen zu einer gesteigerten Sinneswahrnehmung, Inhalation soll eine dir. Wirkung auf Organe erzielen. Einige Öle besitzen zudem antibiotische Eigenschaften. Da ätherische Öle auch unerwünschte NW haben können, sollten sie nur von Erfahrenen mit entsprechender Zusatzqualifikation verabreicht werden. In der Geburtsvorbereitung wirken ätherische Öle wie *Lavendula angustifolia* (Lavendel), *Rosa damascena* (Rose), aber auch *Citrus aurantium* (Petit Grain) u. duftende Hölzer wie *Bursera delpechiana* (Linaloe) als Vollbäder entspannend. Auch zur Dammmassage werden ätherische Öle in Komb. mit einer traditionellen Dammmassage eingesetzt (Weizenkeimöl, Johanniskrautöl, Nachtkerzenöl, Rosenöl, Muskatellersalbei).

Phytotherapie
In der Phytotherapie kommen nur ganze Pflanzen o. Pflanzenteile, keine isolierten Einzelstoffe zur Anwendung. Diese werden frisch o. als Aufguss, Saft, Extrakt o. ätherisches Öl ther. angewendet. Zur Förderung der Durchblutung im kleinen Becken wird oftmals Himbeerblättertee ab der 34.–35. SSW empfohlen. Zudem Schafgarbe, Brennnesselkraut u. Melisse. Die Tees lindern Beschwerden wie Sodbrennen u. Obstipation.

Unter der Geburt

Akupunktur Akupunktur kann keine vollständige Schmerzfreiheit erzielen. Bis zur Endorphinfreisetzung dauert es ca. 25 min (HWZ der Endorphine ca. 1,5 h). Bei Pat., die unter Wehen nicht still liegen können, bietet sich die Ohrakupunktur an. Als Analgesiepunkte kommen infrage: Di 4, Ma 44, Ma 36, Bl 67, Naima u. Waima (Extrapunkte der unteren Extremitäten) sowie Le 3 bei Schmerzen im Oberbauch u. bei erhöhtem Blutdruck. Zur psychischen Entspannung dienen die Punkte Du 20, He 7, Pe 6 u. Bl 62.

Homöopathie Homöopathische Arzneimittel sollen erst zum Ende der Schwangerschaft hin eine Effektivität aufweisen. Zur Geburtseinleitung dienen Calcium carbonicum D12/C30, Caulophyllum thallictroides D4/C30, Cimicifuga racemosa D12/C30, Gelsemiun sempervirens C30, Calcium carbonicum D12/C30 u. Pulsatilla D12/C30. Zur Behandlung des Wehenschmerzes werden Arsenicum album C30/C200, Belladonna C30/C200, Caulophyllum C30/C200, Chamomilla C30/C200, Colocynthis C30/C200, Cuprum metalicum C30/C200, Kalium carbonicum C30/C200, Platinum C30/C200, Nux vomica C30/C200 u. Sepia C30/C200 eingesetzt. Ausgangsprodukt ist eine Urtinktur, die im Verhältnis 1 : 10 (daher D-Potenz), 1 : 100 (C-Potenz) oder 1 : 50.000 (LM- o. Q-Potenz) verschüttelt wird. Eine Verdünnung ab D24 enthält nur noch chem. Bestandteile der Ausgangssubstanz. Die Konz. des Ausgangsstoffs einer C6- u. D12-Potenz beinhalten gleiche Ausgangskonz. (10^{12}). Ab Stufe D6 o. C3 übersteigt die Menge der „Verunreinigungen" im Lösungsmittel die Menge der vorhandenen Urtinktur.

Bachblütentherapie Es existiert keine spez. analgetische Bachblütenther. zur Schmerzlinderung unter der Geburt. Bei starken Schmerzen kommen häufig *Mimulus*, *Rock Rose*, *Sherry Plum*, *Aspen* u. *Crab Apple* zum Einsatz.

Aromatherapie Entspannungsbäder wirken anxiolytisch u. blutdrucksenkend. Anxiolytische Eigenschaften haben *Citrus aurantium flores* oder Petit Grain. Blutdrucksenkend wirken Lavendel, Rosenholz u. Rosengeranie *(Pelargonium odoratissimum)*, zudem *Rosa damascena* u. echter Jasmin *(Jasminum grandiflorum)*.

Phytotherapie *Verbena officinalis* (Eisenkraut) sowie den Gewürzen Zimt, Nelke u. Ingwer wird eine geburtsfördernde Wirkung zugeschrieben, Himbeerblättertee eine Entspannung der Beckenmuskulatur u. eine effektivere Wehentätigkeit. Verifizierbare Ergebnisse liegen hierzu bislang nicht vor.

8.5 Blutungen sub partu

8.5.1 Mögliche Ursachen

> **Verteilung**
> - Plazentarandblutung (17–33 %)
> - Vorzeitige Lösung (15–16 %): Uterus hyperaktiv, dunkelrote Blutung
> - Placenta praevia (12–24 %): Uterustonus normal, hellrote Blutung
> - Uterusruptur (0,8 %): Plötzlicher Schmerz, Sistieren der Wehentätigkeit, Aufsteigen der Brandel-Furche
> - Blasensprung bei Insertio velamentosa (0,5 %): Blutungsbeginn mit Blasensprung
> - Schwangerschaftsunabhängig (5 %)
> - Unbekannt o. zervikal bedingt (30–50 %)

8.5.2 Placenta praevia

Definition Einnistung der Frucht im Bereich des unteren Uterinsegments.

Epidemiologie 0,4 % der Grav., v. a. bei Mehrlings- u. Vielgebärenden u. bei schnell aufeinanderfolgenden Schwangerschaften, seltener bei Erstgebärenden.

Ätiologie
- Mehr- u. Vielgebärende
- Schädigungen des Endometriums (z. B. Endometritis, Uterusnarben nach Sectio caesarea o. Uterus-OP [z. B. Myomenukleation], Z. n. Kürettage)
- Selten prim. Isthmusplazenta

Einteilung (▶ Abb. 8.9)
- Placenta praevia totalis: innerer MM völlig von der Plazenta überdeckt (30 %)
- Placenta praevia partialis: innerer MM von der Plazenta überragt (50 %)
- Placenta praevia marginalis: Plazentarand reicht an MM heran, klin. schlecht von tief sitzender Plazenta abzugrenzen (20 %)

Klinik
- **Leitsymptom:** schmerzlose intermittierende o. konstante Blutung im letzten Schwangerschaftsdrittel o. sub partu ohne ersichtliche Ursache (Blutung beginnt stets vor dem Blasensprung, Blutungen nach Blasensprung sind keine Placenta-praevia-Blutungen!)

8.5 Blutungen sub partu

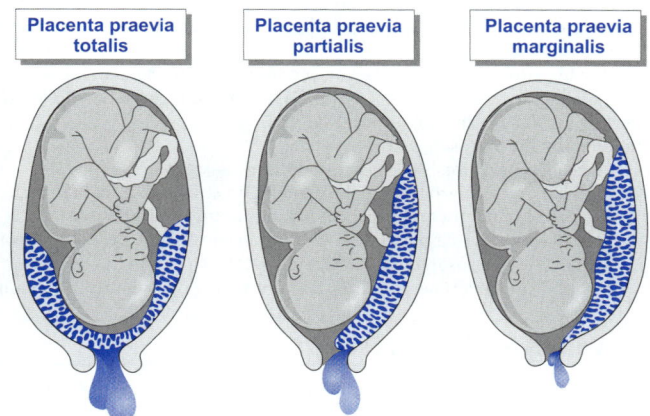

Abb. 8.9 Placenta praevia totalis, partialis und marginalis [L157]

- **Risiken:** schwere Blutung, Inf. bis zur Sepsis, Luftembolie, fetale Asphyxie. Kindliche Mortalität ca. 10 %, mütterliche Mortalität ↑, bei Ausnutzung aller klin. Möglichkeiten < 1 %

Diagnostik
- Klin. Untersuchung: unauffälliger äußerer Tastbefund (weicher Uterus, häufig Hochstand des vorangehenden Teils), evtl. Schräglage, Querlage, BEL (vermehrt). AZ der Pat. entspricht dem äußeren Blutverlust
- Vag. Untersuchung: nach behutsamer Spekulumeinstellung ggf. in Sectio- u. Transfusionsbereitschaft Ausschluss anderweitiger Blutungsursachen (Karzinom, Varizen, Ektopie; ▶ 8.5.6). Bei geöffnetem MM ggf. Plazentagewebe sichtbar
- Meist keine o. geringe Wehentätigkeit
- CTG: kindliche Herztöne meist gut, path. Herztöne erst bei erheblicher Blutung o. Ablösung
- Sono: zur Sicherung der Verdachtsdiagn. sowie zur Bestimmung von Lage u. Größe des Feten

> Bei unklarer Blutung keine vag. Tastuntersuchung durchführen!

Therapie
- **Fehlende Blutung, frühzeitige Diagnose (meist durch Sono):** Pat. über die o. g. Risiken aufklären, Bestimmung der Blutgruppe. Frühzeitige stat. Aufnahme, RDS-Prophylaxe, evtl. geplante prim. Sectio (▶ 9.5)
- **Stärkere vag. Blutung:**
  - Intensivüberwachung: CTG, Puls, RR, Ein-, Ausfuhrkontrollen
  - Peripheren Zugang legen, Plasmaexpander bzw. Schockther. (▶ 3.4), EK, ggf. FFP anfordern
  - Labor: kleines BB, Thrombos, E'lyte, Gerinnung, Fibrinogen (Normwert in der Grav. 400–600 mg %), Gesamt-Eiweiß, Krea

- Sectiobereitschaft herstellen. **Cave:** verstärktes peri-/postoperatives Blutungsrisiko aufgrund der mangelnden Kontraktionseigenschaften des unteren Uterinsegments!
- **Leichte bis mittelstarke Blutung vor der 36. SSW (etwa 80 % d. F.):** Tokolyse mit Betamimetika, z. B. Fenoterol (▶ 5.11.2), ggf. Lungenreifung, Hospitalisierung der Pat. bis zur Geburt des Kindes
- **In Terminnähe bzw. sub partu:**
  - Placenta praevia totalis: Schnittentbindung
  - Placenta praevia partialis: vag. Entbindung in etwa ⅓ d. F., z. B. bei nur leichter Blutung mit mütterlichem u. kindlichem Wohlbefinden
  - Placenta praevia marginalis: vag. Entbindung anstreben. Bei bereits geöffnetem MM Blasensprengung u. Oxytocin-Dauerinfusion in OP-Bereitschaft. CTG-Dauerüberwachung, falls notwendig op. Geburtsbeendigung

8.5.3 Vorzeitige Plazentalösung

Definition Teilweise o. vollständige Ablösung der normal sitzenden Plazenta von ihrer Haftfläche vor o. unter der Geburt. Dadurch häufig Blutungen aus mütterlichen u. kindlichen Gefäßen (▶ Abb. 8.10).

Epidemiologie Schwere Fälle 0,4 %, leichte Fälle 0,8 % aller Geburten. Rezidivrate bei nachfolgender Schwangerschaft um 5 %! Ältere Schwangere u. Mehrgebärende bevorzugt betroffen.

Ursachen 60 % ungeklärt, EPH-Gestose bei etwa 30 %, mech. Ursachen (z. B. Sturz, Stoß in den Unterbauch, äußere Wendung aus BEL, zu kurze Nabelschnur).

Klinik
- Leitsymptom: heftiger, plötzlich auftretender Unterbauchschmerz
- Allg. Unwohlsein mit Angst, Schwindel, Atemnot, Ohnmacht, Schocksymptomatik mit RR-Abfall u. Pulserhöhung (▶ 3.4)
- In 75 % d. F. Blutung ex utero, selten starke Blutungen, zunächst Blutung in den Uterus hinein

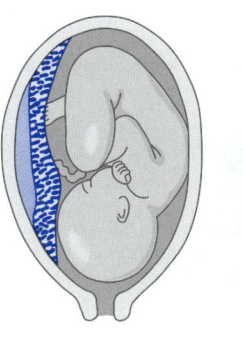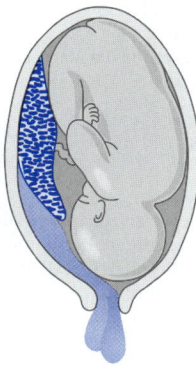

Abb. 8.10 Vorzeitige partielle Plazentalösung ohne und mit Blutung ex utero [L157]

8.5 Blutungen sub partu

- Evtl. Verbrauchskoagulopathie (Fibrinogen < 100 mg %, Thrombos < 100.000/mm^3)

Einteilung
- **Grad 0:** keine Klinik, die Diagn. wird erst p. p. gestellt, kindliche Mortalität leicht ↑
- **Grad I:** mäßige vag. Blutung, mit o. ohne leichten Tetanus uteri, kindliche Mortalität deutlich ↑
- **Grad II:** stärkere Blutung, schmerzhafter Tetanus uteri, Koagulopathie, fehlender Schock. Häufig bereits intrauteriner Fruchttod
- **Grad III:** deutlicher Tetanus uteri, Koagulopathie, hämorrhagischer Schock, schmerzhaftes Abdomen, Kind abgestorben

Diagnostik
! Vag. Untersuchung nur in Sectiobereitschaft
- Klin. Untersuchung: druckempfindlicher, auffallend gespannter Uterus
- CTG: fetale Hypoxiezeichen (▶ 8.2.2)
- Sono: retroplazentares Hämatom evtl. ohne Blutung nach außen (bei Hinterwandplazenta schwieriger nachweisbar). In seltenen Fällen Blutung in die Uterusmuskulatur (Couvelaire-Sy.)

Therapie
- Intensivüberwachung: CTG, Puls, RR, Ein-, Ausfuhrkontrollen
- Anlegen mehrerer peripherer Zugänge, Gabe von Plasmaexpander, evtl. Schockbekämpfung (▶ 3.4), Bereitstellen von EK
- Labor: kleines BB, Thrombos, E'lyte, Gerinnung, Fibrinogen, Krea
- Sofortige Sectio caesarea, wenn das Kind lebt u. Überlebenschancen bestehen
- Bei totem Kind o. fehlender Überlebenschance für das Kind: evtl. bei günstigem Befund (z. B. vollständig eröffnetem MM) ggf. vag. Entbindung anstreben (Eröffnung der Fruchtblase, Oxytocin-Dauertropfinfusion ▶ 8.15) o. Sectio parva aus mütterlicher Ind.; mütterliche Mortalität durch Schock u. DIC ↑

! Bei lebensbedrohlicher Blutung u. wenig eröffnetem MM ist die Sectio caesarea auch bei bereits abgestorbenem Kind indiziert.

8.5.4 Insertio velamentosa

Definition Nabelschnur inseriert entfernt vom Rand der Plazenta zwischen den Eihäuten. Wird beim Blasensprung o. der Amniotomie ein größeres Gefäß aufgerissen, verblutet der Fetus. Die Kompression eines großen, frei verlaufenden Gefäßes kann zum fetalen O$_2$-Mangel führen (▶ Abb. 8.11).

Epidemiologie Häufigkeit 1 %, fetale Fehlbildungsrate deutlich ↑.

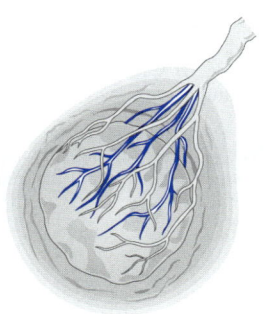

Abb. 8.11 Insertio velamentosa [L157]

Klinik Akut einsetzende Blutung zum Zeitpunkt des Blasensprungs sowie schwere variable Dezelerationen im CTG.

Diagnostik
- AZ der Mutter unbeeinträchtigt bei starker Blutung ex utero (ausschließlich fetales Blut!), häufig regelmäßige o. unregelmäßige Wehentätigkeit.
- Unauffälliger äußerer Tast- u. Sono-Befund.
- Vag. Untersuchung durch Spekulumeinstellung in Sectiobereitschaft: Fruchtblase fehlt, MM meist in Eröffnung, Blutung ex utero.
- HbF-Färbung pos. **Cave:** Auswertung dauert mind. 35–40 min.
- DD Placenta praevia: Blutung beginnt vor dem Blasensprung u. sistiert zum Zeitpunkt des Blasensprungs (▶ 8.5.2).

Therapie
- Peripherer Zugang, Sectiobereitschaft herstellen (Labor: BB, Thrombos, E'lyte, Gerinnung, Fibrinogen, Kreuzblut)
- Lebendes u. lebensfähiges Kind, mehr o. minder geschlossener MM: Notsectio
- Lebendes u. lebensfähiges Kind, vollständig eröffneter MM: möglichst rasche vag. Entbindung durch Vakuum-Forzepsextraktion (▶ 9.3.3)
- Totes o. nicht lebensfähiges Kind: vag. Entbindung anstreben, Oxytocin-Dauertropf (▶ 8.15)

8.5.5 Randsinusblutung

Definition Blutung sub partu (durch Zerreißen des Sinus circularis placentae), die auch bei normal sitzenden Plazenten vorkommt.

Epidemiologie 1 % aller Schwangerschaften.

Klinik Diskontinuierliche, leichtere schmerz- u. wehenfreie Blutung.

Diagnostik Ausschluss einer ernsteren Blutungsursache wie Placenta praevia, vorzeitige Plazentalösung, Insertio velamentosa (▶ 8.5.2, ▶ 8.5.3, ▶ 8.5.4) bzw. einer sonstigen Blutungsquelle (▶ 8.5.6).

Therapie Abwartende Haltung unter klin. Bedingungen i. d. R. gerechtfertigt, vag. Entbindung in Terminnähe häufig möglich. Intensivüberwachung: CTG, Puls, RR, Ein- u. Ausfuhrkontrolle.

8.5.6 Sonstige Blutungsursachen

Sonstige Blutungsursachen sind: Uterusruptur (▶ 8.9) o. schwangerschaftsunabhängig: Zervix-Ca (▶ 15.7), MM-Polyp (▶ 15.3.4), Portioerosion (▶ 15.3.1) o. variköse Blutungen.

Jede stärkere Blutung sub partu bzw. jede Blutung in der Spätschwangerschaft ist path. u. muss abgeklärt werden.

8.6 Lageanomalien

8.6.1 Beckenendlage (BEL)

Epidemiologie
Bei 5 % aller Geburten befindet sich das Kind bei Geburtsbeginn in BEL.

> **Einteilung**
> ▶ Abb. 8.12.
> - **Reine Steißlage:** am häufigsten, Hüftumfang etwa 27 cm
> - **Steiß-Fuß-Lage:** selten, Hüftumfang etwa 32 cm
> - **Fuß- o. Knielage:** vollkommen o. unvollkommen, Rumpfumfang etwa 24 cm

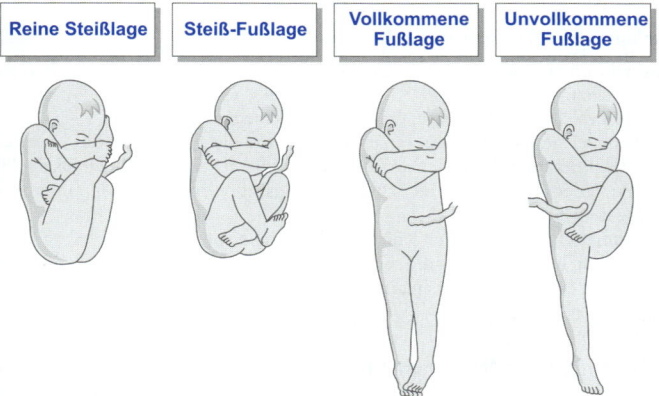

Abb. 8.12 Beckenendlagen [L157]

Risiken

Fetales Mortalitäts- und Morbiditätsrisiko Bereits vor 30 J. wurde die Empfehlung zur prim. Sectio caesarea bei BEL gegeben. Grundlage dafür waren die Ergebnisse einer multizentrischen Studie *(Term Breech Trial)*, die eine signifikante Verminderung der Neugeborenenletalität u. -morbidität (Sectio 1,6 % vs. vag. 5,0 %) bei unwesentlich erhöhter Komplikationsrate für die Mutter im Falle einer Sectio caesarea ergab. In den Nachuntersuchungen fanden sich allerdings in Fällen einer geburtsbedingten respir. Azidose kaum erhöhte Langzeitmorbiditäten o. Entwicklungsdefizite für das Kind. Nach neueren Untersuchungen wird die Sectio als der sicherere Weg für das NG beschrieben. Als wesentlicher Faktor für die Reduzierung der Geburtsrisiken wird die Erfahrung u. Spezialisierung der Geburtsklinik angesehen. Die Sectiofrequenz bei BEL liegt derzeit bei ca. 90 %.

Geburtshilfliche Risiken
- Steiß bzw. Füße sind als Dilatator des Geburtskanals weniger geeignet als der unnachgiebige u. im Umfang größere Schädel.
- Durch den nachfolgenden Kopf wird von einem bestimmten Zeitpunkt an die Nabelschnur komprimiert → Einschränkung der fetalen O_2-Versorgung → innerhalb von 20–60 s Entwicklung des kindlichen Kopfes.
- Der Kopf muss gegen erhöhten Widerstand durch Geburtskanal entwickelt werden → erhebliche Druck- u. Zugbelastung auf Kopf, Wirbelsäule u. Hals (häufiger neurol. auffällige Kinder als nach Schnittentbindung!).
- Mit zunehmender Unreife des Kindes erhöhen sich bei vag. Entbindung die fetale Mortalität u. Morbidität.

Diagnostik
1. Leopold-Handgriff Ballottement des großen, kugeligen u. harten Kopfes im Fundus (▶ Abb. 5.2).

3. Leopold-Handgriff Weicher vorangehender Teil über Beckeneingang (▶ Abb. 5.2).

Auskultation Herztöne in Nabelhöhe o. darüber am besten hörbar.

Vaginale Untersuchung Fehlen der gleichmäßigen Härte, der Schädelnähte u. Fontanellen.
- Kennzeichen der Steißlage: Cristae sacrales medianae
- Kennzeichen der Fußlage: Fersenzeichen (winkliger Übergang von Unterschenkel zum Fuß), Zehenzeichen (Zehen sind gleich lang, kürzer als die Finger; Zehen stehen in Reihe, Daumen im Ggs. zur Großzehe in opponierter Stellung)
- Kennzeichen der seltenen Knielage: bewegliche Patella

Am Termin besteht in 70 % d. F. eine reine Steißlage, in ca. 20 % eine Steiß-Fußlage, in 10 % eine Fußlage. Diagn. intra partum nach Blasensprung.

Sonografie Beweisend! ▶ 22.2.5

Geburtshilfliches Management
Für eine vag. Entbindung müssen folgende Bedingungen erfüllt sein:
- Zu erwartendes Geburtsgewicht < 3.500 g
- Ausschluss einer schweren Fehlbildung durch sorgfältige Sono (Fehlbildungsrate bei BEL ↑; ▶ 22.2.3)
- Ausschluss eines Missverhältnisses durch sonografische Bestimmung von mind. zwei Schädelmaßen u. Thoraxdurchmesser. **Cave:** Alle Methoden zur Beurteilung des mütterlichen Beckens sind ungenau; in der Literatur ist keine eindeutige Überlegenheit von radiol. o. klin. Methoden beschrieben (▶ 22.2.3). In den meisten Zentren Becken-MRT der Schwangeren Voraussetzung für vag. BEL-Geburtsplanung
- Hyperextension (starke Deflexion) des Kopfes sonografisch (ggf. radiol.; MRT) ausschließen (schwierig!)
- Großzügige Ind. zur sek. Sectio, wenn mit einer langwierigen vag. Geburt zu rechnen ist (z. B. hoch stehender Steiß bei unreifer Zervix, mangelhaftes Tiefertreten des Steißes, vorzeitiger Blasensprung o. Ä.)

Geburtsleitung
- Aufklärung der Pat. über die vorgenannten Risiken.
- Ständige Narkose- u. Sectiobereitschaft, Reanimationsbereitschaft für das Kind.
- Venöser Zugang mit Dauertropfinfusion einer Basislsg. (z. B. Ringer®).
- Externe CTG-Dauerüberwachung unter Erhaltung der Fruchtblase in der Eröffnungsperiode, nach Blasensprung möglichst interne CTG-Überwachung.
- Entleerung der Harnblase der Mutter kurz vor der Geburt durch Einmalkatheterismus.
- Ausreichende Analgesie (z. B. PDA ▶ 8.4.3).
- Oxytocin-Tropf in der Austreibungsperiode, um das Kind rasch entwickeln zu können (▶ 8.14, ▶ 8.3.3).
- Vierfüßlerstand o. Knie-Ellenbogen-Lage in der Austreibungsperiode bevorzugen.
- Zurückhalten des Steißes, bis das Kind in einer Wehe entwickelt werden kann. In 90 % d. F. ist die Geburt ohne zusätzliche Traktion o. Torsion möglich.
- Gefordert wird eine großzügige Episiotomie (▶ 9.2).
- Entwicklung des Kindes nach Bracht unter gleichzeitigem Druck von oben (durch Hilfsperson; ▶ 9.4.2).
- Falls erforderlich, Lösung der Arme o. Kopfentwicklung nach Veit-Smellie (▶ 9.4.3; ▶ 9.4.4).
- Ind. zur sek. Sectio bei Auftreten von KO auch in der Austreibungsperiode großzügig stellen.

Indikationen zur primären Sectio bei Beckenendlage
- Beckenanomalie bzw. verengtes Becken
- Nabelschnurvorfall
- Placenta praevia
- Kindliche Hypertrophie ≥ 3.800 g
- Wachstumsretardierung des Fetus (< 10. Perzentile)
- Prämaturität
- Reine Fußlage
- Fetale Dysproportion (KU >> AU)
- Zervikale Unreife u. vorzeitiger Blasensprung
- Zusatzrisiken wie Diab. mell. (GDM), path. CTG, Plazentainsuff., fetale Dystrophie, schwere fetale Fehlbildungen

Äußere Wendung
In manchen Zentren wird bei BEL o. Querlage (▶ 8.6.2) die äußere Wendung versucht. Die Erfolgsrate liegt bei etwa 50 %.
Die äußere Wendung kann ab 36+0 SSW erfolgen. Ein Aufklärungsgespräch sollte wenigstens 1 Tag vor dem Eingriff durchgeführt werden. Eine Anästhesie ist nicht indiziert. Dabei sollte die Möglichkeit einer notfallmäßig durchzuführenden Sectio caesarea sichergestellt sein. Eine Tokolyse ist nicht zwingend erforderlich. Falls erforderlich Anti-D-Prophylaxe.

Kontraindikationen
- Vorzeitiger Blasensprung
- Vag. Blutung unklarer Genese
- Placenta praevia
- Vorderwandplazenta

Durchführung Unter CTG-Kontrolle u. unter Sectiovorbereitung (im OP!) wird der kindliche Steiß aus dem Becken gedrückt (▶ Abb. 8.13, Pfeil 1) u. dann das Kind mit sanften, schiebenden Bewegungen i. S. eines „Purzelbaums" intrauterin gedreht (▶ Abb. 8.13, Pfeile 2 u. 3).

Risiken Vorzeitige Plazentalösung, Nabelschnurkompression u. vorzeitiger Blasensprung.

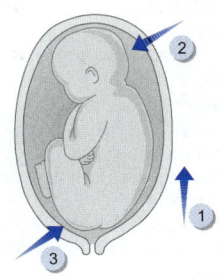

Abb. 8.13 Äußere Wendung [L157]

8.6.2 Querlage

Epidemiologie Körperhauptachse des Kindes bildet einen rechten Winkel mit der Führungslinie des Geburtskanals. Häufigkeit: 0,7 % aller Geburten.

Ursachen Abnorm große Bewegungsmöglichkeit des Kindes wie Frühgeburt, kleines Kind, Polyhydramnion, schlaffe Uteruswand u. Bauchdecken bei Vielgebärenden o. Hindernisse für die normale Einstellung wie Beckenverengungen, Uterusanomalien, Mehrlinge o. Placenta praevia.

Geburtshilfliche Risiken
- Unbehandelt kommt es nach Blasensprung zum Armvorfall, Einkeilen der Schulter, Abknicken der Frucht (verschleppte Querlage).
- Bei Zunahme der Wehentätigkeit drohen Dauerkontraktionen u. Uterusruptur.
- Das Kind ist beim Blasensprung häufig durch einen Nabelschnurvorfall gefährdet.

Diagnostik
- Klin. Untersuchung: Fundusstand niedriger als erwartet, querovaler Uterus
- Leopold-Handgriffe: kindlicher Kopf li. o. re. zu palpieren
- Auskultation: kindliche Herztöne in der Nabelregion
- Vag. Untersuchung: kleines Becken ist leer
- Sono beweisend, Ausschluss einer Placenta praevia!

Therapie
- Jede Querlage ist eine gebärunfähige Lage. Hospitalisierung bzw. Sectioentbindung nach vollendeter 37.–38. SSW.
- Evtl. äußere Wendung ab 36+0 SSW (▶ 8.6.1).
- Regelmäßige CTG-Kontrollen, da das Kind aufgrund einer häufig be-

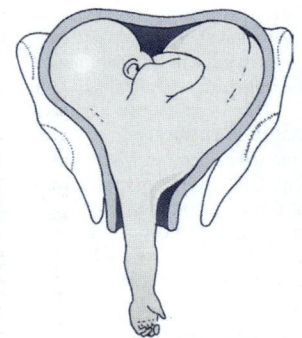

Abb. 8.14 Verschleppte Querlage nach Blasensprung mit Armvorfall, Abknicken der Frucht und Einkeilen der Schulter [L157]

stehenden chron. Plazentainsuff. bei ungünstiger Hämodynamik gefährdet ist.
- Evtl. Wehenhemmung bei Wehentätigkeit, z. B. mit Fenoterol i. v. (z. B. Partusisten®).

 Bei verschleppter Querlage (▶ Abb. 8.14) ist jeglicher Wendungsversuch ein schwerer Kunstfehler (Uterusruptur!).

8.6.3 Regelwidrige Schädellagen

Definition
Bei einem kleinen Teil der Schädellagen bleibt die Beugebewegung (Flexion) des kindlichen Kopfes aus (Haltungsanomalie). Alle Deflexionslagen verlaufen mit nach hinten gerichtetem Rücken (Stellungsanomalie) (▶ Abb. 8.15).

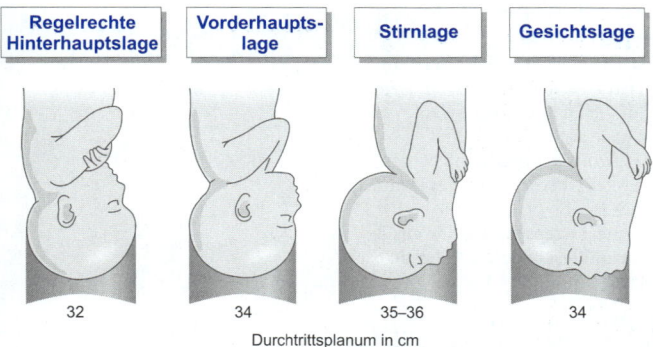

Abb. 8.15 Flexions- und Deflexionshaltungen des Kopfes bei Eintritt ins Becken [L157]

Vorderhauptslage (VHL)
Geringster Grad einer Streckhaltung des Kopfes. Das Durchtrittsplanum hat einen Umfang von 34 cm (bei regelrechter HHL 32 cm). Hieraus resultiert bei reifen Kindern ein auffallend verzögerter Geburtsverlauf!

Diagnostik Bei vag. Untersuchung große Fontanelle in der Führungslinie; i. d. R. dorsoposteriore Einstellung (kleine Fontanelle schwer zu erreichen, meistens li. o. re. hinten zu tasten).

Therapie Solange es Mutter u. Kind gut geht, stets kons. Vorgehen:
- Lagerung auf Seite des Hinterhaupts. Dreht sich das Hinterhaupt hierunter nicht nach vorn, Lagerung auf der entgegengesetzten Seite
- Großzügige Episiotomie wegen starker Überdehnung des Damms (▶ 9.2)
- Forzepsentbindung vermeiden (Gefahr tief gehender Weichteilrisse!), bei dringlicher Ind. (z. B. path. CTG) eher Vakuumextraktion (▶ 9.3.2)

Stirnlage
Nach VHL nächsthöherer Grad der Streckhaltung. Aufgrund des größten Umfangs des Durchtrittsplanums von 35–36 cm ungünstigste aller Schädellagen.

Diagnostik Leitstelle Stirn (große Fontanelle, Augenbrauen, Nasenwurzel tastbar; ist das Kinn erreichbar, liegt eine Gesichtslage vor).

Therapie
- Geburtsbeendigung i. d. R. nur durch Sectio caesarea möglich
- Spontanpartus nur bei sehr kleinem Köpfen o. sehr geräumigem Becken (**cave:** nasoposteriore Stirnlage geburtsunmöglich!)
! Forzepsentbindung wegen extrem schlechter Prognose obsolet

Gesichtslage
Stärkster Grad der Streckhaltung des Kopfes. Umfang der Durchtrittsebene 34 cm.

Diagnostik Hinterhaupt oberhalb der Symphyse von außen gut tastbar, Herztöne auf der Seite der kleinen Teile. Kinn, Mund, Nase, Augenbrauen bei der vag. Untersuchung tastbar.

Therapie
- Lagerung auf der Seite des Kinns
- Tritt zu Geburtsbeginn ein Grund zur Geburtsbeendigung auf → großzügige Sectio-Ind.
- Großzügige Episiotomie wegen starker Überdehnung des Damms (▶ 9.2)
- Keine Forzepsentbindung aus Beckenmitte, sondern sek. Sectio caesarea

! Spontanpartus nur bei mentoanteriorer Einstellung möglich. Bei mentoposteriorer Gesichtslage u. nasoposteriorer Stirnlage vag. Geburt unmöglich (▶ Abb. 8.16)!

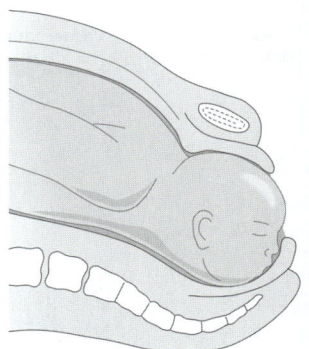

Abb. 8.16 Die dorsoanteriore mentoposteriore Gesichtslage ist eine geburtsunmögliche Lage. Sie führt zum Geburtsstillstand im Geburtskanal [L157]

8.6.4 Einstellungsanomalien

Definition
Fehlende Anpassung des kindlichen Kopfes an den Geburtskanal, ohne dass ein absolutes Missverhältnis zwischen den Kopf-Becken-Relationen vorliegt.

Formen
- Hoher Gradstand
- Tiefer Querstand
- Dorsoposteriore Einstellung
- Hintere Scheitelbeineinstellung

Hoher Gradstand

Diagnostik Der kindliche Kopf ist mit gerader Pfeilnaht dem Beckeneingang aufgepresst, die kleine Fontanelle ist häufig hinten zu tasten (dorsoposteriore Einstellung). Von außen tastet sich der Kopf auffallend schmal an, evtl. ist der 5. Leopold-Handgriff (Zangemeister) pos. (▶ Abb. 5.2).

Therapie Sectio, falls bei guter Wehentätigkeit unter Wechsellagerung nach Blasensprung der Befund persistiert, bei ungünstigen Umständen (grünes FW, drohende Uterusruptur etc.) o. path. CTG.

Tiefer Querstand

Querstehende Pfeilnaht im Beckenausgang. Ursache ist häufig eine sek. Wehenschwäche.

Epidemiologie Etwa 1,7 % der Schädellagengeburten.

Diagnostik Pfeilnaht des auf dem Beckenboden stehenden Kopfes verläuft quer bei gleichzeitiger Verzögerung der Geburt. Aufgrund einer leichten Streckhaltung häufig beide Fontanellen zu tasten. Die Spinae können nicht mehr erreicht werden, da der Kopf auf dem Beckenboden steht.
Anhand der Stellung der kleinen Fontanelle unterscheidet man den I. o. rechten (▶ Abb. 8.17a) u. den II. o. linken (▶ Abb. 8.17b) Querstand.

Therapie Lagerung auf Seite des Hinterhaupts, ggf. Unterstützung der Wehentätigkeit (▶ 8.14), persistiert der Befund länger als 30 min vag.-op. Entbindung (Vakuumextraktion ▶ 9.3.2).

Dorsoposteriore Einstellung

Der kindliche Rücken ist dabei nach hinten gerichtet, die kleine Fontanelle kreuzbeinwärts gerichtet. Häufig mit einer Haltungsanomalie einhergehend (Vorderhauptslage, Stirnlage, Gesichtslage ▶ 8.6.3).

Hintere Hinterhauptslage Keine Vergrößerung des Durchtrittsplanums, Austreibungsperiode dennoch aufgrund der wesentlich stärkeren Reibung zwischen Geburtskanal u. kindlichem Kopf erheblich verlängert. **Ther.:** Lagerung aufseiten des

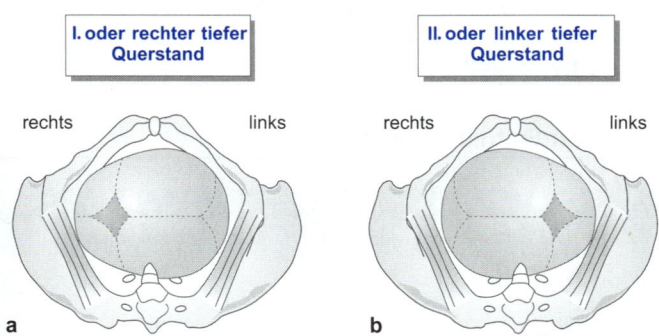

Abb. 8.17 Tiefer Querstand: a) I o. rechter tiefer Querstand, b) II o. linker tiefer Querstand [L157]

Hinterhaupts, evtl. Oxytocin-Tropf. Bei Erfolglosigkeit Lagerung auf die kontralaterale Seite. Tritt der Kopf nicht tiefer, ggf. Sectioentbindung.

Hintere Vorderhauptslage Deutliche Vergrößerung des Durchtrittsplanums, Austreibungsperiode dadurch erheblich verlängert. **Ther.:** Lagerung auf Seiten des Hinterhaupts, evtl. Wechsellagerung. Tritt der Kopf nicht tiefer, ggf. Sectioentbindung.

Hintere Scheitelbeineinstellung (Syn.: Litzmann-Obliquität)
Selten! Versuch der Anpassung des kindlichen Kopfes an den relativ engen Beckeneingang durch Übereinanderschieben der Scheitelbeine. Der hintere Rand des Scheitelbeins stößt hierbei an den Hinterrand der Symphyse (als Stufe tastbar), die nachfolgende hintere Schulter sitzt dem Promontorium auf. Der Kopf weicht nach vorn ab u. überragt die Symphyse (5. Leopold-Handgriff pos., ▶ Abb. 5.2). Geburtsunmögliche Einstellung (▶ Abb. 8.18). **Ther.:** Sectio caesarea.

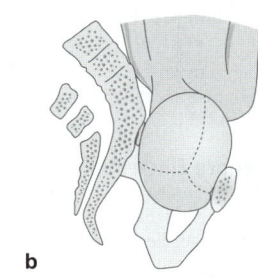

Abb. 8.18 Asynklitismus:
a) Verstärkter vorderer Asynklitismus (= verstärkte Naegel-Obliquität)
b) Verstärkter hinterer Asynklitismus (= verstärkte Litzmann-Obliquität) [L157]

8.7 Geburtsstillstand

8.7.1 In der Eröffnungsperiode

> Ein Geburtsstillstand in der Eröffnungsperiode über o. im Beckeneingang bei ausreichender Wehentätigkeit bedeutet stets ein Geburtshindernis.

Ursachen
- Gebärunfähige Lagen: Querlage, hoher Gradstand, nasoposteriore Stirnlage, mentoposteriore Gesichtslage, hintere Scheitelbeineinstellung (▶ 8.6.2, ▶ 8.6.3)
- Regelwidrige Einstellungen o. Haltungen: häufig in Komb. mit Beckenanomalien, z. B. hoher Gradstand, VHL, hintere Scheitelbeineinstellung (▶ 8.6.4)
- Hydrozephalus ▶ 8.12.1

- Andere seltene Geburtshindernisse: im Becken liegende Tumoren, Narben, Strikturen des MM

Therapie Je nach Regelwidrigkeit meist Geburtsbeendigung durch Sectio caesarea (evtl. bei Erstparität intraop. Conjugata vera mit Beckenzirkel ausmessen!).

8.7.2 In der Austreibungsperiode

> Auffallend langsamer Geburtsverlauf o. Geburtsstillstand auf Beckenboden.

Ursachen
- Sek. Wehenschwäche: häufig! Ermüdung der Uterusmuskulatur
- Regelwidrigkeiten der Kopfeinstellung o. -haltung wie tiefer Querstand, Deflexionslagen (▶ 8.6.3, ▶ 8.6.4)
- Weichteilwiderstände: rigider Geburtskanal, Bandapparat o. Damm
- Knochenwiderstände: vorspringendes Steißbein, verengter Beckenausgang

Therapie
- Lückenlose CTG-Überwachung, bei V. a. fetale Hypoxie → Fetalblutanalysen (▶ 8.2.5)
- Vag.-op. Geburtsbeendigung (▶ 9.3) in folgenden Situationen:
  - Kopf steht länger als 1–2 h auf dem Beckenboden
  - Kopf rückt bei guter Wehentätigkeit nicht weiter
  - Bei Wehenschwäche bleibt Ther. mit Wehenmitteln erfolglos (▶ 8.14)
  - Anzeichen einer fetalen Hypoxie (path. CTG o. MBU; ▶ 8.2.2, ▶ 8.2.5)

8.8 Vorzeitiger Blasensprung

Definition
Blasensprung mit FW-Abgang vor Beginn der Eröffnungswehen.

Epidemiologie
Bei etwa 5 % der Geburten > 12 h, in etwa 12 % der Geburten < 12 h vor Beginn der Wehentätigkeit. In bis zu 30 % d. F. beträgt das Geburtsgewicht < 2.500 g, oder es besteht eine Schwangerschaft vor der 37. SSW.

Ursache
Vorzeitige Wehentätigkeit, vorzeitige Zervixreifung, Polyhydramnion, Mehrlingsgrav., Inf. (bakt. Vaginose, aszendierende Inf. ▶ 11.6), liegende Cerclage, iatrogen bedingt (forcierte Untersuchung, Amniozentese, Amnioskopie).

Diagnostik
- Sono: Kontrolle der FW-Menge (▶ 22.2)
- Vag. Untersuchung: Spiegeleinstellung des MM
- Lackmusprobe: Blauverfärbung des roten Lackmuspapiers zeigt Abgang des alkalischen FW an
- Evtl. Bromthymol-Test: Blaufärbung des FW
- Evtl. AmniCheck: Insulin-like-Growth-Factor-binding-Protein-Test. **Cave:** teuer, aber zuverlässig
- Evtl. Nachweis von Fibronektin (z. B. ROM-Check® Test)

- Evtl. Mikroskopie: Nachweis von Lanugohaaren, Vernixflocken, Hautschuppen o. Mekonium
- Evtl. Amnioskopie unter möglichst sterilen Bedingungen als sicherste Nachweismethode (fast einzige Ind.)
- In Ausnahmefällen (z. B. früher Schwangerschaftsmon.) zur Diagn. transabdom. Injektion von Indigokarmin in das FW (▶ 4.2.6)

> Die kindliche o. mütterliche Inf. ist die gefährlichste KO beim vorzeitigen Blasensprung. Innerhalb von 24 h nach vorzeitigem Blasensprung weisen bis zu 4 % der Kinder eine Inf. auf. Diese Zahl steigt innerhalb von 48 h bis auf etwa 20 % an. Erreger sind hierbei v. a. *E. coli*, β-hämolysierende Strept., Staph. sowie *Strept. faecalis*. Bei hoch stehendem Kopf Gefahr des Nabelschnurvorfalls. Pat. sofort hinlegen lassen, bis zur vag. Untersuchung am besten mit leichter Beckenhochlagerung.

In Terminnähe ist bei reifer Zervix eine zügige Entbindung anzustreben. Bei kindlicher Unreife kann ein abwartendes Verhalten mit Induktion der fetalen Lungenreifung (RDS-Prophylaxe), u. U. unter Antibiotikaschutz, erforderlich sein. Bei klin. Zeichen für ein AIS (mütterlicher Temperaturanstieg, Leukozytose, CRP-Anstieg, Linksverschiebung im Diff-BB u. fetale Tachykardie) Schwangerschaft beenden.

Vorgehen beim vorzeitigen Blasensprung
- Reduzieren der vag. Untersuchungen auf das Notwendigste, ggf. Entfernung einer liegenden Cerclage
- Bei kindlicher Unreife (< 34. SSW) u. Fehlen von Infektionszeichen Einleitung einer pränatalen Lungenreifung mit Betamethason 2 × 12 mg i. m. (z. B. Celestan®) im Abstand von 24 h, evtl. unter i. v. Tokolyse
- Vaginalabstrich auf pathogene Keime mit Resistenzbestimmung
- CTG-Intervallüberwachung
- Infektparameter-Kontrolle: Leukos, CRP, evtl. Elastase, Diff-BB
- Regelmäßige rektale Temperaturkontrollen
- Vor der 34+0 (36+0) SSW intrauterine Verlegung in ein Perinatalzentrum

Ausschluss eines Amnioninfektionssyndroms (AIS)
Anzeichen einer manifesten Inf. sind:
- Temperaturerhöhung (≥ 38 °C axillär)
- Mütterliche Tachykardie (> 100 SpM)
- Fetale Tachykardie (> 150 SpM)
- Druckschmerzhafter Uterus
- Zunehmende Wehen
- Übel riechendes FW
- Leukozytose (≥ 15.000/μl) (**cave:** können bei bestehendem AIS wieder abfallen)
- CRP-Erhöhung (empfindlicherer Parameter, verzögerter Anstieg)

Antibiotikaprophylaxe
Bei vorzeitigem Blasensprung reduziert die prophylaktische Gabe von Mezlocillin, Piperacillin, Clindamycin, Ampicillin o. Erythromycin die maternale u. fetale Morbidität u. kann die Schwangerschaftsdauer verlängern. Generell in der 34+0 bis 37+0 SSW z. B. Ampicillin 2 g o. Cefotaxim 2 g (z. B. Claforan®) alle 8 h.

Bei Streptokokken-Nachweis Penicillin G 10 Mio. IE initial u. 2,5–3 Mio. IE alle 4 h i. v.

Blasensprung < 20+0 SSW
- Kein Anhalt für AIS:
  - Abwarten unter Bettruhe nach Absprache mit der Schwangeren möglich
  - CRP-Kontrollen alle 6–24 h
  - Regelmäßige Kontrolle von FW-Menge u. Vitalität des Kindes
  - Bei persistierendem Oligo-/Anhydramnion Aufklärung über schlechte Prognose des Kindes (Lungenhypoplasie etc.) u. ggf. Beendigung der Schwangerschaft
  - Evtl. Antibiose (s. o.)

Bei Anhalt für AIS Abortinduktion mit Prepidil®, Cergem®[1] o. Misoprostol (▶ 5.19).

Blasensprung 20+0 bis < 24+0 SSW
- Kein Anhalt für AIS:
  - Abwarten unter Bettruhe nach Absprache mit der Schwangeren möglich
  - Ggf. Antibiose (s. o.)
  - CRP-Kontrollen alle 6–24 h
  - Regelmäßige Kontrolle von FW-Menge u. Vitalität des Kindes
  - Bei Erreichen 24+0 SSW Vorgehen wie nachfolgend beschrieben
  - Evtl. Antibiose (s. o.)
- Manifestes AIS ≥ 23+0 SSW: Entbindung anstreben

Blasensprung ≥ 24+0 bis < 34+0 SSW
- Kein Anhalt für AIS:
  - Abwarten unter Bettruhe, Antibiotikagabe, Tokolyse u. Lungenreifeinduktion
  - CRP-Kontrollen alle 6–24 h
  - CTG (alle 12 h)
  - Regelmäßiger US/Doppler
  - Antibiose (s. o.).
  - Tokolyse (▶ 5.11.2)
  - RDS-Prophylaxe (s. o.)
  - Bei Erreichen von 34+0 SSW aktive Beendigung der Schwangerschaft (wenn kein spontaner Wehenbeginn)
- Manifestes AIS: zügige Entbindung unter antibiotischer Ther. (s. o.)

Blasensprung ≥ 34+0 SSW
- Kein Anhalt für AIS:
  - Aktive Beendigung der Schwangerschaft (wenn kein spontaner Wehenbeginn)
  - Antibiose (s. o.)
  - Keine RDS Prophylaxe
  - Keine Tokolyse
- Manifestes AIS: zügige Entbindung unter antibiotischer Ther. durch Sectio caesarea, falls keine schnelle Geburt zu erwarten ist

---

[1] Der Vertrieb von Cergem Vaginalsupp. (Cergem®) mit dem Wirkstoff Gemeprost wurde in D eingestellt. Das Präparat ist nur noch über die internationale Apotheke zu beziehen.

- Bei Nachweis von β-hämolysierenden Streptokokken der Gruppe B (GBS): mütterliche Antibiotikaprophylaxe zur Vermeidung der NG-Sepsis durch GBS, wenn mit baldiger Geburt zu rechnen ist
- Bei unbek. GBS-Status der Mutter: Antibiotikaprophylaxe, wenn eine baldige Geburt nicht ansteht
- Bei möglicherweise verzögerter Geburt i. R. der Aufnahmeuntersuchung mikrobiol. Abstrich von Anorektum u. Scheide zum Nachweis der GBS entnehmen. Antibiotikaprophylaxe bis zur Geburt bzw. bis zum Vorliegen eines neg. GBS-Abstrichergebnisses (i. d. R. 48 h) fortführen

Blasensprung > 36+0 SSW Aktive Beendigung der Schwangerschaft nach 12–24 h. Antibiotikaprophylaxe/-therapie bis zur Geburt, falls:
- Dauer des Blasensprungs ≥ 18 h
- Vorausgegangene Geburt mit NG-Sepsis durch GBS
- Präpartales GBS-Screening mit pos. Abstrich auf GBS
- Zeichen eines AIS (umgehende Geburtsbeendigung!)

8.9 Vorfälle

8.9.1 Nabelschnurvorfall

Definition Vorfall der Nabelschnur nach Blasensprung vor den führenden Teil in die Vagina o. vor die Vulva (▶ Abb. 8.19).

Epidemiologie 0,5 % aller Geburten, am häufigsten bei Quer- u. Fußlagen, Gemini, seltener bei Steiß- u. Schädellagen.

Klinik Plötzlicher Herzfrequenzabfall nach Sprung der Fruchtblase. KO: drohende intrauterine Asphyxie durch Nabelschnurkompression, v. a. bei Schädellagen.

Diagnostik Unmittelbare vag. Untersuchung (pulsierende Nabelschnur).

Therapie Beckenhochlagerung, O$_2$-Gabe, mit Hand in Vagina eingehen u. führenden Teil zur Entlastung der Nabelschnur hochschieben. Notfalltokolyse: 1 ml Partusisten intrapartal® verdünnt mit 4 ml NaCl, 2,5–5 ml langsam i. v. (2 ml/min). Einmalige Wdh. möglich, ggf. anschließende kurzzeitige kontinuierliche Infusion von bis zu 4 µg/min Partusisten® möglich.

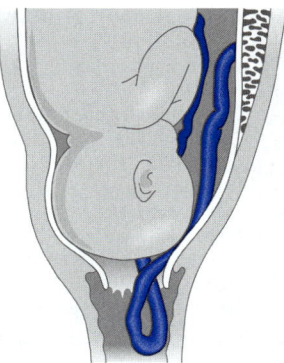

Abb. 8.19 Nabelschnurvorfall [L157]

! Bei lebendem u. lebensfähigem Kind sofortige Sectio caesarea.

8.9.2 Vorfall kleiner Teile

Definition Häufig bei Schädellagen mit engem Becken u. Lageanomalien. KO: Uterusruptur.

> **Einteilung**
> - **Vorliegen eines Arms:** Bei stehender Fruchtblase liegt der Arm vor dem vorausgehenden Kopf.
> - **Unvollkommener Armvorfall:** Vorfall einer Hand bei gesprungener Blase.
> - **Vollkommener Armvorfall:** Hand u. Teile des Unterarms liegen bei gesprungener Fruchtblase tiefer als der vorausgehende Teil.

Klinik Hochstehender Kopf. Verzögerter Geburtsverlauf o. Geburtsstillstand (vorgefallener Arm verhindert den Kopfeintritt o. -durchtritt durch das Becken).

Diagnostik Vag. Untersuchung.

Therapie
- **Vorliegen eines Arms o. unvollkommener Armvorfall:** Beckenhochlagerung. Lagerung auf die dem vorliegenden Arm entgegengesetzte Seite, bei Erfolglosigkeit u. vollständig eröffnetem MM Reposition in Narkose (s. u.), bei wenig eröffnetem MM Sectioentbindung.
- **Vollkommener Armvorfall** (sofern der Kopfeintritt in das Becken o. der Kopfdurchtritt durch das Becken behindert ist): bei vollständig eröffnetem MM Repositionsversuch unter Narkose/PDA. Dazu mit der Hand, die der Bauchseite des Kindes entspricht, in die Scheide eingehen u. Arm bis auf Höhe des kindlichen Halses zurückschieben, nach Abwarten einer Wehe Hineindrängen des Kopfes in den Beckeneingang mit der äußeren Hand o. durch Hilfsperson. Bei Erfolglosigkeit Sectio.

8.10 Uterusruptur

Ursache
- Überdehnung der Uteruswand: geburtsunmögliche Lage o. Einstellung des Kindes, Missverhältnis zwischen Kopf u. Becken, Hydrozephalus, Überdosierung von Wehenmitteln
- Wandschädigung: Z. n. Sectio, insb. nach Längsschnittuterotomie, Myomenukleationen o. Ä.
- Geburtshilfliche Eingriffe: Wendungs-OPs, traumatische Entwicklung bei Schulterdystokie

Klinik
- **Vor der Ruptur:**
    - Zunahme der Wehentätigkeit bis zum Wehensturm, Geburtsstillstand
    - Überdehnung u. Schmerzhaftigkeit des unteren Uterinsegments (suprasymphysär)
    - Hochsteigen der Bandl-Furche: obere Grenze des unteren Uterinsegments in Nabelhöhe u. darüber
    - Unruhe der Gebärenden

- **Erfolgte Ruptur:**
  - Schlagartiges Sistieren der Wehentätigkeit (Austritt des Kindes aus dem Uterus in die freie Bauchhöhle)
  - Rupturschmerz, starke abdom. Abwehrspannung
  - Kollaps u. Blässe als Folge der schweren inneren Blutung, Unruhe, zunehmende Atemnot
  - Aufhören der kindlichen Herztöne u. Kindsbewegungen
  - Meist vag. Blutung
- **Stille Ruptur:**
  - Symptomarm, v. a. Narbenrupturen
  - Eine suprasymphysäre Druckschmerzhaftigkeit sub partu bei Z. n. Sectio caesarea u. weitere progn. ungünstige geburtshilfliche Parameter (Geburtsstillstand, protrahierte Eröffnungsperiode, hoher Stand des Kopfes) können auf eine bereits erfolgte Ruptur hinweisen.

> Jeder unklare Schockzustand intra- u. post partum ist verdächtig auf eine Uterusruptur.

Diagnostik
- Anamnese des Geburtsverlaufs u. der Geburtsrisiken.
- Schmerzen u. Kollaps (Pulsanstieg, RR-Abfall, zunächst konstanter Hb, dann Hb-Abfall bei akuter Blutung; ▶ 3.4.1). Schmerz persistiert in der Wehenpause.
- Vag. Untersuchung: Der vorausgehende Teil ist dem Beckeneingang aufgepresst, große Geburtsgeschwulst, MM nicht vollständig eröffnet, dickwulstige MM-Ränder.
- Ggf. CTG-Alterationen mit Anstieg des Basaltonus.

Therapie
- i. v. Tokolyse, z. B. Fenoterol (Partusisten®).
- Umgehende Laparotomie auch bei bereits abgestorbenem Kind.
- Bei kompletter Ruptur ggf. totale Uterusexstirpation.
- Bei vorangegangener Längsschnittuterotomie ist eine prim. Sectioentbindung nach Abschluss der 37. SSW indiziert.

8.11 Fetale Azidose

Ursachen
- **Präplazentar:** path. Uteruskontraktionen, Vena-cava-Kompressionssy., Blutungen, z. B. Placenta-praevia-Blutung (▶ 8.5.2), starke iatrogene RR-Senkung (▶ 8.9.1), schwere mütterliche Anämie o. Herzinsuff., orthostatische Dysregulation
- **Plazentar:** path. Prozesse in der Plazenta, die mit einer Verminderung der plazentaren Austauschfläche o. einer erschwerten Permeabilität einhergehen, z. B. Plazentainsuff., vorzeitige Plazentalösung (▶ 8.5.3), SIH (▶ 5.9.1), Übertragung (▶ 5.17), mütterlicher Diab. mell. (▶ 3.4.5)
- **Postplazentar:** hauptsächlich KO der Nabelschnur wie Vorliegen o. Vorfall der Nabelschnur (▶ 8.9.1), Nabelschnurumschlingung, Nabelschnurknoten, intrauterine fetale Erkr., z. B. an Herz o. Gefäßen

Diagnostik Externes o. internes CTG (▶ 8.2.2), ggf. MBU (▶ 8.2.5)

Therapie
- Beckenhochlagerung, O_2-Gabe
- Intrauterine Reanimation: Notfalltokolyse: 1 ml Partusisten intrapartal® verdünnt mit 4 ml NaCl, 2,5–5 ml langsam i. v. (2 ml/min). Einmalige Wdh. möglich, ggf. anschließende kurzzeitige kontinuierliche Infusion bis 4 µg/Min. Partusisten® möglich
- Geburtsbeendigung: je nach geburtshilflicher Situation, Ursachen der fetalen Notsituation u. jeweils zusätzlicher Parameter wie MBU

Notsectio Nach 15- bis 20-minütiger schwerer Azidose steigt das Risiko eines perinatal verursachten kindlichen Hirnschadens auf etwa 50 % an. Der Zeitbedarf für eine Notsectio ist definiert als das Intervall zwischen Indikationsstellung u. Geburt des Kindes (Entschluss-Entwicklungszeit = E-E-Zeit) u. sollte nach einer Stellungnahme der DGGG 20 min nicht überschreiten. In diesem Zeitrahmen sind nach Erkennen der fetalen Notsituation u. Entschluss zur Sectioentbindung folgende Maßnahmen erforderlich:
- Intrauterine Reanimation (s. o.)
- Informieren von Oberarzt, Anästhesist, OP-Personal, evtl. Pädiater
- Aufklärung der Pat. u. ggf. schriftliche Einwilligung zur OP
- OP-Vorbereitung mit Blutentnahme u. venösem Zugang
- Waschen u. Umkleiden des OP-Teams
- Transport der Pat. zum OP-Saal
- Evtl. vag. Entbindungsversuch in OP-Bereitschaft
- Desinfektion des Bauchs der Pat.
- Narkoseeinleitung
- Sectio u. Entwicklung des Kindes

> Auch die NG-Versorgung im unmittelbaren Anschluss an die Geburt organisieren!

70 % aller NG-Zerebralparesen entstehen antenatal. Für einen Kausalzusammenhang zwischen Zerebralparesen u. peripartaler Asphyxie müssen nachfolgende Kriterien erfüllt sein:
- Nabelarterien-pH < 7,0
- Apgar-Wert 0–3 nach 5 min
- Basenüberschuss (BE) ≥ −16
- Neurol. Symptome wie Krämpfe, Koma u. Hypotonie
- Multiorganversagen (laborchem. Nachweis!)

8.12 Fetale Fehlbildungen

Ca. 2 % aller NG weisen genetische Besonderheiten bzw. körperliche Fehlbildungen auf (s. auch ▶ 11.7. Einige Fehlbildungen haben Einfluss auf den Geburtsablauf:

8.12.1 Hydrozephalus

 Häufigste u. zugleich gefährlichste aller fetalen Fehlbildungen für den Geburtsverlauf. Es besteht ein ausgesprochenes Missverhältnis zwischen kindlichem Kopf u. mütterlichem Becken. Uterusruptur oft schon während der ersten Eröffnungswehen möglich!

Diagnostik
- **Sono:** Bestimmung des biparietalen Durchmessers sowie der Ventrikeldurchmesser. Bei Ventrikelerweiterungen Ausschluss weiterer begleitender Fehlbildungen wie Spaltbildungen der Wirbelsäule (▶ 22.2.3)
- **Vag. Untersuchung:** klaffende Nähte, weite Fontanellen, dünne weiche Schädelknochen, Pergamentknistern, abnorme Beweglichkeit der Knochenränder

Geburtsleitung Prim. Sectio.

8.12.2 Anenzephalus

 Schwerste Hirnfehlbildungen, in 75 % d. F. mit Polyhydramnion. Fetus nicht lebensfähig. Häufig verlängerte Grav. (Übertragung) durch gestörten fetalen Steroidhaushalt.

Diagnostik
- **Sono:** charakteristische Echokomplexe der Basis ohne Schädelkapsel
- **AFP:** in 90 % d. F. path. AFP-Werte im mütterlichen Serum, in 99 % d. F. im FW (▶ 4.2.6, 4.6.1)

Geburtsleitung Vag. Entbindung, ggf. nach Geburtseinleitung durch vag. Blasensprung u. vorsichtiges Ablassen des häufigen Polyhydramnions. **Cave:** Lageanomalien, Vorfall kleiner Teile (▶ 8.6, ▶ 8.9.2) o. Oxytocin-Dauertropf (häufig prim. Wehenschwäche infolge der Uterusüberdehnung). **Cave:** Atonie p. p. (▶ 8.15.2).

 Vakuumentbindung nicht möglich.

8.12.3 Steißteratome

Definition Am Beckenende des Kindes sitzende, dreikeimblättrige Fehlbildung, die i. d. R. ein Geburtshindernis darstellt.

Diagnostik Sono ▶ 22.2.

Geburtsleitung Prim. abdom. Schnittentbindung.

8.12.4 Potter-Sequenz (renofaziale Dysplasie)

Definition Bds. Nierenagenesie, verbunden mit verschiedenen anderen Veränderungen, v. a. des Gesichts (Verbreiterung u. Abflachung der Nasenwurzel, tief stehende Ohren, Epikanthus, Mikrogenie, auffällig alt wirkendes Gesicht) u. der Lungen (Hypoplasie). Das Kind verstirbt während der Schwangerschaft, sub partu o. kurze Zeit p. p. Interruptio in der Frühgrav. anzuraten.

Diagnostik Sonografisch Ahydramnie bzw. extreme Oligohydramnie, kindliche Nieren spätestens ab 20. SSW nicht nachweisbar, innerhalb von 2 h nach Gabe von Furosemid 10–20 mg i. v. (z. B. Lasix®) keine Füllung der fetalen Harnblase; Wachstumsretardierung.

Geburtsleitung Spontanpartus anstreben.

8.12.5 Genetisch bedingte Fehlbildungen

Siehe auch ▶ 4.

Definition Bei der Gametenteilung können durch Non-Disjunction zahlenmäßige Abweichungen der Chromosomenzahl entstehen. Bei etwa 20 % der Trisomien kommt es zur Entwicklung bedingt lebensfähiger Kinder mit typischen Fehlbildungen.

Diagnostik Pränatale Diagnostik (▶ 4.2), Amniozentese ab der 15.–16. SSW o. Chorionzottenbiopsie in der 9.–13. SSW (▶ 4.2.6, ▶ 4.2.7).

Geburtsleitung Spontanpartus i. d. R. möglich.

8.13 Mehrlingsgeburt

8.13.1 Terminplanung und Geburtsmodus

Optimaler Entbindungszeitraum für Gemini zwischen der 36. u. 38. SSW. Eine Schwangerschaftsdauer > 38 SSW wird bei Geminigrav. als Terminüberschreitung angesehen. Bei Geburtsgewicht ≥ 3.250 g ist die Mortalität der Gemini erhöht.
Der alleinige Umstand einer Zwillingsgrav. ist keine Ind. zur Sectio caesarea. Befindet sich der erste Zwilling in Schädellage u. der zweite in BEL, soll die vag. Entbindung keinen Einfluss auf die kindliche Morbidität haben. Sinnvolle Voraussetzungen sind der spontane Wehenbeginn zwischen der 36. u. 38. SSW und vorausgegangene unkomplizierte SS- u. Geburtsverläufe. Befindet sich der erste Zwilling in BEL, wird überwiegend eine prim. Sectio caesarea empfohlen. Befinden sich beide Zwillinge in BEL, ist die prim. Sectio caesarea indiziert, ebenso bei Vorliegen einer monochorialen bzw. monoamnioten Geminigrav. bzw. eines fetofetalen Transfusionssy., bei verbundenen Zwillingen („conjoined twins") o. bei Gewichtsinkongruenzen von > 20 %. Bei höhergradigen Mehrlingen ist die prim. Sectio caesarea Standard. Die Mehrlingsschwangerschaft und -geburt gehen mit einem erheblich erhöhten Morbiditäts- u. Mortalitätsrisiko für Mutter u. Kinder einher (s. auch ▶ 5.12).

8.13.2 Geburtshilfliche Besonderheiten

Die Geburt von Mehrlingen wird durch viele Probleme kompliziert. Gehäuft treten auf:
- Abnorme Lage u. Haltung der Feten (▶ 8.6)
- Verhakung der Kinder
- Fetofetales Transfusionssy. (▶ 5.12.2)

- Starke Überdehnung der Gebärmutter, vorzeitiger Blasensprung (▶ 8.8), Frühgeburt (▶ 5.11)
- EPH-Gestose (▶ 5.9), Plazentainsuff.
- Nabelschnurvorfall (▶ 8.9.1)
- Prim. Wehenschwäche
- Gefahr der vorzeitigen Plazentalösung des zweiten Zwillings nach Geburt des ersten Zwillings (▶ 8.5.3)
- O_2-Mangel sub partu, v. a. des zweiten Zwillings
- Gefahr der uterinen Atonie in der Nachgeburtsperiode (▶ 8.15.2)

8.13.3 Geburtsleitung

Genaue Lagebeurteilung ante partum durch äußere Untersuchung (▶ 8.2.1) u. Sono (▶ 22.2).
- Bei > 2 Kindern prim. Sectioentbindung
- Geburtshilfliches Prozedere bei Gemini (▶ Abb. 8.20):
  - Beide Zwillinge in Schädellage: Spontangeburt möglich
  - 1. Zwilling in Schädellage, 2. Zwilling in Beckenlage: Spontangeburt möglich, soweit das 2. Kind aufgrund seiner geringen Größe (< 3.000 g) u. geringer Weichteilwiderstände „leicht" vag. entbunden werden kann

Spontanpartus
Nur unter simultaner ständiger CTG-Kontrolle u. Sectiobereitschaft.

Nach Spontangeburt des ersten Zwillings
- Lagekontrolle, z. B. sonografisch (Längslage o. Querlage), HT-Kontrolle, auf Blutung achten (vorzeitige Plazentalösung).
- Anschließend sofort Oxytocin-Dauertropfinfusion (▶ 8.15).

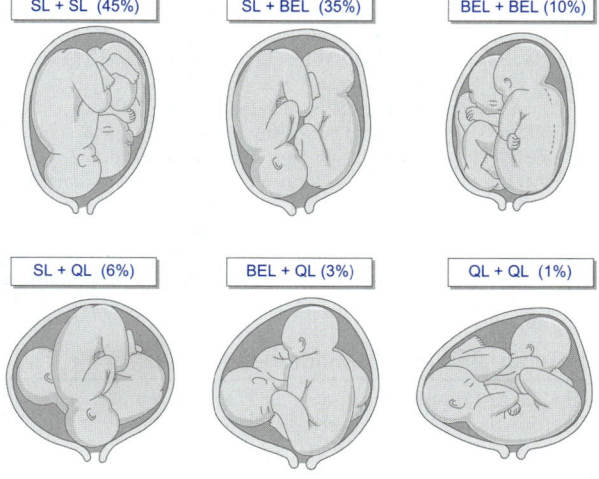

Abb. 8.20 Lage der Zwillinge zueinander [L157]

- Bei ersten Wehen u. Tiefertreten des vorangehenden Teils Amniotomie u. vorsichtiges Ablassen des FW (**cave:** Nabelschnurvorfall!).
- Die Geburt des 2. Zwillings sollte innerhalb von 15–20 min erfolgen.
- Bei path. HF-Muster umgehend Entbindung anstreben, z. B. durch Vakuumextraktion (seltene Sectio des 2. Zwillings; ▶ 9.5).

Nach Geburt des zweiten Zwillings Unmittelbar Oxytocin-Infusion, z. B. 100–250 ml NaCl mit Oxytocin 10 IE (z. B. Orasthin®).

Nach Geburt der Plazenten
- Kontraktionsmittel: Gabe von Methylergometrin 0,1–0,2 mg i. v. (z. B. Methergin®) in mind. 50 ml NaCl oder i. m. oder bei verstärkter Blutung 10–20 IE (bis max. 40 IE) Oxytocin (z. B. Orasthin®) in mind. 50 ml NaCl u./o. 0,2–0,4 mg (max. 0,5 mg) Methylergometrin (z. B. Methergin®) in mind. 50 ml NaCl oder i. m. (**cave:** kardiale Anamnese mit Sensationen!)
- In der Postplazentarperiode Gefahr der Atonie (▶ 8.15.2)

8.14 Geburtseinleitung

> Jede Geburtseinleitung erfordert eine kritische u. individuelle Risiko-Nutzen-Analyse. Wegen der häufig unvorhersehbaren Dauer der medikamentösen Geburtseinleitung müssen die strenge Ind.-Stellung sowie der Zustand des Kindes in utero beachtet werden. Die Dringlichkeit der Schwangerschaftsbeendigung bestimmt das geburtshilfliche Vorgehen (Geburtseinleitung vs. Sectio caesarea).

Organisatorische Voraussetzungen
- Adäquate apparative u. personelle Überwachung von Mutter u. Kind
- Schriftl. Aufklärung der Mutter über Maßnahmen, Alternativen u. deren Risiken (Shared Decision-Making!)
- Tokolytika in Griffnähe (z. B. uterine Überstimulierung mit HF-Alterationen)
- Möglichkeit der umgehenden Schwangerschaftsbeendigung durch Sectio caesarea

Indikationen
- Terminüberschreitung
- Vorzeitiger Blasensprung
- Gestationsdiabetes (GDM)
- Fetale Makrosomie
- SIH
- Fetale Wachstumsretardierung
- Icterus in graviditate etc.

Kontraindikationen
- Regelmäßige Wehen
- Placenta praevia
- Vorzeitige Plazentalösung
- Querlage o. Mehrlinge mit vorangehendem Kind in BEL o. Querlage
- Nabelschnurvorliegen o. -vorfall
- 2 o. mehr vorangegangene Sectioentbindungen

- Vorausgegangene Sectio mit isthmokorporalem Längsschnitt (außer mit Querschnitt im unteren Uterinsegment) oder Z. n. transmuraler Uterotomie z. B. Myomektomie
- Absolutes Kopf-Becken-Missverhältnis
- Ggf. Allergie gegen PG-Präparate
- Ggf. mütterlicher Status asthmaticus in der Vorgeschichte
- Manifestes AIS bei unreifem geburtshilflichem Befund
- Z. n. Uterusruptur

> **Besondere Vorsicht in folgenden Situationen**
> - Z. n. Sectio caesarea
> - Mehrlinge
> - BEL
> - Intrauterine Wachstumsretardierung
> - Vielgebärende
> - Hypertensive Schwangerschaftserkr.
> - GDM (insb. bei fetaler Makrosomie)
> - Path. Doppler
> - CTG-Veränderungen
> - Schwerwiegende mütterliche Erkr.

Günstige Faktoren für Geburtseinleitung nach Sectio caesarea Frühere vag. Geburt, spontaner Wehenbeginn.

Ungünstige Faktoren
- Vorausgegangene Sectio bei Geburtsstillstand/Missverhältnis
- Zeitl. Abstand zu vorangegangener Sectio < 12 Mon.
- Z. n. uterinem T- o. Längsschnitt
- Fetale Makrosomie (> 4.000 g)
- Adipositas (BMI ≥ 30), Gewichtszunahme um > 20 kg in der Grav.
- Diab. mell. (GDM)
- Geminigravidität
- Terminüberschreitung > 10 d

Mechanische Methoden
- **Untere Eipollösung:** in Terminnähe bei (leicht) geöffnetem MM möglich. Nachteil: unangenehm bis schmerzhaft
- **Amniotomie:** Eröffnung der Fruchtblase bei reifem Zervixbefund z. B. unter Oxytocingabe. Ziel ist die endogene Prostaglandinfreisetzung. Führt i. d. R. zur Verkürzung der Eröffnungsperiode
- **Ballonkatheter:** zur Geburtseinleitung zugelassen. Einzelballon (z. B. Foley-Katheter) o. Doppelballonkatheter (z. B. Cook® Cervical Ripening Balloon), der in die Zervix eingeführt u. mit 80 ml NaCl je Ballon gefüllt wird. Soll zur endogenen Prostaglandinfreisetzung führen. Ein Ballon liegt intrauterin, einer intravaginal. Empfohlene Dauer 12 h, max. 24 h

Medikamentöse Methoden
Prostaglandine sind zur Geburtseinleitung bei Z. n. Sectio caesarea o. Ä. nicht zugelassen.
- **Oxytocin-Infusion:** 5 IE Oxytocin (Orasthin®) in 500 ml Glukose 5 % o. NaCl 0,9 % i. v. über Infusomat. Beginn mit 5–10 ml/h, Steigerung um 5–10 ml/h alle 15 min bis zum Auftreten regelmäßiger Wehen unter ständi-

8.14 Geburtseinleitung

ger CTG-Registrierung. Max. Dosierung: 120–180 ml/h. Max. Dosis 5 IE Oxytocin oder:
- **Intrazervikales Gel:** zur Geburtseinleitung bei unreifer Zervix (Bishop-Score < 4). Intra-(endo-)zervikale Applikation von 0,5 mg PGE_2-Gel (z. B. Prepidil®), evtl. Wdh. nach 6–8 h (zulassungskonform: 8–12 h) möglich
- **PGE_2-Vaginalgel:** bei Bishop-Score ≥ 4. Initialdosis 1 mg PGE_2-Gel gefolgt von 1 o. 2 mg (Minprostin® E_2-Vaginalgel) nach 6 h je nach Geburtsfortschritt. **Cave:** bei Nulliparität u. unreifer Zervix (Bishop-Score < 4) Initialdosis 2 mg (Tageshöchstdosis 4 mg)
- PGE_2-Vaginaltbl.: bei Bishop-Score ≥ 4. Initial 3 mg Dinoproston = 1 Vaginaltbl. in das hintere Scheidengewölbe einlegen (Minprostin® E2 Vaginaltabletten). Bei Bedarf nach 6–8 h wdh, max. Dosis 2 Tbl. (6 mg). Falls die Wehentätigkeit nach 48 h nicht begonnen hat, andere Methode zur Einleitung anwenden
- **PGE_2-Vaginalinsert:** Einleitung der Zervixreifung ab 37. SSW unabhängig vom Zervix-Score. 10 mg Dinoproston (Propess® 10 mg vag. Freisetzungssystem) kontinuierliche Freisetzung von 0,3–0,4 mg/h bei zugelassener Liegezeit von 24 h. Vaginalinsert mit Rückholband. Entfernung des Vaginalinsert bei Einsetzen der Wehen, (V. a.) uterine Überstimulation, Hinweise auf fetalen Disstress (CTG), systemische NW (Übelkeit, Erbrechen, Hypotonie, Tachykardie), mind. 30 min vor Oxytocin
- **Misoprostol** (s. auch ▶ 5.19): Misoprostol (PGE_1) führt zur Erweichung der Zervix u. löst Uteruskontraktionen aus. Neben dem Einsatz in der Geburtshilfe wird der Wirkstoff auch zur Abortinduktion, vor gyn. o. geburtshilflichen Eingriffen o. zur Behandlung postpartaler Blutungen eingesetzt. Es existiert eine große Anzahl randomisierter Studien mit Misoprostol zur Geburtseinleitung. Dabei wurden unterschiedliche Dosierungen (25–200 μg) u. Applikationswege (intravag., p. o., s. l.) geprüft.
  - Misodel®, Mysodelle®: 200 μg entfernbares vaginales Misoprostol-Freisetzungssystem (Vaginalinsert). Ind.: Einleitung der Wehen bei Frauen mit unreifer Zervix ab der 37. SSW, wenn Geburtseinleitung klin. indiziert ist. Bei Bishop-Score > 4 mit Vorsicht anzuwenden. Empfohlene Höchstdosis: ein Misodel® 200 μg vaginales Wirkstofffreisetzungssystem. Cave: Überstimulation!
  - In der Schweiz ist Misoprostol zudem für die perorale Anwendung zugelassen. Für andere Darreichungsformen existiert in D keine Zulassung (**cave:** Off-Label-Use; bei Anwendung in nicht zugelassener Form bes. Aufklärungs- u. Haftungspflichten, Gefahrenübergang auf den Anwender!). KI bei Z. n. Sectio caesarea o. a. transmuralen Uterus-OPs (**cave:** grober Behandlungsfehler!)

> Nach Sectio caesarea steigt das **Risiko für eine Uterusruptur** bei einer medikamentösen Geburtseinleitung in nachfolgender Reihenfolge an:
> **Oxytocin → Prostaglandin-Gel → Prostaglandin-Tbl. → Prostaglandin-Insert → Misoprostol.**

- Der Einsatz von „alternativen" medikamentösen Einleitungsmethoden (z. B. „Wehencocktail") ist problematisch; i. d. R. erfolgt er im „Off-Label-Use" u. erfordert eine bes. Aufklärung u. Dokumentation. Allerdings können Haftpflichtversicherer eine Haftung in Schadensfällen verweigern. Zudem treten bei der Verabreichung von Arzneimitteln wie Rizinus häufig starke Übelkeit u. Durchfälle auf. Gefahr der Mekoniumaspiration beim NG.

8.15 Pathologische Nachgeburtsperiode

8.15.1 Mögliche Ursachen

(s. auch ▶ 8.3.4).

> **Ursachen und Risiken für verstärkte peri- u. postpartale Blutungen**
> - Große Episiotomien, Verletzung von Scheide, Zervix, Damm
> - Uterusruptur
> - Gerinnungsstörungen
> - Gehäuft Uterusatonien bei:
>   – Allgemeinanästhesie mit halogenisierten Kohlenwasserstoffen
>   – Überdehnung des Uterus (Mehrlingsgrav., Polyhydramnion, Makrosomie)
>   – Uterusanomalien (Myome, Fehlbildungen, Z. n. Sectio caesarea)
>   – Protrahierte Geburt
>   – Rascher Geburtsverlauf (uterine Hyperaktivität)
>   – Medikamentöse Weheninduktion
>   – Hohe Parität
>   – Adipositas
>   – Vorangegangene Uterusatonie
>   – Chorioamnionitis
>   – Plazentaimplantationsstörung (Placenta praevia, Placenta accreta, increta, percreta)

8.15.2 Uterusatonie

Definition
Blutung p. p. aus nicht kontrahiertem Uterus nach vollständiger Ausstoßung der Plazenta.

Ursachen
Vorausgegangene atonische Nachblutungen (▶ Abb. 8.21), Mehrlinge, Makrosomie, Polyhydramnion, protrahierte Geburt, Multiparität.

Diagnostik
Postpartale Blutung > 500 ml, großer, schlaffer Uterus, Z. n. vollständig ausgestoßener Plazenta (keine Gefäßabrisse am Plazentarand o. in den Eihäuten, kein zurückgebliebener Plazentarest von mind. Bohnengröße).

Therapie
(s. auch ▶ Tab. 8.6).

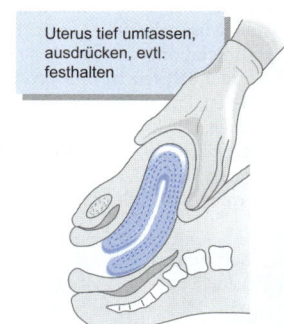

Abb. 8.21 Atonische Nachblutung nach vollständiger Plazentaausstoßung: Der mit Blutkoageln angefüllte Uterus wird mit dem Credé-Handgriff ausgedrückt und gehalten. [L157]

8.15 Pathologische Nachgeburtsperiode

Allgemeine Maßnahmen
- Entleerung der Harnblase
- Eisblase auf den Uterus legen
- Credé-Handgriff: Hochziehen u. Kompression des Uterus zwischen den dorsal den Fundus umgreifenden Fingern u. dem ventral aufliegenden Daumen der externen Hand (▶ Abb. 8.21)
- Hamilton-Handgriff: Hochdrücken des Uterus u. bimanuelle Kompression zwischen der internen Faust im vorderen Scheidengewölbe u. der externen Hand hinter dem Fundus
- Arzt u. Hebamme bleiben im Kreißsaal, bis Blutung unauffällig!
- Blutverlust quantifizieren (wiegen)!
- Oxytocintropf immer präpartal richten bei Risikofaktoren (Multiparität, Z. n. Atonie, protrahierter Geburtsverlauf, Makrosomie etc.)

Spezielle Maßnahmen ▶ Tab. 8.6.

> **Zielkriterien**
> Hb > 8–10 g/dl; Thrombozyten 50–100 tsd/μl; Fibrinogen > 150 mg/dl; HF < 100/min; RR stabil

- Allgemein übliche Vorgehensweisen:
  - Katheterisierung der Harnblase, Eisblase
  - Schockbekämpfung mit Plasmaexpandern, Humanalbumin, evtl. EK, FFP (▶ 3.4)
- Blutet es weiter: Spekulumeinstellung u. Versorgung eines häufig begleitend auftretenden Zervix-Scheiden-Risses. Gerinnungsdiagn. (Thrombozyten, INR, PTT, Fibrinogen, AT III). Nachtastung u. Kürettage in Narkose.
- Wenn erfolglos:
  - Vorübergehende manuelle Uteruskompression, um A. uterina abzuklemmen: Die in die Vagina eingeführte Hand komprimiert die Cervix uteri, während die andere das schlaffe Corpus uteri umfasst. Evtl. Bakri-Ballon-Katheter Anlage
  - Falls immer noch ohne Erfolg: vorübergehende Aortenkompression, bis Hysterektomie o. vergleichbare Maßnahme durchführbar ist (Ligatur der Aa. uterinae, Aa. iliacae internae o. Kompressionsnaht des Fundus uteri, z. B. B-Lynch-Naht), parallel zur Atoniebehandlung intensive Schockther. einleiten (▶ 3.4)
  - **KI** wie kardiale Anamnese mit Sensationen bei Kontraktionsmittelgabe beachten. Kein Sekundenbolus!

! Prostaglandine immer i. v. geben. Bei intraart. Injektion hohe Nekrosegefahr. Glukose inaktiviert Nalador®. Bei schweren p. p. Blutungen kann die lebensbedrohliche Situation die möglichen KI für kontraktionsfördernde Medikamente relativieren. Für die Behandlung der PPH mit Misoprostol besteht keine Evidenz!

8.15.3 Verletzungen der Geburtswege

Treten meist als Dammriss auf. Da fast immer auch ein Scheidenriss besteht, wäre die Bezeichnung Scheiden-Damm-Riss richtiger. Dammrisse können prim. mit o. ohne Dammschutz entstehen o. sek. durch Weiterreißen von Episiotomien. Höhergradige Dammrisse korrelieren mit der Anlage von Episiotomien, vag.-op. Geburten u. höherem Geburtsgewicht. Stets an die Vermeidung einer unnötigen Episiotomie denken!

> **Einteilung**
> - **Grad I:** Hauteinriss (meist an der hinteren Kommissur) von Introitus, Scheide u. Damm ohne Verletzung der Dammmuskulatur
> - **Grad II:** Riss der Dammmuskulatur bis zum M. sphincter ani externus, dieser bleibt intakt. Häufig mit ausgeprägtem Scheidenriss
> - **Grad III:** kompletter Dammriss, bei dem auch M. sphincter ani externus u. evtl. Rektumvorderwand (auch als Dammriss IV. Grades bezeichnet) eingerissen sind

Naht der Dammrisse Bei Rissen I. u. II. Grades Vorgehen wie bei Naht der Episiotomie (▶ 9.2), bei Rissen III. Grades zusätzlich Naht des Sphinkters u. evtl. des Rektums.

Zunächst werden die Sphinkterenden, die direkt unter der Haut liegen, wo die radiär gefaltete Haut an die Wundränder stößt, aufgesucht, mit je einer Péan-Klemme gefasst u. vorgezogen.

- **Naht der Rektumvorderwand:** Mit synthetischen, resorbierbaren Fäden (4-0) mit Einzelknopfnähten. Diese werden durch das perirektale Bindegewebe, die Muscularis u. die Submukosa gelegt, die Mukosa wird ausgespart. Die Nähte werden im Abstand von 0,5–1 cm gelegt u. reichen bis zum äußeren Rand der Analhaut. Nie die Schleimhaut nähen.
- **Sphinkternaht:** Nach Handschuhwechsel Vorziehen der Sphinkterenden u. Anlage von ca. 8 Einzelknopfnähten durch das Perimysium u. die angrenzenden Muskelfasern (Fadenstärke 4-0), beginnend an der dorsalen Seite. Dabei liegen die Knoten der dorsalen Nähte auf der Muskelfläche, die der ventralen Nähte außen auf dem Perimysium. Nach Vereinigung der Sphinkterenden entspricht die Naht von Scheide, Damm u. Haut der Naht der Episiotomie (▶ 9.2).

Nachbehandlung eines Dammrisses III. oder IV. Grades Weiche Kost u. Stuhlregulierung, z. B. durch Laktulose 3 × 10 mg/d p. o. (z. B. Bifiteral®). Keine Einläufe, kein Einführen von Suppositorien, keine unnötige rektale Untersuchung.

8.15.4 Plazentalösungsstörungen

(s. auch ▶ 8.3.4).

> Wichtigste Störungen sind die Retentio placentae totalis o. partialis ohne Blutung (> 25 Min.) o. mit Blutung (> 200 ml p. p.).

Ursachen
- **Placenta adhaerens:** bei mangelhafter Kontraktionsfähigkeit des Uterus (= funktionelle Ursache)
- **Placenta accreta:** z. B. bei Z. n. energischer Kürettage o. nach fiebriger Fehlgeburt

Therapie der Retentio placentae totalis Wehenmittel wie Oxytocin 3 IE in mind. 50 ml NaCl i. v. (Orasthin®), Plasmaexpander, Harnblasenentleerung (Katheter), leichte Uterusmassage, Eisblase auf Unterbauch, evtl. Atropinsulfat 0,25–0,5 mg i. v. (z. B. Atropinsulfat Braun®), Credé-Handgriff (▶ Abb. 8.21).

Wenn erfolglos o. bei unvollständiger Plazenta (Retention eines mehr als bohnengroßen Plazentarestes o. abgerissene Gefäße [Nebenplazenta?] am Plazentarand o. in den Eihäuten):
- Kurznarkose, äußere Desinfektion
- Eingehen mit der re. Hand u. langem Handschuh in die Vagina; li. Hand drückt den Uterusfundus der re. Innenhand entgegen. Lösung der Plazenta durch vorsichtiges Eingehen mit der Handkante zwischen Plazenta u. Uteruswand
- Nachtasten u. Kürettage des gesamten Uteruskavums
- Uterotonika (▶ 8.15.2, ▶ Tab. 8.6)
- Falls nötig Schockbekämpfung (▶ 3.4)

> Bei den sehr seltenen Fällen einer Placenta increta vollständige Plazentalösung nicht möglich (**cave:** Perforationsgefahr). In der Notfallsituation meist nur Hysterektomie möglich.

8.16 Fruchtwasserembolie (FWE)

Definition Seltene, mit hoher Gefährdung der Mutter einhergehende KO im Entbindungsverlauf o. im frühen Wochenbett durch Einstrom von FW in die mütterliche Blutbahn mit Vasokonstriktion, Verlegung der Lungenmikrostrombahn u. anaphylaktischem Schock. Häufigkeit 1 : 30.000–1 : 80.000 Geburten. In 70 % d. F. zeigt sich die FWE bereits unter der Geburt. Auftreten in enger zeitlicher Korrelation zu Wehen u. Geburt/Sectio o. bis 48 h p. p., in Einzelfällen auch nach intrauterinen Eingriffen o. stumpfem Bauchtrauma.

Ursachen Verletzung des mütterlichen Genitaltrakts (Schnittentbindung, Uterusruptur, hoher Scheidenriss, Zervixriss), partielle Plazentalösung, Wehenmittelüberdosierung, gewaltsames Kristellern.

Risikofaktoren Mütterliches Alter ≥ 35 J., Sectio caesarea, Placenta praevia u. Mehrlingsgrav.

Klinik Verlauf der FWE in zwei Phasen:
1. Es kommt zur Verlegung der art. pulmonalen Strombahn durch FW-Bestandteile → Vasokonstriktion (Gefäßverengung) sowie pulmonale Hypertonie. Durch die Verstopfung der Pulmonalgefäße verringern sich der Füllungsdruck u. das HMV. Akutes Rechtsherzversagen mit Dilatation des rechten Ventrikels, anschließend Linksherzversagen, Lungenödem, kardiogener Schock.
2. Nach 30 min bis 3 h kommt es aufgrund einer generalisierten Gerinnung u. Verbrauchskoagulopathie (DIC) zu starken Blutungen. Die Mutter kann

durch einen hämorrhagischen Schock versterben. Nicht selten kommt es zum ARDS/tödlichen Multiorganversagen.

Leitsymptome
- Schock ohne erkennbare Ursache etwa 2 min bis 4 h nach Einstrom von FW in den mütterlichen Kreislauf
- Dyspnoe, Angst u. Beklemmung, Übelkeit o. Erbrechen, Schüttelfrost, Tachykardie o. Arrhythmie, evtl. Bewusstseinsverlust, Zyanose, Krampfanfälle, Koma, Uterusatonie, Rechtsherzinsuff., DIC, Anurie. Hypotension, Myokardischämie, plötzlicher Herz-Kreislauf-Stillstand ohne erkennbare Ursache

Differenzialdiagnosen LE, Spontanpneumothorax, eklamptischer o. epileptischer Anfall, Uterusruptur, atonische Nachblutung o. akutes Herzversagen anderer Genese. Wegweisend für die FW-Embolie sind schwere Hypotonie, kardiale Arrhythmien, Herzstillstand, pulmonale u. neurol. Symptome u. profuse Blutungen infolge einer DIC u./o. Hyperfibrinolyse. Ausschlussdiagnose! Hämolyseparameter wie LDH1, Haptoglobin u. Bili erheben.

Therapie Interdisziplinäre Intensivtherapie: Sicherung der Atemwege, adäquate Oxygenierung, Aufrechterhaltung der Kreislauffunktion, Korrektur der Hämostasestörung.
- Intensivüberwachung, Schockbekämpfung (▶ 3.4), Überdruckbeatmung, evtl. Adrenalingabe
- ZVK, Volumensubstitution in Abhängigkeit vom ZVD
- Herzglykoside
- Kortikoide, z. B. Prednisolon max. 1.000 mg i. v. (z. B. Solu-Decortin H®)
- Azidoseausgleich
- Uterotonika bei uteriner Atonie (▶ 8.15.2)
- Evtl. EK, TK, FFP, Low-Dose-Heparin unter INR-, PTT-Kontrolle

9 Geburtshilfliche Operationen

Kay Goerke

9.1	**Indikationen und Vorbereitung** 320		9.4.2	Manualhilfe nach Bracht 329
9.2	**Episiotomie (Dammschnitt)** 320		9.4.3	Armlösung 330
9.2.1	Indikationen 320		9.4.4	Kopflösung nach Veit-Smellie 332
9.2.2	Techniken der Episiotomie 320		9.5	**Sectio caesarea (Kaiserschnitt)** 332
9.2.3	Naht der Episiotomie 322		9.5.1	Formen 332
9.3	**Vaginal-operative Entbindungen** 323		9.5.2	Vorbereitungen 333
9.3.1	Voraussetzungen und Vorbereitung 323		9.5.3	Durchführung 333
9.3.2	Vakuumextraktion (Saugglocke) 324		9.5.4	Postoperative Überwachung 335
9.3.3	Forzepsentbindung (Zangenentbindung) 326		9.5.5	Modifizierter und vereinfachter (sanfter) Kaiserschnitt (Misgav-Ladach-Sectio) 335
9.3.4	Schulterdystokie 327		9.5.6	Anästhesiologisches Vorgehen bei Sectio caesarea 336
9.4	**Manualhilfe bei Beckenendlage** 328		9.5.7	Notfallsectio 337
9.4.1	Risiken 328			

9.1 Indikationen und Vorbereitung

> Die Geburt ist i. d. R. ein natürlicher Vorgang u. kein „Eingriff", über den gesondert aufgeklärt werden müsste. Vergleichbares trifft für die vag.-op. Entbindung u. die Episiotomie zu. Letztere wird in den meisten Fällen ohne ausdrückliche Einwilligung vorgenommen, da sie als Standardeingriff o. „Nebeneingriff" gilt, in den die Schwangere durch den Abschluss des Behandlungsvertrages einwilligt.
> Wie bei allen op. Eingriffen bedürfen allerdings Kaiserschnittentbindungen der Aufklärung u. des Einverständnisses. Zeichnet sich unter der Geburt die Möglichkeit ab, dass ein op. Eingriff notwendig wird, muss der Geburtshelfer die Pat. über alternative op. Entbindungsverfahren aufklären. Je früher dies geschieht, umso eher ist die Pat. noch einwilligungsfähig u. eine Risikoabwägung für sie möglich.
> Bei Grenzsituationen (z. B. hoher kindlicher Kopf) umfasst die Aufklärung über die alternativen geburtshilflichen Methoden Vakuum, Zange u. Sectio sowie die jeweiligen Gefahren für Mutter u. Kind (Shared Decision-Making). Zwischen juristischen Forderungen u. geburtshilflicher Realität besteht eine erhebliche Diskrepanz. Es gilt der Grundsatz: je dringlicher die Situation, umso kürzer die Aufklärung. Die mündliche Aufklärung sollte immer vor Zeugen (z. B. Hebamme) erfolgen u. im Krankenblatt dokumentiert werden. Bewährt hat sich eine Basisinformation über vag. u. abdom. geburtshilfliche Eingriffe, etwa i. R. einer vorgeburtlichen Aufklärung. Zudem besteht die Möglichkeit der vorgeburtlichen Übertragung der Einwilligung auf den Partner, z. B. im Rahmen einer Patientenverfügung.

9.2 Episiotomie (Dammschnitt)

9.2.1 Indikationen

> **!** Wie bei jedem Eingriff strenge Indikationsstellung, zur Deszensus- o. Inkontinenzprophylaxe ungeeignet.
> **Cave:** Höhere DR-III/-IV-Raten nach Episiotomie!

- Sehr straffe Weichteile
- Extreme Frühgeburtlichkeit (durch die Episiotomie wird der Druck auf den Kopf reduziert)
- Evtl. ungünstige Durchtrittsebene (Deflexionslagen ▶ 8.6.3)
- Evtl. BEL-Entbindung (▶ 8.6.1, ▶ 9.4)
- Abkürzung der Pressperiode bei hypoxieverdächtigem CTG
- Bei vag.-op. Entbindung (▶ 9.3)

9.2.2 Techniken der Episiotomie

Vorbereitung Analgesie durch Pudendusblockade (▶ 8.4.5) o. Lokalinfiltration (▶ 8.4.7). Durchführung zum Wehenhöhepunkt, da dann am wenigsten schmerz-

9.2 Episiotomie (Dammschnitt)

haft. Möglichst eine mediane Episiotomie in Erwägung ziehen, da weniger Beschwerden, geringere Blutung (o. Blutverlust), bessere Heilung, weniger Spätfolgen wie z. B. Dyspareunie. **Cave:** höhere DR-III- u. -IV-Raten!

Mediane Episiotomie

Vorteile Relativ kleiner Schnitt mit max. Erweiterung des Scheideneingangs. Kein Durchtrennen von Muskeln, größeren Gefäßen, Nerven- o. Fettgewebe. Geringe Blutung. Einfache Naht mit guter Heilungstendenz u. gutem kosmetischem Resultat.

Nachteile Begrenzte Erweiterungsfähigkeit. Weiterreißen zum Dammriss Grad III u. IV. möglich.

Durchführung Lokalanästhesie, Spaltung des Damms mit der Dammschere von der hinteren Kommissur ausgehend in der bindegewebigen Raphe, anatomisch am günstigsten (▶ Abb. 9.1).

Mediolaterale Episiotomie

Vorteile Erweiterungsmöglichkeit zur Seite. Dammriss Grad III u. IV kommt seltener vor.

Nachteile Größerer Blutverlust (von der Seite kommende Gefäße werden durchschnitten). Schlechtere Wundheilung; häufiger Schmerzen (Durchtrennen von Nerven), Hämatome u. Inf. Schwierigere Naht, bes. bei zusätzlichem Dammriss Grad III u. IV.

Durchführung Möglichst in LA von der hinteren Kommissur ausgehend in gerader Linie in einem Winkel von 45° nach lateral schneiden. Dabei Durchtrennen des M. bulbospongiosus u. des M. transversus perinei superficialis. Ausgedehnt reicht die mediolaterale Episiotomie bis in die Fossa ischiorectalis mit dadurch häufiger einhergehenden Wundheilungsstörungen.

Laterale Episiotomie
Die Schnittführung ca. 2 cm neben der Mittellinie nach re./li. ist **obsolet!**

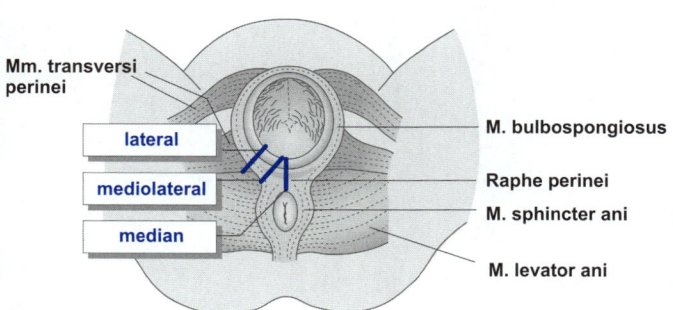

Abb. 9.1 Techniken der Episiotomie [L157]

9.2.3 Naht der Episiotomie

> Mit der Naht (▶ Abb. 9.2, ▶ Abb. 9.3) möglichst bald nach der Plazentageburt beginnen (**cave:** Blutverlust; noch vorhandene Anästhesie, z. B. bei Pudendusblockade, ausnutzen). Die Nahttechnik ist bei allen Episiotomien ähnlich, bei der mediolateralen wegen der schräg verlaufenden u. asymmetrisch klaffenden Schnittwunde aber schwieriger.

Anästhesie Günstig ist die Naht bei bestehender Peridural- o. Spinalanästhesie. Sonst nach Wunddesinfektion Infiltration der Wunde mit 15–20 ml eines Lokalanästhetikums wie Mepivacain 1 % (z. B. Scandicain®, ▶ 8.4.7). **Höchstdosis beachten:** bis 60 ml 0,5 % bzw. bis 30 ml 1 % bzw. bis 15 ml 2 % bei ca. 70 kg KG.

Nahtmaterial Vorzugsweise synthetische, resorbierbare Fäden (z. B. Vicryl Rapid®, geringe Gewebereaktion). Die Wundheilung ist umso besser, je weniger Nahtmaterial verwendet wird. Fadenstärke für Scheidenhaut u. tiefe Dammschichten 3-0; Haut, Rektum u. M. sphincter ani externus 3-0 o. 4-0; bei Labienrissen 3-0 o. 2-0.

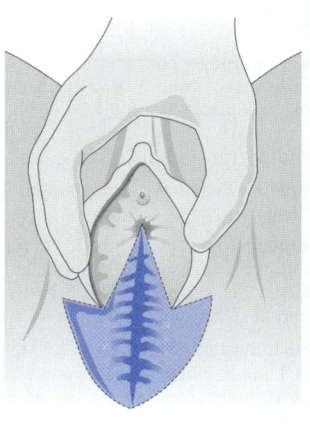

Abb. 9.2 Naht der Episiotomie [L157]

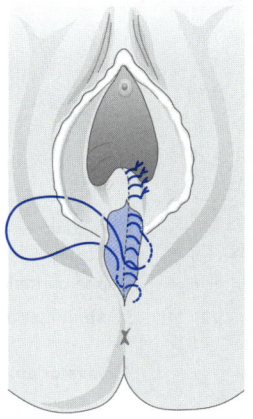
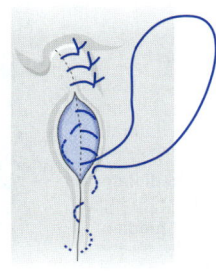

Abb. 9.3 Stichführung bei der Episiotomienaht [L157]

Vorbereitung
- Lagerung der Beine auf Beinhaltern, Abdecken von Beinen u. Anus mit sterilen Tüchern u. Desinfektion des äußeren Genitales (z. B. mit Octenisept®)
- Digitale Austastung des Rektums auf Verletzungen. Sorgfältige Inspektion der Scheide, bei V. a. Zervixverletzungen (schnelle Eröffnungsperiode, verstärkte Nachblutung, Atonie) sowie nach vag.-op. Entbindungen Spekulumeinstellung (▶ 8.15.3)
- Wenn Läsionen ausgeschlossen sind, sterilen, dicken Tampon hoch in die Scheide einführen, um aus dem Uterus laufendes Blut aufzufangen u. die Scheide aufzuspreizen

Naht
- **Scheidenhaut:** als fortlaufende überwendliche Naht o. als Einzelknopfnaht möglich. Wichtig: Obersten Stich oberhalb des oberen Wundwinkels legen, um evtl. retrahierte Gefäße zu unterbinden (**cave:** Hämatom). Bei beiden Nahttechniken sollen die Stiche bds. ca. 1 cm Scheidenhaut fassen u. bis zum Wundgrund reichen (Totraumvermeidung), Stichabstand ca. 1 cm. Den letzten Stich ca. 1 cm vor dem Hymenalsaum legen.
- **Tiefe Dammschichten:** ebenfalls fortlaufend o. als Einzelknopfnaht. Vereinigung der tiefen Dammschichten mit 3–5 Stichen. Für eine symmetrische Adaptation eignet sich die unterschiedliche Hautpigmentierung als Markierung. Bei der fortlaufenden Naht sollte nur eine leichte Adaptation erreicht sein. Bei der Einzelknopfnaht erfolgt der Einstich direkt unter der Haut, um eine sorgfältige Adaptation der Wundränder zu erzielen.
- **Haut:** Bei fortlaufender Naht wird zunächst die Subkutis fortlaufend vom Hymenalsaum ausgehend verschlossen (Fadenende ca. 10 cm lang lassen u. anklemmen), beim letzten Ausstich Korium mitfassen u. Naht intrakutan im Korium zum Hymenalsaum zurückführen. Die Fadenenden miteinander verknoten. Einzelknopfnähte werden bei vorher gut adaptierten Wundrändern vom Hymenalsaum ausgehend in einem Abstand von ca. 1 cm angelegt (nicht zu fest anziehen). Bei intrakutan versorgten Episiotomien deutlich niedrigere KO-Rate!

Am Ende der Naht den Tampon aus der Scheide entfernen, nochmalige digitale Austastung des Rektums auf Verletzungen (Durchstechungen bei der Naht), Intaktheit der Sphinktermuskulatur u. Kontrolle des Fundusstandes. Befunddokumentation u. Tupferzählkontrolle.

9.3 Vaginal-operative Entbindungen

9.3.1 Voraussetzungen und Vorbereitung

Voraussetzungen Schädellage, MM vollständig eröffnet, Höhenstand des größten Durchmessers des Kopfes zumindest auf Interspinalebene (besser auf Beckenboden), eröffnete Fruchtblase, Ausschluss eines Missverhältnisses zwischen Kopf u. Beckenausgang durch Tastuntersuchung, Beherrschung der gewählten Technik, Aufklärung der Pat. über alternative op. Behandlungsverfahren, ausreichende Analgesie.

Vorbereitung
- Lagerung der Mutter im Querbett, Beine auf Beinhaltern, für Ausgleich der Lendenlordose („Abwehrlordose") sorgen, da sonst eine starke Krümmung des Geburtskanals resultiert

- Entleerung der Harnblase, ggf. mit Einmalkatheter
- Händedesinfektion des Operateurs, Desinfektion der Vulva (z. B. Octenisept®)
- Vag. Untersuchung: MM-Weite, Höhenstand, Einstellung u. Haltung des vorangehenden Teils
- Anästhesie: Periduralanästhesie o. Pudendusblockade, in Notsituationen zumindest LA vor Episiotomie (▶ 8.4.3, ▶ 8.4.5, ▶ 8.4.7)
- Evtl. Episiotomie ▶ 9.2

Kontraindikationen
- Unvollständige MM-Öffnung
- Höhenstand der Leitstelle:
  - über 0 bei Hinterhauptseinstellung
  - über +2 u. querverlaufende Pfeilnaht
  - über +2 bei Deflexionshaltung
- V. a. zephalopelvines Missverhältnis
- Makrosomie des Kindes bei protrahierter Geburt (4.200–4.500 g)

Prim. als schwer einzuschätzende vag.-op. Entbindungen aus Beckenmitte sollten bei akuter fetaler Bedrohung (persistierende fetale Bradykardie) unbedingt unterbleiben. In Grenzsituationen ist die sofortige Sectio vorzunehmen, insb. bei ungünstigen Zusatzbedingungen (fetale Wachstumsretardierung, Plazentainsuff. usw.). Wird während der vag.-op. Entbindung eine Fehlbeurteilung des Höhenstandes o. der Einstellung des Kopfes erkannt, müssen die organisatorischen Voraussetzungen für die sofortige Durchführung einer Notfallsectio (▶ 9.5.7) erfüllt sein.

Leitlinie Vaginal-operative Entbindungen www.awmf.org/leitlinien/detail/ll/015-023.html

9.3.2 Vakuumextraktion (Saugglocke)

Indikationen Fetale Hypoxie, Wehenschwäche, Erschöpfung der Mutter, Herzvitien der Mutter, Geburtsstillstand in der Austreibungsperiode.

Vorbereitung ▶ 9.3.1.

Durchführung
- Spreizen der Labien zur Darstellung des Introitus vaginae
- Auswahl der größtmöglichen Glocke (60, 50 o. 40 mm)
- Glocke schräg unter Schutz von Urethra u. Klitoris einführen, dazu den Damm nach hinten drücken, Aufsetzen der Glocke über dem Teil des Kopfes, der sich nach vorn drehen u. die Führung übernehmen soll, i. d. R. also über der kleinen Fontanelle
- Tastuntersuchung, ob kein mütterliches Gewebe in der Glocke miterfasst wurde
- Erhöhen des Unterdrucks auf 2 m Wassersäule (= 0,2 kg/cm^2)
- Nachtastung zur Kontrolle des korrekten Sitzes der Glocke über dem Kopf und z. A. von mütterlichen Weichteileinklemmungen
- Sog langsam auf 8 m Wassersäule (= 0,8 kg/cm^2) in ca. 60 s erhöhen
- Probezug zur Kontrolle, ob das Kind dem Zug folgen kann
- Bei exzentrisch angelegter Glocke Korrektur der falschen Haltung durch Traktion bis in die Führungslinie
- Wehensynchrone Extraktion des Kindes

- Evtl. Unterstützung der Expression durch eine Hilfsperson mittels Kristeller-Handgriff (breitflächiger Druck auf den Fundus mit beiden Händen o. mit dem Unterarm, Richtung des Drucks auf das Hinterhaupt des Kindes hin)
- Traktionsrichtung immer in Richtung Geburtskanal (▶ Abb. 9.4)
- Evtl. Episiotomie mit Skalpell o. Schere (▶ Abb. 9.1)
- Dammschutz beim Durchtreten des Kopfes
- Nach Entwicklung des Kopfes langsames Ablassen des Sogs (über 30–40 s) u. Entfernen der Glocke
- Weitere Entwicklung des Kindes wie bei Spontangeburt (▶ 8.3)
- KO ▶ 9.3.1

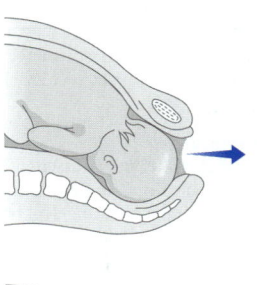
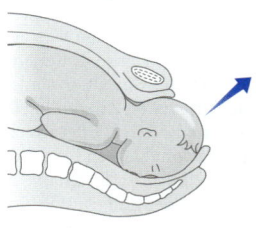

Alternative Saugglocke mit Handpumpe (Einmalgerät, z. B. Kiwi®). Vorteile: geringerer op. Aufwand, geringere Belastung der Mutter, schnellere Anwendung.

Abb. 9.4 Traktionsrichtung bei vaginal-operativer Entbindung [L157]

Vor- und Nachteile ▶ Tab. 9.1.

Tab. 9.1 Vergleich Vakuum- und Forzepsentbindung		
	Forzepsentbindung	**Vakuumextraktion**
Vorteil	Schnell anwendbar; mangelnde Rotation kann ausgeglichen werden	Kein zusätzlicher Platzbedarf neben dem Kopf
Nachteil	Höhere Rate an Scheidenverletzungen	Abhängig von Geräten u. Stromversorgung, Ausnahme: kleine handbetriebene Glocke (Kiwi®)
KO beim Kind	Fazialisparese	Intrakranielle Blutungen bei zu schnellem Ablassen des Sogs o. Abreißen der Glocke
KO bei der Mutter	Scheidenverletzungen	Zervixriss

- Erhöhtes Risiko der Atonie p. p. beachten (Kontrolle von Fundus u. Vorlagen ▶ 8.15.2)
- Sorgfältige Spiegeleinstellung z. A. von Zervix- u. Scheidenrissen (obligat!)
- Kopfhautödem beim Kind verschwindet nach 2 h weitgehend, nach 24 h nahezu vollständig

9.3.3 Forzepsentbindung (Zangenentbindung)

Indikationen Geburtsstillstand in der Austreibungsperiode, Erschöpfung der Mutter, fetale Hypoxie, Wehenschwäche.

Vorbereitung ▶ 9.3.1.

Durchführung
- Hinhalten der geschlossenen Zange (am weitesten verbreitet: kleine Naegele-Zange mit Kopf- u. Beckenkrümmung) vor die Vulva in der Position, in der die Zange nachher angelegt werden soll.
- Einführen des li. Löffels (Merkspruch: **links**-**links**-**links** = **li.** Zangenlöffel – **li.** Hand des Geburtshelfers – Zangenlöffel auf der **li.** Seite der Pat. einführen) unter Ausnutzung von Becken- u. Kopfkrümmung. Zeige- u. Mittelfinger der re. Hand schützen die Vagina (Einführen der Zange zwischen Hand u. kindlichem Kopf). Der re. Daumen hilft als Führungsschiene für den Zangenlöffel, der nie unter Gewaltanwendung eingeführt werden darf (▶ Abb. 9.5)! Bei Schwierigkeiten Zangenlöffel entfernen u. neu ansetzen.
- Einführen des re. Löffels (rechts-rechts-rechts gilt analog). Der li. Zangenlöffel wird vom kleinen Finger der li. Hand o. von Hilfsperson gehalten. Zeige- u. Mittelfinger schützen die Weichteile.
- Schließen der Zange im Schloss ohne Kraftanwendung.
- Nachtasten, ob keine mütterlichen Weichteile mitgefasst wurden.
- Probezug, dabei liegt der Zeigefinger der vorderen re. Hand am kindlichen Kopf u. kann so ein Abgleiten der Zange erkennen.
- Wehensynchrone Extraktion des Kindes, evtl. Unterstützung der Extraktion durch eine Hilfsperson mittels Kristeller-Handgriff (breitflächiger Druck auf den Fundus mit beiden Händen o. dem Unterarm, Richtung des Drucks auf das Hinterhaupt des Kindes hin).
- Traktionsrichtung immer in Richtung Geburtskanal (▶ Abb. 9.5).
- Evtl. Episiotomie (▶ 9.2).
- Dammschutz mit li. Hand (Operateur am günstigsten an li. Seite der Pat.).
- Nach Geburt des Kopfes Zange entfernen, weitere Entwicklung des Kindes wie bei Spontangeburt (▶ 8.3).
- KO ▶ 9.3.1.

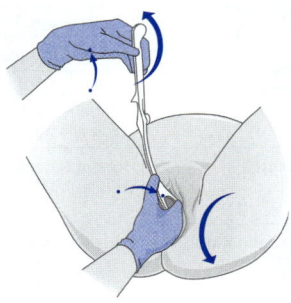

Abb. 9.5 Forzepsentbindung [L157]

- Erhöhtes Risiko der Atonie p. p. beachten (Kontrolle von Fundus u. Vorlagen ▶ 8.15.2)
- Sorgfältige Spiegeleinstellung z. A. von Zervix- u. Scheidenrissen (obligat!)

Vor- und Nachteile ▶ Tab. 9.1.

9.3.4 Schulterdystokie

Definition Die Schulterdystokie stellt ein „Hängenbleiben" der kindlichen Schulter hinter der Symphyse dar (= hoher Schultergeradstand).

Epidemiologie Die Häufigkeit beträgt insgesamt ca. 0,5 %, bei Kindsgewichten > 4.000 g ca. 5 % (also 10-fach gehäuft) bei Kindsgewichten > 4.500 g ca. 15 % (ca. 30-fach erhöhtes Risiko), bei > 5.000 g ca. 40 %. Das Wiederholungsrisiko beträgt 14 %, daher ggf. prim. Sectio empfehlen. Bei bek. erhöhtem Risiko möglichst antepartale schriftliche Aufklärung der Pat. über Risiken u. Alternativen zur Spontangeburt!

Prädisponierende Faktoren
- Adipositas o. Diab. mell. der Mutter, übermäßige Gewichtszunahme in der Schwangerschaft (> 15 kg)
- Übertragung, verlängerte Austreibungsperiode, frühzeitiges „Kristellern"
- Vag.-op. Entbindung aus Beckenmitte
- Mehrgebärende
- Z. n. Schulterdystokie
- Fetale Makrosomie

Cave: 50 % d. F. treten ohne Risikofaktoren auf.

Klinik Nach Geburt des Kopfes erfolgt kein weiteres Tiefertreten des Kindes. Der Kopf wird von den Weichteilen in der Vulva quasi „festgehalten" bzw. bewegt sich wieder leicht zurück, sog. „Turtle-Neck-Phänomen" (analog zu einer Schildkröte mit Rückzug in ihre Schale), gerötetes aufgedunsenes Gesicht des Feten. Trotz vorsichtiger Traktion am Kopf nach kaudal u. dorsal kann die vordere Schulter nicht entwickelt werden.

Komplikationen Fetale Hypoxie (Letalität 1 %), Claviculafrakturen, Plexusschäden, evtl. mit Horner-Sy. u. bleibenden Schäden. Hohe Rate insb. der neonatalen Morbidität mit fetaler Hypoxie sowie traumatischen Schädigungen des Plexus brachialis in 13 % u. in 5–7 % Skelettverletzungen, bes. im Bereich der Clavicula.

Therapie

> Ruhe bewahren! Facharzt, Anästhesist u. erfahrene Hebamme rufen. Es muss zwischen hohem Schultergeradstand u. tiefem Schulterquerstand unterschieden werden. Unter forensischen Aspekten ist nur der hohe Schultergeradstand bedeutsam, da es fast ausschließlich hier zu Plexusschäden u. a. KO der Einklemmung kommt.

- **Externe Maßnahmen:**
  - Abstellen eines evtl. laufenden Oxytocin-Tropfes.
  - **Kein** Kristeller-Handgriff, nicht am Kopf ziehen!
  - Ggf. Bolustokolyse, z. B. Fenoterol 0,025 mg i. v. (z. B. Partusisten® intrapartal).
  - Konstanter manueller Druck unmittelbar kranial der Symphyse („Rütteln der vorderen Schulter" vom geraden in den queren Durchmesser).
  - **McRobert-Manöver:** abwechselndes aktives u. passives Strecken u. Beugen der Beine im Hüftgelenk unter gleichzeitiger leichter Rotation des Beckens nach li. u. re. (Stellungsänderung der Symphyse mit Vergrößerung der Conjugata vera um ca. 0,5 cm).

Äußere Drehung des Kopfes in Abhängigkeit von der kindlichen Stellung: bei I. Stellung (Rücken li.) Kopf (Hinterhaupt) nach li. Drehen.
- **Gaskin-Manöver:** Umlagerung der Mutter in den Vierfüßlerstand, dadurch Änderung der Symphysenstellung (Vergrößerung des Abstands Symphyse – Steißbein).
- **Interne Maßnahmen:** bei Erfolglosigkeit nach etwa 90 s:
  - Die in vielen Lehrbüchern beschriebene Fraktur der Clavicula ist obsolet!
  - **Woods-Manöver:** digitale Rotation der nicht eingekeilten hinteren Schulter durch Druck auf die kindliche Brust in den queren Durchmesser. Hierzu mit der Hand von der Bauchseite des Kindes kommen, Drehung des kindlichen Körpers versuchen, möglichst unter Analgesie.
  - **Rubin-Manöver:** digitale Rotation der vorderen Schulter durch Druck auf den kindlichen Rücken in den queren Durchmesser. Hierzu mit der Hand vom Rücken des Kindes kommen, Drehung des kindlichen Körpers versuchen. Der fetale Rücken soll dadurch nach ventral kommen.
    – Gelingt es nicht, die eingekeilte Schulter unter der Symphyse freizubekommen, sakralwärts mit der Hand eingehen u. erst den hinteren Arm an der Bauchseite des Kindes, anschließend den vorderen Arm lösen.
    – Gelingt die Entwicklung der vorderen Schulter auch dann nicht, Drehung der hinteren gelösten Schulter bis unter die Symphyse nach vorn (bei I. Stellung im Uhrzeigersinn, bei II. Stellung gegen den Uhrzeigersinn). Von der Bauchseite des Kindes her jetzt den 2. Arm lösen.
- Bei Erstpara u. geschätztem Geburtsgewicht > 4.500 g sollte der Pat. die prophylaktische Sectio caesarea angeboten werden.

> **!** Bei eingetretener Schulterdystokie sind die juristischen Anforderungen an das klin. Vorgehen sowie an die Dokumentation zu beachten:
> - Generelles Vorliegen eines Risikomanagements (Ablaufplan)
> - Zeitpunkt der Diagnosestellung
> - Umgehende Alarmierung von Facharzt, Anästhesist, Pädiater u. erfahrener Hebamme
> - Stets sorgfältige Dokumentation des Geburtsvorgangs mit exakten Zeiten u. genauer Beschreibung der manuellen Maßnahmen. Ein Vermerk wie „schwere Schulterdystokie" reicht keinesfalls aus u. könnte als Indiz für ein fehlerhaftes Vorgehen gewertet werden. Verweis auf klinikinterne Standards

9.4 Manualhilfe bei Beckenendlage

9.4.1 Risiken

Auch ▶ 8.6.1.

> **Risiken**
> - Nabelschnurvorfall durch mangelnde Abdichtung des Steißes im Vergleich zum Kopf bei Schädellagen,
> - Wehenschwäche u. vorzeitige Plazentalösung durch Entleerung der Gebärmutter zu etwa 70 %, bevor der größte Teil der Frucht (Kopf) geboren ist,

9.4.2 Manualhilfe nach Bracht

Voraussetzungen
- Ausschluss eines Missverhältnisses zwischen Kopf u. Beckenausgang durch Tastuntersuchung u. Sono
- Venöser Zugang, Anästhesie- u. OP-Bereitschaft
- CTG-Daueüberwachung, bei geöffneter Fruchtblase ggf. mit KSE am Steiß
- Ausreichende Analgesie (PDA o. Pudendusblockade)

Durchführung Beginn der Manualhilfe **erst,** wenn der untere Winkel des vorderen Schulterblatts sichtbar ist, da sonst die Gefahr des Hochschlagens der Arme besteht. Deshalb auch keine Extraktion, sondern vorsichtiges Herausleiten des Kindes.
- Mutter im Querbett, Beine auf Beinhaltern lagern; für Ausgleich der Lendenlordose („Abwehrlordose") sorgen, da sonst starke Krümmung des Geburtskanals.
- Harnblase entleeren, ggf. mit Einmalkatheter.
- Händedesinfektion des Operateurs, Desinfektion der Vulva.
- Fruchtblase eröffnen, sobald kindlicher Steiß auf Beckenboden u. evtl. Episiotomie (▶ 9.2).
- Kind mit beiden Händen fassen. Dabei liegen die Daumen des Geburtshelfers auf den Dorsalseiten der Oberschenkel, die restlichen Finger auf dem Rücken des Kindes (▶ Abb. 9.6).

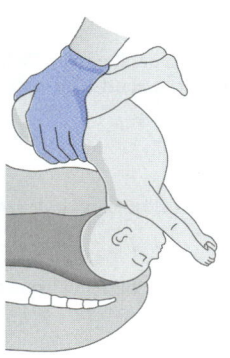
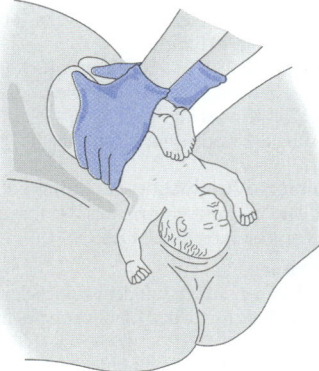

Abb. 9.6 Manualhilfe nach Bracht [L157]

- Oxytocin z. B. 5 bzw. 10 IE (z. B. Orasthin®) auf 500 ml Glukose 5 % 100–500 ml/h per infusionem.
- Evtl. Kristeller-Handgriff durch Assistenz (breitflächiger Druck auf Fundus mit beiden Händen o. dem Unterarm, Richtung des Drucks auf den Steiß hin), wehensynchron.
- Den Rumpf wehensynchron mit den Daumen um die Symphyse herum auf die Bauchdecken der Mutter leiten (▶ Abb. 9.6).
- Dammschutz beim Durchtreten des Kopfes durch Assistenz.

9.4.3 Armlösung

Bei hochgeschlagenen Armen ist zur Verkürzung des Geburtsverlaufs die Armlösung notwendig, da die neben dem Kopf liegenden Arme den Durchtritt des Kopfes durch den Geburtskanal unmöglich machen.
KO: Oberarmfraktur, Plexusschädigung. Die Hand des Geburtshelfers sollte deshalb immer vom Rücken des Kindes her kommen.

Armlösung nach Lövset
Die jeweils hinten stehende Schulter wird vor den aufsteigenden Teil des Schambeinastes gebracht. Durch nachfolgende Drehung des Kindes u. Senken des kindlichen Rumpfes wird der Arm vor die Symphyse gebracht u. kann, wenn er nicht spontan herausfällt, vom Rücken her herausgestreift werden.

Durchführung
- Kind mit beiden Händen über dem Beckenende fassen, die Daumen liegen auf dem kindlichen Rücken, Anheben des Kindes symphysenwärts, bis die hintere Schulter vor dem Schambeinast liegt.
- Kind um 180° drehen u. gleichzeitig senken, Drehrichtung der hinteren Schulter auf den Rücken des Kindes zu. Dadurch wird der Arm von der zugehörigen Schulter vor die Symphyse gedrängt.
- Evtl. Arm unter der Symphyse herausstreifen, dabei kommt die Hand des Geburtshelfers vom Rücken des Kindes her.
- Kind erneut anheben, bis die zweite, jetzt hinten liegende Schulter vor den Schambeinast kommt.
- Drehen um 180° in umgekehrter Richtung u. Senken des Rumpfes. Evtl. Herausstreifen des 2. Armes, dabei kommt die Hand des Geburtshelfers vom Rücken des Kindes her.
- Lösung des Kopfes nach Veit-Smellie (▶ 9.4.4).

Kombinierte Armlösung nach Bickenbach
Zuerst wird der hintere Arm aus der Kreuzbeinhöhle gelöst, danach der vordere Arm unter der Symphyse (▶ Abb. 9.7).

Durchführung
- Kind an den Füßen mit dem Knöchelgriff fassen; dabei die Hand benutzen, die der Bauchseite des Kindes entspricht. Kind stark symphysenwärts anheben.
- Arm aus der Kreuzbeinhöhle lösen: Dabei kommt die 2. Hand vom Rücken des Kindes her; Arm wird über die Brust des Kindes herausgeführt. Zum Schutz vor Frakturen stützt der Daumen den Oberarm auf der Innenseite.

9.4 Manualhilfe bei Beckenendlage

- Kind senken, bis die vordere Schulter unter der Symphyse sichtbar ist.
- Vorderen Arm lösen. Dabei kommt die 2. Hand vom Rücken des Kindes her; Arm wird über die Brust des Kindes herausgeführt.
- Lösung des Kopfes nach Veit-Smellie (▶ 9.4.4).

Klassische Armlösung

Prinzip Zuerst wird, wie bei der Armlösung nach Bickenbach, der hintere Arm aus der Kreuzbeinhöhle gelöst, danach wird die vordere Schulter durch „Stopfen" in die Kreuzbeinhöhle gebracht u. der Arm dort gelöst (▶ Abb. 9.7).

Durchführung
- Kind mit dem Knöchelgriff an den Füßen fassen, dabei wird die Hand benutzt, die der Bauchseite des Kindes entspricht; Kind stark symphysenwärts anheben.
- Arm aus der Kreuzbeinhöhle lösen, dabei kommt die 2. Hand vom Rücken des Kindes, der Arm wird über die Brust des Kindes herausgeführt. Zum Schutz vor Frakturen stützt der Daumen den Oberarm auf der Innenseite.
- Kind mit beiden Händen fassen, die Daumen liegen auf dem Rücken. Der gelöste Arm wird mitgehalten, die andere Hand fixiert den Schultergürtel des noch nicht gelösten Arms.
- Kind mit kurzen Bewegungen in der Längsachse „stopfen". Dabei wird der Rücken des Kindes unter der mütterlichen Symphyse gedreht, bis der noch nicht gelöste Arm in die Kreuzbeinhöhle gelangt.
- Kind an den Füßen mit dem Knöchelgriff fassen; dabei wird die Hand benutzt, die der Bauchseite des Kindes entspricht. Kind stark symphysenwärts anheben.
- Arm aus der Kreuzbeinhöhle lösen, dabei kommt die 2. Hand vom Rücken des Kindes her; Arm wird über die Brust des Kindes herausgeführt. Zum Schutz vor Frakturen stützt der Daumen den Oberarm auf der Innenseite.
- Lösung des Kopfes nach Veit-Smellie (▶ 9.4.4).

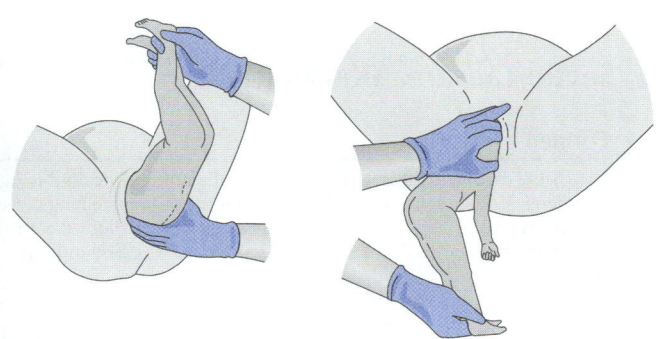

Abb. 9.7 Armlösung nach Bickenbach [L157]

9.4.4 Kopflösung nach Veit-Smellie

> Die Ind. zur Lösung des Kopfes ergibt sich bei protrahiertem Geburtsverlauf, mangelnder Lösung des Kopfes beim Handgriff nach Bracht u. immer nach Armlösungen (▶ Abb. 9.8). Voraussetzung ist die dorsoanteriore Einstellung.

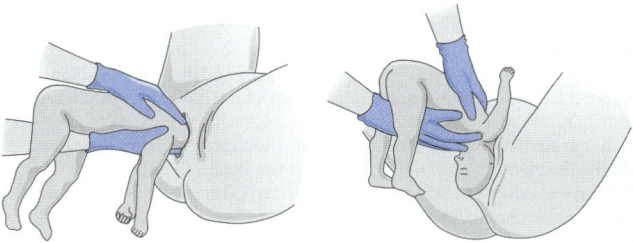

Abb. 9.8 Kopflösung nach Veit-Smellie [L157]

Durchführung
- Das Kind reitet auf dem Unterarm des Geburtshelfers, bei re. BEL auf dem re., bei li. BEL auf dem li. Unterarm.
- Arm vorschieben, bis der kindliche Mund erreicht werden kann, mit dem Zeigefinger in den Mund eingehen, Daumen u. Mittelfinger stützen den Unterkiefer.
- Die andere Hand greift mit Zeige- u. Mittelfinger über die Schultern des Kindes (Hypomochlion).
- Das Kind abwärts ziehen, bis die Nackenhaargrenze unter der Symphyse sichtbar ist.
- Kind anheben; dabei unterstützt die innere Hand durch Krümmen des Zeigefingers die Flexion des Kopfes.
- Entwicklung des Kindes auf den Bauch der Mutter.
- Ggf. Reanimation des Kindes ▶ 11.2.

9.5 Sectio caesarea (Kaiserschnitt)

9.5.1 Formen

Allg. hat sich heute die **Sectio caesarea intraperitonealis supracervicalis** durchgesetzt. Alle anderen Verfahren bedürfen der speziellen Indikationsstellung u. werden hier nicht behandelt. Eine Entbindung per Kaiserschnitt erhöht das Risiko eines VTE-Ereignisses um den Faktor 2–4 im Vergleich zur vag. Entbindung.

9.5.2 Vorbereitungen

- Ind. überprüfen, Pat. aufklären u. Einverständnis einholen, im Notfall zumindest mündlich vor Zeugen.
- Sicheren venösen Zugang legen, Blutentnahme für Gerinnung, E'lyte, kleines BB, Blutgruppe (sofern aus Mutterpass nicht bekannt).
- Blasendauerkatheter legen.
- Bei FG o. zu erwartenden KO Pädiater bzw. nächstgelegene Kinderklinik informieren,. Verlegungspapiere vorbereiten, Transport organisieren.
- Auswahl eines geeigneten Anästhesieverfahrens; bei Notfalleingriffen Intubationsnarkose (**cave:** Aspirationsrisiko ↑), sonst Spinal- o. Periduralanästhesie.
- Lagerung der Pat. in Linksseitenlage (OP-Tisch kippen o. Keil benutzen) zur Vermeidung eines Vena-cava-Kompressionssy.
- CTG-Daueruberwachung o. zumindest akustische Kontrolle der Herztöne (Doptone, Holz- o. Metallstethoskop) bis zum Beginn der Desinfektion.
- Desinfektion der Bauchdecken, dabei Vulva mit sterilem Tuch vor Desinfektionsmittel schützen, steriles Abdecken.
- Absauger für Kind sowie Absauger für FW u. Blut anschließen u. Funktion überprüfen.
- Für gute Sauerstoffzufuhr vor Beginn der Narkose sorgen.
- Narkosebeginn erst, wenn alle Vorbereitungen abgeschlossen sind, um die Narkosezeit für den Feten möglichst kurz zu halten.
- Frauen mit Niedrigrisikofaktoren, die keine antepartale medikamentöse Prophylaxe erhalten haben, aber per Kaiserschnitt entbunden wurden u./o. eine pos. Familienanamnese o. zusätzliche Risikofaktoren aufweisen, sollten neben der physikalischen auch eine medikamentöse postpartale Prophylaxe mit NMH wie Enoxaparin 20 mg/d (z. B. Clexane® 20) bzw. mit Heparin, z. B. 2 × 7.500 IE/d s. c. (z. B. Liquemin®) erhalten (▶ 1.1.4).
- Bei hohem VTE-Risiko (Schwangere mit wiederholter Thrombose in der Eigenanamnese, Schwangere mit homozygoter Faktor-V-Leiden-Mutation o. komb. thrombophilen Faktoren u. einer Thrombose in der Eigenanamnese, Adipositas etc.) NMR-Dosierung anpassen.

9.5.3 Durchführung

> **!** Um eine übermäßige Belastung des Kindes mit Anästhetika zu vermeiden, sollten die Entwicklung u. Abnabelung des Kindes bei Vollnarkose innerhalb von 5 min nach Beginn der Narkose erfolgt sein. Somit muss beim Eröffnen der Bauchdecken meist auf eine subtile Blutstillung verzichtet werden.

Eröffnen der Bauchdecken

- Suprasymphysärer Querschnitt nach Pfannenstiel. Scharfe o. stumpfe Präparation des Fettgewebes bis auf die Muskelfaszie u. medianes Spalten der Faszie. Anklemmen der Faszie u. bogenförmige Eröffnung. Abpräparation vom Muskel teils stumpf (im lateralen Anteil), teils mit der Schere (medial). Stumpfes Auseinandertrennen der Bäuche des M. rectus abdominis.
- Eröffnung des parietalen Peritoneums in Längsrichtung, stumpfes Abschieben der Harnblase nach kaudal. Eröffnung des viszeralen Peritoneums quer nach Anheben mit der Pinzette oberhalb des Blasenscheitels. Stumpfes Ab-

präparieren der Blase von der vorderen Uteruswand. Kleiner bogenförmiger Schnitt mit dem Skalpell zur Eröffnung des Uterus o. durch Spreizen einer Schere, dabei die Dicke des Myometriums vorher palpatorisch abschätzen, um eine Verletzung des Kindes zu vermeiden.
- Erweiterung der Uterotomiewunde stumpf mit zwei in den Uterus eingeführten gekrümmten Zeigefingern. Gründliches Absaugen des FW nach Amniotomie zur Vermeidung einer FW-Embolie o. Versuch der Entwicklung des Kindes in der erhaltenen Fruchtblase (insb. bei Frühgeburten dadurch geringeres Trauma des Ungeborenen). Muss die quere Uterotomie erweitert werden (sehr großes Kind, viel Platzbedarf bei FG), sollte diese bogenförmig am Rand des Corpus uteri nach kranial weitergeführt werden. Die Erweiterung in umgekehrter T-Form nach kranial bietet mehr KO.
- Bei der „klassischen Sectio caesarea" wird nach unterem Medianschnitt der Bauchdecke der Uterus hervorgeholt u. mittels sagittalem o. querverlaufendem Fundusschnitt eröffnet (heute nicht mehr üblich!). Ursache häufiger Fehldokumentationen!

Entwicklung des Kindes Eingehen mit der Hand in den Uterus u. Herausleiten des vorangehenden Teils, Unterstützung durch Druck auf den Fundus (durch die Bauchdecken). Wenn nötig, Relaxation des Uterus durch Gabe von Fenoterol 10–15 µg i. v. (z. B. 2–3 ml Partusisten intrapartal® nach 1:4-Verdünnung mit 4 ml Glukose 5 %). Kind absaugen u. abnabeln (bei Frühgeburten < 34. SSW spätes Abnabeln, ggf. Ausstreichen der Nabelschnur Richtung Kind als „interne Transfusion"), Übergabe zur Erstversorgung. Nabelschnurblutentnahme (pH, BE, Blutgruppe).
Gabe von Kontraktionsmitteln, z. B. Oxytocin 3 IE (Orasthin®) in 50 ml NaCl u. Antibiotika als periop. Prophylaxe (z. B. Einmalgabe Cefuroxim 1,5 g i. v.). Manuelle Lösung der Plazenta, Austastung des Uteruskavums auf Plazentareste u. Uterusfehlbildungen. Bei V. a. Plazentareste intraop. Kürettage mit stumpfer Kürette durch die Uterotomiewunde hindurch.

Verschluss
- Je zwei Ecknähte im Wundwinkel der Uterotomie legen. Evtl. Dilatation des CK mit dem Finger o. Hegar-Stiften, um einen Lochialstau zu vermeiden (anschließend Handschuhwechsel). Einzelknopfnähte o. fortlaufende, überwendliche Naht zum Verschluss des Myometriums, ohne das Endometrium zu fassen.
- Cave: Bei dünn ausgezogenem unterem Uterinsegment (z. B. bei protrahiertem Geburtsverlauf) Uterushinterwand nicht mitfassen!
- Blutstillung durch evtl. zusätzliche Nähte o. Elektrokauter. Fortlaufender Verschluss des viszeralen Peritoneums nicht notwendig.
- Bauchraum inspizieren (Adnexe, Douglas, Appendix, Palpation der Oberbauchorgane). Bauchtoilette. Fortlaufender Verschluss des parietalen Peritoneums. Verschluss der Muskelfaszie mit fortlaufender Naht. Subfasziale Redon-Drainage nur bei verstärkter Blutungsneigung.

> **!** Bei jedem Abschnitt gründliche Kontrolle auf Bluttrockenheit. Bei Resectio alte Hautnarbe mit dem Skalpell ausschneiden. Blutstillung im subkutanen Fettgewebe. Fettadaptationsnähte je nach Dicke des subkutanen Fettgewebes. Hautverschluss durch Intrakutannaht. Ggf. Redon-Flasche mit Sog anschließen.

9.5.4 Postoperative Überwachung

Neben den allg. Richtlinien der postop. Maßnahmen gelten nach Sectio caesarea folgende Besonderheiten:
- Funduskontrolle mind. alle 8 h, Kontrolle der Lochien
- Bei Rh-neg. Frauen u. Rh-pos. Kindern postop. Rh-Prophylaxe (z. B. 1 Amp. Rhophylac® s. c.) nicht vergessen (▶ 11.4.4)
- Kontraktionsmittel, z. B. Oxytocin 10–20 IE (Orasthin®) in 500 ml Glukose 5 % über 12 h als Tropfinfusion o. Oxytocin 10–20 IE u. Methylergometrin 0,1–0,2 mg in 500 ml Glukose o. Carbetocin (Pabal®) 100 µg = 1 ml (entspricht 50 IE Oxytocin) per infusionem. **Cave:** Anwendung z. B. bei KI gegen Methylergometrin. Keine gesicherten Daten für Pabal® über niedrigere KO-Rate. Hohe Kosten
- Urinkontrolle: Menge mind. 70–100 ml/h. **Cave:** blutig, hämolytisch
- Laborkontrolle postop. u. nach 12–18 h (BB, E'lyte, Gesamteiweiß)
- Ausreichende Analgesie mit Opiaten, z. B. Piritramid 15 mg i. m. (Dipidolor®), Tramadol 100 mg auf 500 ml Infusionslsg. i. v. (z. B. Tramal®)
- Baldiges Anlegen des Kindes unter Anleitung einer Hebamme o. Kinderkrankenschwester
- Bei jeder medikamentösen Ther. auf KI bzgl. des Stillens achten
- Verbandswechsel nach ca. 24 h, Mobilisieren nach ca. 7 h
- Liegende DK nach Mobilisierung entfernen (ca. nach 12 h)
- Pat. darf nach Abklingen der Narkose (etwa nach 2 h) trinken, nach spätestens 6–8 h essen

9.5.5 Modifizierter und vereinfachter (sanfter) Kaiserschnitt (Misgav-Ladach-Sectio)

Kurzfristige Vorteile der Methode sind niedrigere febrile Morbidität, rasche Mobilität der Pat., niedriger Bedarf an Schmerzmitteln. Langfristige Vorteile sind geringere intraabdom. Verwachsungen.

Anästhesie Soweit keine KI vorliegen, sollte der Eingriff unter Spinalanästhesie o. PDA durchgeführt werden. Dies ermöglicht der Mutter, die Entbindung zu verfolgen u. erleichtert das „Bonding" zum Kind.

Durchführung
- Rechtshändiger Operateur steht auf der re. Seite der Pat., da es mit der re. Hand einfacher ist, den Kopf des Kindes zu entwickeln. Beim Nähen der Gebärmutter wird damit zugleich die Nadelspitze von der Blase weggeführt.
- Gerader Hautschnitt (nicht bogenförmig) oberflächlich in der Hautquerlinie 3 cm unter der Verbindungslinie zwischen den beiden vorderen Spinae iliacae anteriores. In der Mitte des Schnitts befinden sich keine anatomisch bedeutenden Blutgefäße. Hier wird das Fettgewebe durchtrennt u. ein kleiner Querschnitt in die Faszie gelegt. Die Eröffnung der Faszie erfolgt mit einer geraden, stumpfen Schere, deren Spitze etwa 3 mm geöffnet ist u. die Faszie sanft re. u. li. zur Seite hin inzidiert.
- Eröffnung der Faszie unterhalb der Blutgefäße u. des Fettgewebes, anschließend Mobilisierung mit beiden Zeigefingern nach kaudal u. kranial. Die

Zeige- u. Mittelfinger von Operateur u. Assistent werden unterhalb der Mm. recti platziert u. ziehen langsam seitlich die Längsstrukturen auseinander, möglichst auch nach kranial.
- Stumpfe Eröffnung des parietalen Peritoneums mit beiden Zeigefingern hoch über der Blase. Beim Herauf- u. Herunterziehen wird das Peritoneum ohne Verletzungsgefahr der darunter liegenden Strukturen quer eröffnet. Keine Bauchtücher verwenden, da diese Peritoneum u. Darm reizen. Das Blasenperitoneum wird mit der Spitze des Skalpells quer eröffnet u. nach kaudal abgeschoben.
- Uteruseröffnung durch kleinen Querschnitt im unteren Uterinsegment, der lateral mit dem Zeigefinger der li. Hand u. dem Daumen der re. Hand verbreitert wird.
- Die Entwicklung des Kindes erfolgt mit der re. Hand. Anschließend wird die Plazenta manuell gelöst u. der Uterus vor die Bauchdecke luxiert. Hierdurch wird das Nähen erleichtert. Zudem lässt sich der Uterus zur Verringerung der Blutung manuell komprimieren, und die Adnexe können beurteilt werden.

Wundverschluss Die Naht der Uterotomie soll einschichtig erfolgen, vorzugsweise mit einer großen Nadel. Blutkoagel werden aus der Bauchhöhle entfernt, aber die Flüssigkeit kann zurückbleiben. Erythrozyten werden vom Peritoneum absorbiert, das FW hat zudem bakteriostatische Eigenschaften.
- Die Bauchhöhle wird nur zweischichtig (an Faszie u. Haut) geschlossen. Um die Faszie zu verschließen, werden die Faszienblätter seitlich mit je einer Klemme gehalten, zwei weitere Klemmen werden im lateralen Drittel an die Faszienblätter gelegt.
- Die Haut wird mit möglichst wenigen Nähten verschlossen, um eine gute Drainage zu ermöglichen.
- Die lateralen Nähte können bereits nach 2 d entfernt werden, die mittleren Nähte am 5. postop. Tag. Die Mütter dürfen sofort nach der OP trinken. Der Blasenkatheter wird spätestens am nächsten Tag entfernt.

9.5.6 Anästhesiologisches Vorgehen bei Sectio caesarea

Aus der Indikationsstellung u. damit Festlegung des zeitlichen Vorgehens durch den Geburtshelfer leiten sich das anästhesiol. Vorgehen u. die Wahl des Anästhesieverfahrens ab (▶ Tab. 9.2).

Tab. 9.2 Auswahl der Anästhesie bei Sectio in Abhängigkeit von der Indikation

Indikation	Erläuterung	Verfahren (Rangfolge)
Notfall	Vitale Ind. für Mutter u. Kind	ITN
Dringlich	Drohende intrauterine Hypoxie, Kindesentwicklung < 30 min	SPA, ITN, PDA (bei liegendem Katheter)
Elektiv	z. B. Beckenendlage	SPA, PDA, (ITN)

ITN = Intubationsnarkose; SPA = Spinalanästhesie; PDA = Periduralanästhesie

9.5.7 Notfallsectio

▶ Abb. 9.9.

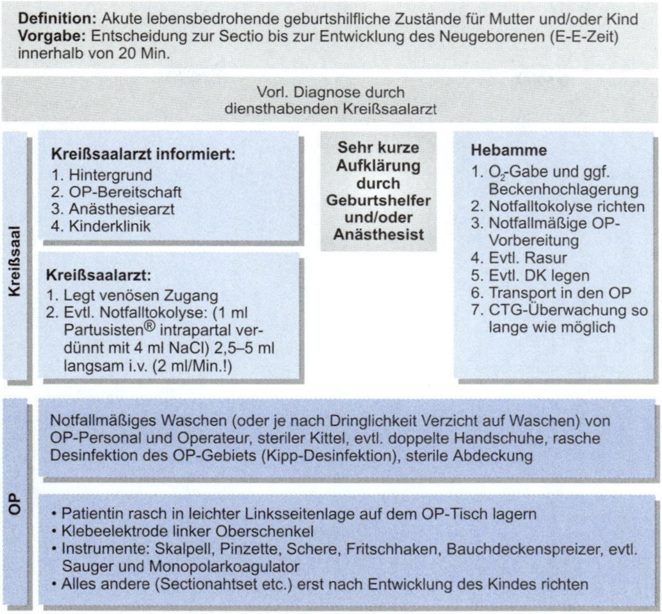

Definition: Akute lebensbedrohende geburtshilfliche Zustände für Mutter und/oder Kind
Vorgabe: Entscheidung zur Sectio bis zur Entwicklung des Neugeborenen (E-E-Zeit) innerhalb von 20 Min.

Vorl. Diagnose durch diensthabenden Kreißsaalarzt

Kreißsaal

Kreißsaalarzt informiert:
1. Hintergrund
2. OP-Bereitschaft
3. Anästhesiearzt
4. Kinderklinik

Sehr kurze Aufklärung durch Geburtshelfer und/oder Anästhesist

Hebamme
1. O$_2$-Gabe und ggf. Beckenhochlagerung
2. Notfalltokolyse richten
3. Notfallmäßige OP-Vorbereitung
4. Evtl. Rasur
5. Evtl. DK legen
6. Transport in den OP
7. CTG-Überwachung so lange wie möglich

Kreißsaalarzt:
1. Legt venösen Zugang
2. Evtl. Notfalltokolyse: (1 ml Partusisten® intrapartal verdünnt mit 4 ml NaCl) 2,5–5 ml langsam i.v. (2 ml/Min.!)

OP

Notfallmäßiges Waschen (oder je nach Dringlichkeit Verzicht auf Waschen) von OP-Personal und Operator, steriler Kittel, evtl. doppelte Handschuhe, rasche Desinfektion des OP-Gebiets (Kipp-Desinfektion), sterile Abdeckung

- Patientin rasch in leichter Linksseitenlage auf dem OP-Tisch lagern
- Klebeelektrode linker Oberschenkel
- Instrumente: Skalpell, Pinzette, Schere, Fritschhaken, Bauchdeckenspreizer, evtl. Sauger und Monopolarkoagulator
- Alles andere (Sectionahtset etc.) erst nach Entwicklung des Kindes richten

Abb. 9.9 Einsatzplan für Notfallsectio [L157]

10 Wochenbett

Axel Valet

10.1 Definition 340
10.2 Leitsymptome und Differenzialdiagnosen 340
10.2.1 Erhöhte Temperatur 340
10.2.2 Rückbildungsverzögerung 340
10.2.3 Vaginale Blutung 341
10.2.4 Unterbauchschmerzen 341
10.3 Endokrine Umstellung 341
10.4 Rückbildung 342
10.4.1 Normales Wochenbett 342
10.4.2 Endometritis 343
10.4.3 Endomyometritis 343
10.4.4 Puerperalsepsis 344
10.4.5 Lochialstau (Lochiometra) 345
10.5 Stillen 346
10.5.1 Physiologie 346
10.5.2 Mastitis puerperalis 346
10.6 Sonstige Erkrankungen 348
10.6.1 Tiefe Bein- und Beckenvenenthrombose 348
10.6.2 Ovarialvenenthrombose 348
10.6.3 Beckenringlockerung 348
10.7 Wundheilungsstörung 349
10.7.1 Nach Episiotomie oder Dammriss 349
10.8 Wochenbettberatung 350

10.1 Definition

Das Wochenbett beginnt mit der Plazentageburt u. endet nach 6–8 Wo. In dieser Zeit findet die Rückbildung der meisten durch die Schwangerschaft bedingten Veränderungen statt. **Aufgaben bei der Wochenbettbetreuung:** Beobachtung der Mutter-Kind-Beziehung, Wahrnehmung psychischer Veränderungen der Mutter, Überwachung der Rückbildungsvorgänge, Blasen- u. Darmentleerung, Wochenfluss, Puls u. Temperatur (Inf.), der VTE-Prophylaxe ▶ 1.1.4 u. Beratung, z. B. beim Stillen.

10.2 Leitsymptome und Differenzialdiagnosen

Wochenbettkomplikationen ▶ Tab. 10.1.

Tab. 10.1 Typische Zeitpunkte für Wochenbettkomplikationen	
Milcheinschuss	Tag 2–4
Endometritis, Endomyometritis, Puerperalsepsis, Lochiometra	Tag 2–10
Mastitis	Ab Tag 5–6
Thrombose, HWI, Pyelonephritis	Jederzeit

10.2.1 Erhöhte Temperatur

- Bds. Brustspannen, deutliche Venenzeichnung, knotiger Drüsenkörper → V. a. Milcheinschuss
- Großer, druckdolenter Uterus; vermehrter, übel riechender Wochenfluss; Blutungen → V. a. Endometritis, Endomyometritis. Zusätzlich septische Temperaturen, Tachykardie, schweres Krankheitsgefühl, Gerinnungsstörungen → V. a. Puerperalsepsis
- Reduzierter bis verschwundener Wochenfluss (evtl. Z. n. Sectio) → V. a. Lochialstau (Lochiometra)
- Lokal überwärmte, gerötete Brust (meist einseitig), Schmerz eingrenzbar; axilläre Lk-Schwellung, Infiltrat (evtl. Abszess) → V. a. Mastitis
- Schwellung des Beins, Schmerz, Schweregefühl, livide Beinverfärbung, pos. Homan- u. Payr-Zeichen → V. a. Thrombose
- Pollakisurie, Dysurie → V. a. Zystitis (▶ 3.3.1)
- Flankenschmerz, klopfschmerzhaftes Nierenlager (meist einseitig), evtl. Pollakisurie u. Dysurie → V. a. Pyelonephritis (▶ 3.3.2)

10.2.2 Rückbildungsverzögerung

Physiol. bei Sectio, Mehrgebärenden u. Mehrlingsgeburten.
- Mäßige Temperaturerhöhung (37–38 °C), vermehrter Wochenfluss, leichte Blutung → V. a. Endometritis (▶ 10.4.2)
- Temperaturerhöhung (38–40 °C), vermehrter Wochenfluss mit deutlicher Blutung, Druckschmerz am Uterus → V. a. Endomyometritis (▶ 10.4.3)
- Fieber (38–40 °C), reduzierter bis versiegter Wochenfluss, weicher Uterus, keine Blutung → V. a. Lochiometra (▶ 10.4.5)

10.2.3 Vaginale Blutung

- Vergrößerter, evtl. blutender Uterus, Abgang von Plazentagewebe → V. a. Plazentareste (z. B. sonografisch), Plazentapolyp
- Hellrotes Blut, Schmerzen, Spekulumuntersuchungsbefund (immer durchzuführen bei Blutung) → V. a. Nahtinsuffizienz, nicht versorgte Geburtsverletzung (z. B. Zervixriss, hoher Scheidenriss)
- Schmerzen, mäßige Temperaturerhöhung; vermehrter, übel riechender Wochenfluss → V. a. Endometritis, Endomyometritis
- Starker Blutverlust sub partu, Atonie (▶ 8.15.2), FW-Embolie (▶ 8.16), HELLP-Sy. (▶ 5.9.3), vorbestehende Blutungsneigung → V. a. Gerinnungsstörung
- Keiner der vorgenannten Befunde → V. a. funktionelle Blutung im Wochenbett

10.2.4 Unterbauchschmerzen

- Schmerzen nach körperlicher Bewegung, Stillen o. Gabe von Kontraktionsmitteln → V. a. Uteruskontraktionen (Ausschlussdiagn.)
- Mäßige Temperaturerhöhung, vermehrter, übel riechender Wochenfluss → V. a. Endometritis, Endomyometritis (▶ 10.4.2, ▶ 10.4.3)
- Fieber (38–40 °C), reduzierter bis versiegter Wochenfluss, weicher Uterus, keine Blutung, bitemporaler Kopfschmerz → V. a. Lochiometra (▶ 10.4.5)
- Temperaturerhöhung, deutliche Druckdolenz, bei vag. o. rektaler Untersuchung palpabler Tumor → V. a. Hämatom

10.3 Endokrine Umstellung

Die Östrogen- u. Progesteronspiegel fallen nach Ausfall der bisherigen plazentaren Hormonproduktion akut ab. Die Hemmung der Hypophyse entfällt, sodass hypophysäres Prolaktin gebildet wird. Postpartal ist der vorübergehende starke Steroidhormonabfall offenbar für die leicht depressive Stimmung (Maternity Blues ▶ 21.3.3) mitverantwortlich, die in den ersten Wochen p. p. auftritt. Der 1. Menstruationszyklus nach Geburt tritt zeitlich sehr unterschiedlich auf (▶ Tab. 10.2).

Tab. 10.2 Der erste Zyklus nach Geburt	
Nichtstillende Wöchnerin	3–6 Wo. p. p. erste Follikelreifung 5–10 Wo. p. p. erste Menstruation (große individuelle Unterschiede, erster Zyklus häufig anovulatorisch)
Stillende Frauen	Meist tritt erst gegen Ende der Stillzeit der erste Zyklus auf (physiol. Laktationsamenorrhö). Selten tritt die erste Blutung nach 6–8 Wo. auf, noch seltener finden sich regelmäßige Zyklen unter der Laktation

Stillen bietet keinen ausreichenden Konzeptionsschutz.

10.4 Rückbildung

10.4.1 Normales Wochenbett

> Physiol. Rückbildung des Uterus (Involutio; ▶Abb. 10.1) durch Gewebeabbau (Degeneration u. Autolyse der überflüssigen Muskelfasern) u. Kontraktion.

Kontraktionen
Teilweise als Dauerkontraktionen, z. T. auch rhythmisch (schmerzhafte **Nachwehen**), können durch Stillen („Reizwehen"), körperliche Bewegung, regelmäßige Darm- u. Blasenentleerung, Eisblase u. Kontraktionsmittel (z. B. Methylergometrin, Oxytocin) angeregt werden. Durch die Kontraktionen entsteht eine Blutstillung nach Ablösen der Plazenta, außerdem Verkleinerung der Wundfläche u. damit zugleich Infektionsschutz.

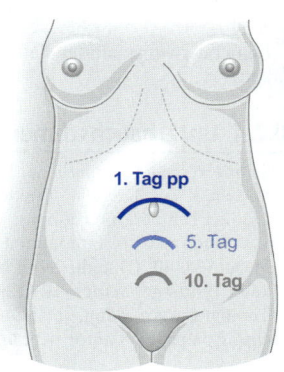

Abb. 10.1 Uterusgröße [L157]

Lochien
Durch den Gewebeabbau entsteht der „**Wochenfluss**" (▶Tab. 10.3), der immer bakt. besiedelt ist. **Cave:** Händesinfektion (auch der Mutter nach Lochienkontakt).

Tab. 10.3 Uterusrückbildung	
Woche p. p.	**Lochienfarbe**
1. Wo.	blutig
Ende der 1. Wo.	braunrötlich
Ende der 2. Wo.	dunkelgelb
Ende der 3. Wo.	grauweiß
Nach ca. 4–6 Wo.	Versiegen des Wochenflusses

Rückbildungsgymnastik
- Wichtig zur Kräftigung des Beckenbodens, **Deszensusprophylaxe,** auch nach Klinikaufenthalt weiterführen
- Rückbildung der in der Schwangerschaft vermehrten Flüssigkeitseinlagerung im Gewebe durch vermehrte Ausscheidung im Frühwochenbett (bis zu 2–4 l Urin tgl.)

! Jede Rückbildungsverzögerung p. p. beachten!
- Falls Uterusfundus über dem Nabel stehend o. weicher Uterus: prophylaktische Kontraktionsmittelgabe erwägen, z. B. Oxytocin (Orasthin®) 2 × 5 IE/d i. m. oder 10 IE per infusionem, Methylergotamin (Methergin®) 1–3 ×/d bis zu einer ½ Amp. langsam i. v. od. 1–3 ×/d bis zu 1 Amp. i. m. (cave: wird in einigen Kliniken aufgrund des kardiovaskulären NW-Profils nicht verwendet) o. 1 × 1 Tbl. Misoprostol 200 μg rektal (Zytotec®. Cave: Off-Label-Use, bes. Aufklärung).

10.4.2 Endometritis

Definition Inf. an der Plazentahaftstelle.

Klinik
- Uterus zu groß u. druckempfindlich (Kantenschmerz)
- Vermehrte, übel riechende Lochien, leichte vag. Blutung
- Temperaturerhöhung (meist bis ca. 38 °C), Abgeschlagenheit, häufig bitemporale Kopfschmerzen

Diagnostik Aufgrund des klin. Erscheinungsbildes:
- Funduskantenschmerz, vergrößerter, weicher, druckdolenter Uterus
- Labor: Leukozytose, CRP > 10 mg/l
- Mikrobiol. Abstrich wegen evtl. Mischinf. u. Antibiotikaschnellresistenztest anfertigen (wichtig bei Therapieversagen)

Therapie
- Bettruhe, Eisblase
- Bei Temperaturerhöhung nach dem 2. Tag p. p. sofort Kontraktionsmittel, Methylergometrin 2–3 × 0,2–0,4 mg/d i. m. (z. B. Methergin®), ggf. in Komb. mit Oxytocin 2–3 × 3 IE/d i. m. **Cave:** Kardiale Vorerkr. mit Sensationen!

10.4.3 Endomyometritis

Definition Auf das Myometrium übergegangene Inf. des Endometriums (▶ 15.4.3).

Tab. 10.4 Antibiose bei Endometritis	
Antibiotika primär	• Ampicillin 3 × 1 g/d p. o. (z. B. Amoxihexal 1000®) **oder** • Ampicillin 3 × 1 g/d i. v. (z. B. Amoxihexal 1000®) u. Metronidazol 2 × 500 mg/d i. v. (Clont®) als Kurzinfusion **Cave:** bei Metronidazol nicht stillen (Milch ggf. abpumpen u. verwerfen)
… falls ohne Erfolg	Komb. aus: • Cephalosporin, z. B. Cefuroxim 3 × 1,5 g/d i. v. **oder** • Cephalosporin, z. B. Cefuroxim 3 × 1,5 g/d i. v. und Metronidazol 2 × 500 mg/d i. v. (z. B. Clont®) u. Aminoglykosid, z. B. Gentamicin 2 × 80 mg/d i. v. als Kurzinfusion **oder** • Tobramycin 3 × 80 mg/d i. v. als Kurzinfusion (z. B. Gernebcin®). **Cave:** bei Niereninsuff. u. Untergewicht Dosisreduktion, evtl. Medikamentenblutspiegel bestimmen, bei Metronidazol nicht stillen, sondern Milch abpumpen

Klinik Temperatur steigt (38–40 °C), viel Lochien, vermehrte uterine Blutung, Spontanschmerz.

Therapie Endometritis, Kreislaufüberwachung (1- bis 3-stdl. RR, Puls; ca. 4-stdl. Temp.), EK, falls Hb < 8 g/dl. Antibiose ▶ Tab. 10.4.
Cave: keine Abrasio wegen intraop. Gefahr von Keimverschleppung u. Perforation.

Die rechtzeitige Ther. der Endometritis (frühzeitige Kontraktionsmittelgabe) schützt vor einer weiteren Aszension der Inf., die zur Salpingitis, Pelveoperitonitis bis hin zur diffusen Peritonitis mit lebensbedrohlicher Puerperalsepsis führen kann.

10.4.4 Puerperalsepsis

Häufigste Erreger sind A-Streptokokken (90 % d. F.).

Klinik Zusätzlich zu den Lokalbefunden der Myometritis alle Zeichen der Sepsis:
- Hohes intermittierendes Fieber > 39 °C, Schüttelfröste
- Trockene rissige Zunge, schweres Krankheitsgefühl
- Tachykardie, Tachypnoe, Übergang zum Kreislaufversagen mit Schockzeichen (▶ 3.4)

Komplikationen Gerinnungsstörungen wie Thrombopenie, Mikrothrombosierung in den Kapillaren, Gefahr der DIC (▶ 3.4.3), bei Verdacht Spezialisten (z. B. Facharzt für Transfusionsmedizin u. Hämostaseologie, Innere Medizin o. Ä.) hinzuziehen. **Cave:** eine der Hauptursachen für die postpartale Sterblichkeit in der dritten Welt.

Risikofaktoren Sectio caesarea, Anwesenheit bestimmter Bakterien wie A- o. B-Streptokokken in der Vagina, vorzeitiger Blasensprung, mehrfache vag. Untersuchungen, manuelle Entfernung der Plazenta o. ausgedehnte Weichteilverletzungen o. unerkannte Uterusrupturen sub partu.

Diagnostik
- Klinik: Zeichen der Endometritis, Sepsis, Pat. plötzlich schwer krank
- Labor: hohes CRP (oft 20-fach erhöht), ausgeprägte Leukozytose (20–30/nl), starke Linksverschiebung, Anämie. Blutkultur (meistens: Strept., Staph., *E. coli, Proteus*)

Cave: Da die Leukozyten zum Zeitpunkt des Labortests schon wieder rückläufig (bis normal) sein können, ist das CRP der wichtigste Parameter.

Monitoring Intensivüberwachung von Kreislauf (mind. stündlich RR, Puls, besser Monitor, interdisziplinäre ITV), Temp. (4-stdl.) u. Ausscheidung (DK mit Stundenurometer) (▶ Tab. 10.5).

Therapie
- Venöser Zugang, ggf. ZVD, Infusionsther. ▶ 2.6
- Low-Dose-Heparinisierung: Heparin 3 × 5.000 IE/d s. c. (z. B. Liquemin®) bzw. NMH, z. B. Clexane® 0,4, v. a. bei manifestem Schock häufig Verbrauchskoagulopathie (Ther. ▶ 3.4)
- **Antibiotika:** Komb. aus:

Tab. 10.5 Laborkontrolle bei Puerperalsepsis	
2- bis 4-stdl.	BGA, kleines BB u. Gerinnung
8-stdl.	Krea, Quick, PTT, Fibrinogen, E'lyte
1 ×/d	CRP, großes BB, Laktat

- Cephalosporin + Metronidazol + Aminoglykosid: z. B. Cefuroxim 3 × 1,5 g/d i. v. und Metronidazol 2 × 500 mg/d i. v. (z. B. Clont®) u. Gentamicin 3 × 80 mg/d i. v. (z. B. Refobacin®) als Kurzinfusion (1 × tgl. Gabe der gesamten Tagesdosierung ist äquieffektiv u. vermutlich weniger nephrotoxisch). **Cave:** Bei Niereninsuff. u. Untergewicht Dosisreduktion, evtl. Medikamentenblutspiegel; bei Metronidazol nicht stillen, sondern Milch abpumpen. Bei gramneg. Sepsis monoklonale AK, z. B. HA-1A (Kientoxin®), erwägen
- **Chir. Behandlung:**
  - Bei Plazentaretention: Kürettage unter Antibiose
  - Abdom. Wundinf. o. Dammabszess: Revision der Wunden. Nähte werden entfernt, um die Drainage von Eiter zu erleichtern, ggf. sek. Naht nach Kontrolle der Inf.
  - Beckenabszess: Drainage durch Kolpotomie unter US-Sicht o. Laparoskopie
  - Therapieresistente Peritonitis: bei Tuboovarialabszess op. Revision
  - Hysterektomie nur bei Uterusperforation, die op. nicht zu korrigieren ist

10.4.5 Lochialstau (Lochiometra)

Pathogenese Ist MM verschlossen (häufig als Folge einer mangelnden MM-Öffnung bei prim. Sectio caesarea → bei Sectio immer intraop. suffiziente MM-Dehnung durchführen) o. durch Blutkoagel o. Eihäute verlegt, kommt es zu einer Stauung der Lochien.

Klinik
- Beginn meist am 4.–7. Tag p. p. mit plötzlichem Fieber ≤ 40 °C
- Vergrößerter, weicher, druckdolenter Uterus; stark reduzierte bis fehlende Lochien

Diagnostik
- Inspektion: (Vorlagenkontrolle), Spekulumuntersuchung zeigt geschlossenen MM u. wenig bis fehlende Lochien
- Palpation: weicher, vergrößerter Uterus
- Sono: Transabdom. ist Lochialsekret intrauterin darstellbar

Therapie
- Kontraktionsmittel: zunächst Oxytocin 2 × 5 IE/d i. m. und Methylergometrin 0,2–0,4 mg/d i. m. (z. B. Methergin®) + Spasmolytikum (z. B. Buscopan® Supp.), bei weiterer Subinvolutio „Syntometrin-Tropf" (250 ml NaCl 0,9 % + 1 Amp. Syntocinon à 10 IE), langsam tropfen lassen
- Ggf. digitale Dilatation des MM, Wehen anreiben (Massage am Fundus durch Pat.)
- Eisblase, viel aufstehen, Mobilisation, Rückbildungsgymnastik

10.5 Stillen

10.5.1 Physiologie

> Frauenmilch ist sowohl von der Nährstoffzusammensetzung als auch durch den Immunitätsschutz die beste Nahrung für den Sgl. (künstliche Ernährung ▶ 11.3.1).

Vorgehen
Möchte die Wöchnerin stillen, sollte das NG möglichst in der 1. Stunde p. p. im Kreißsaal angelegt werden. Eine Vollnarkose (z. B. bei Sectio) stellt keine KI zum frühen Stillen dar.
- Milcheinschuss: 2.–4. Tag p. p.; pralle, z. T. schmerzhafte Mammae. Gelegentlich auftretende Temperaturerhöhung auf ca. 38 °C für 2 d ist harmlos.
- Verbesserung der Milchproduktion:
  - Brüste abwechselnd jeweils gut leer trinken lassen
  - Oxytocin (z. B. Syntocinon® Nasenspray 1 Hub) 5 min vor dem Anlegen
  - Reichliche Flüssigkeitszufuhr (mind. 2,5 l/d)
! Medikamente können auf die Muttermilch übergehen u. das Kind gefährden, insb. Psychopharmaka, Sedativa, Antibiotika u. Cumarine (▶ 7).

> Am besten gelingt das Stillen, wenn das Kind regelmäßig dann angelegt wird, wenn es sich „meldet" („feeding on demand"), lediglich auf eine Spätmahlzeit (gegen 22:00 Uhr) ist zu achten. Gewichtskontrolle (in den ersten Wochen 1 ×/d, später 1 ×/Wo.). Postpartal nimmt das NG bis zu 10 % seines Geburtsgewichts ab, holt dies jedoch in den ersten 10–14 d wieder auf.

Abstillen
Primäres Abstillen Stillen wird nie begonnen.
- Flüssigkeitsrestriktion, Brust kühlen, evtl. hochbinden (meist reicht straffer BH)
- Medikamentös: Cabergolin 1 mg/d p. o. (z. B. Dostinex®) als Einmalgabe

Sekundäres Abstillen Wie prim. Abstillen, aber häufiger KO. **Cave:** Dostinex® ist nicht zum sek. Abstillen zugelassen. Die Anwendung von Bromocriptin wurde im Dezember 2014 stark eingeschränkt. Nur bei med. Ind. (z. B. Totgeburt, mütterliche HIV-Inf.) max. 2–3 × 2,5 mg/d. Kontraindiziert für Pat. mit Hypertonie, SIH, Hypertonie im Wochenbett, KHK, psychischen Störungen im Wochenbett (auch bei vorangegangenen Geburten). Falls unter der Therapie eine Hypertonie, Brustbeschwerden o. Kopfschmerzen auftreten: sofortige Beendigung!

10.5.2 Mastitis puerperalis

Ätiologie Erreger ist in 90 % *Staph. aureus,* der aus dem Rachen des NG durch Rhagaden in das Brustparenchym gelangt.

Klinik
- Meistens am 8.–12. Wochenbetttag plötzliches Fieber bis 40 °C
- Schmerzhafte Schwellung, bevorzugt am äußeren oberen Quadranten mit regionaler Überwärmung (Rötung) u. Druckdolenz. In 75 % d. F. einseitig
- Verhärtung (Infiltrat) bis hin zum Abszess (Fluktuation) mit Gefahr der Spontanperforation
- Axilläre Lk-Schwellung
! Die Unterscheidung zwischen Früh- u. Spätphase der Mastitis muss dem Erfahrenen vorbehalten bleiben (Vorstellung der Pat. beim Frauenarzt). Engmaschige Kontrolle des Therapieerfolgs (am Folgetag) erforderlich

Die Mastitis ist eine der häufigsten KO des Wochenbetts.

Diagnostik
- Klinik (s. o.); Labor mit BB, CRP. Bei Abszessverdacht Mamma-Sono
- **DD Milchstau:** Verhärtung der Brust, keine Rötung, kein Fieber → gut leer trinken lassen, Brust „ausstreichen", ggf. abpumpen, tgl. Kontrolle

Therapie
- **Frühphase der Mastitis:** Gute Brustentleerung. Dazu Kind anlegen o. Brust abpumpen, dabei Brust „ausstreichen" → meist rascher Rückgang der Beschwerden; es kann dann weiter gestillt werden. Tgl. Befundkontrolle. Ausreichende Flüssigkeitszufuhr
- **Fortgeschrittene Mastitis:** Falls sich mit o. g. Maßnahmen keine Entfieberung nach 12–24 h einstellt:
  - Zusätzlich Antibiotika, z. B. Cefalexin 3 × 1 g/d p. o. (z. B. Cephalex® 1000) für 3 d
  - Ruhigstellung der Brust: fester BH
  - Kühlung der Brust: Eisblase, kalte Alkoholumschläge
  - Stillverbot: Staph. in der Muttermilch lösen GIT-Symptome beim Kind aus
  - Flüssigkeitsrestriktion auf 1.000–1.500 ml/d
  - Unter strenger Ind.-Stellung bei Erfolglosigkeit obiger Maßnahmen: Bromocriptin 2–3 × 1,25–2,5 mg/d p. o. (z. B. Pravidel®)
- Bei **beginnender Einschmelzung** zusätzlich:
  - Stillverbot (Erkr. des Kindes durch die eitrige Milch!)
  - Bromocriptin 2,5 mg/d p. o. (z. B. Pravidel®)
  - Wärmeanwendung (Rotlicht) zur Förderung der Abkapselung
  - Antibiotika (s. o.)
- **Abszess:** US-gesteuerte (wiederholte) Punktion. In ausgeprägten Fällen Inzision in Hautspaltlinien. Bei größeren Abszessen muss manchmal am tiefsten Punkt eine Gegeninzision durchgeführt u. die Wundhöhle drainiert werden (▶ Abb. 10.2).

Prophylaxe
- Händedesinfektion vor dem Stillen, insb. nach Lochienkontakt
- Rhagadenbehandlung (Bepanthen®-Salbe, Rotasept®-Spray, beste Erfolge: Laserbehandlung)
- Ggf. zur vorübergehenden Schonung der Mamillen Stillhütchen verwenden
- Milchstau vermeiden, indem die Brust beim Stillen gut entleert wird
- Brustwarzen an der Luft trocknen lassen (feuchte, warme Kammer vermeiden)

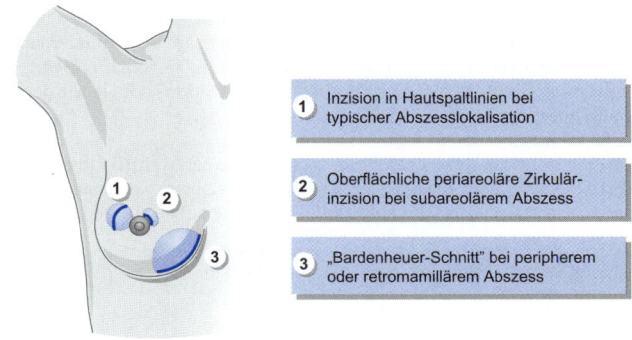

Abb. 10.2 Inzisionen der Mamma [L157]

- Kind anfangs nur ca. 5 min anlegen
- Vorsichtiges Herausnehmen der Mamille, ohne dass das Kind gleichzeitig daran saugt, indem zuvor ein Finger in den Mund des Sgl. geschoben wird, an dem er sich dann „festsaugen" kann

10.6 Sonstige Erkrankungen

10.6.1 Tiefe Bein- und Beckenvenenthrombose

Durch Immobilisierung im Wochenbett kann in seltenen Fällen eine tiefe Bein- o. Beckenvenenthrombose mit ihren KO entstehen (▶ 3.1.5).

10.6.2 Ovarialvenenthrombose

Definition Heute seltene KO einer aszendierenden Endometritis, in der Vor-Antibiotika-Ära lebensbedrohliches Krankheitsbild (Auslöser von Puerperalsepsis, Lungenembolie). Meist rechtsseitig wegen des vermehrten venösen uterinen Rückstroms über die re. Venen, gehäuft bei Adnexvarikosis (sonografisch darstellbar).

Klinik Meist ab dem 2. Tag p. p. hohes Fieber, Schmerzen im re. unteren Abdomen (DD Appendizitis), stellenweise durch die Bauchdecken palpable, strangförmige, derbe Resistenz.

Therapie ▶ 10.4.4.

10.6.3 Beckenringlockerung

Pathogenese Vorwiegend durch den Östrogeneinfluss kommt es in der Schwangerschaft zu einer geringfügigen physiol. Symphysenlockerung, v. a. nach komplizierter vag. Entbindung Beckenringlockerung möglich. Der „Symphysenschaden" tritt häufig schon während der Schwangerschaft auf.

Klinik Kreuzschmerzen o. Schmerzen im Bereich der Symphyse. Schmerzen beim Gehen verstärkt, v. a. beim Treppensteigen. Die liegende Pat. ist außerstande, ein Bein selbstständig anzuheben. Die Diagnose wird durch die Klinik gestellt, bildgebende Verfahren wenig aussagefähig.

Diagnostik
- Sono: Messung des Symphysenspalts, path. ab ca. 12–14 mm
- Rö: radiol. Messung des Symphysenspalts bei Diskrepanz zwischen Sono-Befund u. Klinik, path. ab ca. 10-mm-Spalt o. bei Stufenbildung > 5 mm
! DD: retrosymphysäres Hämatom (vag. Untersuchung: retrosymphysärer, druckdolenter, nicht sehr derber Tumor)

Therapie
- Stützmieder, Schonung mit Bettruhe für 2 Wo., bei Beschwerdepersistenz länger
- Analgetika: z. B. Paracetamol 1.000 mg p. o. oder Supp. (z. B. ben-u-ron®)
- Antiphlogistika: Diclofenac 3 × 50 mg/d p. o. (z. B. Voltaren®). **Cave:** letztes Trim. u. Stillperiode
- Bei ausgeprägter Klinik ggf. „prim." Schnittentbindung nach Abschluss der 37. SSW
! Chir. Intervention obsolet

10.7 Wundheilungsstörung

10.7.1 Nach Episiotomie oder Dammriss

Die KO bei (weiter gerissenen) Episiotomien u. Dammrissen sind gleich (▶ 10.2). Die Wundheilungsstörung nach Dammriss/-schnitt stellt bei der heute angewendeten Intrakutannaht eine absolute Rarität dar.

Wundschwellung

Klinik Schwellung kann über die gesamte 1. Wo. bestehen u. schmerzen.

Prophylaxe Situationsadaptierte Schnittführung (▶ 9.2), gute Nahttechnik (z. B. Intrakutannaht) mit atraumatischem Nahtmaterial (▶ 9.2.3).

Therapie Eisblase; Antiphlogistika; Pat. soll wenig gehen u. beim Stuhlgang möglichst wenig pressen, dazu Stuhlregulierung z. B. mit Lactuveran® 1 Btl. (entspricht 6 g Laktulose) am Abend des 2. Tages p. p. oder Movicol® 3 Btl./d.

Wunddehiszenz und -infektion

Klinik Schmerzen, Schwellung o. Verhärtung u. Rötung am häufigsten am 3.–4. Wochenbetttag. Meist kommt es 1–2 d später zur Wunddehiszenz.

> Bei fortlaufenden Intrakutan-Episiotomienähten zeigen sich deutlich weniger KO.

Therapie
- **Wundsanierung:** Wunde unter lokaler Spülther. (z. B. Lavasept® + NaCl 0,9 %) vollständig eröffnen u. reinigen; Granulation der Wundbasis abwarten,

ggf. spätere Sekundärnaht. Sollte eine Episiotomie-Inf. 24 h nach Therapiebeginn noch fortschreiten, ist eine Wundrevision in Vollnarkose mit vollständiger Nekroseabtragung zu empfehlen.
- Antibiose: bei weiter fortschreitender Inf.:
  - Cephalosporin: z. B. Cefuroxim 3 × 1,5 g/d i. v. **oder**
  - Cephalosporin + Metronidazol + Aminoglykosid: z. B. Cefuroxim 3 × 1,5 g/d i. v. und Metronidazol 2 × 500 mg/d i. v. (z. B. Clont®) u. Gentamicin 3 × 80 mg/d i. v.
  - **Cave:** bei Niereninsuff. u. Untergewicht Dosisreduktion; evtl. Medikamentenspiegel bestimmen. Bei Metronidazol nicht stillen, sondern Milch abpumpen

> - **Vulvahämatom:** meist spontane Resorption, Eiskrawatte vorlegen, Antiphlogistika (z. B. Voltaren® supp.), bei großen Hämatomen Inzision, Ausräumung, ggf. Blutstillung
> - **Scheidenhämatom:** möglichst frühzeitig eröffnen u. entleeren, damit sich das Hämatom nicht infiziert u. prim. Scheidenverschluss erreicht wird

10.8 Wochenbettberatung

Entlassungstermin
- Bei unkompliziertem Geburts- u. Wochenbettverlauf meist am 3. Tag p. p., nach der kindlichen U2-Untersuchung durch den Pädiater
- Bei Z. n. Sectio ab 3.–4. Tag p. p. bei unauffälligem klin. Befund (InEK-Kalkulation prim. Sectio ohne CC mittlere Verweildauer 4,0 d, sek. Sectio ohne CC 5,1 d)

Jeder Wöchnerin steht in den ersten 10 Wochenbetttagen kostenfrei eine amb. Betreuung durch eine Hebamme zu, bis zu 2 ×/d.
Zwischen 11. Tag p. p. und 8. Wo. p. p. kann Hebammenhilfe noch 16 × in Anspruch genommen werden, nach der 8. Wo. p. p. bis zum Abstillen bis zu 4 ×. Weitere Besuche sind auf ärztliche Anordnung möglich. Kassenrezept mit der Bemerkung „5 weitere Tage der amb. Hebammenbetreuung im Wochenbett", möglichst mit Begründung, z. B. „Status nach schwerer Entbindung mit Forzeps bei Geburtsstillstand in der Austreibungsperiode".

Beratungsgespräch
Spätestens bei der Entlassung aus dem stationären Bereich muss mit der Wöchnerin ein ausführliches Beratungsgespräch geführt werden. Dabei müssen folgende Punkte erwähnt werden:
- **Rückbildung:** Auf regelmäßige Blasen- u. Darmentleerung achten; sollten die Lochien wieder blutig werden, Unterbauchschmerzen o. Fieber auftreten, muss ein Arzt aufgesucht werden.
- **Stillen:** Mastitissymptome erläutern, damit Pat. frühzeitig Arzt aufsucht (▶ 10.5).
- **Bei Milchstau o. -überproduktion:** Brust ruhigstellen (Kühlen, festen BH anziehen), Flüssigkeitszufuhr einschränken (ca. 1,5 l/d).

10.8 Wochenbettberatung

- **Ernährung:** ausgewogene, vitaminreiche Kost, Strumaprophylaxe, z. B. mit 200 µg/d Jodid. Bei Hb < 10 g/dl Eisensubstitution zum Auffüllen der Eisenspeicher. Keine Diät während des Stillens ohne ärztlichen Rat.
- **Beckenbodengymnastik:** für mind. 6 Wo. zur Deszensusprophylaxe.
- **Hygiene:** Duschen ist jederzeit möglich. Solange der Lochialfluss besteht, sollten jedoch keine Wannenvollbäder genommen werden.
- **GV:** Es sollte das Versiegen des Wochenflusses abgewartet werden (ca. 4–6 Wo.), um Inf. zu vermeiden u. um die Wundheilung bei Episiotomie o. Dammriss nicht zu stören.
- **Erste Menstruation:** tritt bei nichtstillenden Wöchnerinnen nach 5–10 Wo. auf, bei Stillenden ist sie kaum vorhersagbar (evtl. erst nach Abstillen).
- **Kontrazeption:** Stillen stellt keinen sicheren Konzeptionsschutz dar. Kontrazeption kann entweder mit Barrieremethoden (Kondom, **cave:** schlechter Pearl-Index), Kupfer-IUP o. gestagenhaltigem Intrauterinsystem (z. B. Mirena®). Einlage 6 Wo. p. p. (▶ 18.3) o. gestagenhaltigen OH (Minipille bzw. 3-Monats-Spritze, ▶ 18.4.2) durchgeführt werden. Letztere gehen in zu vernachlässigender Dosis in die Muttermilch über, können aber, v. a. bei früher Gabe, die Milchproduktion einschränken. Regelmäßige ovulatorische Zyklen können nach 3-Monats-Spritze u. U. erst wieder nach 2 J. auftreten, daher bei weiterem Kinderwunsch nicht empfehlenswert. Östrogenhaltige Pillen aufgrund der deutlich erhöhten Thromboserate nicht empfehlenswert (< 6 Wo. p. p.: WHO-Klasse 4 = KI, 6 Wo. bis < 6 Mon. p. p.: WHO-Klasse 3: nicht empfehlenswert)!
- **Sterilisation:** mittels laparoskopischer Tubenkoagulation; ist erst 6 Wo. p. p. zu empfehlen (sonst hohe Rekanalisierungsrate!). Falls vorher gewünscht, Minilaparotomie mit Tubenteilresektion bzw. Tubensterilisation bei der Sectio.
- **Folgeschwangerschaft:** Nach Spontanpartus mind. 6 Mon., nach Sectio 1 J. mit nächster Schwangerschaft warten.
- **Kind:** regelmäßige Früherkennungsuntersuchungen wahrnehmen (U2 am 3.–10. LT, U3 in der 4.–6. Lw).
- **Nächste gyn. Untersuchung:**
  - Vag. Entbindung bei Beschwerdefreiheit: nach 6 Wo.
  - Sectio: nach 4–6 Wo.
  - Amb. Entbindung: ärztliche Kontrolle nach 1 Wo. empfehlen
  - Psychische Probleme im Wochenbett ▶ 21.3.3

11 Neonatologie

Marcus Krüger und Joachim Steller

11.1 Untersuchung des Neugeborenen 355
11.1.1 Begriffsdefinitionen 355
11.1.2 Zustandsbeurteilung 355
11.1.3 Atemstörungen 356
11.1.4 Erstuntersuchung: U1 357
11.1.5 Vorsorgeuntersuchung: U2 (3.–10. Lebenstag) 358
11.1.6 Pulsoxymetrie-Screening für kritische angeborene Herzfehler 359
11.1.7 Reifezeichen (bzw. Bestimmung des Gestationsalters) 359
11.1.8 Anämie und Polyglobulie 360
11.2 Reanimation des Neugeborenen 361
11.2.1 Kardiopulmonale Reanimation 361
11.2.2 Intubation 363
11.2.3 Pharyngeales Absaugen 365
11.2.4 Beatmung 366
11.2.5 Nabelvenenkatheter 366
11.2.6 Asphyxie – Postasphyxie-Syndrom 367
11.3 Ernährung, Rachitisprophylaxe und Impfungen 368
11.3.1 Künstliche Ernährung 368
11.3.2 Vitamin-D-Prophylaxe 368
11.3.3 Vitamin-K-Prophylaxe 369
11.3.4 Neugeborenenscreening für Stoffwechselerkrankungen, Endokrinopathien und Mukoviszidose 369

11.3.5 Impfungen 370
11.4 Icterus neonatorum 370
11.4.1 Grundlagen 370
11.4.2 Diagnostisches Vorgehen bei Hyperbilirubinämie 371
11.4.3 Fototherapie 372
11.4.4 Rhesusprophylaxe 373
11.5 Früh- und Mangelgeburt, hypertrophe Neugeborene 374
11.5.1 Einleitung 374
11.5.2 Risikofaktoren 375
11.5.3 Postnatale Probleme 375
11.5.4 Versorgung von FG und hypotrophen NG p. p. 375
11.6 Infektionen 375
11.6.1 Einführung 375
11.6.2 Neugeborenensepsis 376
11.6.3 β-hämolysierende Streptokokken der Gruppe B (GBS) 377
11.7 Angeborene Fehlbildungen 378
11.7.1 Einführung 378
11.7.2 Lippen-Kiefer-Gaumen-Spalten 378
11.7.3 Polydaktylie, Syndaktylie 378
11.7.4 Fußfehlstellungen 379
11.7.5 Spina bifida: Spaltbildungen im Bereich der Wirbelsäule (Meningo-, Meningomyelozele, Arnold-Chiari-Malformation) 379
11.7.6 Ösophagusatresie 380

- 11.7.7 Omphalozele 381
- 11.7.8 Gastroschisis 381
- 11.7.9 Kardiovaskuläre Fehlbildungen 382
- 11.7.10 Operationstermine kindlicher Fehlbildungen 383
- 11.7.11 Häufigkeit multifaktoriell bedingter Krankheiten 383
- **11.8 Geburtstraumata 383**
- 11.8.1 Ursache 383
- 11.8.2 Intrakranielle Blutungen 384
- 11.8.3 Claviculafraktur 385
- 11.8.4 Obere Plexuslähmung (Erb-Duchenne) 385
- 11.8.5 Untere Plexuslähmung (Klumpke) 385
- 11.8.6 Caput succedaneum und Kephalhämatom 386
- **11.9 Neugeborenenkrämpfe 387**
- **11.10 Plötzlicher Kindstod 388**
- **11.11 Hautveränderungen bei Neugeborenen 389**
- 11.11.1 Allgemein 389
- 11.11.2 Physiologische Veränderungen 389
- 11.11.3 Hautinfektionen 389
- **11.12 Betreuung von Neugeborenen diabetischer Mütter 390**

11.1 Untersuchung des Neugeborenen

11.1.1 Begriffsdefinitionen
▶ Tab. 11.1.

Tab. 11.1 Begriffsdefinitionen „Neugeborenes"

Frühgeborenes	< 37 SSW, bzw. < 260 Schwangerschaftstage
Termingeborenes	37. bis Ende 42 SSW, bzw. 260–294 Schwangerschaftstage
Übertragenes	≥ 42 SSW bzw. > 294 Schwangerschaftstage
Eutrophes Kind	GG zwischen der 10. u. 90. Perzentile
Hypotrophes Kind	GG < 10. Perzentile (= „small for gestational age", SGA)
Hypertrophes Kind	GG > 90. Perzentile (= „large for gestational age ", LGA)

11.1.2 Zustandsbeurteilung

Das vitale Neugeborene (NG) sollte unmittelbar nach erster Beurteilung u. Abnabeln mit einem vorgewärmten Tuch auf Bauch u. Brust der Mutter gelagert werden. Auskühlung kann zu Atemstörung u. Kreislaufzentralisation führen. Die sichere Identifikation des NG mit insges. 2 Bändchen (eines an jedem Handgelenk) muss gewährleistet sein. Das NG verbleibt für mind. 2 h im Kreißsaal u. wird wiederholt – auch wenn es bei der Mutter gelagert ist – überwacht u. beurteilt.

Apgar-Index
Für die Einschätzung des Zustands eines NG werden klin. leicht fassbare Befunde zur Beurteilung herangezogen u. durch ein **Punkteschema nach Apgar** 1, 5 u. 10 min p. p. quantifiziert (▶ Tab. 11.2). Frühgeborene (FG) erreichen reifebedingt z. B. in Bezug auf Atmung o. Muskeltonus niedrigere Werte.

Tab. 11.2 Apgar-Index

Punkte	0	1	2
Aussehen	blass, blau	Stamm rosig, Extremitäten blau	rosig
Puls	keiner	< 100/min	> 100/min
Grimassieren beim Absaugen	keines	Verziehen des Gesichts	Schreien
Aktivität	keine Spontanbewegung	geringe Flexion der Extremitäten	aktive Bewegungen
Respiration	keine	langsam, unregelmäßig	kräftiges Schreien
Bewertung (Punkte)			
9–10	optimal lebensfrisch		
7–8	normal lebensfrisch		

Tab. 11.2 Apgar-Index *(Forts.)*			
Punkte	0	1	2
Bewertung (Punkte)			
5–6	leichter Depressionszustand		
3–4	mittelgradiger Depressionszustand		
0–2	schwerer Depressionszustand		

pH-Wert im Nabelarterienblut

Die NG-Zustandsbeurteilung nach Apgar wird durch die Bewertung des **Umbilikalarterien-pH** u. den Basenüberschuss (BE) ergänzt (▶ Tab. 11.3).

Tab. 11.3 Bewertung des Umbilikalarterien-pH-Werts	
Umbilikalarterien-pH	Bewertung
≥ 7,35	optimale Azidität
7,34–7,20	noch normale Azidität
7,19–7,10	leichte Azidose
7,09–7,00	mittelgradige Azidose
< 7,00	schwere Azidose

Von einer signifikanten Azidose bei NG wird ab pH < 7,1 ausgegangen.
Die Unterscheidung zwischen respir. u. metab. Azidose ist wichtig. Dafür wird der Basenüberschuss (BE) herangezogen. Das Basendefizit in der Nabelschnur des gesunden NG liegt bei 4–5 mmol/l. Bei einer klin. bedeutsamen metab. Azidose beim NG liegt ein Basendefizit von > 16 mmol/l vor.
Pathogenetisch ist davon auszugehen, dass der Fetus eine Reduktion der Sauerstoffversorgung im fetalen Blut zunächst durch Umstellung der Perfusion u. Aktivitätsminderung kompensieren kann. Sind diese Mechanismen ausgeschöpft, entwickelt sich durch Hypoxie u. Ischämie eine metab. Azidose mit drohenden irreversiblen Schäden.

11.1.3 Atemstörungen

Apnoe, Tachy-/Dyspnoe u. Zyanose sind die führenden Symptome der Atemstörung des NG. Klin. lässt sich nicht unterscheiden, ob eine passagere Atemanpassungsstörung o. eine behandlungsbedürftige angeborene o. erworbene Erkr. vorliegt. Bei anhaltendem Sauerstoffbedarf ist daher eine weitere Klärung u. Behandlung indiziert. Jede Atemstörung kann Ausdruck einer NG-Infektion sein.
15 min nach Geburt muss unter Raumluft ein NG Sättigungswerte SpO_2 > 95 % erreichen.

Angeborene Erkrankungen Einige Fehlbildungen wie ein Enterothorax o. eine adenomatoide Malformation der Lunge (CCAM) können pränatal sicher sonografisch diagnostiziert werden. Differenzialdiagnostisch ist auch an zyanotische Herzfehler zu denken.

Surfactantmangel des Frühgeborenen (Atemnotsyndrom) Die Häufigkeit des primären Surfactantmangels bei FG ist abhängig von der Reife (< 28 Wo. > 80 %) u. kann bis zur 34. Wo. auftreten. Häufigkeit u. Schwere werden durch die Lungenreifungsbehandlung deutlich reduziert. **Kausale Ther.:** intratracheale Gabe von Surfactant, die ohne Intubation, mittels eines unter Laryngoskopie tracheal vorgeschobenem Katheters durchgeführt wird (LISA= less invasive surfactant application), sofern keine invasive Beatmung notwendig ist.

Pulmonale Anpassungsstörung Die pulmonale Adaptation ist ein komplexer kardiorespir. Umstellungsprozess der pränatal flüssigkeitsgefüllten u. kaum perfundierten Lunge.

Eine nicht ausreichende Clearance von Lungenwasser o. die Minderperfusion der Lunge, hauptsächlich getriggert durch Hypoxämien, kann in den ersten Stunden zu Tachypnoe, exspir. Stöhnen („Knorksen") u. Sauerstoffbedarf führen. Bei anhaltendem Sauerstoffbedarf sollte eine Klärung erfolgen.

Wet Lung (nasse Lunge) – transiente Tachypnoe Die fehlende Clearance von Lungenwasser (z. B. bei rascher Spontangeburt o. Sectio aus wehenlosem Uterus) kann zu Sauerstoffbedarf u. anhaltender Tachypnoe für mehrere Tage führen. Bei anhaltender Untersättigung ist der Übergang in eine pulmonale Hypertonie des NG (früher persistierende fetale Zirkulation genannt) gefürchtet. **Ther.:** Sauerstoffzufuhr u. Atemunterstützung mit Erhöhung des PEEP.

Spontanpneumothorax Bei den ersten Atemzügen des NG entstehen erhebliche transthorakale Druckdifferenzen, die zum Spontanpneumothorax führen können. Die Häufigkeit wird mit ca. 1 : 1.000 angegeben. Der Pneumothorax führt nicht immer zur respir. Symptomatik. Auskultatorisch ist bei NG ein Pneumothorax nicht sicher diagnostizierbar. Die Translumination mit einer Kaltlichtquelle ist eine gute diagn. Alternative zum Röntgen. **Ther.:** Sauerstoffgabe; bei Dekompensation Anlage einer Thoraxdrainage.

Fruchtwasseraspiration Heftige Atembewegungen des Feten unter der Geburt können zur Aspiration von FW, also auch abgeschilferten Epithelien u. Lanugohaaren führen. Es kommt zur (sterilen) Inflammation der Lunge u. zur Inaktivierung des Surfactantfilms der Lunge. Radiol. zeigen sich fleckige Verschattungen. **Ther.:** Atemunterstützung u. Sauerstoffgabe unter Sättigungsüberwachung. Klin. hiervon nicht unterscheidbar ist die Aspiration (von bakterienhaltigem Sekret) unter der Geburt mit konsekutiver Pneumonie u. NG-Inf.

Mekoniumaspiration Hypoxämie unter Geburt v. a. bei übertragenen NG führt zum Absetzen von Mekonium u. zugleich Atembewegungen, sodass Mekonium in die Atemwege gelangt. Warnhinweis ist mekoniumhaltiges FW. Eine Mekoniumaspiration kann zu bedrohlichem Lungenversagen durch chem. Pneumonie u. Surfactant-Inaktivierung führen. Zeigt das Kind eine deutliche Atemstörung u. findet sich im Oropharynx Mekonium, müssen Larynx u. ggf. Trachea unter Laryngoskopie (▶ 11.2.3) abgesaugt werden. Bei weiterer Atemstörung ist eine rasche neonatol. Intensivtherapie mit Beatmung u. Surfactantgabe indiziert.

11.1.4 Erstuntersuchung: U1

Zeitpunkt Die Untersuchung des NG (U1) sollte dir. nach Geburt erfolgen. Ziel ist die Beurteilung von postpartaler Anpassung, Fehlbildung u. Reife u. allg. die Erkennung von Gefährdungen o. Risiken, die umgehend zu behandeln sind. Die U1 erfolgt durch Hebamme, Frauen- o. Kinderarzt. ▶ Tab. 11.4 zeigt die 50. Per-

11 Neonatologie

Tab. 11.4 Geburtsmaße mitteleuropäischer Kinder in der 40. Woche

	Perzentile		
	10.	50.	90.
Gewicht (g) ♂	3.070	3.610	4.190
Gewicht (g) ♀	2.910	3.470	4.030
Länge (cm)	50	53	56
Kopfumfang (cm)	34	36	37

zentile mitteleuropäischer Kinder für Gewicht, Länge u. Kopfumfang mit den als 10. u. 90. Perzentile definierten Normgrenzen.

Durchführung
- Zustand u. Verhalten des NG beurteilen
- Auskultation: Herz (▶ 1.2.3), Lunge, Atmung beurteilen
- Inspektion:
  - Haut: Farbe, Turgor, Ödeme, Blutungen, Geburtsverletzungen (▶ 11.8), Angiome
  - Schädel u. Sinnesorgane: Symmetrie, große u. kleine Fontanelle, Schädelnähte Augen, Ohren, Mund
  - Hals, Thorax: Schilddrüse (Struma), Schlüsselbein, Einziehungen
  - Skelett: Extremitäten, Wirbelsäule, Gelenke, Fußstellung, Faltenasymmetrie
- Palpation: Abdomen (Tumor), Leber (bis 3 cm unter Rippenbogen tastbar), Milz, Nabel, Genitale, Femoralispulse, Analregion
- Neurol. Untersuchung: Muskeltonus, Haltung, Motorik, Kopfkontrolle, Schiefhals, Fazialisparese, Schreitreflex, Primitivreflex (Such- u. Saugreflex, Hand- u. Fußgreifreflex, Moro-Reflex)
- Dokumentation der erhobenen Befunde im Untersuchungsheft
- Vit.-K-Gabe (nach Einverständnis) (▶ 11.3.3)

Risiken, die bei der U1 vorrangig zu beachten sind
- Niedriges Geburtsgewicht < 2.500 g
- Makrosomie > 4.200 g, z. B. bei Diab. mell. der Mutter (▶ 5.10)
- Erkennbare Fehlbildungen, die zur sofortigen Behandlung verpflichten (▶ 11.7)
- Störungen der Spontanatmung (▶ 11.1.3) o. kardiale Störungen (▶ 11.7.9)
- Geburtstraumata (▶ 11.8), Verdacht auf Amnioninfektion (▶ 11.6)

11.1.5 Vorsorgeuntersuchung: U2 (3.–10. Lebenstag)

Die Untersuchung sollte durch einen Kinderarzt im Beisein der Mutter/Eltern durchgeführt werden. Wesentliche Auffälligkeiten u. Organstörungen können zu diesem Zeitpunkt erkannt u. ebenso wie Ikterus, Gewichtsabnahme u. Trinkverhalten beurteilt werden. Die Eltern werden beraten: Notwendigkeit/Ergebnisse von Vorsorgeuntersuchungen, Ernährung, Impfungen u. präventive Maßnahmen wie z. B. Vit.-K-, Vit.-D-, Fluorid-Gabe, Hör-, Pulsoxymetrie- u. Hüftultraschallscreening (i. R. der U3) sowie über die SIDS-Prophylaxe u. Gefährdung durch Schütteltrauma.

11.1.6 Pulsoxymetrie-Screening für kritische angeborene Herzfehler

Die Pulsoxymetrie mit einem handelsüblichen Gerät ermöglicht mit einer hohen Aussagekraft ein Screening kritischer angeborener Herzfehler. Die Durchführung ist einfach u. seit 2017 vom G-BA vorgeschrieben. Erfasst werden zyanotische Herzfehler, aber auch Aortenisthmusstenose o. eine kritische pulmonale Hypertonie mit Rechts-links-Shunt.

Durchführung
- Im Alter von 24–48 Lebensstunden
- Bei amb. Entbindung vor Entlassung (nach 4 Lebensstunden, spätestens zur U2)
- Messort: am Fuß (postduktal!)
- Sichere Ableitung über 30 s
- Dokumentation: in der Krankenakte u. im gelben Untersuchungsheft

Interpretation SpO$_2$
- ≥ 96 % = unauffällig
- 90–95 % = kontrollbedürftig (Kontrolle binnen 2 h; wenn < 96 % → sofortige Vorstellung Kinderarzt)
- < 90 %: sofortige Vorstellung Kinderarzt

11.1.7 Reifezeichen (bzw. Bestimmung des Gestationsalters)

Das Reifealter ist der entscheidende Prognosefaktor für FG (▶ Abb. 11.1). Das Gestationsalter wird durch Berechnung nach dem 1. Tag der letzten Periode o. dem Frühultraschall bestimmt. Die klin. Reifebestimmung hat im Alltag wenig Bedeutung. Bei nicht überwachter Schwangerschaft o. aus forensischen Gründen kann sie sinnvoll sein. Unterhalb der 28. SSW sind alle publizierten Scores ungenau. Fusionierte Augenlider sind ein verlässliches Zeichen, dass das FG nicht reifer als 25 SSW ist.

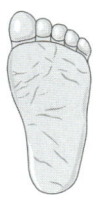

Fuß eines Frühgeborenen mit Falten im vorderen Fußanteil

Fuß eines Neugeborenen der 38. SSW mit Faltenzunahme in Richtung Ferse

Fuß eines Reifgeborenen mit Fußlinien über der gesamten Sohle

Abb. 11.1 Beispielhaft: Reifezeichen Fuß [L157]

11.1.8 Anämie und Polyglobulie

Anämie

Definition
- Normaler Hämoglobinwert (Hb) des NG: 18–22 g/dl. Mit 3 Mon. physiologischerweise Halbierung („Trimenonreduktion") durch Umstellung HbF → HbA, anschließend Anstieg.
- Eine Anämie am 1. LT ist als Hb < 16 g/dl definiert, eine schwere Anämie als Hb < 12 g/dl.

Ätiologie
- Pränatal: Hämolyse (Blutgruppenunverträglichkeit, Erythrozytenmembrandefekt, Hämoglobinopathien), gestörte Hämatopoese, konnatale Inf. (z. B. Parvovirus B19)
- Peripartal: fetomaternaler, fetofetaler, fetoplazentarer Blutverlust (akut o. chron.), Nabelschnureinriss, neonataler Blutverlust (Organblutungen)

Diagnostik Bei jedem blassen NG Hb-Bestimmung, insb. bei zusätzlichen klin. Symptomen wie Schlappheit, Atemstörung o. Tachykardie. Bei einer Anämie des NG, die nicht durch peripartalen Blutverlust erklärbar ist, erfolgt eine weitere Abklärung.

Prophylaxe Direkt postpartal NG für 30–60 s unter Plazentaniveau halten o. 4 × Ausmelken der Nabelschnur.

Therapie Ind. zur Transfusion hängt nicht allein vom Hb-Wert, sondern auch von der Dynamik des Hb-Abfalls ab. Tachykardie u. Laktaterhöhung sind Zeichen der Dekompensation. Bei Hb < 12 g/dl am 1. LT Transfusion erwägen.

Polyglobulie

Für die Blutflusseigenschaften ist der Hämatokrit (Hkt) entscheidend. Ab Hkt > 70 % (≅ Hb 23 g/dl) nimmt die Blutviskosität exponentiell zu.

Ätiologie
- Pränatal: Stimulation der Erythropoese, meist i. R. einer eingeschränkten Sauerstoffversorgung des Feten bei mütterlichen Erkr. wie schlecht eingestelltem (Gestations-)Diab.
- Peripartal: durch zu späte Abnabelung o. zu lange Lagerung des NG unter Plazentaniveau

Klinik
- Mikroperfusionsstörungen: Atemstörungen bis zur Beatmungspflichtigkeit; neurol. Störungen mit Lethargie bis hin zu Hirninfarkten u. Nierenvenenthrombose
- Typischerweise begleitende Thrombopenie als Zeichen der Mikrothrombosierung u. Hypokalzämie

Therapie Bei venöser Blutentnahme u. einem Hkt > 65 % mit Symptomen u. jedem Hkt > 70 % Teilaustauschtransfusion gegen Albumin o. Voll-E'lytlsg.

11.2 Reanimation des Neugeborenen

11.2.1 Kardiopulmonale Reanimation

Komplette leitliniengerechte Reanimationsempfehlungen finden sich online, hier sind wesentliche praxisorientiert Punkte wiedergegeben.

Indikation zur Herzdruckmassage

Asystolie, anhaltende Bradykardie < 60/min o. elektromech. Entkopplung. Auskultation (hörbare Herzaktion) o. der tastbare Puls bestätigen eine effektive Auswurfleistung des Herzens. Ein EKG-Monitoring ist obligat.

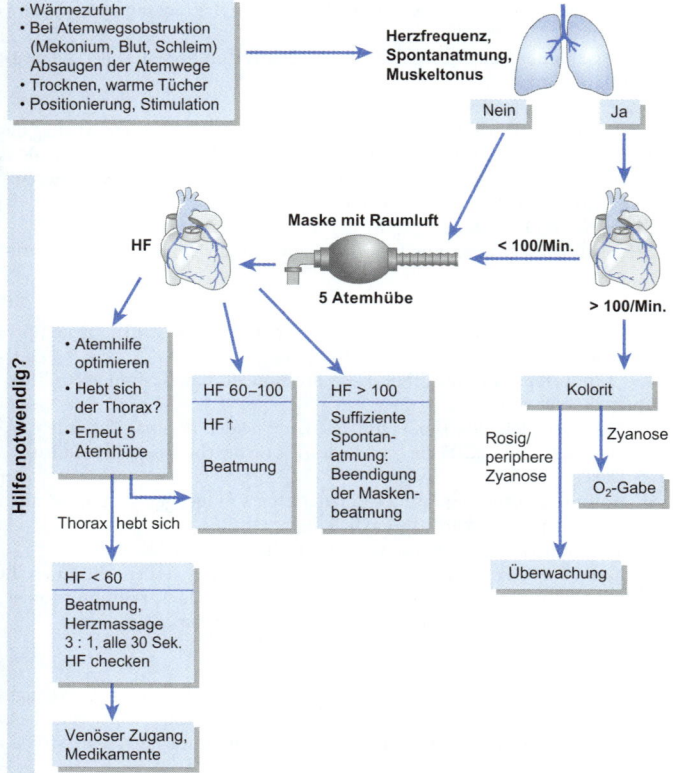

Abb. 11.2 Algorithmus zur Primärversorgung eines Neugeborenen in Anlehnung an die offiziellen Leitlinien [L157]

> Eine reanimationspflichtige Situation bei Neonaten ist fast ausschließlich hypoxiebedingt. Eine effektive Oxygenierung stabilisiert die NG rasch (▶ Abb. 11.2).

Durchführung
Lagerung (Rückenlage), Stimulation, Wärme, initiale Beurteilung der Vitalität. Taktile Stimulation des NG durch Reiben der Fußsohlen o. lateral am Thorax!

Beatmung
- Atemwege frei machen (Esmarch-Handgriff, bei verlegten Atemwegen; Absaugen, bei „erbsbreiartigem" Fruchtwasser [Mekoniumaspiration])
- Falls binnen 30 s nach Geburt keine Spontanatmung o. nur eine Schnappatmung besteht (Kind liegt auf dem Rücken, Kopf in Neutralstellung – nicht überstrecken!), sollten 5 Atemhübe (je 5 s Inspiration) mit dem Atembeutel (via Maske) verabreicht werden („Blähen"). Hebt sich der Thorax nicht, ist die Beatmung insuffizient: Neutralstellung des Kopfes (Schnüffelstellung) überprüfen.
- Absaugen unter Sicht, nasopharyngealen Tubus einführen u. neuerlich beatmen!
- Beatmungsfrequenz 30/min.
- Maskenbeatmung bes. bei Asphyxie mit Raumluft. **Bei fehlendem Anstieg der Sättigung (> 80 %) Fortsetzung mit 50 % Sauerstoff. Bei Reanimation 100 % O_2 zum Erreichen adäquater Sauerstoffsättigung, nicht hyperoxygenieren!**
- **Cave:** Atemzugvolumen eines reifen NG nur ca. 20 ml!
- Kontrolle von Herzfrequenz (HF) alle 30 s u. Hautkolorit.
- Bei insuff. Maskenbeatmung Intubation erforderlich (immer bei Herzdruckmassage)!

Kardiale Reanimation
Bleibt die HF weiter < 60/min, muss mit der Herzdruckmassage (Thoraxkompression) begonnen werden. **Cave:** keine Verzögerung:
- 120 Aktionen pro Minute (Thoraxkompression 90/min, Beatmung 30/min).
- Thoraxkompression:
  - Mit beiden Händen Thorax umfassen, mit beiden Daumen das untere Sternumdrittel ca. 1,5 cm bzw. ⅓ des Thoraxdurchmessers tief eindrücken.
  - Beatmungsbeutel wird mit Daumen u. einem Finger gehalten u. 30/min beatmet, mit sichtbarer Thoraxhebung.
! Thoraxkompression u. Beatmung im Verhältnis 3 : 1 (▶ Abb. 11.3).
- Während der Thoraxkompression sollte nicht beatmet werden, alle 30 s sollte die HF überprüft werden (falls > 60/min, können die Thoraxkompressionen bei Weiterführung der Beatmung unterbrochen werden).

Monitoring
- Pulsoxymetersättigung: SO_2 > 90 % (ab 10 min p. p.). Akzeptable Sättigungswerte (obere Extremität) direkt postnatal: mit 2 Lebensmin. 60 %, mit 3 Lebensmin. 70 %, mit 4 Lebensmin. 80 %, mit 5 Lebensmin. 85 % u. mit 10 Lebensmin. > 90 %
- EKG-Monitor
- Beurteilung der patienteneigenen Herzaktion, unter Reanimation Pulswelle fühlbar u. ableitbar

11.2 Reanimation des Neugeborenen

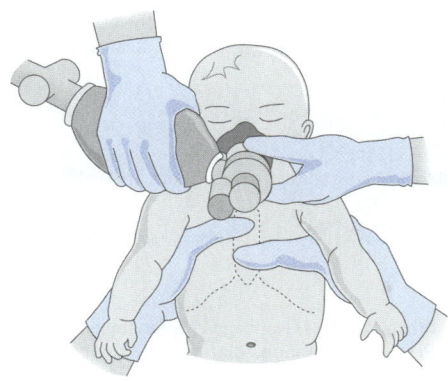

Abb. 11.3 Herzdruckmassage und Beatmung beim Neugeborenen [L157]

- Blutgase NG: pH-Wert ansteigend im Vergleich zum art. Nabelschnur-pH, 1 h p. p. > 7,35, pCO_2 30–50 mmHg, Standardbikarbonat 18–22 mmol/l

Arzneimittel/Therapie

- HF < 60/min, nicht ansteigend: Adrenalin 1 : 1.000 (1 mg/ml) mit 9 ml NaCl 0,9 % verdünnen (0,1 mg /ml) o. Fertigspritze. Davon 0,1–(repetitiv 0,3) ml/kg KG i. v. oder i. o. (falls nicht möglich: endotracheal 1 ml/kg KG, nicht offiziell empfohlen), unter Reanimation alle 3–5 min repetitiv. Kein Zeitverlust durch Versuch der i. v. Zugangsanlage!
- Ultima Ratio (nicht leitlinienkonform) Atropin: 0,1 mg = 0,2 ml (absolut, nicht pro KG) (z. B. Atropin Braun® 0,5 mg/ml) i. v., i. m.
- Zugang: (Nabelvenenkatheter ▶ 11.2.5, intraossär, periphervenös Glukose 5 % 5–10 ml langsam i. v.
- Volumengabe:
  - Initial NaCl 0,9 % 10 ml/kg KG über 10 min
  - Bei Hydrops fetalis Humanalbumin 5 % 10 ml/kg KG über 10 min
  - Bei schwerer Anämie EK 10 ml/kg KG über 30 min (Blutgruppe 0 neg., ungekreuzt)
- Azidosebehandlung mit Natriumhydrogenkarbonat 8,4 % (= Natriumbikarbonat) ist empfohlen ab 10 min frustraner Reanimation und in Ausnahmefällen (anhaltend schwere Azidose trotz adäquater Beatmung): berechnete Pufferung (neg. BE × KG × 0,3 = Natriumbikarbonat 8,4 % in ml) 1 : 1 o. 1 : 2 verdünnen i. v. über 10 min
- Naloxon bei Opiatüberhang: 0,01 mg/kg KG = 0,05 ml/kg KG s. c., i. m. oder i. v.
- Postasphyktisches Management: Kühlung (▶ 11.2.6)

11.2.2 Intubation

Indikationen zur postnatalen endotrachealen Intubation
Hypoxämie, die nicht mit konsequenter Maskenbeatmung beherrschbar ist (z. B. initial hoher Eröffnungsdruck notwendig bei FW-gefüllten Alveolen) o. Atemnot-

syndrom, schwerer Aspiration o. Pneumonie, anhaltende Apnoe/Hypopnoe (Frühgeburtlichkeit, ZNS-Fehlbildung, Opiatüberhang), zur Entfernung von Sekret o. Mekonium aus den zentralen Atemwegen. Reanimation.

> Ateminsuffiziente FG lassen sich durch Anlage eines Rachentubus (nasal ca. 5 cm, reife NG 8 cm, vorschieben; **cave:** nicht zu tief, sonst im Ösophagus) u. darüber applizierte Beutelbeatmung (Mund zuhalten) stabilisieren. Dies ist effektiver als Maskenbeatmung o. wiederholte Intubationsversuche mit hoher Verletzungsgefahr. Die primäre Atemhilfe erfolgt auch für kleine Frühgeborene als nichtinvasive Beatmung.

Intubation

Risiken Fehlintubation in den Ösophagus. Verletzungen bei Intubation: Stimmbandverletzung, Tracheaperforation, Blutung, Pneumothorax, Barotrauma der Lunge.

Material Beatmungsgerät, T-Piece o. Beutel u. Maske, Rachentubus o. nasale Prongs, Sauerstoff, Absaugvorrichtung, Laryngoskop, verschiedene Spatel, Magill-Zange, Tuben (▶ Tab. 11.5) passende Mandrins, für orale Intubation Mandrin im Tubus bis an die Spitze vorschieben, Pflaster, Monitor.

Medikation
- Notfallintubation (Reanimation) ohne Medikamente
- Elektive Intubation: Atropin 0,2 ml (= 0,1 mg) i. v., Pancuronium 0,1 mg/kg KG (= 0,05 ml/kg KG) i. v.; Fentanyl 3 µg/kg KG (alternativ Piritramid 50 µg/kg) langsam i. v. o. vergleichbares Opiat

Durchführung Eine orotracheale Intubation ist nur mit harten Tuben (**cave:** Verletzung) o. mit Silikontuben mit Mandrin möglich (aber schneller u. für Ungeübte „sicherer"). Die Intubation eines NG ist schwierig u. sollte einem Erfahrenen vorbehalten bleiben. Bis dahin: Masken- o. Rachentubusbeatmung (gelingt immer!). Auch die Verwendung einer Larynxmaske ist in der Hand Erfahrener empfohlen.
- Monitoring anschließen (EKG, Sättigung)
- Kindlichen Kopf in Mittelstellung in leichte Überstreckung bringen („Schnüffelstellung"), Schultern mit Windel ggf. ca. 2–3 cm dick unterpolstern, Unterkiefer nach ventral vorziehen (Esmarch) (▶ Abb. 11.4)
- Magen u. Rachen absaugen, Absauger bereithalten
- Medikation, soweit möglich

Tab. 11.5 Auswahl des richtigen Tubus			
Körpergewicht (g)	Tubusgröße (mm)	Tubuslänge (cm) am Naseneingang bzw. Mundwinkel	
		Nasotracheal	Orotracheal
1.000	2,5	8	7
2.000	3,0	9	8
3.000	3,0	10,5	9
4.000	3,5	11,5	10

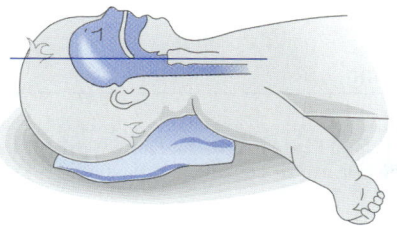

Abb. 11.4 Lagerung des Kopfes zur Intubation [L157]

- Beutel u. Maskenbeatmung, besser nichtinvasive Beatmung über Rachentubus u. Beatmungsgerät zur optimalen Präoxygenierung
- Laryngoskop mit der li. Hand am re. Mundwinkel einführen (Mund mit re. Hand öffnen). Mit Spatel Zunge aufladen u. nach li. verdrängen. Laryngoskop vorschieben, bis Epiglottis sichtbar. **Cave:** Zahnleisten nicht verletzen
- Laryngoskop mit Daumen u. Zeigefinger weiterführen u. nach ventral ziehen, mit den übrigen Fingern der li. Hand Druck auf Kehlkopf. Mit Spatelspitze Epiglottis aufladen. Kehlkopfeingang jetzt sichtbar. Tubus mit re. Hand an Spatel entlang in Glottis einführen. Mandrin entfernen lassen, Tubus weiter vorschieben (2–3 cm), bei Widerstand leichte Drehbewegung des Tubus. Tubus gut festhalten, Laryngoskop entfernen
- Beutel anschließen, Beutelbeatmung, Thoraxexkursion u. -auskultation von beiden Lungen u. Epigastrium. **Cave:** Bei V. a. Mekoniumaspiration zunächst absaugen u. mit NaCl 0,9 % spülen
- Tubusfixierung im Mundwinkel mit Pflasterstreifen auf mit Alkohol entfetteter Wange

Nasotracheale Intubation
Tubus durch Nase (sagittal-medial) vorschieben (nicht nach kranial) bis zum Hypopharynx, laryngoskopische Einstellung wie oben beschrieben. Tubus mit Magill-Zange im Rachen fassen u. in Glottis einführen. Pflasterfixierung am Nasenrücken.
Cave: Intubationsversuch bei Untersättigung o. Bradykardie abbrechen u. Pat. über Masken- o. Rachenbeatmung stabilisieren.

11.2.3 Pharyngeales Absaugen

 Nur bei Atemwegsobstruktion durch Blut, Sekret, Mekonium wird das Freimachen der Atemwege p. p. bei NG durch Absaugen von Mund u. Rachen, danach von Nase u. bei grünem Fruchtwasser vom Magen empfohlen.

Durchführung Zeigefinger in den Mund einführen, sterile Absaugsonde (Ch. 10) in Mund u. Rachen vorschieben, unter Aspiration (max. 0,2 bar) zurückziehen. Anschließend Nase absaugen. Bei Dyspnoe Sondierung (Ch.6) der Nase bis zum Magen mit dünnem sterilem Absaugkatheter z. A. einer Choanal- o. Ösophagusatresie.

Cave: Auslösen eines vasovagalen Reflexes mit Bradykardie u. Apnoe möglich, bes. innerhalb der ersten 15 min p. p.

11.2.4 Beatmung

> Sofern möglich, intubierte Pat. an Beatmungsgerät anschließen, um kontrollierte Druck- u. Sauerstoffzufuhr zu gewährleisten.

Die Beatmung am Beutel sollte mit einer Frequenz von ca. 60/min durchgeführt werden. Dabei sollte sich der Thorax gerade sichtbar heben (**cave:** Pneumothorax) u. die Sauerstoffsättigung > 92 % betragen (ggf. Sauerstoffzufuhr).
Begriffe:
- **Kontrollierte Beatmung** („intermittent positive pressure ventilation", IPPV): druck- o. volumenkontrollierte Beatmung, lässt keine Eigenatmung des Pat. zu.
- **Beatmung am Beatmungsgerät mit PEEP** („positive end-expiratory pressure"): Atemwegsdruck, der bei Beatmung in der Exspirationsphase den Druck intratracheal pos. hält (z. B. 5 cm H$_2$O) u. damit den exspir. Alveolarkollaps verhindert.
- **Unterstützende Beatmung** („intermittent mandatory ventilation", IMV): appliziert obligate Atemhübe, erlaubt daneben eigene Atemzüge des Pat., mit Synchronisation (SIMV) Auslösung der Atemzüge durch Triggerung des Pat. Standardbeatmungsform in der Neonatologie.
- **Nichtinvasive Beatmung** („noninvasive mechanical ventilation", NIV): Zugang über Rachentubus o. nasale Prongs. Heute nach Surfactantgabe Standard bei FG. Bei vielen FG kann die Intubation dadurch vermieden werden, die Surfactantgabe erfolgt dann über eine unter Laryngoskopie passager tracheal eingeführte Magensonde.
- **CPAP** („continuous positive airway pressure"): kontinuierlicher Atemwegsdruck durch Tubus im Rachen zur Alveoleneröffnung u. Atemstimulation von FG.

11.2.5 Nabelvenenkatheter

> Der Nabelvenenkatheter (NVK) ist in jeder Notfallsituation ein sicherer Zugang zur Infusion u. Medikation von FG u. NG. Sterile Einführung eines Katheters in die Nabelvene. In der Notfallsituation ist der Katheter ohne Rö-Kontrolle verwendbar, wenn Blut aspirierbar ist. Die Lage ist idealerweise über den Ductus venosus Arantii hinaus bis vor den re. Vorhof. Nabelvene während der ersten 5 LT sondierbar.

Durchführung
- Lokale Desinfektion (nicht jodhaltig) des Nabelstumpfs, Haut periumbilikal mit Schlitztuch abdecken, Nabelschnur über Hautniveau mit Nabelbändchen anschlingen (**cave:** art. Blutung). Nabelschnurrest 2 cm vor dem Hautansatz durchtrennen, erneute Hautdesinfektion, steriles Arbeiten.

11.2 Reanimation des Neugeborenen

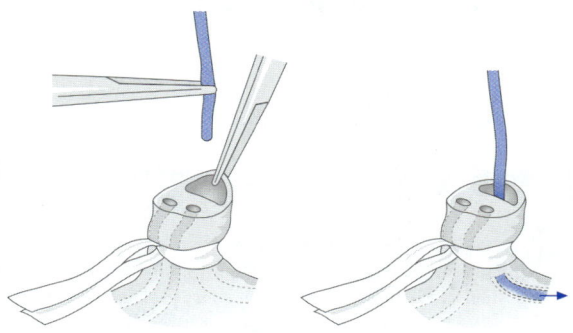

Abb. 11.5 Anlage eines Nabelvenenkatheters (Pfeil = kranial) [L157]

- Nabelschnurstumpf durch zwei chir. Pinzetten spreizen.
- Darstellung u. Spreizung der Nabelvene als größtes der drei Gefäße, i. d. R. zwischen 11:00 u. 2:00 Uhr liegend (Nabelarterie kreisrund, klein, fest! ▶ Abb. 11.5).
- Ggf. Thromben mittels Pinzette entfernen. Sofern Verhältnisse nicht eindeutig: Darstellung des Venenverlaufs mittels Knopfsonde im Einführwinkel von ca. 60° nach kranial gerichtet.
- Einführung eines mit NaCl 0,9 % gefüllten NVK (z. B. Ch. 4), bis unter leichter Aspiration Blut gewonnen werden kann. Einführlänge: Gewicht < 1.000 g → 6 cm, 1.500–2.000 g → 8 cm, > 2.500 g → 10–12 cm ab Hautniveau (radiol. Kontrolle der Katheterlage im Verlauf ist obligat!).
- Sterile Pflasterfixation o. Naht am Nabelstumpf.
- Sollte der Ductus venosus Arantii nicht überwunden werden, gelangt der Katheter in periphere Pfortaderäste (keine Blutaspiration, federnder Widerstand). Hier dürfen keine Medikamente appliziert werden. Katheter zurückziehen, bis frei Blut aspirierbar (reife NG ca. 5 cm ab Nabelgrund). In dieser Lage können alle Notfallmedikamente appliziert werden.

11.2.6 Asphyxie – Postasphyxie-Syndrom

Asphyxie (griech. „Pulslosigkeit") kann intrauterin, unter Geburt o. postnatal entstehen. Im eigentlichen Sinne ist eine Hypoxie u./o. Minderperfusion des Feten o. NG gemeint, die zu einer Azidose mit Gefahr von Organschäden führt. Die Diagnose „Asphyxie" setzt voraus, dass Nabelschnur-pH art. < 7,0 u./o. BE < –16 u./o. Apgar 5 min < 5 sind und zugleich eine Organmanifestation beim NG vorliegt. Hauptmanifestationsorgane sind entsprechend der Sauerstoffsensibilität: Gehirn, Nieren, Lunge u. Myokard. Sofern keine Organmanifestationen vorliegen, lautet die Diagnose „peripartale Azidose".
Auf Basis der rasch eingeleiteten Intensivtherapie zur Stabilisierung der Organfunktionen ist die einzig etablierte ther. Maßnahme (nur für reife NG) zur Reduktion der Organschäden die Hypothermie (33,5 + 0,5 °C für 72 h) in einem neonatol. Zentrum innerhalb der ersten 6 Lebensstunden, womit der sek. Zelluntergang reduziert wird. Wärmelampe schon bei Erstversorgung „aus".

11.3 Ernährung, Rachitisprophylaxe und Impfungen

11.3.1 Künstliche Ernährung

- Stillen ist die optimale Ernährung von NG u. Sgl. in den ersten Lm. Eine Zufütterung (Tee, Milch) ist beim gesunden NG u. zeitgerechter Milchbildung unnötig.
- Eine Medikation der Mutter ist i. d. R. keine KI zum Stillen, auch wenn das Kind über die Muttermilch der Medikation der Mutter ausgesetzt ist (z. B. Antibiotika, Antihypertensiva, ggf. nachlesen u. aufklären).
- Echte KI sind infektiol. z. B. eine floride Tbc, HIV-Inf. o. Inf., die mit Bakteriämie einhergehen, sowie bestimmte Medikamente.
- Wenn Stillen aus mütterlicher o. kindlicher Ind. nicht möglich ist, sollte abgepumpte Muttermilch mit Löffel o. Flasche gefüttert werden.

Präparatewahl Für die Säuglingsernährung steht industriell hergestellte Säuglingsnahrung auf Kuhmilchbasis zur Verfügung (sog. Formula-Nahrung). Die Selbstherstellung ist obsolet u. führt zu Fehlernährung. Bei volladaptierten Nahrungen, die als Alternative zur Muttermilch die 1. Wahl sind, wird der hohe Eiweißgehalt der Kuhmilch reduziert u. qualitativ verbessert. Die Kohlenhydratanreicherung besteht nur aus Laktose.

Bei allergischer Disposition (Eltern) bietet Muttermilch Schutz vor früher allergischer Erkr. (Neurodermitis). Alternativ sollten hypoallergene Präparate (Kuhmilchprotein-Hydrolysat) verabreicht werden.

Richtwerte der Nahrungssteigerung (wenn kein Stillen möglich ist)
- Beginn mit 20 ml/kg KG/d mit 6 Mahlzeiten
- Steigerung um 20 ml/kg KG/d jeden Tag bis ca. Tag 8

Ein reifes NG sollte als Zielmenge etwa nach 1 Wo. $\frac{1}{6}$ seines KG/d an Nahrung erhalten. Hypotrophe NG o. FG $\frac{1}{5}$ ihres KG (verteilt auf 8 Mahlzeiten). Ein rascherer Nahrungsaufbau über diese Richtwerte hinaus (nach Trinkbedürfnis des Kindes) ist möglich.

Gewichtszunahme Die physiol. postnatale Gewichtsabnahme beträgt 7–10 % des Geburtsgewichts, bei Werten > 10 % sollte die Trinkmenge (Fütterung abgepumpter Milch) überprüft werden. Die durchschnittliche Gewichtszunahme nach Wiedererreichen des Geburtsgewichts beträgt 150–250 g/Wo. im 1. Trim.

11.3.2 Vitamin-D-Prophylaxe

Vit. D_3 (Cholecalciferol) ist das antirachitische Vit., das in der (Niere u. in der) Haut aus Vorstufen gebildet wird u. bei Sgl. zur ausreichenden Knochenbildung u. Rachitisprophylaxe mit der Nahrung zugeführt werden sollte. Es sollten 400–500 IE/d p. o. als Tbl. (z. B. Vigantoletten®) ab dem 7. LT über mind. 1 J. (mit der Nahrung) verabreicht werden. FG erhalten 1.000 IE/d. Zur Kariesprophylaxe ist die gleichzeitige Gabe von 0,25 mg Fluor als Kombinationspräparat pädiatrisch empfohlen (Fluor-Vigantoletten®).

11.3.3 Vitamin-K-Prophylaxe

Die Vit.-K-Prophylaxe dient zur Prävention der Vit.-K-Mangelblutung, die schon am 1. LT o. typischerweise im Alter von 4–8 Wo. als schwere Hirnblutung auftritt (extrem erniedrigter Quick-Wert). Bei FG soll durch die parenterale Gabe die „frühe" Blutungsneigung vermieden werden. In der Muttermilch ist kein Vit. K enthalten; Formula-Milch wird es in geringer Dosis zugesetzt. Besonders gefährdet sind NG mit z. T. auch passageren hepatischen o. biliären Erkr., weil dadurch die enterale Vit.-K-Resorption gestört ist; ggf. ist dann die parenterale (s. c.; i. m.) Gabe indiziert.

> Vit.-K-Prophylaxe mit Konakion® U1, U2, U3 je 2 mg = je 2 Tr. p. o.

11.3.4 Neugeborenenscreening für Stoffwechselerkrankungen, Endokrinopathien und Mukoviszidose

Ziel des NG-Screenings (früher: Guthrie-Test) ist die frühzeitige u. vollständige Erfassung aller NG mit behandelbaren endokrinen u. metab. Erkr. Entscheidend für eine Screeninguntersuchung ist die lückenlose Untersuchung aller Neonaten. Voraussetzung ist die Aufklärung u. Unterschrift eines Elternteils nach ärztlicher Aufklärung. Neu eingeführt wurde das Screening auf Mukoviszidose, da eine Früherkennung u. konsequente Behandlung die Prognose deutlich verbessert. Die Inzidenz aller genannten Krankheiten liegt in D etwa bei 1 : 1.500 NG (ohne Mukoviszidose).
Cave: Einige der Erkr. können schon in der 1. Lw zu lebensbedrohlichen Krisen führen.

> **Bei allen Neugeborenen wird die Früherkennung empfohlen für**
> - Hypothyreose
> - Phenylketonurie u. Hyperphenylalaninämie
> - Ahornsirupkrankheit
> - Galaktosämie
> - Biotinidasemangel
> - Adrenogenitales Sy.
> - Fettsäureabbau-Defekt (MCAD, LCHAD, VLCAD)
> - Carnitinzyklus-Defekt (CPT-1, CPT-2. CAT)
> - Glutarazidurie Typ I
> - Isovalerinazidämie
> - Mukoviszidose

Durchführung Die Untersuchung erfolgt aus einer (kapillären) Blutentnahme auf eine Filterpapierkarte (komplett durchtränkt). Die Probenentnahme erfolgt zwischen der 36. u. 72. Lebensstunde. Bei FG < 32. SSW erfolgt eine 2. Testung mit Erreichen der 32. Wo. Wird ein NG vor der 36. Lebensstunde entlassen, muss das NG-Screening vor der Entlassung durchgeführt werden, ein 2. Test zur üblichen Zeit. Die Versendung muss am Tag der Blutentnahme erfolgen. Die versendende Klinik ist für die Dokumentation der Versendung (gelbes Untersuchungsheft) u. auch des Rücklaufs verantwortlich.

Hörscreening

Das Hörscreening soll nach den Vorgaben des G-BA bei allen NG bis zum 3. LT durchgeführt werden. 1–2 von 1.000 NG weisen eine Hörschädigung auf, die eine rasche Versorgung mit Hörhilfen erforderlich macht. Bislang wurde eine Schwerhörigkeit bei Kleinkindern häufig erst erkannt, wenn das Kind durch eine verzögerte Sprachentwicklung auffällig wurde. Kinder mit leichterer o. mittelgradiger Hörschädigung werden meist erst im Kindergartenalter auffällig. Ein bes. Risikofaktor ist die konnatale CMV-Inf. nach prim. CMV-Inf. der Mutter in der Schwangerschaft u. bei Geburt asympt. Kindern.

Diagnostik Die Untersuchung mittels transitorisch evozierter otoakustischer Emissionen (TEOAE) o. Hirnstammaudiometrie (AABR) ist vor Entlassung des Kindes schnell u. problemlos durchführbar. Bei auffälligen Befunden (häufig falsch auffällig) soll am selben Tag, spätestens bei der U2 (Vorgabe: in 95 % d. F. noch in der geburtshilflichen Abteilung), in Ausnahmefällen bei der U3 eine AABR erfolgen. Bei „Risikokindern" wie FG, Kindern mit Chromosomenstörungen o. konnatalen Inf. soll prim. eine AABR erfolgen. Die Verantwortung für die Durchführung liegt beim leitenden Arzt der geburtshilflichen Abteilung. Die Dokumentation erfolgt im gelben Untersuchungsheft; das Krankenhaus hat eine jährliche Statistik vorzulegen.

11.3.5 Impfungen

Die **Grundimmunisierung** erfolgt ab dem 3. Lm gegen Diphtherie, Tetanus, Pertussis, H. influenzae Typ B, Polio (IPV), Hepatitis B, Pneumokokken (verschiedene Stämme). Die Impfung gegen Rotaviren ist ab 6 Lw empfohlen. Die **Hepatitis-B-Impfung** ist bereits ab Geburt des Kindes möglich. NG von Müttern, bei denen das Ergebnis der Hepatitis-B-Serologie (HbSAg) nicht vorliegt, sollten nach Aufklärung u. Einverständnis unmittelbar p. p. geimpft werden. Hepatitis-B-Impfung bei pos. HBsAg der Mutter (▶ 6.9).

11.4 Icterus neonatorum

11.4.1 Grundlagen

Definition Beim Reifgeborenen liegt der Median des max. Bilirubins (physiol. Max.) um den 5. LT bei 7,5 mg/dl. Unkonjugiertes (indir.) Bili kann im Ggs. zu konjugiertem dir. Bili. die Blut-Hirn-Schranke passieren u. ist neurotoxisch. Die schwerste Ausprägung der Neurotoxizität des Bilirubins ist bedingt durch Bili-Ablagerungen v. a. in den Stammganglien, der sog. Kernikterus mit schwersten motorischen u. mentalen Defiziten.

> Reife u. gesunde NG ohne Hämolyse haben ein sehr geringes Risiko, einen bleibenden Hirnschaden durch eine Hyperbilirubinämie zu erlangen.

Ursachen des physiologischen Ikterus
- Verkürzte Lebensdauer der HbF-Zellen
- Geburtstraumatisch bedingte Hämatome
- Verminderte Glukuronyl-Transferase-Aktivität in den ersten LT (v. a. bei FG)
- Erhöhte enterohepatische Bili-Zirkulation (v. a. bei verzögertem Nahrungsaufbau o. Mekoniumabgang)

11.4 Icterus neonatorum

Einteilung
- **Icterus praecox:** Gesamt-Bili vor der 24. Lebensstunde > 7 mg/dl. Häufig bedingt durch einen Morbus haemolyticus neonatorum (MHN) o. andere schwere Erkr. Sofortige Fotother. u. Verlegung in eine Kinderklinik
- **Icterus gravis:** reife NG mit Gesamt-Bili > 16 mg/dl
- **Icterus prolongatus:** erhöhtes Bili (12 mg/dl) beim reifen NG > 2 Wo. hinaus

11.4.2 Diagnostisches Vorgehen bei Hyperbilirubinämie

Entscheidend ist die Abgrenzung zwischen einem fototherapiebedürftigen verstärkten physiol. Ikterus u. einem Ikterus als Ausdruck einer schweren neonatalen Erkr. (MHN, Sepsis) mit einem deutlich erhöhten Risiko für eine Bilirubin-Enzephalopathie. Wichtig ist die Kenntnis der DD, um krankheitsverdächtige Konstellationen sicher erkennen zu können! Bei Bili-Werten > 15 mg/dl sollte eine diagn. Abklärung erfolgen.

Anämie u. Hypalbuminämie tragen zum klin. Bild des immunol. Hydrops fetalis bei. Die anämiegetriggerte extramedulläre Blutbildung in Milz u. Leber führt zur Verdrängung der hepatischen Albuminproduktion u. zu Ödemen.

 Inkompatibilitäten im AB0-System (im Ggs. zum Rhesussystem) werden weder in der Schwangerschaft im AK-Suchtest noch im dir. Antiglobulin-Test (dir. Coombs-Test) aus Nabelschnurblut sicher erfasst.

Diagnostik
- Körperliche Untersuchung (Kind vital o. auffällig?), ggf. erweiterte Anamnese (z. B. Hämoglobinopathien in der Familie)
- Dir. Coombs-Test (= dir. Antiglobintest) (▶ Abb. 11.6)
- Bestimmung des Gesamt- u. des dir. Bili

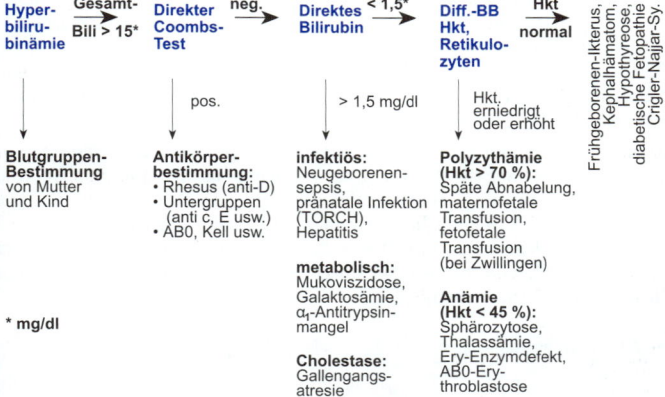

Abb. 11.6 Diagnostisches Vorgehen bei Hyperbilirubinämie (nach Maier/Obladen 2011) [E622]

- BB, Differenzial-BB, CRP (z. A. NG-Inf.)
- Bei Hämolyseverdacht: Retikulozyten u. LDH
- Ggf. Ausschluss weitere Erkr. wie z. B.: G6PDH- o. Pyruvatkinasemangel

Bei richtungweisender mütterlicher Anamnese (Blutgruppe Rh-neg., AK-Suchtest pos.) erfolgt die Bili-Bestimmung aus Nabelschnurblut (Nabelschnur-Bili von 6 mg/dl stellt die Austauschgrenze bei einem MHN dar!) sowie die genannte Labordiagn. sofort postnatal.

> Jeder erhöhte Bili-Wert kann bei klin. auffälligem Kind Ausdruck einer NG-Inf. sein.

11.4.3 Fototherapie

Definition Die Fotother. führt über verschiedene fotochem. Prozesse zur Aufspaltung des unkonjug. Bilirubins in ausscheidbare u. nicht neurotoxische Metaboliten. Jedes sichtbare Licht kann verwendet werden. Effektiv ist Licht der Wellenlänge 410–530 nm (energiereich, **kein** UV-Licht). Die Fotother. bei Werten unterhalb der kritischen Grenzen kann auch bei der Mutter im „Bili-Bett" o. mit „Biliblanket" durchgeführt werden. Zuvor sollte die o. g. diagn. Klärung erfolgen.

Indikation zur Fototherapie nach AWMF-Leitlinie
1. Bei unkomplizierten Kindern (Reifgeborene ohne Hämolysehinweis) beträgt ab einem Lebensalter von 72 h die Fototherapiegrenze 20 mg/dl.
2. Bei einem Gestationsalter von < 38 Wo. gilt: Fototherapiegrenze (mg/dl) = aktuelles Gestationsalter (in Wochen) − 20.
3. Um der Dynamik des Anstiegs Rechnung zu tragen, wird vor Erreichen eines Alters von 72 h eine weitere Absenkung der Fototherapiegrenze um 2 mg/dl (35 µM/l) pro 24 h empfohlen.
4. Für den Beginn einer Fototherapie mit geringer Effektivität (z. B. mit fiberoptischen Geräten auf Wochenbettstationen o. im amb. Bereich) sowie bei schwerkranken NG mit Kapillarleck u. Hypalbuminämie werden Grenzwerte empfohlen, die 2 mg/dl unter denen einer regulären Ganzkörperfototherapie liegen.
5. Die Absenkungen um jeweils 2 mg/dl der Punkte 2–4 gilt additiv.
6. Bei Gesamt-Bili-Werten > 5 mg/dl über den genannten Grenzwerten (Reifgeborene > 25 mg/dl) muss die Fototherapie intensiviert u. bei fehlendem Abfall innerhalb von 4–6 h) eine Austauschtransfusion vorbereitet werden.

Vorgehen Augenmaske zum Lichtschutz des Auges, Windel entfernen, Kind nackt unter Fotolampe (Abstand ca. 60 cm), regelmäßige Kontrolle von Hautwärme u. -zustand, rektaler Temp., Vitalparametern, zum Füttern Pause einlegen, sofern von den Bili-Werten her vertretbar. Regelmäßiger Lagewechsel (Bauch, Rücken). Flüssigkeitszufuhr um 20 % erhöhen. Kontrolle bei unproblematischem Verlauf nach 12 h, Fotother. für 24 h durchführen. Bei im Verlauf weiter spontan fallendem Wert Entlassung möglich.

> Beim MHN muss eine Austauschtransfusion bei deutlich niedrigeren Bili-Werten erfolgen.

Nebenwirkungen Allg. gering. Exanthem, dünner Stuhl, Dehydratation, Temperaturinstabilität.

11.4.4 Rhesusprophylaxe

Risikokonstellation
Mutter Rh-neg. (15 %), Vater Rh-pos. (85 %). Ein Teil der Partner Rh-neg. Mütter sind allerdings heterozygot; somit liegt die Häufigkeit Rh-pos. Kinder aus diesen Verbindungen nur bei etwa 10 %.

Pathogenese
Läsionen an der Grenze zwischen mütterlichem u. kindlichem Kreislauf führen zum Übertritt fetaler Erys in den mütterlichen Kreislauf, wobei bereits ca. 0,1 ml fetales Blut zur mütterlichen AK-Bildung führen kann.

Postpartale Rhesusprophylaxe bei der Mutter
Indikationen Rh-pos. Kind bei Rh-neg. Mutter. Blutentnahme beim NG (z. B. aus Nabelschnurblut) unmittelbar nach der Entbindung einer Rh-neg. Mutter:
- AB0-Blutgruppe
- Rh-Faktor (D)
- Dir. Antiglobulin-(Coombs-)Test

Durchführung bei kindlicher Rhesus-Positivität Bei jeder Rh-neg. Mutter: bis 48 o. spätestens 72 h nach dem Ereignis ca. 300 µg Immunglobulin-Anti-D i. m. (z. B. 2 ml Rhophylac® 300). Bei V. a. Makrotransfusionen doppelte o. dreifache Dosierung. Falls die Anti-D-Prophylaxe unterlassen wurde, sollte diese bis 14 d p. p. nachgeholt werden.

Eine Rh-Prophylaxe ist nur sinnvoll, wenn die Mutter noch keine AK aufweist (indir. Coombs-Test neg.).

Antepartale Rhesusprophylaxe bei der Schwangeren
Antepartale Prophylaxe generell bei jeder Rh-neg. Schwangeren inkl. Rh-Besonderheiten wie Partial-D o. D VI empfohlen (▶ Tab. 11.6).

Weitere Indikationen Bei Rh-neg. Schwangeren bei Amniozentese, Chorionzottenbiopsie, Kordozentese, Blutungen in der Schwangerschaft, Abruptio (auch me-

Tab. 11.6 Häufigkeit der Übertritte fetaler Erythrozyten in den mütterlichen Organismus und Sensibilisierungsrate bei Rh-neg. Frauen

	Übertritte fetaler Erys (%)	Sensibilisierungsrate (%)
Aborte < 12. SSW	20	3,5
Aborte > 12. SSW	30	4,0
Fieberhafte Aborte	≤ 45	5,0
Interruptio	20	5,5
Extrauteringravidität	30	1,0
Amniozentese, Chorionzottenbiopsie	5	2,0
Geburt	≤ 70	15,0

dikamentös), Abort-Kürettage, auch bei Blasenmole, Interventionen am Fetus, EUG, Abortus imminens, vorzeitiger Plazentalösung, Placenta praevia, therapiebedürftigen vorzeitigen Wehen, hypertensiver Schwangerschaftserkr., vorzeitigem Blasensprung, Cerclage, totalem MM-Verschluss, äußerer Wendung aus BEL o. Querlage, Traumata.

Durchführung
- Bei fehlenden Anti-D-AK routinemäßig in der 28.–30. SSW 300 µg Immunglobulin-Anti-D i. m. (z. B. 1 Fertigspritze Rhophylac®). Wdh. nach spätestens 12 Wo.
- Nach Abort, Interruptio, EUG o. sonstiger o. g. Ind. 300 µg Immunglobulin-Anti-D i. m. (z. B. 1 Fertigspritze Rhophylac®) innerhalb von 72 h
! Wird Rhophylac® im Fall einer Rh-unverträglichen Bluttransfusion verabreicht: 300 µg/12–15 ml transfundiertes Blut als fraktionierte Applikation über mehrere Tage

11.5 Früh- und Mangelgeburt, hypertrophe Neugeborene

11.5.1 Einleitung

> 60–80 % der perinatalen Todesfälle beruhen auf extremer Frühgeburtlichkeit. Bei drohender Frühgeburt zielen die Maßnahmen auf Prolongation der Schwangerschaft, soweit der Fetus intrauterin keine Dekompensationszeichen (CTG, Doppler) o. eine Amnioninf. aufweist, Vorbereitung des Feten („Lungenreifung") u. optimalen Geburtsmodus.

Die Reife des FG ist entscheidend für die Prognose. Eine genaue Grenze der Lebensfähigkeit ist nicht definierbar. Die aktuelle AWMF-Leitlinie (024-019; 2014) beschreibt die Woche 23 als „Graubereich". In perinatol. Zentren sollte die Vorgehensweise ab Woche 22/23 (Beginn: Lungenreifungsbehandlung, CTG-Überwachung, Sectio-Entbindung, soweit indiziert) interdisziplinär festgelegt werden. Die Problematik der Terminunsicherheit gewinnt hier bes. Bedeutung. Nach WHO erfolgt die Unterteilung nach – objektivierbarem – Geburtsgewicht ▶ Tab. 11.7). Bei einer Mangelentwicklung (< 10. Perzentile für das Gestationsalter) entsprechend einer fetalen IUGR sollte nach Ausschluss eindeutiger Ursachen (z. B.

Tab. 11.7 Definitionen	
Frühgeborenes (FG)	Partus erfolgte vor Vollendung der 37. SSW
Untergewichtiges reifes NG („low birth weight infant", LBW)	Geburtsgewicht < 2.500 g (ca. 10 % der Lebendgeborenen)
Stark untergewichtiges FG („very low birth weight infant", VLBW)	Geburtsgewicht < 1.500 g (ca. 1 % der Lebendgeborenen)
Extrem untergewichtiges FG („extreme low birth weight", ELBW)	Geburtsgewicht < 1.000 g (ca. 0,5 % der Lebendgeborenen)

starker Nikotinabusus der Mutter, mütterliche Erkr., Mehrlinge, Gestose) postnatal eine weitere Abklärung erfolgen.

11.5.2 Risikofaktoren

- Vorausgegangene Geburten < 2.500 g o. vorausgegangene Totgeburt
- Untergewicht der Mutter (BMI < 18)
- Übergewicht der Mutter (BMI > 35)
- Mütterliche (ggf. inadäquat ther.) Vorerkr. wie Diab. mell., Hypo- o. Hyperthyreose, renale Erkr.
- Gestationsdiabetes (GDM)
- Uterusanomalien o. Uterus myomatosus
- Mehrlingsschwangerschaft
- Polyhydramnion
- Schwangerschaftsinduzierte Hypertonie (SIH) bzw. HELLP-Sy.
- Vorzeitige Wehentätigkeit o. Zervixinsuff.
- Lageanomalien
- Inf. in der Schwangerschaft (Lues, Toxoplasmose, Röteln, Hepatitis etc.)

11.5.3 Postnatale Probleme

Frühgeborene hypotrophe Neugeborene (SGA), hypertrophe Neugeborene (LGA) haben typischerweise unterschiedliche postnatale Probleme/Komplikationen:
- Frühgeborene: Neben Hirnblutung, nekrotisierender Enterkolitis, Retinopathie u. Atemnotsyndrom finden sich Apnoen, erhöhtes Infektionsrisiko, Icterus neonatorum, Trink- u. Temperaturregulationsstörungen.
- SGA: erhöhtes Infektionsrisiko, Verdauungsstörung, Hypoglykämie.
- LGA: Atemstörungen, Hypoglykämien, gestörte pulmonale Adaptation.

11.5.4 Versorgung von FG und hypotrophen NG p. p.

- Umgehende Übergabe an den Pädiater
- Hypothermie vermeiden: Kind abtrocknen, dann Inkubator o. Wärmestrahler
- Anlegen eines venösen Zugangs zur Glukoseversorgung
- Minimal Handling: Kind zur Verminderung von Stress- u. Infektionsgefahr wenig umlagern, vorsichtig untersuchen o. absaugen, nichtinvasive Monitorüberwachung, Vermeidung überflüssiger Säuberungsmaßnahmen
- Ther. von Atemstörungen (▶ 11.2.2, ▶ 11.2.3)
- Abklärung u. Ther. einer perinatalen Inf. (▶ 11.6)

11.6 Infektionen

11.6.1 Einführung

Nachfolgend werden die wichtigsten perinatalen Inf. behandelt, die sich i. d. R. innerhalb der ersten 3 Tage p. p. manifestieren. Inf. vor oder unter der Geburt erfolgen häufig aszendierend über eine Amnionitis (kontaminiertes FW → Aspiration → Pneumonie → Sepsis ▶ 8.8). Pränatale Inf. ▶ 6. Frühgeburt ist in > 50 % d. F. durch eine bakt. vag. Fehlbesiedelung mit vorzeitigen Wehen u. Geburtsbeginn bedingt.

11 Neonatologie

Hinweise auf fetale Infektion
- Sub partu:
  - Fieber der Mutter sub partu o. während der ersten 2 Tage p. p.
  - Vorzeitiger Blasensprung > 24 h o. > 18 h mit Begleit-KO (Unreife, mekoniumhaltiges FW, Hinweise auf Asphyxie)
  - Labor: ansteigende Infektionsparameter bei der Mutter (Leukos, CRP, IL-6)
- Postnatal:
  - Asphyxie
  - Atemnotsy. bei NG > 35. SSW bzw. > 2.000 g Geburtsgewicht

11.6.2 Neugeborenensepsis

> Wichtiges „Frühsymptom" ist das von der Kinderkrankenpflegekraft berichtete „schlechte Aussehen" des NG. Bei jedem postnatal gut adaptierten NG, das sich sek. verschlechtert, besteht dringender Infektionsverdacht.

Klinik
- Hyper- (> 37,5 °C) o. Hypothermie (< 36,5 °C), Apathie o. Hyperexzitabilität, Trinkunlust
- Blassgraues Hautkolorit, verlängerte Rekapillarisierungszeit, Marmorierung, kalte Extremitäten, Petechien, Purpura
- Atemstörungen (Tachypnoe, Apnoe, Stöhnen, Einziehungen)
- Tachykardie, rezid. Bradykardie
- Aufgetriebenes Abdomen, Erbrechen, Exsikkose
- Hepatosplenomegalie, Ikterus

Erreger
- Gramneg. Keime: *Enterobacteriaceae (E. coli,* Klebsiella-Gruppe, *Proteus mirabilis, Serratia), Pseudomonas aeruginosa*
- Grampos. Keime: α- o. β-hämolysierende Strept., Enterokokken, Staph., Pneumokokken, *Listeria monocytogenes*
- Pilze: *Candida* spp.
- Viren: CMV, Rubella, HSV, Coxsackie, Echo, HBV

Diagnostik Infektionsverdacht besteht bei:
- Klin. Auffälligkeit, z. B. schlechtes Hautkolorit o. Vitalparameter: Pulsfrequenz > 150/min, Atemfrequenz > 60/min, Temp. > 37,5 °C o. < 36,5 °C
- Leukos > 30.000/μl o. < 6.000/μl, Linksverschiebung im Diff-BB, Neutrophilen-Index: stabkernige/Gesamtneutrophile > 0,2
- Thrombos < 100.000/μl
- CRP > 20 mg/l; IL-6 > 100 pg/ml
- BGA: BE ↓ (Azidose), pCO_2 ↑, Laktat ↑
- Pos. Bakteriologie (Blutkultur, Abstriche)

Antibiotikatherapie Bei unbekannten Erregern kalkulierte Komb.-Ther. (nach Abnahme von Blutkultur, Urinkultur u. Abstrich) mit einem Breitbandpenicillin (z. B. Ampicillin 200 mg/kg/d in 3 ED **und** einem Aminoglykosid wie Tobramycin 5 mg/kg KG/d, z. B. Gernebcin®). Alternativ Breitbandpenicillin u. Cephalosporin. Behandlungsdauer 5–21 d, abhängig von Kulturbefunden, Erreger u. Organbeteiligung (z. B. Meningitis). Kriterien für Beendigung der Ther. (sofern keine pos. Blutkultur vorliegt): unauffällige Klinik bei Normalisierung des CRP.

11.6.3 β-hämolysierende Streptokokken der Gruppe B (GBS)

Epidemiologie Häufigste u. bedrohlichste NG-Infektion, bes. nach vorzeitigem Blasensprung u. bei FG. Etwa 25 % der Schwangeren sind GBS-Trägerinnen. Erregerreservoir ist der mütterliche GIT. Screening aller Schwangeren auf GBS zwischen 35. u. 37. SSW durch Abstrich von Introitus vaginae u. Anorektum.

Infektionsweg Infektionsmodus meist intrapartal (Sepsis ▶ 11.6.2).

Klinik „Early-Onset"-Sepsis mit den beschriebenen Symptomen innerhalb der ersten 3 d nach der Geburt. Die Symptome sind äußerst variabel, beim FG geht die Inf. mit Atemnotsy. o. Pneumonie einher, beim reifen NG eher mit Kreislaufzentralisation u. Verbrauchskoagulopathie. „Late-Onset-Sepsis" mit Auftreten im Alter von ca. 1 Mon.

> ❗ Eine präpartale Ther. aller GBS-Trägerinnen ist nicht sinnvoll.

Durchführung der Antibiotikaprophylaxe sub partu Mittel der Wahl ist Penicillin G (zu Beginn 5 Mio. E. i. v. und anschließend 2,5 Mio. E. i. v. alle 4 h bis zur Entbindung). Ampicillin, z. B. Binotal® (zu Beginn 2 g i. v. und anschließend 1 g i. v. alle 4 h bis zur Entbindung), ist eine wirksame Alternative.
Bei Penicillinallergie Cefazolin (zu Beginn 2 g i. v. und anschließend 1 g alle 8 h bis zur Geburt) o. bei bek. Unverträglichkeit Clindamycin 900 mg i. v. alle 8 h (z. B. Sobelin®).

Indikationen zur mütterlichen Antibiotikaprophylaxe GBS-Nachweis im Abstrich. Liegt bei Beginn der Entbindung das Ergebnis der GBS-Kultur nicht vor, subpartale Antibiotikaprophylaxe zudem in folgenden Situationen indiziert:
- Drohende Frühgeburt vor 37 + 0 SSW
- Blasensprung ≥ 18 h
- Fieber der Mutter unter der Geburt ≥ 38,0 °C

Vorgehen beim Kind
- Bei Kindern mit Zeichen einer bakt. Inf. Verlegung in eine Kinderklinik. Ther. ▶ 11.6.2
- Bei Kindern ohne klin. Zeichen einer Inf.: Monitoring des NG für mind. 48 h postpartal bei:
  – Müttern mit pos. vag. Abstrichergebnis von GBS in der Schwangerschaft
  – Müttern, die früher bereits ein GBS-infiziertes Kind geboren haben
  – Müttern mit GBS-Bakteriurie in dieser Schwangerschaft
  – Allen FG (< 37 SSW)
  – Blasensprunglatenz von > 18 h
- Kontrolle der Infektparameter, z. B. BB, Diff-BB, IL-6, CRP
- Monitoring erfolgt mittels Überwachungsbogen mit Dokumentation der Vitalparameter Atemfrequenz, Herzfrequenz (in Ruhe), Muskeltonus, Hautkolorit, Temp. alle 4 h.
- Engmaschige postnatale Überwachung des NG. Bei Symptomen klin. Untersuchung u. Diagnostik (s. o.)
- Evtl. histol. Untersuchung von Plazenta, Eihäuten u. Nabelschnur

11.7 Angeborene Fehlbildungen

11.7.1 Einführung

Fehlbildungen gehen fetal häufig mit Lage-, Haltungs- o. Einstellungsanomalien sowie mit Polyhydramnie einher. Die Frühgeburtenrate ist erhöht. Die routinemäßige US-Untersuchung in der 19.–22. SSW (▶ 22.2.3) ermöglicht das Erkennen wesentlicher fetaler Fehlbildungen. Bestimmte Auffälligkeiten wie die Analatresie sind der US-Diagnostik nicht zugänglich. Derzeit werden ca. 50 % der angeborenen Herzfehler pränatal erkannt. Besprochen werden hier häufige Fehlbildungen o. solche, die unverzüglich einer adäquaten Ther. zugeführt werden müssen.

11.7.2 Lippen-Kiefer-Gaumen-Spalten

Definition Hemmungsfehlbildungen mit Determination in der 3.–8. Embryonalwoche. Sie können isoliert u. kombiniert, ein- u. doppelseitig auftreten. Häufigkeit ca. 1 : 1.000. Typischerweise nicht syndromassoziiert.

- Lippen-Kiefer-Gaumen-Spalten liegen paramedian. **Cave:** Begriffe wie „Hasenscharte" u. „Wolfsrachen" sind obsolet.
- Submuköse Segel- u./o. Gaumenspalten werden gelegentlich nicht erkannt u. deshalb zu spät behandelt.
- Bei medianen Gaumenspalten finden sich weitere Fehlbildungen.

Diagnostik Inspektion o. Abtasten mit der Fingerkuppe am Übergang vom harten zum weichen Gaumen (bei U1 o. U2).

Therapie
- Verschiedene Therapieansätze je nach kieferchir. Zentrum.
- Um Stillen bemühen (ist möglich!).
- Op. Versorgung von Lippen- u. Nasenfehlbildungen im 3.–12. Lm, von Segel- u. Gaumenfehlbildungen im 7.–12. Lm u. von Kieferspalten ab 6 J.
! Mitbehandlung des Sero-Mukotympanons (> 90 %) durch HNO-Arzt im Säuglingsalter durch Parazentese u. Paukendrainage.
- Logopädische Behandlung, Anbindung an interdisziplinäre Spaltsprechstunde sinnvoll.
- Die op. Korrektur kosmetisch relevanter Fehlbildungen sollte vor dem 3. Lj erfolgen.

11.7.3 Polydaktylie, Syndaktylie

- **Polydaktylie:** Überzählige Finger u. Zehen kommen als Strahl o. nur als häutiges Anhängsel vor. Sie treten isoliert als autosomal-dominantes Merkmal oder i. R. zahlreicher Syndrome auf. Ther.: kosmetische u. funktionell op. Maßnahmen innerhalb der ersten 2 Lj.
- **Syndaktylie:** Fehlende komplette o. inkomplette Trennungen mehrerer Finger gehören zu den häufigsten Fehlbildungsformen der Hand (1 : 2.000 Geburten). Bevorzugt betroffen ist die 3. Zwischenfinger- (oder Zwischenfuß-)

11.7.4 Fußfehlstellungen

- **Klumpfuß (Pes equinovarus):** komb. Fußfehlstellung aus Spitzfußstellung des Gesamtfußes, Varus-(Supinations-)stellung des Hinterfußes u. Supinations-Adduktions-Stellung des Vorfußes. **Ther.:** ab dem 1. LT manuelle Redression u. Fixierung im Gipsverband. Später op. Korrektur erforderlich
- **Sichelfuß (Pes adductus):** vermehrte Vorfußadduktion mit Abspreizung der Großzehe. **Ther.:** regelmäßige Redressionen während der ersten Lm, evtl. in der 1. Lw manuelle Redression u. Fixierung mit elastischem o. Gipsverband (Kletterfuß: im Ggs. zum Sichelfuß ohne Vorfußadduktion)
- **Hackenfuß (Pes calcaneus congenitus):** Fußfehlstellung mit der Unmöglichkeit der Plantarflexion. **Ther.:** ab der 1. Lw manuelle Redression u. Bandagieren des Fußes in Richtung Spitzfußstellung

11.7.5 Spina bifida: Spaltbildungen im Bereich der Wirbelsäule (Meningo-, Meningomyelozele, Arnold-Chiari-Malformation)

▶ Abb. 11.7.

Epidemiologie Häufigkeit deutlich populationsabhängig mit ca. 1 auf 800 Geburten. Familiäre Häufung.

Klinik Die häufigste Spaltbildung ist lumbosakral lokalisiert. Progn. deutlich kritischer zu bewerten sind thorakale Spaltbildungen. In ca. 90 % Komb. mit einem Hydrocephalus occlusus im Sinne einer Arnold-Chiari-Malformation Typ II. Unterhalb der betroffenen Rückenmarksegmente besteht eine Lähmung mit Stuhlinkontinenz u. Überlaufblase.

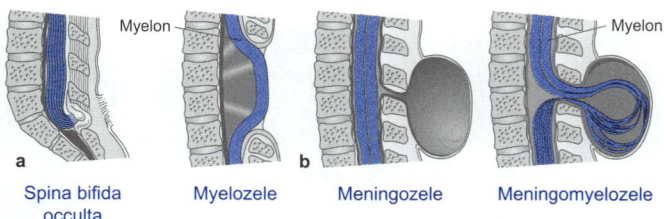

Abb. 11.7 Myelozelen:
a) **Spina bifida occulta:** mit Haut verdeckter Wirbelspalt ohne Hervortreten von Rückenmark oder Meningen
b) Spina bifida aperta (offen) mit den Formen:
- **Meningozele:** Wirbelbogen und Dura gespalten, keine Ausstülpung des Myelons oder kaudaler Nervenwurzeln
- **Meningomyelozele:** Haut, Wirbelbogen und Dura gespalten, Nervenwurzeln oder Myelon in die Zele hernienartig vorgewölbt. Rückenmark immer verändert [L106]

Pränatale Diagnostik Fetale Sono mit dir. Nachweis der Zele, der fehlenden WS-Kontinuität u. des Hydrozephalus. Evtl. fehlende Beinbeweglichkeit o. Fußfehlstellung. Bestimmung von AFP aus mütterlichem Blut o. FW obsolet (▶ 5.2.7).

Management Entbindung an Terminnähe per Sectio (vor Einsetzen von Wehen) reduziert das Lähmungsniveau um ein Rückenmarksegment. Ind. zur Sectio meist auch durch Hydrozephalus gegeben. Entbindung in einem Zentrum mit kinderneurochir. Team.

> Die fetale Chirurgie der Meningomyelozele ist in wenigen Zentren etabliert, verbessert die neurol. u. motorische Funktion u. sollte angestrebt werden.

Therapie Bauchlage, sofortiges Abdecken mit sterilen feuchten Kompressen. Klin. Beurteilung der Ausdehnung mit schlaffer Parese unterhalb der Rückenmarksunterbrechung. Fußfehlstellung, Analreflex, Harnaufstau. Unverzügliche Planung der plastischen Deckung, sek. Shuntanlage bei Hydrozephalus. Neuropädiatrische, orthopädische u. urol. Nachsorge essenziell.

> Folsäure (400 μg/d, z. B. Folsan®) beginnend 4 Wo. vor Konzeption bis zur abgeschlossenen 12. SSW reduziert das Risiko einer Spina bifida deutlich. Ebenso kann das Wiederholungsrisiko gesenkt werden. Frauen, die bereits mit einem Kind mit Neuralrohrdefekt schwanger waren, erhalten 5 mg/d Folsäure über den gleichen Zeitraum.

11.7.6 Ösophagusatresie

Definition Rudimentäre Anlage o. Fehlen von Teilen der Speiseröhre, in 85 % mit Verbindungen zwischen Bronchialsystem u. aboralem Anteil des Ösophagus (Ösophagotrachealfistel Typ IIIb nach Vogt; ▶ Abb. 11.8). Häufigkeit: 1 : 3.800.

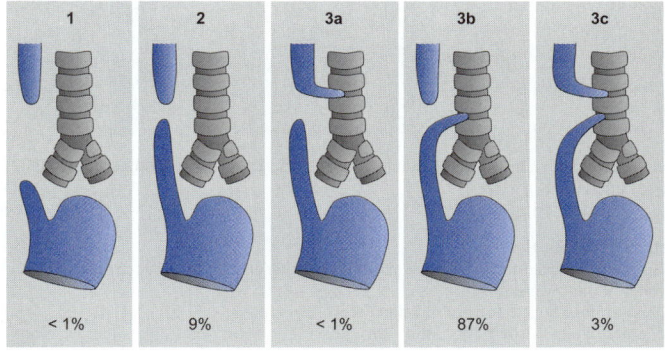

Abb. 11.8 Formen der Ösophagusatresie (nach Vogt) [L157]

Klinik Polyhydramnion u. fehlende Darstellbarkeit des Magens im US. Von Geburt an vermehrte Salivation, begleitet von Husten u. Würgereiz. Schlucken u. Nahrungsaufnahme unmöglich.

Diagnostik Absaugkatheter in den Ösophagus vorschieben, möglichst erst 30 min p. p. wegen Gefahr eines lebensbedrohlichen Vagusreizes mit Bradykardie. Im Rö-Thorax Darstellung der im Blindsack umgeschlagenen Sonde.

Management Erstmaßnahme: Absaugkatheter nasal bis in den Blindsack vorschieben u. fixieren; intermittierend Speichel absaugen, um Aspiration vorzubeugen. Oberkörperhochlagerung, um Aspiration von Magensaft über eine mögliche Fistel in die Lunge zu verhindern. Korrektur-OP mit End-zu-End-Anastomose zeitnah nach Diagnosestellung. Prim. OP-Ziel ist der Fistelverschluss und, sofern keine End-zu-End-Anastomose gelingt, eine Gastrostomie zur Ernährung. **Cave:** oft assoziierte renale o. kardiale Fehlbildungen.

11.7.7 Omphalozele

Klinik Herniation von Darmanteilen in den Ansatz der Nabelschnur.

Diagnostik
- Pränatal bei kleinen Omphalozelen sonografisch schwierig.
- Postnatal können sehr kleine Omphalozelen mit aufgetriebenen Nabelschnuransätzen verwechselt werden.
- Große („giant") Omphalozelen stellen vermutlich eine eigene Entität mit kompliziertem Verlauf dar.

Management Bei großer Omphalozele: eilige OP, Gefahr von Volvulus u. Perfusionsschädigung.

Prognose In Bezug auf die Darmfunktion gut, da der Darm vor FW geschützt liegt u. Flüssigkeitsverlust u. Peritonitis nicht drohen. 25–40 % der Omphalozelen sind jedoch mit Chromosomopathien assoziiert!

11.7.8 Gastroschisis

Klinik Ein zentral meist rechts der Nabelschnur gelegener Defekt in der Bauchwand durch den fehlenden Verschluss der embryonal offenen Bauchwand. Darmschlingen u. evtl. weitere Bauchorgane liegen extraabdom. u. haben wie auch das Peritoneum dir. Kontakt zum FW.

Diagnostik Pränatales Organscreening mit Nachweis von extraabdom. liegendem Darm.

Management Entbindung in einem neonatol.-kinderchir. Zentrum per Sectio (Gefahr der Ischämie o. Riss von Darmstrukturen). Gründliches Absaugen des Mageninhalts, sterile feuchte Verpackung (z. B. steriler durchsichtiger Plastikdarmsack aus OP, untere Körperhälfte einschl. vorgefallenen Darm einschließen). Unbedingt seitliche Lagerung, um Perfusion u. venösen Abfluss des Darmpakets zu gewährleisten (Sichtkontrolle!), regelmäßige Perfusionskontrolle. Sofortige OP mit dir. Bauchwandverschluss o. Patchversorgung.

Prognose Die Gastroschisis ist nur selten mit anderen Fehlbildungen assoziiert. Bei sehr großen Defekten mit extraabdom. gelegenen Organen (z. B. Leber) ist die Prognose ernst. Entscheidend ist die Funktion des durch den FW-Kontakt geschädigten Darms.

11.7.9 Kardiovaskuläre Fehlbildungen

> Wesentliche klin. Zeichen, die beim NG auf Herz-Gefäß-Fehlbildungen hinweisen, sind Zyanose, respiratorische Insuff. u. fehlende Femoralispulse. Etwa 1 % aller NG haben einen Herzfehler.

Einteilung
- **Ventrikelseptumdefekt:** häufigster angeborener Herzfehler (ca. 30 % aller Herzfehler). Links-rechts-Shunt. Klin. bei großem Defekt Zeichen der Herzinsuff. Meist erst nach der ersten Lw mit Schwitzen, Dyspnoe, bes. bei Belastung (z. B. Schreien, Trinken); Gedeihstörung
- **Vorhofseptumdefekt:** etwa 10–15 % aller kongenitalen Vitien. Offenes Foramen ovale mit Links-rechts-Shunt. Symptome nach Shuntvolumen meist erst im späteren Kindesalter; bei großen Defekten Leistungseinschränkung, Gedeihstörungen u. Dyspnoe
- **Aortenstenose:** Hypertrophie u. Drucksteigerung im li. Ventrikel, Aorten- u. Koronarmitteldruck ↓, Belastungsdyspnoe, Stenokardien u. Synkopen
- **Pulmonalstenose:** Zyanose, Hypertrophie u. Drucksteigerung im re. Ventrikel, Belastungsdyspnoe (Leitsymptom) u. Zeichen der Rechtsherzdekompensation
- **Aortenisthmusstenose:** Stenose im Bereich des Ductus Botalli mit Hypertonie der oberen u. Hypotonie der unteren Körperhälfte, Dyspnoe, Trinkproblemen, Ödemen, Zyanose der unteren Körperhälfte. NG werden häufig beim spontanen Verschluss des Ductus Botalli klin. auffällig. Rasche klin. Verschlechterung durch Perfusionsstillstand in der unteren Körperhälfte
- **Fallot-Tetralogie:** häufigster zyanotischer Herzfehler mit Ventrikelseptumdefekt, Pulmonalstenose, Dextroposition der Aorta u. Rechtsherzhypertrophie. Postnatal zunächst keine Zyanose, nach dem 1. Mon. Belastungs- u. Ruhezyanose, hypoxämische Anfälle

> Direkt postnatal fallen die zyanotischen Herzfehler auf. Im Verlauf der ersten LT dekompensieren kritische Klappenstenosen sowie die Aortenisthmusstenose jeweils bei Verschluss des Ductus arteriosus. Nur diese Herzfehler fallen auch im Pulsoxymeterscreening auf. Herzfehler mit Links-rechts-Shunt führen erst jenseits der 1. Lw zur Herzinsuff.

Diagnostik
- Anamnese: Trinkverhalten, Gewichtsstillstand o. -verlust, Schwitzen
- Inspektion: Zyanose, Dys- o. Tachypnoe, präkardiale Pulsationen, Blässe, Hinweise auf Begleitfehlbildungen
- Palpation: Pulse an Extremitäten u. Hals, Leber- u. Milzgröße
- Auskultation: Herz, Lunge; Lungenödem, RR an Extremitäten
- EKG: Rhythmus, Frequenz, Hypertrophiezeichen
- Rö-Thorax: Lage, Größe u. Form des Herzens, Lungendurchblutung. DD zur Lungenerkr.
- Echokardiografie

11.7.10 Operationstermine kindlicher Fehlbildungen

▶ Tab. 11.8.

Tab. 11.8 Operationstermine nach Dringlichkeit

Gastroschisis	Sofortige OP (drohende Darmischämie)!
Ösophagusatresie	Bei distaler tracheoösophagealer Fistel: innerhalb von 12–24 h p. p.
Meningomyelozele	Max. 1 Tag p. p.
Omphalozele	Erste Lebenstage
Analatresie	Geplant, 1–2 Tage nach Diagnosestellung
Duodenalatresie	Geplant, 1–2 Tage nach Diagnosestellung
Zwerchfellhernie	Erst nach erfolgreicher respir. Stabilisierung (Tage!)
Hydrocephalus occlusus	Bei klin. o. sonografischen Dekompensationszeichen

11.7.11 Häufigkeit multifaktoriell bedingter Krankheiten

▶ Tab. 11.9.

Tab. 11.9 Häufigkeit multifaktoriell bedingter Krankheiten

Krankheitsbild	Gesamtbevölkerung (ca., in %)	Risiko bei erkranktem Geschwisterkind (ca., in %)
Anenzephalus	0,03	1–3
Lippen-Kiefer-Gaumen-Spalte	0,15	2–6
Hüftgelenkdysplasie	0,1	1–7
Meningomyelozele	0,1	3–6
Angeborene Herzfehler	1,0	3
Analatresie	0,02	?
Bauchwanddefekte	0,08	?

11.8 Geburtstraumata

11.8.1 Ursache

Geburtstraumata sind als Auswirkung von Druckschwankungen, Quetschungen, Zerrungen u. Abscherungen von der Schwere der Geburt bzw. den geburtshilflichen Maßnahmen sowie von der Reife des NG abhängig. Mit zunehmender Häufigkeit der Schnittentbindung sind diese Entitäten im klin. Alltag deutlich seltener geworden.

11.8.2 Intrakranielle Blutungen

MRT-Untersuchungen des Schädels nach unauffälliger Spontangeburt zeigen, dass kleine asympt. Hirnblutungen nicht selten sind. Selbst sympt. raumfordernde Blutungen können ohne prädisponierende Faktoren nach unauffälliger Spontangeburt auftreten. Die Art der Blutung u. der neurol. Folgen ist von Lokalisation u. Ausdehnung, Reifealter u. Ursache (Trauma u. Asphyxie) abhängig.

Formen
- **Subduralblutung:** typisch an der Insertion der Falx cerebri am Tentorium u. bei „großen" reifen Kindern. Die Gefäßränder reißen begünstigt durch Asphyxie u. Gerinnungsstörungen o. durch Scherkräfte bei schwerer Geburt ein. Diagn.: MRT, CCT, im transfontanellären US kann diese Blutungsform übersehen werden
- **Subarachnoidalblutung:** bei FG häufiger als bei reifgeborenen Kindern. Traumatisch o. asphyxiebedingt. Meist Zufallsbefund (Schädel-Sono), selten sympt. (Übererregbarkeit, Krampfanfälle, in den ersten LT). Gelegentlich nachfolgend Hydrozephalus o. Hygrome. Diagn.: Liquor makroskopisch blutig
- **Intraventrikuläre Blutung des reifen NG:** Ursachen sind Traumata o. Hypoxie/Ischämie. Blutungsquelle fast immer Plexus chorioideus, selten der subependymale Keimschicht. Progn.: erhebliches Risiko für neurol. Spätfolgen
- **Intraventrikuläre Hirnblutung des FG:** überwiegend unreifebedingt u. nicht geburtstraumatisch. Neben der Lungenschädigung Hauptkomplikation der Frühgeburtlichkeit. 85 % der Blutungen bei FG beginnen in der subependymalen Keimschicht. Minimale subependymale Blutungen häufig < 28. SSW. Schwere u. Häufigkeit abhängig von perinatalem Management. Durch Einbruch in die Seitenventrikel Ausbreitung in das Ventrikelsystem

Diagnostik
- Sono (transfontanellär): bei allen FG u. NG bei Verdacht u. routinemäßig bei allen FG < 34 Wo. an Tag 1, 3, 7. Zunahme einer bestehenden Blutung in 20–40 % d. F. Bei Kindern mit Blutungen weitere Kontrollen alle 7–10 d, um frühzeitig die Entwicklung eines posthämorrhagischen Hydrozephalus zu erkennen
- Ausschluss Gerinnungsstörung, Thrombopenie

Klinik
- Typisch: Apnoen als Krampfäquivalente
- Blässe, Schock, Zentralisation, Atemnot, Erbrechen, Temperaturinstabilität, Muskelhypotonie
- Vorgewölbte Fontanelle (intrakranieller Druckanstieg), Somnolenz, Übererregbarkeit, Apnoeanfälle, Nystagmus, Krampfanfälle (▶ 11.9)
- Verbrauchskoagulopathie, Ikterus
- Gelegentlich auch oligosympt. o. langsam progredient

Therapie und Prophylaxe
- Minimal Handling. Stabilisierung einer derangierten plasmatischen Gerinnung durch parenterale Vit.-K-Gabe, Frischplasma
- Optimierung von Beatmung, Blutdruck, Glukosehaushalt, E'lyten
- Amplitudenintegriertes EEG (aEEG), kontinuierliche Ableitung am Bett
- ! Bei FG keine kritischen Druckanstiege durch Kopfwachstum bei offenen Schädelnähten
- Liquorpunktion lumbal, fontanellär, Liquordrainage extern o. Rickham-Kapsel, bei persistierendem Aufstau ventrikuloperitonealer Shunt

11.8.3 Claviculafraktur

> Häufigste Fraktur sub partu, begünstigt durch erschwerte Schulterentwicklung. Meist Grünholzbrüche ohne stärkere Dislokation.

Klinik Kinder fallen durch Schmerzäußerungen beim Hochnehmen u. Wickeln auf. Geringe Motilität der betroffenen Seite (z. B. beim Moro-Reflex).

Diagnostik Die Palpation der Clavicula ergibt eine umschriebene Schmerzempfindlichkeit u. Krepitation, Kallusbildung innerhalb von 5 d (daher oft nachträglich Diagnosestellung).

Therapie Keine spezielle Behandlung erforderlich!

11.8.4 Obere Plexuslähmung (Erb-Duchenne)

Definition Armplexuslähmung mit Läsion der Zervikalwurzeln V u. VI, v. a. bei BEL-Geburten u. bei Schulterdystokie. Insb. der Veit-Smellie-Handgriff gefährdet den Plexus brachialis. Häufigkeit Geburtsgewicht > 4.000 g ca. 0,3 %.

Klinik Die betroffene Schulter steht tiefer, der Arm hängt unbeweglich in Innenrotation u. extremer Pronation nach unten, die Finger können bewegt werden (▶ Abb. 11.9).

Diagnostik Arm bleibt bei Moro-Reflex unbeweglich durch Lähmung der Schulter- u. Unterarmbeugemuskeln (fehlender Bizepssehnenreflex, Handgreifreflex auslösbar), Zwerchfelllähmung bei Beteiligung des IV. Zervikalnervs kann einseitig Atmung behindern, daher Rö-Durchleuchtung zur Diagnosesicherung.

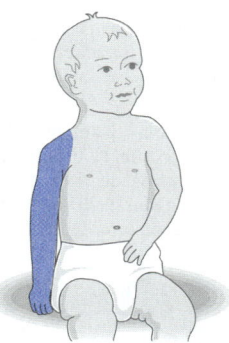

Abb. 11.9 Obere Plexuslähmung beim Kleinkind (Erb-Duchenne) [L157]

Therapie Fixation des gelähmten Armes durch Schienenverband in starker Abduktion u. Außenrotation bei gebeugtem Unterarm, ca. 80 % Erholung. Nach 4 Wo. Einleitung von passiven Bewegungsübungen. Bei persistierender Parese. Ind. zur OP mit Nervennaht.

Prognose Funktionsausfälle häufig erst nach Mon. rückläufig, evtl. unvollständige Restitutio (rechtliche Aspekte ▶ 9.3.4).

11.8.5 Untere Plexuslähmung (Klumpke)

Definition Seltener u. progn. wesentlich ungünstiger als die obere Plexuslähmung, Schädigung der VII. u. VIII. Zervikalnerven. Häufig zugleich obere Plexuslähmung.

Klinik Halb offene Fallhand mit Pfötchenstellung bei gebeugtem Unterarm. Bei Beteiligung des R. communicans des Sympathikus besteht gleichzeitig ein Horner-Sy. mit Ptosis, Miosis, Enophthalmus. Bei NG schwer diagnostizierbar.

Diagnostik Gelähmt sind die langen u. bei Beteiligung des I. Thorakalnervs auch die kurzen Handmuskeln.

Therapie Schienung der Hand zur Vermeidung von Fingerkontrakturen. Frühzeitig beginnende langfristige Bewegungsübungen. Bei unzureichender Erholung op. Revision mit Nervennaht im Alter von ca. 4 Mon.

Prognose Meist keine vollständige Rückbildung, insb. bei Wurzelausriss o. Plexuszerreißung.

11.8.6 Caput succedaneum und Kephalhämatom

> Häufigste Geburtstraumata mit günstigen Prognosen.

Caput succedaneum Teigige Anschwellung des lockeren Bindegewebes zwischen Galea u. Periost unter der Geburt (= supraperiostales Ödem bzw. Serohämatom), reicht über die Schädelnähte hinaus. Nicht therapiebedürftig. Bildet sich innerhalb von 2–7 d zurück (▶ Abb. 11.10a).

Kephalhämatom Hämatombildung mit Abhebung des Periosts (= subperiostales Hämatom; ▶ Abb. 11.10b). Häufigkeit ca. 0,5 % aller Geburten. Schädelnähte immer Begrenzung des Kephalhämatoms, Entwicklung innerhalb der ersten LT, Rückbildung innerhalb von 8–16 Wo. Evtl. verstärkter Icterus neonatorum. Keine besondere Ther. erforderlich.

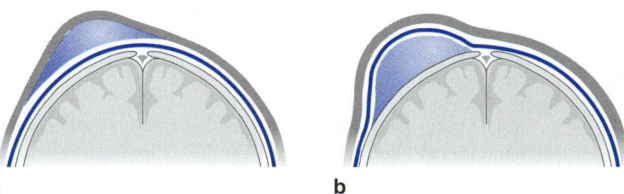

Abb. 11.10 Schädelhämatome a) Caput succedaneum (Geburtsgeschwulst), b) Kephalhämatom [L157]

> Seltene wichtige DD: subgaleale Blutung (oberhalb des Periosts) mit massiver Einblutung, Blutungsschock u. Verbrauchskoagulopathie. Klin.: postpartal rasche, massive, sichtbare Verformung des Kopfes (Gerinnungsstörung ausschließen).

11.9 Neugeborenenkrämpfe

Häufigkeit Bei ca. 1 : 200 der NG.

Ätiologie
- Hypoxisch-ischämische Hirnschädigung
- Intrakranielle Blutungen (▶ 11.8.2)
- Hirninfarkte
- Inf. (Sepsis, Meningitis, Enzephalitis; ▶ 11.6)
- Metab. Störungen: Hypoglykämie, schwere Hyperbilirubinämie, Hypokalzämie, Hypomagnesiämie, Pyridoxinmangel

Klinik
- **Subtile Krampfanfälle:** als häufigster Krampftyp (ca. 50 %). Symptome werden oft übersehen → tonische Augenzuckungen, Blinzeln, Lidflattern, Schmatzen, Gähnen, Saugen, Speichelfluss, „Schluckauf", Ruder-, Schwimm-, Tretbewegungen, Zucken von Zehen o. Fingern, kurzzeitige Apnoen
- **Tonische Krampfanfälle:** häufig Hinweis auf intraventrikuläre Blutung → generalisierte Streckung der Extremitäten, gelegentlich Beugen der oberen Extremitäten
- **Multifokale klonische Krampfanfälle:** klonische ungeordnete Extremitätenbewegungen, meist bei reifen NG. Typisch für die progn. günstigen 5-Tage-Krämpfe (3.–7. LT), können spontan sistieren
- **Fokale klonische Krämpfe:** FG seltener betroffen → klonische Zuckungen ohne Bewusstlosigkeit
- **Myoklonische Krampfanfälle:** selten. Progn. ungünstig → einzeln o. wiederholt synchrone Zuckungen der oberen u./o. unteren Extremitäten. Wichtige Abgrenzung zu **benignen Einschlafmyoklonien**

Diagnose 12 Kanal-EEG oder kontinuierliches aEEG am Bett.

Therapie Seitenlagerung zur Sicherung der Atemwege, ggf. Oropharynx absaugen, genaue Beobachtung, Überwachung von Herz-, Atemfrequenz u. RR. Bei Apnoen Stimulation, Sauerstoffgabe, Maskenbeatmung, ggf. Intubation u. kontrollierte Beatmung ▶ 11.2.2 u. ▶ 11.2.3, Verlegung in eine Kinderklinik.
- **Sympt. Ther.:** unter Monitorüberwachung u. Beatmungsmöglichkeit
  - Glukose 20 % 2 ml/kg KG i. v. (= 0,4 g/kg KG) bei V. a. Hypoglykämie
  - Kalziumglukonat 10 % (1 : 1 verdünnt) 2 ml/kg KG langsam i. v.
  - Pyridoxin 50 mg i. v. (z. B. Vitamin B$_6$-ratiopharm®), wenn möglich unter EEG-Ableitung
  - Phenobarbital 15 mg/kg KG (Luminal®) über 5–10 min langsam i. v. (Sättigungsdosis)
  - Nach Vorliegen der Laborparameter Substitution von E'lyten (v. a. Kalzium u. Magnesium) sowie von Glukose
- **Bei weiter bestehenden Krampfanfällen nach 10–15 min:**
  - Nochmals Phenobarbital bis zu 10 mg/kg KG langsam i. v. (Luminal®). **Cave:** Atemdepression! **oder:**
  - Midazolam intranasal: 0,3–0,5 mg/kg KG (aus der i. v. Amp.). **Cave:** Ateminsuff.
  - Beim reifen NG Diazepam 5 mg rektal (z. B. Diazepam Desitin® rectal tube) o. 0,4 mg/kg KG i. v.

11.10 Plötzlicher Kindstod

Definition Auch Sudden Infant Death Syndrome (SIDS). Ursache weiterhin unklar. Häufigkeit in D bei ca. 1 auf 2.500 Lebendgeburten. Häufigkeitsgipfel um 12. Lw. Vergleichbare Todesfälle werden auch in den ersten Lebensstunden berichtet, auch beim „Bonding". Als „near-miss SIDS" o. ALTE („apparent life-threatening event") werden Ereignisse bezeichnet, die überlebt werden.

Risikofaktoren Mütterlicher Zigarettenkonsum, mütterliches Alter < 20 J., Multiparität, rasche Schwangerschaftsfolge, Frühgeburt, Mehrlinge, Kinder aus sozial schwachen Familien, Geschwister von SIDS-Kindern, hypotrophe NG, drogenabhängige Mutter.

> Die Vermeidung o. Reduktion des Zigarettenkonsums in der Schwangerschaft (auf < 6 Zigaretten tgl.) reduziert das Risiko für ein SIDS.

Empfehlungen zur Vorbeugung (Auszug)
- Sgl. sollten in Rückenlage schlafen
- Stillen
- Sgl. so lagern (empfohlen: Schlafsack), dass der Kopf nicht durch Bettzeug, Kuscheltiere etc. verdeckt werden kann u. kein Hitzestau entsteht
- Sgl. sollten im elterlichen Schlafzimmer, aber im eigenen Bett schlafen
- Sowohl vor der Geburt als auch danach: rauchfreie Umgebung
- Überwärmung (Schwitzen) vermeiden, Zimmertemperatur 16–18 °C
- Ausnahmen für die Rückenlage im stat. Bereich bestehen nur bei kleinen FG (bei Monitorüberwachung) o. bei Fehlbildungen im orofazialen u. tracheobronchialen Bereich, z. B. Pierre-Robin-Sequenz
- Aufklärung der Eltern bei Vorsorgeuntersuchung U2 mit Informationsblatt

Heimmonitorüberwachung
- Kinder mit vorausgegangener lebensgefährlicher Episode, die erfolgreich reanimiert wurden
- Geschwister von SIDS-Kindern

Es ist nicht erwiesen, dass eine häusliche Monitorüberwachung die SIDS-Häufigkeit senkt. Parallel müssen ein adäquates elterliches Training (Umgang mit Monitor, Reanimationsmaßnahmen, Beatmungsbeutel, Pulsüberwachung) sowie eine engmaschige kinderärztliche Kontrolle sichergestellt sein. Monitorüberwachung bei ALTE z. B. für 3 Mon.; kommt es in dieser Zeit zu keinem Ereignis, Überwachung beenden. Bei SIDS-Geschwisterkindern 12 Mon.

> SIDS ist eine „ungeklärte Todesart", daher auf richterliche Verfügung Obduktion. 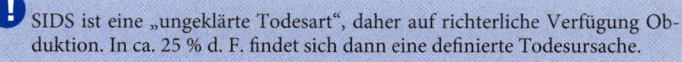 In ca. 25 % d. F. findet sich dann eine definierte Todesursache.

11.11 Hautveränderungen bei Neugeborenen

11.11.1 Allgemein

Üblicherweise hat das reife NG eine geschmeidige, rötliche Haut, die im Laufe der ersten LT vielfältige, oft rasch wechselnde Erscheinungen zeigt. Auch zur Beruhigung der Eltern ist es wichtig, harmlose Veränderungen von ernsteren zu unterscheiden u. zu diagnostizieren.

11.11.2 Physiologische Veränderungen

- **Schuppung:** ab dem 2. LT oft stärker, gelegentlich mit blutigen Einrissen, lokale Cremebehandlung
- **Milien:** weißlich-gelbliche Papeln v. a. im Gesicht u. am Rumpf. Entsprechen Talg- u. Detritusansammlung, verschwinden spontan bis zur 3.–6. Lw
- **Miliaria cristallina:** hirsekorngroße wasserklare Bläschen, vermutlich Verschluss der Schweißdrüsen, harmlos
- **Akneiforme Talgdrüsenhyperplasie:** multiple, rötlich-gelbe Papeln infolge Stimulation durch die Schwangerschaftshormone („Neugeborenen-Akne"), v. a. im Gesicht, an Stamm u. proximalen Extremitäten
- **Vaskuläre Phänomene:** wie Cutis marmorata (v. a. bei Kältereiz), Harlekin-Phänomen u. Akrozyanose durch anfänglich instabile Vasoregulation
- **„Toxisches" NG-Exanthem:** gutartiges, generalisiertes Exanthem mit Papeln u. rotem Hof, bei ca. 50 % aller NG, v. a. in den ersten LT, rasch abheilend. Bei Persistenz u. Blasen- o. Pustelbildung an Candidose, Pyodermie o. *Herpes-simplex*-Inf. denken!
- **Ebstein-Epithelperlen:** median am harten Gaumen kleine, derbe weißliche Papeln, harmlos u. selbstlimitierend

11.11.3 Hautinfektionen

- **Nabelinfektion, Nabelpflege:** Der Nabel besiedelt sich postnatal rasch mit Bakterien, typischerweise Staph.: trockene verkrustete Nabelreste bei Bedarf mit Kochsalz u. Stiltupfer reinigen, bei Nässen o. schmieriger Sekretion mehrfach tgl., z. B. mit Octenisept®
- **Impetigo o. Pyodermie:** bereits ab dem 2. LT auftretende bakt., meist Staph.-Inf. (Eintrittspforte ist häufig der Nabel). Typisches Bild mit Blasen auf teilweise gerötetem Grund, evtl. mit schweren ausgedehnten Hautablösungen
  Ther.: bei einzelnen Pusteln lokal desinfizierende Maßnahmen, engmaschige Überwachung. Bei rascher Zunahme, Blasen u. krankem Kind Abstrich, Blutkultur, sofortige gegen Staph. gerichtete i. v. Antibiotikagabe
- **Soorinfektion o. Candidose:** häufiger; ab 3. Lw mit Mundsoor (weißliche Beläge in den Wangentaschen) u./o. Windelsoor. **Ther.:** Nystatin-Paste, bei Mund- u. Darmbefall Nystatin-Suspension (z. B. Candio Hermal®)
- **Weitere wichtige konnatale Inf. mit Hautsymptomen:**
  - Herpes simplex: Ende der 1. Lw ausgedehnter, vesikulöser Ausschlag, septisches Kind, Leberbeteiligung
  - Syphilis: große makulopapulöse Herde v. a. an den distalen Extremitäten u. perioral (▶ 6)

11.12 Betreuung von Neugeborenen diabetischer Mütter

> Die diab. Stoffwechsellage (Typ-I-Diab. o. GDM) stellt ein erhöhtes Risiko für die fetale Entwicklung dar. Fetale Störungen entstehen durch das erhöhte Glukoseangebot, das intrauterin zur Makrosomie des Feten führt. Die Glykogeneinlagerung im Myokard kann eine obstruktive Kardiomyopathie mit intrauterinem Herzstillstand auslösen. Die Glykosylierung von Proteinen bedingt eine relative Organunreife (Lunge) u. die relative Organhypoxie eine Polyglobulie.

Diabetische Embryopathie
Risiko bei vorbestehendem Diab. Besteht zum Konzeptionszeitpunkt keine optimale BZ-Einstellung, erhöht sich das Risiko für (kardiale, renale, zerebrale) Fehlbildungen auf das 5- bis 10-Fache.

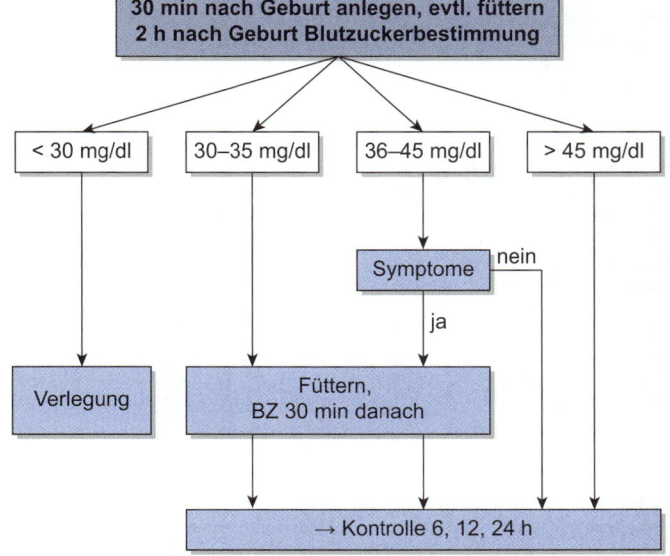

Abb. 11.11 Blutzuckerüberwachung bei Risiko-Neugeborenen (Flussdiagramm) [L231]

11.12 Betreuung von Neugeborenen diabetischer Mütter

Postnatale Komplikationen
- Durch Überproduktion an Insulin kann es zum dramatischen BZ-Abfall mit dem Risiko von bleibenden zerebralen Störungen bei Hypoglykämie kommen.
- Die relative Organunreife kann pulmonal zum Atemnotsy. führen.
- Durch Polyglobulie: pulmonale, zerebrale o. renale KO.

Vorgehen gemäß AWMF-Leitlinien (Auszug)
- Klin. Überwachung (▶ Abb. 11.11)
- Frühestfütterung mit Maltodextrin-Lsg. (oder Formula-Nahrung), häufige Trinkmengen
- Rascher Übergang auf Milchnahrung

12 Mamma
Kay Goerke

12.1 Leitsymptome und Differenzialdiagnosen 394
12.1.1 Knoten 394
12.1.2 Mamillensekretion 394
12.1.3 Hautveränderungen 395
12.1.4 Schmerzen 395
12.1.5 Axilläre Tumoren 395
12.2 Diagnostische Methoden 396
12.2.1 Klinische Untersuchung 396
12.2.2 Radiologische Methoden 398
12.2.3 Mammasonografie 401
12.2.4 Magnetresonanztomografie 403
12.2.5 Biopsie 403
12.2.6 Labordiagnostik 405
12.3 Mastitis 406
12.4 Mastodynie 407
12.5 Gutartige Veränderungen 407
12.5.1 Zysten 407
12.5.2 Fibroadenom 407
12.5.3 Andere mesenchymale Tumoren 408
12.5.4 Mastopathie (Mastopathia cystica fibrosa, Dysplasie der Mamma) 408
12.5.5 Milchgangpapillom 408

12.6 Angeborene Erkrankungen 409
12.6.1 Polymastie 409
12.6.2 Polythelie 409
12.6.3 Mikromastie 410
12.6.4 Makromastie (Gigantomastie) 410
12.6.5 Tubuläre Brust 410
12.7 Mammakarzinom 411
12.7.1 Grundlagen 411
12.7.2 Klassifikation des Mammakarzinoms 412
12.7.3 Vorläuferläsionen des Mammakarzinoms 415
12.7.4 Klassifikation der Stanzbefunde 416
12.7.5 Operative Therapie 417
12.7.6 Rekonstruktive Verfahren 419
12.7.7 Strahlentherapie 422
12.7.8 Adjuvante (postoperative) Therapie 423
12.7.9 Chemotherapie 425
12.7.10 Hormontherapie 425
12.7.11 Antikörpertherapien 427
12.7.12 Metastasiertes Mammakarzinom 428
12.7.13 Lymphödem 429
12.7.14 Nachsorge 429

12.1 Leitsymptome und Differenzialdiagnosen

12.1.1 Knoten

Häufig durch die Pat. selbst erhobener Befund. **Cave:** Bei großen Tumoren wegen Kausalitätsbedürfnis der Pat. (z. B. „vor einer Woche beim Duschen gestoßen") oft ungenaue o. falsche anamnestische Angaben.

> ❗ Jeder palpable Knoten der Mamma sollte abgeklärt werden! Histologie bei jedem soliden Knoten (z. B. Stanzbiopsie).

Anamnese Neben dem Zeitpunkt des ersten Auftretens insb. Erfragen von Mamillensekretion (▶ 12.1.2), Risikofaktoren für Mamma-Ca (▶ 12.7.1) u. Schmerzhaftigkeit (▶ 12.1.4).

Differenzialdiagnosen
- Fester, nicht druckdolenter, solitärer Knoten, häufig unregelmäßig begrenzt, pos. Jackson-Phänomen (▶ Abb. 12.1; ▶ 12.2.1) → V. a. Mamma-Ca (▶ 12.7). Altersgipfel 40–70 J., in 55 % im oberen äußeren Quadranten
- Stark druckschmerzhafter Knoten mit Entzündungszeichen (Rötung, Überwärmung), Temperaturerhöhung, axilläre Temperaturdifferenz re./li. → V. a. Mastitis (▶ 12.3), meist als Mastitis puerperalis im Wochenbett (▶ 10.5.2), bei Fluktuation Abszess
- Glatt begrenzter Knoten mit mäßiger Druckschmerzhaftigkeit, z. T. eindrückbar o. fluktuierend, Altersgipfel 45–55 J. → V. a. Zyste (▶ 12.5.1)
- Diffuse Verdichtung des Drüsenparenchyms evtl. mit zyklusabhängigen, meist prämenstruell auftretenden Schmerzen, oft in beiden Mammae, gelegentlich mit Mamillensekretion → V. a. Mastopathie (▶ 12.5.4)
- Wenig druckdolenter Knoten, häufig multiple, dicht beieinanderliegende Befunde mit glatter Oberfläche, aber gelappter Struktur, Altersgipfel 15–30 u. 40–55 J. → V. a. Fibroadenom (▶ 12.5.2)
- Subkutaner, weicher bis mittelderber Knoten, nicht druckdolent → Lipom, Chondrom, Myxom, Fibrom o. Atherom (▶ 12.5.3)
- Mäßig bis stark druckdolenter, flächiger Knoten mit livider Hautverfärbung, ggf. mit Trauma in der Anamnese → Hämatom
- Spannungsgefühl beider Mammae, oft mit Überwärmung → Milcheinschuss p. p. (▶ 10.5.1)

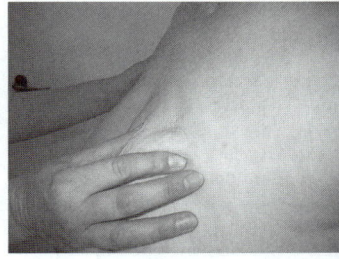

Abb. 12.1 Typisches Phänomen bei Mamma-Ca: Durch die karzinomatöse Fixierung der Cooper-Ligamente zieht sich die Haut bei seitlichem Druck nach innen anstatt wie sonst nach außen. [M453]

12.1.2 Mamillensekretion

- Bds. klarer o. milchiger Ausfluss (= Galaktorrhö) → Hyperprolaktinämie (▶ 17.4.3). Meist idiopathisch, bei Hypophysenadenom o. durch Medikamen-

te (Dopamin-Antagonisten; Neuroleptika: Phenothiazin, Butyrophenon; Antiemetika: Metoclopramid, Domperidon; Opiate; Östrogene; Blutdrucksenker: Kalziumkanalblocker; Antidepressiva: tri- u. tetrazyklische Antidepressiva, MAO-Hemmer, SSRI)
- Einseitiger o. bds. milchiger Ausfluss → Mastopathie (▶ 12.5.4)
- Blutiger o. blutig-seröser Ausfluss → Milchgangspapillom (▶ 12.5.5) o. -Ca (▶ 12.7)
- Gelblich-eitrige Sekretion → Mastitis o. Abszess (▶ 12.3, ▶ 10.5.2), gelegentlich bei Duktektasien o. Fibroadenomen

12.1.3 Hautveränderungen

- Einziehungen o. Vorwölbungen der Haut (▶ Abb. 12.2) → Tumor (▶ 12.1.1)
- Ekzeme im Bereich der Mamille u./o. Areola → V. a. M. Paget (▶ 12.7)
- Feinhöckerige Hautveränderungen (Orangenhaut, „Peau-d'orange-Phänomen") → V. a. Mamma-Ca (▶ 12.7)
- Mamillenretraktion (neu aufgetreten) → V. a. Mamma-Ca (▶ 12.7)
- Überwärmung beider Mammae mit schmerzhafter Spannung → Milcheinschuss p. p. (▶ 10.5.1)

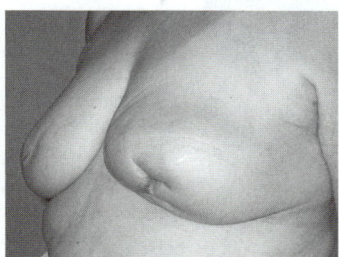

Abb. 12.2 Mamma-Ca links mit deutlicher Einziehung der Mamille [M453]

- Umschriebene Rötung mit Überwärmung u. Druckschmerzhaftigkeit → V. a. Mastitis o. Abszess (▶ 12.3). DD: inflammatorisches Mamma-Ca (▶ 12.7)
- Überzählige Mamillen o. rudimentäre Mamillen im Bereich der Milchleiste (vorwiegend axillär) → Polythelie (▶ 12.6.2)

> Zur genauen Beurteilung der Hautveränderungen muss die Brust ggü. der Unterlage (M. pectoralis major) bewegt werden, am einfachsten durch langsames Heben u. Senken der Arme.

12.1.4 Schmerzen
▶ Abb. 12.3.

12.1.5 Axilläre Tumoren

- Supraklavikuläre u. zervikale Lk mituntersuchen!
- Nicht druckdolente, vergrößerte, meist derbe o. steinharte Lk → V. a. Mammakarzinom-Metastasen (▶ 12.7). DD: M. Hodgkin, Lymphosarkom, akute lymphatische Leukämie
- Druckdolente vergrößerte Lk → reaktiv bei Mastitis, Entzündungen im Bereich der oberen Extremitäten. DD: Toxoplasmose, Mononukleose, Lupus erythematodes disseminatus

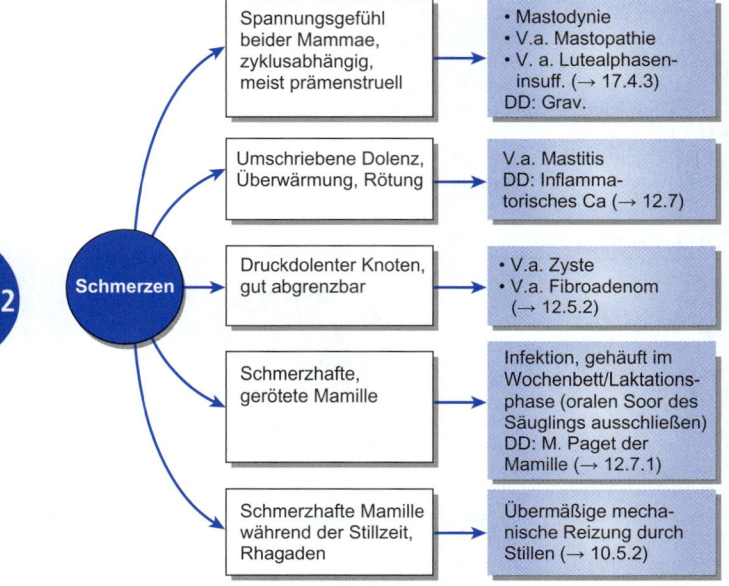

Abb. 12.3 Schmerzen der Mamma [L157/M453]

- Mäßig druckdolenter, mittelderber, unregelmäßiger Knoten → akzessorischer Drüsenkörper (▶ 12.6.1). Tritt meist p. p. zu Beginn der Laktation auf
- Druckdolenter, subkutan liegender Knoten → Schweißdrüsenabszess
- Unregelmäßiger, mittelderber, rasch wachsender Tumor: Weichteilsarkom, selten!

12.2 Diagnostische Methoden

12.2.1 Klinische Untersuchung

Die Progn. eines Mamma-Ca hängt in hohem Maße vom Stadium bei Behandlungsbeginn u. damit von der Effektivität der Früherkennung ab. Mittlere Überlebensdauer von Frauen mit unbehandeltem Brustkrebs: knapp 3 J.

Gezielte Anamnese
- Neu aufgetretene Größen-, Form-, Kontur- u. Konsistenzunterschiede
- Neu aufgetretene Einziehungen der Brustwarze
- Neu aufgetretene Vorwölbung der Haut, „Apfelsinenhaut"
- (Blutige) Mamillensekretion

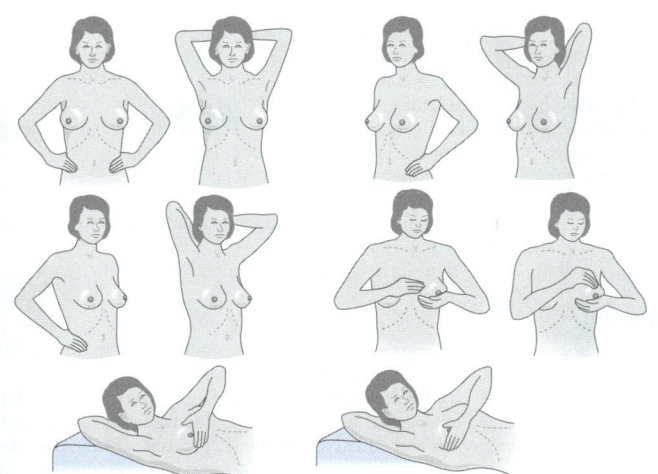

Abb. 12.4 Selbstuntersuchung der Brust. Jede Frau sollte zur monatlichen Untersuchung der Brust angehalten werden, am besten postmenstruell. Die Untersuchung umfasst die Brustinspektion vor dem Spiegel sowie die Palpation im Stehen und Liegen einschließlich der Axillarregion. [L190]

- Zirkumskripte einseitige (!) Schmerzen, Brennen, Kribbeln
- Mammaschmerzen, vermehrtes Druckgefühl, Überwärmung, Größenzu- o. -abnahme der Brust, Flüssigkeitsabsonderung aus der Brustwarze
- Vorbestehende Mamma-Erkr. u. -OP (auch Inzisionen bei Abszessen u. Mastitis puerperalis)
- Familienanamnese, v. a. Mamma-Ca (Mutter, Schwester)
- Grav. u. ausgetragene Schwangerschaften, Stillzeiten
- Hautrötung
- Ovarial- o. Kolon-Ca in der Vergangenheit
- Zyklusanamnese, Menarche u. Menopause
- Gyn. OPs (Adnektomie), Bestrahlungen im Genitalbereich (Rö-Kastration)
- Medikamenteneinnahme (Hormonpräparate)
- Knochen- o. Gelenkbeschwerden
- Störungen von Sensibilität u. Motorik
- Letzte Selbstuntersuchung der Brust (▶ Abb. 12.4), gyn. Vorsorgeuntersuchung u. Mammografie

Inspektion

Durchführung Die Inspektion sollte im Stehen, in Rückenlage u. bei vornübergeneigtem Oberkörper der Pat. erfolgen. Zur besseren Beurteilung von Hautveränderungen ist eine passive Bewegung der Brust durch Heben u. Senken der Arme notwendig.

Befunde
- Symmetrie bzgl. Form, Größe, Mamillen (die beiden Mammae sind nur selten exakt gleich groß, Veränderung erfragen)
- Akzessorische Mamillen (▶ 12.6.2)
- Mamillensekretion (Inspektion der Kleidung)
- Vorwölbungen, Einziehungen, Orangenhaut (= Peau d'orange, feinhöckerige Vorwölbungen durch Lymphödem der Haut über einem Malignom)
- Fixierung der Mamma auf dem M. pectoralis major
- Umschriebene o. generalisierte Rötung, Narben
- Farbveränderungen der Mamille, Ekzeme, sonstige Hautveränderungen wie vermehrte Venenzeichnung, Hämatome
- Untersuchung in submammärer Umschlagfalte nicht vergessen!

Palpation

Durchführung Die Untersuchung sollte zunächst bei stehender Pat. mit hängenden u. in die Hüften gestemmten Armen durchgeführt werden, danach bei liegender Pat. mit hinter dem Kopf verschränkten Armen. Die Palpation selbst erfolgt bimanuell u. mit einer Hand gegen die Brustwand. Zur besseren Orientierung sollte jeder Quadrant einzeln von außen nach innen abgetastet werden, die retroareoläre Region nochmals extra. Abschließend wird mit beiden Händen eine vergleichende Palpation beider Brüste sowie der lokalen Lymphabflussgebiete durchgeführt. Um eine Sekretion von Mamillensekret zu provozieren, wird die Brust von radiär nach zentral in jedem Quadranten mit mäßigem Druck ausgestrichen, danach der Retromamillarraum extra leergedrückt. Evtl. auftretendes Sekret sollte immer zytol., bei V. a. Mastitis auch mikrobiol. untersucht werden.

Befunde Bei path. Befunden ist zu dokumentieren:
- Größe in Zentimeter, Konsistenz, Schmerzhaftigkeit (spontan u. auf Druck)
- Verschieblichkeit des Tumors ggü. restlichem Parenchym, Haut u. Unterlage
- Oberflächenstruktur u. Form
- Lokalisation des Befunds, am besten in Uhrzeit (1–12 Uhr) u. Entfernung (cm) von der Mamille, bei sehr großen Prozessen Angabe des Quadranten (▶ Abb. 12.5)
- **Jackson-Phänomen:** über palpablen Knoten prüfen. Bei Kompression der Brust entsteht normalerweise über den Fingern eine Vorwölbung. Ist das mammäre Bindegewebe durch den Tumor infiltriert, kann sich die Brust nicht ausdehnen; es entsteht eine Einziehung (▶ Abb. 12.2).

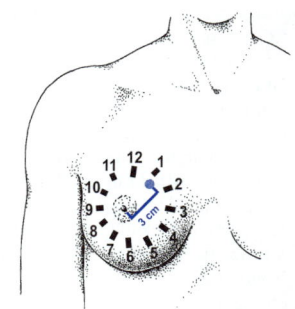

Abb. 12.5 Lokalisation von Mammabefunden [L190]

12.2.2 Radiologische Methoden

Mammografie
Der günstigste Zeitpunkt für die Durchführung liegt kurz nach der Menstruation, da hier das Parenchym am besten zu beurteilen ist.

> Anspruch auf eine Mammografieuntersuchung besteht bei palpatorischem Befund, verdächtigen Vorbefunden, Risikomastopathie, Brustkrebs in der eigenen Anamnese/Familienanamnese.

Indikation und empfohlene Zeitabstände
- Bei Risikofaktoren (insb. belastende Familienanamnese, therapiertes Mamma-Ca) jährliche Kontrollen
- Bei verdächtigen Veränderungen (insb. palpabler Knoten, Hauteinziehungen) sofort
- Ab dem 40. Lj einmalige Basismammografie (keine Kassenleistung, Nutzen nicht durch Studien erhärtet)
- Screeningmammografie: im Alter von 50–69 J. alle 2 J. Einladung erfolgt automatisch an alle Frauen in dieser Altersgruppe. Kein Arztkontakt, Ergebnis wird der Frau nach Doppelbefundung der Aufnahmen schriftlich mitgeteilt

Durchführung Standardaufnahmen beider Mammae bei aufrechter Pat. im kraniokaudalen u. obliquen Strahlengang (▶ Abb. 12.6). Bei path. Befunden ggf. bes. Zielaufnahmen o. axilläre Aufnahmen. Aufgrund der geringen Strahlendichte des Mammaparenchyms sollten die Aufnahmen zur Verringerung der Strahlenbelastung mit Weichstrahl-Rastertechnik u. Film-Folien-Komb. bzw. digital durchgeführt werden.

Malignitätskriterien
- Sternförmige Opazitäten („Krebsfüßchen")
- Unscharf begrenzte Opazitäten
- Gruppierter Mikrokalk (mind. 5 polymorphe Kalkherde)

Die **Lokalisation** der Befunde sollte unter Angabe der „Uhrzeit", der **Zentimeter-Entfernung** von der Mamille sowie der Entfernung von der Haut angegeben werden. Insb. bei nicht palpablen Befunden (z. B. Mikrokalk) ist dies für die OP-Planung wichtig.

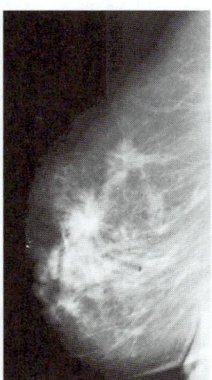
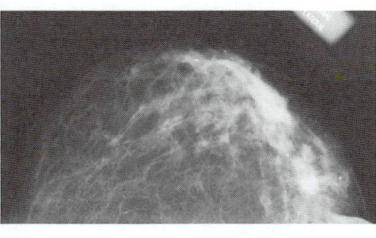

Abb. 12.6 Mammografie eines multizentrisch wachsenden Karzinoms: **mediolateraler** und **kraniokaudaler** Strahlengang [T192]

Klassifikationssysteme
- BI-RADS-Klassifikation (Breast Imaging and Reporting System): ▶ Tab. 12.1
- Einteilung der Dichte des Drüsenkörpers: ▶ Tab. 12.2
- Kriterien zur Beurteilung von Herdbefunden in der Mammografie: ▶ Tab. 12.3
- Mögliche Befunde bei Makrokalk: ▶ Tab. 12.4

Tab. 12.1 Einschätzung der Dignität in sechs Kategorien (BI-RADS 0–5) und adäquates Prozedere gem. American College of Radiology (ACR) [W913]

BI-RADS-Kategorie	Bewertung	Prozedere	Karzinomwahrscheinlichkeit (%)
0*	Diagn. inkomplett	Diagn. vervollständigen	unklar
1	Kein path. Befund	Keine Kontrolle	0
2	Sicher benigner Befund	Keine Kontrolle	0
3	Wahrscheinlich benigner Befund	Kontrolle	1–3
4	Unklarer, möglicherweise maligner Befund	Biopsie	20–30
5	Malignomtypischer Befund	Biopsie, adäquate Ther.	≈ 90

* Typischerweise vorgesehen für Screeningfälle, bei denen weitere diagn. Maßnahmen erforderlich sind

Tab. 12.2 Klassifikation des Parenchymmusters im Mammogramm nach ACR

Typ	Beschreibung	Diagnostische Sicherheit
I	Überwiegend lipomatös	Sehr hoch
II	Fibroglandulär	Hoch
III	Inhomogen dicht	Begrenzt
IV	Extrem dicht	Begrenzt

Tab. 12.3 Beurteilungskriterien für Herdbefunde in der Mammografie

Form	Begrenzung	Dichte
Rund	Scharf begrenzt	Fettäquivalent
Oval	Partiell von Parenchym überlagert	Geringer als umgebendes Parenchym
Lobuliert	Unscharf begrenzt	Parenchymäquivalent
Irregulär	Mikrolobuliert strahlig	Höher als umgebendes Parenchym

Tab. 12.4 Morphologische Differenzialdiagnostik, Makroverkalkungen in der Mammografie

Morphologie	Grunderkrankung/Befund
Lanzettenartig (Ø > 1 mm)	Plasmazellmastitis
Zentral transparent (intramammäre Lage)	Verkalkte Mikrozysten
Gleisartig	Arteriosklerose
Sedimentiert (ML-Aufnahme!)	Kalkmilch in Mikrozysten
Popcornartig	Fibrosiertes Mikroadenom
Eierschalenartig	Fettgewebsnekrose
Knotig	Nahtmaterial

Galaktografie

Durchführung Bei path. Milchgangsekretion (v. a. serös, braun o. blutig) wird der betroffene Milchgang nach Abnahme eines zytol. Abstrichs von der Mamille aus vorsichtig sondiert u. dilatiert. Anschließend wird über eine flexible Kanüle 0,2–0,5 ml wasserlösliches KM (z. B. Solutrast®) injiziert u. danach eine Rö-Kontrolle in 2 Ebenen angefertigt.

Befund Zu erkennen sind Duktektasien, Milchgangaussparungen, Milchgangabbrüche, Kompressionen des Milchgangs von außen.

12.2.3 Mammasonografie

Die Ultraschalluntersuchung (▶ Abb. 12.7) kann die Mammografie in ihrer Aussagefähigkeit nicht ersetzen, bietet aber zusätzliche diagn. Möglichkeiten, insb. zur Differenzierung von soliden u. zystischen Prozessen, v. a. bei dichtem Drüsenkörper (ACR ≥ 3) o. der DD von Tumoren. Unter sonografischer Sicht ist eine Punktion o. eine High-Speed-Stanzbiopsie der Befunde möglich. Durchführung mit Linear-Scanner u. 10- bis 13-MHz-Schallkopf.

Indikationen
- Bei KI für Mammografie, z. B. Schwangerschaft
- Fehlende mammografische Erfassbarkeit eines Befunds, z. B. exzentrisch gelegene, axilläre o. supra- bzw. infraklavikuläre Befunde (v. a. Lokalrezidive nach Mastektomie)
- Eingeschränkte Beurteilbarkeit der Mammografie, z. B.:
  – Rö-dichte Mamma (ACR 3 + 4), Stillzeit
  – Z. n. prothetischem Brustaufbau
  – Postop. bzw. nach durchgeführter Radiatio
  – V. a. Hämatom, Serom o. Abszess
- Kurzfristige Verlaufskontrollen nach Punktion von Zysten, Seromen, Hämatomen, Abszessen, unter Antibiotika-, Hormon- o. Zytostatikather., als Intervalluntersuchung bei bek. zystischer Mastopathie (fakultativ zwischen den Mammografieterminen!)

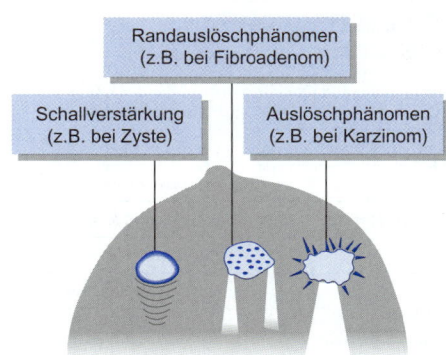

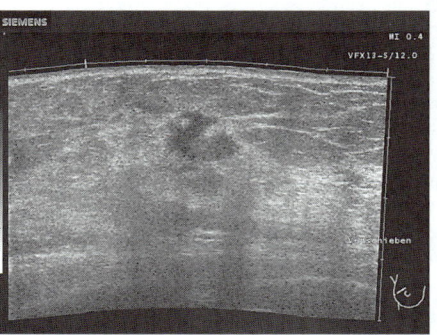

Abb. 12.7 Ultraschall der Mamma: a) Ultraschallphänomene [L157], b) Ultraschallbild eines Mamma-Ca [T192]

Beurteilungskriterien Zystische o. solide Befunde, Abgrenzbarkeit der Befunde (scharf o. unscharf), mit o. ohne Binnenechos, mit Schallverstärkung o. Schallauslöschung hinter dem Befund (▶ Tab. 12.5).

Tab. 12.5 Beurteilungskriterien der Mamma in Sono- und Mammografie		
	Mammografie	**Sonografie**
Malignitätskriterien	Gruppierter Mikrokalk (v. a. bei duktalem Ca)	Inhomogene Echos o. kein Befundnachweis
	Sternförmige Ausziehungen, „Krebsfüßchen" (v. a. bei zirrhösem Ca)	Nur wenige Echos innerhalb eines Herdes
	Unscharfe Begrenzung des Herdes (solides Ca)	Unscharfe, zackige Randkonturen
	Kutane Verdickungen (Lymphangiosis carcinomatosa bei inflammatorischem Ca)	Zentrales Auslöschphänomen Unilaterales Randauslöschphänomen

Tab. 12.5 Beurteilungskriterien der Mamma in Sono- und Mammografie *(Forts.)*

	Mammografie	Sonografie
Kriterien für Benignität	Grobschollige Verkalkung	Homogene Echos o. echoleere Struktur
	Glatt begrenzte Verdichtung (z. B. Zyste, Fibroadenom)	Randkontur scharf u./o. glatt
	Diffuse bis wolkige Verdichtungsstrukturen ohne zirkumskripten Befund (Mastopathia cystica fibrosa)	Struktur auf Druck deformierbar
		Zentrale Schallverstärkung (Zyste) o. bilaterales Randauslöschphänomen (Fibroadenom)

(handschriftlich: → dahinter hell)

12.2.4 Magnetresonanztomografie

Bedeutung Zusatzuntersuchung zu Mammografie u. Sono. Sollte in der 1. Zyklushälfte durchgeführt werden, da in der 2. Hälfte falsch pos. Anreicherungen möglich sind. **Cave:** i. d. R. keine GKV-Leistung.

Indikationen
- Mammografisch **und** sonografisch unklare Befunde
- Ausschluss Multizentrizität bei unklaren Befunden
- CUP mit axillären Lk-Metastasen
- Nach Inlayeinlage bei auffälligen Befunden
- Differenzierung Narbe o. Rezidiv bei Z. n. brusterhaltender OP (BET)
- Bei nachgewiesenem invasiv lobulärem Ca z. A. weiterer Tumorherde
- Bei Z. n. mammografisch u. sonografisch inapparentem, im MRT nachgewiesenem Mamma-Ca

12.2.5 Biopsie

Die minimalinvasive präop. histol. Sicherung eines auffälligen Befunds gilt heute als Standard.

Stanzbiopsie

Durchführung Über ein Koaxialnadel-System werden mithilfe einer automatischen Biopsiepistole (z. B. BARD-High-Speed-Stanze®) unter Sono-Kontrolle ≥ 4 Proben bei ≤ 14 G aus dem Tumor entfernt.

Vakuumbiopsie

Durchführung Probenentnahme aus einer Läsion (mind. 10 Zylinder), aber auch komplette Abtragung von Befunden bis zu 1 cm (z. B. Mikrokalk) durch stereotaktische Eingriffe (Mammografiekontrolle) o. in Ausnahmefällen als sonografisch geführte Maßnahmen möglich (z. B. Mammotome® o. Vacora®-Vakuumbiopsie). Vorteil: Eingriff in LA, amb. OP. Nachteil: hohe Kosten für Einmalnadel.

Offene Biopsie

Indikationen Exzision von vermuteten benignen Befunden o. bei ungünstiger Lokalisation (z. B. thoraxwandnaher Befund) zur Entfernung z. B. nach radiol. Drahtmarkierung. Ausnahmesituation!

Entfernung von gruppiertem Mikrokalk nach Drahtmarkierung (Präparateröntgen obligat zur Überprüfung der kompletten u. korrekten Entnahme).

Durchführung Hauteröffnung möglichst direkt oberhalb der zu entfernenden Resistenz. Mögliche Schnittführungen (▶ Abb. 12.8):

- **Paramamillär (1):** Bei weit von der Mamille entfernt liegenden Befunden zu wählen.
- **Submammär (2):** Bei Befunden in den unteren Quadranten wird der Schnitt in der Submammärfalte gelegt u. in den meisten Fällen von der herabhängenden Brust verdeckt.
- **Perimamillär (3):** kosmetisch am günstigsten. Angesichts der zu erwartenden Narbenbildung sollte der Schnitt ca. 1–2 mm außerhalb der Areola angesetzt werden.
- **Schnitt in der Achselhöhle (4):** zur isolierten Entfernung der axillären Lk Level I u. II. Kosmetisch am günstigsten, wenn am Rand des M. pectoralis major durchgeführt.
- **Schnitt in der unteren Brusthälfte:** kosmetisch bessere Ergebnisse; quere (Hautspalten) Schnittführung führt häufig zu narbigen Verziehungen.

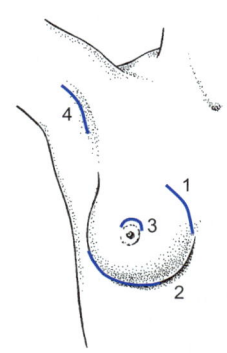

Abb. 12.8 Schnittführungen [L106]

> Jeder solide Mammabefund muss histol. abgeklärt werden, auch Tastbefunde ohne Korrelat in der bildgebenden Diagn. Dank Stanzbiopsie ohne offenen Eingriff i. d. R. möglich (▶ Tab. 12.6).
> - Stillen ist häufig auch nach einer Tumorektomie noch möglich, da es zur Ausbildung neuer Ductuli kommt.
> - Bei suspekten Mikroverkalkungen u. a. lediglich mammografisch gesicherten Befunden muss die korrekte Entnahme durch die intraop. Präparat-Radiografie gesichert werden (Markierungsdraht für den Radiologen belassen, Präparat vor Abgabe zum Radiologen u. Pathologen fadenmarkieren, für evtl. Lokalisation einer Nachresektion).

Tab. 12.6 Klassifikation der Stanzbefunde [W913]			
Gruppe	**Beschreibung**	**Beispiele**	**Vorgehen**
B1a	Nicht verwertbar		Korrelation zwischen Histologie u. bildgebender Diagnostik herstellen
B1b	Ausschließlich Normalgewebe	Kein path. Befund, kein Korrelat für klin. Befund	

12.2 Diagnostische Methoden

Tab. 12.6 Klassifikation der Stanzbefunde [W913] *(Forts.)*

Gruppe	Beschreibung	Beispiele	Vorgehen
B2	Gutartig	Fibrös-zystische Mastopathie Fibroadenom Sklerosierende Adenose Periduktale Mastitis, kleines Papillom, das vollständig entfernt wurde	Diagnostik ist abgeschlossen
B3	Gutartig, aber mit unsicherem biol. Verhalten	Atypische intraduktale Epithelproliferate, bei denen eine definitive Festlegung an der perkutanen Biopsie nicht möglich ist; atypische lobuläre Hyperplasie (ADH), lobuläre intraepitheliale Neoplasie (LCIS, bzw. LIN), papilläre Läsionen (papilläres Adenom der Mamille, solitäres zentrales Papillom), bei V. a. ein papilläres DCIS → B4; adenomyoepitheliale Neoplasie I u. II, radiäre Narbe, komplexe sklerosierende Läsion; Fibroadenome mit verstärkter Proliferation, V. a. Phylloides-Tumor, flache epitheliale Atypie (FEA)	Besprechung in der interdisziplinären Tumorkonferenz
B4	V. a. bösartige Veränderung, aber nicht sicher	z. B. vermutlich maligne Veränderung, aber Beurteilbarkeit aus techn. Gründen eingeschränkt Atypische intraduktale Epithelproliferate in Abhängigkeit von Ausdehnung u. Schwere der Atypie Phylloider Tumor mit Atypien V. a. papilläres Karzinom	
B5	Behandlungsbedürftiger bzw. bösartiger (invasiv wachsender) Tumor		Weiterführende Therapie
B5a		Duktales Carcinoma in situ	
B5b		Invasives Karzinom	
B5c		Invasionsstatus nicht beurteilbar	
B5d		Andere maligne Tumoren (z. B. Lymphom, Sarkom)	

12.2.6 Labordiagnostik

Etwa 5 % der Frauen, die an Brustkrebs erkranken, sind Trägerinnen einer dominanten Mutation des BRCA1-Gens (Breast-Cancer-Gen). Diese Pat. haben ein Mamma-Ca-Risiko von ca. 90 %. Im Rahmen der deutschen BRCA1-Genstudie kann die Untersuchung Pat. mit belastender Familienanamnese (mind. zwei Mamma- o. Ovarial-Ca bei Verwandten 1. o. 2. Grades) u. entsprechender genetischer Beratung angeboten werden.

12.3 Mastitis

(Mastitis puerperalis ▶ 10.5.2).

Epidemiologie Häufig junge Frauen betroffen (60 % < 30 J.), 2. Altersgipfel 50–60 J. In 70 % Mastitis puerperalis, in 30 % Mastitis nonpuerperalis. Entwicklung meist bei einer Hyperprolaktinämie mit vorausgehender Mastodynie u. Galaktorrhö.

außerhalb Stillzeit

> **Erreger**
> - 40 % *Staphylococcus aureus* (bei Mastitis puerperalis 95 %)
> - 40 % koagulaseneg. Staph.
> - 10 % Anaerobier
> - 10 % Sonstige

Klinik
- Fieber, häufig mit Schüttelfrost, axilläre Temperaturdifferenz re./li.
- Umschriebene Schmerzen, Rötung, Überwärmung, axilläre schmerzhafte Lk-Schwellung
- Bei Abszess Fluktuation (in 50 % der Mastitiden)

Therapie
- **Komplikationslose Mastitis:**
  - Lokale Ther. mit Kühlen, straffer BH
  - Antibiotika: orales Cephalosporin, z. B. Cefaclor 3 × 500 mg/d p. o. (z. B. Cefaclor®). Bei Resistenz o. Unverträglichkeit parenterale Ther. mit Flucloxacillin 3 × 1 g/d i. v. (Staphylex®) o. Cephalosporine wie Cefuroxim 3 × 1,5 g/d i. v. (Cefuroxim CT®) o. Cefotaxim 2–3 × 2 g/d i. v. (Claforan®)
  - Antiphlogistika: Diclofenac 3 × 50–100 mg/d p. o. oder Supp. (z. B. Voltaren®)
  - Falls ohne Erfolg: Zusätzlich Prolaktinhemmer wie Bromocriptin 2,5 mg/d p. o. (z. B. Pravidel®). **Cave:** Hypotonie
- **Abszess:**
  - Punktion unter Sono-Kontrolle, ggf. Repunktion. Inzision, manchmal mit notwendiger Gegeninzision in Narkose (▶ 10.5.2). Offenhalten der Wundhöhle durch Einlegen einer Drainage o. Lasche, gründliche chir. Nekrosenabtragung, histol. Sicherung
  - Spülen mit Rivanol® 0,5 %, Betaisodona® (**cave Jodtherapie:** Hyperthyreose, autonomes Schilddrüsenadenom)
  - Zur Granulationsanregung nach Säuberung lokale Ther. möglich, z. B. mit Oxoferin®, Lavasept® Spülung mit Alkinat® u. Mepilex®-Pflaster. Bei allergischer Reaktion gute Heilung mit Haushaltszucker
- **Chron. Fistelungen:** Exzision des gesamten Fistelgangsystems nach Darstellung mit Methylenblau-Lsg. **Cave:** Durch den großen Defekt sind häufig nur unzureichende kosmetische Ergebnisse zu erzielen → psychische Probleme

Komplikationen
- Chron. rezid. Formen in 30 % d. F. Ther. mit Bromocriptin 2,5 mg/d p. o. (z. B. Pravidel®) u./o. Beseitigung der Ursachen der Hyperprolaktinämie (▶ 17.4.3).
- Nach Abszessspaltung Narbenbildungen mit Deformität der Brust.
- Bei Vernarbungen ist die Beurteilbarkeit der Mammografie-Kontrollen erschwert, da Mikroverkalkungen des Mammaparenchyms u. narbige Verschattungen ein neu entstandenes Ca verdecken können.

> Manchmal kann sich hinter einer Mastitis nonpuerperalis ein Mamma-Ca verbergen, daher nach Abschluss der Behandlung <u>immer</u> Mammografie u. Sono durchführen, ggf. histol. Klärung.

DD: inflammatorisches Mamma-Ca, M. Paget.

12.4 Mastodynie

Klinik Bedingt durch die Größenzunahme der Brust um ca. 15–40 ml, insb. in der 2. Zyklushälfte, leiden etwa 50 % aller Frauen unter einem Spannungsgefühl beider Mammae. Die Beschwerden treten typischerweise etwa 1 Wo. vor der Menstruation auf, häufig komb. mit Stimmungsschwankungen, Übelkeit u. Kopfschmerzen im Sinne eines **prämenstruellen Sy.** (PMS, ▶ 21.2.3). Häufig psychosomatische Komponente. **DD**: Grav., Mamma-Ca, Thrombophlebitis der Brust, Trauma.

Therapie
- Für gut sitzenden BH sorgen
- Lokale Progesteron-Applikation (z. B. Progestogel® Gel)
- Systemische Progesteron-Gabe, z. B. Dihydrogeston 10 mg/d p. o. (Duphaston®) vom 16.–25. ZT
- Pflanzliche Präparate mit Agnus castus, z. B. Mastodynon® N 2 × 30 Tr./d
- Gestagenbetonte Kontrazeptiva (z. B. Microgynon®, Marvelon®)
- Falls ohne Erfolg: Bromocriptin 1,25–2,5 mg/d p. o. (z. B. Pravidel®) in der 2. Zyklushälfte (**cave**: Präparat dafür nicht zugelassen)

12.5 Gutartige Veränderungen

12.5.1 Zysten

> Intramammäre Zysten entstehen auf dem Boden von Sekretretention, häufig in Zusammenhang mit einer fibrös-zystischen Mastopathie (▶ 12.5.4). Der Altersgipfel liegt in der Perimenopause (45–55 J.). Zu unterscheiden sind Mikrozysten (Ø 1–2 mm) u. Makrozysten (Ø 1–6 cm). Durch Einblutung kann das Sekret blaugrünlich verfärbt sein.

Diagnostik Mammografie, Sono.

Therapie Bei Malignitätsverdacht (intrazystische Proliferationen) Exzision, bei nicht malignitätsverdächtigem Befund sonografische Kontrolle nach 3 Mon., Punktion nur bei Schmerzhaftigkeit.

12.5.2 Fibroadenom

Epidemiologie Häufigste gutartige Neubildung der Mamma vor der Menopause (ca. 30 % aller Frauen). Altersgipfel 20–24 J., danach Plateau bis 44 J. Meist solitäre Knoten, in 10 % multipel, in 5 % bilateral. Mittlere Größe 1–2 cm, 60 % < 5 cm.

> - Fibroadenome erhöhen das Risiko für ein Mamma-Ca nicht.
> - In der Grav. häufig Größenzunahme.

Therapie Bei mammografisch u. sonografisch eindeutigem Befund ggf. Stanzbiopsie zur histol. Diagnosesicherung. Exzision nur bei Beschwerden, unklaren Befunden o. auf Wunsch der Pat.
Orale Kontrazeptiva (▶ 18.4) senken die Häufigkeit von Fibroadenomen bei lang dauernder Einnahme.

> **Sonderform**
> **Cystosarcoma phylloides** (proliferierendes Fibroadenoma phylloides), ca. 3 % aller Fibroadenome. Benigner Tumor auf dem Boden eines Fibroadenoms mit überschießendem Wachstum der Stromazellen, im Extremfall bis 30 cm → oft mit zungenförmigen Ausläufern ins umgebende Drüsenparenchym. Bei unvollständiger Exzision sehr hohe Rezidivneigung.

12.5.3 Andere mesenchymale Tumoren

- **Lipom:** intramammäre Fettgewebswucherung, meist abgekapselt. Palpatorisch u. insb. mammografisch häufig eindeutiger Befund. Nach Traumata können Fettgewebsnekrosen mit Ausbildung von Ölzysten o. sek. Verkalkungen vorkommen.
- **Hamartom (= Adenolipom, Mastom):** lokalisierte Proliferation von Mantel-, Stütz- u. Fettgewebe der Brust („Mamma in der Mamma"). Klin. Ausbildung eines gut abgrenzbaren, mit Pseudokapsel umgebenen, intraop. meist stumpf herauszulösenden Tumors.
- **Sarkom:** vom Bindegewebe ausgehender maligner Tumor. 1 % der malignen Mammatumoren. Knotiges o. diffuses Infiltrat der Mamma. Bei Erstdiagn. liegen in ca. 30 % bereits Metastasen vor, somit sehr schlechte Prognose.

12.5.4 Mastopathie (Mastopathia cystica fibrosa, Dysplasie der Mamma)

Definition Umbaureaktion der Mamma, vorwiegend peri- u. postmenopausal auftretend (Altersgipfel 46–52 J.). Durch Progesteronmangel u. relativen Östrogenüberschuss kommt es zu Fibrosierungen, intraduktalen Epithelproliferationen, Gangektasien u. Zystenbildung. Häufigste gutartige Erkr. der Mamma (bei 40–50 % aller Frauen).

Vorgehen
- Bei allen verdächtigen Befunden Probeexzision u. histol. Untersuchung
- Bei Mastopathie mit Atypien engmaschige Sono-Kontrolle alle 6 Mon., ggf. jährl. Mammografie-Kontrolle, nach 2 J.: 2-jährl. Mammografie

12.5.5 Milchgangpapillom

Definition Einzeln o. multipel (= Milchgangpapillomatose) vorkommende Epithelproliferation der Duktuszellen. Nur bei der Papillomatose muss von einem erhöhten Entartungsrisiko ausgegangen werden. Papillome kommen meist bei fibrös-zystischer Mastopathie vor, können aber auch isoliert auftreten.

Klinik Blutige o. seröse Milchgangsekretion.

Diagnostik Zytologie u. Galaktografie.

Therapie Bei auffälliger Zytologie u./o. Galaktografie Exzision nach vorheriger Darstellung des Gangsystems mit Methylenblau (Mamma-PE nach Urban).

12.6 Angeborene Erkrankungen

12.6.1 Polymastie

Komplette Anlage einer überzähligen Brustdrüse (Brustwarze u. Parenchymgewebe), meist innerhalb der Milchleiste.

Polymastia glandularis (= Mamma aberrata)
Häufigste Form, bei der lediglich der Drüsenkörper angelegt ist. Häufigste Lokalisation ist die Axilla, gefolgt von der Vulva.

Diagnostik Diagn. erfolgt meist in der Grav. o. während der Laktationsperiode, da das ektope Drüsengewebe gemäß der hormonellen Regulation anschwillt.

Komplikationen Sekretretention u. Mastitis.

Therapie Da ein etwas erhöhtes Entartungsrisiko besteht, sollte das akzessorische Drüsengewebe chir. entfernt werden.

Polymastia completa (= Mamma accessoria)
Seltener, mit Mamille, Areola u. Drüsenkörper.

Therapie Aus kosmetischer u. psychischer Ind. frühzeitige Abtragung zu empfehlen, die auch im Hinblick auf eine mögliche maligne Entartung sinnvoll erscheint.

12.6.2 Polythelie

Definition Überzählige Brustwarze ohne darunterliegendes Parenchymgewebe (▶ Abb. 12.9).

Einteilung
- **Polythelia completa:** häufigste Form der Überschussbildungen, kommt bei 1–5 % aller Frauen vor, mit Warzenanlage u. Areola ohne Drüsenparenchym (53 %). Lokalisation meist Axilla (43 %), unterhalb u. innerhalb der normalen Mamma (26 %), Rippenbogenrand (12 %) o. vordere Achselfalte (10 %)
- **Polythelia mamillaris:** akzessorische Mamille inner- o. außerhalb der Areola (23 %)
- **Polythelia areolaris:** Warzenhof ohne Mamille o. Drüsengewebe (23 %)

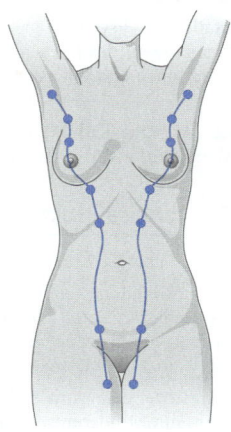

Abb. 12.9 Polythelie [L157]

Therapie Op. Entfernung möglichst im frühen Kindesalter.

12.6.3 Mikromastie

Definition Bilaterale Hypoplasie der Mamma.

Ätiologie Turner-Sy., Pseudohermaphroditismus femininus, adrenogenitales Sy., konstitutionell bedingt u. Anorexia nervosa.

Therapie Nach Ursachenklärung (▶ 19.3, ▶ 20.5.2, ▶ 20.7.6) u. ggf. deren Ther. bei psychischer Belastung Augmentationsplastik mit subpektoraler o. subglandulärer Einlage einer Silikonprothese.

12.6.4 Makromastie (Gigantomastie)

Definition Uni- o. bilaterale Hypertrophie des Drüsenkörpers, die über die normale Größe der Mamma von 150–400 ml (g), am Ende der Grav. ≤ 600 ml (g) u. 600–800 ml (g) während der Laktation hinausgeht.

Einteilung
- Pubertätsmakromastie (81 %): häufigste Form, die vor o. nach der Menarche im Alter von 11–18 J. auftritt (Gewichte von 1–7 kg Drüsenparenchym, Fett- u. Bindegewebe).
- Graviditätsmakromastie (11 %): Meist im 2.–5. Mon. entwickelt sich im Zeitraum von 6–12 Wo. eine Hyperplasie mit bis zu 9 kg Mammagewicht.

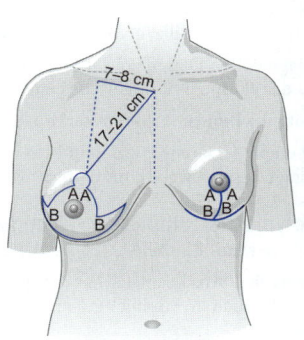

Abb. 12.10 Mamma-Reduktionsplastik [L157]

Komplikationen Psychische Belastung, Lymphödem des Drüsenkörpers, Hautulzerationen und v. a. bei einseitigem Auftreten statische Beschwerden (Skoliose).

Therapie Mamma-Reduktionsplastik (▶ Abb. 12.10), je nach Brustgröße evtl. mit freier Mamillentransplantation (Sensibilitätsverlust, kein Stillen möglich!).

12.6.5 Tubuläre Brust

Synonyme Tuberöse Brust, Schlauchbrust, Rüsselbrust, Tütenbrust.

Definition Am häufigsten vorkommende Brustfehlbildung. Ein- o. bds. Fehlbildung der weiblichen Brust mit unterentwickelten o. fehlenden unteren Brustdrüsenanteilen u. übergroßen vorfallenden (schlauchförmigen) Brustwarzenhöfen (Areolae).

Ätiologie In der embryonalen Phase kommt es zur Wachstumsstörung des Drüsengewebes mit Minderentwicklung der unteren Brustquadranten, großen Areolae u. schlauchförmig (nach vorn prolabiertem) verschmälertem Restdrüsengewebe.

Typen

- **Typ I:** Fehlen des inneren unteren Brustviertels
- **Typ II:** Fehlen beider unteren Brustviertel, Brustwarze nicht nach unten verzogen
- **Typ III:** Fehlen beider unteren Brustviertel, Brustwarze nach unten verzogen
- **Typ IV:** Fehlen der unteren u. oberen Brustviertel, echte Schlauchbrust

Therapie Korrektur des großen Brustwarzenhofs (Verkleinerung, periareoläre Straffung), Umformung des vorhandenen Drüsengewebes (ohne Implantat), Einlage einer Silikonprothese o. Eigenfetttransplantation, Korrektur des Hautmantels (Bruststraffung), Rekonstruktion einer neuen Unterbrustfalte, ggf. Korrektur der Gegenseite.

Bei tubulärer Brust sollte wie bei weiteren krankhaften Formentwicklungsstörungen u. dem Brustwiederaufbau nach Brustkrebsbehandlung eine Kostenübernahme durch die Krankenversicherung eingeholt werden.

12.7 Mammakarzinom

12.7.1 Grundlagen

Definition Häufigster maligner Tumor der Frau (24 % aller Malignome), jede 9. Frau (11 %) erkrankt im Laufe ihres Lebens an einem Mamma-Ca. Die Inzidenzkurve steigt vom 20.–40. Lj etwa kontinuierlich an u. erreicht dann ein Plateau. Ein 2. Anstieg ist in der Postmenopause zu verzeichnen. Das Mamma-Ca ist die häufigste Todesursache bei Frauen zwischen 40 u. 50 J. In D ca. 75.000 Neuerkr./J.

Risikofaktoren ▶ Tab. 12.7.

Tab. 12.7 Wichtigste bekannte Risikofaktoren für das Mammakarzinom			
Risikofaktor	RR*	Risikofaktor	RR*
Verwandte 1. Grades mit einseitigem Ca	3–4	Adipositas	1–8
Verwandte 1. Grades mit beidseitigem Ca	7–9	Mamma-Ca der kontralateralen Brust	1,5–4,8
Menarche < 12 J.	1,7–3,4	Endometrium-Ca	2–4
Menarche > 17 J.	0,3	Ovarial-Ca	2–4
Nullipara	1,5–4	Kolorektal-Ca	1,8
Stillen (> 4 Wo.)	0,3–0,5	Mastopathie 2. Grades	1,2
Menopause < 45. Lj	0,5	Mastopathie 3. Grades	2,5–4
Menopause > 55. Lj	2	BRCA-Mutation	8–10
* RR = Relatives Risiko			

Einteilung Histol. häufigste Form ist mit ca. 80 % das invasiv duktale Ca (in der neuen Nomenklatur als NST (= „no special type") bezeichnet.

Weitere Formen:
- **Lobuläres Karzinom:** ausgehend von den Drüsenläppchen. Da häufiger multifokal u. bds. vorkommend: Mamma-MRT zu empfehlen (**cave:** primär keine Leistung der GKV)
- **M. Paget o. Paget-Ca:** intraduktales Ca mit Ausbreitung intraepidermal über Mamille u. Areola. Leitsymptom: Ekzem von Mamille u. Areola, blutige Sekretion
- **Inflammatorisches Ca:** ausgedehnte Ausbreitung des Ca in Lymphspalten mit Entzündungszeichen. Infauste Prognose, Überlebenszeit 1–2 J.

Diagnostik
- **Klin. Untersuchung:** Palpation, Inspektion, WS-Klopfschmerz, WS-Beweglichkeit, Klopfschmerz über Femur, Humerus u. Schädelkalotte, Sensibilitätsprüfung der Extremitäten, motorische Ausfälle an den Extremitäten, Hirnnervenausfälle, Leberpalpation, gyn. Untersuchung
- **Apparative Diagn.:** Mammografie, Sono. Nach histol. Sicherung gyn. US, Sono von Leber u. Oberbauchorganen, Rö-Thorax, Skelettszintigrafie, Nachröntgen von szintigrafischen Speicherherden, Schädel-CT nur bei V. a. Hirnmetastasen. MRT zur Unterscheidung Narbe/Rezidiv (▶ Abb. 12.11)
- **Labordiagn.:** Bestimmung des Menopausenstatus vorzugsweise anamnestisch, bei Unklarheit (z. B. bei Perimenopause, Z. n. Hysterektomie) durch Bestimmung von FSH, LH u. Estradiol. Außerdem BB, CEA, Ca 15–3, AP, LDH, GPT

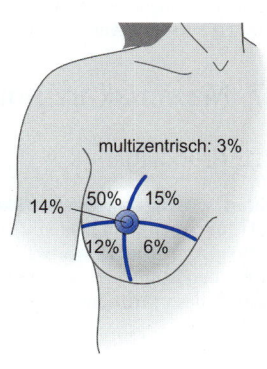

Abb. 12.11 Verteilung des Mamma-Ca in den Quadranten [L106]

12.7.2 Klassifikation des Mammakarzinoms

Staging ▶ Tab. 12.8.
- Staging vor Ther.- Beginn: Mammografie der Gegenseite, gyn. Untersuchung inkl. US
- **Nur** bei Symptomen o. hohem Risiko für Fernmetastasen (z. B. Alter < 40 J; N ≥ 1, T ≥ 3): Rö-Thorax, Leber-Sono, ggf. thor./abdom. CT bei unklaren Befunden u. Skelettszintigrafie
- Intraop. Staging: klin. Beurteilung der Primärtumorausbreitung sowie metastasenverdächtiger Lk dokumentieren. Histol. Absicherung ist obligat!

Histologisches Grading (G) Untersucht wird der Grad der tubulären Differenzierung, der Polymorphie u. der Anteil an Mitosen (bei 40er-Objektiv pro Gesichtsfeld). Je Einzelkriterium können 1–3 Punkte vergeben werden, die Summe der Punkte ergibt die Einteilung des Gradings.
- 3–5 Punkte: Grading G1
- 6–7 Punkte: Grading G2
- 8–9 Punkte: Grading G3

Tab. 12.8 TNM-Klassifikation des Mamma-Ca [G336]

	Klinische Klassifikation*		Postoperative Klassifikation	
T	T0	Kein Anhalt für Primärtumor		
	Tis	Carcinoma in situ (duktal o. lobulär) M. Paget der Mamille ohne weiteren Tumor		
	T1	Tumor maximal 2 cm		
	T1a	Keine Fixierung an Pektoralisfaszie o. Muskel	pT1a	≤ 0,5 cm
	T1b	Mit Fixierung an Pektoralisfaszie o. Muskel	pT1b	≤ 1,0 cm
			pT1c	≤ 2 cm
	T2	Tumor ≤ 5 cm		
	T2a	Ohne Fixierung an Pektoralisfaszie o. Muskel		
	T2b	Mit Fixierung an Pektoralisfaszie o. Muskel		
	T3	Tumor > 5 cm		
	T3a	Ohne Fixierung an Pektoralisfaszie o. Muskel		
	T3b	Mit Fixierung an Pektoralisfaszie o. Muskel		
	T4	Jeder Tumor mit direkter Infiltration von Brustwand o. Haut (Brustwand → Rippen), Interkostalmuskulatur, M. serratus ant., aber nicht M. pectoralis		
	T4a	Mit Fixierung an der Brustwand		
	T4b	Mit Hautödem (Apfelsinenhaut), Ulzeration o. Hautmetastase der ipsilateralen Brust		
	T4c	a und b gemeinsam		
	T4d	Inflammatorisches Karzinom		
	Tx	Primärtumor kann nicht beurteilt werden		
N	N0	Keine palpablen homolateralen axillären Lk	pN0	Keine regionären Lk-Metastasen, auch isolierte Tumorzellen (ITC) in regionären Lk werden als N0 klassifiziert
			pN1mi	Mikrometastase(n) (> 0,2 mm, aber < 2 mm)

Tab. 12.8 TNM-Klassifikation des Mamma-Ca [G336] (Forts.)

	Klinische Klassifikation*		Postoperative Klassifikation	
N	N1	Metastase(n) in beweglichen ipsilateralen axillären Lk	pN1	Metastase(n) in 1–3 ipsilateralen axillären Lk u./o. ipsilateralen Lk entlang der A. mammaria interna (AMI) mit mikroskopischer/n Metastase(n), nachgewiesen durch Untersuchung des Sentinel-Lk, aber nicht klin. erkennbar**
			pN1a	Metastase(n) in 1–3 axillären Lk, zumindest 1 Metastase > 0,2 cm
			pN1b	Lk entlang der AMI mit mikroskopischen Metastase(n), nachgewiesen durch Untersuchung des Sentinel-Lk, aber nicht klin. erkennbar**
			pN1c	Metastase(n) in 1–3 axillären Lk u. in Lk entlang der AMI mit mikroskopischer/n Metastase(n), nachgewiesen durch Untersuchung des Sentinel-Lk, aber nicht klin. erkennbar* (bei > 3 befallenen axillären Lk werden die AMI-Lk als pN3b klassifiziert)
	N2	Metastase(n) in ipsilateralen axillären Lk, untereinander o. an andere Strukturen fixiert **oder** in klin. erkennbaren ipsilateralen Lk entlang der AMI in **Abwesenheit** klin. erkennbarer axillärer Lk-Metastasen	pN2	Metastasen in 4–9 axillären Lk o. in klin. erkennbaren** Lk entlang der AMI in **Abwesenheit** klin. erkennbarer axillärer Lk-Metastasen
	N2a	Metastase(n) in ipsilateralen axillären Lk, untereinander o. an andere Strukturen fixiert	pN2a	Metastasen in 4–9 axillären Lk, zumindest 1 Metastase > 2,0 mm
	N2b	Metastase(n) in klin. erkennbaren ipsilateralen Lk entlang der AMI in **Abwesenheit** klin. erkennbarer axillärer Lk-Metastasen	pN2b	Metastase(n) in klin. erkennbaren** Lk entlang der AMI in **Abwesenheit** klin. erkennbarer axillärer Lk-Metastasen
	N3	Metastase(n) in ipsilateralen infraklavikulären Lk mit o. ohne Beteiligung der axillären Lk **oder** in klin. erkennbaren ipsilateralen Lk entlang der AMI in **Anwesenheit** klin. erkennbarer axillärer Lk-Metastasen **oder** Metastasen in ipsilateralen supraklavikulären Lk mit o. ohne Beteiligung der axillären Lk o. der Lk entlang der AMI	pN3	Metastasen in 10 o. mehr ipsilateralen axillären Lk **oder** in ipsilateralen infraklavikulären Lk **oder** in klin. erkennbaren** ipsilateralen Lk entlang der AMI in Anwesenheit von mind. 1 axillären Lk-Metastase **oder** mehr als 3 axilläre Lk-Metastasen mit klin. nicht erkennbaren, nur mikroskopisch nachweisbaren Metastasen in Lk entlang der AMI **oder** Metastase(n) in supraklavikulären Lk

12.7 Mammakarzinom

Tab. 12.8 TNM-Klassifikation des Mamma-Ca [G336] *(Forts.)*

		Klinische Klassifikation*		Postoperative Klassifikation
N	N3a	Metastase(n) in ipsilateralen infraklavikulären Lk	pN3a	Metastasen in 10 o. mehr ipsilateralen axillären Lk, mind. eine > 0,2 cm o. in ipsilateralen infraklavikulären Lk
	N3b	Metastase(n) in ipsilateralen Lk entlang der AMI in **Anwesenheit** klin. erkennbarer axillärer Lk-Metastasen	pN3b	Metastase(n) in klin. erkennbaren* Lk entlang der AMI in **Anwesenheit** von mind. 1 axillären Lk-Metastase **oder** Metastasen in > 3 axillären Lk u. in Lk entlang der AMI nachgewiesen durch Untersuchung des Sentinel-Lk, aber nicht klin. erkennbar**
	N3c	Metastase(n) in ipsilateralen supraklavikulären Lk	pN3c	Metastase(n) in ipsilateralen supraklavikulären Lk
	NX	Regionäre Lk nicht zu beurteilen		
M	M0	Keine Fernmetastasen		
	M1	Fernmetastasen vorhanden, Zusatzangaben: z. B. Lunge (PUL)	Knochen (OSS), Leber (HEP), Gehirn (BRA), Lymphknoten (LYM), Knochenmark (MAR), Pleura (PLE), Peritoneum (PER), Haut (SKI), andere (OTH)	
	MX	Fernmetastasen nicht beurteilbar		

* Die klin. Klassifikation beruht auf klin. Untersuchung, Mammografie sowie mammografischer Ausmessung der Tumorgröße. Die postop. histomorphol. Einteilung erfolgt nach der pTNM-Klassifikation. Rezidive werden durch den Buchstaben R kenntlich gemacht (z. B. RT1a).
** „Klin. erkennbar" ist definiert als klin. Untersuchung o. makroskopisch sichtbar o. die Verwendung bildgebender Verfahren außer der Lymphszintigrafie.
AMI = Arteria mammaria interna

12.7.3 Vorläuferläsionen des Mammakarzinoms

 Zu unterscheiden sind zunächst von den Läppchen (Lobuli) u. von den Milchgängen (Ductuli) ausgehende Veränderungen.

Lobuläre Veränderungen
Keine obligate Präkanzerose, wird aber als Risikofaktor für die Entwicklung eines lobulären Ca gewertet. Häufig (bis zu 50 %) bds. Sie werden heute als lobuläre intraepitheliale Neoplasie (LIN) bezeichnet; die alte Nomenklatur ALH (atypische lobuläre Hyperplasie) u. CLIS (Carcinoma lobulare in situ) sollte nicht mehr verwendet werden.

Therapie I. d. R. Exzision des Befunds. Tamoxifen als Mamma-Ca-Prophylaxe: Risikoreduktion um 50 %.

Duktale Veränderungen

Sollten nach DIN (duktale intraepitheliale Neoplasie) klassifiziert werden, die Bezeichnung DCIS (duktales Carcinoma in situ) ist allerdings noch weit verbreitet (▶ Tab. 12.9).

Tab. 12.9 Bezeichnung duktaler Mammaveränderungen

Alte Bezeichnung	Neue Bezeichnung	Kernatypien	Nekrosen	Komplette Entfernung anstreben	Relatives Risiko (RR) für invasives Ca
Usual ductal hyperplasia (UDH)	UDH	–	–	nicht notwendig	sehr gering
Fat epithelial atypia (clinging DCIS)	DIN 1a	–	–	nicht notwendig	gering
ADH (atypische duktale Hyperplasie)	DIN 1b	–	–	nicht notwendig	moderat, RR < 4,0
ADH/DCIS Grad 1	DIN 1c	(+)	–	ja	RR 8–11
ADH/DCS Grad 2	DIN 2	+	+	ja	hoch
ADH/DCS Grad 3	DIN 3	+++	+++	ja	hoch

Therapie
- Op. Entfernung im Gesunden, freier Randsaum mind. 1 mm. Nach neueren Studien ist der freie Randsaum nicht für das Auftreten von Rezidiven o. das Gesamtüberleben entscheidend.
- Nachbestrahlung senkt bei brusterhaltender OP einer DIN die Lokalrezidivrate, beeinflusst allerdings nicht das Gesamtüberleben.
- Derzeitige Ind. zur Strahlenther.: Läsion > 20 mm, Sicherheitsabstand < 10 mm, Alter < 40 J., DIN 3.
- Die generelle Gabe von Tamoxifen zur Senkung des Rezidivrisikos wird derzeit diskutiert, die Risikoreduktion für invasive Ca soll ca. 30 % betragen.

12.7.4 Klassifikation der Stanzbefunde

Sog. B-Klassifikation gemäß National Coordinating Group for Breast Screening Pathology (▶ Tab. 12.10).

Tab. 12.10 B-Klassifikation von Stanzbefunden gem. National Coordinating Group for Breast Screening Pathology

Klassifikation	Definition	Abkürzung
B1	Nicht verwertbar o. ausschließlich normales Gewebe	
B2	Benigne	
B3	Benigne, aber mit unsicherem biologischen Potenzial, z. B.	
	Atypische duktale Hyperplasie	ADH

Tab. 12.10 B-Klassifikation von Stanzbefunden gem. National Coordinating Group for Breast Screening Pathology *(Forts.)*

Klassifikation	Definition	Abkürzung
B3	Lobuläre intraepitheliale Neoplasie (umfasst auch das lobuläre Carcinoma in situ)	LN/LIN/LCIS
	Flache epitheliale Atypie (häufig mit Mikrokalk)	FEA
	Radiäre Narbe/komplexe sklerosierende Läsion > 1 cm	
	Papillome > 2 mm (mit u. ohne Atypien)	
	Zellreiche fibroepitheliale Tumoren/Phylloides-Tumoren	
B4	Verdächtig auf Malignität	
B5	Maligne	
B5a	Intraduktal	
B5b	Invasiv	
B5c	Unklar, ob invasiv o. in situ	
B5d	Nicht epithelial, metastatisch	

12.7.5 Operative Therapie

Brusterhaltende Therapie bei Mammakarzinom (BET)

Indikationen Bei kleinen Tumoren o. nach vorheriger Verkleinerung des Befunds durch Chemother. kommt ein brusterhaltendes Verfahren mit obligater postop. Radiatio infrage. Kosmetisch günstige Ergebnisse können aber nur bei entsprechender Relation zwischen Tumorgröße u. Gesamtgröße der Mamma erzielt werden.

Vorgehensweisen Unterschieden werden:
- Quadrantektomie
- Segmentresektion o. Lumpektomie
- Tumorexzision mit Sicherheitssaum

Bei allen Verfahren muss ein ausreichender tumorfreier Randsaum (> 1 mm) vorhanden sein.

Klärung des axillären Lk-Befalls, meist durch Sentinel-Lymphonodektomie nach nuklearmed. Markierung (s. u.).

> Bei metastasiertem Ca kann der Eingriff auf die Tumorektomie beschränkt werden; dadurch sollen eine Exulzeration u. Inf. verhindert werden. Eine Axilladissektion ist nicht unbedingt notwendig, da die Prognose von der Fernmetastasierung bestimmt wird. Je nach Stadium u. Prognoseeinschätzung wird in manchen Fällen gänzlich auf op. Maßnahmen verzichtet.

Kontraindikationen für Organerhalt
- Ausgedehntes duktales Carcinoma in situ im Randbereich, evtl. mit nachgewiesenen ausgedehnten Mikrokalkarealen im Bereich der gesamten Brust

- Tumor mit Hautinfiltration o. am Muskel fixiert
- Multizentrisches Ca, multifokales Ca
- Ausgedehnte Lymphangiosis carcinomatosa
- Ausgedehnte Blutgefäßeinbrüche
- Wunsch der Pat.
- Inkomplette Tumorresektion auch im Nachresektat
- KI gegen Radiatio
- Rezidiv nach brusterhaltender Vor-OP mit Radiatio

Mastektomie

Bei Notwendigkeit zur Mastektomie hat sich derzeit die „modifizierte radikale Mastektomie" durchgesetzt. Die „radikale Mastektomie" mit Absetzen der Mm. pectorales bleibt Karzinomen mit tiefer Infiltration des Muskels vorbehalten, Pectoralis-Teilresektion ist möglich. Als Schnittführung hat sich die querovale Umschneidung der Brust mit leicht in die Axilla ansteigender Schnittrichtung bewährt (▶ Abb. 12.12). Vom selben Zugang aus können auch die axillären Lk präpariert werden.

Durchführung

- Rautenförmige Umschneidung der Brust mit leicht nach axillär ansteigender Schnittführung (▶ Abb. 12.12). Brustdrüsenkörper von der Subkutis mittels Skalpell, Elektrokauter o. Argon-Beamer abpräparieren. Mamma unter Einschluss der Pektoralisfaszie vom M. pectoralis major absetzen. **Cave:** erhöhtes Seromrisiko nach Elektroresektion
- Gründliche Blutstillung u. evtl. Einlegen einer heißen Kompresse in das Ablationsgebiet
- Axilla stumpf eröffnen u. V. axillaris, N. thoracicus longus u. thorakodorsales Gefäß-Nerven-Bündel darstellen
- Fett- u. Lk-Gewebe der Level I u. II teils scharf, teils stumpf präparieren
- Axilla mit Aqua dest. spülen. Gründliche Blutstillung
- Eine Drainage in das Mastektomiegebiet u. eine Drainage in die Axilla einbringen. Hautverschluss durch Subkoreal- u. intrakutane Naht

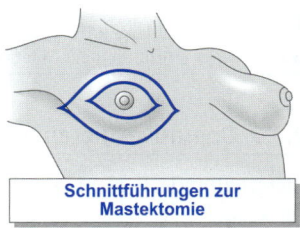
Schnittführungen zur Mastektomie

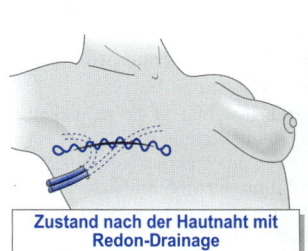
Zustand nach der Hautnaht mit Redon-Drainage

Abb. 12.12 Mastektomie [L106]

> Bei prämenopausalen Pat. scheint ein OP-Zeitpunkt in der 2. Zyklushälfte mit einer besseren Prognose zu korrelieren.

Sentinel-Lk-Biopsie (Wächter-Lk-Biopsie)
- Darstellung des o. der Lk durch radioaktive Markierung
- Verminderte op. Radikalität, weniger NW (z. B. Lymphödem)
- Nur bei klin. u. sonografisch unauffälliger Axilla (cN0) durchführbar
- Bei Befall von Sentinel-Lk:
  - klassische Axilladissektion **oder**
  - bei max. 2 befallenen Sentinel-Lk nach entsprechender Aufklärung nur nachfolgende tangentiale Radiatio (in Studien kein Überlebensvorteil für die heute oft durchgeführte zupfende, partielle Axilladissektion)

Lymphonodektomie
Die axillären Lk werden klin. in drei Level eingeteilt (▶ Abb. 12.13):
- Level I: lateral des M. pectoralis minor
- Level II: zwischen lateralem u. medialem Rand des M. pectoralis minor
- Level III: vom medialen Rand des M. pectoralis minor bis unter die Clavicula (infraklavikuläre Lk)

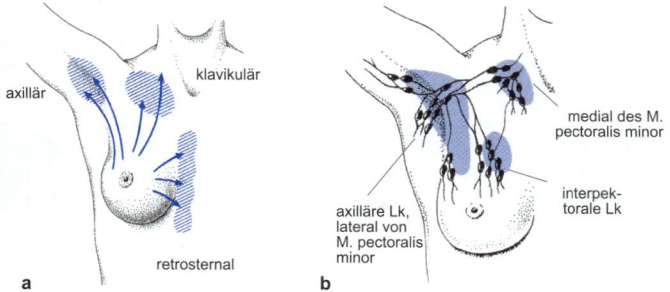

Abb. 12.13 Lymphabfluss der Mamma:
a) Lymphabflussgebiete
b) Lymphknotenstationen [L106]

Bei Pat., bei denen kein Wächterlymphknoten (Sentinel-Lk) detektiert werden kann, soll eine Axilladissektion durchgeführt werden. Beim kurativen Therapieansatz sollten aus der Axilla mind. 10 Lk der Level I u. II präpariert werden. Kraniale Grenze der Lk-Präparation ist die V. axillaris.
Für Pat. mit pT1-pT2/cN0-Tumoren, die eine brusterhaltende OP mit anschließender perkutaner Bestrahlung über tangentiale Gegenfelder (Tangentialbestrahlung) erhalten und 1 o. 2 pos. Sentinel-Lk aufweisen, besteht die Option, auf eine Axilladissektion zu verzichten.

12.7.6 Rekonstruktive Verfahren

Zunehmend gewinnen bei der Ther. des Mamma-Ca neben brusterhaltenden OP-Techniken auch Methoden der prim. (dir. nach der Mastektomie) o. sek. (nach einem Zeitintervall) Rekonstruktion an Bedeutung. In Betracht kommen autologe Techniken (mit Eigengewebe, z. B. Latissimus-Lappen), alloplastische Materialien (Expander, Prothese) o. eine Komb. von beiden.

Indikationen

Wunsch der Pat. nach Wiederherstellung ihres Körperbildes. Die Wahl des Verfahrens muss auf jeden Fall individuell auf jede Pat. zugeschnitten sein u. mit ihr genau abgestimmt werden.

Alloplastische Rekonstruktionen

Durchführung Im Rahmen der Mastektomie o. als sek. Rekonstruktion wird subpektoral ein Expander o. eine Prothese eingebracht. Die Füllung der Prothese kann aus Silikongel o. Kochsalz o. beidem bestehen, der Prothesenmantel besteht immer aus einer Silikonbasis, möglichst mit rauer Oberfläche (Texturierung), evtl. mit Polyurethanbeschichtung (texturierte Prothesen).

Vorteile Technisch einfachere OP als die autologen Verfahren, keine zusätzlichen Narben, auch bei älteren Pat. anwendbar.

Nachteile Meist noch 2–3 weitere Eingriffe zur Formoptimierung notwendig, Gefahr der Kapselfibrose. Bei neuen Prothesen kein routinemäßiger Wechsel mehr erforderlich.

 Bei Implantation von Prothesen sollte eine Meldung an das Implantatregister der Arbeitsgemeinschaft für wiederherstellende Verfahren in der Gynäkologie (AWO) erfolgen (www.asthenis.com/implantregister/Login.aspx).[1]

Autologe Rekonstruktionen

Transversaler Rektuslappen (TRAM)

Durchführung Nach Mobilisation eines Bauchhaut-Muskel-Lappens (unterer Anteil des M. rectus abdominis) wird der Lappen entweder einstielig, doppelstielig o. mit freier Gefäßanastomose im Bereich der Mastektomie eingepasst (▶ Abb. 12.14c).

Vorteile Gesundes, lebendes Gewebe, kein Fremdgewebe, niedrige KO-Rate bei korrekter OP-Technik (z. B. intraop. Doppler zur Gefäßdarstellung, Erhalt des lateralen Anteils der Rektusmuskulatur), gute Symmetrie, viel Gewebe steht zur Verfügung, simultane Bauchdeckenplastik.

Kontraindikationen Rauchen, ausgeprägte Adipositas, fortgeschrittenes Alter, gleichzeitige Chemother., internistische Erkr. (Hypertonie, Diab. mell.), große Narben im Bauchdeckenbereich, Strahlenschäden.

Latissimus-dorsi-Flap

Durchführung Von einem separaten Schnitt aus wird ein Haut-Muskel-Lappen im Bereich des M. latissimus dorsi mobilisiert u. als gestielter Lappen im Bereich der Mastektomie eingesetzt (▶ Abb. 12.14b). Da hierbei im Vergleich zum TRAM-

---

[1] Zudem müssen Kliniken ihre eingesetzten Brustimplantate nachvollziehbar dokumentieren.

Lappen sehr viel weniger Gewebe gewonnen werden kann, ist diese Technik häufig mit der gleichzeitigen Einlage einer Prothese verbunden.

Vorteile Auch bei schlanker, dünner Pat. möglich, keine so ausgedehnte OP wie bei TRAM-Lappen, auch bei Z. n. Bauchdeckenplastik o. bei Narben der Bauchhaut, u. U. auch bei Raucherinnen u. Hypertonus möglich.

Nachteile Ein zufriedenstellendes kosmetisches Ergebnis durch alleinige Latissimus-Lappenplastik kann nur bei sehr kleiner Brust erreicht werden. Ausgedehnte Narbe am Rücken.

Kontraindikationen Atrophie des M. latissimus dorsi nach Nerven- o. Gefäßläsionen des thorakodorsalen Gefäß-Nerven-Bündels (**cave:** bei Axillarevision), Z. n. Thorakotomie mit Durchtrennung des M. latissimus dorsi.

Mamillenrekonstruktion
Zur Rekonstruktion des Mamillen-Areola-Komplexes ist eine Vielzahl verschiedener OP-Verfahren verfügbar. Am häufigsten wird die freie Hauttransplantation

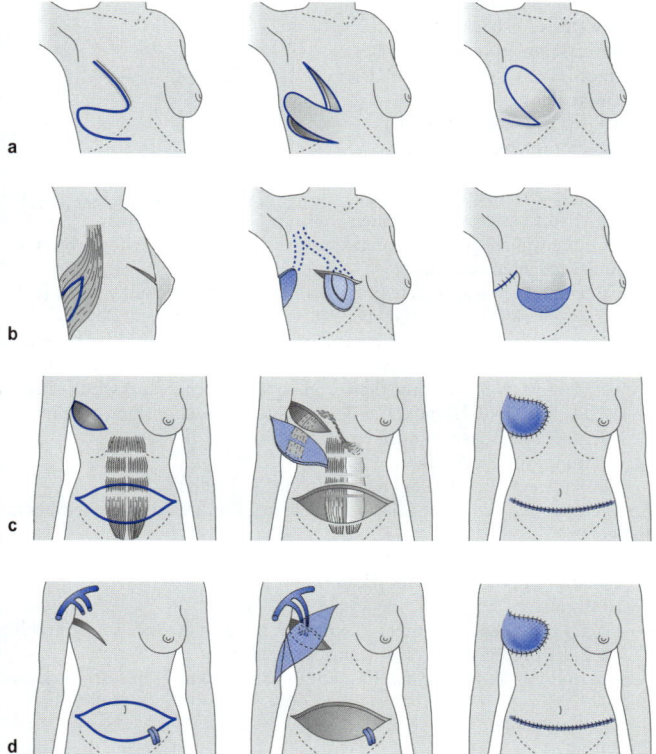

Abb. 12.14 Mamma-Aufbauplastik: a) Thorakoepigastrischer Lappen, b) Latissimus-dorsi-Flap, c) Transversaler Rectus-abdominis-Lappen (TRAM), d) Freier TRAM-Lappen [L106]

von Oberschenkelhaut o. Haut der großen Labien vorgenommen. Die Mamille kann aus der Gegenseite o. als lokale Lappenplastik rekonstruiert werden. Ebenso besteht die Möglichkeit der Tätowierung eines Mamillen-Areola-Komplexes.

12.7.7 Strahlentherapie

Bedeutung Beim Mamma-Ca kann die Strahlenther. sowohl prim. (bei inoperablen Befunden), adjuvant (zusätzlich zur OP) o. palliativ (beim metastasierten Ca) eingesetzt werden (▶ Abb. 12.15).

Indikationen
- **Brusterhaltende OP-Verfahren: Radiatio der Brust ist obligat** (Senkung des In-Brust-Rezidivs von 30–40 % auf 5–10 %). Über den Einschluss der Lymphabflussgebiete muss im Einzelfall je nach Tumorsitz entschieden werden.
  - Die Dosis soll bei konventioneller Fraktionierung ca. 50 Gy betragen (5 × 1,8–2,0 Gy/Wo.). Die empfohlene Boost-Dosis beträgt 10–16 Gy in konventioneller Fraktionierung (5 × 1,8–2,0 Gy/Wo.). Bei postmenopausalen Pat. mit sehr niedrigem Lokalrezidivrisiko (Alter > 60 J., kleinen Tumoren, günstigen Prognosefaktoren) kann ggf. auf eine Boost-Bestrahlung verzichtet werden.
  - Zunehmend Einsatz von hypofraktionierten Schemata ohne Boost (z. B. 5 × 2,666 Gy/Wo. bis 40 Gy) bei Pat. > 65 J. mit niedrigem Risiko.
  - Bei älteren Pat.: individuelle Beratung inkl. Verzicht auf RT je nach individuellem Risiko u. geriatrischer Einschätzung, wenn eine adjuvante endokrine Therapie (z. B. 5 J. Tamoxifen) konsequent durchgeführt wird (Alter ≥ 70 J., pT1, pN0, HR pos., G1–2, HER2-neg., Resektionsrand > 1 mm).
- Strahlentherapie der Axilla wird empfohlen bei:
  - Resttumor in der Axilla
  - Eindeutigem klin. Befall u. nicht erfolgter Axilladissektion
- Strahlentherapie der supra-/infraklavikulären Lymphabflusswege wird empfohlen bei:
  - > 3 befallenen axillären Lk (> pN2a).
  - Befall von Level III der Achselhöhle.
  - Resttumor in der Axilla.
  - Nach prim. (neoadjuvanter) Chemother. soll sich die Ind. zur Bestrahlung nach der präther. T- u. N-Kategorie richten.
- **Mastektomie:** Bestrahlung der Thoraxwand zur Senkung der Lokalrezidivrate bei:
  - Stadium T3/T4
  - pT3 pN0 R0 nur bei Vorliegen von sonstigen Risikofaktoren (Lymphgefäßinvasion, Grading G3, „close resection margin", Prämenopausalstatus, Alter < 50 J.)

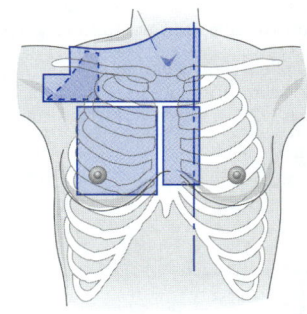

Abb. 12.15 Bestrahlungsfelder [L157]

- R1-/R2-Resektion u. fehlender Möglichkeit der Nachresektion
- pN+
- Befall des M. pectoralis
- **Lymphabflusswege:** axilläre Radiatio bei Tumorwachstum über Lk-Grenzen hinaus o. bei Verzicht auf Axilladissektion trotz befallenem Sentinel-Lk. Je nach Tumorsitz bzw. bei auffälliger apparativer Diagn. (US, MRT) Bestrahlung der supraklavikulären o. parasternalen Lk
- **Intraop. Bestrahlung (IORT):** Die IORT ist bis auf wenige Ausnahmen (z. B. ältere Pat., sehr kleiner Tumor ohne umgebende Vorstufen, keine befallenen Achsel-Lk) eine Ergänzung der externen Bestrahlung u. verkürzt die Dauer der postop. Strahlenbehandlung, ersetzt diese aber nicht. Bei der IORT wird die Strahlenquelle dir. in das verbliebene Tumorbett gebracht. Dann erfolgt die Bestrahlung mit einer hohen Dosis („Boost"). Anschließend herkömmliche Bestrahlung der gesamten Brust.

Behandlung der Bestrahlungsregion
- Während der Radiatio: keine Cremes o. Öle (Hitzeabstrahlung durch die Haut wird verhindert), Sonneneinstrahlung vermeiden. Bei Erythem Kortisoncreme (z. B. Alfason®)
- 4 Wo. nach Abschluss der Radiatio: Fettcreme (z. B. Linola Radio-Derm®), Babyöl (z. B. Penaten®-Öl), krankengymnastische Behandlung

---

Palliative Radiotherapie
- Haupteinsatzgebiet sind **Knochenmetastasen.** Beginn der Bestrahlung erst bei Auftreten von Symptomen (Schmerzen, Nervenausfälle) o. Stabilitätsgefährdung (orthopädisches Konsil). In etwa 80 % ist Schmerzfreiheit zu erzielen. Bei beginnender Querschnittsymptomatik sofort (< 24 h) mit Radiatio beginnen! Isolierte Metastasen der Extremitäten sollten in Abhängigkeit von der Gesamtprognose operativ stabilisiert werden.
- **Hirnmetastasen** stellen ebenfalls eine Ind. zur palliativen Radiatio dar, hierbei Kortisongabe zur Hirnödemprophylaxe o. -ther. (z. B. 3 × 10 mg Hydrokortison p. o.).

12.7.8 Adjuvante (postoperative) Therapie

Indikationen Die adjuvante Ther. dient der Risikoreduktion von Rezidiven. Wichtigste Risikofaktoren sind:
- Grading des Tumors
- Rezeptorstatus (Östrogenrezeptor [ER], Progesteronrezeptor [PR], Her2/neu-Rezeptor)
- Proliferationsindex (Ki-67)
- Anzahl befallener axillärer Lk
- Lymphangiosis o. Haemangiosis carcinomatosa
- Alter der Pat.
- Menopausenstatus
- Tumorgröße
- Histol./molekularbiol. Klassifizierung:
  - Luminal A: G1, ER u. PR pos., Ki-67 < 5 %, Her2/neu neg.
  - Luminal B: G1, 2, ER pos., PR neg., Ki-67 5–20 %, Her2/neu neg.
  - Her2/neu pos.: G3, ER u. PR neg., Ki-67 40–50 %, Her2/neu pos.

- Basal like („triple-neg."): G3, ER u. PR neg., Ki-67 50–60 %, Her2/neu neg.
- Beim nodal-neg. Mamma-Ca kann die Bestimmung der Proteasen uPA u. PAI-1 mittels ELISA weitere progn. Informationen liefern
- Molekularbiol.-genet. Untersuchung von Tumorgewebe (z. B. Endopredict-Test®, Oncotype DX®) bei Her2/neu-neg., ER-pos. Tumoren zur Entscheidung für o. gegen Chemotherapie bei Pat. mit mittlerem Risiko (Kosten werden oft nicht von GKV übernommen)

Wahl des Verfahrens Möglichkeiten der adjuvanten Behandlung sind:
- Chemother.: Anthrazykline (z. B. Epirubicin, Doxorubicin), Taxane (z. B. Taxotere®, Taxol®), Cisplatin (▶ Tab. 12.11)
- Hormonelle Ther.: Tamoxifen, Aromatasehemmer (z. B. Femara®, Arimidex®, Aromasin®), GnRH-Analoga
- AK-Ther.: Trastuzumab (z. B. Herceptin®), Lapatinib (z. B. Tyverb®) o. Bevacizumab (z. B. Avastin®)

Tab. 12.11 Chemotherapie des Mammakarzinoms

Bezeichnung	Substanzen	Dosierung	Zeitabstand	Anzahl der Zyklen
EC-Doc	Epirubicin Cyclophosphamid Gefolgt von: Docetaxel (Taxotere®)	90 mg/m^2 600 mg/m^2 100 mg/m^2	21 d 21 d	4 4
EC-Pacli	Epirubicin Cyclophosphamid Gefolgt von: Paclitaxel (Taxol®)	90 mg/m^2 600 mg/m^2 80 mg/m^2	21 d 7 d	4 12
FEC	5-Fluorouracil Epirubicin Cyclophosphamid	500 mg/m^2 100 mg/m^2 500 mg/m^2	21 d	6
CP	Carboplatin Paclitaxel	AUC 6 175 mg/m^2	21 d	6
ETC (dosisdicht)	Epirubicin Gefolgt von: Paclitaxel Gefolgt von: Cyclophosphamid	150 mg/m^2 225 mg/m^2 2.000 mg/m^2	14 d 14 d 14 d	3 3 3
Vinorelbin (Nacelbine®)		30 mg/m^2 i. v. 80 mg/m^2 p. o.	7 d	
Gemcitabin (Gemzar®)		1.250 mg/m^2 Tag 1 u. 8	21 d	
Capecitabin (Xeloda®)		1.250 mg/m^2 p. o. 2 x/d	Tag 1–14, dann 7 d Pause	

Die konkrete Auswahl der Ther. ist heute eine interdisziplinäre Entscheidung i. R. einer Tumorkonferenz. Da sich die aktuellen Empfehlungen je nach Studienlage u. Zulassungsstatus der Medikamente sehr schnell wandeln, kann an dieser Stelle nur auf weiterführende Leitlinien verwiesen werden:

- AGO (Arbeitsgemeinschaft Gynäkologische Onkologie): www.ago-online.org
- AWMF (Arbeitsgemeinschaft der Wissenschaftlichen Medizinischen Fachgesellschaften): www.awmf.org u. http://leitlinien.net
- St. Gallener Konferenz zur adjuvanten Behandlung (alle 2 J.)
- San Antonio Breast Cancer Symposium: www.sabcs.org

Abschätzung des relativen Nutzens einer Behandlung durch das interaktive Computerprogramm Adjuvant online: www.predict.nhs.uk/predict_v2.0.html

12.7.9 Chemotherapie

Die Chemother. beim Mamma-Ca wird heute i. d. R. entweder als prim. präop. (sog. neoadjuvante), als adjuvante o. als palliative Chemother. bei sympt. Fernmetastasen angewendet.

Indikationen zur primären Chemotherapie:
- Inflammatorisches Ca
- Verkleinerung von Tumoren zur besseren Operabilität
- In-vivo-Sensitivitätstestung (durch Beobachtung des Ansprechens auf die Chemother. [US, Mammografie des Tumors] kann eine Aussage über deren Wirksamkeit getroffen werden). Sollte insb. in folgenden Situationen erwogen werden:
  - Jüngeres Alter
  - cT1-2 Tumoren, G3, N0
  - Negativer Hormonrezeptorstatus ER u. PR
  - Triple-negatives Mamma-Ca (ER u. PR neg., Her2/neu neg.)
  - Positiver Her2/neu Status (3+)

12.7.10 Hormontherapie

> Bei nachgewiesenen Östrogen- u. Progesteronrezeptoren kommt eine hormonelle Ther. sowohl adjuvant (Dauer 5 J., im Hochrisikokollektiv ggf. auch 10 J.) sowie im metastasierten Stadium infrage. Neben dem Rezeptorstatus spielt auch der Menopausenstatus der Pat. bei der Therapieauswahl eine entscheidende Rolle (ggf. FSH u. E_2 bestimmen).

Aromatasehemmer (AI)

Medikamentöse Hemmung der Umwandlung von Androgenen in Östrogene (Nebenniere, Fettgewebe). Wegen spez. Hemmung ist im Ggs. zu den Präparaten der 1. Generation (Aminoglutethimid) keine Kortisonsubstitution notwendig.
- Substanzen u. Dosierung:
  - Anastrozol 1 mg/d p. o. (z. B. Arimidex®)
  - Letrozol 2,5 mg/d p. o. (z. B. Femara®)
  - Exemestan 25 mg/d p. o. (z. B. Aromasin®); einziger nichtsteroidaler AI
- NW: Gelenkbeschwerden (meist nur die ersten 6 Mon.). Tipp: Präparat abends einnehmen. Bei Persistenz Ibuprofen 3 × 600 mg/d.

Gonadotropin-Releasing-Hormon-(GnRH-)Agonisten

Durch Gabe eines Depotpräparats o. Dauermedikation mit GnRH-Analoga sistiert die pulsatile GnRH-Ausschüttung. Dadurch völlige Suppression der LH- u.

FSH-Ausschüttung aus dem HVL u. Wegfall der ovariellen Östrogen- u. Progesteronproduktion.
- Präparate u. Dosierung:
  – Goserelin 3,6 mg s. c. nach LA (Zoladex® Depot) alle 4 Wo.
  – Triptorelin je 0,5 mg s. c. an Tag 1–7, 0,5 mg i. m. an Tag 8, dann alle 4 Wo. 0,5 mg i. m. (Decapeptyl®)
- Kontrolle der Suppression anhand des Serum-Estradiolwerts ($E_2 < 25$ pg/dl)
- NW: Amenorrhö, Verstärkung von Depressionen, Schweißausbrüche, Osteoporose

Tamoxifen

Kompetitive Hemmung des Östrogenrezeptors (ER) an der Tumorzelle.
- Dosierung: 20 mg/d p. o.
- NW: Proliferation des Endometriums (regelmäßige Sono!), Kopfschmerzen, selten Übelkeit, Thrombosen (KI !), selten Visusverschlechterung (Augenkonsil vor Ther.!).
- WW: Komb. mit Thrombozytenaggregationshemmern wegen Gefahr der Thrombopenie vermeiden.
- Bei prämenopausalen Pat. endokrine Ther. der Wahl. Die antiöstrogene Ther. mit Tamoxifen 20 mg/d sollte adjuvant über 5 J. bzw. bei Metastasen bis zum Progress erfolgen.

Fulvestrant

Blockierung des zellulären Östrogenrezeptors (ER).
- Präparat: Faslodex®
- Dosierung: 500 mg i. m. (2 Spritzen à 5 ml) am Tag 1, 15 u. 29 als Loading-Dose, danach alle 4 Wo.
- Zulassung: bei postmenopausalen Pat, Rezeptor-pos. Mamma Ca
  – Prim. Mamma-Ca: bei fortgeschrittenem (inoperablem) Mamma-Ca, mit Rezidiv o. Progression unter Antiöstrogenther. u. nach oraler AI-Gabe
  – Metastasiertes Mamma-Ca: bei Rezidiv o. Progression unter Antiöstrogenther. u. nach oraler AI-Gabe
- Vorteil: keine Osteoporosegefahr, gute Lebensqualität, Komb. mit Herceptin® möglich

Hoch dosierte Gestagene

- Präparat: Megestrolacetat (Megestat®) 160 mg, bei fortgeschrittener Erkr. bis zu 320 mg/d p. o. (2 Tbl.)
- NW: Ödemneigung, Appetit- u. Gewichtszunahme, Depressionen, Amenorrhö, azyklische Blutungen, Thrombose
- KI: schwere Leberfunktionsstörungen, Diab. mell., schlecht einzustellender Hypertonus, Hyperkalzämie bei Knochenmetastasen

Everolimus

m-TOR-Inhibitor, der bei sek. Resistenz gegen AI eingesetzt werden kann.
- Präparat: Afinitor®
- Dosierung: 10 mg/d p. o.
- Einsatz: in Komb. mit einem AI
- NW: Exanthem, Stomatitis
! Keine gleichzeitige Einnahme von Johanniskrautprodukten o. Grapefruit, da hierdurch Wirkungsverminderung

Palpociclib
Blockierung der zyklinabhängigen Kinasen (CDK) 4 u. 6.
- Präparat: Ibrance®
- Dosierung: 125 mg/d p. o. (1 Kps.) über 3 Wo.; dann 1 Wo. Pause
- Einsatz: Her2/neu-neg., metastasierte o. lokal fortgeschrittene Mamma-Ca
  - Ohne endokrine Vorbehandlung: in Komb. mit AI
  - Mit endokriner Vorbehandlung: in Komb. mit Fulvestrant
  - Prä- u. perimenopausal: zusätzlich GnRH-Analoga
- NW: Leukopenie, Anämie, Stomatitis, Übelkeit, Diarrhoe, Infekte

12.7.11 Antikörpertherapien

Antikörper gegen den Her2/neu-Rezeptor

 Neben Chemo- u. Hormonther. besteht bei der Behandlung des Mamma-Ca auch die Möglichkeit einer spez. AK-Ther. gegen Zellen mit Überexpression des Her2/neu-(c-erbB2-)Rezeptors (15–20 % der Mamma-Ca).

Voraussetzung Nachweis der Überexpression des Rezeptors durch Immunhistochemie (Score mind. 3+). Bei 2+ kann zusätzlich ein FISH-Test (Fluoreszenz-in-situ-Hybridisierung) o. eine CISH-Analyse (chromogene In-situ-Hybridisierung) durchgeführt werden, ist diese pos., kann ebenfalls eine Ther. erfolgen.

Weitere Informationen: www.krebsinformation.de

Therapieschemata
Cave: Dos. in mg/kg Körpergewicht, **nicht** nach Körperoberfläche:
- Trastuzumab (Herceptin®) wöchentl.: 4 mg/kg KG als Initialdosis an Tag 1; 2 mg/kg KG an Tag 8 i. v.
- Trastuzumab (Herceptin®) alle 3 Wo.: 8 mg/kg KG als Initialdosis an Tag 1; 6 mg/kg KG an Tag 21 i. v.
- Trastuzumab (Herceptin®) s. c.: 600 mg alle 3 Wo., Applikation s. c. über 5 min mit speziellem Applikator
- Lapatinib (Tyverb®) 1.250 mg/d p. o. in Komb. mit Capecitabin (z. B. Xeloda®) o. 1.500 mg in Komb. mit einem AI (z. B. Femara®)
- Pertuzumab (Perjeta®); initial 840 mg i. v., dann Erhaltungsdosis 420 mg alle 3 Wo. i. v. in Komb. mit Trastuzumab (z. B. Herceptin®) u. Docetaxel (z. B. Taxotere®)

Nebenwirkungen
- Bei etwa 30 % der Pat. bei erster Gabe von Herceptin® grippeähnliche Symptome mit leichtem Fieber u. Gliederschmerzen. Dies tritt bei den Folgegaben nicht mehr auf.
- Kardiotoxizität (ca. 3 %) bei gleichzeitiger Gabe von Herceptin® u. Anthrazyklinen verstärkt.
- Übelkeit u. Durchfall (ca. 10 %) bei Lapatinib (z. B. Tyverb®), ca. 30 % bei Pertuzumab (z. B. Perjeta®). Ther.: Loperamid oral (z. B. Imodium®).
- Neutropenie, Anämie: ca. 15 % bei Pertuzumab (Perjeta®).

Antikörper mit gekoppeltem Chemotherapeutikum

Trastuzumab-Emtansin (T-DM1, Kadcyla®). Zugelassen zur Behandlung des Her2/neu-pos. metastasierten Mamma-Ca nach Vorbehandlung mit Herceptin u. Taxan.

Dosierung 3,6 mg/kg KG alle 3 Wo. i. v.

Nebenwirkungen Fieber, Thrombozytopenie, Übelkeit/Erbrechen, Diarrhö.

Antikörper gegen vaskulären endothelialen Wachstumsfaktor (VEGF)

Bevazizumab (Avastin®), zugelassen für metastasierte Her2/neu-neg. Tumoren in Komb. mit Paclitaxel (Taxol®) o. Capecitabin (Xeloda®). Soll die Gefäßneubildung (Tumor-Neoangiogenese) verhindern u. damit die Metastasierungsrate vermindern.

Dosierung 10 mg/kg KG alle 2 Wo. o. 15 mg/kg KG alle 3 Wo.

Nebenwirkungen Hypertonie, verzögerte Wundheilung, Thrombembolien.

12.7.12 Metastasiertes Mammakarzinom

> Da das Mamma-Ca verhältnismäßig früh metastasiert, könnte bei vielen Frauen zum Zeitpunkt der Diagnosestellung bereits eine systemische Erkr. mit noch okkulten Metastasen vorliegen. Es können aber auch nach > 20 J. noch Rezidive u. Metastasen auftreten.

Lokalisation Metastasen entstehen vorzugsweise in Knochen (25 %) wie Rippen, Becken, LWS, Femur, BWS, HWS, in der Lunge (15 %), der Pleura (12 %), den supraklavikulären Lk (10 %), der Leber (8 %), dem ZNS (5 %) u. dem Ovar (3 %) (▶ Abb. 12.16).

Wenn irgend möglich, sollte zur Therapieentscheidung aus der Metastase eine Gewebeprobe zur erneuten Rezeptor- inkl. Her2/neu-Bestimmung gewonnen werden.

Prognose Bei Fernmetastasen ist i. d. R. eine Heilung der Erkr. nicht mehr möglich. Die Ther. muss sich deshalb v. a. an der individuellen Lebensqualität der Pat. unter Berücksichtigung der Ther.-NW ausrichten. Infrage kommen alle unter ▶ 12.7.6, ▶ 12.7.7, ▶ 12.7.8 u. ▶ 12.7.9 genannten Verfahren.

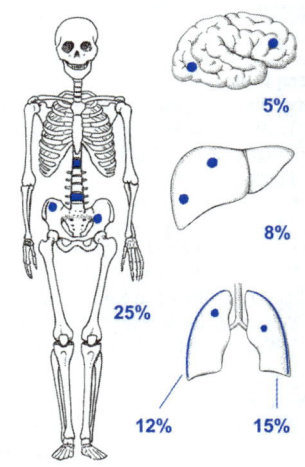

Abb. 12.16 Bevorzugte Metastasierungsorte des Mamma-Ca [L106]

12.7.13 Lymphödem

Häufigkeit Durch chir. u./o. radiol. Schädigung der Lymphabflusswege o. der Lk-Metastasen des Arms kommt es bei bis zu 30 % der Pat. zu einem mehr o. weniger stark ausgeprägten Lymphödem des Arms. Quantifizierung u. Verlaufskontrolle sollten durch regelmäßige Umfangsmessungen an Unter- u. Oberarm erfolgen. Die Gradeinteilung bezieht sich auf die Umfangsdifferenz zum gesunden Arm.

Grad	I	II	III	IV
cm	1–2	3–6	7–10	> 10

Klinik Anschwellen des Arms, Parästhesien, Schmerzen, rezid. Erysipel.

Prophylaxe
- Sentinel-Lk-Biopsie, keine Ausräumung der Lk Level III (▶ 12.7.5, ▶ Abb. 12.13)
- Moderne Strahlenther. mit Pendelfeld
- Verletzungen unbedingt vermeiden:
    - Bei der Gartenarbeit Handschuhe, bei der Handarbeit Fingerhut tragen, Vorsicht beim Umgang mit Haustieren (Katzenkratzer)
    - Nagelfalz bei der Nagelpflege nicht schneiden
    - Keine Blutentnahmen, keine Injektionen (i. c., s. c., i. m., i. v., i. a.), keine Akupunktur
- Stauung meiden:
    - Keine enge Kleidung (BH darf nicht einschnüren)
    - Keinen Blutdruck an der operierten Seite messen
- Sollgewicht anstreben
- Hitze meiden, keine Sauna, nicht zu heiß spülen, kein intensives Sonnenbaden, Arm vor dir. Sonne schützen
- Gleichförmige Bewegungen am Arm vermeiden, Vorsicht bei Handarbeit u. beim Schreiben auf einer Tastatur
- Ruckartige Bewegungen aus der Schulter meiden, Vorsicht bei Tennis, Golf u. alpinem Skilauf

Therapie
- Lymphdrainage (nur durch speziell ausgebildete Lymphtherapeuten!): Lymphdiaral-Tropfen® 3 × 10 Tr./d p. o. (**cave:** kein GKV-Rezept). Nach Entstauung Kompressionsstrumpf nach Maß anfertigen lassen, Arm nachts bandagieren
- Bei Therapieresistenz Spezialther. in lymphol. Klinik
- Bei Erysipel frühzeitig (!) Penicillin G 3 × 10 Mio. IE/d i. v. (z. B. Penicillin® Grünenthal), bei leichten Fällen 3 ×/d 1,5 Mega Penicillin V (z. B. Penicillin V ratiopharm®) p. o. über 14 d, evtl. stat. Lymphther. Bei Rezidiven evtl. Langzeit-Penicillinprophylaxe z. B. mit Penicillin V 1,5 Mega tgl. p. o.

12.7.14 Nachsorge

Klinische Nachsorge
Die Nachsorgeuntersuchungen sollten nicht schematisiert, sondern individuell risikoadaptiert erfolgen. Mögliche Termine bei mittlerem Risiko sind:

- ≤ 3 J. alle 3 Mon.
- ≤ 5 J. alle 6 Mon.
- > 5 J. alle 12 Mon.

Bei jeder Untersuchung
- Genaue Anamnese: Schmerzen, Nervenausfälle, Atemnot, jegliche beobachtete körperliche Veränderung
- Inspektion u. Palpation des OP-Gebiets u. der kontralateralen Mamma, Palpation der Lymphabflussgebiete bds.
- Umfangvergleich der Arme, Prüfung der groben Kraft beider Arme
- Auskultation u. Perkussion der Lunge, Palpation der Leber
- Klopfschmerz über der Wirbelsäule, Thorax- u. Beckenkompressionsschmerz

Alle 6 Mon. zusätzlich
- Mammografie bei brusterhaltender OP in den ersten 3 J., danach jährlich. Nach 5 J. i. R. der Screeningdiagn. 2-jährlich
- Gyn. Untersuchung mit Zytologie
- Evtl. gyn. US zum Ovarscreening u. Beurteilung des Endometriums unter Tamoxifen

Alle 12 Mon. zusätzlich
- Mammografie u. Sono der kontralateralen Mamma
- Sono des OP-Gebiets u. der Axilla

> Nur bei anamnestischem o. klin. Verdacht auf Fernmetastasen entsprechende apparative Diagn. (Rö-Thorax, Leber-Sono, Skelettszintigrafie, Tumormarker).

Psychosoziale Nachsorge
Die Nachsorge bezieht sich nicht nur auf die Erhebung der körperlichen Befunde, sondern sollte auch eine psychosoziale Nachsorge einschließen. Hierzu gehört insb.:
- Information der Pat. über alle erhobenen Befunde, evtl. Aushändigung eines Patientenordners mit wichtigen Befundunterlagen
- Vermittlung von Selbsthilfegruppen
- Evtl. Beantragung von Anschlussheilbehandlungen o. Reha-Aufenthalten
- Information über rekonstruktive Verfahren der Brust
- Information über soziale Hilfen: Schwerbehindertenausweis beim Versorgungsamt beantragen (Steuervorteile)
- Postmenopausale Hormonsubstitution ▶ 19.1.3
- Rezept über Mamma-Inlay o. Badeanzug mit Inlay (1 ×/J. möglich)

13 Äußeres Genitale und Vagina

Axel Valet, Michael Löttge und Uwe Wagner

13.1 Leitsymptome und Differenzialdiagnosen 432
13.2 **Diagnostische Methoden** 432
13.2.1 Inspektion und Palpation 432
13.2.2 Kolposkopie und Vulvoskopie 433
13.2.3 Nativpräparat 434
13.3 **Infektionskrankheiten** 436
13.3.1 Vulvitis 436
13.3.2 Bartholinitis 437
13.3.3 Kondylome (Feigwarzen) 437
13.3.4 Herpes genitalis 439
13.3.5 Kolpitiden 440
13.3.6 Sexuell übertragbare Krankheiten (STD, sexually transmitted diseases) 442
13.3.7 Ektoparasitäre Erkrankungen 449
13.4 **Lichen sclerosus** 450
13.5 **Neoplasien der Vulva** 451
13.5.1 Inzidenz 451
13.5.2 Vulväre intraepitheliale Neoplasie (VIN I–III) 451
13.5.3 Morbus Paget 452
13.5.4 Melanome der Vulva 453
13.6 **Vulvakarzinom** 454
13.6.1 Definition 454
13.6.2 Klinik 454
13.6.3 Diagnostik 454
13.6.4 Stadieneinteilung 455
13.6.5 Therapie 456
13.6.6 Prognose 458
13.6.7 Nachsorge 458
13.7 **Vaginalkarzinom** 458
13.7.1 Definition und Lokalisation 458
13.7.2 Einteilung und Histologie 459
13.7.3 Risikofaktoren und Klinik 459
13.7.4 Diagnostik 459
13.7.5 Therapie 460
13.8 **Vorgehen bei sexualisierter Gewalt** 461
13.8.1 Juristisches 461
13.8.2 Einleitendes Gespräch 461
13.8.3 Befunderhebung 462

13.1 Leitsymptome und Differenzialdiagnosen
Axel Valet und Michael Löttge

Schmerzen Vulvitis, Lichen sclerosus et atrophicus vulvae, Bartholin-Zyste, Bartholinitis, Kolpitis, Vaginalzysten, Herpes genitalis, Condylomata acuminata, Vaginalulzera, Vulva-Ca, Vaginal-Ca, infiltrierendes Zervix- o. Korpus-Ca.

Pruritus Vulvitis, Lichen sclerosus et atrophicus vulvae, Kolpitis; internistische Erkr.: Leber-, Nieren- u. Stoffwechselerkr. z. B. Diab. mell., Behçet-Sy.; Allergien, psychische Genese.

Fluor Bakt., virale, mykotische Inf.; Tumoren, v. a. Zervix- u. Korpus-Ca mit fleischwasserfarbenem Fluor; Pessarther., Fistel, Harninkontinenz, Schwangerschaft. DD ▶ Tab. 13.1.

Tab. 13.1 Differenzialdiagnose Fluor	
Klar, ohne Geruch	Östrogenstimulation (z. B. Zyklusmitte)
Weiß-gelblich, cremig	V. a. Candida-Inf.
Gelb-grünlich, schaumig	V. a. Trichomoniasis
Grau, wässrig	V. a. *Haemophilus-vaginalis*-Kolpitis → Amintest ▶ 13.2.3
Braun, blutig, wässrig	V. a. Malignom

Leukoplakien Lichen sclerosus et atrophicus vulvae VIN I–III, Vulva-Ca.

Tumoren Bartholin-Zyste, Kondylome, Vaginalzyste, Zystozele, Rektozele (▶ 14.1), Myome (▶ 15.3.5), Vulva- o. Vaginal-Ca, infiltrierendes Zervix- (▶ 15.7) o. Korpus-Ca (▶ 15.8).

Ulzeration Druckulkus (z. B. bei Pessarträgerin), Vulva- o. Vag.-Ca (meist tiefe Ulzeration mit hoher Vulnerabilität), Lues (derber Randwall u. verbackene, nicht druckdolente Inguinallymphome).

13.2 Diagnostische Methoden
Axel Valet und Michael Löttge

13.2.1 Inspektion und Palpation

> Vor der gyn. Untersuchung muss die Harnblase entleert werden.

Inspektion
- **Abdomen:** gebläht, Aszites, Striae distensae, Naevi
- **Inguinalregion:** Lymphome, Hernien
- **Äußeres Genitale:** Behaarungstyp (Tanner-Schema ▶ 20.3.2), Pediculosis pubis, trophische Hautstörungen, Entzündungen, Fisteln, Fluor, Tumor
- **Inneres Genitale** (Spekulumuntersuchung):
  - Introitus: Verletzung, Entzündung, Kondylome

- Vagina: Fluor, Entzündung, Beläge, Fistel, Kondylome, Verletzung, Ulkus, Tumor
- Portio: Erythroplakie, Leukoplakie (▶ Abb. 13.1), Blutung, Fluor ex cervice, Tumor, livide Verfärbung (unsicheres Schwangerschaftszeichen)

Zur weiteren Diagn. wie Krebsfrüherkennungsuntersuchung, Entzündungs-, Fluor- u. Hormondiagn. können Abstriche entnommen werden (▶ 2.3.4). Bei der Spekulumuntersuchung sollte zumindest bei Erstuntersuchung bzw. bei jeder Krebsfrüherkennungsuntersuchung eine Lupenbetrachtung von Vulva, Vagina u. Portio mit dem Kolposkop durchgeführt werden (▶ 15.2.2).

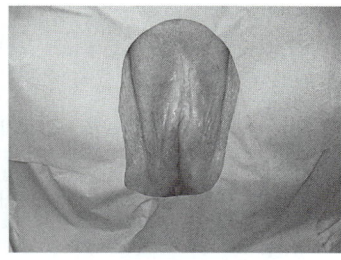

Abb. 13.1 Leukoplakie [M453]

Palpation
- Bauchdecken: weich, Abwehrspannung, Resistenzen, Dolenzen
- Inguinalregion: Lymphome, Hernien, Ulzera
- Vagina: glattwandig, Tumoren, Druckdolenzen
- Portio uteri: Konsistenz (bei Schwangerschaft häufig aufgelockert), Größe, Form, palpable Resistenz, Portio-Schiebe-Wackelschmerz (oft bei Adnexitis)
- Corpus uteri: Lage im Becken, Größe, Konsistenz, Oberflächenbeschaffenheit, Seitenverlagerung (z. B. tumorbedingt), Asymmetrien, Tumor
- Adnexe: Lage, Größe, Verschieblichkeit, Druckdolenz, Konsistenz (zystisch o. solide) u. Oberflächenbeschaffenheit (glatt o. höckrig), v. a. bei Tumoren. (**Cave:** Bei Adipositas ist die Adnexe meist nicht palpabel u. eine transvag. Sono-Untersuchung sinnvoll.)
- Douglas-Raum: Vorwölbung, Fluktuation (Flüssigkeitsansammlung), Tumor, Resistenzen (z. B. kleine Endometrioseherde), Druckdolenz
- Parametrien: Konsistenz, Infiltrate, Druckdolenz

13.2.2 Kolposkopie und Vulvoskopie

> Nicht nur path. Veränderungen der Portio u. Vaginalwand, sondern auch der Vulva sind kolposkopisch bei 10- bis 40-facher Vergrößerung (5-proz. Essigsäure verwenden) leichter als mit bloßem Auge erkennbar (▶ 15.2.2). Die DD in der Kolposkopie/Vulvoskopie ist jedoch nur anhand von Fotografien sinnvoll zu erörtern (kolposkopische Atlanten, Vulvaatlanten).

Toluidinprobe (Collins-Test)
- Vulva säubern.
- 1-proz. Toluidinblau-Lsg. mit Stieltupfer auf die gesamte Vulva auftragen; Einwirkzeit 2–3 min.
- Versuchen, die blaue Farbe mit 2-proz. Essigsäure zu entfernen. Karzinomverdächtige Bezirke behalten ihre Blaufärbung o. dunkeln nach.

Aufgrund der hohen falsch neg. Rate hat die Toluidin-Probe keinen Stellenwert mehr.

Vulva

Schamhaare Festklebende Nissen bei Pediculosis pubis (Filzlaus). Auf der Haut erkennt man schmutzig blau-graue Flecken (Taches bleues).

Vulvahaut
- Ulzerationen, eitrige Beläge, Schwellung → V. a. bakt. Inf., evtl. Mischinf., z. B. bakt. Inf. zusammen mit Candidamykose
- Ulzerationen neben Bläschen → V. a. Herpes genitalis
- Knoten, z. T. beetartig erhaben, papillomatös mit gleichzeitigem Juckreiz u. Fluor → V. a. Condylomata acuminata, ▶ Abb. 13.6)
- Weißliche Bezirke, verdickte Haut → V. a. Vulvadystrophie mit Leukoplakie (▶ Abb. 13.1)
- Schollige, weißliche Beläge, deutlich über dem Niveau der Vulvahaut gelegen, schwer lösbar. Grobe Leukoplakie. **Cave:** Malignität
- Schrumpfungen der Labien, dünne Vulvahaut, Stellen mit dünner Leukoplakie → V. a. Lichen sclerosus et atrophicus
- Blau-bräunliche bis schwarze, etwa 0,5 cm große Knoten, evtl. ulzeriert o. nässend → V. a. Melanom
- Ulkus, atypische Gefäßverläufe, weißlich schollige Beläge, knotige Verdickung, leichte Vulnerabilität bei Betupfen → V. a. Vulva-Ca (▶ Abb. 13.10)

Vagina
- Bläulicher Knoten, evtl. mit zentraler Blutung, meist im hinteren Scheidengewölbe → V. a. Endometrioseherd (▶ Abb. 13.2)
- Glatte tumoröse Vorwölbung der Scheide, ggf. mit durchscheinenden Gefäßen → V. a. Vaginalzyste
- Glatte tumoröse Vorwölbung der Scheide ohne Gefäße → V. a. Zystozele
- Ulkus, z. B. bei Pessarträgerinnen wegen Descensus uteri et vaginae
- Leukoplakie, z. T. als Folge chron. Irritationen bei Zystozele
- Starke Rötung, evtl. Plaquebildung, Fluor, zarte Punktierung → V. a. Kolpitis
- Dicker, weißlich bröckeliger Fluor → V. a. Candida-Inf.
- Multiple kleine Blutungsherde, sonst blasse Vaginalhaut → V. a. Atrophie
- Warzenförmiger Tumor, weißlich → V. a. Kondylom
- Spitze, warzenförmige Tumoren, meist an seitlicher Vaginalwand → V. a. spitze Kondylome (Condylomata acuminata; ▶ Abb. 13.6)
- Tonnenförmige Portio: US, Chrobak-Test (zarte Sonde bricht in nekrotisches Gewebe ein) → V. a. Zervix-Ca

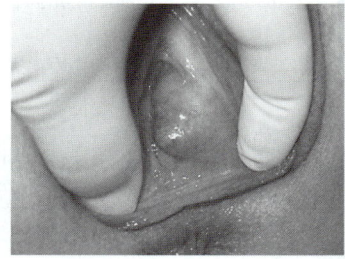

Abb. 13.2 Vaginaler Endometrioseherd [M453]

13.2.3 Nativpräparat

Zur schnellen Beurteilung, ob u. ggf. welche vag. Inf. vorliegt (▶ Abb. 13.3, ▶ Abb. 13.4).

Auswertung

- **Soorkolpitis** *(Candida albicans* o. a. Hefen): fadenförmiges Pseudomyzel, ggf. mit Sprosszellen, am besten im KOH-Präparat zu sehen; meist zäher, weißlicher Fluor.
- **Bakt. Mischflora:** Entero-, Staphylo- u. Streptokokken, *E. coli,* Corynebakterien u. a. Differenzierung der Bakterien ist weder im Nativpräparat noch mit der Papanicolaou-Färbung möglich. Hierfür müssen eine Kultur angelegt o. Spezialfärbungen durchgeführt werden.

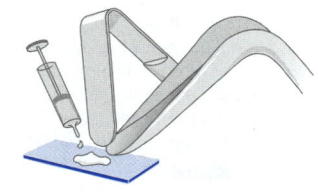

Abb. 13.3 Erstellen eines Nativabstrichs [L157]

- **Kokken:** Der gesamte Abstrich ist massiv mit runden, in Haufen- o. Kettenform gelegenen Zellen übersät, der Untergrund erscheint dadurch schmutzig grau, wie mit feinen Granula durchsetzt; besteht der V. a. Gonorrhö wegen intrazellulärer, paarweise nebeneinander liegender Kokken (Diplokokken) Gramfärbung o. Kultur veranlassen.

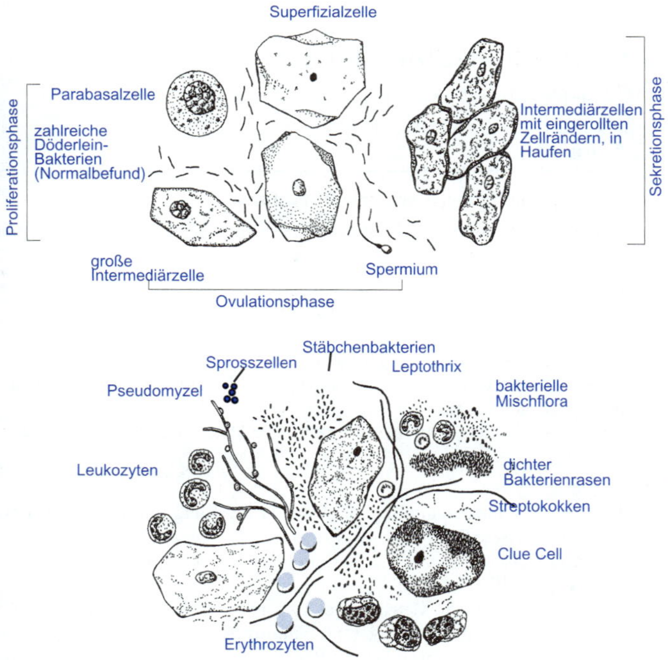

Abb. 13.4 Nativzytologie [L190]

- Haemophilus vaginalis (Syn.: *Corynebacterium vaginale, Gardnerella vaginalis*): kurze Stäbchenbakterien, die häufig in Klumpen liegen. Die Epithelzellen sind von Bakterien überlagert, v. a. am Zellrand (= **Clue Cells** o. Schlüsselzellen), pos. Amintest. **DD:** massenhafte Kokkenflora *(Gardnerella* liegt auf den Zellen, die Kokken liegen daneben).
- **Leptotrix:** dünne Fäden, wie Haare, oft geschlängelt, i. d. R. aber nicht verzweigt, keine Sporenbildung (**DD:** Soorkolpitis). Manche Formen können im Nativpräparat wegen der Kürze der Fäden nicht von Döderlein-Flora unterschieden werden → bei Beschwerden (Pruritus, Fluor) Kultur anlegen.
- **Trichomonaden:** etwa so groß wie Leukozyten, ovaler Zell-Leib mit spindelförmigem Zellkern, vier Geißeln mit meist lebhafter Bewegung (zum sicheren Nachweis müssen im frischen Nativpräparat die Geißeln erkannt werden, am besten mit Bewegung der Trichomonaden gegen den Flüssigkeitsstrom, ▶ Abb. 13.5).
  Cave: Bei V. a. Trichomoniasis (z. B. wegen grünlich schaumigen Fluors), sollte man das Deckblatt nicht fest aufdrücken, da sonst die Trichomonaden in ihrer Motilität gehemmt werden.

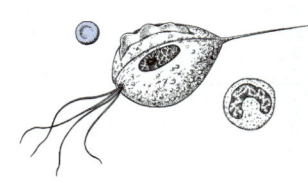

Abb. 13.5 Trichomonas [L190]

13.3 Infektionskrankheiten

Axel Valet und Michael Löttge

13.3.1 Vulvitis

Ursachen Vaginalinf., allg. u. systemische Faktoren.

Klinik Subjektiv brennende Schmerzen, v. a. beim Gehen; Juckreiz, Miktionsschmerzen, Kohabitationsbeschwerden (Dyspareunie).

Diagnostik
- Befund: gerötete Vulva mit verdickter Haut, Erosion, Ulkus, Berührung sofort schmerzhaft
- Feine Bläschen → V. a. Herpes genitalis
- Erhöhte, teils spitze, teils blumenkohlartige papillomatöse Tumoren → V. a. Condylomata acuminata
- Geröteter, relativ kleiner, derber Bezirk um ein Schamhaar gelegen → V. a. Follikulitis
- DD ▶ Tab. 13.2

Therapie Ggf. Kolpitisbehandlung u. systemische Ther. internistischer Erkr., Aufklärung über äußere Faktoren. Lokalther.:
- Pilzinf.: Clotrimazol äußerlich (z. B. Canesten® Creme) u. intravag. (z. B. Canesten® Vaginaltbl.) über 2–6 d
- Trichomonaden: einmalig Metronidazol 2 g p. o. (z. B. Metronidazol Stada 400®)
- Bakt. Inf.: Antiseptikum intravag. (z. B. Fluomycin® Vaginal supp.). Bei Vulvaerosionen bzw. -ulkus lokal mit Reepithelisierungsmittel wie Dexpanthenol (z. B. Bepanthen® Salbe) behandeln
- Herpes genitalis ▶ 13.3.4

13.3 Infektionskrankheiten

Tab. 13.2 Differenzialdiagnose der Vulvitis

Vaginale Ursachen	Fluor vaginalis bei bakt. Kolpitis, Soorkolpitis o. Trichomonaden. Harninkontinenz, Harnfistel
Äußere Ursachen	• Mech. Irritation: enge Wäsche, Vita sexualis, Intertrigo • Chem. Irritationen: Seifen, Kosmetika, Waschzwang, Waschmittel. Darminf.
Systemische Ursachen	Östrogenmangel, Diab. mell., internistische Pruritusursachen mit Kratzdefekten u. Sekundärinf. (z. B. bei Hyperbilirubinämie)

- Nichtinfektiöse Vulvitis („Reizvulvitis"): Kamillesitzbäder, lokale Östrogenther. (z. B. Linoladiol® Salbe, Xapro® Creme)
- Rezid. postmenstruelle Kolpitiden: Prophylaxe mit 3-tägigem postmenstruellem Ansäuern des Vaginalmilieus, z. B. mit ASS (z. B. ½ Tbl. Vagi C®) o. Milchsäure (Vagisan®) 1 × 1 Vaginalsupp. über 6–12 Mon.

13.3.2 Bartholinitis

Definition Inf. einer **Bartholin-Zyste** o. des Gangsystems. Infolge eines entzündlichen Verschlusses des Drüsenausführungsgangs kann die **Bartholin-Drüse** zu einer bis tischtennisballgroßen Zyste anschwellen.

Klinik Bis etwa 5 cm große Zyste an der Innenseite einer kleinen Labie, die den Introitus verlegt, mit dünner, geröteter Haut.

Differenzialdiagnosen
- Bartholin-Zyste ohne Entzündungszeichen. Ther.: Marsupialisation (s. u.), bei rezid. Bartholin-Zysten: OP. Ausschälung
- Vaginalzyste: (**cave:** z. T. sehr weite Ausdehnung ins Gewebe möglich). Ther.: op. Ausschälung
- Vulvaabszess, Ther.: Inzision, Ausräumung, antiseptische Ther., Sitzbäder

Therapie
- **Noch kein Abszess:** Betaisodona®-Desinfektion u. -Sitzbäder. Bei ausgeprägtem Befall ohne Besserung auf Lokalther.: Antibiose, z. B. Cephalosporin der 2. Generation p. o., z. B. Cefuroxim 2 × 500 mg/d (Cefuroxim ABZ 500®)
- **Bei Abszess:** Inzision u. Marsupialisation. Unter Vollnarkose etwa 2 cm Längsinzision an der Innenseite der Labie, am hinteren Drittelpunkt mit dem Skalpell, Unterminieren der Wundränder nach beiden Seiten, Eröffnung der Zyste u. Entleerung. Digitale Kontrolle, ob weitere Zystenkammern vorhanden sind! Die Zystenwand wird nach außen mit dem Wundrand der Labia minora vernäht. Über eine Penrose-Drainage wird der neu gebildete „Ausführungsgang" bis zur Reepithelisierung offen gehalten. Nachbehandlung mit Sitzbädern ab dem 3. postop. Tag (z. B. mit Kamille o. Kaliumpermanganat)

13.3.3 Kondylome (Feigwarzen)

Epidemiologie Jährlich erkranken in D etwa 53.000 Frauen neu an Kondylomen. Spitze Kondylome (Condylomata acuminata) u. breite Kondylome (Condylomata lata ▶ 6.20, s. Lues) kommen im Vulva- u. Vaginalbereich einschl. der Portio uteri (v. a. Condylomata acuminata) im Analbereich bis hin zum Rektum vor. Condylomata acuminata stellen gutartige papilläre Epitheliome dar, die durch eine Vi-

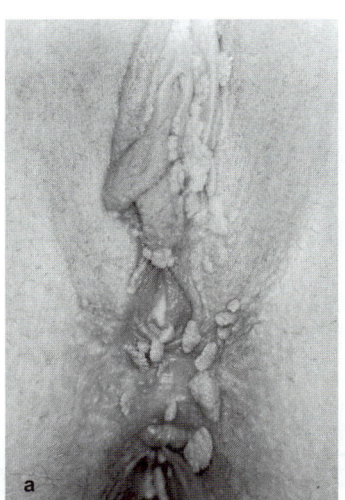 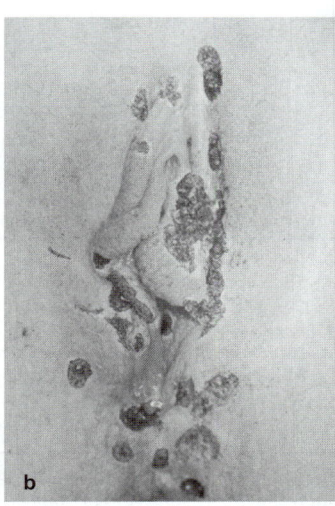

Abb. 13.6 Condylomata acuminata der Vulva: a) vor Laserkoagulation, b) nach Laserkoagulation [M453]

rusinf. hervorgerufen werden (HPV Typ 6 o. 11). HPV-Typ 16 u. 18 sind an der Entstehung des Zervix- u. Vulva-Ca beteiligt.

Klinik Blumenkohlartige, meist weiche Tumoren im Bereich der großen u. kleinen Labien, z. T. auch mit beetartiger Ausdehnung (v. a. an kleinen Labien; ▶ Abb. 13.6), evtl. brennender Schmerz auf Berührung.

Diagnostik In der Essigsäure-„Färbung" weiße Bezirke.

Differenzialdiagnosen Karzinom (▶ 13.7, ▶ 13.8), VIN (▶ 13.5.2), Condylomata lata, Fibrome.

Therapie
- Immunmodulator Imiquimod (Aldara®) als Salbe auf betroffene Stellen auftragen. **Cave:** Bei zu ausgedehntem Auftragen kann es bei empfindlicher Haut zu starken Reaktionen kommen; möglichst nur kleine Herde behandeln. Es müssen nur einige Herde behandelt werden, die restlichen Herde reagieren durch die „Immunmodulation" mit.
- Elektrische Schlingenabtragung o. elektrische Koagulation u. Abtragen der Basis mit dem scharfen Löffel (Vollnarkose erforderlich).
- CO_2-Laser-Abtragung (i. d. R. in Lokalanästhesie möglich).
- In der Schwangerschaft: chir. Entfernung in der 33–35. SSW o. Trichloressigsäure (bis zu 85 %) in kleinsten Mengen. Vorteil: Abheilung ohne Narbenbildung u. sichere Anwendung in der Schwangerschaft. Nicht von Pat. selbst durchführbar. Die Anwendung von Imiquimod 5 %-Creme ist bei fehlender Datenlage in der Schwangerschaft nicht zugelassen; Podophyllotoxin ist kontraindiziert, ebenso Kryotherapie. Bei sehr kleinen Läsionen Spontanremission nach Entbindung sehr wahrscheinlich (Kontrolle 8 Wo. p. p.). Spontangeburt ist der Entbindungsmodus der Wahl. Sectio-Ind. nur bei Kondylomen, die ein mech. Geburtshindernis darstellen.

> - Bei Schwangerschaft Ther. vor Geburt, da HPV 6 + 11 theoretisch bei vag. Entbindung das NG infizieren können (Larynxpapillome, intrapulmonale Papillome).
> - HPV können Feten auch diaplazentar infizieren.
> - Kondylome bei kleinen Mädchen sind selten durch sexuellen Missbrauch verursacht.

Prophylaxe Nonavalenter aktiver Impfstoff (Gardasil® 9 enthält Hüllproteine gegen HPV 6, 11, 16, 18, 31, 33, 45, 52, 58). Hohe Effizienz als Vorbeugung sowohl gegen Kondylome als auch gegen Zervix-Ca. Durch die STIKO unverständlicherweise derzeit nur für Mädchen/Frauen empfohlen. GKV-Leistung bei den meisten Kassen für Mädchen/Frauen zwischen 9 u. 18 J. Auch Frauen > 18 J. können von der Impfung profitieren, die gesetzlichen Krankenkassen verweigern aber i. d. R. die Kostenübernahme. Der ebenfalls zugelassene Impfstoff Cervarix® schützt bivalent vor Inf. mit HPV 16 u. 18 und damit nicht vor Kondylomen. Häufig besteht eine Kreuzimmunisierung auch für weitere HP-Viren, z. B. HPV 31 u. 45, die ebenfalls als onkogen gelten. Bei der frühen Impfung von Mädchen zwischen 9 u. 14 J. (Gardasil® 9–13 J., Cervarix® 9–14 J.) wird ein zweimaliges Impfdosisschema im Abstand von 6 Mon. empfohlen.

13.3.4 Herpes genitalis

Erreger DNA-Virus *Herpes simplex hominis* Typ 2 mit verschiedenen Stämmen.

Infektionsweg Wird fast ausschließlich durch Sexualkontakte übertragen. Häufig Rezidive durch endogene Reaktivierung des Virus. IKZ: 4–21 d.

Klinik Brennen, Schmerzen, Fluor, Dysurie, Dyspareunie, gelegentlich Temperaturerhöhung, vergrößerte Lk in der Leiste.

Diagnostik
- Lokalbefund: an der Innenseite der kleinen Labien 2–3 mm große Bläschen mit klarem Inhalt. Nach Ruptur der Pusteln bleiben kleine, scharf begrenzte Ulzera mit gelblichen zentralen Belägen, rotem Randsaum o. aufgelagerten Krusten (▶ Abb. 13.7).
- Erregernachweis: Mit trockenem Watteträger Bläscheninhalt zur virol. Diagn. aufnehmen (Direktabstrich).
- Serodiagn.: Bei prim. Herpes genitalis ist ein Titeranstieg o. das Neuauftreten von AK nachweisbar (IgM, IgG). Die Titeranstiege erfolgen langsam, durchschnittlich nach 6–8 d.

Therapie
- Systemisch Aciclovir (Zovirax®), bei ausgeprägtem Befall u. starken Schmerzen Beginn der Ther. i. v. (jedoch nur ausnahmsweise erforderlich) o. Valaciclovir o. Famciclovir (▶ Tab. 13.3)
- Bei > 6 Rezidiven/J.: Famciclovir 2 × 250 mg/d für 1 J. o. Aciclovir 3 × 400 mg/d für 1 J.

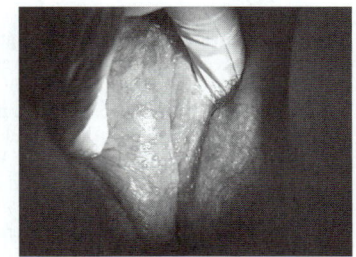

Abb. 13.7 Herpes genitalis [M453]

Infektion während der Schwangerschaft
▶ 6.5.

Tab. 13.3 Aciclovir-Dosierung

Intra-venös	3 × 5 mg/kg KG Cave: Bei Niereninsuff. Dosisreduktion wegen Intoxikationsgefahr
Oral	5 × 200 mg/d alle 4 h für 5 d
Lokal	5 × tgl. alle 4 h auf die infizierten Stellen auftragen, etwa 5 bis max. 10 d

13.3.5 Kolpitiden

Ursachen Ursache der Kolpitis ist meist eine Verdrängung der physiol. Vaginalflora, z. B. durch Östrogenmangel, Antibiotika o. Scheidenspülungen. Es kommt zur Beeinträchtigung der grampos. Döderlein-Flora (vergären unter Östrogeneinfluss entstandenes Glykogen zu Milchsäure → pH 4,0). Steigt dadurch der pH > 5, so sind die meisten Kolpitiserreger wie Pilze, *E. coli,* Streptokokken, Staphylokokken u. Trichomonaden vermehrungsfähig.

Klinik Vermehrter Fluor vaginalis, unangenehmer Geruch, Pruritus, brennende Schmerzen im Bereich der Vaginalhaut, oft sek. Vulvitis.

Diagnostik
- Spekulumeinstellung: Rötung, Fluor, Schwellung u. leichte Vulnerabilität der Vaginalhaut
- Nativpräparate mit NaCl u. KOH ▶ 13.2.3
- Amin-Probe ▶ 13.2.3

Wenn eine Diagn. mit den o. g. Mitteln nicht gestellt werden kann o. bei therapierefraktären Beschwerden: Erregernachweis im Scheidensekret o. Zervixepithel, z. B. mit:
- Bakterienkultur, Pilzkultur mit z. B. Portagerm®
- Gonokokkenkultur auf Blutagar
- Chlamydiennachweis z. B. im ChlamyScreen®

Soorkolpitis

Diagnostik Anhand des Nativpräparats (▶ 13.2.3). Bei rezid. Soorkolpitiden sollte eine Pilzkultur (z. B. mit Kimmig-Agar) angelegt werden.

Therapie
Lokales Antimykotikum: Über 3 d Vagina u. Vulva komb. z. B. mit Clotrimazol (z. B. Mykofungin®) behandeln (jeweils abends 1 Vag.-Tbl. mit Salbe). Bei Rezidiv Lokalther. für 6 d. Bei erneutem Rezidiv:
- **Fluconazol** 150 mg/d p. o. (z. B. Fungata®) o. bei nochmaligem Rezidiv 50–100 mg/d p. o. (z. B. Diflucan® 50) über 7–14 d (wesentlich bessere hepatische Verträglichkeit als Ketoconazol, s. u.). Wegen renaler Elimination Vorsicht bei Niereninsuff. Dosisreduktion auf die Hälfte bei Krea-Clearance von 20–40 ml/min
- **Nystatin** zur systemischen Zusatzther. 1,5–3 Mio. IE/d p. o. (z. B. Moronal®) für 6 d, v. a. bei zusätzlicher oraler Candidose. Bei Mund- u. Rachenbefall Ther. mit Nystatin-Lsg. (z. B. Mykundex® Suspension 4–6 × 2 ml nach den Mahlzeiten)

- **Ketoconazol** 400 mg/d p. o. (z. B. Nizoral®) bei wiederholtem Rezidiv. **Cave:** In seltenen Fällen Hepatitis möglich, daher Ther. auf 5–10 d beschränken

Haemophilus-vaginalis-Kolpitis („Aminkolpitis")

Inzidenz Bis zu 10 % der Frauen im geschlechtsreifen Alter.

Klinik Übel riechender Fluor, Pruritus, z. T. brennender Schmerz.

Diagnostik Nativpräparat u. pos. Amintest (▶ 13.2.3), Vaginalabstrich-Kultur (▶ 2.3.4).

Therapie
- Lokal Metronidazol 0,1 g/d (z. B. Clont® Vaginaltbl.) abends über 6 d. Bei Beschwerdepersistenz zusätzlich Metronidazol 2 × 400 mg/d p. o. (z. B. Flagyl® 400) für 10 d
- In der Schwangerschaft zunächst Ansäuern des Vaginalmilieus mit Milchsäurepräparaten (z. B. Symbiovag®). Falls erfolglos, lokal Metronidazol 0,1 g/d (z. B. Arilin® Vaginaltbl.), jedoch erst ab dem 2. Trim.! Nach 14 d Kontrollabstrich

Kokkenkolpitis

Häufig findet sich eine Kokkenbesiedelung, die mit einem einfachen Antiseptikum behandelt werden kann.

Klinik Brennender Schmerz, Pruritus; gelblicher, übel riechender Fluor.

Diagnostik Nativzytologie ▶ 13.2.3; ▶ Abb. 13.4.

Therapie
- Lokales Antiseptikum, z. B. Vagi-Hex® Vaginalsupp. 1 × 1 für 6–12 d
- Lokales Tetrazyklin, falls keine Besserung, z. B. Mysteclin® Vaginaltbl. Ovula mit Zusatz von Amphotericin B (gleichzeitig antimykotischer Effekt) über 6–12 d
- Systemische Tetrazykline: falls noch immer kein Therapieerfolg, Doxycyclin 2 × 100 mg p. o. am 1. Tag, 1 × 100 mg/d p. o. am 2.–14. Tag (z. B. Doxycyclin 100 Stada®)
- Nach 14 d Kontrollabstrich

Mykoplasmen

Mykoplasmen treten immer häufiger als Ursache leichter Genitalinf. auf. In der Geburtshilfe werden sie als Ursache von vorzeitigen Wehen u. vorzeitigem Blasensprung diskutiert.

Therapie Lokalantiseptisch mit Fluomizin® Vaginaltbl. 1 × 1 für 3–6 d. In der Grav. bei gleichzeitiger vorzeitiger Wehentätigkeit Erythromycin 3 × 500 mg/d p. o. für 14 d (z. B. Erythrocin® 500 Neo).

> Eine Ther.-Empfehlung für Schwangere bei Zufallsbefund wird derzeit jedoch nicht gegeben. Bei vorzeitigen Wehen unklarer Genese mit gleichzeitigem Mykoplasmenbefall sollte aber therapiert werden.

Chlamydienkolpitis

Chlamydien sind häufige Erreger einer Zervizitis, die mit ihrem Fluor Kolpitiden unterhalten können. Häufig folgen aszendierende Inf. mit Endometritis u. Salpingitis (mögliche Folgen: Sterilität u. erhöhte EUG-Rate). Oft besteht gleichzeitig eine Chlamydienurethritis. Meist sexuelle Übertragung. In den letzten Jahren zunehmende Bedeutung, mit 40 % häufigste Ursache von unspez. Urethritiden. Screening bei Frauen bis zum 25. Lj aus Urin als empfohlene Kassenleistung. Die Aussagekraft des gepoolten Urintests ist zweifelhaft. In Schweden wurde der Chlamydien-Urintest zeitgleich mit seiner Einführung in D abgeschafft.

Klinik Vermehrter, eitriger Ausfluss, häufig rezid. Unterbauchschmerzen. Bei Urethrabeteiligung Dysurie, Pollakisurie. **Cave:** Übertragung bei Geburt auf das Kind mit Konjunktivitis, Pneumonie.

Diagnostik
- Befund: gerötete Zervix mit eitrigem Fluor (Kolposkopie)
- Nativzytologie: reichlich Leukozyten (▶ 13.2.3)
- Chlamydienabstriche für Mikrobiologie (z. B. ChlamyScreen®): Da Chlamydien sich intrazellulär vermehren, genügt ein „Fluorabstrich" nicht; es muss Zellmaterial von der Zervixwand abgestrichen werden, am besten mit einer zytol. Abstrichbürste (z. B. Cytobrush®)

Therapie
- Doxycyclin 200 mg/d p. o. über 14 d (z. B. Doxy 200 ct®)
- In der Schwangerschaft Erythromycin 4 × 500 mg/d p. o. über mind. 10 d (z. B. Erythrocin® 500 Neo) ab 14. SSW

Trichomonadenkolpitis
Sexuell übertragene Protozoeninf., häufig mit einer Soorkolpitis vergesellschaftet (▶ Abb. 13.5). *Nativpräparat: Flagellaten*

Klinik Grün-gelblicher, schaumiger Fluor; brennender Schmerz, Dysurie.

Diagnostik Nativpräparat ▶ 13.2.3.

Therapie Metronidazol 2 g p. o. als Einmalgabe (z. B. Arilin® 500). In der Schwangerschaft: Clotrimazol (z. B. Antifungol®) z. B. lokal. Immer Partner mitbehandeln (z. B. Arilin®-Duo).

Mischinfektion
Oft tritt eine komb. Inf. auf, die nach ihrer dominierenden Ursache therapiert werden muss. Sollte u. a. eine Trichomoniasis vorliegen, muss diese systemisch behandelt werden, eine gleichzeitig bestehende Soorkolpitis wird lokal therapiert (Clotrimazol hat gleichzeitig eine trichomonazide Wirkung). Genitaltuberkulose ▶ 16.4.2.

Aktinomykose Bakt. anaerobe u. aerobe Mischinf., die v. a. durch *Actinomyces israelii*, aber auch andere Aktinomyzeten hervorgerufen wird. Häufigkeit: selten, bes. bei zu lang liegendem IUP. Mikroskop. Diagnose durch Drusennachweis. Schwerste Inf. Ther.: IUP-Entfernung + Langzeitantibiose mit Sulbactam/Ampicillin (Unacid® PD oral 2 × 375 mg p. o.), Tetrazyklin (Doxycyclin 2 × 100 mg Stada®) o. Cefalosporin (Cefuroxim 2 × 500 mg p. o. AbZ®) mind. über 3 Wo., bei Persistenz max. bis zu 1 J. erforderlich. Manchmal Hysterektomie erforderlich.

13.3.6 Sexuell übertragbare Krankheiten (STD, sexually transmitted diseases)

Definition
- **Venerische Erkr. im engeren Sinne:** die früher im Gesetz zur Bekämpfung der Geschlechtskrankheiten genannten Erkr. Lues, Gonorrhö, Ulcus molle, Lymphogranuloma inguinale u. Granuloma venereum. Bei allen venerischen

Erkr. muss der Arzt seine Pat. über den Infektionsmodus aufklären u. nach evtl. weiteren Infizierten fragen.
- **Sexually Transmitted Diseases** (STD): die eigentlichen venerischen Erkr. u. a. sexuell übertragbare Krankheiten, z. B. Hepatitis B u. HIV-Inf.

Lues (Syphilis)

Erreger *Treponema pallidum* (Spirochäten-Bakterium). Verläuft in mehreren Stadien.

Klinik
- **Primäraffekt:** etwa 3 Wo. nach Inf. mit Erosion bzw. Ulkus mit derbem Randwall (Ulcus durum, „harter Schanker"), derbem Labienödem, nicht schmerzhafter, derber Lk-Schwellung. Rückbildung innerhalb von 6 Wo.
- **Sekundärstadium:** nach etwa 6–10 Wo. makulöses, später papulöses Exanthem (Stamm, Hand- u. Fußflächen), grau-weißliche Beläge u. indolente Erosionen der Mundschleimhaut (Plaques lisses), breite, nässende Papeln im Anogenitalbereich (Condylomata lata. **Cave:** hochkontagiös!). Mottenfraß-ähnliche, reversible Alopezie. Die Effloreszenzen des Sekundärstadiums verschwinden meist unbehandelt innerhalb von 1 J., in 25 % treten frühe Rezidive der Lues auf.
- **Tertiärstadium:** nach etwa 2–5 J., z. T. auch später papulomatöses Syphilid, teils ulzeriert o. mit Krusten überzogen, mit teils narbiger Abheilung. Gummen (knotige Infiltrate, später einschmelzend mit Ulkusbildung, nach Eröffnung tritt ein zähflüssiges Sekret aus). In 10 % kardiovaskulärer Befall mit luetischem Aortenaneurysma u. Endarteriitis, in 8 % Neurolues mit Tabes dorsalis (→ Ataxie) u. Großhirn-„Paralyse" mit Größenwahn.

Diagnostik
- **Sek. Lues** (Condylomata lata): Objektträger auf das Ulkus aufdrücken u. blutiges Sekret aufnehmen, 1 Tr. NaCl 0,9 % zugeben u. im Phasenkontrast- o. Dunkelfeldmikroskop betrachten: im pos. Fall korkenzieherartig gewundene, bewegliche feine Fäden, etwa 2- bis 3-mal so groß wie Erys
- **Serologie:** TPHA-Test als Suchtest, falls pos. VDRL-Test zur Klärung, ob eine akute Inf. vorliegt (▶ Tab. 13.4)

Therapie
- Procain-Penicillin G 600.000 IE/d i. m. für 15 d o. einmalig Benzathin-Penicillin G 2,4 Mio. IE i. m., je 1,2 Mio. pro Gesäßhälfte (z. B. Tardocillin® 1200).
- Bei Penicillinallergie Doxycyclin 200 mg/d p. o. (z. B. Doxycyclin 200 Stada®) o. Erythromycin 4 × 500 mg/d p. o. (z. B. Erythrocin® 500 Neo) für 14 d.
- Wdh. der Lues-Serologie nach Ther.-Ende. 24 h nach Ther.-Beginn besteht keine Infektiosität mehr.

> Meldepflicht besteht anonym für den dir. o. indir. Keimnachweis.

Lues connata

> Nach dem 5. Schwangerschaftsmonat können Treponemen die Plazenta passieren u. den Fetus infizieren (▶ 6.13).

Tab. 13.4 Lues-Serologie

TPHA*	FTA-Abs*	VDRL**	Beurteilung
–	–	–	Lues o. Frühlues < 3 Wo.
Falls einer der drei Tests positiv ist			Kontrolle nach 14 d
+	+	–	Ausreichend behandelte Lues o. < 6 Wo. nach Inf., Kontrolle nach 14 d
+	+	+	Behandlungsbedürftige Syphilis

* TPHA u. FTA-Absorptions-Test: beides Suchtests, die nach etwa 3 Wo. pos. reagieren; in 0,2 % falsch pos. (z. B. Autoimmunerkr.: systemischer Lupus erythematodes [SLE], rheumatoide Arthritis [RA], infektiöse Mononukleose)
** VDRL-Test: frühestens nach 6 Wo. pos.; häufig falsch pos., z. B. bei Grav., Erkr. mit veränderter Plasmaeiweißzusammensetzung (z. B. Plasmozytom)

Klinik
- Entsprechend Lues II makulopapulöses Exanthem.
- Blasen an Handtellern u. Fußsohlen mit flüssigem gelblichem Inhalt (syphilitische Paronychie, syphilitischer Pemphigus), plattenförmige Hautinfiltrate, v. a. um Körperöffnungen. Beim Schreien entstehen dadurch Risse der Haut, die narbig verheilen. Hautentzündungen greifen auf die Schleimhäute über; es kann z. B. Schnupfen (Coryza syphilitica) entstehen.
- Sattelnase, Hutchinson-Trias: tonnenförmige, gekerbte Schneidezähne, Innenohrschwerhörigkeit, Keratitis parenchymatosa.
- Hydrozephalus, Splenomegalie, Leberzirrhose, Säbelscheidentibia.

Gonorrhö („Tripper")

Erreger *Neisseria gonorrhoeae* (▶ Abb. 13.8), bei Frauen häufig asympt. Verlauf.

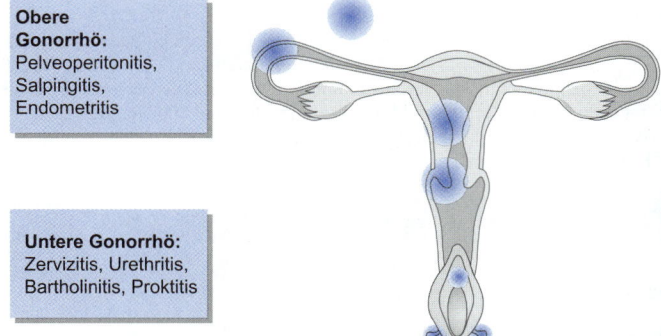

Obere Gonorrhö: Pelveoperitonitis, Salpingitis, Endometritis

Untere Gonorrhö: Zervizitis, Urethritis, Bartholinitis, Proktitis

Abb. 13.8 Prädilektionsstellen der Gonorrhö [L157]

Klinik
- **Untere Gonorrhö:** Pollakisurie, Algurie, eitriger, grünlicher Fluor, geröteter u. schmerzhafter Introitus, Stuhl mit Blut- u. Schleimauflagerung.
- **Obere Gonorrhö:** ziehende Unterbauchschmerzen, bei Tubenbefall bds. ausstrahlend, leichte Temperaturerhöhung, deutliche Druckdolenz bei der Palpation. Bei Peritonitis akutes, schweres Krankheitsbild mit Fieber, Abwehrspannung, Übelkeit u. Erbrechen

Komplikationen
- (Mon-)Arthritis, gonorrhoische Iritis, Iridozyklitis, Pleuritis, Meningitis, Peri- u. Endokarditis
- Spät-KO: Verklebung der Tuben, die zur tubaren Sterilität führt (▶ 17.4.6)

Diagnostik Abstriche von Zervix u. Urethra mit intrazellulären Diplokokken (Gonokokken in Methylenblaufärbung blau, in Gramfärbung rot). Kultur ist beweisend, am besten auf Blutagar (immer warm halten!).

Therapie
- STIKO-Empfehlung: Ceftriaxon 1 g einmalig i. m./i. v. (Rocephin®) plus Azithromycin 1,5 g p. o. (z. B. Azithromyzin 500 1A Pharma® 1 × 3 Tbl.) Kombinationsther. wegen zunehmender Resistenzbildung
- Falls i. m. oder i. v. Gabe nicht möglich sind: Cefixim 800 mg p. o. (z. B. Cefixim 400 1 A Pharma® 1 × 2 Tbl.) plus Azithromycin 1,5 g p. o. (z. B. Azithromyzin 500 1A Pharma® 1 × 3 Tbl.) als Einmalgabe
- Procain-Penicillin 4,8 Mio. IE i. m.; bei schwerer Verlaufsform Procain-Penicillin 2 Mio. IE i. m. für 6–10 d
- Bei Penicillinunverträglichkeit: Doxycyclin 1. Tag: 2 × 100 mg p. o., nach 12 h 1 × 100 mg p. o., dann 2 × 100 mg/d p. o. für weitere 3 d (z. B. Doxycyclin 100 Stada®)
- In der Schwangerschaft: Ceftriaxon 1 g i. v. (i. m.) (Rocepohin®) als Einmaldosis

 Nach IfSG besteht keine Meldepflicht mehr!

Ulcus molle (weicher Schanker)

Erreger In Mitteleuropa seltene sexuell übertragene Krankheit. Erreger ist *Haemophilus ducreyi* (gramneg. Stäbchen).

Klinik Papulopustel, schmerzhaftes (!) Ulkus mit weichem (!) Rand, schmerzhafte, verbackene inguinale Lk-Pakete (Bubonen) mit Einschmelzung u. Spontanperforation.

Diagnostik Kultureller Nachweis. *Haemophilus ducreyi* in Nativmikroskopie fischzugartig angeordnet. Auf jeden Fall zur DD bzw. wegen längerer IKZ Lues-Serologie bei Diagnosestellung, nach 6 Wo. u. 3 Mon. durchführen.
DD: ▶ Tab. 13.5.

Therapie Tetrazyklin 1–2 g/d p. o. (z. B. Doxycyclin 100–200 Stada® N) für 4 Wo. Ebenfalls gute Wirksamkeit zeigt Cotrimoxazol 1–2 × 160 + 800 mg/d p. o. für 1 Wo. Falls die Bubonen sehr prall u. schmerzhaft sind, Punktion u. Eiterentleerung. **Cave:** Infektiosität.

Tab. 13.5 Ulcus molle und Lues: Differenzialdiagnose

Lues	Ulcus molle
Hartes Ulkus	Weiches Ulkus
Ulkus schmerzfrei	Druckdolentes Ulkus
Indolente Inguinallymphome	Dolente Inguinallymphome
IKZ: 3 Wo.	IKZ: 2–5 d

> Nach IfSG besteht keine Meldepflicht mehr.

Hepatitis B
Siehe auch ▶ 6.9. Nach den gesetzlichen Regelungen gehört die Hepatitis B nicht zu den Geschlechtskrankheiten. Die sexuelle Übertragung ist jedoch der Hauptinfektionsweg, sodass Partner von HBsAg-pos. Pat. unbedingt gegen Hepatitis B geimpft werden sollten.

HIV-Infektion, Aids

Erreger
Humane Immundefizienz-Viren HIV 1 u. 2, keine Meldepflicht.

Klinik
Symptome treten nach ½–12 J. auf u. variieren sehr stark. Sie werden nach der aktuell gültigen CDC-Klassifikation in drei Stadien unterteilt (▶ Tab. 13.6). Die in der Praxis noch weit verbreitete Buchstabenklassifikation der CDC-Codierung von 1993–2008 ist nicht mehr aktuell.

Stadium 1 (Frühstadium) Akute (prim.) HIV-Inf., Lymphadenopathie-Sy. (LAS) u. asympt. HIV-Inf.
- **Akute HIV-Inf.:** bis zu 30 % der Infizierten, IKZ wenige Tage bis mehrere Wo., meist unspez., häufig mononukleoseähnliches Krankheitsbild mit typischem makulopapulösem Exanthem, selten Meningitis, Enzephalitis o. Radikulitis. Labor meist o. B., seltener $CD4^+$-Zell-Depletion, HIV-AK nur selten nachweisbar, dir. Virusnachweis häufig positiv! Serokonversion etwa 1–6 Mon. nach akuter Erkr.
- **Lymphadenopathie-Sy. (LAS):** LAS o. persistierende generalisierte Lymphadenopathie (PGL) mit Lk-Schwellungen > 2 cm Durchmesser an mind. zwei extrainguinalen Lokalisationen, häufig auch konstitutionelle Symptome (Fieber, Gewichtsverlust, Nachtschweiß)

Stadium 2 (fortgeschrittenes Stadium)
Inf. mit opportunistischen Erregern, keine Aids-definierenden Erkr. o. dir. HIV-assoziierte KO

Stadium 3: Manifeste Aids-Erkrankung Meist deutlicher Immundefekt mit Auftreten einer Aids-definierenden Erkr. Häufigste Krankheitsbilder *Pneumocystis-jiroveci*-Pneumonie, *Candida*-Ösophagitis, zerebrale Toxoplasmose, Tbc (pulmonal o. extrapulmonal), *Mycobacterium-avium-intracellulare*-Inf., Kaposi-Sarkom u. rezid. bakt. Pneumonien.

Tab. 13.6 CDC-Klassifikation der HIV-Infektion (CDC 2014) [W916]

HIV-Infektionsstadien, basierend auf CD4⁺T-Lymphozytenzählung, o. prozentuale CD4⁺ T-Lymphozyten-Verteilung zur Gesamtzahl der T-Lymphozyten in Abhängigkeit der Infektionsdauer nach pos. bestätigtem HIV-Test (Jahre nach Diagnosestellung)

Stadium	< 1 J. Ungefähre Anzahl Zellen/µl, prozentualer Anteil	ca. 1–5 J. Ungefähre Anzahl Zellen/µl, prozentualer Anteil	≥ 6 J. Ungefähre Anzahl Zellen/µl, prozentualer Anteil	
0	Keine Werte, kein Befund einer Aids-definierenden Erkr.			
1	(CD4⁺ Zellen ≥ 1.500/µl), ≥ 34 %	(CD4⁺ Zellen ≥ 1.000/µl), ≥ 30 %	(CD4⁺ Zellen ≥ 500/µl), ≥ 26 %	keine Aids-definierende Erkr.
2	(CD4⁺ Zellen 750–1.499/µl), 26–33 %	(CD4⁺ Zellen 500–999/µl), 22–29 %	(CD4⁺ Zellen 200–499/µl), 14–25 %	keine Aids-definierende Erkr.
3	(CD4⁺ Zellen < 750/µl), < 26 %	(CD4⁺ Zellen < 500/µl), < 22 %	(CD4⁺ Zellen < 200/µl), < 14 %	oder mind. 1 Aids-definierende Erkr.

Das Stadium basiert primär auf der CD4⁺T-Lymphozytenzahl, die CD4⁺T-Lymphozytenzahl hat Vorrang vor dem prozentualen Anteil an CD4⁺T-Lymphozyten. Der Prozentsatz wird nur betrachtet, wenn keine absolute CD4⁺T-Lymphozytenzahl vorliegt.
Es gibt aber drei Situationen, in denen das Stadium nicht auf obiger Tab. basiert:
1. Wenn die Kriterien von Stadium 0 zutreffen (keine der Kriterien der Tab. sind erfüllt), aber opportunistische Erkr. vorliegen
2. Wenn opportunistische Erkr. vorliegen, ist immer Stadium 3 erfüllt, ungeachtet des Lymphozytenstatus
3. Wenn die Kriterien für Stadium 0 nicht erfüllt sind u. weitere Kriterien für andere Stadien nicht bekannt sind, dann ist das Stadium „nicht klassifizierbar".

Cave: Bei ther. Besserung gibt es keine Rückklassifikation in ein niedrigeres Stadium, sodass das aktuelle Stadium nicht unbedingt Rückschlüsse auf den aktuellen Status der Erkr. zulässt!

Aids-definierende Krankheiten
Candidose (Bronchien, Trachea, Lunge, Ösophagus), CMV-Inf. (außer an Leber, Milz), CMV-Retinitis, HIV-bedingte Enzephalopathie, *Herpes-simplex*-Inf. mit chron. > 1 Mon. bestehenden Ulzera o. Herpes simplex-Bronchitis, -Pneumonie, -Ösophagitis, Histoplasmose, chron. intestinale Isosporiasis (> 1 Mon.), Kaposi-Sarkom, Kokzioidomykose, Kryptokokkose, Kryptosporidose, Burkitt-Lymphom, immunoblastisches o. prim. zerebrales Lymphom, *Mycobacterium-avium*-Komplex, Mykobakteriose, *Pneumocystis*-Pneumonie, > 2 rezid. bakt. Pneumonien/J., progressive multifokale Leukoenzephalopathie, rezid. Salmonellen-Septikämie, Tbc, zerebrale Toxoplasmose, Wasting-Sy., invasives Zervix-Ca.

Die Europäische Kommission verzichtet auf eine Stadieneinteilung, ein bestätigter pos. HIV-Test gilt als Nachweis einer HIV-Inf. Aids ist definiert als pos. HIV-Test u. eine Aids-definierende Erkr. Die WHO definiert 4 Stadien; die Stadieneinteilung ist der der CDC ähnlich, bei der CDC aber stringenter definiert. Näheres s. Lehrbücher der Immunologie.

Virusdiagnostik

> Vor HIV-Testung muss das Einverständnis der Pat. eingeholt werden.

Antikörper In der Regel 1–3 Mon. nach Inf. nachweisbar, selten erst nach 6–12 Mon.
- Suchtest: Anti-HIV-ELISA, sehr hohe Sensitivität u. Spezifität (selten falsch pos.)
- Bestätigungstest: Anti-HIV-Immunoblot (Western Blot). Auftrennung von HIV-spez. Proteinen u. Markierung einzelner (proteinspez.) AK (sog. Banden). Test hochspezifisch, jedoch aufwendiger u. teurer als ELISA

Direkter HIV-Nachweis Indiziert in der Frühphase der Erkr. (Sensitivität methodenabhängig), in fortgeschrittenen Stadien für Monitoring u. Ther.-Kontrolle.
- **HIV-p24-Antigen:** Hüllprotein von HIV, das mit spez. ELISA nachgewiesen werden kann, Sensitivität wird durch vorherige Spaltung von p24-antigenhaltigen Serum-Immunkomplexen erhöht
- **Viruskultur:** sehr aufwendig u. teuer, nur für wissenschaftliche Zwecke sinnvoll
- **HIV-Viruslast** (HIV viral load; PCR, andere Amplifikationsmethoden): hochsensitiv. Modernster u. wahrscheinlich bester Marker zum Krankheitsmonitoring, zur Diagn. der HIV-Inf. bei unklarer Serologie u. bei Kindern

Monitoring und Therapiekontrolle in fortgeschrittenen Stadien
Wichtigster Surrogatmarker derzeit HIV-Viruslast (▶ Tab. 13.7) ansonsten Lymphozytensubpopulationen (CD4$^+$ Lymphozyten, CD8$^+$ Lymphozyten, CD4/CD8-Ratio, evtl. aktivierte T-Zellen u. zytotoxische Zellen) zur Abschätzung des Immundefekts u. der Aktivierung des Immunsystems.

Tab. 13.7 Surrogatmarkerdiagnostik

	CD4$^+$ T-Lymphozyten	CD4/CD8-Ratio	Neopterin
Normalbefund	> 800/µl	> 1	< 10 nmol/l
Geringer Immundefekt	500–800/µl	> 0,5, < 1	10–15 nmol/l
Mäßiger Immundefekt	200–500/µl	> 0,1; < 0,5	15–30 nmol/l
Schwerer Immundefekt	< 200/µl	< 0,1	> 30 nmol/

Antiretrovirale Therapie (ART)
Behandelt werden alle sympt. HIV-Pat. sowie asympt. Pat. mit deutlichem Risiko für eine immunol. u. klin. Progression (< 350 CD4$^+$/µl Blut). Eine ART sollte auch bei CD4$^+$ T-Lymphozyten/µl > 500 erfolgen, wenn folgende Zusatzkriterien erfüllt sind: Alter > 50 J., HCV-Koinf., therapiebedürftige HBV-Koinf., Absinken der CD4$^+$ T-Zahl, Plasmavirämie > 100.000 Kopien/ml o. zur Reduktion der Infektiosität. Ther. wird von einem auf HIV spezialisierten Arzt durchgeführt. Vorgehen nach Verletzung mit HIV-kontaminierter Nadel ▶ 1.10.2.
- **Reverse-Transkriptase-(RT-)Hemmer (Nukleosidanaloga, NRTI):** hemmen HIV-Replikation durch RT-Hemmung („falsches Nukleosid"). Immer Kombinationsther. **KI:** schwere vorbestehende Myelosuppression (Hb < 80 g/l, Leukozyten < 1/nl). **Substanzen:** AZT = Zidovudin (Retrovir®), DDI = Dida-

nosin (Videx®), D4T = Stavudin (Zerit®), 3TC = Lamivudin (Epivir®). Abacavir (BW-1592) u. Adefovir neue Substanzen mit hoher antiviraler Potenz
- **Nichtnukleosidale Reverse-Transkriptase-Inhibitoren (NNRTI):** hohe antivirale Aktivität, jedoch schnelle Resistenzentwicklung, daher Kombinationsther. Efavirenz (Sustiva®)
- **Proteinase-Inhibitoren (PI):** wirken durch Interaktion mit der HIV-Protease. In vitro stärkste Anti-HIV-Wirksamkeit im Vergleich zu anderen Präparaten. Problem: hepatische Enzyminduktion (Cytochrom-P450-Oxidase-System). **KO:** viele Medikamenteninteraktionen. **Substanzen:** Saquinavir (Invirase®), Ritonavir (Norvir®, höchste antivirale Aktivität, aber auch höchstes Potenzial an WW u. UAW), Nelfinavir (Viracept®)
- **Kombinationsther.** (2-fach, besser 3-fach) bevorzugen, da lebensverlängernder Effekt nachgewiesen. Wirksamkeit der Ther. frühestens nach 4 Wo., oft erst nach 3–6 Mon. beurteilbar (All-in-One-Ther.: Eplivera®)

> - Ein Heilmittel gegen Aids ist bislang nicht bekannt, auch keine prophylaktische Impfung
> - Behandlung der Begleiterkr.
> - HIV-Inf. in der Schwangerschaft ▶ 6.8
> - Resistenzentwicklung: bei Ther.-Wechsel o. bei V. a. prim. resistentes Virus ist Resistenzbestimmung möglich
> - HIV-Ther. in der Schwangerschaft: 24-h-Hotline 0178/28 20 28 2 oder www.rki.de
> - Kürzlich ist es gelungen, eine Rekombinase zu entwickeln, die in menschlicher Zellkultur das Erbgut des HI-Virus erkennt, aus der DNA der befallenen Zelle „herausschneidet" u. unschädlich macht. Diese „molekulare Schere" gilt als vielversprechender Ansatz für eine künftige Heilung HIV-infizierter Menschen. Ob diese genther. Option in Zukunft nutzbar sein könnte, wird sich in den kommenden Jahren entscheiden. Erfolge bisher nur im Tierversuch, geschätzte Entwicklungsdauer noch ca. 10–15 J.

13.3.7 Ektoparasitäre Erkrankungen

Pediculosis pubis

Erreger Die Filzlaus (Phthirius inguinalis [pubis], ▶ Abb. 13.9a) befällt i. d. R. Schamhaare, findet sich aber auch in der Achselbehaarung u. im Körperhaar, bei Kindern auch in Augenbrauen u. Kopfhaar. IKZ: 3–6 Wo.

Klinik Juckreiz.

Diagnostik Papeln mit Krusten, Kratzdefekte. Nachweis der Filzläuse, kolposkopisch Nissen u. Kotballen in den Schamhaaren. Läuse u. Nissen sind nach Alkoholfixierung im Mikroskop gut zu erkennen.

Therapie Lindan (Hexachlorcyclohexan) als Gel (Jacutin® Gel) auftragen: Nach der Haarwäsche etwa 15 g in das noch feuchte Haar einreiben, für 3 d belassen u. dann erst wieder auswaschen. (**Cave:** Bei Kindern nach 6–8 h auswaschen!). Alternative: Permethrin (z. B. Infectoscab® 5 %).

Scabies (Krätze)

Erreger Krätzmilben (Sarcoptes scabiei; ▶ Abb. 13.9b).

Infektionsweg Übertragung von Mensch zu Mensch, meist bei GV. Selten Inf. durch gemeinsame Benutzung von Bettwäsche o. Aufschütteln von Betten, wodurch ganze Familien o. alle ein Zimmer bewohnende Personen (Kaserne, Jugendherberge) infiziert werden können. IKZ: 4–6 Wo.

Klinik Disseminierte Papeln in Zwischenfingerräumen, Beugeseiten der Handgelenke, Ellenbogen, Achselhöhlen, Brust u. Genitale, quälender Juckreiz, v. a. abends im Bett.

Diagnostik Typische, gerötete Milbengänge in der Hornhaut, wenige Millimeter bis 1 cm lang, häufig aufgekratzt, Kratzdefekte mit sek. entzündlichen Veränderungen. Mikroskop: achtbeinige Milbe.

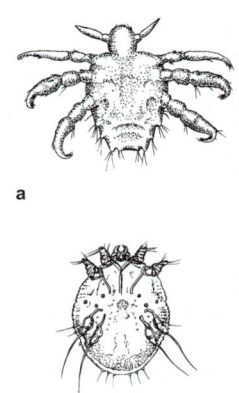

Abb. 13.9 Parasiten: a) Filzlaus, b) Milbe [L190]

Therapie Lindan (Hexachlorcyclohexan)-Emulsion (Jacutin® Emulsion) an 3 aufeinanderfolgenden Abenden am ganzen Körper einreiben (nicht am Kopf) u. morgens wieder abwaschen (cave: Bei Kindern früher abwaschen!). Alternative: Permethrin (z. B. Infectoscab® 5 %).

13.4 Lichen sclerosus

Axel Valet und Michael Löttge

Definition Der Lichen sclerosus (früher Kraurosis vulvae) gilt als chron. Vulvaerkr. mit degenerativer Veränderung der Dermis (Atrophie u. Hyperplasie), die zu einer Schrumpfung der Vulva mit Sklerosierung des subkutanen Fettgewebes führt. Wird als Präkanzerose eingestuft; aufgrund der damit einhergehenden Veränderungen können bis zu 15–20 % Karzinome entstehen.

Klinik Quälender Pruritus, häufig mit brennendem Schmerz, Kohabitationsbeschwerden.

Diagnostik
- **Inspektion u. Vulvoskopie** (▶ 13.2.1 u. ▶ 13.2.2): perlmuttartige, glänzende, mit Schrumpfung einhergehende Vulvahaut, Depigmentierungen, Kratzdefekte, Superinf., verengter Introitus
- **Probeexzisionen** zur histol. Begutachtung: Chorionödem mit entzündlichen Infiltraten, Epidermishyperplasie, Leukoplakie, Schwund der elastischen Fasern, Schrumpfung, Hyperkeratose, Pigmentschwund

Therapie Nach Ausschluss eines malignen Prozesses bei fehlenden kausalen Therapiemöglichkeiten Einleitung einer sympt. Ther.:

- Clobetasol: 0,5 mg/d lokal, zunächst Dermoxin®-Creme 2 ×/d über 14 d, danach 1 ×/d. Bei Rückgang der Symptomatik auf Emovate® Creme 1–2 ×/d wechseln. Verlängerung der Intervalle möglich
- Bei Beschwerdepersistenz Lasertherm., op. Denervierung der Vulva, im Extremfall einfache Vulvektomie (z. B. partiale Skinning-Vulvektomie)

13.5 Neoplasien der Vulva

Axel Valet, Michael Löttge und Uwe Wagner

13.5.1 Inzidenz

Die Inzidenz der intraepithelialen Neoplasien der Vulva (VIN) hat erheblich zu- u. das mittlere Erkrankungsalter deutlich abgenommen. Sie können schon ab 20–25 J. auftreten. VIN werden in drei Stadien erfasst.

13.5.2 Vulväre intraepitheliale Neoplasie (VIN I–III)

Histologische Einteilung
- **VIN I:** Epitheldysplasie, auf das untere ⅓ des Epithels begrenzt (leichte Dysplasie)
- **VIN II:** Epitheldysplasie, auf die unteren ⅔ des Epithels begrenzt (mittelschwere Dysplasie)
- **VIN III:** umfasst die **schwere Dysplasie** (Dysplasie erreicht das obere Epitheldrittel, aber nicht die gesamte Epithelbreite) u. das **Carcinoma in situ** (intraepitheliale, plattenepitheliale Läsion, Kernveränderungen in der gesamten Epithelbreite nachweisbar o. untere Epithelschichten zeigen Veränderungen wie bei Grad-1-Ca). Die Basalmembran ist aber noch intakt. Wegen häufig multizentrischer Herde schwierig zu beurteilen. VIN III subsumiert die früheren Termini „Carcinoma in situ", „M. Bowen" (intraepitheliale Veränderungen im Hautbereich) u. „Erythroplasie" (intraepitheliale Dysplasie im Hautbereich von Labieninnenseite u. Introitus). Man unterscheidet drei histol. Subtypen: basaloider Typ, kondylomatöser Typ (häufiger bei Frauen < 55 J., fast immer HPV-assoziiert) u. differenzierter Typ

ISSVD-Nomenklatur
Die neue Nomenklatur der International Society for the Study of Vulva and Vulvovaginal Disease Terminology (ISSVD) von 2015 unterscheidet nicht mehr VIN I–III, sondern grenzt „low-grade squamous intraepithelial lesions" von der „high-grade squamous intraepithelial lesion" (HSIL) ab (s. u.). Zusätzlich werden HPV-neg. Läsionen mit atypischen Keratinozyten in der Basalschicht als „intraepithelial neoplasia differentiated type" unterschieden:

ISSVD-Nomenklatur 2005
- **I. VIN usual type**
  - a. VIN warty type
  - b. VIN basaloid type
  - c. VIN mixed type
- **II. VIN differentiated type**
- **III. VIN unclassified type**

> ISSVD-Nomenklatur 2015
> - Low-grade squamous intraepithelial lesions (flache Kondylome u. HPV-Effekte)
> - High-grade squamous intraepithelial lesion (VIN usual type)
> - Intraepithelial neoplasia differentiated type
>
> High-grade-VIN des warzigen („warty") u. basaloiden Typs sind HPV-assoziiert, der differenzierte Typ nicht. „VIN usual type" ist häufig multifokal, basaloide VIN sind häufiger bei älteren Frauen u. gehen häufig in Vulva-Ca über. Uns u. vielen Pathologen erscheint die alte VIN-Klassifikation klin. nützlicher, weswegen sie auch weiterhin verwendet wird.

Klinik
- Scharf umrissene, erhabene Herde, manchmal ähnlich den Condylomata acuminata (▶ 13.2.2, ▶ 13.3.3). Häufig multizentrisch o. nur rötliche, teilweise schuppige, psoriasisähnliche Hautveränderungen mit oberflächlichen Erosionen
- Bevorzugter Befall der unbehaarten Vulvaanteile, z. T. mit perianalen Herden
- Juckreiz (50 % der Pat.), Hyperpigmentierung, Leukoplakie
- Häufig Zweitkarzinome, meist Zervix-Ca mit seinen Vorstufen

Diagnostik Vulvoskopie mit 3-proz. Essigsäurelsg. (▶ 13.2.2). Biopsie an einer repräsentativen Stelle in LA mit Skalpell (am besten Exzision im Gesunden) oder, wenn nicht mit dem Skalpell möglich, mit einer runden Gewebestanze (z. B. Hautstanze der Fa. Stiefel, www.biopsypunch.de). Keine Biopsie mit der Knipszange, da hier häufig das Gewebe nicht in allen Schichten beurteilbar ist (Fragestellung: Ist die Basalmembran durchsetzt?). Damit sich das Gewebe nicht einrollt, sollte es auf einer kleinen Korkplatte festgesteckt u. fixiert werden.

Therapie
- Lokale Exzision. Bzgl. der Breite des Resektionsrandes bei VIN II–III (einschl. multifokaler VIN II–III) gibt es keine ausreichende Evidenz. Bei multifokalen Veränderungen mehrere Exzisionen möglich.
- HSIL- u. VIN-Läsionen sollen durch Exzision histol. o. durch Laservaporisation nach klin. Bild im Gesunden entfernt werden. Dabei sollten die dVIN-Läsionen eher exzidiert werden u. die HPV-assoziierte HSIL möglichst mit der Laservaporisation behandelt werden.
- Bei sehr großen Läsionen ist eine oberflächliche Vulvektomie (Skinning) u. U. mit Hauttransplantation erforderlich.

13.5.3 Morbus Paget

- Intraepitheliales Adeno-Ca, das in der Vulva o. im Damm entsteht, o. pagetoide, intraepitheliale Ausbreitung eines prim. Karzinoms der anorektalen Region, urethralen Harnblase, Bartholin-Drüse o. uterinen Zervixanteilen
- Häufigkeitsgipfel jenseits des 60. Lj.

Klinik
- Juckreiz mit Spannungs- u. Wundgefühl, z. T. seit Jahren bestehend
- Verhärtung u. Hautverdickung
- Scharf begrenzte, gerötete o. leukoplakische Herde
- Manchmal Übergang auf Oberschenkelinnenseiten, Perianalhaut, Inguinalregion u. Vagina
- Häufig vergesellschaftet mit invasiven Karzinomen: Mamma-, Zervix-, GIT-Ca

Diagnostik
- Vulvoskopie ▶ 13.2.2
- **Tiefe** Biopsie, um ein darunterliegendes Adeno-Ca nicht zu übersehen
- Ausschluss anderer Karzinome: gyn. Untersuchung inkl. Exfoliativzytologie (▶ 15.2.3) sowie transvag. Sono, Mammografie u. Mamma-Sono, Haemoccult®-Stuhltest auf okkulte Blutbeimengung u. Koloskopie

Therapie Falls möglich lokale Exzision. Wegen der flächigen Ausdehnung wird meist die Vulvektomie mit evtl. Hautlappenplastik empfohlen, hierfür muss zur Entfernung der Hautanhangsgebilde ein größerer Sicherheitssaum zur Tiefe gewählt werden als beim Carcinoma in situ. Bei einfacher lokaler Exzision treten häufig Rezidive auf. Die prim. Strahlentherapie kann eine sinnvolle, sehr effektive Alternative darstellen. Experimentell wird heute auch zunehmend Imiquimod zur Behandlung von Rezidiven eingesetzt.

13.5.4 Melanome der Vulva

Axel Valet und Michael Löttge

Häufigkeit Selten, etwa 8 % der malignen Vulvaveränderungen.

Klinik Bräunlich-blauschwarze, asymmetrische Hautveränderungen mit unregelmäßiger Oberfläche u. uneinheitlicher Pigmentierung, Juckreiz mit evtl. blutigen Kratzdefekten.

Diagnostik Neu aufgetretene Pigmentveränderungen jenseits des 35. Lj o. Größenzunahme sowie Dicker- o. Dunklerwerden eines bekannten Pigmentflecks. Vulvoskopie (▶ 13.2.2). Exzision im Gesunden zur histol. Befundsicherung mit einem Sicherheitssaum von mind. 10 mm (LA) in allen Richtungen, bei starkem Malignitätsverdacht von > 1 cm (keine LA).

Therapie Empfehlenswert ist eine konsiliarische Therapieplanung mit einem in der Onkologie erfahrenen Dermatologen. ▶ Tab. 13.8.

Tab. 13.8 Stadieneinteilung und Therapie des Melanoms		
Invasionstiefe (mm)	**Stadium**	**Therapie**
< 0,75	pT1	Zirkuläre Nachresektion u. Erweiterung des Sicherheitsabstands auf 3 cm
0,75–1,5	pT2	
1,5–3,0	pT3	
> 3,0	pT4	Vulvektomie inkl. Lymphonodektomie (Inguinal- u. Femoralis-Lk)

13.6 Vulvakarzinom
Uwe Wagner

13.6.1 Definition
Das Vulva-Ca ist das vierthäufigste Genitalkarzinom. Es ist neuerdings aber nur noch wenig seltener als das Zervix-Ca (Inzidenz 11,2 pro 100.000 Frauen). In D erkranken jährlich ca. 3.190 Frauen, ca. 750 sterben an einem Vulva-Ca. Die Inzidenz liegt bei ca. 9,8/100.000 u. die Mortalität bei ca. 1,8/100.000 (RKI 2013). Auch hier sind zunehmend jüngere Frauen betroffen.
95 % der malignen Veränderungen der Vulva sind Plattenepithel-Ca, die restlichen 5 % verteilen sich auf Melanome (▶ 13.6), Sarkome u. Basaliome. Altersgipfel bei HPV-neg. Tumoren 77 J., bei HPV-pos. Tumoren 55 J. Lichen sclerosus stellt einen dir. Zwischenschritt auf dem Weg zur Entwicklung einer differenzierten VIN u. des Plattenepithel-Ca dar.

13.6.2 Klinik
- Chron. Juckreiz, z. T. mit jahrelanger Anamnese (Juckreiz tritt auch schon bei den Präkanzerosen auf); Kratzdefekte, Ulzera
- Rötliche, leicht erhabene Flecken mit oberflächlichen, derben Bezirken (▶ Abb. 13.10)

Bei fortgeschrittenem Befund:
- Derber Knoten mit oberflächlichen Blutungen
- Blumenkohlartig vorwachsender Tumor
- Breitflächige Verhärtungen mit derbem Randwall, häufig zentrale Ulzeration
- Blutig-seröses Sekret
- Bds. Vulvabefall durch Abklatschmetastasen
- Inguinale, nicht immer dolente Lymphome
- Dysurie, Hämaturie bei Urethra- o. Blasenbefall

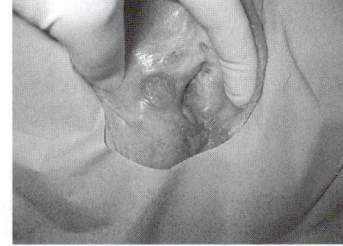

Abb. 13.10 Vulva-Ca [M453]

13.6.3 Diagnostik
- **Histologie:** Biopsie eines möglichst wenig nekrotischen Tumorteils mit möglichst tief greifender Stanze o. besser Skalpell, damit alle Hautschichten gut histol. beurteilt werden können
- **Vulvoskopie** ▶ 13.2.2
- **Zystoskopie u. Rektoskopie** z. A. einer Infiltration o. Impression von Harnblase u. Rektum
- **Ggf. i. v. Pyelogramm** z. A. einer Hydronephrose (Harnaufstau durch Ureterummauerung des Tumors) u. präop. Darstellung des Ureterverlaufs. Bei Jodallergie o. fraglicher Schilddrüsenfunktionsstörung wenigstens Nieren-Sono

13.6.4 Stadieneinteilung

▶ Tab. 13.9. Frühzeitige lymphogene Metastasierung: inguinale Lk, danach pelvine u. iliakale Lk. Bei Sitz des Primärtumors im Bereich von Klitoris u. hinterer Kommissur o. Ausdehnung auf die Vagina jenseits des Hymenalsaums kann es auch zur dir. Metastasierung in die Becken-Lk kommen. Bei doppelseitigem inguinalem Befall muss in 50 % mit pelvinen Lk-Metastasen gerechnet werden (**cave:** 30 % falsch pos. u. neg. klin. Lk-Beurteilung!).

Wichtige Prognosefaktoren zur lymphogenen Metastasierung sind Tumorgröße (> 1–2 cm) u. Invasionstiefe (> 1,5 mm), bei Letzterer tritt v. a. eine Streuung zu kontralateralen inguinalen Lk auf. Entdifferenzierte Karzinome (G3) metastasieren doppelt so häufig wie hoch differenzierte (G1).

TNM	FIGO	Kriterien	Inguinaler Lk-Befall (%)
Tis	umfasst kein Stadium 0	Carcinoma in situ	0
T1	I	Tumor auf Vulva beschränkt	20
T1a	Ia	Läsionen ≤ 2 cm beschränkt auf Vulva o. Damm mit einer Stromainvasion ≤ 1 mm, keine Lk-Metastasen	
T1b	Ib	Läsionen > 2 cm o. Invasionstiefe > 1 mm beschränkt auf Vulva o. Damm, keine Lk-Metastasen	
T2	II	Tumor jeglicher Größe mit Ausdehnung auf angrenzende perineale Strukturen (⅓ der unteren Urethra, des unteren Scheidendrittels o. Anus) mit **neg.** Lk	40–45
	III	Tumor jeglicher Größe mit Ausdehnung auf angrenzende perineale Strukturen (⅓ der unteren Urethra, des unteren Scheidendrittels o. Anus) mit **pos.** Lk	
N1a N1b	IIIa	a. 1–2 Lk-Metastasen (< 5 mm) b. 1 Lk-Metastase (≥ 5 mm)	100
N2a N2b N2c	IIIb IIIb IIIc	a. 3 o. mehr Lk-Metastasen (< 5 mm) b. 2 o. mehr Lk-Metastasen (≥ 5 mm) c. Mit Lk-Befall u. extrakapsulärer Ausbreitung	
N3	IVa	Fixierte o. ulzerierte inguinofemorale Lk-Metastase	
T3	IVa	Tumor befällt andere regionale (obere ⅔ der Urethra o. Vagina) o. entfernte Strukturen (Blasenmukosa, Rektummukosa o. erreicht das knöcherne Becken)	> 50
M1	IVb	Jede Fernmetastasierung einschl. Befall der pelvinen Lk	

13.6.5 Therapie

Ziel der OP beim Vulva-Ca ist die R0-Resektion mit 3 mm gesundem Randsaum. Die En-bloc-Resektion (Vulvektomie mit inguinaler Lymphonodektomie mit schmetterlingsförmigem Hautlappen, inkl. der Haut in der Leiste) ist verlassen worden, da sie etwa 40 % Sekundärheilungen verursachte. Sie wird heute in der **Dreischnitt-Technik** mit separaten Schnitten in der Inguinalregion zur inguinofemoralen Lymphonodektomie mit u. ohne Hautresektion durchgeführt. Die gefürchteten „Brückenmetastasen" in der inguinalen Haut treten nicht auf.

- Unifokale Vulva-Ca der *Stadien T1a o. T1b* sollen lokal im Gesunden reseziert werden (radikale lokale Exzision).
- Je nach klin. Situation ist im *Stadium T2* die lokale radikale Exzision o. Vulvektomie unter Mitresektion der befallenen Strukturen von Urethra, Vagina o. Anus indiziert.
  Die prim. R(Ch)T ist eine Alternative, wenn durch die OP die Kontinenz gefährdet wird.
- Im *Stadium T3* (= Stadium FIGO IVA) sollte eine prim. Radiochemotherapie durchgeführt werden, um nach Möglichkeit die Funktionen der Nachbarorgane (Miktion u./o. Defäkation) zu erhalten.
  Alternativ sollte eine neoadjuvante R(Ch)T erfolgen, um den Umfang der nachfolgenden OP einschränken zu können.

Trotz spärlicher Daten wird eine stadienadaptierte Ther. empfohlen (▶ Tab. 13.10). Die systematische inguinofemorale Lymphonodektomie ist Standard. Ab einer Infiltrationstiefe von > 1,0 mm (≥ pT1b) soll ein op. Staging der inguinofemoralen Lk durchgeführt werden.

Tab. 13.10 Stadiengerechte Therapie des Vulvakarzinoms

Stadium T1	
T1a	Lokale radikale Exzision (Randsaum > 1 cm) ohne inguinale Lymphonodektomie
T1b	Radikale lokale Exzision mit inguinaler Lymphonodektomie, bei lateraler Lokalisation kann einseitig lymphonodektomiert werden. (Bei dem in diesem Stadium extrem seltenen Nachweis ipsilateraler Lk-Metastasen muss auch eine kontralaterale Lymphonodektomie erfolgen.)
Stadium T2	
T2 (lateral)	Radikale lokale Exzision u. ipsilaterale Lymphonodektomie (bei N+ kontralaterale Lymphonodektomie anschließen)
T2 (nicht lateral)	Radikale Vulvektomie mit bds. inguinaler Lymphonodektomie
Stadium T3	
T3	Radikale Vulvektomie mit bds. inguinaler Lymphonodektomie. Je nach Lokalisation des Tumors müssen Teile der Urethra (keine Inkontinenz bei Resektion der unteren 2 cm der Urethra), Vagina o. Anus (Anus praeter) entfernt werden

Tab. 13.10 Stadiengerechte Therapie des Vulvakarzinoms *(Forts.)*

Stadium T4	
T4	Radikale Vulvektomie mit vorderer u./o. hinterer Exenteration u. bds. inguinaler Lymphonodektomie (häufig aufgrund des AZ der Pat. nicht möglich, ggf. Komb. aus OP, Bestrahlung o. RChT durchführen)
Besondere Tumortypen	
Basaliom	Radikale lokale Exzision ohne inguinale Lymphonodektomie
Verruköses Karzinom	Radikale lokale Exzision ohne inguinale Lymphonodektomie

Eine Sentinel-Lymphonodektomie sollte nur unter strengen Qualitätsanforderungen u. nach intensiver Aufklärung der Pat. auch über eine möglicherweise erhöhte Rezidivrate mit schwerwiegenden Folgen durchgeführt werden. Grundsätzlich kann eine Sentinel-Lymphonodektomie nur beim T1–T2-Vulva-Ca ≤ 4 cm Ø mit klin. u. sonografisch nicht suspekten Leisten-Lk durchgeführt werden.

Eine pelvine Lymphonodektomie kann erwogen werden bei Nachweis vergrößerter pelviner LK im Sinne eines Tumordebulkings als Teil eines multimodalen Therapieplans mit zusätzlicher Radiother. Bei inguinalen Lk-Metastasen u. erhöhtem Risiko für eine Beteiligung der pelvinen Lk kann die Ind. mit dem Ziel gestellt werden, eine adjuvante pelvine Radiother. bei neg. pelvinen Lk zu vermeiden.

Perioperative antibiotische Prophylaxe Empfohlen wird eine periop. antibiotische Prophylaxe mit einem Cephalosporin wie Cefotiam 1 g (z. B. Spizef®) als Single-Shot.

> **Inoperable Patientin**
> Alleinige Strahlenther. mit einer Dosis des Primärtumors von 60–70 Gy GHD u. der inguinalen Lk von 50 Gy GHD bei ED von 1,7–2 Gy. Erhebliche radiogene NW zwingen häufig zu einer Therapiepause. Ergebnisse deutlich schlechter als bei op. Sanierung.

Postoperative Strahlentherapie Indiziert bei nicht im Gesunden erfolgter Resektion (R1) o. < 3 mm Randsaum (R0). Dosis im Tumorbett 50 Gy GHD mit ED von 1,7–2,0 Gy, bei R1 Boost von 10–15 Gy auf die verbliebene Region.

Die postoperative Strahlentherapie der befallenen Leiste(n) sollte in folgenden Situationen durchgeführt werden:
- Schon ab 1 befallenen Lk, wenn die Metastase mind. 5 mm o. größer ist
- Immer, wenn extrakapsuläres Wachstum vorliegt (FIGO IIIC)
- Bei fixierten/exulzerierten Lk (FIGO IVAiii)

Die postop. Strahlenther. der pelvinen Lymphabflusswege sollte zur Vermeidung von Überbehandlung u. unnötigen therapiebedingten Toxizitäten Pat. mit histol. gesicherten Lk-Metastasen im Becken vorbehalten bleiben.

13.6.6 Prognose

▶ Tab. 13.11.

Tab. 13.11 Prognose bei Vulvakarzinom	
Lk-Befall	5-JÜR (%)
Keine inguinalen Lk	90
Inguinale Lk	45
Pelvine Lk	25
Vulväres Lokalrezidiv	50
Fernmetastasen (Knochen, Leber, Lunge)	10

13.6.7 Nachsorge

In den ersten 3 J. ¼-jährlich, um Rezidive möglichst frühzeitig zu erfassen u. kurativ operieren zu können (80 % der Rezidive treten in den ersten 2 J. nach OP auf). 3.–5. postop. Jahr Kontrollen alle 6 Mon.
- Anamnese: Allgemeinbefinden, Leistungsfähigkeit, Schmerzen
- Befund: Gewicht, Beinödem (malignes bzw. nichtmalignes sek. Lymphödem s. u.), gyn. Untersuchung
- Nierenultraschall 1 ×/J. in den ersten 5 J.
- Bei rezid. Erysipelen ist eine Penicillinprophylaxe über 6–12 Mon. empfehlenswert, z. B. Benzylpenicillin 1,2 Mega alle 3–4 Wo. i. m. (z. B. Tardocillin®).

> **Lymphdrainage**
> Nach Ausschluss eines Rezidivs sollte die Einleitung einer ambulanten Lymphdrainage bei einem hierfür speziell ausgebildeten Lymphtherapeuten erfolgen, bei ausgeprägtem Befund, v. a. wenn schon (rezid.) Erysipele aufgetreten sind, sollte mit einer stat. Lymphdrainage begonnen werden, die ggf. in jährlichen Abständen wiederholt werden muss.

Aktuelle Leitlinien im Internet unter: www.awmf.org/leitlinien/detail/ll/015-059.html

13.7 Vaginalkarzinom
Uwe Wagner

13.7.1 Definition und Lokalisation

Mit 1–2 % der Genitaltumoren selten als Primärkarzinom (Plattenepithel-Ca), häufiger als vag. Metastase (Hypernephrom, Zervix-, Endometrium-, Ovarial-, Chorion-, Urothel-, Mamma- o. Kolon-Ca). Risikofaktoren für ein Vag.-Ca sind vorausgegangene In-situ- o. invasive Zervix-Ca u. vag. intraepitheliale Neoplasien (VaIN).

Häufigste Lokalisation oberes Scheidendrittel (bessere Prognose), meist an der Hinterwand. Vag.-Ca, die auf die Zervix überwachsen, gelten als Zervix-Ca u. werden so behandelt (▶ 15.7), analog bei Überwachsen auf die Vulva als Vulva-Ca (▶ 13.7).

13.7.2 Einteilung und Histologie

Einteilung
Vag. intraepitheliale Neoplasien:
- VaIN I: leichte Dysplasie
- VaIN II: mäßiggradige Dysplasie
- VaIN III: schwere Dysplasie/Carcinoma in situ

Histologie Zu 90 % Plattenepithel-Ca (Durchschnittsalter 60–70 J.), die restlichen 10 % verteilen sich auf Adeno-Ca, Gartner-Gang-Ca (höckrig-derb, meist mit intakter Schleimhaut), Melanome, Rhabdomyosarkome (Kindesalter, Altersgipfel 2.–3. Lj, vom oberen Anteil der Vaginalwand ausgehender, traubenförmiger Tumor, der prim. durch genitale Blutungen auffällt). Die oft erwähnten Adeno-Ca jüngerer Frauen, deren Mütter in der Schwangerschaft Stilbestrol eingenommen hatten, spielen in D keine Rolle, da die Substanz hier nie zugelassen war.

13.7.3 Risikofaktoren und Klinik

Risikofaktoren Chron. Irritationen der Vaginalhaut wie durch Vaginalpessare o. Vaginalringe o. chron. vag. Inf. sowie STD u. virale Inf., v. a. HPV-Inf.

Symptomatik
- **VaIN:** verursachen praktisch keine Symptome
- **Vaginal-Ca:**
  - Blutung (meist postmenopausal) o. Kohabitationsblutung
  - Exophytisch wachsender Tumor in der Scheide mit Druckgefühl u. Schmerzen, früh ulzerierend
  - Fleischwasserfarbener, oft übel riechender Fluor genitalis
  - Dysurie, Algurie, Hämaturie
  - Blutauflagerung beim Stuhlgang
- **Metastasierung:** meist lymphogen; bei einer Tumorgröße von 2 cm sind bereits in 25 % der Fälle Lk befallen. Häufig ist die frühe Ausweitung ins Parakolpium u. per continuitatem mit Infiltration von Blase u. Rektum (Lk-Stationen: anale u. rektale Lk, iliakale u. femorale Lk, paraaortale Lk)

13.7.4 Diagnostik

- Simultane rektovag. Palpation.
- Vaginalzytologie.
- Kolposkopie: Mosaik, Punktierung u. Leukoplakie (▶ 13.2.2). **Cave:** Die meisten Läsionen sitzen an der Hinterwand u. werden leicht vom Spekulum verdeckt!
- Probeexzision per Skalpell zur histol. Begutachtung. Zur besseren Beurteilung sollte das Präparat auf kleiner Korkplatte mit Nadeln fixiert werden.
- Zystoskopie, Rektoskopie und i. v. Pyelogramm z. A. einer weiteren pelvinen Ausbreitung, CT o. MRT.
- Fraktionierte Abrasio z. A. eines sek. Vag.-Ca bei vorbestehendem Zervix- o. Endometrium-Ca (prim. Vag.-Ca seltener als Scheidenmetastasen).
- Stadieneinteilung ▶ Tab. 13.12.

Tab. 13.12 Stadieneinteilung und Prognose des Vaginalkarzinoms [G336]

Stadium		Kriterien	5-JÜR (%)
TNM	FIGO		
PTis	0	Carcinoma in situ	
pT1	I	Tumor auf die Vaginalwand begrenzt	70–90
pT2	II	Tumor infiltriert das paravag. Gewebe, die Beckenwand ist noch frei	50–60
pT3	III	Tumorausdehnung bis zur Beckenwand	10–30
pT4	IVa	Infiltration von Nachbarorganen (Blase, Rektum, überschreitet die Grenze des kleinen Beckens)	0–5
M1	IVb	Fernmetastasen	

13.7.5 Therapie

- VaIN I u. II nur bei Persistenz u. dem Wunsch der Pat. auf Ther. entfernen (da hohe Rate an Spontanremission → ¼-jährliche klin. u. zytol. Kontrolle).
- VaIN-III-Läsionen werden chir. exzidiert (mind. 3 mm tief) o. laserevaporisiert (Kryochirurgie u. Elektrokauterresektion ebenfalls möglich). Wenig aggressive Fälle können unter lokaler Estriol-Behandlung u. engmaschiger Betreuung im Verlauf kontrolliert werden.
- Beim Vag.-Ca wird international häufig die prim. Strahlenther. der OP vorgezogen.
- Partielle Vaginektomie bei fortgeschrittenen u. multiplen Herden, am ehesten von vag. Zugang. Falls Pat. noch nicht hysterektomiert wurde, sollte bei prox. Sitz eine abdom./vag. Hysterektomie mit Scheidenmanschette durchgeführt werden.
- Totale Vaginektomie nur erforderlich, wenn der gesamte Introitus befallen ist (sehr selten). Die prim. komb. Strahlenther. wird national u. international der OP vorgezogen. Die Heilungsraten sind ähnlich; die Auswahl hängt stets von der Expertise des Zentrums ab.
- Selten Exenteration im Stadium IV erforderlich. Falls möglich, rekonstruktive Vaginalchirurgie anbieten.
- Intravag. 5-Fluorouracil-Applikation wird oft in den USA eingesetzt, bei stärkerer Verhornung des Epithels ineffektiv.

Strahlentherapie Meistens durchgeführt als lokale Kontaktbestrahlung (etwa 60 Gy GHD) intravag. u. zusätzliche perkutane Radiatio (etwa 40–50 Gy GHD) unter Einschluss der inguinalen Lk-Station bei kaudalem Tumorsitz, bei hohem Tumorsitz wie beim Zervix-Ca (▶ 15.7). Eine zusätzliche perkutane Bestrahlung wird meist erst ab Stadium II empfohlen. **KO:** Blasen-Scheiden-Fistel, Rektum-Scheiden-Fistel.

> Chemother. ist derzeit nicht sinnvoll.

Nachsorge

In den ersten 3 J. in ¼-jährlichen Abständen (Rezidiv meist in den ersten 2 J.), danach in ½-jährlichen Intervallen. Dabei immer:
- Anamnese: Allgemeinbefinden, Leistungsfähigkeit, Schmerzen
- Befund: Gewicht, Beinödeme, gyn. Untersuchung mit zytol. Abstrichkontrollen
- Labor: BSG, BB, Krea (von zweifelhaftem Wert)

> Aktuelle Leitlinien im Internet unter: awmf.org

13.8 Vorgehen bei sexualisierter Gewalt
Axel Valet und Michael Löttge

13.8.1 Juristisches

> Juristisch werden Straftaten gegen die „sexuelle Selbstbestimmung" nach §§ 174–184 StGB verfolgt. Hiernach ist der erzwungene Beischlaf vollendet, wenn der Penis zumindest in den Scheidenvorhof eingedrungen ist, eine Ejakulation muss hierbei nicht erfolgen. Sollte dieser juristisch definierte Tatbestand nicht erfüllt sein, liegt jedoch evtl. eine sexuelle Nötigung (§ 178 StGB) o. eine versuchte sexuelle Nötigung vor, die beide ebenfalls strafbar sind.

13.8.2 Einleitendes Gespräch

> Opfer von Vergewaltigung u. sexueller Nötigung befinden sich in einer Ausnahmesituation. Sobald der Arzt Kenntnis davon erhalten hat, dass eine Pat. nach Vergewaltigung gekommen ist, sollte die Wartezeit abgekürzt werden. Ein besonders behutsames Vorgehen, bei dem Zeit für eine Anamnese in ruhiger Atmosphäre (erster Besuch beim Gynäkologen?) vorhanden sein muss, kann eine sek. Viktimisierung verhindern helfen. Häufig ist die Pat. noch völlig fassungslos von der Tat, sodass das Verhalten z. T. recht beherrscht u. unbeteiligt erscheinen kann, ohne dass dies gegen die Grausamkeit einer Vergewaltigung u. sexuellen Nötigung spricht.

Zu Beginn des Gesprächs sollte der Pat. erläutert werden, was bei diesem Arztbesuch von der Anamnese bis zur Untersuchung auf sie zukommt u. dabei der Sinn jeder Maßnahme, im Interesse der Pat., erklärt werden. Dem Opfer sollte zur sofortigen Anzeige geraten werden, um die Fahndung nach dem Täter möglichst schnell einzuleiten.

Anamnese
- Tathergang inkl. Notzuchthandlung schildern lassen (Samenerguss erfolgt? Vaginal? Kondom?)
- Allg. gyn. Anamnese (Zyklus, letzte Menstruation, Kontrazeption, Virgo)

- Schmerzen, Blutung
- Kleidung verändert, hat sich Pat. gewaschen, Vaginalspülung? (Spurensicherung)

> Soll der behandelnde Arzt später vor Gericht als Sachverständiger aussagen, muss die Pat. ihn zuvor von der Schweigepflicht entbinden. Facharzt/Oberarzt hinzuziehen!

13.8.3 Befunderhebung

> Eine standardisierte Anamnese u. Befunderhebung sichert eine komplette Datenlage vor Gericht. Unter www.frauennotruf-frankfurt.de können ärztliche Befunddokumentationen heruntergeladen o. bei der Beratungsstelle Frauennotruf Frankfurt bestellt werden. Auf derselben Homepage werden auch eine kollegiale Beratung u. eine Dokumentation bei häuslicher Gewalt angeboten.

Inspektion Zur exakten Beurteilung muss eine Ganzkörperuntersuchung erfolgen, zunächst die Untersuchung des Oberkörpers, dann des Unterkörpers. Path. Befunde wie Hämatome sollten fotografisch (möglichst Digitalkamera) mit Maßstab dokumentiert werden. Dies ist besonders wichtig, da bei gerichtlichen Auseinandersetzungen häufig nicht die Kohabitation bestritten wird, der Täter behauptet aber oft, dass es sich um einen freiwilligen Sexualakt gehandelt habe.

- **Hämatome:** als Fixierungsverletzungen, v. a. an den Innenseiten von Oberarmen u. Oberschenkeln sowie am Hals, z. T. auch bei Gegenwehr am Unterarm (ulnarseitig). Eine ungefähre Altersschätzung der Hämatome sollte erfolgen, zumal wenn die Pat. erst nach längerem Intervall vorstellig wird:
  – Gelblicher Farbton nach etwa 4 d
  – Grünlicher Farbton nach etwa 7 d
  – Abblassen nach etwa 14 d
- **Würge- u. Strangulationsmale:** Schürfungen im Halsbereich, petechiale Blutungen an Konjunktiven u. Augenlidern (verschwinden z. T. innerhalb von 24 h)
- **Sturzverletzungen:** Kopfplatzwunde, Nasenrückenverletzungen, Ellenbogen-, Knie- u. Schulterverletzungen
- **Doppelstriemen auf der Haut:** entstehen bei Peitschen- u. Stockhieben
- **Hautkratzer:** werden z. T. vom Herunterreißen der Kleidungsstücke hervorgerufen (Unterbauch u. Brustbereich)
- **Verletzungen am äußeren Genitale:** eher selten, zu achten ist auf Rötungen u. Schürfungen im Bereich von Labien u. Introitus, ebenso auf Zeichen einer frischen Defloration

> Diese Befunde müssen bei einer Vergewaltigung nicht zwingend vorliegen, da das Opfer evtl. wegen massiver Gewaltandrohung keine Gegenwehr leisten konnte!

Gynäkologische Untersuchung
- Kohabitationsverletzungen o. Defloration abklären.
- Abstriche aus dem hinteren Scheidengewölbe: Es sollte ein Nativabstrich (▶ 13.2.3) erfolgen, anhand dessen schon vorab nach Spermien gesucht wird.
- Wenigstens vier Stieltupfer sollten – mit Gummistopfen versehen, damit der Watteträger nicht die Wand des Röhrchens berührt – aus dem hinteren Scheidengewölbe entnommen werden. Vor dem Verschließen der Röhrchen den Watteträger trocknen lassen, wenn eine sofortige Weiterverarbeitung in der Rechtsmedizin nicht gewährleistet ist. Anhand der Abstriche können serol. Täteruntersuchungen durchgeführt werden.
- **Bakt. Vaginalabstrich** (z. B. Port-a-germ®).
- Ggf. Auskämmen der Schamhaare, um Haare des Täters sicherzustellen. Sicherung von Vergleichshaar (Kopf- u. Schamhaar) der Pat.

Laboruntersuchungen Serol. Untersuchungen auf Gonorrhö u. Lues sollten durchgeführt werden, ein HIV-Test ist ebenfalls empfehlenswert, außerdem ein Schwangerschaftstest, um zu dokumentieren, dass vor dem Notzuchtdelikt keine path. Befunde bzw. keine Schwangerschaft vorgelegen haben.

Asservation
- Auf einem Begleitbrief an die Kollegen in der Rechtsmedizin sollten Sie neben den Personalien der Pat. u. Angaben über den Zeitpunkt der Kohabitation auch Ihre Telefonnummer für evtl. Rückfragen angeben.
- Kleidung: Falls die Pat. noch nicht die Kleidung gewechselt hat, sollte diese ebenfalls der Rechtsmedizin überstellt werden.

Therapeutische Maßnahmen Versorgung von Verletzungen, ggf. konsiliarische Vorstellung bei einem HNO-Arzt (Gesichtsverletzungen) o. Chirurgen, bei ausgeprägter reaktiver Depression auch beim Psychiater. Bei Möglichkeit eines Schwangerschaftseintritts sollte eine „Morning-after Pill" rezeptiert werden (z. B. Ulipristal: ellaOne 30® 1 Tbl. innerhalb von 5 d nach Verkehr; Kosten ca. 35 Euro).

> Durch eine exakte Untersuchung u. Dokumentation werden objektive Befunde u. Sachbeweise des sexuellen Übergriffs erfasst, die der Pat. eine peinliche Befragung vor Gericht ersparen können. Es ist ratsam, das Vorgehen der Spurensicherung mit dem für die Klinik zuständigen rechtsmed. Institut abzusprechen.

14 Urogenitale Erkrankungen

Gert Naumann und Joachim Steller

14.1 Descensus uteri et vaginae 466
14.1.1 Definition 466
14.1.2 Ätiologie/Pathophysiologie 466
14.1.3 Einteilung 466
14.1.4 Klinik 468
14.1.5 Diagnostik 468
14.1.6 Therapie 469

14.2 Harninkontinenz 471
14.2.1 Epidemiologie 471
14.2.2 Theorien zur Inkontinenzentstehung bei der Frau 471
14.2.3 Einteilung 471
14.2.4 Diagnostik 473
14.2.5 Therapie 477

14.1 Descensus uteri et vaginae

14.1.1 Definition

- **Descensus genitalis**: Tiefertreten von Harnblase (Zystozele), Rektum (Rektozele), Dünn- u./o. Dickdarm (Enterozele), Scheide o. Uterus
- Deszensus über den Introitus hinaus = **Prolaps**

In der englischsprachigen Literatur ist jeglicher Deszensus = Prolaps.

14.1.2 Ätiologie/Pathophysiologie

- Geburten makrosomer Kinder, vag.-op. Entbindungen
- Erschlaffen des Halteapparats
- Erbliche Bindegewebsschwäche
- Risikofaktoren: Adipositas, Alter, Parität, chron. Lungenkrankheit (Husten), Rauchen, anstrengende berufliche Tätigkeit (Heben), chron. Obstipation

14.1.3 Einteilung

- Descensus genitalis I: größte distale Ausdehnung des Deszensus > 1 cm oberhalb Hymenalsaum
- Descensus genitalis II: größte distale Ausdehnung erreicht den Hymenalsaum, Deszensus bei bloßer Inspektion der Vulva erkennbar
- Descensus genitalis III: größte distale Ausdehnung 2 cm vor der Vulva
- Descensus genitalis IV: Totalprolaps

Neben der klin. Einteilung existiert eine ICS-Klassifikation (International Continence Society). Die POPQ-Nomenklatur (▶ Tab. 14.1, ▶ Abb. 14.1) beruht auf der Untersuchung im Stehen. Bei max. Pressen Messung des deszendierten Kompartiments in Zentimetern in Bezug zum Hymenalsaum.

Tab. 14.1 Pelvic Organ Prolapse Quantification System (POPQ) nach ICS		
Stadium	Beschreibung	
0	Kein Prolaps Aa, Ap, Ba, Bp = –3 cm und C o. D ≤ –(tvl –2) cm	
I	Größe distale Portioausdehnung > 1 cm oberhalb Hymenalsaum	
II	Größe distale Portioausdehnung ≤ 1 cm proximal o. distal zur Ebene des Hymens	
III	Größe distale Portioausdehnung > 1 cm distal Ebene des Hymens u. ≤ 2 cm weniger als totale Vaginallänge in Zentimetern	
IV	Kompletter Prolaps von Uterus u. Vagina	
Punkte		Werte
Aa	Punkt an vorderer Scheidenwand 3 cm oberhalb des Hymens	–3 cm bis +3 cm
Ba	Tiefster Punkt der deszendierten Scheidenvorderwand	–3 cm bis +tvl
Bp	Tiefster Punkt der deszendierten Scheidenhinterwand	–3 cm bis +tvl

14.1 Descensus uteri et vaginae

Tab. 14.1 Pelvic Organ Prolapse Quantification System (POPQ) nach ICS (Forts.)	
Punkte	Werte
C	Distalster Abschnitt der Zervix o. des Scheidenendes	
D	Hinteres Scheidengewölbe	
Ap	Punkt an der hinteren Scheidenwand 3 cm oberhalb des Hymens	−3 cm bis +3 cm
gh = Hiatus genitalis; pb = Damm; tvl = Gesamtlänge der Scheide	

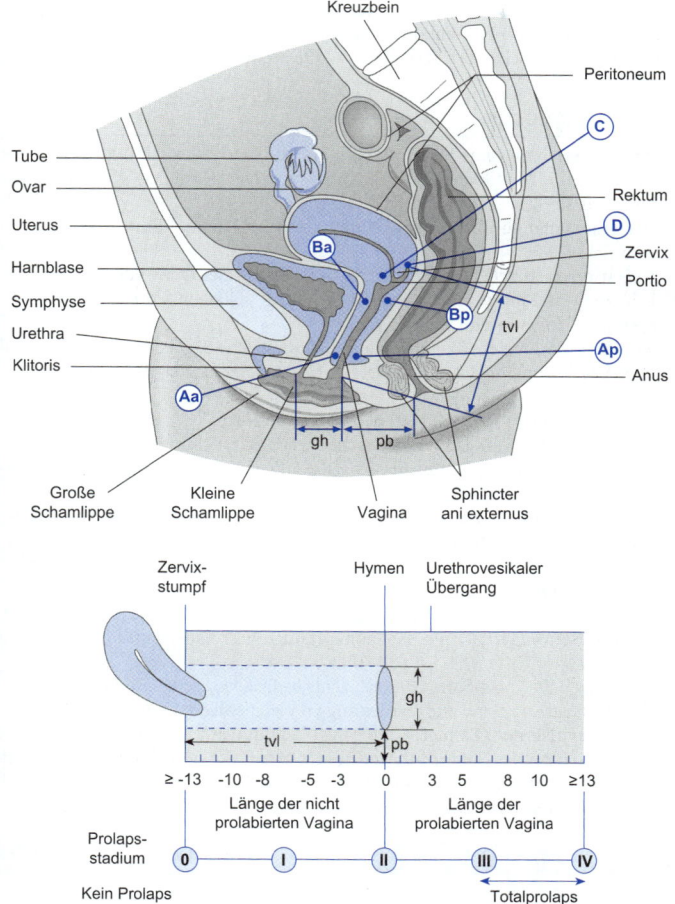

Abb. 14.1 Pelvic Organ Prolapse Quantification System (POPQ) nach ICS [L157]

14.1.4 Klinik

Typische, allerdings nicht obligate Deszensusbeschwerden meist erst ab Stadium II:
- Druckgefühl auf den Damm u. ziehende Unterbauchschmerzen
- Rückenschmerzen (DD degenerative Wirbelsäulenerkr., Osteoporose)
- Fremdkörpergefühl
- Imperativer Harndrang, Pollakisurie, Nykturie
- Kohabitationsbeschwerden, Dyspareunie
- Harnblasenentleerungsstörungen
- Stuhlentleerungsstörungen
- Blutiger Ausfluss aufgrund von Druckulzerationen

Häufiger in Vergesellschaftung mit Harninkontinenz. Ausgeprägte Senkung kann maskierte („larvierte") Harninkontinenz u. Harnentleerungsstörung bis zum Harnverhalt durch Abknicken des Blasenhalses („Quetschhahnphänomen") verursachen.

14.1.5 Diagnostik

- **Anamnese:** Symptome ▶ 14.1.4 (Miktion, Stuhlgang, Sexualfunktion), Geburten, Eingriffe, Medikamente (z. B. Antidepressiva, Diuretika), Komorbiditäten, mentaler Zustand (Demenz).
- **Befund:** klaffende Vulva, Vorwölbung der vorderen bzw. hinteren Scheidenwand.
- **Pulsationszystozele** (Distensionszystozele): zentraler Defekt der vorderen Scheidenwand mit verstrichenen Rugae u. sog. „Glatzenbildung". Häufig deutliche Hormonmangelatrophie.
- **Traktionszystozele:** erhaltene Rugae mit verstrichenen Längsfurchen u. häufiger Urethrozele bei lateralem Defekt. Hier ist eine begleitende Harninkontinenz möglich.
- Ggf. Erosionen o. Ulzerationen der Vagina o. Portio.
- Auseinandergewichene Levatorenschenkel: Untersuchung mit getrennten Spekula, Beurteilung Deszensus bei Husten u. Pressen, Östrogenisierung, Ulzerationen, vag. Palpation.
- Beckenbodentonus: **Levatorkontraktion** (Oxford 0–5). Beurteilung von Levatorspasmus u. path. Muskeltonus.
- Urodynamik nicht zwingend notwendig (stattdessen Hustentest nach Prolapsreposition).
- Urinanalyse, Restharnbestimmung.
- Nephro-Sono (Harnstauung bei höhergradigem Prolaps, daher US obligat vor OP).
- Introitus- o. Perineal-Sono (laterale, zentrale Defekte, Trichterbildung der prox. Urethra); ggf. 3D-Sono zur Beurteilung von Hiatusfläche, Levatorabrissen.
- **Levatoravulsionen:** Palpierender Finger liegt in der Vagina parallel zur Urethra. Palpation des Ramus inferior des Os pubis. Bei Avulsion kein kontraktiles Gewebe auf dem Ramus inferior, die Lücke lateral der Urethra ist bis zu 3 Finger weit (Ablösung des Muskels von seiner Insertion).

> **Oxford-Skala der Levator-Kontraktionen**
> - 0: keine willentliche Kontraktion
> - 1: Zucken einzelner Muskelfasern
> - 2: geringe Kontraktion

- 3: gut tastbare Kontraktion
- 4: kräftige Kontraktion
- 5: kräftige Kontraktion gegen Widerstand, der mit dem Palpationsfinger ausgelöst wird

14.1.6 Therapie

Konservative Therapie
- Verhaltensmodifikationen (Gewichtsreduktion, Meiden schweren Hebens)
- Lokale Östrogenther. mit Estriol (z. B. Ovestin® Ovula, Salbe o. Vaginaltbl. 1- bis 2-wöchentl.)
- Pessarbehandlung (Sieb- bzw. Würfelpessar, Tampon). Optimal: Pat. wechselt tgl. selbst
- Beckenbodentraining u. -konditionierung

Operative Therapie
Vorbereitung
- Vor op. Sanierung sollte eine lokale Östrogenbehandlung (z. B. Ovestin® Ovula 1–2 ×/Wo. bzw. Ovestin® Creme) über 4–6 Wo. erfolgen.
- OP nur bei Beschwerden u. nach frustraner konservativer Ther.

Gängige Verfahren bei Descensus uteri et vaginae mit Zysto- und Rektozele
▶ Tab. 14.2.
- Defektorientiertes anstatt Standardvorgehen.
- Hysterektomie bei Deszensus bedarf eigener Ind. (z. B. Myom, Blutungsstörung etc.).
- Erfolg zumeist abhängig von der sorgfältig durchgeführten Fixation des mittleren (zentralen, apikalen) Kompartiments (vag. o. abdom., offen o. endoskopisch).
- Zumeist vag. Vorgehen, jüngere Frauen profitieren von abdom./laparoskopischem Zugang (weniger Dyspareunie).
- **Vag. Vorgehen:** vordere u. hintere Kolporrhaphie ggf. mit sakrospinaler Scheidenstumpffixation nach Amreich-Richter.
- Bei Enterozele: hohe hintere Kolpoperineoplastik mit Resektion des peritonealen Bruchsacks u. hohe Peritonealisierung.
- **Abdom. Vorgehen:** zumeist endoskopisch mit Sakrokolpopexie, Zervikosakropexie o. Hysterosakropexie, vergleichbare Ergebnisse offen o. endoskopisch.
- Bei ausgeprägter Traktionszystozele: abdom. Verschluss der lateralen Faszienlücke durch ein lateralen Repair o. vag. laterale Vaginopexie. **Cave:** Eine vordere Kolporrhaphie kann den lateralen Ausriss verschlimmern.
- Bei gleichzeitiger Belastungsinkontinenz: Komb. des Deszensuseingriffs mit Inkontinenzeingriff (Kolposuspension nach Burch, TVT, TOT) möglich, i. d. R. eher zweizeitiges Vorgehen (erst Deszensuskorrektur, in 2. Sitzung ggf. Inkontinenz-OP).
- Etwa 30 % der Pat. benötigen nach reiner Deszensus-OP keinen zweiten Inkontinenzeingriff.

Tab. 14.2 Konventionelle Deszensuseingriffe

Defekt	Häufige OP-Verfahren	Wirkung
Pulsionszystozele Distensionszystozele	Vordere Kolporrhaphie	Bindegewebsdopplung im Bereich des Lig. vesicovaginale
Traktionszystozele	Vag. o. abdom. laterale Vaginopexie (laterales Repair)	Fixierung der Scheidenfaszie am Arcus tendineus
Uterus- o. Scheidenapexdeszensus	Hystero- o. Vaginaefixatio sacrospinalis/sacrotuberalis, abdom. Sakrokolpopexie	Vag. dir. Scheidenfixation, abdom. dir. o. indir. Fixation am Os sacrum
Rektozele	Hintere Kolporrhaphie	Dopplung des perinealen Bindegewebes

> - Deszensuserkr. sind Hernien. Defekte Bandstrukturen können nicht „repariert" werden.
> - Exzessive Vaginalhautresektionen können zu Problemen (Dyspareunie, Inkontinenz) führen. Bei vorliegendem Lateraldefekt verschlechtert eine Kolporrhaphia anterior den Befund!
> - Die Vereinigung der Levatorenmuskulatur vor dem Rektum ist unphysiologisch u. führt zur Atrophie. Mögliche Folgen sind Kohabitations- u. Defäkationsstörungen.
> - Im Rezidivfall, bei fehlendem Eigengewebe o. großem Defekt können Netz-Implantate indiziert sein.

Mögliche Ind. für alloplastische Materialien sind Deszensusrezidive u. ausgewählte Fälle als Primäreingriff (▶ Tab. 14.3). Stets sorgfältige Indikationsstellung u. bes. sorgfältige Aufklärung (auch über bislang fehlende Langzeitergebnisse u. die damit verbundene eingeschränkte Beurteilungsmöglichkeit der Methode), über u. U. lebenslange postop. Östrogenisierung, höhere Rate an Revisions-OPs, ggf. Dyspareunie, Harndrang o. Inkontinenz.

Tab. 14.3 Alloplastische Materialien

Materialien	Produktbeispiele	Besonderheiten
Polypropylen/Prolene	Gynemesh®, Seratom®, Seramesh®, InGYNious®, Avaulta®, Uphold Lite®, Restorelle®, Calistar®	Stabil, teilelastisch, fehlende Allergenität, Unterschiede in Faser- u. Porenstruktur, mögliche Wundheilungsstörungen, Netzprotrusionen
Polypropylen mit Beschichtung	TiLoop® (titanisiert)	Entzündungsreaktion wird minimiert, geringeres Schrumpfverhalten
Polyvinylidenfluorid (PVDF)	DynaMesh®	Stabil, altersbeständig, gut biokompatibel
Polytetrafluorethylen	Teflon®, Gore-Tex®	Kein Einwachsen in das Gewebe, mögliche Fistelbildung
Polyglaktin	Vicryl®	Resorbierbar, keine dauerhafte Gewebeverstärkung

Tab. 14.3 Alloplastische Materialien *(Forts.)*

Materialien	Produktbeispiele	Besonderheiten
Polyglaktin-Prolene/ Polyglykolsäure-Polypropylen-Komb.	Vypro®, Seramesh® PA	Teilresorbierbar, mögliche Induration u. unvorhersehbare Schrumpfung
Biologische, xenogene Materialien/Komb.	Pelvicol®, Pelvisoft®, SIS®, Avaulta Plus®, Xenform®	Formstabil, mögliche passagere Entzündungsreaktionen, Gewebsverdichtung

- Derzeit sind überwiegend makroporöse, leichtgewichtige Polypropylennetze im Einsatz. Strenge Indikationsstellung (s. o.)!
- Höhergradiger Prolaps verändert Beckenbodenanatomie enorm, subtiles Aufsuchen der Landmarken vermeidet Verletzungen.
- Primäreingriffe u. Eingriffe bei Frauen mit aktivem Geschlechtsleben bedürfen einer besonderen Ind., hier Netzeinlagen vermeiden.
- Netzarrosionen bis 10 %. Häufig in Scheide, selten in Blase, Urethra o. Darm, kons. Ther. (Östrogenisierung) o. OP (meist Netzteilresektion) notwendig.

14.2 Harninkontinenz

14.2.1 Epidemiologie

In D leiden etwa 6 Mio. Menschen an Harninkontinenz. Aufgrund der demografischen Entwicklung nimmt die Zahl der älteren Inkontinenzpat. zu.

14.2.2 Theorien zur Inkontinenzentstehung bei der Frau

- Drucktransmissionstheorie nach Enhörning: Verlagerung des Blasenhalses aus dem abdominopelvinen Gleichgewicht
- Suburethrale Hängematte nach De Lancey: vordere Vaginalwand Widerlager für den Blasenhals, wird durch M. pubococcygeus verschlossen
- Integrationstheorie nach Ulmsten u. Petros: mehrere Muskelgruppen beteiligt, Wirkung der Kraftvektoren von der Intaktheit des Bandapparats abhängig, die Scheide koordiniert die Traktionskräfte

14.2.3 Einteilung

Belastungsinkontinenz

Definition Auch Urethraverschlussinsuff., Stressharninkontinenz. Unfreiwilliger Urinverlust bei körperlicher Belastung.

Pathogenese Durch eine Senkung/Lockerung des Beckenbodens kommt es zum Herausgleiten der proximalen Urethra aus dem intraabdom. Gleichgewicht (▶ Abb. 14.2).

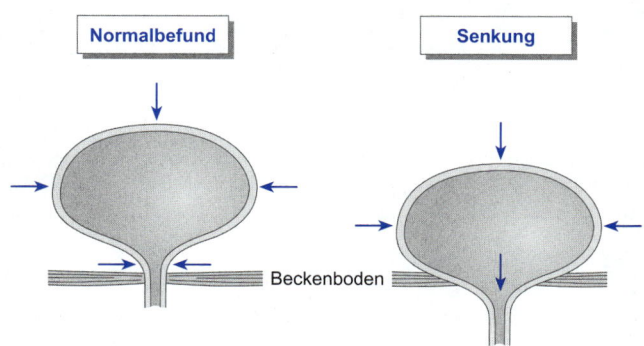

Abb. 14.2 Pathogenese der Belastungsinkontinenz [L157]

Stadieneinteilung nach Ingelmann-Sundberg
- Schweregrad 1: Harnabgang beim Husten, Niesen, Lachen
- Schweregrad 2: Harnabgang beim Heben schwerer Lasten, beim Treppensteigen o. Laufen
- Schweregrad 3: Harnabgang beim Stehen ohne körperliche Belastung

Urge-Inkontinenz (Dranginkontinenz)

Definition Harnverlust mit nicht unterdrückbarem Harndrang.

Pathogenese Gestörtes Gleichgewicht zwischen den Dehnungsafferenzen der Harnblase u. der zentralen Hemmung mit nachfolgender Detrusorinhibition.

Ätiologie
- Blasenbedingte häufigste Ursachen: HWI, Genitalatrophie u. Descensus vaginae mit großer Zystozele; daneben z. B. Blasensteine, Tumoren
- Nicht blasenbedingt: bei Kolpitis, ZNS-Erkr. wie MS, Parkinson-Sy., Syringomyelie, senile Demenz, Diab. mell., Alkoholismus sowie unter verschiedenen medikamentösen Ther. (▶ Tab. 14.4)
- Idiopathische Form: oft psychosomatische Störungen

Tab. 14.4 Medikamente, die eine Harninkontinenz provozieren oder verschlechtern

Substanz	Wirkmechanismus	Inkontinenztyp
Alphablocker, Phenoxybenzamin, Prazosin, Labetalol, Doxazosin	Sphinkterrelaxation	Belastungsinkontinenz
Antikonvulsiva, ACE-Hemmer, Myotonolytika	Senkung des Auslasswiderstands	Belastungsinkontinenz
Blasenstimulanzien: Cholinergika, Koffein, Betablocker	Erhöhte Erregbarkeit des Detrusors	Urge-Inkontinenz
Blasensedativa: Anticholinergika, Parkinsonmittel, trizyklische Antidepressiva	Provozieren inkompletter Blasenentleerung	Überlaufinkontinenz

Klinik Typische Symptome: Pollakisurie (> 7 Miktionen/d), Harndrangepisoden mit Dranginkontinenz sowie Nykturie.

Einteilung
- Detrusor-Überaktivitätsinkontinenz: unwillkürlicher Urinverlust, begleitet von imperativem Harndrang u. urodynamischem Nachweis einer Detrusorkontraktion.
- Urgency: imperativer Harndrang, ggf. mit Urinverlust ohne urodynamischen Nachweis einer Detrusorkontraktion. Im Sono ggf. Trichterbildung der prox. Urethra.
- Die Begriffe „motorische Urge-Inkontinenz" u. „sensorische Urge-Inkontinenz" werden nicht mehr verwendet.

Weitere Formen
- **Reflexinkontinenz:** Harnverlust infolge von unwillkürlichen Detrusorkontraktionen bei neurologischen Erkr.
- **Überlaufinkontinenz:** Harnverlust bei Überlaufblase infolge von infravesikalen Obstruktionen u./o. a- oder hypokontraktilem Detrusor
- **Extraurethrale Inkontinenz:** Urinverlust bei Fisteln u. Fehlbildungen

14.2.4 Diagnostik

Anamnese
- Urinverlust in welcher Situation, wie viel, wie oft?
- Häufigkeit der Miktion?
- Dysurie (Schmerzen bei der Miktion: z. B. bei urethralem Sy., am Ende der Miktion: z. B. bei Zystitis)?
- Trinkmenge?
- Geburtenanamnese (Belastungsinkontinenz korreliert mit der Anzahl der Geburten)?
- Deszensusanamnese (Pulsationszystozele korreliert evtl. mit Urge-Inkontinenz, Traktionszystozele mit Belastungsinkontinenz)
- Voroperationen (insb. gyn. o. urogyn. Eingriffe)?
- Begleiterkr. (neurol. Erkr., Diab.)?
- Fragebögen zur Lebensqualität hilfreich, z. B. Dt. Beckenbodenfragebogen nach Baessler, (Gaudenz-Fragebögen veraltet)
- Medikamentenanamnese (▶ Tab. 14.4)

Gynäkologische Untersuchung
- Spekulumuntersuchung zur Beurteilung der Scheidenhautverhältnisse (Östrogenmangel?)
- Urethrozele: häufig i. R. einer Traktionszystozele, Korrelation mit Belastungsinkontinenz
- Pulsationszystozele: Die Rugae sind verstrichen, sodass die Vaginalwand glatt erscheint; zentraler Defekt des Beckenbodens. Klassische Symptomatik: Restharn, HWI, Drangsymptomatik
- Traktionszystozele: Urethra- u. Vaginalhaut deszendieren gleichmäßig, die Rugae sind erhalten. Klassische Symptomatik: Belastungsinkontinenz, im Sono i. d. R. rotatorischer Blasenhalsdeszensus
- Rektozele ggf. mit Enterozele, mobilem Scheidenende
- Descensus uteri (▶ 14.1)
- Urinabgang beim Husten o. Pressen

Introtus- oder Perinealsonografie

US bei gefüllter Harnblase, nach Blasenentleerung Restharnbestimmung. Visualisierung der Beckenbodenkontraktilität u. einer gestörten Topografie in Ruhe u. beim Pressen:
- **Vertikaler Blasenhalsdeszensus**: Trichterbildung der Urethra, Meatus int. tritt vertikal tiefer (▶ Abb. 14.3)
- **Rotatorischer Blasenhalsdeszensus:** Meatus int. rotiert in die Horizontale, Hypermobilität (▶ Abb. 14.4) meist Öffnung des hinteren urethrovesikalen Winkels β
- Quetschhahnphänomen fast ausschließlich beim rotatorischen Blasenhalsdeszensus

Die Sono der ableitenden Harnwege (Nierenaufstau?) ist vor jeder op. Ther. obligat (schon aus forensischen Gründen).

> Beckenboden-Sono hat Rö (lat. Urethrozystogramm) komplett abgelöst.

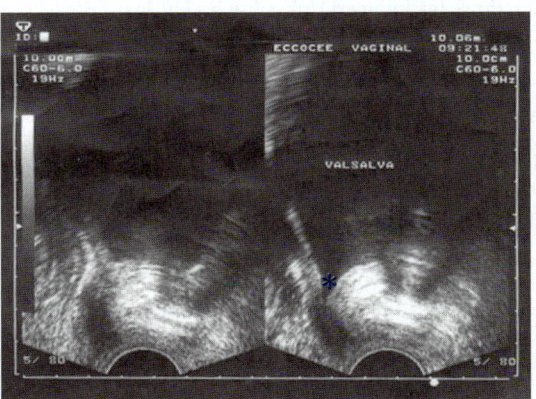

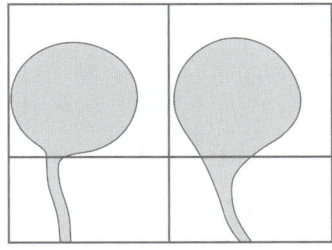

Abb. 14.3 Vertikaler Blasenhalsdeszensus. Vertikalisierung der proximalen Urethra bei fehlender anatomischer Verankerung [M979/L157]

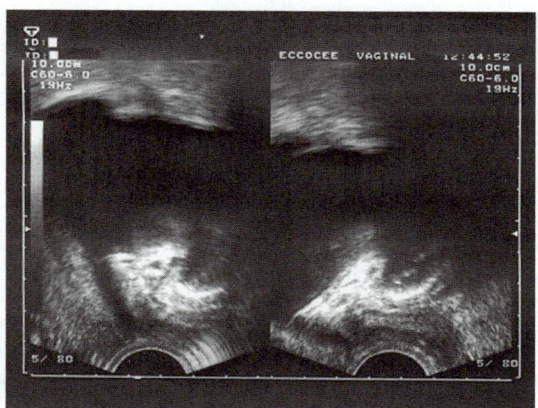

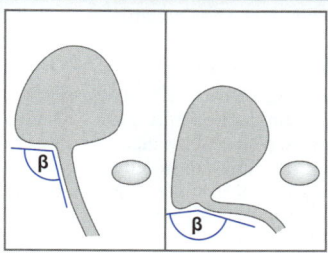

Abb. 14.4 Rotatorischer Blasenhalsdeszensus. Abkippen oder Herausgleiten der Harnblase durch eine Beckenbodenhernie [M979/L157]

Urindiagnostik

Mittels Streifenschnelltests Nachweis von roten o. weißen Blutkörperchen, Nitrit, Zucker, Eiweiß, ggf. mikroskopische Sedimentuntersuchung, Urinkultur.

Zystotonometrie

Prinzip Darstellung unwillkürlicher Detrusorkontraktionen im Differenzdruck zwischen intravesikalem u. rektalem (intraabdom. Druck). Druckmessung der Harnblase während der Füllungsphase (Abhängigkeit des Blaseninnendrucks in cm H_2O vom Füllungsvolumen in ml).

Durchführung Im Sitzen o. Liegen durchführbar. Kontinuierliche Auffüllung der Harnblase mit körperwarmem, sterilem 0,9 % NaCl über den liegenden Katheter (Füllungsgeschwindigkeit 30–50 ml/min). Katheter mit Drucksensor an der Spitze liegt in der Harnblase, zweiter Drucksensor liegt in der Urethra. Gleichzeitige Messung des intraabdom. Drucks über einen Ballonkatheter o. einen weiteren Tip-Transducer im Rektum. Gemessen werden: 1. u. 2. Harndrang, max. Blasenkapazität. Nachweis spontaner o. provozierter Detrusorkontraktionen.

Urethradruckprofil

Prinzip Gemessen werden der intraurethrale Druck (in cmH$_2$O) u. die Urethralänge (in cm). Die Registrierung des urethralen Drucks erfolgt bei verschiedenen Funktionszuständen: in Ruhe, unter Belastungsbedingungen beim Husten, bei Bauchpresse o. willkürlichen Beckenbodenkontraktionen.

Durchführung
- **Ruheprofil:** Der Tip-Transducer-Katheter liegt mit beiden Sensoren in der gefüllten Blase (300–400 ml) u. wird unter definierter Geschwindigkeit von 1 mm/s (ICS) durch die Urethra zurückgezogen. Der proximale Drucksensor läuft durch die Urethra, während der distale noch in der Blase verbleibt.
- **Belastungsprofil:** entsteht bei gleicher Untersuchungsanordnung u. gleichzeitiger Hustenprovokation. Durch verminderte Drucktransmission auf den Blasenhals kommt es zwischen Blasenhals u. Blase zu sichtbaren Depressionsdrücken im Differenzprofil → Belastungsinkontinenz.

Auswertung Die entstehende Druckkurve der Urethra im Ruheprofil wird in Differenz zum Blasendruck gesetzt u. entspricht dem funktionellen Urethraverschlussdruck (P$_{clo}$, ▶ Abb. 14.5). Die Zusatzinformationen durch das Druckprofil unter Belastung erlauben eine Klassifikation in eine hypotone Urethra P$_{clo}$ max. < 20 cm H$_2$O (bis 20 % schlechterer OP-Erfolg) (▶ 14.2.5).

Der Depressionsdruck (DepD) entspricht der Druckabnahme des Urethraverschlussdrucks unter Belastung. Altersabhängiger Normwert: 100 minus Alter der Pat. Die Unterschreitung des altersabhängigen Normwerts (= hypotone Urethra) erfordert eine subtile OP-Planung, ansonsten höheres Rezidivrisiko.

Intravesikaler Druckanstieg während der Zystotonometrie > 15 cmH$_2$O bei Blasenfüllung bis 300 ml, ggf. unter Hustenprovokation, spricht für eine motorische Urge-Inkontinenz.

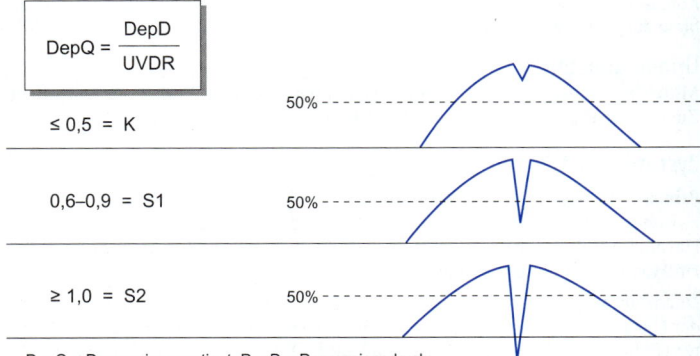

DepQ = Depressionsquotient; DepD = Depressionsdruck;
UVDR = max. Urethraverschlussdruck
K = kontinent; S1 = Stressharninkontinenz Grad 1; S2 = Stressharninkontinenz Grad 2

Abb. 14.5 Stressdruckprofil [L157]

Urometrie
Die Flowrate (Miktionsvolumen/s) gibt einen Hinweis auf obstruktive Prozesse, hypotone Blasenschwächen u. Restharnbildung. Die Aussagekraft ist bei der Frau begrenzt.

14.2.5 Therapie

Belastungsinkontinenz

Medikamentöse Therapie
Kontinenz ist nur selten durch eine Medikation zu erreichen. Besteht bei Pat. Inoperabilität o. Operationsunwilligkeit, Komb. aus physiother. Maßnahmen (Beckenbodengymnastik u. -stimulation) u. medikamentöser Maßnahme:
- Duloxetin (Yentreve®): komb. Serotonin-(5-HAT-) u. Noradrenalin-Wiederaufnahmehemmer. Aufgrund häufiger Übelkeit mit Erbrechen einschleichend dosieren: 1. Wo. 0–0–20 mg/d, 2. Wo. 20–0–20 mg/d, 3. Wo. 20–0–40 mg/d. Bei mangelndem Effekt Dosissteigerung bis 2 × 40 mg/d möglich, Behandlung mind. 3–6 Mon.
- Östrogene: Bei allen Formen der urogenitalen Atrophie lokale Östrogenisierung (z. B. mit Estriol Ovula, Salbe o. Tbl. vag. 1–2 ×/Wo.).

Operative Therapie

Kolposuspension nach Burch Am besten dokumentierte OP-Methode der Belastungsinkontinenz vor Einführung der suburethralen Bänder (▶ Abb. 14.6) mit diversen Modifikationen (z. B. nach Cowan). Bei der heute üblichen Methode wird das Gewebe neben dem Blasenhals mit nichtresorbierbaren Nähten am Lig. ileopectineum fixiert, was die Urethra stützt u. die Belastungsinkontinenz häufig bessert (▶ Abb. 14.7).

> **Besonderheiten bei hypotoner Urethra**
> - Ausgedehnte Freilegungen der Urethra u. suburethrale Nahttechniken können die neuromuskuläre Einheit weiter schädigen u. zu einem weiteren Absinken des Harnröhrenverschlussdrucks führen.
> - Op. Methode der Wahl ist hier die Einlage eines retropubischen Bandes (TVT).
> - Kontinenzergebnisse bis 20 % schlechter, dies ist v. a. bei der präop. Aufklärung der Pat. zu benennen.

TVT-Plastiken und Transobturatorbänder Aktueller Goldstandard der Inkontinenzchirurgie, sehr gut dokumentiert. Das retropubische Band (TVT, „tension free vaginal tape") komprimiert bei Hustenprovokation o. anderer Belastung die Urethra, das Transobturatorband (TOT) fungiert als konstante Hängematte für die Urethra (▶ Abb. 14.8). Erfolgsrate für das TVT bei 80 % im Follow-up von 17 J.

Mithilfe eines Bandes wird der urethrale Schließmuskelapparat gestützt u. damit verschlussfähig. Das TVT nach Ulmsten beruht auf dem retropubischen Durchzug eines an Nadeln befestigten Prolenebandes von einer vag. Inzision aus ohne zusätzliche Fixierung in der Bauchdecke.
- TOT-Bänder ziehen durch die oberen Ausläufer der Fossa ischiorectalis nach lateral, passieren das Foramen obturatum u. die Ansätze des M. adductor longus.

14 Urogenitale Erkrankungen

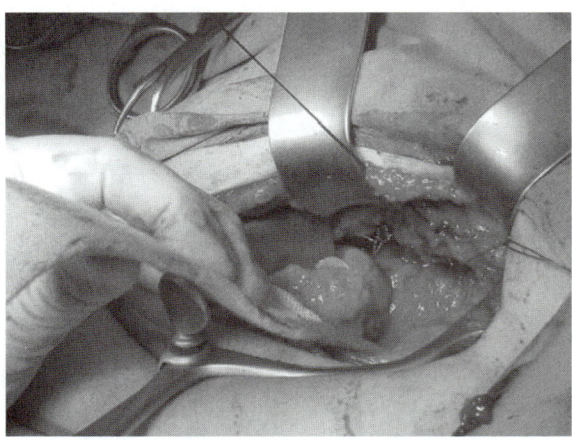

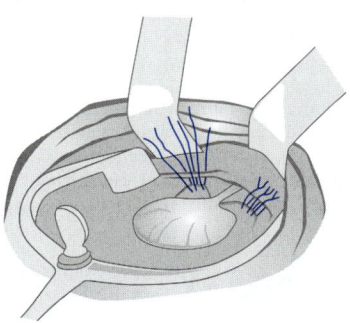

Abb. 14.6 Kolposuspension nach Burch: lockere Fixierung der Scheidenfaszie mit nichtresorbierbaren Fäden am Lig. ileopectineum (Cooper-Band) zur Anhebung des pubourethralen Übergangs [M454/L157]

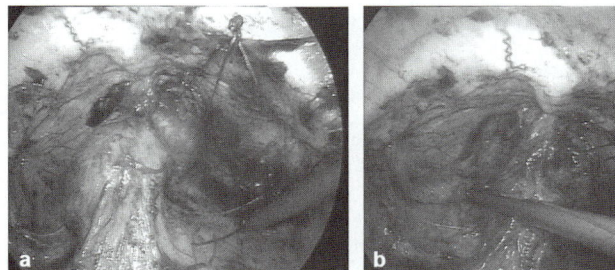

Abb. 14.7 Laparoskopische Kolposuspension mod. nach Burch: Fixierung der Scheidenfaszie am Lig. ileopectineum (Cooper-Band) [T772]

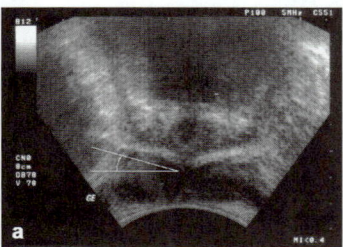 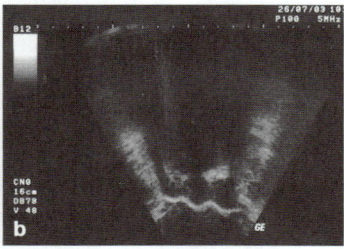

Abb. 14.8 Sonografische Darstellung des Transobturatorbandes (TOT):
a) korrekte Bandlage, b) gelockertes Band [M454]

- Ergebnisse bei beiden Systemen gleichwertig, unterschiedliche NW u. Komplikationen:
  - TVT: Blasenläsion bis 4 %, mehr Überkorrekturen mit Restharn, mehr Hämatome, Zystoskopie notwendig, Methode der Wahl bei prim. u. rezid. Inkontinenz
  - TOT: weniger Hämatome u. Blasenläsion, mehr Leistenschmerzen u. Arosionen, Zystoskopie nicht zwingend notwendig
- Hauptind.: prim. Belastungsinkontinenz bei Urethrahypermobilität
- Relative KI: Fibrosierung der Harnröhre mit mangelhafter Mobilität (bspw. Z. n. Bestrahlung, Beckenfraktur, Frozen Urethra). Z. n. Radikal-OP im kleinen Becken (Frozen Pelvis), Inguinal- o. Femoralhernie, Blasenentleerungsstörung aufgrund einer Detrusorschwäche, Harnröhrenpathologien (Harnröhrendivertikel, verkürzte Harnröhre)

Komplikationen bei TVT-Einlage
Blasenperforation (2–6 %), Blutung mit Hämatombildung mit der Notwendigkeit einer Revision (2–4 %). Läsion des N. obturatorius, Darmverletzung (Einzelfälle). Hämatombildung im kleinen Becken o. am äußeren Genitale (gelegentlich), Blasenentleerungsstörung mit Restharn bis zum Harnverhalt durch zu straffe Lage des Bandes (bis 10 %), De-novo-Dranginkontinenz meist durch operativ bedingte infravesikale Obstruktion (5–10 %), rezid./persistierende Belastungsinkontinenz (ca. 10 %), Arrosion der Harnröhre (Einzelfälle).

Single-Incision-Schlingen (sog. Mini-Schlingen) Gleiche suburethrale Unterpolsterung bei kürzerem Band (6–8 cm), Einlage über vag. Inzision mit Verankerung bds. in der Faszie des M. obturatorius internus o. der Membran der Fossa obturatoria, etwas weniger KO bei gleichwertigen Ergebnissen im mittleren Follow-up.

Nadelsuspensionen Nadelsuspensionsverfahren nach Raz, Stamey-Pereyra o. Gittes mit dem op. Prinzip, eine Elevation des Blasenhalses mit nichtresorbierbaren Fäden zu erreichen. Heute obsolet.

Konventionelle Schlingenoperationen Bei der klassischen pubovag. Schlingenoperation wird ein Faszienstreifen aus der Rektusscheide o. der Fascia lata o. ein Kunststoffband von einer vag. u. retropubischen Inzision aus zügelartig um die Urethra bzw. den Blasenhals herumgeführt u. in der Rektusfaszie verankert. Option nur noch in der Rezidivsituation.

Adjustierbare Schlingenoperationen Adjustierbare Schlingen-OPs sollten Pat. mit zahlreichen Voroperationen u. Narbenbildung mit konsekutiver Fixierung des Blasenhalses vorbehalten bleiben, die TOT-/TVT-Operation u. die Kolposuspension nach Burch ist die klassische Therapie der weiblichen Belastungsinkontinenz bei mobilem Blasenhals.

Intraurethrale Injektionen (Bulking Agents) Zur Anwendung kommen intra- o. periurethrale Injektionen mit Kollagen, mikroverkapseltes Silikon o. Polyacrylamid. Der Vorteil des Verfahrens liegt in der Anwendbarkeit in Lokalanästhesie bei eingeschränkter Operabilität, Frozen Urethra, erfolglose Voroperationen. Nachteilig sind der nur wenige Mon. anhaltende Therapieeffekt u. die damit notwendige Mehrfachinjektion.

Urge-Inkontinenz

Medikamentöse Behandlung steht im Vordergrund, wobei die Aktivität der Blasenmuskulatur gedämpft werden soll. Klassische Substanzen sind z. B. Anticholinergika. Auch Trink- u. Miktionstraining mit Erhöhung der Miktionsintervalle u. Reizstromther. können eine Besserung herbeiführen. Immer auch Ther. der Grunderkr. (z. B. HWI, Blasensteine, Blasentumoren, neurol. Erkr., Diab. mell.).

- Anticholinerg wirksame Präparate: Tolterodin 2 × 2 mg/d (Detrusitol®), nach 4 Wo. meist Reduktion auf 2 × 1 mg/d möglich, Solifenacinsuccinat 5–10 mg/d (Vesikur®), Oxybutynin 3 × 5 mg/d (Dridase®), Scopolamin 3–5 × 10–20 mg/d (Buscopan®), Trospiumchlorid (nicht zentral wirksam!) 2–3 × 5 mg/d (Spasmo-Urgenin® TC) o. 1 × 60 mg/d Retard (Urivesc®), Darifenacin 7,5–15 mg/d (Emselex®), Propiverin 3 × 15 mg/d (Miktonorm®) o. 1 × 30 mg/d (Mictonorm Uno®). Nach 6–12 Mon. Auslassversuch.
- Neue Substanzgruppe Beta-3-Adrenozeptoragonist mit Detrusorrelaxation Mirabegron 1 × 50 mg/d (Betmiga®, seit August 2017 wieder voll erstattungsfähig).
- Muskelrelaxanzien: Flavoxat 3–4 × 200 mg/d (Spasuret®).
- Zentrale Antidepressiva bei altersinstabiler Blase Imipramin 2 × 25 mg/d (z. B. Tofranil®) bis max. 150 mg/d.
- Intravesikale Instillation von 2 × 5 mg/d Oxybutynin in Kochsalzlsg. für jeweils 30 min bei Pat., die sich selbst katheterisieren.
- Bei Detrusorhyperreflexie u. innerer Sphinkterdyssynergie zusätzlich Alpharezeptorblocker (Alfuzosin, Doxazosin, Tamsulosin u. Terazosin).
- Östrogenisierung: bei allen Formen der urogenitalen Atrophie zusätzlich zu empfehlen (z. B. mit Estriol Ovula, Salbe o. Tbl. vag. 1–2 ×/Wo.).
- Elektrostimulation mit Biofeedback: Gerät führt zum Aufbau der Beckenbodenmuskulatur u. beeinflusst die Dranginkontinenz u. leichte Formen der Belastungsinkontinenz günstig. Erforderlich sind 2 × tgl. Anwendungen über 10 min.
- Botulinumtoxin: bei therapierefraktärer idiopathischer überaktiver Blase (Anticholinergikum wirkt nicht, NW nicht tolerabel) kann intravesikale Botulinumtoxin-A-Injektion (Botox® 100 Einheiten) erfolgen:
  - Zystoskopie, Blasenauffüllung auf 100–200 ml, mit Spezialnadel 20 Injektionsstellen mit insg. 10 ml NaCl + 100 Einheiten Botulinumtoxin
  - Wirkungseintritt nach ca. 4 d, Wirkung etwa 6–9 Mon., dann Wdh. möglich
- Ggf. Stimulation des Sakralnervs mit einem „Beckenbodenschrittmacher", zunächst Testung über externen Stimulator, bei Erfolg Implantation des Schrittmachers mitsamt der Elektroden unter die Haut.

- **Cave:** OP-Methoden der Dranginkontinenz wie z. B. die CESA/VASA-Methode befinden sich im Stadium der klin. Evaluation u. sollten allenfalls unter Studienbedingungen eingesetzt werden! Im erweiterten Sinne sind dies Hystero-, Zerviko-, Kolposakropexien zur Behandlung eines apikalen Defekts.

> - Dosisanpassung von Oxybutynin bei älteren Pat., da nach oraler Resorption mehr als doppelt so hohe Plasmaspiegel wie bei jüngeren.
> - **Cave:** kognitive NW bei älteren Menschen.
> - Bei Dranginkontinenzformen aufgrund einer Senkung der vorderen Scheidenwand ist ein Deszensuseingriff indiziert.

Zystitis
Bei HWI Antibiotikather. Erforderlich:
- Akuter, unkomplizierter HWI: Fosfomycin (z. B. Monuril®) 3.000 mg einmalig.
- Komplizierter HWI: Ciprofloxacin 500–750 mg 2 ×/d über 7–10 d, Levofloxacin (Tavanic®) 750 mg 1 ×/d. über 5 d. Evtl. lokale Östrogenisierung, evtl. Ansäuern des Urins mit Methionin 3 × 0,5–1 g/d (z. B. Acimethin®).
- Bei Blasensteinleiden sind diese gleichfalls zu therapieren.

Reflexinkontinenz
Gleiche Behandlungsstrategien wie bei Dranginkontinenz. Anticholinergika sind eine effektive Behandlungsmöglichkeit. Neuere Therapieoption: intravesikale Botulinumtoxin-Injektion. Ggf. sind wie bei der Überlaufinkontinenz regelmäßige sterile Katheterisierungen erforderlich. Neurourol. Mitbehandlung.

Überlaufinkontinenz
Bei einer obstruktiven Genese der Überlaufinkontinenz ist das prim. Ziel die op. Beseitigung des subvesikalen Abflusshindernisses. Bei Frauen sind tumorbedingte Obstruktionen selten.
- Detrusoratonie als häufige NW einer Pharmakother. (Detrusorkontraktilität ↓, Restharnbildung ↑): Anticholinergika, Antidepressiva, Neuroleptika, Muskelrelaxanzien, Kalziumantagonisten u. Parkinsonmedikamente. Ther.: Absetzen, Umsetzen o. Dosisreduktion.
- Autonome diabetische Neuropathie (ADN) bei Diab. mell. Klassische Trias: reduzierte Blasenwahrnehmung, verminderte Detrusorkontraktilität u. erhöhte Restharnbildung. Dies tritt im Mittel 8–9 J. nach Diagnose des Diab. mell. auf. Bei 30–50 % der Diab.-Pat. können Symptome der überaktiven Blase als Folge einer zentralen Störung auftreten.
- Medikamentöse Stimulation der Detrusorrestaktivität:
  - Cholinergika o. Parasympathomimetika: Bethanechol 25–50 mg/d (z. B. Myocholine Glenwood®)
  - Cholinesterasehemmer: Distigminbromid 5 mg/d (z. B. Ubretid®). Cholinesterasehemmer können zur unerwünschten Erhöhung des Abflusswiderstands führen. Daher gleichzeitig Alphablockade, z. B. mit Dibenzyran® 2 × 5 mg/d, langsam steigern bis max. 60 mg/d
  - Ggf. Ther. mit Tamsulosin 0,4 mg/d (Tamsulosin HEXAL®) zur Relaxation des inneren Schließmuskels (**cave:** Off-Label-Use, NW: RR-Senkung)

Extraurethrale Inkontinenz

Unbemerkte Verletzungen von Harnblase o. Ureter, ausgeprägte Denudierungen, exzessive Koagulationen, aber auch tumoröse Veränderungen o. Strahlenfolgen können zu Fistelbildungen zwischen Ureter u. Scheide o. Blase u. Scheide führen, wobei die Blasen-Scheiden-Fistel die häufigste Fistel darstellt (bis 0,3 %).

Die Fistelinkontinenz muss durch einen op. Fistelverschluss behoben werden; anatomische Fehlbildungen sind ggf. operativ zu korrigieren.

Inkontinenz im Alter

Häufiges u. belastendes Symptom älterer Pat. (Inzidenz: > 80 J. ca. 30 % im Vgl. > 60 J. 11 %).

Ursachen
- Atrophie des Urogenitaltrakts, veränderte neurogene Steuerung u. nachlassende Kompensationsmechanismen, veränderte Anatomie des Beckenbodens
- Demografische Faktoren: Zunahme von Erkr. wie Diab. mell., M. Parkinson, demenzielles Sy.
- Medikamente mit anticholinerger Wirkung: Furosemid, Digoxin, Theophyllin, Nifedipin, Prednisolon, Cimetidin etc. (inkomplette Blasenentleerung, Überlaufinkontinenz); ▶ Tab. 14.4
- Medikamente mit Blasenstimulation: Betablocker, Cholinergika etc. (Drangsymptomatik); ▶ Tab. 14.4

Therapie
- Möglichst nur minimale Diagnostik (Anamnese inkl. Medikamentenanamnese, Miktionsprotokoll, Windelwiegetest, Restharnbestimmung, Urindiagnostik, ggf. Urodynamik)
- Umstellung der Medikation, falls erforderlich
- Miktions-, Toiletten- u. Beckenbodentraining
- Pessartherapie
- Einleitung einer geeigneten medikamentösen Therapie (lokale Östrogenisierung, anticholinerge Therapie, Duloxetin)
- Minimalistische op. Therapie (Bandsysteme, periurethrale Injektionen)

15 Uterus

Kay Goerke und Axel Valet

15.1 Leitsymptome und Differenzialdiagnosen 484
15.1.1 Vaginale Blutung 484
15.1.2 Schmerzen 485
15.1.3 Dysmenorrhö 485
15.1.4 Zervikaler Fluor 486
15.2 Diagnostische Maßnahmen 486
15.2.1 Inspektion und Palpation 486
15.2.2 Kolposkopie 487
15.2.3 Zytologie 488
15.2.4 Spezielle Abstriche 492
15.2.5 Hysteroskopie und Zervix-Korpus-Kürettage (CCC, fraktionierte Abrasio) 493
15.2.6 Konisation 493
15.3 Gutartige Zervixveränderungen 495
15.3.1 Ektopie 495
15.3.2 Kondylome 495
15.3.3 Ovula Nabothi 495
15.3.4 Zervixpolyp 496
15.3.5 Myom 496
15.4 Gutartige Veränderungen des Corpus uteri 496
15.4.1 Myome 496
15.4.2 Polypen des Corpus uteri 499
15.4.3 Endometritis und Myometritis 499
15.4.4 Endometriose 500
15.5 Dysplasie (zervikale intraepitheliale Neoplasie [CIN]) 505
15.6 Endometriumhyperplasie 506
15.6.1 Einfache Hyperplasie (früher: glandulär-zystische H.) 506
15.6.2 Komplexe Hyperplasie (früher: adenomatöse H.) 506
15.6.3 Atypische Hyperplasie 507
15.7 Zervixkarzinom 507
15.7.1 Einleitung 507
15.7.2 TNM-/FIGO-Klassifikation 508
15.7.3 Operative Therapie 509
15.7.4 Strahlentherapie 511
15.7.5 Primäre Chemotherapie 512
15.7.6 Komplikationen 512
15.7.7 Zervixkarzinom und Schwangerschaft 513
15.7.8 Metastasen 513
15.7.9 Nachsorge 513
15.8 Endometriumkarzinom 514
15.9 Uterussarkom 519
15.10 Anatomie der weiblichen Geschlechtsorgane 520

15.1 Leitsymptome und Differenzialdiagnosen

15.1.1 Vaginale Blutung

Häufigste Ursachen für Blutungen sind Zyklusunregelmäßigkeiten (man unterscheidet zwischen Zyklustempus- u. Zyklustypusstörungen) (▶ Abb. 15.1; ▶ Tab. 15.1) aufgrund endokriner Störungen o. anderweitige Blutungen der Vulva, Vagina, Portio o. des Endometriums.

Atypische Blutungen:
- Präpubertär: Verletzung, Unfall, Fremdkörper, sexueller Missbrauch, Pubertas praecox, hormonbildender Ovarialtumor
- Pubertär: Menarche, Verletzung, Defloration, Kolpitis, Schwangerschaft, sexuelle Gewalt
- Reproduktive Periode: endokrine Störung, Myom, Kolpitis, Endometritis, Adnexitis, Hyperfibrinolyse, Portioektopie, Abort, Verletzung, hormonbildender Ovarialtumor, Endometrium-Ca, Zervix-Ca
- Postmenopausal: Kolpitis senilis, Ulkus, Zervixpolyp, Endometrium-Ca, Zervix-Ca, Uterussarkom, Vulva-Ca, Vag.-Ca, hormonbildender Ovarialtumor

Mögliche Hinweiszeichen für:
- Deutlich überperiodenstarke, hellrote Blutung ohne Schmerzen → V. a. Zervix-Ca (▶ 15.7)
- Kontaktblutung (nach GV), schmerzlos, meist hellrot u. gering → V. a. Ektopie (▶ 15.3.1). DD: Zervix-Ca, evtl. mikroinvasives Karzinom
- Dunkelrote bis schwarze Blutung, oft zyklusabhängig → V. a. Endometriose der Portio (▶ 15.4.4)
- Leichte hellrote Blutung verbunden mit Pruritus, Fluor u. vag. Schmerzen → V. a. Zervizitis

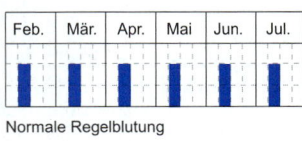

Normale Regelblutung

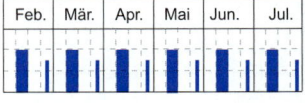

Metrorrhagie

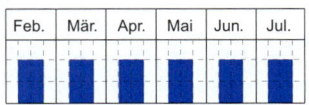

Menorrhagie

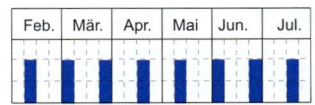

Polymenorrhö

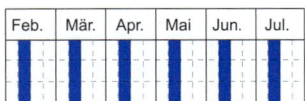

Hypermenorrhö

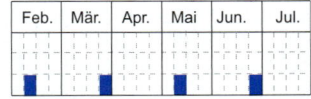

Oligo-Hypomenorrhö

Abb. 15.1 Kaltenbach-Schema [L157]

Tab. 15.1 Definitionen der Blutungsstörungen

Störungen der Blutungsdauer

Menorrhagie	verlängerte Periodenblutung	> 6 d
Brachymenorrhö	verkürzte Periodenblutung	< 3 d

Störungen der Blutungsstärke

Hypermenorrhö	verstärkte Periodenblutung	> 5 Vorlagen/d
Hypomenorrhö	verminderte Periodenblutung	
Spotting	Schmierblutung (prä-/postmenstruell, mittzyklisch)	< 2 Vorlagen/d
Metrorrhagie	Zusatzblutung, außerhalb der Periode	

Störungen der Blutungshäufigkeit

Polymenorrhö	unregelmäßig o. regelmäßig verkürzte Zyklen	Zyklus < 25 d
Oligomenorrhö	stark verlängerte Zyklen	Zyklus > 35 d
Sek. Amenorrhö	keine Periodenblutung	> 3 Mon.

- Schmierblutung, zyklusunabhängig, hellrot o. dunkelrot → V. a. Zervixpolyp (▶ 15.3.4)
- Hellrote schmerzhafte Blutung → V. a. Myom in statu nascendi (= durch den CK ausgestoßenes submuköses Myom)
- Weitere Blutungsursachen: Blutungen bei Schwangerschaft (▶ 5.6), Affektionen der Vaginalhaut (▶ 13.6), Verletzungen, dysfunktionelle Blutungen (▶ 15.4.2)

15.1.2 Schmerzen

- Leichter bis mäßiger Dauerschmerz, mit Pruritus u. Fluor → V. a. Zervizitis
- Krampfartige Schmerzen, hellrote Blutung → V. a. Myom in statu nascendi
- Zyklusabhängige Schmerzen, meist 1–2 d vor der Menstruation beginnend, häufig mit Einsetzen der Mensesblutung abklingend, evtl. mit dunkelroter bis bräunlicher Blutung → V. a. Endometriose (▶ 15.4.4)
- Postmenstruelle Schmerzen, pos. Entzündungswerte → V. a. Endomyometritis (▶ 15.4.3)
- Weitere DD ▶ 16.1, ▶ 16.4

15.1.3 Dysmenorrhö

Definition Im Zusammenhang mit der Menstruation auftretende krampfartige Unterbauchschmerzen, evtl. mit Übelkeit, Erbrechen u. Kopfschmerzen bis hin zur Migräne.

Formen
- **Prim. Dysmenorrhö:** Schmerzen, die mit der Menstruation einhergehen, Beginn schon bald nach der Menarche
- **Sek. Dysmenorrhö:** erst später einsetzende Menstruationsschmerzen

Ursachen

- **Psychosomatische Faktoren:** häufig Konflikt bei der Übernahme weiblichen Rollenverhaltens in der Pubertät (sexualitätsverneinende Erziehung, sexuelles Trauma, Dysmenorrhö der Mutter → die monatlichen Schmerzen werden von der Mutter an die Tochter als Verhalten weitergegeben). Zunächst müssen somatische Faktoren ausgeschlossen werden, danach sollte im Verdachtsfall eine psychosomatische Exploration erfolgen. Psychosomatische Faktoren spielen auch bei der sek. Dysmenorrhö eine Rolle (Unzufriedenheit mit Sexualleben, beruflicher u. sozialer Stellung, Partnerkonflikte).
- **Endometriose:** Schmerzen beginnen sehr häufig schon mind. 1–2 d prämenstruell u. lassen bei Einsetzen der Blutung meist langsam nach. Häufig besteht zusätzlich eine Dyspareunie (Schmerzen bei der Kohabitation).
- **Adenomyosis uteri interna:** einzelne Endometrioseherde im Myometrium.
- **Abflussbehinderungen:** Vag. Fehlbildungen, Hymenalatresie (▶ 20.7.2).
- **Weitere:** submuköse Myome, Korpuspolypen, Uterusfehlbildungen, Zervikalstenosen o. -strikturen, Varicosis pelvis, IUP, Retroflexio uteri.

Therapie

- Beseitigung der Ursache, falls möglich
- Bei gleichzeitigem Kontrazeptionswunsch Ovulationshemmer (geringere Blutung → weniger Schmerzen) o. Gestagene, z. B. Dydrogesteron 10 mg/d p. o. (z. B. Duphaston®) vom 16.–25. ZT
- Prostaglandinhemmer, z. B. Ibuprofen 200–600 mg p. o. nach Bedarf (z. B. Aktren®)

15.1.4 Zervikaler Fluor

Für die Pat. selbst ist die Ursache meist nicht zu erfassen. Zervikaler Schleim unterliegt der hormonellen Regulation. Diagn. u. Quantifizierung ist nur durch Spiegeleinstellung möglich.

- Periovulatorischer zervikaler Fluor bei guter Spinnbarkeit des Schleims (8–10 cm) → physiol. Östrogenwirkung
- Klarer zervikaler Fluor, zyklusunabhängig → V. a. Zervixverletzungen (z. B. Emmet-Risse nach Geburt). DD: Zervixpolyp, -Ca (Frühstadium), Ektopie
- Trüber Fluor, evtl. leicht blutig tingiert, schmerzfrei → V. a. intrazervikales Ca (▶ 15.7) o. Endometrium-Ca (▶ 15.8)
- Gelblich-eitriger Fluor, evtl. mit Pruritus u. Schmerzen → V. a. Zervizitis. DD: Adnexitis
- Weißlicher bis klarer Fluor, leichte Verletzlichkeit des Portioepithels bei der Abstrichentnahme → V. a. Chlamydien-Zervizitis
- Klare zervikale Hypersekretion → V. a. psychovegetative Störungen, häufig bei sexuellen Konflikten

15.2 Diagnostische Maßnahmen

15.2.1 Inspektion und Palpation

Inspektion

- Abdomen gebläht, Vorwölbung der Bauchdecken (z. B. großes Myom, Ovarialtumor, Aszites)

- Spekulumeinstellung: Fluor ex cervice, uterine Blutung, Tumoren, z. B. Myom, Polyp, Zervix-Ca, evtl. mit Infiltration der Vaginalwand (Stadium FIGO IIIb)

Palpation Vor einer Palpation sollte immer die Spiegeleinstellung stehen. Die Palpation kann mit einem o. zwei vag. eingeführten Fingern erfolgen.

! Bei V. a. blutendes Karzinom ist die Palpation obsolet!

- Bauchdecken: weich, Abwehrspannung, path. Resistenzen, Dolenzen; Inguinalregion: path. Lymphome, Hernien, Ulzera
- Vagina: glattwandig, Tumoren, Dolenzen
- Portio: Länge, v. a. in der Grav.; Erkennung von Zervixinsuff. (▶ 5.11), Größe, Stellung im Vergleich zur Vagina (normal sakralwärts gerichtet), Druckschmerz, P-W-S
- Öffnung des äußeren MM (bei Nullipara geschlossen, grübchenförmig, bei Z. n. Partus quergespalten), Durchgängigkeit des Zervikalkanals
- Blut am untersuchenden Handschuh?
- Corpus uteri: Größe, Konsistenz, Seitenverlagerung, z. B. durch Tumor o. Adhäsionen, Lage im kleinen Becken, Oberflächenbeschaffenheit, Asymmetrien, Tumor
- Adnexen bds.: Größe, Lage, Druckdolenz, Verschieblichkeit, Konsistenz (zystisch o. solide?) u. Oberflächenbeschaffenheit (glatt o. höckrig), v. a. von Tumoren
- Douglas-Raum: Vorwölbung, Fluktuation (Flüssigkeitsansammlung), Tumor, Druckdolenz, Resistenzen (z. B. kleine Endometrioseherde)
- Rektale Untersuchung: Palpation des Rektums (Tumoren?) des Douglas (s. o.) und der Parametrien, bei V. a. Zervix-Ca o. knotigen Veränderungen re. Parametrium mit dem re. Zeigefinger, li. mit dem li. Zeigefinger gesondert palpieren. Achten auf Konsistenz, Infiltrate u. Druckdolenz
- Knotige Infiltration im Septum rectovaginale: Hinweis auf Douglasendometriose (Prädilektionsstelle!)

15.2.2 Kolposkopie

Prinzip Untersuchung der Portio unter 6- bis 40-facher Lupenvergrößerung. Bewährt hat sich die Einstellung der Portio mit einem Selbsthaltespekulum („Entenschnabel"), um eine Hand für die Bedienung des Kolposkops frei zu haben. Gezielte Biopsie möglich (▶ 15.2.6).

Durchführung Die Untersuchung gliedert sich in drei Abschnitte:
- Nativ-Kolposkopie.
- Essigsäureprobe (3 % über mind. 30 s): koaguliert den zervikalen Schleim, der sich nun weiß darstellt; somit sind Ektopien besser abzugrenzen.
- Schiller-Jodlösung: Jod wird von den glykogenhaltigen Plattenepithelzellen des Portioepithels gespeichert, die Zervixdrüsenzellen u. a. Zellen stellen sich jodneg. dar.

Zur Dokumentation ist bei allen path. o. verdächtigen Befunden insb. zur Verlaufsbeobachtung eine **Fotodokumentation** o. eine möglichst detaillierte Zeichnung zu empfehlen.

Mögliche Befunde ▶ Abb. 15.2.
- **Ektopie:** Zylinderepithel außerhalb der Endozervix, erkennbar an feiner geröteter Fältelung. Gut nach Essig- u. Jodprobe darstellbar. Bei 70 % aller Frauen während der Geschlechtsreife nachzuweisen

15 Uterus

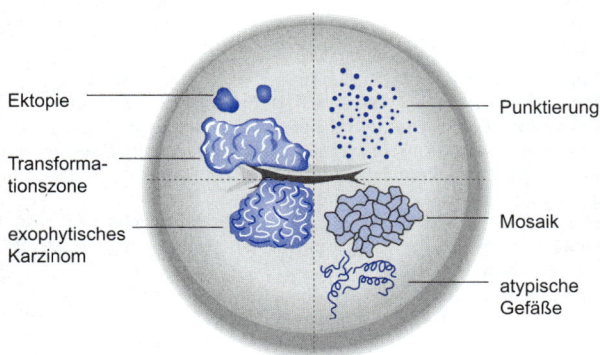

Abb. 15.2 Kolposkopiebefunde [L157]

- **Umwandlungszone** (= Transformationszone): Grenze zwischen Platten- u. Zylinderepithel. Prädilektionsstelle für Inf., Dysplasie u. Karzinome
- **Leukoplakie:** oberflächliche Verhornung, erscheint bei der Nativbetrachtung als weißer Fleck. Kontrollbedürftig, gezielte Zytologie zu empfehlen
- **Punktierung** (= Grund, Leukoplakiegrund): Nach Abstoßung der Hornschicht einer Leukoplakie lassen sich die darunterliegenden gefäßführenden Papillen als feine rote Pünktelung erkennen. Häufig am Rand von malignen Veränderungen anzutreffen. Kolposkopisch gezielte PE zu empfehlen
- **Felderung** (= Mosaik): kleine helle Felder, die bienenwabenartig von einem Netz rötlicher Kapillaren umgeben sind. Entsteht durch Vorwachsen atypischer Zellen in die Tiefe o. in Drüsenausführungsgänge. Kolposkopisch gezielte PE
- **Atypische Transformationszone:** gelb-rote, glasige, leicht erhabene Veränderung. Gilt als verdächtiger Befund
- **Atypische Gefäße:** korkenzieherartig gewundene o. gänzlich wirr verlaufende Gefäße. Am besten durch Vorschalten eines Grünfilters zu beurteilen. Gilt als verdächtiger Befund

> Die Kolposkopie kann wie die Zytologie nur einen Hinweis auf maligne o. prämaligne Veränderungen liefern. Bei verdächtigen Befunden ist immer eine histol. Sicherung (Knipsbiopsie o. Konisation) anzustreben. Wichtige Untersuchung zur präop. Planung!

15.2.3 Zytologie

> Durch Erkennen von Vorstufen eines Karzinoms ist eine echte Tumorprävention möglich. Die Methode wurde von Papanicolaou entwickelt, die Klassifikation der Befunde richtet sich nach der modifizierten Münchener Nomenklatur von 2014 (▶ Tab. 15.2).

Abstrichentnahme Keine vag. Medikamentenapplikation o. Manipulation in den letzten 24 h.
- Abstrichentnahme **vor** der Palpation, **vor** Kolposkopie mit Essigsäure o. Jodlsg. u. **immer** unter Sicht (Spiegeleinstellung)
- Abstrich mit Bürstchen entnehmen, da Holzspatel Mikroverletzungen verursachen können:
  - **1. Abstrich** von der gesamten Portiooberfläche, Bürstchen dabei mit leicht kreisenden Bewegungen führen. Plattenepithel-Zylinderepithel-Grenze komplett abstreichen
  - **2. Abstrich** aus dem CK, Bürstchen dabei leicht drehen
  - Bei engem CK ggf. hölzernes Ende eines Watteträgers o. kleineren Watteträger auf Draht bzw. Bürste (z. B. Cytobrush®) benutzen
  - Evtl. gezielt weitere Abstriche von makroskopisch o. kolposkopisch verdächtigen Stellen
- Bürstchen unter leichtem Druck gleichmäßig auf Objektträgern ausstreichen. **Cave:** Objektträger vor Abstrichentnahme mit Bleistift beschriften
- Abstriche sofort nach Entnahme in Ether-Alkohol (50 : 50) fixieren, auf keinen Fall lufttrocknen. Alternativ ist auch ein Fixierspray (z. B. Merckofix®) möglich, dabei auf ausreichenden Abstand (mind. 30 cm) zwischen Sprayflasche u. Objektträger achten. Fixierung mind. 15 min, max. 1 Wo.
- Umgehender Versand an das Zytologielabor. Auf Begleitzettel unbedingt klin. Angaben (Diagn., Zyklusanamnese, auffällige makroskopische Befunde, OP, Hormonther., Strahlenther.) vermerken, da sonst keine sinnvolle Beurteilung möglich ist

Auswertung Die Zytologie gibt Hinweise auf ein Karzinom o. ein Carcinoma in situ, beweisend ist jedoch erst der histol. Befund. Die Treffsicherheit liegt bei etwa 95 %. Falsch neg. Befunde entstehen v. a. durch mangelhafte Abstrichentnahme (▶ Abb. 15.3). Neben der Klassifikation nach Papanicolaou wird zur Hormondiagn. noch die Gruppeneinteilung nach Schmitt verwendet. Hierbei wird der Proliferationsgrad des Vaginalepithels beurteilt, dieselbe Aussage lässt sich aber auch

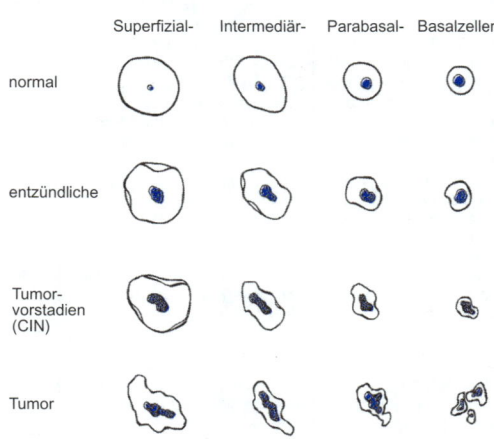

Abb. 15.3 Zytologie [L190]

am Portioepithel machen. Beurteilt wird, welche Zellart aus welcher Schicht überwiegend im Abstrich vorhanden ist (▶ Abb. 15.3).

Im deutschsprachigen Raum hat sich die Klassifikation entsprechend der Münchener Nomenklatur durchgesetzt (▶ Tab. 15.2). Die Einteilung in zervikale intraepitheliale Neoplasien (CIN) sowie die Bethesda-Klassifikation (SIL = squamöse intraepitheliale Läsion; ASCUS = atypische squamöse Zellen unbekannter Signifikanz) weisen zu große Mängel auf.

Der G-BA sieht in einem neuen Beschluss zum Zervixkarzinom-Screening vor, dass Frauen ab 35 J. statt der derzeitigen jährlichen zytol. Untersuchung (Pap-Abstrich) i. R. der Krebsfrüherkennungsuntersuchung alle 3 J. eine Kombinationsuntersuchung – bestehend aus einem Test auf genitale Inf. mit humanen Papillomaviren (HPV) u. einer zytol. Abstrichuntersuchung – angeboten werden soll. Frauen zwischen 20 u. 35 J. haben wie bisher Anspruch auf eine jährliche zytol. Untersuchung. Vorgesehen ist weiterhin, dass die neuen Screeningstrategien inkl. Intervallen u. Altersgrenzen nach einer mind. 6-jährigen sog. Übergangsphase auf Änderungsbedarfe überprüft werden.

Tab. 15.2 Neue Münchner Nomenklatur III, gültig ab 1.7.2014 [F799]			
Gruppe	Definition	Vorgehen	Korrelat im Bethesda-System
0	Unzureichendes Material	Abstrich-Wdh.	Unsatisfactory for evaluation
I	Unauffällige u. unverdächtige Befunde	Abstrich im Vorsorgeintervall	NILM
II-a	Unauffällige Befunde bei auffälliger Anamnese	Ggf. zytol. Kontrolle wegen auffälliger Anamnese (zytol./histol./kolposkopischer/klin. Befund)	NILM
II	Befunde mit eingeschränkt protektivem Wert		
II-p	Plattenepithelzellen mit geringergradigen Kernveränderungen als bei CIN 1, auch mit koilozytärem Zytoplasma/Parakeratose	Ggf. zytol. Kontrolle unter Berücksichtigung von Anamnese u. klin. Befund (evtl. nach Entzündungsbehandlung u./o. hormoneller Aufhellung; in bes. Fällen additive Methoden u./o. Kolposkopie)	ASC-US
II-g	Zervikale Drüsenzellen mit Anomalien, die über das Spektrum reaktiver Veränderungen hinausreichen		AGC endocervical NOS
II-e	Endometriumzellen bei Frauen > 40. Lj in der 2. Zyklushälfte	Klin. Kontrolle unter Berücksichtigung von Anamnese u. klin. Befund	endometrial cells
III	Unklare bzw. zweifelhafte Befunde		
III-p	CIN II/CIN III/Plattenepithel-Ca nicht auszuschließen	Differenzialkolposkopie, ggf. additive Methode, evtl. kurzfristige zytol. Kontrolle nach Entzündungsbehandlung u./o. hormoneller Aufhellung	ASC-H

Tab. 15.2 Neue Münchner Nomenklatur III, gültig ab 1.7.2014 [F799] *(Forts.)*

Gruppe	Definition	Vorgehen	Korrelat im Bethesda-System
III-g	Ausgeprägte Atypien des Drüsenepithels, Adenocarcinoma in situ/invasives Adeno-Ca nicht auszuschließen	Differenzialkolposkopie, ggf. additive Methoden	AGC endocervical favor neoplastic
III-e	Abnorme endometriale Zellen (insb. postmenopausal)	Weiterführende klin. Diagnostik, ggf. mit histol. Klärung (z. B. durch HSK) u. fraktionierter Abrasio	AGC endometrial
III-x	Zweifelhafte Drüsenzellen ungewissen Ursprungs	Weiterführende Diagnostik (z. B. fraktionierte Abrasio; ggf. additive Methoden/Differenzialkolposkopie)	AGC favor neoplastic
IIId	Dysplasiebefunde mit größerer Regressionsneigung		
IIId 1	Zellbild einer leichten Dysplasie analog CIN I	Zytol. Kontrolle in 6 Mon., bei Persistenz > 1 J. ggf. additive Methoden/Differenzialkolposkopie	LSIL
IIId 2	Zellbild einer mäßigen Dysplasie analog CIN II		HSIL
IV	**Unmittelbare Vorstadien des Zervix-Ca**		
IVa-p	Zellbild einer schweren Dysplasie/eines Carcinoma in situ analog CIN III	Differenzialkolposkopie u. Therapie	HSIL
IVa-g	Zellbild eines Adenocarcinoma in situ		AIS
IVb-p	Zellbild eines CIN III, Invasion nicht auszuschließen		HSIL with features suspicious for invasion
IVb-g	Zellbild eines Adenocarcinoma in situ, Invasion nicht auszuschließen		HSIL with features suspicious for invasion
V	**Malignome**		
V-p	Plattenepithel-Ca	Weiterführende Diagnostik mit Histologie u. Therapie	Squamous cell carcinoma
V-g	Endozervikales Adeno-Ca		Endocervical adenocarcinoma
V-e	Endometriales Adeno-Ca		Endometrial adenocarcinoma
V-x	Andere Malignome, auch unklaren Ursprungs		Other malignant neoplasms

15.2.4 Spezielle Abstriche

Humane Papillomaviren (HPV)

 Zunehmende Bedeutung für die Prognose der Dysplasie. Insb. die Subtypen 16 u. 18 sind für die Entstehung eines Zervix-Ca verantwortlich. Diagnose von Dysplasien o. eines evtl. invasiven Wachstums ist mit einem HPV-Abstrich nicht möglich.

Durchführung Zur Abstrichentnahme wird Material aus den veränderten Bezirken o. der Transformationszone mittels Watteträger auf einen speziellen Objektträger gebracht. Die Fixierung erfolgt durch Aceton über 15 min. Anschließend können die Objektträger versandt werden.

Indikationen
- Unklare zytol. Befunde (Pap IIp u. IIId1, ASCUS, AGUS, CIN I): In 5–20 % d. F. liegt eine CIN-II- o. CIN-III-Läsion vor.
- Erstmaliger Nachweis einer leicht- u. mittelgradigen Präkanzerose (Pap IIId2). In 50 % pos. HR-HPV-DNA-Befund. DD, bei welchen Patientinnen ein höheres Risiko für eine Progression der Zellatypien besteht (HR-HPV-pos.) u. bei welchen das Risiko gering ist (HR-HPV-neg.).
- Bei Pat. mit mehrmaligem Pap-IIId-Befund ist in der Mehrzahl d. F. pos. HR-HPV-DNA nachzuweisen.

Auswertung Der Nachweis erfolgt immunhistologisch.

Therapie Bei pos. High-Risk-Abstrich u. unauffälligem zytol. Befund sind engmaschige zytol./kolposkopische Kontrollen zunächst ca. alle 3–6 Mon. anzuraten.

Chlamydien

Durchführung Zum Nachweis von Chlamydien (intrazelluläre Parasiten; ▶ 13.3.5) ist die Entnahme von Zellmaterial notwendig. Dazu wird mit einem Watteträger aus dem CK sowie einem zweiten, kleineren Watteträger auf Draht aus der Urethra ein Abstrich entnommen u. auf einen speziellen Objektträger ausgestrichen. Lufttrocknung u. anschließende Fixierung mit jeweils 1 Tr. Aceton, bis dieser verdunstet ist.

Auswertung Nachweis durch fluoreszenzmarkierte AK.

Therapie Bei Chlamydiennachweis Tetrazykline wie Doxycyclin 1 × 200 mg/d p. o. (z. B. Doxycyclin AL®) über 10–14 d. **Cave:** gleichzeitige Partnerbehandlung.

 Das vom G-BA beschlossene Chlamydien-Screening in der Schwangerschaft wird an gepoolten Urinproben durchgeführt. Die Aussagekraft dieses Tests ist umstritten.

15.2.5 Hysteroskopie und Zervix-Korpus-Kürettage (CCC, fraktionierte Abrasio)

Prinzip
Op. Eingriff, meist in Vollnarkose, bei internistischen u. anästhesiol. Problemen in Regionalanästhesie (Spinalanästhesie, Parazervikalblockade).

Vorbereitung
- Desinfektion von Vulva u. Vagina
- Narkoseuntersuchung (NAU): Bei einer in Narkose schlaffen Bauchdecke ist durch NAU häufig die Abgrenzung von Tumoren bzw. deren Organzugehörigkeit deutlicher zu tasten.

Hysteroskopie
Vorgehen Unter Spekulumsicht Anhaken der Portio bei 11:00 u. 1:00 Uhr mit Kugelzangen u. Zug an der Portio (Deszensus?, vag. Hysteroskopie möglich?). Durch den Zug wird der Uterus etwas gestreckt, sodass der Zervikalkanal leichter passiert werden kann. Einführen des diagn. Hysteroskops, meist nach Dilatation bis Hegar 5 u. Auffüllen u. damit Entfalten des Uteruskavums mit Flüssigkeit o. CO_2-Gas.

Beurteilung des Cavum uteri Gezielte Gewebeentnahmen sind möglich, Synechien- u. Myomabtragungen bzw. Reduktion des Endometriums per Endometriumablation sind bei op. Hysteroskopie (größeres Lumen, Pumpe obligat) möglich. Hysteroskopische Eingriffe sind heute mit bipolaren Schneideelektroden sinnvoll, wobei auf eine hypoosmolare Flüssigkeitsdilution u. die damit verbundenen möglichen Probleme verzichtet werden kann.[1]

Zervix-Korpus-Kürettage (fraktionierte Abrasio)
- Messen der Sondenlänge
- Abrasio der Zervix mit einer kleinen Kürette
- Dilatieren des Zervikalkanals mit Hegarstiften bis ca. Hegar 9, bei Abort bis 12 (bei retrovertiertem Uterus in dorsaler Richtung einführen)
- Kürettage des Corpus uteri mit einer größeren Kürette, überlappend, anschließend werden die Tubenwinkel mit einer kleineren Kürette kürettiert
- Entfernung des Instrumentariums. Sollte eine der angehakten Stellen noch etwas bluten, Kompression mit dem Stieltupfer
- Getrennte Materialasservierung (Zervix/Korpus) in zwei mit 4-proz. Formaldehyd gefüllten Behältern, in die Pathologie zur histol. Begutachtung

15.2.6 Konisation

Durchführung Sie sollte die gesamte Transformationszone umfassen, somit muss die Schnittführung dem Alter der Pat. angepasst werden (▶ Abb. 15.4). Vor der Menopause ist der Übergang zwischen Zylinder- u. Plattenepithel auf der Portiooberfläche zu finden (→ flacher Konus), im Senium liegt diese Grenze im CK (→ steiler Konus). Die Aufarbeitung des Konus sollte **komplett** erfolgen (100–200

---

[1] **Cave:** Strenge Flüssigkeitsbilanzierung sowohl bei hypoosmolaren als auch bei isoosmolaren Lösungen!

Stufenschnitte); nur so kann die Entfernung im Gesunden annähernd sicher nachgewiesen werden. Bei Frauen mit späterem Kinderwunsch kleinen Konus wählen (Prophylaxe einer Zervixinsuff. (▶ 5.11). Durchführung i. d. R. nur nach voriger histol. Sicherung durch gezielte PE bei Kolposkopie.

- Narkoseuntersuchung. Desinfektion. Einstellen der Portio mit zwei Spekula
- Schiller-Jodprobe: Vordere MM-Lippe mit einer Kugelfasszange quer außerhalb des suspekten Bezirks fassen u. je einen Haltefaden an der seitlichen Portiowand bei 3:00 Uhr legen (= Unterbindung des absteigenden Astes der A. uterina). Kugelzange entfernen

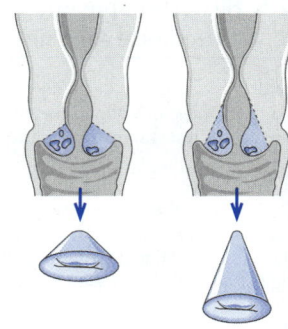

Abb. 15.4 Konisation [L157]

- Konus unter Einschluss der jodneg. Bezirke sowie eines ausreichenden Sicherheitssaums umschneiden u. abtrennen o. mit der Elektroschlinge exzidieren
- Präparat bei 12:00 Uhr mit einem Faden markieren
- Kürettage des Zervikalkanals mit der kleinen scharfen Kürette
- Messen der Sondenlänge. Dilatation des Zervikalkanals bis Hegar 9
- Dachziegelartig überlappende Kürettage des Endometriums mit mittelgroßer, scharfer Kürette, bis kein weiteres Material mehr gewonnen werden kann
- Gründliche Blutstillung im Konisationsgebiet mittels Elektrokauter

Komplikationen
- Nachblutung: bei überperiodenstarker Blutung Tamponade legen u. 24–36 h belassen, Nachblutung am 8.–9. Tag postop. möglich (Abgang des Wundschorfs).
- Stärkere Blutung (deutlich überperiodenstark) innerhalb der ersten 2 postop. Tage → Tamponade, ggf. Revisions-OP.
- Blutung nach Abgang des Wundschorfs (Tag 6–8) → Pat. auf Blutungsrisiko hinweisen.
- Sterilität durch vernarbten o. verklebten CK bzw. mangelnde Bildung von Zervixschleim in ca. 10 % (▶ 17.4.5).
- Ggf. Zervixinsuff. bei Grav. (▶ 5.11).
- Bei Blutstillung durch Naht (z. B. Sturmdorf-Naht) wird die neue Transformationszone in den CK verlegt bzw. eingekrempelt u. ist damit weder der Kolposkopie noch einem zytol. Abstrich zugänglich.

! Bei V. a. Malignität o. geplanter Hysterektomie Histologiebefund innerhalb von max. 5 d veranlassen, damit die Sek.-OP spätestens am 6. Tag erfolgen kann. Ansonsten erhöhtes Blutungsrisiko. Bei makroskopisch schon bestehendem V. a. invasives Zervix-Ca: keine Konisation, sondern gezielte Biopsie.

15.3 Gutartige Zervixveränderungen

15.3.1 Ektopie

Definition Als Ektopie wird das Auftreten von Zylinderepithel auf der Portiooberfläche bezeichnet. Dies ist bei etwa 70 % aller Frauen während der Geschlechtsreife zu erwarten u. stellt somit keinen krankhaften Befund dar. Die Ektopie wird häufig vom Rand her wieder mit Plattenepithel überzogen; hierbei können die Ausführungsgänge der zervikalen Drüsen verschlossen werden u. Retentionszysten (Ovula Nabothi, ▶15.3.3) entstehen.

Therapie Ther. Konsequenzen vonseiten der Ektopie ergeben sich lediglich bei vag. Fluor o. häufigen Kontaktblutungen. Oberflächenzerstörende Verfahren dürfen erst nach Ausschluss einer CIN III, eines CIS bzw. invasiven Karzinoms erfolgen!
- Östrogenapplikation lokal z. B. Ovestin®-Ovula über 5 d
- Applikation von Albothyl®-Vaginalsupp. o. Podophyllin 10 % (muss vom Apotheker hergestellt werden) zur Oberflächendestruktion
- Laserkoagulation der Ektopie
- Elektrokoagulation der Ektopie
- Kryosation der Ektopie (Oberflächenzerstörung durch Kälteapplikation mit flüssigem CO_2)

15.3.2 Kondylome

Definition Wie am äußeren Genitale (▶13.3.3) können auch an der Portio **Condylomata acuminata** auftreten (entstehen nach Inf. mit den Serotypen 6 u. 11 des humanen Papillomavirus [HPV], seltener 40, 42, 44, 54 o. 61). Meist handelt es sich hier aber nicht um typische Feigwarzen, sondern eher um einen rasenförmigen Befall im Sinne einer kondylomatösen Zervizitis.

Diagnostik Kolposkopie mit Essigsäure ist hilfreich, da sich die Kondylome essigsäureweiß darstellen. Zytol. finden sich typischerweise Koilozyten (Superfizial- u. Intermediärzellen mit perinukleärem Halo-Effekt). Virusdiagn. (▶15.2.4) erlaubt die Differenzierung der Papillomavirus-Typen, wobei sich in Kondylomen häufig die HPV-Typen 6 u. 11 nachweisen lassen. DD: **Condylomata lata** charakteristisch für das Stadium II der **Syphilis**-Inf.: breit aufsitzende einzelne, deutlich erhabene Papeln o. konfluierend als Papelbeete. Das austretende Sekret ist reich an Treponemen (→ Abstrich erstellen) u. hoch infektiös. Prädilektionsstellen sind Rima ani, Vulva, Achselhöhle, Nabelregion u. die Innenseite der Oberschenkel.

Therapie der Condylomata acuminata Oberflächenzerstörende Verfahren (Laser, Kryosation, Albothyl®) o. Lokalther. mit 3 ×/Wo. Imiquimod (z. B. Aldara®-Creme), jeweils für 6–10 h belassen.

15.3.3 Ovula Nabothi

Schleimretentionszysten der Portio meist durch Reepithelialisierung einer Ektopie (▶15.3.1). Eine Ther. in Form von Inzision mit Skalpell o. Kugelzange ist nur bei sehr großen Befunden u. Beschwerdesymptomatik notwendig.

15.3.4 Zervixpolyp

Zervixpolypen entstehen als lokalisierte Hyperplasie der Zervixschleimhaut. Eine maligne Entartung ist sehr selten. Wegen des häufig bestehenden Fluors ist eine Abtragung (Abdrehung) mit anschließender Kürettage zu empfehlen.

 In der Schwangerschaft sollten Zervixpolypen wegen der Gefahr der Inf. u. wegen des erhöhten Abortrisikos nicht abgetragen werden.

15.3.5 Myom

Myome (▶ 15.4.1) können auch intramural in der Zervixwand auftreten. Bei Beschwerden (Schmerzen, Sterilität, rezid. Blutungen) kommt eine op. Entfernung in Betracht, im Einzelfall nach Vorbehandlung mit GnRH-Analoga (z. B. Zoladex-Depot alle 4 Wo. über 3 Mon.) o. Ulipristalacetat zur Myomverkleinerung o. zur Vermeidung einer Bluttransfusion bei starker Blutungsanämie u. zur präop. Myomverkleinerung unter sonografischer Therapiekontrolle; auch ▶ 5.18.[2]

Ein **Myom in statu nascendi** kann bei der Inspektion des CK mit einem Zervix-Ca verwechselt werden, auch wenn die Oberfläche meist glatt u. die Konsistenz meist härter ist. Neben der op. Entfernung des Myoms sind obligat eine Kürettage von Zervix u. Corpus uteri sowie eine Hysteroskopie anzuschließen.

15.4 Gutartige Veränderungen des Corpus uteri

15.4.1 Myome

Definition Uterusmyome sind gutartige, von der glatten Muskulatur des Uterus ausgehende mesenchymale Tumoren (▶ Abb. 15.5). In ca. 0,2–0,5 % d. F. kann es zur malignen Entartung (Myosarkom) kommen. Fast 20 % aller Frauen über 30 J. haben Myome. Zwei histol. Typen treten auf:
- Fibromyom: ausschließlich von glatten Muskelzellen ausgehend
- Adenomyom: aus Myomknoten mit eingeschlossenen Endometriumanteilen

Klinik
- Dysmenorrhö, z. T. wehenartige Schmerzen (V. a. submuköses Myom)
- Meno-, Metrorrhagien, Hypermenorrhöen
- Druckgefühl, z. T. Obstipation u. Blasenentleerungsstörung aufgrund der Verlagerung von Nachbarorganen (v. a. bei intramuralen Myomen)
- Akutes Abdomen bei Stieldrehung eines subserösen Myoms
- Gehäufte Aborte
- Stauung der harnableitenden Organe, v. a. bei intraligamentärem (Lig. latum) Sitz

Komplikationen
- Sehr selten sarkomatöse Entartung (< 0,5 %), daher alle Myomträgerinnen in ¼- bis ½-jährlichen Abständen kontrollieren. Bei deutlicher Größenzunahme

---

[2] Cave: Leberenzymkontrollen unter Ulipristalacetat!

15.4 Gutartige Veränderungen des Corpus uteri

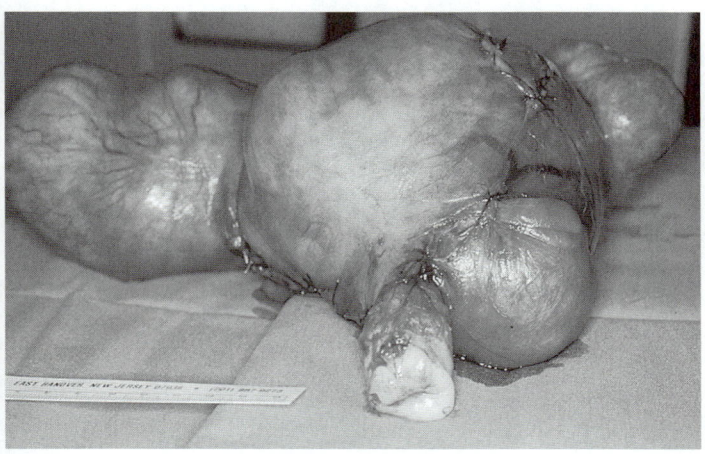

Abb. 15.5a Uterus myomatosus: ▶ Tab. 15.3 [T192]

op. Entfernung (▶ Abb. 15.5; ▶ Tab. 15.4).
- Bei Myom > 5 cm Gefahr der Nekrotisierung, da keine ausreichende Blutversorgung des Myoms mehr möglich → Unterbauchschmerzen. Ther.: OP (s. u.)

Diagnostik
- Inspektion: Bei der Spekulumuntersuchung ist evtl. ein intrazervikal liegendes submuköses Myom „in statu nascendi" zu sehen.
- Palpation: kann die DD zum Ovarialtumor häufig nicht klären.
- Sono: In der Vag.-Sono sind Myome gut zu sehen u. sollten zur exakten Verlaufsbeobachtung in 3 Ebenen ausgemessen werden (Volumen berechnen). Eine Abgrenzung vom Ovarialtumor ist meist möglich (▶ 22.1). Bei sehr großen Myomen transabdom. Sono.
- Weitere, im Einzelfall erforderliche Diagn.:
  – Laparoskopie: Das Myom ist endoskopisch gut zu beurteilen u. kann ggf. in der gleichen Sitzung entfernt werden (Ausnahme submuköses Myom → Entfernung durch op. Hysteroskopie, ▶ 15.2.5).

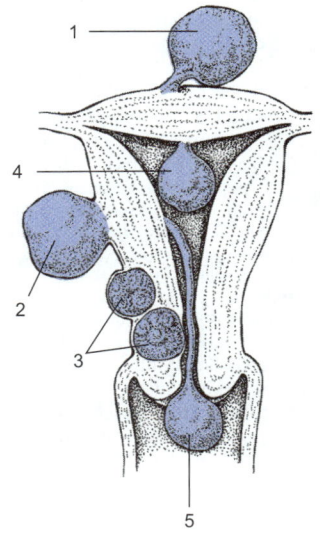

Abb. 15.5b Uterus myomatosus: Schemazeichnung [L190]

Tab. 15.3 Histologische Einteilung der Myome

Formen		DD	Diagnose	Symptome
1.	Subserös	Ovarialtumor, Endometriose, Sarkom	Palpation, US, OP: Laparoskopie	Stieldrehung → Schmerzen, akutes Abdomen
2.	Intraligamentär	Ovarialtumor, Tumoren der Nachbarorgane (Zervix, Rektum, Blase), Sarkom	Palpation, US, OP: Laparoskopie	Evtl. Ureterstau
3.	Intramural	Gravidität, Uterusfehlbildung, Sarkom, Ovarialtumor	Palpation, US, OP: Laparoskopie	Druck auf Rektum u. Blase führt zu Entleerungsstörungen, Dysmenorrhö
4.	Submukös	Korpuspolyp, Endometrium-Ca, Sarkom	Hysteroskopie, US	Blutungsstörungen, Infertilität
5.	In statu nascendi	Korpus-, Zervixpolyp, Endometrium-Ca, Kollum-Ca	Inspektion, Hysteroskopie	Meno-, Metrorrhagien, Hypermenorrhöen, Dysmenorrhöen, Stieldrehung mit Infarzierung

- Bei sehr großen Myomen o. bei V. a. intraligamentäre Myome o. bei Z. n. urogenitalen Erkr. empfehlenswert: i. v. Pyelogramm: präop. Darstellung des Ureterverlaufs, Nierenbeckenaufstau (▶ 16.2.3).
- Nierensono: i. d. R. als präop. Diagnostik ausreichend (Ausschluss Nierenbeckenaufstau) o. bei nicht durchführbarem i. v. Pyelogramm, z. B. wegen KM-Unverträglichkeit.
- Zysto- u. Rektoskopie: Kompression o. Infiltration (maligner Tumor) von Blase u. Rektum (▶ 2.2.5, ▶ 2.2.6).
- Diagn. Hysteroskopie u. fraktionierte Abrasio bei Blutungsstörungen (submuköses Myom!) z. A. eines Endometrium-Ca u. evtl. Diagn. eines Uterussarkoms (▶ 15.2.5).

! DD: Uterussarkom, Endometrium-Ca (oft mit Myomen vergesellschaftet).

Therapie

- **Myomenukleation** (laparoskopisch, hysteroskopisch, per Laparotomie). Die Rezidivrate ist hoch (30–50 %), die OP ist v. a. Frauen mit Kinderwunsch anzuraten. Bei Eröffnung des Cavums IUP für 3 Mon. einlegen, um eine Verklebung zu verhindern.
- **Medikamentös**: Bei sehr großen Myomen und Anämie kann der Einsatz von 3,6 mg Goserelinacetat (z. B. Zoladex® 3,6 mg Fertigspritze) über 3 Mon. zur Verkleinerung von Myomen vor einer geplanten OP sinnvoll sein. NW: u. a. Amenorrhö (gewollt), Akne, Hitzewallungen, Kopfschmerzen, Drehschwindel. Ovarialzysten sind bei prämenstrueller Applikation i. d. R. vermeidbar. Aufgrund erheblicher, bislang pathophysiol. noch ungeklärter hepatogener NW wurde Ulipristalacetat (Esmya®) vorläufig die Zulassung entzogen.
- **Embolisation:** nach MRT-Lokalisierung Verschluss der zuführenden Gefäße unter radiol. Kontrolle. Folge-OP-Rate wegen Schmerzen o. Rezidiven ca. 60 %.
- **Fokussierter Ultraschall** (MR-HIFU): unter MRT-Kontrolle Erhitzen der Myome durch hochfrequenten fokussierten Ultraschall u. damit Nekrotisierung. Nur in wenigen Zentren verfügbar, Aussage über größere Fallzahlen u. Langzeitstudien fehlen noch.

- **Hysterektomie** (vag., laparoskopisch o. abdom.): bei Beschwerdesymptomatik bei Frauen im nichtreproduktiven Alter bzw. ohne Kinderwunsch, bei großen Myomen, unklarer Dignität, bei therapieresistenter Blutungsstörung, persistierenden Unterbauchschmerzen o. zusätzlichen Beschwerden, z. B. Descensus uteri et vaginae (▶ 14.1).

> Subklin. Myome bilden sich nach der Menopause im Senium häufig spontan zurück. Asympt. Myome bedürfen lediglich einer klin. u. Sono-Kontrolle u. keiner Behandlung!

15.4.2 Polypen des Corpus uteri

Definition Korpuspolypen gehen vom Endometrium aus u. stellen eine begrenzte Hyperplasie des Endometriums dar; sie treten gehäuft im Klimakterium u. der Postmenopause auf. Die Diagn. Korpuspolyp kann nur histol. gestellt werden.

Klinik Blutungsstörungen (Schmierblutungen, Postmenopausenblutung), kolikartige Unterbauchschmerzen.

Diagnostik
- Inspektion: bei Status nascendi, wenn der Korpuspolyp in den Zervikalkanal getreten ist, kann er bei der Spekulumuntersuchung gesehen werden.
- Vag.-Sono: Gerade im hyperreflektiven Endometrium der Lutealphase ist ein Korpuspolyp als dunkle „Aussparung" gut diagnostizierbar.
- Hysteroskopie unverzichtbar, da an Korpuspolypen häufig „vorbeikürettiert" wird.
- Fraktionierte Abrasio (gleichzeitig Ther.).

Therapie Mit der Abrasio durchgeführt, ggf. Polypabtragung durch op. Hysteroskopie.

> Korpuspolypen können v. a. in der Postmenopause zusammen mit Endometrium-Ca auftreten, deshalb immer diagn. Hysteroskopie u. Abrasio!

15.4.3 Endometritis und Myometritis

Formen
- **Endometritis:** Entzündung der Gebärmutterschleimhaut, die außerhalb des Wochenbetts (▶ 10.4.2) selten auftritt. Die Inf. erfolgt über eine Keimaszension aus Vagina u. Zervix, häufig postmenstruell o. periovulatorisch, selten auch iatrogen durch diagn. u. ther. Eingriffe (z. B. Hysteroskopie, C-C-C, IUP). Häufigste Erreger: Staph., Strept., *E. coli*
- **Myometritis:** außerhalb des Wochenbetts sehr seltene Entzündung der Uterusmuskulatur, v. a. als Folge einer ausgeprägten Endometritis

Klinik Erst bei Myometritis Blutungsstörungen wie Menorrhagie, Metrorrhagie, prä- u. postmenstruelles Spotting. Leichter Unterbauchschmerz, v. a. bei bimanueller Untersuchung als Druckschmerz.

Komplikationen Keimaszension mit Salpingitis (▶ 16.4), Tuboovarialabszess (▶ 16.5) u. Peritonitis mit akutem Abdomen. Bei Endometritis zusätzlich Myometritis.

Diagnostik
- Druckschmerz, insb. des Corpus uteri („Funduskantenschmerz")
- Labor: BSG, Leukos u. CRP ↑ (ggf. bei subklin. Endometritis neg. Laborparameter)

Therapie
- Bettruhe, Eisblase auf den Unterbauch (nicht bei HWI)
- Spasmolytika, z. B. Butylscopolamin 3 × 10 mg Supp. bei Bedarf (z. B. Buscopan®)
- Antibiotika: Breitbandantibiotika, z. B. Cefuroxim 3 × 1,5 g/d i. v. (z. B. Cefuroxim CT®) o. Cefotaxim 3 × 2 g/d i. v. (z. B. Claforan®) oder z. B. Piperacillin 3 × 2 g/d i. v. (z. B. Piperacillin Fresenius®) als Kurzinfusion. Falls hierauf keine Besserung eintritt, Zugabe eines Aminoglykosids, z. B. Gentamicin 3 × 60–80 mg/d i. v. (z. B. Refobacin®) u./o. Metronidazol 2 × 500 mg/d i. v. (z. B. Clont®)
- Bei Pyometra vorsichtige Dilatierung des CK, um den Eiter abzulassen (**cave:** Perforation) u. Einlage eines Fehling-Röhrchens als Drainage
- Nachdem die akute Entzündung kons. beseitigt wurde, ggf. **C-C-C** zum Ausschluss eines anderweitigen Geschehens

15.4.4 Endometriose

Erkrankungsgipfel 27 J. 6–7 % fam. Häufung. Mit ca. 50 % hohe Rezidivrate.

Einteilung
- **Endometriosis genitalis interna** (ca. 30 %): mit im Myometrium gelegenen einzelnen Nestern von endometriumähnlichen Zellen (Adenomyosis uteri interna) o. Befall der Tuben (Salpingitis isthmica nodosa)
- **Endometriosis genitalis externa** (ca. 60 %): mit Herden an Ovar, Vagina, Vulva, Peritoneum, Douglas-Raum u. Lig. rotundum
- **Endometriosis extragenitalis** (5–10 %): mit Endometrioseherden im gesamten Bauchraum o. seltener extraperitoneal (Nabel, Leiste, Gehirn) (▶ Abb. 15.6).

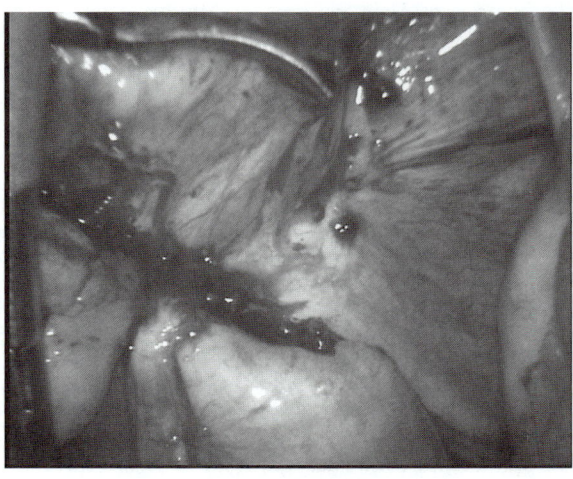

Abb. 15.6 Typische peritoneale Endometrioseherde [T192]

15.4 Gutartige Veränderungen des Corpus u

Klinik Prä- u. perimenstruelle Unterbauchschmerzen (Dysmenorrhö), Dyspareunie (▶ 21.2.2), v. a. bei Douglas-Endometriose, Defäkationsschmerz, Obstipation, persistierende Unterbauchschmerzen bei großen ovariellen u. periovariellen Endometriosezysten, Menorrhagie, Sterilität.

Stadieneinteilung ▶ Tab. 15.4, ▶ Tab. 15.5.

Der ASRM/AFS-Score ist wenig aussagekräftig bzgl. der tief infiltrierenden Endometriose, er bleibt aber weiterhin Bestandteil der Dokumentation, insb. der oberflächlichen Endometriose u. der Beurteilung der Tuben u. Ovarien. Zur Klassifikation einer tief infiltrierenden Endometriose bietet sich der Enzian-Score an (▶ Abb. 15.7).

Tab. 15.4 Stadieneinteilung der Endometriose (mod. nach rASRM/AFS**-Klassifikation) [F801-001]

Endometrioseherde		< 1 cm	1–3 cm	> 3 cm
Peritoneum	oberflächlich	1	2	4
	tief	2	4	6
Ovar rechts	oberflächlich	1	2	4
	tief	2	16	20
Ovar links	oberflächlich	1	2	4
	tief	2	16	20
Adhäsionen		**< ⅓ befallen**	**⅓–⅔ befallen**	**> ⅔ befallen**
Ovar rechts	zart	1	2	4
	dicht	4	8	16
Ovar links	zart	1	2	4
	dicht	4	8	16
Tube rechts	zart	1	2	4
	dicht	4*	8*	16
Tube links	zart	1	2	4
	dicht	4*	8*	16
Douglasobliteration	keine: 0		teilweise: 4	komplett: 40
Summe (Endometrioseherde + Adhäsionen + Douglasobliteration)				
Stadieneinteilung				
Stadium	Punkte			
I	1–5			
II	6–15			
III	16–40			
IV	> 40			

* Bei Verschluss der Tuben auf 16 Punkte erhöhen
** American Society for Reproductive Medicine/American Fertility Society

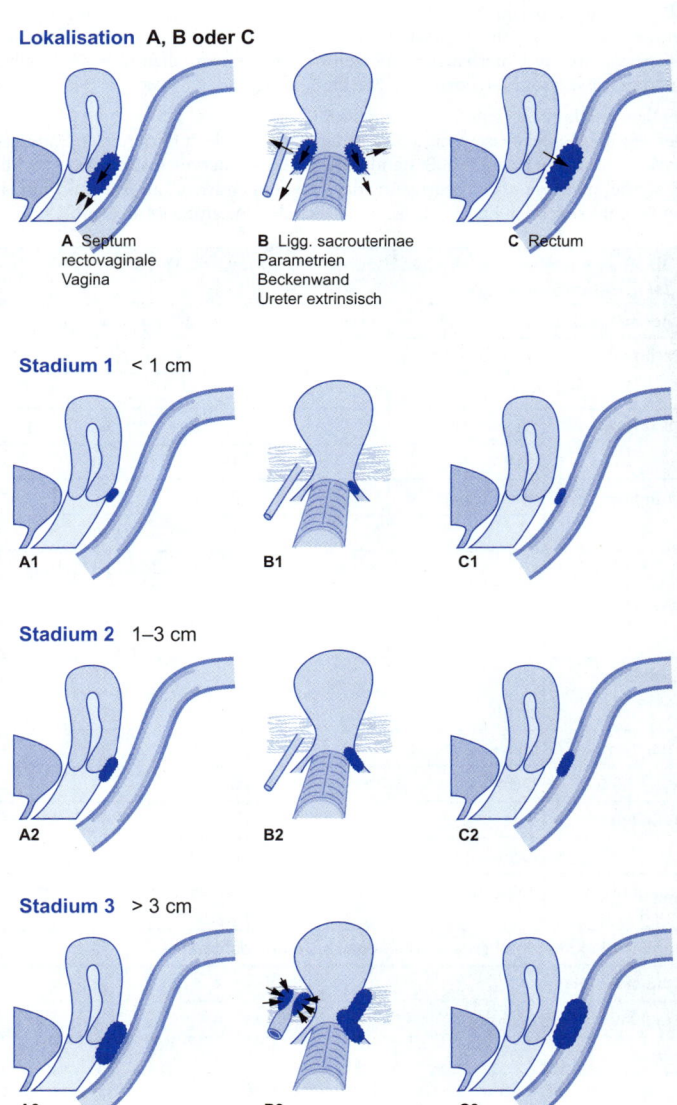

Abb. 15.7a ENZIAN-Klassifikation der tiefen Endometriose [L231]

15.4 Gutartige Veränderungen des Corpus uteri

Tab. 15.5 Raumachse (Ausmaß der Endometrioseinfiltration)

Stadium	A: Septum rectovaginale, Scheide	B: Ligg. sacrouterinae, Beckenwand	C: Rektum/Sigma
1	< 1 cm	< 1 cm	< 1 cm
2	1–3 cm	1–3 cm	1–3 cm
3	> 3 cm	> 3 cm	> 3 cm

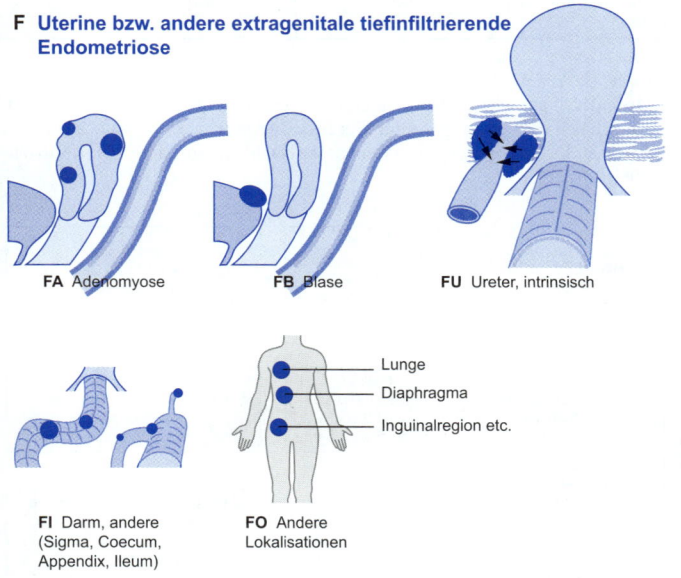

Abb. 15.7b ENZIAN-Klassifikation der tiefen Endometriose [L231]

Diagnostik
- Zyklus-Schmerzkalender führen lassen
- MKOK-Test: monophasisches komb. orales Kontrazeptivum (z. B. Valette®) für 3–6 Mon. (**cave:** geht nicht zulasten der GKV → Privatrezept)
- Bei Beschwerdepersistenz: diagn./op. Laparoskopie (möglichst prämenstruell) mit Exzision zumindest eines typischen Endometrioseherdes zur histol. Diagnosesicherung (fehlerhafte Blickdiagn. bei „Schokoladenzysten" 20–40 %, bei peritonealer Endometriose 10–15 %). Läsionen im OP-Bericht gut beschreiben, Stadieneinteilung u. Aktivitätsbeurteilung obligat! Endometriose wird in D im Durchschnitt erst nach 7 J. typischer Symptome diagnostiziert. Häufiger an Laparoskopie denken!

Wesentlich für die klin. Beschwerden ist die Aktivität der Endometriose, da die aktive Endometriose für Schmerzen u. KO wie Verwachsungen verantwortlich ist (▶ Tab. 15.6).

Tab. 15.6 Makroskopische Aktivitätskriterien der Endometrioseherde

	Aktiv	Inaktiv
Peritoneale Endometriose	Rote Herde Vesikuläre u. polypöse Implantate	Schwarzbraune Implantate Peritonealverdickung
Ovarielle Endometriose	Dünnwandige Zysten mit Begleitentzündung Livide, eingeblutet	Dickwandige fibrotische Zysten Gelblich, weiß
Tief infiltrierende Endometriose	Mit diffusen Aussaaten Hypervaskularisation	Fibrotisch, weiß Nodulär

Therapie ▶ Abb. 15.8.
- **Operativ:** laparoskopische Koagulation o. Laservaporisation kleinerer Herde, Ausschälen u. Exzision größerer Herde o. Zysten (**cave:** Ureter- o. Blasenläsionen), ggf. Laparotomie, medikamentöse Nachbehandlung u. ggf. Kontroll-LSK

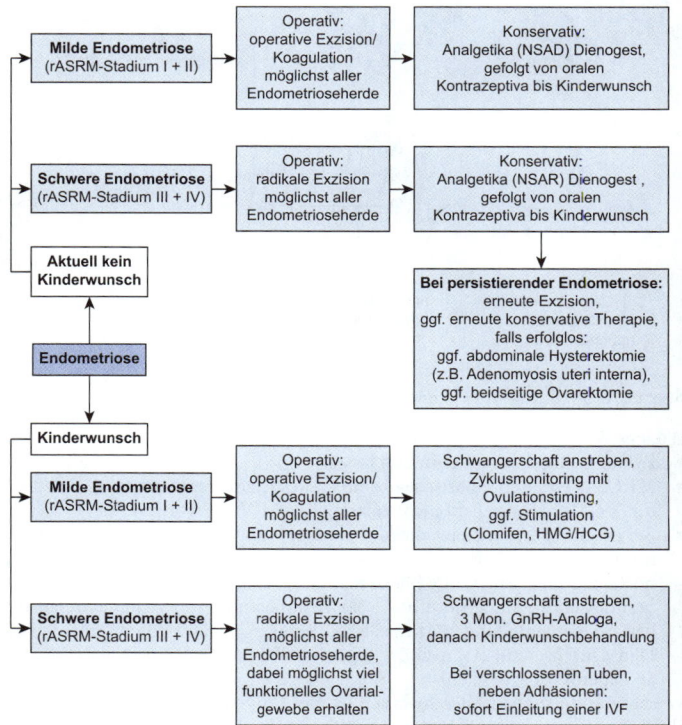

Abb. 15.8 Behandlung der Endometriose [L231]

15.5 Dysplasie (zervikale intraepitheliale Neoplasie [CIN])

- **Konservativ:**
  - Dienogest 2 mg/d (z. B. Visanne®) für 3–6 Mon. (deutlich weniger NW als GnRH-A)
  - GnRH-Analoga: über 3–6 Mon., z. B. Goserelin 10,8 mg s. c. (Zoladex® 10,8) in die Bauchdecke, 1 × (3 Mon.) o. 2 × (6 Mon.)
  - Ovulationshemmer, am besten gestagenbetont u. monophasisch (z. B. Velafee®), sinnvollerweise bis zum Eintritt von Kinderwunsch, wenigstens aber für 12 Mon. (**cave:** keine GKV-Leistung)
  - Langfristige reine Gestagenther. (GKV-fähig), z. B. Visanne®

Grundsätzliche Therapieempfehlungen:
- Ind. zur endoskopischen Diagnostik u. Therapie bei Endometriose sind Schmerzen, Organdestruktion u./o. Sterilität.
- Die op. Entfernung der Endometrioseherde gilt zur Symptomkontrolle als „Goldstandard".
- Zur Primärtherapie ovarieller Endometriome sollte die Zystenwand komplett entfernt werden.
- Durch die medikamentöse Suppression der ovariellen Funktion lassen sich Endometrioseimplantate regressiv beeinflussen.
- Eine alleinige medikamentöse endokrine Therapie vermag weder ein Endometriom zu beseitigen noch eine operative Sanierung zu ersetzen u. wird daher nicht empfohlen.
- Vor u. nach der OP soll eine Nieren-Sono durchgeführt werden, um eine klin. stumme Hydronephrose nicht zu übersehen.

15.5 Dysplasie (zervikale intraepitheliale Neoplasie [CIN])

Definition Vorstufe zur Entwicklung eines Zervix-Ca. Diagn. durch Kolposkopie (▶ 15.2.2) u. Zytologie (▶ 15.2.3).

Schweregrade
- Leichte Dysplasie (= CIN I), zytol. Gruppe IIID1
- Mittelschwere Dysplasie (= CIN II), zytol. Gruppe IIID2
  - Spontan rückbildungsfähig
  - Ther.: zytol.-kolposkopische Kontrolle alle 3 Mon. empfehlenswert, bei Persistenz der Dysplasie: Konisation (▶ 15.2.6) o. Oberflächendestruktion durch Laser o. Kryosation. Letztgenannte Verfahren dürfen nur nach histol. Ausschluss einer weiter greifenden Veränderung u. bei sicher kolposkopisch einsehbarer Transformationszone angewendet werden.
- Schwere Dysplasie (= CIN III), zytol. Gruppe IVa-p
  - Selten spontane Rückbildung, kann innerhalb kurzer Zeit in ein Carcinoma in situ übergehen
  - Ther. der Wahl: histol. Sicherung durch PE, Konisation mit Exzision der Dysplasie im Gesunden
- Carcinoma in situ o. CIN III, zytol. Gruppe IVb-p
  - Ther.: Konisation empfehlenswert; bei Pat. mit abgeschlossener Familienplanung ist angesichts der Rezidivneigung nach Konisation beim Carcinoma in situ die anschließende Hysterektomie innerhalb von spätestens 5–6 d anzuraten, da dann die reaktive Hyperämisierung des Wundkraters noch nicht stark ausgeprägt ist. Ansonsten sollte ein Abstand von mind. 6 Wo. gewählt werden.

> **!** Wenn zytol. nicht zwischen einem Carcinoma in situ u. einem invasiv wachsenden Ca unterschieden werden kann, wird der Befund in die Gruppe IVb-p eingeordnet. Bei makroskopischem V. a. invasives Ca lediglich Knipsbiopsien zur histol. Sicherung!

> Nach Ther. der Dysplasie durch Konisation ist eine engmaschige zytol. Kontrolle (über mind. 1 J. alle 3 Mon., danach alle 6 Mon.) anzuraten.

15.6 Endometriumhyperplasie

15.6.1 Einfache Hyperplasie (früher: glandulär-zystische H.)

Definition Exzessive Proliferation von Endometriumdrüsen u. Stroma. Altersgipfel: Postmenarche u. Perimenopause.

Ätiologie Östrogendauerstimulation bei anovulatorischen Zyklen mit Follikelpersistenz, endogener extragenitaler Östrogenproduktion in Adipozyten bei Adipositas o. falscher Hormonsubstitution (alleinige Östrogengabe).

Klinik Blutungsstörungen wie uterine Dauerblutung, Metrorrhagien (die Östrogenspiegel reichen nicht mehr aus, um das max. stimulierte Endometrium zu erhalten → „Durchbruchsblutung"), Postmenopausenblutung.

Diagnostik Hysteroskopie u. fraktionierte Abrasio (Zervix-Korpus-Kürettage: C-C-C).

Therapie In den meisten Fällen durch die C-C-C bereits durchgeführt:
- Östrogen-Gestagen-Kombinationspräparate: bei postmenarchalen Blutungsstörungen zur Blutungsregulation empfehlenswert, monophasischer Ovulationshemmer (z. B. MonoStep®). Hierauf tritt zunächst eine Blutstillung u. nach Absetzen eine normale Entzugsblutung ein.
- Rezidivprophylaxe: 3 Mon. Gestagen-Dauerther., z. B. Dydrogesteron 2 × 10 mg/d p. o. (z. B. Duphaston®). Bei erneutem Rezidiv sollte bei postmenopausalen Frauen eine Hysterektomie erfolgen (von einigen Autoren als fakultative Präkanzerose eingestuft, v. a. wenn sie über einen längeren Zeitraum besteht!).

15.6.2 Komplexe Hyperplasie (früher: adenomatöse H.)

Definition Die komplexe Hyperplasie gilt als Präkanzerose für das Endometrium-Ca (in ca. 3 % Übergang in Endometrium-Ca). Sie entspricht einer Proliferation der Endometriumdrüsen u. geht unter Östrogendominanz aus der einfachen Hyperplasie hervor.

Klinik Blutungsstörungen (uterine Dauer-, Postmenopausenblutung, Metrorrhagien).

Diagnostik Hysteroskopie mit fraktionierter Abrasio (C-C-C).

Therapie
- Perimenopausal bzw. Frauen ohne Kinderwunsch: Hysterektomie.
- Sonst Gestagene über 3 Mon., z. B. Dydrogesteron 2 × 10 mg/d p. o. (z. B. Duphaston®), dann Wdh. von Hysteroskopie u. fraktionierte Abrasio. Bei Persistenz der Hyperplasie Pat. zur Hysterektomie raten.

Rezidivprophylaxe
- Junge Frauen bzw. Kinderwunsch: über 3 Mon. Gestagene, z. B. Dydrogesteron 2 × 10 mg/d p. o. (z. B. Duphaston®) o. zyklische Gestagen-Östrogen-Gaben, z. B. mit gestagenbetontem OH (z. B. Marvelon®), dann sollte schnellstmöglich eine Schwangerschaft angestrebt werden.
- Perimenopausal bzw. Frauen ohne Kinderwunsch: Hysterektomie.
- Medroxyprogesteronacetat 100 mg/d, Megestrolacetat 60 mg/d.

15.6.3 Atypische Hyperplasie

Definition Obligate Präkanzerose für das Endometrium-Ca (in ca. 10-30 % Übergang in Endometrium-Ca).

Klinik Blutungsstörungen (Postmenopausenblutung, Metrorrhagien).

Diagnostik Hysteroskopie mit fraktionierter Abrasio (C-C-C).

Therapie Hysterektomie, ggf. in der Postmenopause mit Adnexektomie bds.

15.7 Zervixkarzinom

15.7.1 Einleitung

Epidemiologie Das Zervix-Ca stellt mit etwa 4.700 Neuerkr./J. in D das zweithäufigste weibliche Genital-Ca dar (20 %). Das Ca entsteht in der Transformationszone (▶ 15.2.2). 95 % aller Ca sind histol. Plattenepithel-Ca, 4 % Adeno-Ca (weniger strahlensensibel). Ca. 1.500 Todesfälle/J. in D.

Ätiologie
- Virusinf. mit HPV, insb. Typen 16, 18, 31, u. 54
- Risikofaktoren: mangelnde Sexualhygiene, häufig wechselnde Geschlechtspartner, ethnische Faktoren u. Rauchen

Diagnostik Bei V. a. Zervix-Ca sollten folgende Untersuchungen erfolgen:
- Spiegeleinstellung mit Kolposkopie u. Zytologie, Knipsbiopsie bei makroskopisch sichtbarem Tumor, Virusabstrich (▶ 15.2.4)
- Palpation einschl. rektaler Untersuchung mit re. u. li. Zeigefinger (Parametrien); bei fraglicher Parametrieninfiltration Narkoseuntersuchung. Palpation der Skalenus-Lk (Fossa supraclavicularis), bei fraglicher Metastase Skalenusbiopsie
- Labor: BB, BSG, E'lyte, Gerinnung, Leber- u. Nierenwerte, Schilddrüsenwerte (für i. v. Pyelografie), Tumormarker SCC u. CEA, Urinstatus u. -zytologie auf Tumorzellen
- Sono: Unterbauch, Nieren (Aufstau), Leber (Metastasen), Paraaortalregion (Lymphome)
- Evtl. Rö-Thorax, i. v. Pyelografie (Aufstau, Verlauf der Ureteren), evtl. Zystoskopie (ab T2b obligat) (▶ 2.2.5), Rektoskopie (ab T2b obligat) (▶ 2.2.6)
- Evtl. CT, MRT, evtl. PET-CT, PET-MRT bei Rezidiv

Prävention Impfung gegen HPV-High-Risk-Typen (z. B. Gardasil® o. Cervarix®). Die Impfung sollte bei allen Mädchen vor Aufnahme sexueller Aktivität erfolgen.

Der tetravalente aktive Impfstoff Gardasil® enthält Hüllproteine von HPV 6, 11, 16, 18, der neue Impfstoff Gardasil® 9 ist gegen 9 Virustypen aktiv (HPV 6, 11, 16, 18, 31, 33, 45, 52 u. 58). Hohe Effizienz als Vorbeugung sowohl gegen Kondylome als auch gegen Zervix-Ca. Durch die STIKO unverständlicherweise derzeit nur für Mädchen/Frauen empfohlen. GKV-Leistung bei den meisten Kassen für Mädchen/Frauen zwischen 9 u. 18 J. Auch Frauen > 18 J. können von der Impfung profitieren, die gesetzlichen Krankenkassen verweigern aber i. d. R. die Kostenübernahme. Der ebenfalls zugelassene Impfstoff Cervarix® schützt bivalent vor Inf. mit HPV 16 u. 18 und damit nicht vor Kondylomen. Bei der frühen Impfung von Mädchen zwischen 9 u. 14 J. (Gardasil® 9–15 J., Cervarix® 9–14 J.) wird ein zweimaliges Impfdosisschema im Abstand von 6 Mon. empfohlen.

S3-Leitlinie Diagnostik, Therapie und Nachsorge der Patientin mit Zervixkarzinom. Stand:Sept. 2014; www.awmf.org/uploads/tx_szleitlinien/032-033OLl_S3_Zervixkarzinom_2014-10.pdf

15.7.2 TNM-/FIGO-Klassifikation

Die TNM- u. FIGO-Klassifikationen stimmen größtenteils überein (▶ Tab. 15.7; ▶ Tab. 15.8). Zur Klassifikation (außer im Stadium Ia, hier nur histol. Klassifikation) sind folgende Untersuchungen heranzuziehen:
- Gyn. Untersuchung einschl. NAU
- Zystoskopie, Rektoskopie
- Rö-Thorax, i. v. Pyelografie

Die Ergebnisse der übrigen Untersuchungen (Lymphografie, CT, MRT, Szinti, Leber-Sono, Phlebografie, Arteriografie etc.) werden **nicht** zur Stadieneinteilung herangezogen.

Die pTNM-Einteilung entspricht der TNM-Klassifikation, zur Stadieneinteilung nach FIGO wird die postop. Histologie aber nicht herangezogen!

Tab. 15.7 Stadieneinteilung des Zervixkarzinoms (2010) [H001/G336]

FIGO	TNM	Erläuterung
	Tx	Primärtumor kann nicht beurteilt werden
	T0	Kein Anhalt für Primärtumor
0	Tis	Carcinoma in situ
I	T1	Karzinom begrenzt auf den Uterus
Ia	T1a	Mikroinvasives Karzinom, kann nur histol. diagnostiziert werden
Ia1	T1a1	Invasionstiefe max. 3 mm, Oberflächenausdehnung max. 7 mm
Ia2	T1a2	Invasionstiefe 3–5 mm u. Oberflächenausdehnung max. 7 mm
Ib	T1b	Klin. erkennbare Läsion o. mikroskopische Ausdehnung größer als Ia
Ib1	T1b1	Klin. erkennbare Läsion, nicht größer als 4 cm
Ib2	T1b2	Klin. erkennbare Läsion, größer als 4 cm
II	T2	Uterus ist überschritten, Beckenwand u. unteres Drittel der Vagina nicht erreicht

Tab. 15.7 Stadieneinteilung des Zervixkarzinoms (2010) [H001/G336] *(Forts.)*

FIGO	TNM	Erläuterung
IIa	T2a	Nur die Vagina, nicht die Parametrien befallen
IIa1	T2a1	Klin. erkennbare Läsion, nicht größer als 4 cm
IIa2	T2a2	Klin. erkennbare Läsion, größer als 4 cm
IIb	T2b	Parametrien o. Parametrien u. Vagina befallen
III	T3	Befall der Parametrien bis zur Beckenwand u./o. Befall des unteren Drittels der Vagina u./o. Hydronephrose o. stumme Niere
IIIa	T3a	Befall des unteren Drittels der Vagina
IIIb	T3b	Befall der Parametrien bis zur Beckenwand u./o. Hydronephrose o. stumme Niere
IV	T4	Infiltration von Blasen- u./o. Rektumschleimhaut
IVb	M1	Metastasen außerhalb des kleinen Beckens
	Nx	Lk nicht beurteilbar
	N0	Keine Lk-Metastasen
	N1	Regionäre Lk-Metastasen (bis Leistenband o. Aortenbifurkation)
	N2,3	Wird nicht angewendet
	N4	Lk-Befall oberhalb der Aortenbifurkation/unterhalb des Leistenbands

Tab. 15.8 FIGO-Stadien des Zervixkarzinoms [H001]

Stadium (FIGO)	Altersgipfel (J.)	Häufigkeit (%)	Lk-Metastasen (%)	5-JÜR (%)
0	35		0–1	100
Ia	40	33	1–5	98
Ib	50	29	10	92
II	55	25	20–30	75
III	58	8	40	58
IV	60	6	60–70	21

15.7.3 Operative Therapie

Die OP ist Ther. der Wahl in den Stadien 0–IIa, evtl. nach vorheriger Chemother. zur Befundverkleinerung (▶ 15.7.5).
- **Stadium FIGO 0** (Carcinoma in situ): Konisation (▶ 15.2.6)
- **Stadium FIGO Ia1 mit bis zu 1 Risikofaktor** (dissoziiertes o. netzförmiges Wachstum, Tumorvolumen > 400 mm³, Einbruch in Lymphgefäße o. Kapillaren, nicht beurteilbarer Absetzungsrand): Konisation mit Zervixkürettage (in sano). Bei abgeschlossener Familienplanung o. Sicherheitsbedürfnis der Pat.: einfache Hysterektomie (vag., laparoskopisch o. abdom.), keine Lymphonodektomie

- **Stadium FIGO Ia2 mit bis zu 1 Risikofaktor o. Ia1 mit mind. 2 Risikofaktoren:** Hysterektomie ohne Resektion der Parametrien (Piver I, ▶ Tab. 15.9), aber mit pelvinen Lk, bei befallenen pelvinen Lk: paraaortale Lk. Bei Kinderwunsch u. histol. neg. Lk: Konisation mit Zervixkürettage o. Trachelektomie mit Permanentcerclage
- **Stadium FIGO Ia2 mit mind. 2 Risikofaktoren:** radikale Hysterektomie mit Resektion der Parametrien u. pelvinen Lk, bei befallenen pelvinen Lk: paraaortale Lk-Resektion
- **Stadium FIGO Ib1 u. IIa1:** radikale Hysterektomie mit Resektion der Parametrien (Piver II), Entfernung einer Scheidenmanschette, bei befallenen pelvinen Lk: paraaortale Lk-Resektion
- **Stadium FIGO Ib2, IIa2 u. IIb:** radikale Hysterketomie mit sorgfältiger Präparation der Parametrien bis zur Beckenwand (Piver III), pelvine Lk, bei befallenen pelvinen Lk: paraaortale Lk, bei Scheidenbefall: radikale Kolpektomie mit tumorfreiem Resektionsrand, bei Adeno-Ca u. postmenopausalen Pat.: Adnexektomie
- **Stadium FIGO III:** op. Staging, bei makroskopisch befallenen pelvinen u./o. paraaortalen Lk: Entfernung vor einer Radiochemotherapie (RChT)
- **Stadium IV M0 (UICC: IVa):** prim. komb. RChT. Die op. Exenteration wird nur in Ausnahmefällen angewandt (z. B. junge Pat. ohne Fernmetastasen)
- **Stadium IV M1 (UICC: IVb):** symptomorientierte op. u./o. palliative RChT, Best Supportive Care

Tab. 15.9 Klassifikation der radikalen Hysterektomie nach Piver

Piver-Stadium	Bezeichnung	Ausdehnung des Eingriffs
I	Extrafasziale Hysterektomie	Keine nennenswerte Mobilisierung der Harnleiter
II	Modifiziert-radikale Hysterektomie	• Absetzen der A. uterina an der Überkreuzung des Harnleiters • Absetzen der Ligg. sacrouterina u. cardinalia auf halbem Weg zum Kreuzbein bzw. zur Beckenwand • Resektion des oberen Scheidendrittels • Präparation der Ureteren ohne Herauslösen aus dem Lig. pubovesicale Letztlich handelt es sich um eine extrafasziale Hysterektomie mit Resektion der Parametrien medial der Ureteren
III	„Klassische" radikale Hysterektomie	• Absetzen der A. uterina am Ursprung (A. iliaca int. o. A. vesicalis sup.) • Absetzen der Ligg. sacrouterina u. cardinalia nahe an ihren Ursprüngen (Kreuzbein, Beckenwand) • Resektion des oberen Scheidendrittels (bis zu Hälfte) • Freilegen u. Darstellen (Präparation) der Harnleiter bis zur Einmündung in die Harnblase unter Schonung eines kleinen seitlichen Anteils des Lig. pubovesicale
IV	Erweiterte radikale Hysterektomie	Wie Piver III, jedoch mit • kompletter Herauslösung der Harnleiter aus dem Lig. pubovesicale • Resektion der A. vesicalis superior • Resektion von bis zu ¾ der Scheide
V		Wie Piver IV, jedoch zusätzlich Resektion von Teilen der Harnblase u. des unteren Harnleiteranteils mit Wiedereinnähen (Neuimplantation) des Harnleiters

15.7.4 Strahlentherapie

Formen
Zu unterscheiden ist zwischen Lokalther. mittels Kontaktbestrahlung u. perkutaner Hochvoltther. Beim Zervix-Ca wird die Bestrahlung nahezu immer als komb. RChT gegeben (Cisplatin 40 mg/m^2 i. v. wöchentlich).

Kontaktbestrahlung
Die früher verwendete Radiumeinlage wurde aus Strahlenschutzgründen durch die Afterloading-Ther. abgelöst. Hierbei wird ein Applikator intrauterin o. in den Vaginalstumpf eingebracht, der erst mit der eigentlichen Strahlenquelle beladen wird, nachdem das Personal den Raum verlassen hat; Strahlenquellen sind Cs^{137} u. Ir^{192}.

Perkutanbestrahlung
Sie wird mit Telekobalt o. Linearbeschleuniger durchgeführt. Die erforderlichen Dosen liegen bei 40–50 Gy, die in 20–25 Einzelsitzungen erreicht werden. Das Feld umfasst i. d. R. das gesamte kleine Becken bis zur Beckenwand (CT-Simulation zur Bestimmung der Feldgröße notwendig). Bei Befall der Lk im Bereich der A. iliaca communis o. sonografisch verdächtigen Lymphomen paraaortal sollte das Feld auf die Paraaortalregion bis zum Nierenstiel, ggf. auch bis zum Zwerchfell („Schornstein") ausgedehnt werden, sofern hier keine Lymphonodektomie erfolgt ist.

Indikationen
- **Stadium FIGO Ia1 mit bis zu 1 Risikofaktor:** keine Radio(chemo)therapie (R(CH)T)
- **Stadium FIGO Ia2 mit bis zu 1 Risikofaktor oder Ia1 mit mind. 2 Risikofaktoren:** bei histol. nachgewiesenen pelvinen Lk-Metastasen bzw. mehreren Risikofaktoren: R(Ch)T im histol. nachgewiesenen Ausbreitungsfeld
- **Stadium FIGO Ia2 mit mind. 2 Risikofaktoren:** bei histol. nachgewiesenen pelvinen u./o. paraaortalen Lk-Metastasen bzw. mehreren Risikofaktoren: R(Ch)T im histol. nachgewiesenen Ausbreitungsfeld
- **Stadium FIGO Ib1 u. IIa1:** bei histol. nachgewiesenen pelvinen u./o. paraaortalen Lk-Metastasen bzw. mehreren Risikofaktoren o. Inoperabilität der Pat.: R(Ch)T
- **Stadium FIGO Ib2, IIa2 u. IIb:** bei histol. nachgewiesenen pelvinen u./o. paraaortalen Lk-Metastasen bzw. mehreren Risikofaktoren o. Inoperabilität der Pat.: R(Ch)T, Stadium IIB: R(Ch)T bevorzugen
- **Stadium FIGO III:** R(Ch)T nach op. Staging
- **Stadium IV M0 (UICC: IVa):** prim. Komb. R(Ch)T
- **Stadium IV M1 (UICC: IVb):** symptomorientierte op. u./o. palliative R(Ch)T, Best Supportive Care

Komplikationen

Strahlendermatitis
Prävention durch Vermeiden von Sonneneinstrahlung, Reizung durch Bürsten, enge Kleidung. Haut einpudern, ölen (z. B. Penaten®-Öl), Wundreinigung mit Kamillelsg. (▶ 12.7.7).

Strahlenzystitis
Klinik Dysurie, Pollakisurie, häufig auch Mikro- o. Makrohämaturie (DD bakt. Zystitis!).

Prophylaxe und Therapie Ausreichende Flüssigkeitszufuhr, bakt. Superinf. vermeiden durch Antibiotika (z. B. Bactrim forte®).

Strahlenproktitis und -kolitis

Klinik Diarrhö mit blutig-schleimigen Stühlen, häufig transanale hellrote Blutung.

Therapie Klistiere mit Dexpanthenol (z. B. Bepanthen®), Sulfonamiden (z. B. Azulfidine®) o. Olivenöl, im Extremfall Kolonteilresektion.

Prophylaxe Stuhlregulierung z. B. Laktulose 2 × 10 ml, leicht verdauliche Kost (fettarme Mahlzeiten, ungesättigte Fettsäuren, Vit.- u. E'lytsubstitution).

15.7.5 Primäre Chemotherapie

Die Chemother. wird beim Zervix-Ca in den letzten Jahren zunehmend eingesetzt, insb. um prim. nichtoperable Befunde (Stadium FIGO IIb mit massiver Infiltration der Parametrien o. Stadium FIGO IIIb) so zu verkleinern, dass eine OP nach Wertheim-Meigs möglich wird. Zur Anwendung kommt eine Komb. von Ifosfamid (5 mg/m^2), Cisplatin (50 mg/m^2) u. Taxol (175 mg/m^2) alle 4 Wo. Meist werden 3–4 Zyklen appliziert, bis sich eine deutliche Verkleinerung des Befunds bei der klin. Untersuchung ergibt. Alternativ Cisplatin 50 mg/m^2 i. v. Tag 1 u. Topotecan (Hycamtin®) 0,75 mg/m^2 i. v. Tag 1–3 alle 3 Wo., auch bei inoperablem o. metastasiertem Ca.

15.7.6 Komplikationen

Vorgehen bei massiver Blutung aus einem Karzinom

- Vorsichtige Spiegeleinstellung, keine Palpation
- Versuch der Probengewinnung zur Histologie
- Feste Tamponade mit Hämostyptikum (z. B. Clauden®)
- BB-Kontrolle, evtl. Transfusion von EK
- Kontrolle der Gerinnung, evtl. Frischplasma o. Faktorensubstitution
- Baldiger Beginn einer Strahlenther. zur Blutstillung

Kompression der Harnleiter mit Nierenaufstau

Klinik Ein- o. bds. Nierenschmerzen, Oligurie bis Anurie, Anstieg der Retentionswerte.

Vorgehen
- Sono der Nierenbecken
- Blutentnahme für BB, E'lyte, Retentionswerte u. Gerinnungskontrolle
- Urol. Konsil zur Einlage einer Ureterschiene o. Anlage einer perkutanen Nephrostomie
- Urinzytologie auf Tumorzellen

Postoperative Lymphzysten

Häufiger Befund nach Radikal-OP, bei Beschwerdefreiheit keine Ther. indiziert. Spontane Rückbildung meist innerhalb von 8–10 Wo.

Differenzialdiagnosen Hämatom (Hb-Abfall, im US solide, korpuskuläre Anteile basal).

Therapie Bei Kompression der Gefäße o. Lymphbahnen bzw. bei Schmerzsymptomatik kann eine sterile Punktion zur Entlastung versucht werden, die Rezidivneigung ist aber sehr hoch (meist innerhalb 24 h komplett nachgelaufen). Instillation von Fibrinkleber (z. B. Beriplast®) nach Punktion kann den Zystenbalg manchmal verkleben.

Vorgehen bei Lymphödem der unteren Extremitäten
- Lymphdrainagether. durch ausgebildeten Lymphtherapeuten
- Tagsüber Kompressionsstrümpfe, nachts untere Extremitäten selbst nach Anleitung mit Zugbinde bandagieren
- Lymphdiaral® 3 × 20 Tr./d
- Verletzungen u. Überwärmung vermeiden
- Ggf. spezielle stat. physikalische Ther. in lymphol. Klinik (▶ 12.7.13)

15.7.7 Zervixkarzinom und Schwangerschaft

Etwa 1 : 6.000 Schwangerschaften. Die Schwangerschaft selbst hat keinen Einfluss auf den Verlauf des Karzinoms.
- **Stadium Ia:** Die 36. SSW kann abgewartet werden, anschließend Sectio caesarea mit Hysterektomie u. stadiengerechter Lymphonodektomie (▶ 15.8).
- **Andere Stadien:** Ther. des Karzinoms ist vordringlich; je nach Lebensreife des Kindes wird eine Sectio caesarea mit anschließender stadiengerechter OP (▶ 15.8) o. bei inoperablen Stadien die Abortinduktion mit Prostaglandinen u. anschließender Strahlenther. empfohlen.

15.7.8 Metastasen

- **Per continuitatem:** häufigster Ausbreitungsweg mit Infiltration von Blase, Rektum u. Parametrien mit Fistelbildungen o. Ureterummauerung
- **Lk-Metastasen:** A. iliaca externa u. communis, paraaortal, bei weiterem Fortschreiten auch mediastinal u. M. scalenus
- **Hämatogene Metastasen:** selten (▶ Abb. 15.9). Im Stadium IV Lunge 45 %, Leber 40 %, Knochen 20 %

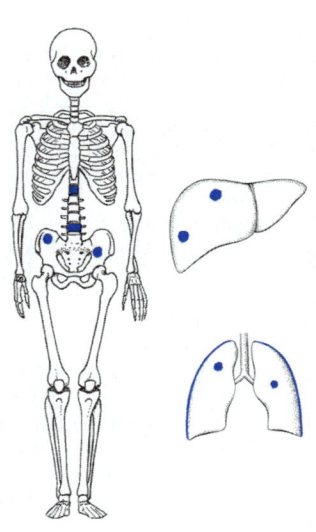

Abb. 15.9 Typische Metastasierungsorte beim Zervix-Ca [L190]

15.7.9 Nachsorge

> **Zeitplan**
> Die Nachsorgeempfehlungen für das Zervix-Ca lauten:
> - Bis 5 J.: 3-monatl. Kontrollen
> - Bis 10 J.: 6-monatl. Kontrollen
> - Ab 10 J. jährl. Kontrollen

Durchführung
- Anamnese: vag. Blutungen, Urin-, Stuhlunregelmäßigkeiten, Makrohämaturie, blutigen Stuhl, Lymphödem der Beine
- Vag. Spekulumeinstellung mit Zytologie u. Kolposkopie
- Palpation einschl. rektaler Untersuchung, Palpation der Leisten-Lk
- Nierenlagerklopfschmerz, Klopf- o. Kompressionsschmerz des Skelettsystems
- Urinstatus

Ergänzungsuntersuchungen
- 1 × jährlich zusätzlich Abdomen-Sono, Stuhluntersuchung auf okkultes Blut, je nach Alter auch Mammografie
- Bei path. Befunden ggf. zusätzlich i. v. Pyelografie (▶ 16.2.4), Skelettszintigrafie, Sono der Paraaortalregion, CT Becken u./o. Abdomen

15.8 Endometriumkarzinom

Epidemiologie Die Häufigkeit liegt bei 25/100.000 Frauen/J., Altersgipfel 65–70 J., selten auch bei jüngeren Frauen (ca. 2,5 % sind < 40 J.). In D ca. 11.000 Neuerkr./J.
Zwei Typen:
- **Östrogenassoziiertes Typ-I-Ca:** mit ca. 75–80 % häufigere Variante, histopath. endometrioide Adeno-Ca ggf. auch mit plattenepithelialer Komponente. Vermutlich durch Überschuss an endogenen bzw. exogenen Östrogenen, nicht o. nur unzureichend durch Gestagene antagonisiert, z. B. bei Adipositas, anovulatorischen Zyklen beim PCO-Sy., durch Einnahme des partiellen Östrogenagonisten Tamoxifen o. einer Östrogen-Ersatztherapie ohne Gestagensubstitution.
- **Östrogenunabhängiges Typ-II-Ca:** mit 10–15 % histopath. entweder als seröse o. klarzellige Karzinome imponierend u. definitionsgemäß gering differenziert. Pat. sind i. d. R. älter, häufig schlank u. weisen nicht die typischen Risikofaktoren der Östrogendominanz auf. Karzinome entstehen typischerweise aus atrophischem Endometrium über die Vorstufe eines endometrialen intraepithelialen Karzinoms u. exprimieren keine Östrogen- u./o. Progesteronrezeptoren. Einzige bekannte Risikofaktoren sind das Alter u. eine vorausgegangene Bestrahlung des Uterus.

Ätiologie Begünstigender Faktor ist längere Östrogendominanz (▶ 15.7.1). Weitere Risikofaktoren sind Adipositas, Hypertonie, Diab. mell., häufig anovulatorische Zyklen, adenomatöse Hyperplasie, Infertilität. Gehäuft treten Korpus-Ca auch bei Myomträgerinnen auf (25 %).

Klinik
- Blutungsstörungen: Postmenopausenblutung, Metrorrhagien, prä-/postmenstruelles Spotting, blutiger Urin
- Schmerzen im mittleren Unterbauch
- Eitriger, blutiger, dunkler o. fleischwasserfarbener, fötid riechender Fluor
- Gewichtsverlust

Diagnostik
- Inspektion: Bei heruntergewachsenem Korpus-Ca ist evtl. bei der Spekulumuntersuchung ein exophytisch wachsender Tumor zu sehen. Bei Angaben einer genitalen Blutung im Senium muss die uterine postmenopausale Blutung von einer Blutung aus der Harnblase unterschieden werden.

15.8 Endometriumkarzinom

- Palpation: meist unergiebig, außer bei fortgeschrittenem Stadium.
- Sono: transvag. Beurteilung des Endometriums (▶ 22.1).
- Diagn. Hysteroskopie, Kürettage u. NAU: erbringen den histol. Nachweis des Endometrium-Ca u. erlauben die Beurteilung der Tumorausdehnung auf Korpus u. Zervix.
- Leber-Sono u. Rö-Thorax z. A. von Fernmetastasen.
- Beim Auftreten eines Endometrium-Ca bei jüngeren Pat. < 50 Lj ist an ein Lynch-Sy. (hereditäres nicht polyposisassoziiertes kolorektales Ca, HNPCC) als seltene autosomal-dominant vererbte Krebsdispositionserkr. zu denken. Neben gastrointestinalen, urogenitalen u. hepatobiliären Karzinomen sowie Hautkrebs kommt es bei Mutationsträgerinnen sehr häufig zum Auftreten eines Endometrium-Ca (Lebenszeitrisiko je nach MMR-Mutation 17–66 %) u./o. von Ovarial-Ca (Lebenszeitrisiko je nach MMR-Mutation 10–33 %). Genetische Beratung u. weitergehende Diagnostik, z. B. Gastrokoloskopie, Zystoskopie etc. sind zu empfehlen.
- Histol. Grading ▶ Tab. 15.10; Stadieneinteilung ▶ Tab. 15.11.

Tab. 15.10 Histologie

Histologietyp	Häufigkeit (%)	Morphologie	5-JÜR (%)
Adeno-Ca	60	Grading: • G1 hochdifferenziert • G2 vermehrt solide Anteile • G3 undifferenziert	85
Adenokankroid (Syn.: Adenoakanthom)	21		73
Adenosquamöses Ca	7	Gleichzeitig auftretende drüsige u. plattenepitheliale Karzinomanteile	50
Klarzelliges Ca	6		35
Papilläres Ca	4,5		50

Tab. 15.11 Stadieneinteilung (FIGO), entspricht der TNM-Klassifikation

Cave: Neue Klassifikation seit Januar 2010! Das frühere Stadium T1c ist entfallen; es heißt jetzt T1b. T1a umfasst die früheren Stadien T1a und T1b. Bei älteren Befunden unbedingt auf das Datum der Erstellung achten. [H001]

TNM	FIGO	Kriterien
0		Carcinoma in situ
1	I	Tumor auf das Corpus uteri begrenzt
1a	IA	Tumor auf das Endometrium begrenzt o. < 50 % Myometriuminfiltration
1b	IB	Tumor auf das Corpus uteri begrenzt; > 50 % Myometriuminfiltration
2	II	Tumorausdehnung auf die Cervix uteri, aber auf den Uterus begrenzt
2a		Endozervikale glanduläre Tumorausdehnung
2b		Tumorinvasion in das Zervixstroma

Tab. 15.11 Stadieneinteilung (FIGO), entspricht der TNM-Klassifikation
Cave: Neue Klassifikation seit Januar 2010! Das frühere Stadium T1c ist entfallen; es heißt jetzt T1b. T1a umfasst die früheren Stadien T1a und T1b. Bei älteren Befunden unbedingt auf das Datum der Erstellung achten. [H001] *(Forts.)*

TNM	FIGO	Kriterien
3	III	Tumorausdehnung über den Uterus hinaus, auf das kleine Becken begrenzt
3a	IIIA	Infiltration der Uterusserosa bzw. Adnexbefall bzw. pos. intraop. peritoneale Zytologie
3b	IIIB	Tumorinfiltration der Vagina
N1	IIIC	Infiltration von pelvinen bzw. paraaortalen Lk
4	IVA	Infiltration von Blasen- bzw. Rektumschleimhaut bzw. Wachstum des Tumors über das kleine Becken hinaus
M1	IVB	Fernmetastasen

Aktuelle Leitlinie im Internet unter: www.awmf.org/leitlinien/

Allgemeine Standards
- Die Diagnose eines Endometrium-Ca u. seiner Vorstufen soll durch die Gewinnung einer Histologie gesichert werden.
- Jede Blutung in der Postmenopause soll unabhängig von der sonografischen Endometriumdicke histol. abgeklärt werden.
- Die atypische Blutung in der Perimenopause sollte histol. abgeklärt werden.
- Unter Tamoxifen-Einnahme soll nur eine bestehende Blutung histol. abgeklärt werden.
- Komplexe Hyperplasien des Endometriums mit Atypien besitzen ein hohes Entartungsrisiko.
- Bei komplexen Hyperplasien des Endometriums mit Atypien sollte prä- u. postmenopausalen Pat. eine Hysterektomie empfohlen werden.
- Ein kons. Behandlungsversuch bei Hyperplasien des Endometriums mit Atypien sollte nur bei Kinderwunsch u. der Möglichkeit zu engmaschigen Kontrollen u. Rebiopsien infrage kommen.
- Die op. Behandlung des Endometrium-Ca sollte die Entnahme einer Spülzytologie, die Hysterektomie u. die bds. Adnexexstirpation umfassen.
- Bei endometrioiden Karzinomen des Stadium pT1a u. Vorliegen von G1 o. G2 soll bei intraop. makroskopisch unauffälligen Lk auf eine Lymphonodektomie verzichtet werden.
- Bei Tumoren mit höherem Risiko für einen Befall der retroperitonealen Lk (Stadium ≥ pT1b, alle G3 o. serösen bzw. klarzelligen Karzinome) sollte die pelvine u. paraaortale Lymphonodektomie bis zum Nierenstiel erfolgen.
- Bei Betrachtung der postop. Morbidität ist das laparoskopische Vorgehen dem offenen Vorgehen überlegen bei gleicher Prognose. Für High-Risk-Fälle liegen noch keine ausreichenden Daten vor.
- Bei Vorliegen einer serösen o. klarzelligen Karzinomkomponente sollten die Entnahme von multiplen peritonealen Biopsien sowie eine Omentektomie er-

folgen. Gleiches gilt für endometrioide Karzinome, bei denen intraop. ein Stadium cT3a nachweisbar ist.
- Eine radikale Hysterektomie sollte beim Endometrium-Ca Stadium II nicht mehr durchgeführt werden.

Therapie
- **Allg. op. Vorgehen:** untere mediane Laparotomie. Nach Eröffnung der Bauchhöhle Spülzytologie, insb. aus der gesamten Beckenregion. Intraop. Staging mit Inspektion der Beckenorgane, Abtastung der pelvinen u. paraaortalen Lk, Inspektion u. Palpation von Netz, Leber u. Zwerchfell. Führung des Uterus während der OP über gerade stumpfe Klemmen, welche die Tubenabgänge verschließen u. zusätzlich die Ligg. rotunda erfassen. Der exstirpierte Uterus wird sofort den Pathologen zur Beurteilung der Invasionstiefe des Karzinoms u. ggf. zur Schnellschnittuntersuchung übergeben.
- **Stadienabhängiges Vorgehen** (▶ Tab. 15.11):
  - Stadium pT1a, G1, G2: totale Hysterektomie mit Adnexektomie bds., Lymphonodektomie nur bei zusätzlichen Risikofaktoren, peritoneale Zytologie
  - Stadium pT1a, G3 u. Stadium pT1b, pT2a G1–G3: totale Hysterektomie mit Adnexektomie bds., Lymphonodektomie, peritoneale Zytologie
  - Stadium pT2b: totale Hysterektomie mit Adnexektomie bds., Lymphonodektomie, peritoneale Zytologie
  - Stadium pT3a: totale Hysterektomie mit Adnexektomie bds., Lymphonodektomie, Omentektomie, Debulking
  - Stadium pT3b (Befall der Vagina): totale Hysterektomie mit Adnexektomie bds., Lymphonodektomie, partielle/komplette Kolpektomie
  - Stadium pT4: bei isoliertem Befall von Blase u./o. Rektum ggf. vordere u./o. hintere Exenteration, Tumor-Debulking, Adnexektomie bds., ggf. Lymphonodektomie
  - Stadium pN1: totale Hysterektomie mit Adnektomie bds., Lymphonodektomie
  - Stadium M1: bei Operabilität Hysterektomie (Blutstillung) u. Debulking (Verbesserung der Effizienz der systemischen u. strahlenther. palliativen Maßnahmen)
  - Bei serösen u. klarzelligen Karzinomen: zusätzlich zur obigen stadiengerechten Ther. immer Omentektomie, multiple intraperitoneale Biopsien, pelvine u. paraaortale Lymphonodektomie

> Die Stadien I–III grundsätzlich op. behandeln. Auch in den Stadien IIIb (mit Befall der Vagina) und IVa op. Tumorreduktion anstreben, soweit OP- u. Narkosefähigkeit nicht dagegen sprechen, obwohl hier und noch weniger im Stadium IVb keine R0-Resektion mehr möglich ist. Eine prim. o. alleinige Strahlenther. ist einer vorausgehenden, auch teilweise eingeschränkt radikalen OP immer unterlegen.

Nachsorge Risikoadaptiert, entsprechend den prognostischen Kriterien. Endometrium-Ca rezidivieren zum überwiegenden Maß prim. lokal.
- Anamnese: genitale Blutung, Blasen- o. Darmentleerungsstörungen, Blasen- o. Darmblutungen, Stuhlinkontinenz z. B. bei Rektum-Scheiden-Fistel, Schmerzen, Gewichtsabnahme, Atemnot

- Klin. Untersuchung: während der ersten 3–5 J. in ¼-jährl. Abständen mit gyn. Untersuchung einschl. Zytologie, Auskultation der Lunge, Palpation der Leber u. Gewichtskontrolle
- Vag.-Sono

Prognose Wesentliche progn. Faktoren (▶ Tab. 15.12): Progesteronrezeptor-Positivität, histol. Typ (▶ Tab. 15.10) u. Differenzierungsgrad, Ausmaß der Myometriuminfiltration u. tumoröser (Lymph-)Gefäßeinbruch. Das papillär seröse u. das klarzellige Endometrium-Ca weisen eine schlechtere Prognose auf. Beim papillären serösen Karzinom wird unabhängig von der Ausdehnung zusätzlich zur chir. Behandlung eine Chemoradiother. empfohlen (▶ Tab. 15.13).

Die vorliegenden Empfehlungen basieren auf den seit 1.1.2010 gültigen Stadieneinteilungen der FIGO und der UICC.

- Pat. mit Stadium Ib G3, II u. III sowie alle Pat. mit serösen u. klarzelligen Endometrium-Ca sollten sequenziell zur Strahlentherapie (Brachy- u./o. Teletherapie) eine Chemotherapie (Komb. eines Platinpräparats mit Paclitaxel) erhalten.
- Für Pat. im Stadium IVa kann nach OP eine Chemother. (Komb. eines Platinpräparats mit Paclitaxel) u./o. Strahlenther. sequenziell durchgeführt werden. Sind bei einem Rezidiv o. bei Metastasen eine OP u./o. eine Strahlenther. nicht mehr möglich, sollte bei Östrogen- u./o. Progesteronrezeptor-pos. Karzinomen u. nicht akut lebensbedrohlichen Metastasen eine endokrine Therapie mit Tamoxifen, Aromatase-Inhibitoren u. Gestagenen erfolgen.

Tab. 15.12 Prognostische Faktoren des Endometriumkarzinoms

Myometriuminfiltration	5-JÜR (%)
< ⅓	90
< ⅔	67
> ⅔	33
Kein Lymphgefäßeinbruch	85
Lymphgefäßeinbruch	53

Tab. 15.13 Adjuvante Strahlentherapie

Stadium	Grading	pN0	pN+ (> 3 befallene Lk)	pnX (klinisch N0)
pT1a	G1, G2	Keine	Perkutan	Keine
	G3	Brachyther.	Perkutan + Brachyther.	Brachyther.
pT1b	G1	Keine		
pT1b	G2–3	Brachyther.	Perkutan + Brachyther.	
pT2	G1–3	Brachyther.	Perkutan + Brachyther.	
pT3	G1–3	Perkutan + Brachyther.		
pT4/M1	G1–3	Perkutan + Brachyther.		
Seröse u. klarzellige Karzinome	G1–3	Perkutan + Brachyther., ggf. Chemother.		

15.9 Uterussarkom

> 1–5 % der malignen Uterustumoren sind Sarkome. Häufig werden sie zufällig bei Hysterektomien unter der Verdachtsdiagn. „Uterus myomatosus" diagnostiziert, da auch bei Kürettagen höchstens 50 % der Sarkome nachweisbar sind. Die Mehrzahl der Sarkome entwickelt sich bei vorbestehendem Uterus myomatosus, allerdings liegt das Risiko bei < 1 % für Myomträgerinnen.
>
> Die FDA hat davor gewarnt, dass sich die Prognose von Pat. mit einem Sarkomzufallsbefund durch eine minimalinvasive Zerkleinerung i. R. einer Myom-OP deutlich verschlechtern könne. Diese Daten werden kontrovers diskutiert. Bei unklaren Befunden ggf. in einem intraperitoneal eingebrachten Beutel morcellieren. Das Risiko des laparoskopischen Operierens einer Sarkomerkr. ist lt. der Deutschen Arbeitsgemeinschaft für gynäkologische Endoskopie (AGE) als gering einzuschätzen (1 : 400). Ein vollständiger Verzicht auf die Morcellierung von Myomen hätte möglicherweise zur Folge, dass der Vorteil der minimalinvasiven Operationsmethoden infrage gestellt werden müsste.

Klinik
- Es gibt keine Frühsymptome, verdächtig ist jedoch immer ein schnell wachsender „Uterus myomatosus".
- Selten Meno-, Metrorrhagien o. Postmenopausenblutung.
- Unterbauchschmerzen, Fremdkörpergefühl, je nach Größe Druck auf Darm u. Blase mit entsprechenden Entleerungsstörungen.

Diagnostik
- Palpation: großer Unterbauchtumor, meist ohne dass eine entsprechende Organzugehörigkeit bzw. die Dignität geklärt werden kann
- Transvag. Sono
- Abrasio (▶ 15.2.5)
- Rö-Thorax u. Leber-Sono z. A. von Fernmetastasen

Therapie
- Abdom. Hysterektomie mit Adnexektomie bds. (in bis zu 30 % d. F. sarkomatöse Veränderungen in den Ovarien), Netzresektion, Entfernung der iliakalen u. paraaortalen Lk.
- Bei jungen Frauen kann evtl. auf eine Adnexektomie verzichtet werden, falls das Sarkom lediglich lokal innerhalb eines Myoms begrenzt ist. Vorstellung im Tumorboard.
- Bei Zufallsdiagn. anlässlich einer Hysterektomie in 2. Sitzung Adnexektomie bds., Omentektomie u. Lymphonodektomie anschließen.
- Postop. wird allg. eine Chemother. Empfohlen; sie sollte kurz nach der OP begonnen werden (Tag 2–3). Eingesetzt werden v. a. Adriamycin- u. Dimethyl-triaceno-imidazol-Carboxamid-(DTIC-)haltige Schemata (z. B. DTIC 400 mg/m^2 Tag 1 u. 2, Adriamycin 50 mg/m^2 Tag 1).

- Bei Fernmetastasen z. B. Trabectedin (Yondelis®) 1,5 mg/m² über 24 h in 3-wöchigem Intervall, in neueren Studien mit guter Ansprechrate bei geringer Toxizität.
- Bei endometrialen Stromasarkomen kann auch ein Therapieversuch mit hoch dosierten Gestagenen eingeleitet werden: MPA 1.000 mg (z. B. Clinovir®).

Prognose Die Prognose der Uterussarkome ist schlecht. Häufig wird die Diagnosestellung nur wenige Monate überlebt! 5-JÜR praktisch gleich null.

15.10 Anatomie der weiblichen Geschlechtsorgane

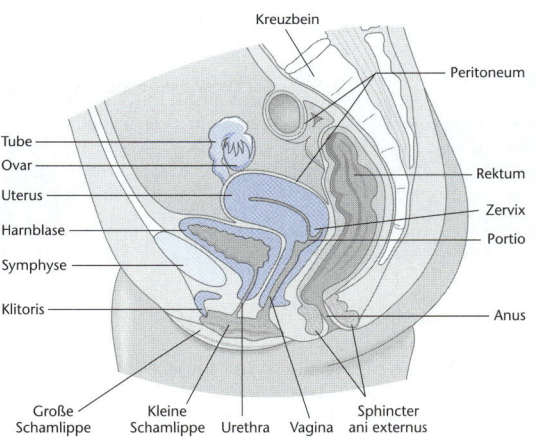

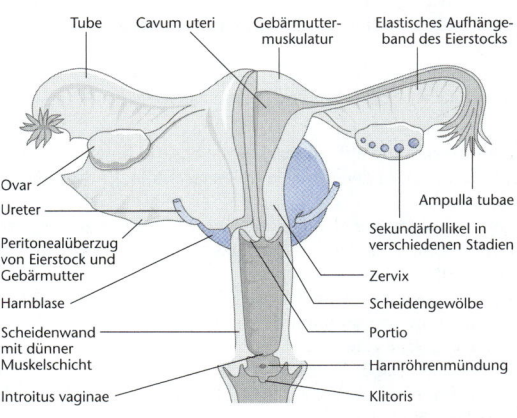

Abb. 15.10 weibliche Geschlechtsorgane im Sagittal- und Frontalschnitt

16 Adnexe

Kay Goerke und Uwe Wagner

16.1 **Leitsymptome und Differenzialdiagnosen** 522
16.1.1 Unterbauchschmerzen 522
16.1.2 Unterbauchtumor 523
16.2 **Diagnostische Maßnahmen** 523
16.2.1 Palpation 523
16.2.2 Bakteriologische Untersuchungen 524
16.2.3 Ultraschall 524
16.2.4 Röntgendiagnostik 525
16.2.5 Douglas-Punktion 526
16.2.6 Zytologie 527
16.2.7 Laboranalytik 527
16.3 **Extrauteringravidität (EUG, ektope Gravidität)** 527
16.4 **Salpingitis (Adnexitis)** 530
16.4.1 Häufigste Form der Adnexitis 530
16.4.2 Genitaltuberkulose 532
16.5 **Tuboovarialabszess** 533
16.6 **Funktionelle Ovarialzysten** 534
16.7 **Andere Ovarialtumoren** 534
16.7.1 Einleitung 534
16.7.2 Tumoren anderer Genese 535
16.7.3 Borderline-Veränderungen 536
16.8 **Ovarialkarzinom (Tuben-, Ovarial- und Peritonealkarzinom)** 537
16.8.1 Epidemiologie 537
16.8.2 Klassifikation 537
16.8.3 Primärtherapie 539
16.8.4 Second-Line-Therapie 542

16.1 Leitsymptome und Differenzialdiagnosen
Kay Goerke

16.1.1 Unterbauchschmerzen

Gynäkologische Differenzialdiagnosen des Unterbauchschmerzes
▶ Tab. 16.1.
- Akut einsetzende, starke Schmerzen, sek. Amenorrhö, pos. HCG → V. a. EUG mit Tubarruptur (▶ 16.3)
- Zunehmende einseitige Schmerzen, Schmierblutung nach sek. Amenorrhö, pos. HCG → V. a. EUG (▶ 16.3)
- Zunehmende Schmerzen, häufig postmenstruell, vag. Fluor, Entzündungszeichen → V. a. Adnexitis (▶ 16.4)
- Prämenstruell diffuse Schmerzen, häufig mit Einsetzen der Blutung wieder abklingend → V. a. Endometriose (▶ 15.4.4)
- Mäßige Unterbauchschmerzen in Zyklusmitte → V. a. Ovulationsschmerz
- Akute, starke, einseitige Unterbauchschmerzen, häufig nach heftiger Bewegung (z. B. Tanzen, Sport) → V. a. stielgedrehte Ovarialzyste o. Ovarialtumor (▶ 16.7)
- Chron. diffuse Unterbauchbeschwerden, Z. n. Adnexitis → V. a. Verwachsungsbeschwerden

Tab. 16.1 Differenzialdiagnose des Abdominalschmerzes**

	Rechts	Mitte	Links
Genitale Ursachen			
Unterbauch	Ovarialzysten, Stieldrehung, Ovarialtumoren, EUG, Adnexitis, Ovulationsschmerz	Dysmenorrhö, Kolpitis, Zervizitis, intravag. Fremdkörper, Endo- o. Myometritis	Ovarialzysten, Stieldrehung, Ovarialtumoren, EUG, Adnexitis, Ovulationsschmerz
Extragenitale Ursachen			
Oberbauch	Hepatitis, Pankreatitis	Pneumonie, Masern, Grippe, Pankreatitis	Milzruptur (nach Trauma), Herzinfarkt, Angina pectoris
Mittelbauch	Nierenkolik, Appendizitis, Meckel-Divertikel	Nabelbruch, Enteritis, Ileus, Invagination	Nierenkolik, Pankreatitis
Unterbauch	Appendizitis*, Leistenhernie, Zystopyelitis, Lymphadenitis mesenterialis	Zystitis	Leistenhernie, Zystopyelitis, Lymphadenitis mesenterialis, Divertikulitis

* Eine der häufigsten Ursachen für Unterbauchbeschwerden, v. a. bei Pat. < 20 J.
** ▶ Tab. 16.3 mit Gegenüberstellung der Klinik der 3 wichtigsten Sy.: Appendizitis, Adnexitis u. EUG

16.1.2 Unterbauchtumor

> Ovarialprozesse machen sich selten durch Frühsymptome bemerkbar. Die wichtigsten Leitsymptome sind Unterbauchschmerzen ▶ 15.1.2, ▶ 16.1.1.

Differenzialdiagnosen
- Kleiner, glatt begrenzter, prall-elastischer Tumor → V. a. Ovarialzyste (▶ 16.7)
- Glatt begrenzter, großer Tumor, sonografisch ohne solide Anteile → V. a. Ovarialkystom (▶ 16.7)
- Solider Tumor mit deutlicher Schmerzsymptomatik, Entzündungszeichen (Fieber, Leukozytose, CRP ↑) → V. a. Adnexitis (▶ 16.4)
- Solider o. zystisch-solider Tumor ohne Aszites bei jungen Frauen → V. a. Dermoid bzw. Teratom (▶ 16.8.1) o. Endometriose (▶ 15.4.4). DD: Borderline-Tumor, Ovarial-Ca (▶ 16.8), eingeblutete funktionelle Zyste
- Solider Tumor evtl. mit zystischen Anteilen, Aszites, ggf. Androgenisierungserscheinungen → V. a. Ovarial-Ca (▶ 16.8)

Hormonproduzierende Tumoren (z. B. androgenproduzierend)
Androgenisierungserscheinungen (▶ 19.6, Bartwuchs, Veränderung der typisch weibl. Schambehaarung, Tieferwerden der Stimme) lassen neben exogen zugeführten Androgenen (z. B. Anabolika) immer an einen Ovarialtumor denken.
- **DD:** polyzystische Ovarien (PCOS, früher Stein-Leventhal-Sy. ▶ 17.4.3) o. maligne Ovarialtumoren (Andro- u. Arrhenoblastome). Außerdem kann auch eine Pubertas praecox (▶ 20.4.2) o. juvenile Makromastie (▶ 12.6.4) Folge eines östrogenproduzierenden Ovarialtumors sein.
- **Labor:** SHBG, 17α-OH-Progesteron (→ Late-Onset-AGS), LH/FSH-Quotient > 2 (→ PCOS), DHEA(-S), (freies) Testosteron, Androstendion (▶ 19.4).

16.2 Diagnostische Maßnahmen

Kay Goerke

16.2.1 Palpation

Bei der vag. Untersuchung (▶ 1.2.2) im Adnexbereich besonders achten auf:
- Größe der Ovarien: normal etwa fingerendgliedgroß, im Senium wie auch bei adipösen Bauchdecken oft wegen Atrophie nicht palpabel.
- Beweglichkeit: Die Ovarien sind normalerweise gut beweglich.
- Schmerzhaftigkeit: Die Palpation der Ovarien ist leicht schmerzhaft.
- Konsistenz: derb, nicht hart, nicht eindrückbar.
- Oberfläche: glatt bis leicht höckrig (nur bei sehr schlanken Pat. zu tasten).

> - Große Ovarialtumoren sind oft bei der vag. Untersuchung mit dem Finger nicht zu erreichen, da sie wegen ihrer Größe nicht im kleinen Becken liegen.
> - Die Palpation der Ovarien ist bei adipösen Frauen erschwert.

Im Anschluss an die vag. Untersuchung immer rektal palpieren. Resistenzen oberhalb des kleinen Beckens lassen sich jetzt gelegentlich erreichen, Resistenzen im Douglas-Raum besser abgrenzen (nicht vergessen: 50 % aller kolorektalen Karzinome können bei rektaler Untersuchung erfasst werden → Blut am Untersuchungshandschuh).

16.2.2 Bakteriologische Untersuchungen

Bakteriol. Untersuchungen (Differenzierung der Keime u. Antibiogramm) sind bei V. a. Adnexitis erforderlich.

Zervixabstriche Adnexitiden sind zu 90 % durch aszendierende Keime verursacht.
- Mikrobiologie (anaerob/aerob, ▶ 15.2.4)
- Chlamydien im Spezialmedium (▶ 15.2.4)
- Gonokokkenabstrich (Spezialmedium)
- Nativpräparat (▶ 13.2.3) bei V. a. Soor, Trichomonaden; Leukozyten
- Zytol. Abstrich (▶ 15.2.3)
- Chlamydien-Screening: bei allen Frauen 1 × jährl. empfohlen (bis zum 25. Lj Kassenleistung)

Laparoskopische Abstriche Bei Laparoskopie (o. -tomie) zur Untersuchung auf Bakterien (anaerob/aerob), Gonokokken u. Chlamydien:
- Tubendirektabstrich (z. B. mit langstieligem Bürstchen)
- Douglas-Sekret bzw. bei Fehlen von Sekret Spülflüssigkeit
- Evtl. Zystenpunktat

Bei Tuboovarialabszess bakteriol. Abstriche u. Gewebeprobe zur Histologie, da nur so Drusen bei *Actinomyces* bzw. Tbc sicher nachweisbar sind.

16.2.3 Ultraschall

Ultraschalldiagn. ▶ 22.1.

Zur Ergänzung der Diagn. wichtig, da der Tastbefund u. U. erschwert u. wenig ergiebig ist. Bessere Auflösung durch vag. Schallkopf.

Indikationen
- Auffällige palpable Befunde, Unterbauchbeschwerden, Aszites, Virilisierung
- Bei allen Karzinompat. 1 ×/J.
- Bei belastender Familienanamnese (Malignome)

Befunde ▶ Tab. 16.2.
- Vaginal-Sono (wann immer möglich): Größe der Organe (bei path. Befunden in zwei Ebenen mit drei Maßen), Organstruktur (solide, zystisch, zystisch-solide), Lage im Vergleich zum Uterus, zur Beckenwand, Dolenzen beim Touchieren mit Schallkopf. Fotodokumentation
- Abdominalschall: Virgo intacta, enger Introitus, über das kleine Becken hinausgehender Befund (▶ 22.1), Ausschluss von Metastasen in Leber, paraaortalen Lk, Nebenniere, Niere (z. B. Nierenbeckenaufstau)

Tab. 16.2 Sonografische Tubenbefunde		
Ultraschallphänomen*	Interpretation	Differenzialdiagnosen
Freie Flüssigkeit	Exsudat bei Entzündung	EUG, rupturierte Zyste
Gespreizte Tube	Tubenödem	Normvariante
Verdickte, geschlängelte Tube	Hydro-, Pyo-, Hämato- o. Saktosalpinx	Salpingitis, EUG
Adnextumor (zystisch o. solide)	Tuboovarialabszess, Ovarialzyste, Dermoid	Endometriose, perityphilitischer Abszess, Ovartorsion

* **Cave:** Bei Adnexerkr. sind nicht immer entsprechende Sono-Befunde zu erhalten.

16.2.4 Röntgendiagnostik

Befunde der Beckenübersicht
- Verkalkungsherde bei Myomen, soliden Ovarialtumoren
- Bei Dermoid evtl. Zahnanteile o. ganze Zähne sowie Knochenanteile sichtbar
- Weichteilverschattungen nur bei großen Tumoren sichtbar

Intravenöse Pyelografie
Hat in den letzten Jahren durch die sonografische Diagn. deutlich an Wertigkeit verloren.

Indikation V. a. Ureterbeteiligung bei entzündlich-tumorösem Prozess.

Vorbereitung Schilddrüsenwerte (TSH-basal) u. Krea (**KI:** > 170 µmol/l ≥ 2,0 mg/dl) wegen KM-Gabe vorher bestimmen.

Durchführung Kompletten Verlauf der Ureteren bis in die Blase darstellen (oft mehrere Aufnahmen notwendig).

Befunde
- Nierenaufstau bei Kompression der Ureteren
- Verlagerung eines o. beider Ureteren durch Tumoren
- Impression der Harnblase (von kranial oft durch Uterus, von kranial-seitlich eher durch Ovarialprozess)
- Blasenkontur unscharf bei Infiltration der Schleimhaut

Computertomografie (CT)

Indikationen Als Zusatzuntersuchung nur bei schwer zu palpierenden Befunden, zur Darstellung der iliakalen u. paraaortalen Lk. Nicht als Routinediagn., auch nicht bei Karzinomverdacht.

Vorbereitung Schilddrüsenwerte (TSH-basal) u. Krea (**KI:** > 170 µmol/l = > 2,0 mg/dl) wegen KM-Gabe vorher bestimmen.

Kolonkontrasteinlauf (KE)

Indikationen Angesichts der Möglichkeit zur Koloskopie mit PE heute nur noch indiziert bei V. a. Darmbeteiligung von Tumoren (Stuhlunregelmäßigkeiten, Obstipation, blutiger Stuhl), wenn Koloskopie unmöglich.

Befund Stenose o. Infiltration genau lokalisieren (Entfernung von Anus in Zentimeter):
- Wandstarre bei Infiltration der Darmwand nur bei Durchleuchtung sichtbar.
- Infiltration der Schleimhaut kann nur vermutet werden.

> ❗ Bei geplanter i. v. Pyelografie diese unbedingt vorher durchführen, da nach KE durch den Bariumbrei keine Auswertung mehr möglich.

MRT
Selten zusätzliche Informationen ggü. Sono u. CT, am ehesten zur Weichteilabgrenzung eines Tumors zu Beckenwand u. Gefäßen (→ Beurteilung der Operabilität).

Indikation V. a. intraabdom. Tumorrezidiv.

16.2.5 Douglas-Punktion

Indikationen Methode eigentlich verlassen, heute wird die diagn. Laparoskopie bevorzugt! Douglas-Punktion (▶ Abb. 16.1) lediglich bei eingeschränkten Möglichkeiten. In manchen Kliniken wird eher eine Kuldoskopie (Douglasoskopie, Kolpolaparoskopie) vom hinteren Scheidengewölbe aus zur Betrachtung des Douglas-Raums bzw. des inneren Genitales über ein Kaltlichtendoskop durchgeführt.

Interpretation
- Eiter: V. a. Abszess (Abstriche → Mikrobiologie, Chlamydiendiagn.)
- Blut: V. a. EUG, Endometriose
- Sekret: V. a. Entzündung (Abstriche für Mikrobiologie entnehmen)

Bewertung
- Vorteil: keine Allgemeinanästhesie, kaum Hilfsmittel nötig
- Nachteil: häufig falsch neg. Ergebnisse, hohe Verletzungsgefahr (bis zu 30 %) des Darms

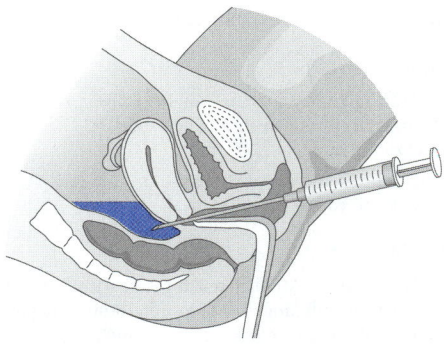

Abb. 16.1 Douglas-Punktion [L157]

Verdacht auf Darmverletzung

Klinik Stuhlabgang über die Punktionsnadel, peritoneale Reizsymptomatik nach der Punktion, evtl. Entwicklung einer Peritonitis.

Vorgehen
- V. a. großflächige Verletzung: sofort Laparotomie mit Übernähung der verletzten Organe
- Zunächst unbestätigter V. a. Verletzung: Abwarten unter Kontrolle von Kreislauf u. Temperatur, Antibiotikaschutz, z. B. Cefotaxim 3 × 2 g/d i. v. (z. B. Claforan®) u. Metronidazol 2 × 500 mg/d i. v. (z. B. Clont®). Bei Entzündungszeichen o. starker peritonitischer Reizung sek. Laparotomie

16.2.6 Zytologie

> Manchmal können bei malignen Tumoren über die Tuben u. den Uterus retrograd in die Vagina gelangte maligne Zellen im zervikalen Abstrich nachweisbar sein.

Befund
- Hyperchrome Zellen, z. T. mit Siegelringstrukturen. Pathognomonisch für Ovarial-Ca: Psammomkörperchen (zwiebelschalenartige Strukturen).
- Bei hormonproduzierenden Ovarial-Ca findet sich ein abnormer Proliferationsgrad des Vaginalepithels (▶ 15.2.3). Deshalb immer klin. Angaben, auch über Hormonther., auf dem Einsendeschein fürs Zytologielabor machen.
- ! Bei V. a. Blaseninfiltration morgendlichen Katheterurin auf Tumorzellen untersuchen.

16.2.7 Laboranalytik

- BB: Tumoranämie, Leukozytose bei Adnexitis
- Krea u. Harnstoff (Ureterkompression mit Nierenfunktionseinschränkung)
- Leberenzyme GOT, GGT (insb. bei V. a. Filiae)
- Albumin o. Gesamteiweiß (v. a. bei Aszites)
- Bei Androgenisierung: FSH, LH, Estradiol, freies Testosteron, DHEA-S, Progesteron, Androstendion (▶ 19.6)
- Tumormarker HCG, Ca 12–5, Ca 72–4 nur bei gesichertem Malignom, nicht zum Tumorscreening geeignet
- HIV-Serologie

16.3 Extrauteringravidität (EUG, ektope Gravidität)

Kay Goerke

Definition Nidation einer befruchteten Eizelle außerhalb des Corpus uteri; etwa 1 von 100 Geburten, 99 % davon in der Tube lokalisiert, ansteigende Inzidenz durch STD.

Anamnese Kurze sek. Amenorrhö von 4–6 Wo.

Prädisponierende Faktoren
- Frühere Aborte o. EUG (30 % der EUG-Pat.)
- Vorausgegangene Adnexitis (25 % der EUG-Pat.)
- Sterilitätsbehandlung (20 % der EUG-Pat.)
- IUP-Trägerinnen haben ein 8- bis 10-fach erhöhtes Risiko, bei gestagenhaltigen IUP (z. B. Mirena®) kein erhöhtes Risiko

Klinik
- Subjektive Schwangerschaftszeichen (Übelkeit, Brustspannen, Pollakisurie)
- Schmierblutungen, manchmal bis periodenstark ohne Gewebeanteile
- Lokale Abwehrspannung möglich, bei Tubarruptur häufig alle Zeichen des akuten Abdomens (▶ 3.2.1)
- Geringe Temperaturerhöhung möglich
- Tubarabort (90 % der EUG-Verläufe, ▶ Abb. 16.2): zunehmende wehen- bis krampfartige, einseitige o. seitenbetonte Unterbauchschmerzen
- Tubarruptur (10 % der Verläufe, ▶ Abb. 16.2): akut einsetzender, seitenbetonter Zerreißungsschmerz

Diagnostik
- Palpation: druckschmerzhafte, einseitig vergrößerte Tube bei der bimanuellen Palpation, aufgelockerter Uterus, jedoch kleiner als der Amenorrhö entsprechend, Abwehrspannung, Portioschiebeschmerz
- Spiegeleinstellung: zervikale Blutung, bei EUG häufig dunkelrot, bei Abort häufig hellrot
- Sono (vag.): z. B. freie Flüssigkeit im Douglas-Raum, leeres Uteruskavum, hohes Endometrium, intrauterine Fruchtblase, Tube erweitert, Fruchtblase mit Embryo neben dem Uterus. **Cave:** Intrauteriner Pseudogestationssack ist auch bei der EUG häufig nachweisbar. **DD:** zweite Fruchtblase, intrauterine Grav.
- Labor: Wichtigster Parameter ist das HCG im Serum, wird bereits 9 d nach der Konzeption (auch ektoper Nidation) pos. (> 5 IE), ist jedoch meist niedriger, als der Amenorrhö entspräche (▶ 5.2.4, ▶ Abb. 5.4). BB: Anämie durch intraabdom. Blutung; Gerinnung, E'lyte
- Urinsediment: Ausschluss von Pyelonephritis, Zystitis, Nierensteinen

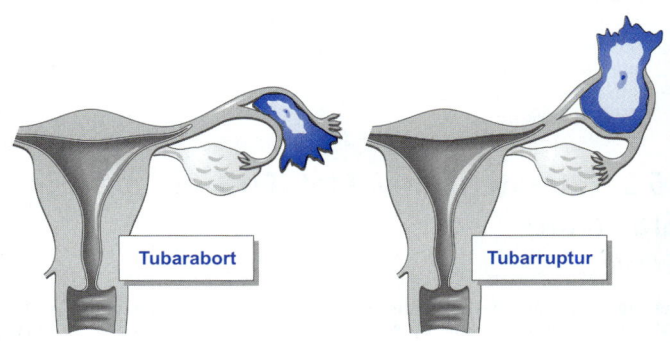

Abb. 16.2 Tubarabort und Tubarruptur [L106]

16.3 Extrauteringravidität (EUG, ektope Gravidität)

Tab. 16.3 Gegenüberstellung Symptome und Klinik wichtiger Differenzialdiagnosen

	Appendizitis	Adnexitis	EUG
Schmerz	wandernd, re. McBurney	bds., ziehend	einseitig, stechend, krampfartig
Befund	Appendizitiszeichen, Übelkeit, Stuhlverhalt	Portioschiebeschmerz, Druckschmerz, teigige Resistenz	Portio druckschmerzhaft, Schmierblutung
Fluor	keiner	übelriechend, eitrig	keiner, evtl. Blut
Regelanamnese	unauffällig	häufig postmenstrueller Beginn	sek. Amenorrhö, HCG pos.
Temperatur	rektal/axillär → Differenz > 1,0 °C	rektal/axillär → Differenz > 1,0 °C	normal bis gering erhöht, keine Differenz
Leukos	> 10.000/µl	mäßig erhöht	oft nicht erhöht
Sono	Gyn. o. B.	freie Flüssigkeit, Ovarien unscharf, Tube darstellbar, solider Adnextumor	freie Flüssigkeit, „leerer" Uterus, Tube evtl. verdickt, evtl. extrauterine Fruchtblase
Komplikationen	• Akut: Begleitadnexitis, Perforation • Chron.: Adhäsionen/Ileus	• Akut: Begleitappendizitis, Peritonitis • Chron.: Rezidive, EUG, Adhäsionen	• Akut: abdom. Blutung, Tubarruptur, Schock • Chron.: Rezidiv-EUG bei tubenerhaltender OP

- Laparoskopie: Blut in der Bauchhöhle, aufgetriebene Tube mit durchschimmernder EUG, periampulläres Hämatom, rupturierte Tube
- ! DD ▶ Tab. 16.3

> Bei früher EUG (≤ 4. SSW) kann die Laparoskopie unauffällig sein! (Tuben immer mit atraumatischer Zange abtasten!)

Vorgehen
- Stat. Aufnahme, venösen Zugang legen, Pat. nüchtern lassen
- Blutentnahme für BB, HCG, E'lyte, Gerinnung, Blutgruppe
- Vorbereitung zur Laparoskopie (Klysma, Info Anästhesie) nach Sicherung der Diagn. Bei Schockzustand (▶ 3.4) sofort Laparotomie
- Bei unsicherer Diagn. stat. Beobachtung mit Kontrolle von Kreislauf u. BB (2 ×/d), Sono- (Herzaktion) u. HCG-Kontrollen (Anstieg ▶ 5.2.4)

Therapie
- Beschwerdefreiheit, unauffälliger o. diskreter Sono-Befund (z. B. wenig freie Flüssigkeit im Douglas), niedrige HCG-Werte (< 300 IE/l) mit spontanem Abfall: unter engmaschigen Sono-, HCG- u. klin. Kontrollen evtl. abwartendes Verhalten gerechtfertigt, bis HCG < 10 IE/l
- Beschwerdefreiheit, sonografisch festgelegte asympt. EUG („Zufallsbefund"): laparoskopische EUG-Ausräumung, Kontrolle von Kreislaufparametern u. HCG

- Sympt. EUG:
  - Laparoskopie mit Absaugen der Koagel, Salpingotomie, Exprimieren der EUG, Spülen von Tube u. Douglas. Bei noch nicht abgeschlossener Familienplanung heute Ther. der Wahl!
  - Laparotomie: bei laparoskopisch nicht operablem Befund (z. B. Bauch vollgeblutet) o. im Schock
  - Als Primärther. o. bei persistierenden HCG-Werten nach chir. Ther. Methotrexat 0,5–1 mg/kg KG alle 2 d i. v., bis HCG-Werte bei zwei aufeinanderfolgenden Messungen um mind. 15 % abfallen. Alternativ 1 mg Methotrexat dir. lokal bei der Laparoskopie in die EUG injizieren. **Cave:** Übelkeit, Myelosuppression. Folsäuresubstitution obligat. Das Präparat ist nicht für diese Ind. zugelassen!

> Nach tubenerhaltender OP ereignet sich in bis zu 15 % eine Rezidiv-EUG, in etwa 5 % d. F. Trophoblastpersistenz. Hierüber muss die Pat. präop. aufgeklärt werden! Auch nach Salpingektomie ist das Rezidivrisiko auf der kontralateralen Seite auf etwa 10–15 % erhöht! Bei abgeschlossener Familienplanung eher laparoskopische Salpingektomie u. Tubensterilisation der Gegenseite.

16.4 Salpingitis (Adnexitis)
Kay Goerke

16.4.1 Häufigste Form der Adnexitis

Epidemiologie
Syn.: PID („pelvic inflammatory disease"); 10–15 % der sexuell aktiven Frauen, Altersgipfel 15.–20. Lj, meist aszendierend, polymikrobiell, Chlamydien bis 40 % mitbeteiligt.

Klinik
- Häufig postmenstruell akut einsetzender, oft seitenbetonter Unterbauchschmerz
- Übelkeit u. Erbrechen (durch Begleitperitonitis)
- Zervikaler Fluor (gelblich-grünlich, übel riechend)
- Bei Chlamydien zusätzlich Schmierblutungen, Zervizitis, Sterilität, evtl. Zeichen der Perihepatitis (rechtsseitige Oberbauchschmerzen, geringe Leberenzymerhöhung (= Fitz-Hugh-Curtis-Sy.: ggf. Schulterschmerzen über N. phrenicus)

> „Chamäleon" der gyn. Erkr. Nur 65 % der klin. Verdachtsdiagn. „Adnexitis" können laparoskopisch bestätigt werden!

Diagnostik
Reihenfolge der Untersuchungen einhalten!
- **Inspektion** von Vagina u. Zervix, evtl. Kolposkopie (z. B. Beläge, Rötung, Zervizitis, Fluor, ▶ 15.2.1)
- **Abstrichentnahme** (▶ 13.2.3)

16.4 Salpingitis (Adnexitis)

- Nativ mit NaCl/KOH → Pilze, Aminkolpitis, Leukozyten, Kokken, Döderlein-Bakterien, Trichomonaden
- Zytol. Abstrich (Portio u. CK): Ausschluss Dysplasie u. Karzinom
- Bakterienkultur aus Zervix: pathogene Keime einschl. Gonokokken
- Chlamydienabstrich aus Zervix u. Urethra (▶ 15.2.4)
- **Palpation** (bimanuell/rektal): P-W-S, Uterus- u. Adnexdruckschmerz, Adnexe bei Palpation „teigig"
- **Labor:** obligat BB, BSG (> 15 mm nach 1 h), CRP (> 0,6 mg/dl), HCG, Urinsediment; fakultativ Diff-BB (> 10 Stabkernige), Leber- u. Nierenwerte, Gerinnung, HIV, Herpes-Serologie (IgG u. IgM)
- **(Vaginal-)Sono:** auffällige Befunde in etwa 50 % → freie Flüssigkeit, Hydro-/Pyo- o. Saktosalpinx (▶ 16.2.3), Ovar flau abgrenzbar o. vergrößert, zystisch-solider Ovarialtumor (Sono wichtig für die DD: EUG, Appendizitis, Follikel, einfache Zyste, Endometriose, Hydroureter)
- **Laparoskopie:** Sicherung der Diagn., Direktabstriche, op. Ther. (z. B. Abszessdrainage) möglich

> **Indikation zur diagnostischen Laparoskopie**
> - Unklare Diagn.
> - Therapieversager unter Antibiose
> - V. a. zusätzliche Endometriose o. Adhäsionen

Differenzialdiagnosen
- Akute PID ▶ Tab. 16.3
- Subakute o. chron. Verläufe: Endometriose (= Salpingitis isthmica nodosa), Adhäsionen, rezid. Ovarialzysten, entzündliche Darmerkr. (M. Crohn, Colitis ulcerosa, Divertikulitis), psychogene o. psychosomatische Komponente (Traumatisierung durch vorausgegangene Eingriffe, Angst vor Sterilität)

Therapie

 Bis zu 40 % der Adnexitiden sind durch Chlamydien mitbedingt, deshalb bei der Antibiose berücksichtigen!

Supportive Maßnahmen Bettruhe, sexuelle Abstinenz, Entfernung eines liegenden IUP, bei Fieber ausreichende Flüssigkeitszufuhr.

Antiphlogistika Bei starken Unterbauchbeschwerden z. B. Diclofenac 3 × 50 mg/d p. o. oder Supp. (z. B. Voltaren®) o. Ibuprofen 200–400 mg/d p. o. (z. B. Urem forte®).

Antibiotika
- **Amb. Ther.:** mind. über 10 d Cephalosporin u. Tetrazyklin, wie Cefadroxil 3 × 1 g/d p. o. (Grüncef®) u. Doxycyclin 2 × 100 mg/d p. o. (z. B. Doxyderma®). Bei Erfolglosigkeit Gyrasehemmer wie Ofloxacin 2 × 200 mg/d p. o. (z. B. Tarivid®) u. Metronidazol 2 × 400 mg/d p. o. (z. B. Clont®)
- **Stat. Ther.:** i. v. Antibiose über mind. 4 d, 1–2 d nach Entfieberung Umstellung auf orale Medikation möglich, dann 7–10 d oral weiter therapieren:
  - Start mit Betalaktam-Antibiotika (breites Spektrum): z. B. Unacid® 3 × 1,5 g/d i. v. oder Augmentan® 3 × 1,2 g/d i. v.

– Mögliche, der Oralther. gleichwertige Schemata: z. B. Cefuroxim 3 × 1,5 g/d i. v. (z. B. Zinacef®) u. Doxycylin 1–2 × 100 mg/d i. v., Umstellung auf Zinnat® 2 × 500 mg/d u. Doxyderma® 2 × 100 mg/d o. Gentamicin 4 × 600 mg/d i. v. (z. B. Refobacin®), Clindamycin 2 × 600 mg/d p. o. (z. B. Sobelin®) u. Tobramycin 2 mg/kg KG/d i. v. (z. B. Gernebcin®); Umstellen auf Sobelin® 3 × 150 mg

16.4.2 Genitaltuberkulose

> Die Genitaltuberkulose macht etwa 2 % der Adnexitiden aus, ist aber aufgrund der sich verändernden Zusammensetzung der Bevölkerung im Ansteigen begriffen. Bei Tuberkulosepat. aus Osteuropa in 15 % Multiresistenzen. Die Streuung erfolgt fast ausschließlich hämatogen, als Primärherd findet sich in 90 % ein Lungenbefund. Sie kann auch bei Virgines auftreten. In 90 % d. F. ist der ampulläre Teil beider Tuben betroffen, in etwa 70 % das Endometrium, Ovar u. Vulva selten. Altersgipfel zwischen 30 u. 40 J. Da die Pat. häufig beschwerdefrei sind, wird die Diagn. meist als Zufallsbefund bei Abrasio o. Laparoskopie erhoben.

Klinik Infertilität, Blutungsstörungen (Meno-, Metrorrhagien), Unterbauchbeschwerden nur in etwa 20 %. Ggf. lediglich sonografischer Adnexbefund.

Diagnostik
- Anamnese u. gyn. Untersuchung uncharakteristisch
- Histologie von Endometrium (Abradat) o. Tube (PE bei Laparoskopie o. -tomie)
- Bakteriologie aus Abradat, Douglas-Sekret o. Menstrualblut (mit Portiokappe in drei Zyklen auffangen)
- K-Urin: sterile Leukozyturie, allerdings in bis zu 20 % Verschleppung durch bakt. Superinf.
- Rö-Thorax (Primärherd)

Therapie
- Partneruntersuchung veranlassen
- Alle Medikamente 1 ×/d zusammen einnehmen
- Initialtherapie: 4-fach-Komb. über 3 Mon.
  a. Isoniazid: 5 mg/kg KG/d p. o. (Isozid® compositum, Komb. mit Vit. B$_6$), **cave:** neuro- u. hepatotoxisch; daher Überwachung der Leberwerte vor Ther., im 1. Mon. wöchentl., dann 14-tägig, ab 3. Mon. monatl.; neurol. Status vor Ther., nach 1 Mon. u. nach Ende der Ther.
  b. Rifampicin: 10 mg/kg KG/d p. o. (z. B. Eremfat®)
  c. Pyrazinamid: 35 mg/kg KG/d p. o. (z. B. Pyrazinamid Jenapharm®)
  d. Ethambutol: 25 mg/kg KG/d p. o. (z. B. EMB-Fatol®)
- Stabilisierungstherapie: 2-fach-Komb. über 6 Mon.
  a. Isoniazid: Dosierung u. NW s. o.
  b. Rifampicin: Dosierung s. o.

> Meldung an das zuständige Gesundheitsamt (Erkr. u. Todesfall)

16.5 Tuboovarialabszess

Kay Goerke

Definition Komb. Eileiter-/Eierstocksabszess mit Eitereinschmelzungen (▶ Abb. 16.3), gehäuft bei Z. n. Adnexitis, bei pos. HIV-Status und bei Kupfer-IUP-Trägerinnen (bei gestagenhaltigen IUP, z. B. Mirena® geringere Häufung).

Ätiologie
- Aszendierende Keime (*E. coli*, Enterokokken, Anaerobier, Mykoplasmen, Chlamydien, Aktinomyzeten), meist polymikrobiell; Zervizitis → Endometritis (häufig p. p.) → Adnexitis → Tuboovarialabszess
- Hämatogene Fortleitung (Tbc, ▶ 16.4.2)
- Ausbreitung per continuitatem z. B. nach Appendizitis o. Divertikulitis (sehr viel seltener, < 10 %)

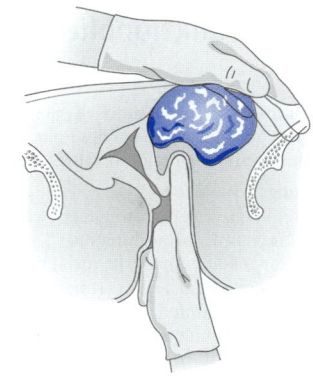

Abb. 16.3 Tuboovarialabszess [L157]

Klinik
- Wie bei Adnexitis (▶ 16.4), zusätzlich Defäkationsschmerz, hohes Fieber (rektal > 39 °C)
- KO u. Spätfolgen: Abszessruptur mit eitriger Peritonitis, eitrige Thrombophlebitis der Beckenvenen, später Adhäsionen, Dysmenorrhö, Sterilität, erhöhte EUG-Rate

Diagnostik
- Labor: Leukozytose > 20.000/μl, beschleunigte BSG (1. Stunde > 50 mm), CRP ↑, wegen Sepsisgefahr immer auch Gerinnung!
- Palpation: Adnextumor, max. P-W-S, stärkster Druck-/Schiebeschmerz von Uterus u. Adnexen bei bimanueller Palpation, Douglas-Vorwölbung bei rektovag. Palpation, meist Abwehrspannung
- Auskultation: bei Peritonealreizung abgeschwächte o. fehlende Darmgeräusche
- Sono: > 90 % Nachweis eines solid-zystischen, unscharf begrenzten Adnextumors
- Laparoskopie: Diagnosesicherung, gezielte Abstriche zum Erregernachweis (Bakterien, Chlamydien, Tbc-Kultur)
! Aktinomyzeten (8 % der Tuboovarialabszesse) sind nur histol. (Drusen) nachweisbar → Biopsie

Therapie
- Nur stat. mit eingeschränkter Bettruhe!
- I. v. Antibiose mit 2- bzw. 3-fach-Komb., z. B. Clindamycin + Tobramycin o. Cefotaxim + Metronidazol + Doxycyclin (Dosierung ▶ 16.4)
- Antiphlogistika ▶ 16.4
- Laparoskopie, evtl. Laparotomie: falls 2 d nach Antibiose Beschwerden u./o. Fieber persistieren
- Op. Revision: ansonsten nach Abklingen der Entzündungsparameter

> Spontane Rückbildung des Abszesses ohne OP ist möglich, aber selten.

16.6 Funktionelle Ovarialzysten
Kay Goerke

Definition Hormonaktive Zysten kommen fast nur während der Geschlechtsreife vor, gehäuft kurz nach der Pubertät u. perimenopausal. Wichtigste diagn. Maßnahmen sind Palpation u. Ultraschall (▶ 16.2.3).

Häufigste Formen
- Follikelzyste: gesprungener Graaf-Follikel, meist mit Oligomenorrhö. **DD:** Grav. mit Corpus luteum
- Corpus-luteum-Zyste: meist in der Schwangerschaft
- Luteinzysten: bei Mehrlingsgrav., Blasenmole, Überstimulation des Ovars durch Clomifen
- Polyzystische Ovarien (PCOS) ▶ 17.4.3.

> **Komplikation: Stieldrehung mit akutem Abdomen**
> - Sofortige Laparoskopie zur Diagnosesicherung u. Behandlung
> - Reposition der Adnexe, Punktion u. Abtragung der Zyste
> - Bei guter Durchblutung des Restovars (10 min nach Reposition warten!) Eingriff beenden, bei mangelnder Durchblutung Adnektomie

Diagnose Sorgfältige Sono, jede Zyste mit groben Binnenechos o. soliden Anteilen muss histol. untersucht werden.

Therapie Abwarten von 2–3 Zyklen, dann meist spontane Rückbildung, bei Corpus-luteum-Zysten in graviditate spontane Rückbildung im 2. Trim. Bei persistierender Zyste Gestagenther. mit gestagenbetontem OH (z. B. Marvelon®) o. Primosiston® über 10 d. Ein Zyklus mit Gestagenen, z. B. Lynestrenol 1 × 5 mg/d p. o. Bei unveränderter Zyste Laparoskopie mit Zystenexstirpation u. histol. Abklärung.

> KO: Stieldrehung mit akutem Abdomen

16.7 Andere Ovarialtumoren
Kay Goerke

16.7.1 Einleitung

Etwa 1,5 % aller Frauen entwickeln benigne o. maligne Ovarialtumoren, etwa ⅔ aller Ovarialtumoren sind epithelialer Herkunft. Es ist zwischen funktionellen Zysten (Ursache: Hormonimbalance, meist FSH/LH-Erhöhung, ▶ 16.7) u. echten Ovarialtumoren (maligne o. benigne) zu unterscheiden (Verteilung ▶ Tab. 16.4).

Tab. 16.4 Verteilung der Ovarialtumoren

Typ	Häufigkeit (%)		
	Alle Tumoren	Maligne Tumoren	Übergang benigne/maligne
Epitheliale Tumoren	65	70	
Seröse Tumoren (seröses Zystadenom)	50	40	10–20
Muzinöse Tumoren	12	10	5–10
Endometroide Tumoren	3	20	sehr selten
Klarzelltumoren		5	keine benignen Formen
Brenner-Tumoren	1	1	sehr selten
Keimstrangtumoren	8	12	
Granulosazelltumor	2	10	25
Thekazelltumor	1	1	selten
Androblastom	0,2		
Fibrom	4	selten	
Keimzelltumoren	25	2–3	selten
Dysgerminom	8	1	
Dermoid	15	1	selten
Dottersacktumor		1	
Metastasen		15	

16.7.2 Tumoren anderer Genese

Bei allen soliden o. zystisch-soliden Ovarialtumoren ist eine op. Abklärung mit histol. Untersuchung notwendig, da etwa 25 % maligne sind (vor der Pubertät etwa 15 %). Intraop. Vorgehen ▶ 16.8.3.

> **Klassifikation der Ovarialtumoren (WHO-Einteilung)**
> **I. Epitheliale Tumoren,** ausgehend vom Oberflächenepithel (Mesothel o. Müller-Keimepithel), die maligne Form ist das Ovarial-Ca:
> - Seröse Tumoren (histol. ähnlich dem Tubenepithel)
> - Muzinöse Tumoren (ähnlich Endozervix)
> - Endometroide Tumoren (ähnlich Endometrium)
> - Klarzellige (= hellzellige) Tumoren (ähnlich Mesonephroid)
> - Brenner-Tumoren (ähnlich Urothel)
> - Undifferenzierte epitheliale Tumoren
> - Gemischte epitheliale Tumoren
> - Unklassifizierte epitheliale Tumoren

II. Tumoren des sexuell differenzierten Ovarialstromas (= Keimstrang-Stroma-Tumoren), **meist hormonproduzierend:** Granulosa- u. Thekazelltumoren, Androblastome, Sertoli-Leydig-Zell-Tumoren, Gynandroblastome
III. Lipidzelltumoren: Hypernephrom, Luteom
IV. Keimzelltumoren (ausgehend von der „Eizelle"):
- Dysgerminom
- Dottersacktumor (= endodermaler Sinustumor)
- Embryonales Karzinom
- Chorionkarzinom
- Polyembryom
- Teratom:
  - unreif
  - reif (a. solide, b. zystisch), z. B. Dermoidzyste, mit o. ohne maligne Entartung, monodermal (z. B. Struma ovarii)

V. Gonadoblastome (Keimzellen u. Zellen der Keimleiste), sehr selten
VI. Tumoren des nicht sexuell differenzierten Stromas (= bindegewebige Tumoren)
VII. Unklassifizierte Tumoren
VIII. Metastasen: z. B. Krukenberg-Tumor bei Magen-Ca
IX. Tumorähnliche Prozesse: z. B. Endometriosezysten, entzündliche Veränderungen, Follikelzysten

Besonderheiten
- **Große Fibrome** (gutartig) des Ovars gehen häufig (40 %) mit Aszites u. Pleuraerguss (= Meigs-Sy.) einher.
- **Muzinöse Tumoren** können bei Kapselruptur (auch intraop.) zur intraperitonealen Absiedelung führen (Pseudomyxoma peritonei, Gallertbauch). Folge: Kachexie u. Siechtum, rezid. Ileus.
- **Metastasierende Tumoren:** in etwa 80 % beide Ovarien befallen. Primärtumor (absteigende Häufigkeit): Endometrium, Magen, übriger GIT, Mamma. Selten Zervix, Tube, Pankreas, Gallenblase, Lunge.
- **Maligne Lymphome** können Ovarien prim. o. metastatisch befallen. Altersgipfel < 20 J. Oft als Granulosazelltumoren fehldiagnostiziert.
- **Dermoidzysten** können Schilddrüsengewebe (Struma ovarii) mit autonomen Anteilen u. Hyperthyreose enthalten. Schilddrüsen-Ca im Ovar wurden beschrieben.
- **Grav.:** In der Schwangerschaft aufgetretene Ovarialtumoren sollten bei Beschwerden o. fraglicher Dignität entfernt werden, da die Gefahr der Stieldrehung besonders hoch ist. Ein Abwarten bis zur 16. SSW wird empfohlen, da sich Corpus-luteum-Zysten bis dahin meist zurückgebildet haben bzw. bei Persistenz die Plazenta ab 12. SSW ausreichend Gestagen produziert u. der Tumor ohne Gefahr für die Schwangerschaft entfernt werden kann.
Ist eine Exstirpation unumgänglich (z. B. Stieldrehung) → Hormonsubstitution bis 14. SSW.

16.7.3 Borderline-Veränderungen

Borderline-Tumoren besitzen im Ggs. zu invasiven Karzinomen eine exzellente Prognose. Prognostisch relevant sind Ausbreitungsstadium, Lebensalter, Tumorrest nach Primär-OP u. der Nachweis invasiver peritonealer Implantate. Nichtin-

vasive Implantate auf der Peritonealoberfläche o. im Omentum majus sowie Absiedelungen in den regionären Lk finden sich bei 20–30 % aller serösen Borderline-Tumoren; sie gehen nicht mit einer Verschlechterung der Prognose einher.
Die Lymphonodektomie ist bei unauffälligen Lk nicht indiziert. Wegen der Möglichkeit eines prim. muzinösen Tumors der Appendix vermiformis sollte i. R. der Staging-Laparotomie bei muzinösen Borderline-Tumoren vom intestinalen Typ eine Appendektomie erfolgen. Für Borderline-Tumoren, auch mit Nachweis nichtinvasiver Implantate, wird keine adjuvante Ther. empfohlen.
Beim Auftreten invasiver Implantate (ca. 6 %) erhebliche Verschlechterung der Prognose. Ind. zur Chemother. bei Nachweis invasiver Implantate wird kontrovers diskutiert.
Op. erfolgt ein sorgfältiges chir. Staging, das neben der radikalen Tumorentfernung die Inspektion des Abdomens mit Gewinnung von Spülzytologien, peritonealen Biopsien sowie Omentektomie erfordert. Ziel des op. Vorgehens ist die vollständige Resektion des Tumors mit Vermeidung der intraop. Tumorzellverschleppung sowie der Ruptur des Ovars. Bei serösen Tumoren in ca. 40 % u. bei muzinösen Tumoren in ca. 8 % bilaterale Tumormanifestation.
Seröse Borderline-Tumoren machen ca. 50 % aller Borderline-Tumoren aus. Prognose im Stadium I ist exzellent, das 15-JÜR liegt bei 99 %. Bei unilateralem serösem Borderline-Tumor kann ein fertilitätserhaltendes Vorgehen gewählt werden, sofern das sorgfältige operative Staging neg. ist.

16.8 Ovarialkarzinom (Tuben-, Ovarial- und Peritonealkarzinom)

Uwe Wagner

16.8.1 Epidemiologie

Fünfthäufigster maligner Tumor der Frau. Die altersspez. Inzidenz hat ihren Gipfel im 8. Lebensjahrzehnt, kommt aber in allen Altersstufen vor. Risikofaktoren sind hoher sozialer Status, unerfüllter Kinderwunsch. Multiparität u./o. langjährige OH-Einnahme wirken protektiv. Die Prognose des Ovarial-Ca hat sich in den letzten 30 J. erheblich verbessert. Die 5-JÜR hat sich über alle Stadien auf 50 % verdoppelt. Leider werden jedoch nahezu 75 % d. F. in fortgeschrittenen Stadien mit konsekutiv auch weiterhin schlechter Prognose erkannt.
Seit 2014 werden die malignen Tumoren des Ovars, der Tuben u. das prim. Peritoneal-Ca in einer FIGO-Klassifikation zusammengefasst u. entsprechend auch der gleichen op. Ther. u. Nachbehandlung zugeführt.

16.8.2 Klassifikation

Zu unterscheiden sind (▶ Tab. 16.5):
- **Typ I-Karzinome** (ca. 25 % aller Ovarial-Ca): häufig auf das Organ begrenzt, entwickeln sich über definierte Vorstufen (Low-grade seröse Ca, endometrioide Ca, seromuzinöse Ca, muzinöse Ca, klarzellige Ca sowie maligne Brennertumoren).
- **Typ II-Karzinome** (ca. 75 % aller Ovarial-Ca): hochmaligne Tumoren, schnell wachsend, aggressives Verhalten, meist sehr späte Diagnosestellung (High-grade seröse Ca, alle gemischten Ca mit Ausnahme des seromuzinösen

Tab. 16.5 Histologische Klassifikation der Ovarialkarzinome

Histologie	Graduierung			Erklärung/Bemerkung
Serös	Low-grade (G1)	–	High-grade (G3)	
Muzinös	–	–	–	keine einheitliche Graduierung
Seromuzinös	–	–	–	
Endometrioid	G1	G2	G3	analog dem Endometrium
Klarzellig	–	–	G3	werden immer als G3 klassifiziert
Maligner Brennertumor	–	–	–	keine Graduierung
Undifferenziert	–	–	–	gelten als hochmaligne
Karzinosarkom	–	–	–	

Typs u. alle Karzinosarkome). Typ II ist für ca. 90 % der Mortalität bei Ovarial-Ca verantwortlich.

Die **Stadieneinteilung** richtet sich nach den Befunden bei Erst-OP (inkl. Zytologie von Aszites, Histologie von Zwerchfellkuppeln, Leberoberfläche). Die pTNM-Klassifikation entspricht der TNM-Klassifikation (▶ Tab. 16.6); zusätzlich kann der nach OP verbliebene Resttumor angegeben werden. Hierbei gilt:
- R0: kein Resttumor
- R1: mikroskopischer Rest
- R2: makroskopische Reste

Tab. 16.6 TNM-/FIGO-Klassifikation des Ovarialkarzinoms (cave: neu seit 2014, Änderungen sind fett gedruckt)

TNM	FIGO	Befundsituation
T1	I	Tumor begrenzt auf Ovarien
T1a	IA	Auf ein Ovar beschränkt, Kapsel intakt, Ovarialoberfläche tumorfrei, negative Spülzytologie
T1b	IB	Tumor auf beide Ovarien begrenzt; Kapsel intakt; kein Tumor auf der Oberfläche beider Ovarien
T1c	IC	Tumor begrenzt auf ein o. beide Ovarien
	IC1	**Iatrogene Kapselruptur**
	IC2	**Präoperative Kapselruptur o. Tumor auf der Ovarialoberfläche**
	IC3	**Maligne Zellen im Aszites o. in der Spülzytologie nachweisbar**
T2	II	Tumor auf einem o. beiden Ovarien mit zytol. o. histol. nachgewiesener Ausbreitung in das kleine Becken o. primäres Peritoneal-Ca
T2a	IIA	Ausbreitung u./o. Tumorimplantate auf Uterus u./o. Tuben
T2b	IIB	Ausbreitung auf weitere intraperitoneale Strukturen im Bereich des kleinen Beckens

16.8 Ovarialkarzinom (Tuben-, Ovarial- und Peritonealkarzinom)

Tab. 16.6 TNM-/FIGO-Klassifikation des Ovarialkarzinoms (cave: neu seit 2014, Änderungen sind fett gedruckt)

TNM	FIGO	Befundsituation
T3	III	Tumor auf einem o. beiden Ovarien mit zytol. o. histol. nachgewiesener Ausbreitung außerhalb des kleinen Beckens u./o. retroperitoneale Lk-Metastasen
T3a	IIIA	Retroperitoneale Lk-Metastasen u./o. mikroskopische Metastasen außerhalb des kleinen Beckens
	IIIA1 • i • ii	Ausschließlich retroperitoneale Lk-Metastasen • Metastasen ≤ 10 mm • Metastasen > 10 mm
	IIIA2	Mikroskopische extrapelvine Ausbreitung auf das Peritoneum außerhalb des kleinen Beckens mit o. ohne retroperitoneale Lk-Metastasen
T3b	IIIB	Makroskopische extrapelvine Ausbreitung auf das Peritoneum außerhalb des kleinen Beckens ≤ 2 cm mit o. ohne retroperitoneale Lk-Metastasen; schließt eine Ausbreitung auf die Leberkapsel u. die Milz ein
T3c	IIIC	Makroskopische extrapelvine Ausbreitung auf das Peritoneum außerhalb des kleinen Beckens > 2 cm mit o. ohne retroperitoneale Lk-Metastasen; schließt eine Ausbreitung auf die Leberkapsel u. die Milz ein
NX	–	Regionäre Lk können nicht beurteilt werden
N0	–	Keine regionäre Lk-Metastasen
N1	–	Regionäre Lk-Metastasen
M1	IV	Fernmetastasen mit Ausnahme peritonealer Metastasen
	IVA	Pleuraerguss mit pos. Zytologie
	IVB	Parenchymale Metastasen der Leber u./o. der Milz, Metastasen zu außerhalb des Abdomens gelegenen Organen (einschl. inguinaler Lk-Metastasen u./o. anderer außerhalb des Abdomens gelegener Lk-Metastasen)

16.8.3 Primärtherapie

Operative Therapie

Aktuelle Leitlinie: www.awmf.org/leitlinien/detail/ll/032-035OL.html

Die Prognose des Ovarial-Ca ist entscheidend von der Radikalität der Erstoperation abhängig. Ziel der op. Ther. ist die möglichst komplette Entfernung aller Tumorherde; makroskopische Tumorreste verringern die Prognose erheblich. Appendektomie (fakultativ) insb. bei muzinöser Histologie, suprakolische Netzresektion, En-bloc-Resektion mit bilateraler Adnektomie, Hysterektomie, Peritonektomie, pelvine u. paraaortaler Lymphonodektomie, Peritoneal-PEs sowie Zytologie.

Vorgehen
- Nach apparativem Staging (▶ 16.2) OP-Planung evtl. mit Chirurgen u. Urologen
- Aufklärung der Pat. über Hysterektomie, Adnektomie, Netzresektion, Appendektomie, ggf. pelvine u. paraaortale Lymphonodektomie, evtl. Anuspraeter-Anlage
- Am präop. Tag orthograde Darmspülung (bessere Übersicht, bei der OP am Darm geringere Infektionsgefahr)
- Präop. Transfusion von 2 EK bei Hb < 10 mg/dl, 6 EK bereitstellen
- Laparotomie vom Längsschnitt aus, zumindest von Symphyse bis Bauchnabel
- Nach Eröffnung des Peritoneums vor Manipulation am Tumor zuerst Aszites asservieren o. Peritoneallavage durchführen. Zytol. Abstriche u./o. PE von beiden Zwerchfellkuppeln, Leberoberfläche, Beckenwand re. u. li., Douglas anfertigen
- Systematische Revision der Bauchhöhle: Appendix, Colon ascendens, Leberoberfläche, re. Zwerchfellkuppel, Leberunterseite, Magen u. Oberbauchorgane, li. Zwerchfellkuppel, Colon transversum, Colon descendens, Mesenterialwurzel, Dünndarm, großes Netz, Douglas, Rektum u. Blase
- Je nach makroskopischem Befund Adnexektomie o. Probeexzision zur Schnellschnittdiagn.
- Bei Malignität Erweiterung des Schnitts li. um den Bauchnabel herum bis zum Xyphoid. Hysterektomie, Adnektomie bds. (fakultative Appendektomie), Peritonektomie befallener Areale (Beckenwand, Douglas, parakolische Rinnen, Zwerchfell), suprakolische Netzresektion, iliakale u. paraaortale Lymphonodektomie bei makroskopischer Tumorfreiheit
- Bei Befall weiterer Organe Tumorreduktion (Blasenteilresektion, Kolonresektion, Splenektomie, evtl. Anlage eines Anus praeter)
- Genauen OP-Situs vor u. nach OP beschreiben

Second-Look Second-Look-OPs sind ohne Vorteil für die Pat. u. werden daher nicht empfohlen.

- Junge Frauen mit Kinderwunsch u. einseitigem Tumor ohne intraperitoneale Metastasen: Ein fertilitätserhaltendes Vorgehen ist bei gesichertem Stadium FIGO Ia mit Grading 1 möglich. Voraussetzung ist ein adäquates Staging.
- Bei Keimzelltumoren ist das Ziel der chir. Ther. die komplette Tumorresektion, die adäquate Stadieneinteilung u. falls möglich die Erhaltung der Fertilität. Bei Keimzelltumoren ist ab dem Stadium > 1a eine cisplatinhaltige Chemother. erforderlich (3–4 Zyklen).
- Bei Keimstrang-Stromatumoren des Ovars erfolgt ein definitives op. Staging analog dem Ovarial-Ca. Der Nutzen einer adjuvanten Chemother. wird bei kompletter OP kontrovers diskutiert.

Chemotherapie

Indikationen
- Frühes Ovarial-Ca-Stadium IA, G1: keine adjuvante Chemother. Voraussetzung ist adäquates chir. Staging.
- Stadium FIGO IB, G1: keine ausreichenden Daten vorhanden, um Nutzen einer adjuvanten Chemother. zu belegen.

16.8 Ovarialkarzinom (Tuben-, Ovarial- und Peritonealkarzinom)

- Stadium FIGO IC–IIA: platinhaltige adjuvante Chemother. mit 4-6 Zyklen.
- Fortgeschrittenes Stadium (FIGO IIB-IV): derzeitige Standardther. Komb. aus Carboplatin, AUC 5 u. Paclitaxel 175 mg/m² über 3 h i. v., insges. 6 Zyklen alle 3 Wo. Eine Verbesserung des progressionsfreien Überlebens kann durch die Hinzunahme von Bevacizumab (FIGO IIIB–IV) erzielt werden. Daten für eine Verbesserung des Gesamtüberlebens stehen jedoch noch aus.

Ein Ansprechen auf die Ther. findet sich zwischen 70–90 %; Komplettremissionen sind derzeit in ca. 40 % zu beobachten.

Therapiegrundlagen ▶ Tab. 16.7.
- Neben den allg. NW (Alopezie, Nausea, Knochenmarkdepression) steht bei Carboplatin in der Komb. mit Paclitaxel vorwiegend die Neurotoxizität im Vordergrund.
- Dosierungen werden nach AUC („area under the curve") durch Krea-Clearance u. Thrombozytenzahl festgelegt.
- Perücke mit Pflegezubehör beim ersten Zyklus verschreiben (vor Einsetzen des Haarausfalls).
- Wöchentl. BB-Kontrollen (stationäre Aufnahme bei Leukopenie < 2/nl, Antibiotika bei Leukos < 1/nl).
- Chemother. zur Tumorreduktion ist ein experimentelles Vorgehen. Die OP so früh wie möglich anschließen, da jeder weitere Zyklus die Überlebenszeit reduziert.
- Bei Abschluss der Primärbehandlung, bestehend aus kompletter OP u. platinhaltiger Kombinationschemother., folgen weitere klin. Kontrollen.

Tab. 16.7 Chemotherapie bei Ovarialkarzinom

Medikamente	Dosierung	Applikation	
Maligne epitheliale Ovarialtumoren			
Frühstadien			
Carboplatin Mono	AUC 5	Tag 1	alle 3 Wo.
Fortgeschrittene Stadien			
Carboplatin	AUC 5	Tag 1	alle 3 Wo.
Paclitaxel	175 mg/m²	Tag 1	
Bevacizumab	15 mg/kg	Initial zur Standardchemother. (6 Zyklen Paclitaxel 175 mg/m² plus Carboplatin AUC 6), anschließend kontinuierlich als Monother. über insges. 15 Mon. o. bis zur Progression	
Keimzelltumoren: PEB			
Cisplatin	20 mg/m²	Tag 1–5	alle 3 Wo.
Bleomycin	30 mg (absolut)	Tag 1, 8 u. 15	
Etoposid	100 mg/m²	Tag 1–5	

Strahlentherapie
Die Strahlenther. hat in der Behandlung des Ovarial-Ca nahezu keine Bedeutung.

Indikation
- Bestrahlung einzelner inoperabler Herde, Tumorrezidiv, außerdem palliativ zur Analgesie bei Knochenmetastasen. NW u. Hauptpflege ▶ 12.7.7.
- Lediglich Dysgerminome u. Granulosazelltumoren sind strahlensensibel.

Endokrine Therapie
Rezidive sprechen in bis zu 15 % d. F. auf Tamoxifen an. Darüber hinaus stehen GnRH-Agonisten als Palliativther. zur Verfügung. In der Situation des chemotherapieresistenten Frührezidivs belegen randomisierte Studien eine Gleichwertigkeit mit einer palliativen Mono-Chemother.

Nachsorge
Je nach Tumor individuelle Abstände der Untersuchung wählen. Bei ausgedehnten Tumoren z. B. bis 5 J. alle 3 Mon., danach alle 6 Mon. Bei jeder Untersuchung:
- Vag. Spiegeleinstellung (Scheidenstumpfrezidiv)
- Kolposkopie, Zytologie-Entnahme
- Vag. u. rektale Palpation, Palpation des gesamten Bauchraums (Tumoren, Aszites), inkl. Leber
- Transvag. Sono
- Inspektion u. Palpation der Mammae (1 × jährl. Mammografie)
- Bei Rezidivverdacht: Koloskopie, Zystoskopie, MRT Abdomen
- Umbilikale Metastasen o. Rezidive kommen häufig vor → Inspektion des Nabels

Gegen Hormonther. bestehen nach heutigem Wissen keine KI: z. B. Estradiol-Gel (Gynokadin® Gel o. Tibolon, z. B. Liviella®, bei Karzinomen vom endometroiden Typ sicherheitshalber mit Gestagenzusatz, z. B. Estracomb TTS®). Pat. sollten jedoch über die unklare Datenlage dazu informiert werden.

16.8.4 Second-Line-Therapie

Einteilung der Rezidive
- Chemosensible (Platin-Taxan) Tumoren: Rezidivauftreten > 6 Mon. nach Abschluss der Primärbehandlung
- Chemoresistente Tumoren: Progress unter Ther. o. Rezidiv < 6 Mon. nach Abschluss der Primärbehandlung

Eine alleinige Def. der Rezidivpopulationen ausschließlich über das platinfreie Therapieintervall ist unzureichend. Die Art der Rezidivbehandlung wird von verschiedenen Faktoren bestimmt. Neben Pat.-Präferenz, Alter u. Belastbarkeit spielen auch genetische Faktoren wie BRCA-Mutationsstatus, zurückliegende Gabe von antiangiogenetischen Substanzen o. PARP-Inhibitoren u. tumorbiol. Aspekte eine Rolle. Die alte kalendarische Einteilung mit einem fixen Cut-off von 6 Mon. u. ausschließlicher Berücksichtigung des platinfreien Intervalls ist für zukünftige Therapieentscheidungen nicht mehr ausreichend u. dient v. a. noch der retrospektiven Vergleichbarkeit von Daten. Daher wird zukünftig die Abgrenzung mehr fließend getroffen u. man unterscheidet:
- Rezidivtherapie, wenn eine platinhaltige Ther. keine Option ist (ehemals platinresistentes Rezidiv)

16.8 Ovarialkarzinom (Tuben-, Ovarial- und Peritonealkarzinom)

- Rezidivtherapie basierend auf einer erneuten platinhaltigen Ther. (ehemals platinsensitives Rezidiv)

Platinresistente Tumoren

Bei der systemischen Ther. des resistenten Ovarial-Ca sollte die Erhaltung der Lebensqualität im Vordergrund stehen. Eine Kombinationsther. in Form einer Polychemotherapie bietet dabei keine Vorteile ggü. einer Monochemother.
Am effektivsten sind Topotecan, pegyliertes, liposomales Doxorubicin, Gemcitabin u. Paclitaxel bei nicht mit einem Taxan vorbehandelten Pat.:
- Topotecan 1,5 mg/m^2: Tag 1–5 alle 3 Wo.
- Pegyliertes Doxorubicin 40 mg/m^2: Tag 1 alle 4 Wo.
- Gemcitabin 1.000 mg/m^2: Tag 1, 8, 15 alle 4 Wo.
- Paclitaxel 80 mg/m^2: Tag 1 jede Wo., nach 8 Wo. Pause von 2 Wo.

Die Hinzunahme von Bevacizumab zur Monochemother. ohne vorherige VEGF-Therapie führt zur Verbesserung des progressionsfreien Überlebens, kann aber v. a. die Symptome wie Aszitesbildung besser kontrollieren.

Platinsensible Tumoren

Bei der systemischen Ther. des platinsensiblen Ovarialkarzinomrezidivs sollte zuvor die Operabilität geprüft werden. Bei der Aussicht einer vollständigen Resektion sollte die op. Ther. erwogen werden. Bzgl. der Systemther. ist die platinhaltige Kombinationsther. der Platinmonother. überlegen.
Am effektivsten sind als Komb. Carboplatin/Paclitaxel, Carboplatin/Gemcitabin u. Carboplatin/pegyliertes liposomales Doxorubicin:
- Carboplatin AUC 5: Tag 1
- Paclitaxel, 175 mg/m^2: Tag 1 alle 3 Wo.

oder:
- Carboplatin AUC 4: Tag 1
- Gemcitabin 1.000 mg/m^2: Tag 1 u. 8 alle 3 Wo.

oder:
- Carboplatin AUC 4: Tag 1
- Gemcitabin 1.000 mg/m^2: Tag 1 u. 8 alle 3 Wo.
- Bevacizumab 15 mg/kg KG: alle 3 Wo. (bei Pat. mit erstem Rezidiv u. ohne vorherige VEGF-gerichtete Ther.)

oder:
- Carboplatin AUC 5: Tag 1
- Pegyliertes liposomales Doxorubicin 30 mg/m^2:Tag 1 alle 4 Wo.

Bei KI einer Kombinationsther. ist die Monother. mit Carboplatin die Ther. der 1. Wahl (Carboplatin Mono AUC 5 Tag 1 alle 3 Wo.).[1]

High-grade seröses platinsensitives Ovarialkarzinomrezidiv mit BRCA-Mutation

Bei Pat. mit Rezidiv eines high-grade serösen Ovarial-Ca u. Nachweis einer deletären BRCA1/2-Mutation sollte eine Erhaltungsther. mit einem PARP-Inhibitor (z. B. Olaparib [Lynparza®]) nach Ansprechen auf eine vorherige platinhaltige Ther. angeboten werden.

---

[1] Seit Kurzem ist für die Therapie des platinsensitiven, rezid., gering differenzierten serösen Ovar-, Tuben- o. prim. Peritoneal-Ca Niraparib (Zejula®) als neuer PARP-Inhibitor zugelassen, auch ohne BRCAII2-Positivität

Voraussetzung Pos. Testung bzgl. einer deletären BRCA1/2-Mutation: Diese kann sowohl über eine Keimbahndiagnostik als auch eine Tumortestung erfolgen. Welche Methode gewählt wird, ist individuell zu entscheiden. Bei neg. Keimbahntestung sollte eine zusätzliche Testung des Tumors erwogen werden. Pat., die bereits zuvor (z. B. im Rahmen der Erstdiagnose) pos. bzgl. einer Keimbahnmutation getestet wurden, müssen nicht erneut getestet werden. Für eine Tumortestung muss keine Biopsie des Rezidivs erfolgen, diese kann auch am Tumormaterial der Primäroperation durchgeführt werden.

Therapie Olaparib (Lynparza®) 2 × 400 mg p. o. (8 Kps. à 50 mg).

17 Sterilität

Axel Valet und Volker Ziller

17.1 Leitsymptome 546
17.2 **Diagnostische Methoden** 546
17.2.1 Sterilitätsanamnese 546
17.2.2 Untersuchung 546
17.2.3 Basaltemperaturkurve (BTK) 547
17.2.4 Labor 548
17.2.5 Ultraschall 549
17.2.6 Funktionstests 550
17.2.7 Zervixindex nach Insler (Insler-Score) 553
17.2.8 Spermaanalyse (Spermiogramm) 554
17.2.9 Postkoitaltest (PCT), Postinseminationstest (PIT), Kurzrok-Miller-Test 557
17.2.10 Hysteroskopie und Hysterokontrastsonografie 557
17.2.11 Diagnostische Laparoskopie mit Chromopertubation 558
17.3 **Normaler Zyklus** 559
17.3.1 Definition 559
17.3.2 Physiologie 559
17.4 **Sterilitätsursachen und Therapie** 561
17.4.1 Ursachen 561
17.4.2 Primäre Ovarialinsuffizienz 561
17.4.3 Sekundäre Ovarialinsuffizienz 563
17.4.4 Therapie der Follikelreifungsstörung 571
17.4.5 Zervixfaktor 572
17.4.6 Tubare und uterine Sterilität 573
17.4.7 Andrologischer Faktor 573
17.5 **Spezielle therapeutische Maßnahmen** 576
17.5.1 Artifizielle Insemination 576
17.5.2 In-vitro-Fertilisation (IVF) 578
17.5.3 Intrazytoplasmatische Spermieninjektion (ICSI) 581
17.5.4 Invasive Spermagewinnung: MESA/TESE 581
17.5.5 Mikrochirurgische Sterilitätslaparotomie 582

17.1 Leitsymptome

- **Prim. Sterilität**: Trotz Kinderwunsches u. regelmäßiger Kohabitationen kommt es innerhalb von 1 J. nicht zum Eintritt einer Schwangerschaft.
- **Sek. Sterilität**: Bei Z. n. einer o. mehreren Schwangerschaften (Geburten, Aborten, EUG) tritt trotz erneutem Kinderwunsch u. regelmäßigem Geschlechtsverkehr (GV) über längere Zeit keine Schwangerschaft ein.
- **Infertilität**: Unvermögen, nach Empfängnis die Frucht auszutragen u. zu gebären (Impotentia generandi).

Normalerweise kommt es bei fertilen Männern u. normalem GV ohne gezielte Einhaltung des Konzeptionsoptimums **innerhalb von 1 J.** in 80–85 % zur Konzeption der Partnerin. In D bleiben ca. 12–15 % der Ehen ungewollt kinderlos.

Bei einer weitaus größeren Zahl liegt aber eine „Subfertilität" vor. Ein Großteil dieser Paare leidet an einer relativen Einschränkung der Fruchtbarkeit. Häufig finden sich bei beiden Geschlechtern mehr o. weniger ausgeprägte Einschränkungen. Nach einer groben Einteilung liegt die Ursache in 30 % d. F. bei der Frau u. zu 30 % beim Mann, in 30 % sind beide beteiligt. In ca. 10 % d. F. kann die Ursache der Sterilität nicht geklärt werden. Moderne Untersuchungen legen jedoch nahe, dass wahrscheinlich in 80 % d. F. bei beiden Partnern gewisse Einschränkungen vorliegen.

17.2 Diagnostische Methoden

17.2.1 Sterilitätsanamnese

- **Gyn. Anamnese:** Alter, Dauer des Kinderwunsches, Anzahl der Kohabitationen/Wo., bisherige Diagn., frühere Adnexitis bzw. andere Inf. im Unterbauch, Geschlechtskrankheiten, Endometriose, Abrasiones, abdom. OP (Myom, Ovarialtumoren, Appendektomie)
- **Zyklusanamnese**: Menarche, Blutungsstörungen (▶ 15.1.1), Ovulationen (BTK mono- o. biphasisch), vorausgegangene Schwangerschaften (Geburten, Aborte, Interruptiones, EUG), Dysmenorrhö
- **Allg. Anamnese:** Diab. mell., Hypertonie, Schilddrüsenerkr. (Hypo-, Hyperthyreose), Adipositas, M. Cushing, Inf. (Hepatitis, Tbc), chron. Leber-, Nierenerkr., OP (z. B. Appendektomie, Cholezystektomie), Medikamente, Abusus (Nikotin, Alkohol)
- **Partneranamnese:** Schwangerschaften aus anderen Partnerschaften, Spermiogrammbefund, Orchitis (Mumps?), OP (z. B. wegen Kryptorchismus), Medikamente

17.2.2 Untersuchung

Gynäkologische Untersuchung
- Mamma: Größe, Galaktorrhö, Exprimat, perimamilläre Behaarung
- Schambehaarung: ansteigend bis Nabel, Übergang auf Oberschenkel (▶ Abb. 20.4)
- Vulva, Klitoris: Genitalhypoplasie, -hypertrophie
- Vagina: Länge, Weite, Nativabstrich (▶ 13.2.3)
- Portio, Zervix: zytol. Abstrich (Pap) mit Hormongrad, Zervixschleim (Insler-Score ▶ 17.2.7)

- Uterus: Größe, Lage, Beweglichkeit, Myome
- Tuben: verdickt, schmerzhaft, Ovarien (z. B. seitengleich, vergrößert)
- Douglas-Raum: z. B. tastbare Endometrioseknötchen

Klinische Untersuchung Gewicht, Größe (Adipositas, Hoch-, Kleinwuchs; ▶ 20.4.4, ▶ 20.4.5), Anzeichen für Schilddrüsenerkr. o. M. Cushing. Androgenisierungserscheinungen mit:

- **Hirsutismus:** vermehrte Behaarung an Oberlippe, Wange, Unterkiefer, Hals, prästernal, perimamillär, ansteigende Schambehaarung zum Nabel, obere u. untere Extremitäten
- **Hypertrichose:** androgenunabhängige Wachstumsvermehrung der Haare an Ober- u. Unterschenkel o. ganzem Körper, z. B. beim Ullrich-Turner-Sy. (▶ 17.4.2), aber auch familiär

17.2.3 Basaltemperaturkurve (BTK)

Indikationen Ovulationshinweis bei biphasischem Verlauf. Bei monophasischer BTK V. a. anovulatorischen Zyklus. (**Cave:** Bei 10 % der physiol. Zyklen monophasische BTK, zusätzliche Laborkontrollen erforderlich; Anstieg von E_2 in der Zyklusmitte bis 350 ng/l bzw. von Progesteron > 10 µg/l in der 2. Zyklushälfte zeigt eine abgelaufene Ovulation an.) Beurteilung der Lutealphase nach Art des Temperaturanstiegs u. Dauer der hyperthermen Phase. BTK u. Kontrazeption ▶ 18.2.3.

Durchführung ▶ 18.2.3.

Beurteilung Biphasischer Temperaturverlauf liegt vor, wenn die Temperatur (durch thermogenetischen Effekt des Progesterons) an 3 aufeinanderfolgenden Tagen um mind. 0,3–0,5 °C höher liegt als an den 7 vorausgegangenen Tagen (▶ Abb. 17.1). Treppenförmiger Temperaturanstieg u. Verkürzung der hyperthermen Phase auf < 8–10 d sprechen für eine Lutealinsuff. **Cave:** Temperaturanstieg auch beim LUF-Sy. → Follikel luteinisiert prim. (produziert also Progesteron), ohne zu rupturieren u. in ein Corpus luteum überzugehen (▶ 17.4.2). Eine BTK ist nicht zur Bestimmung des Konzeptionsoptimums geeignet, Temperaturanstieg kommt zu spät! Hilfreicher sind Urin-Selbsttests (z. B. Clearblue®) o. auch die Selbstbeurteilung des Zervikalsekrets (Methoden des „Natural Family Planning" NFP) ▶ 18.2.5.

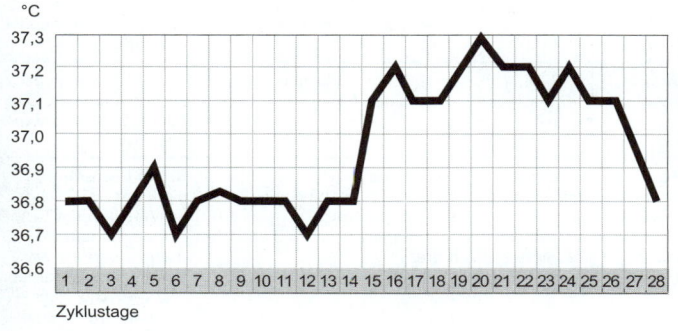

Abb. 17.1 Normale Basaltemperaturkurve (BTK) [L190]

17.2.4 Labor

- Zu Beginn jeder Sterilitätsdiagn. mit Zyklusbeginn (3.–7. ZT) Basishormonstatus bestimmen (▶ Tab. 17.1)
- BB, Lues-Serologie, HIV (vorgeschrieben bei Maßnahmen zur künstlichen Befruchtung, HIV-Test beim Partner), Hepatitis- u. Rötelnserologie (lt. STIKO gilt der Rötelnschutz als sicher, wenn zwei Impfungen erfolgt sind, daher Rötelnserologie obsolet. Falls der Impfpass nicht vorliegen sollte → nachimpfen!), Schilddrüsenhormonwerte (TSH basal, fT$_4$, fT$_3$), Toxoplasmose

Tab. 17.1 Hormonbestimmung in der Sterilitätsdiagnostik

	Abnahme	Referenzbereich, Interpretation	Indikation
LH	3.–7. ZT (ggf. gepooltes Serum von 3 Proben innerhalb von 1 h)	2–20 U/l: Follikel- + Lutealphase ≤ 100 IE/l: Mittzyklusgipfel	Amenorrhö/Oligomenorrhö, Ovulationsvoraussage, Androgenisierung
FSH	3.–7. ZT	2–8 IEU/l: Follikel- + Lutealphase ≤ 25 IEU/l: Mittzyklusgipfel 20–100 IE/l: Postmenopause	Hypothalamisch-hypophysäre Ovarialinsuff., Climacterium praecox, Anovulation, Androgenisierung
Estradiol	3.–7. ZT	30–350 pg/ml: zyklusphasenabhängig, mittzyklischer (präovulatorischer) Gipfel 10–35 pg/ml: Postmenopause	Amenorrhö, Ther.überwachung bei Stimulation
Testosteron	3.–7. ZT	0,3–1,1 µg/l: Erhöhung häufig stressbedingt (→ Kontrolle im nächsten Zyklus, evtl. Poolserum) > 7 µg/l: V. a. androgenproduzierenden Tumor	V. a. PCO, V. a. hyperandrogenämische Ovarialinsuff., Androgenisierung (▶ 17.4.1, ▶ 19.6) Mit SHBG komb., um freien Anteil zu bestimmen
DHEA-S	3.–7. ZT, frühmorgens	0,5–4,7 mg/l > 7,5 mg/l: V. a. androgenproduzierenden Tumor	V. a. PCO, V. a. hyperandrogenämische Ovarialinsuff., Androgenisierung
Androstendion	3.–7. ZT, frühmorgens	0,5–2,5 µg/l: zyklusabhängig, in Lutealphase höher	V. a. PCO, V. a. hyperandrogenämische Ovarialinsuff., Androgenisierung
Sexualhormonbindendes Globulin (SHBG)	Zusammen mit Testosteron, DHEA-S u. Androstendion	8,7–26,1 µg/l ↑ z. B. bei Einnahme von OH o. Schilddrüsenhormon ↓: V. a. metab. Sy., oGTT durchführen	Hohes Testosteron u. niedriges SHBG → hoher Anteil freien Testosterons mit entsprechender peripherer Wirkung am Endorgan (Haut → Akne; Haar ↓ Alopecia androgenetica). Ggf. Bestimmung des freien Testosterons

Tab. 17.1 Hormonbestimmung in der Sterilitätsdiagnostik *(Forts.)*

	Abnahme	Referenzbereich, Interpretation	Indikation
Progesteron	22./23. ZT bzw. am Tag +5/+7/+10 nach Ovulation	0,2–1,0 µg/l: außerhalb der Lutealphase 6–25 µg/l: Lutealphase	Nachweis erfolgter Ovulation, Corpus-luteum-Insuff.
Prolaktin	3.–7. ZT 4–5 h nach dem Aufwachen, vorher keine Brustpalpation	3–16 µg/l 50–250 µg/l: V. a. Mikroadenom > 250 µg/l: V. a. Makroadenom	Amenorrhö/Oligomenorrhö, Anovulation, V. a. prolaktinämische Ovarialinsuff., Galaktorrhö (▶ 17.4.1)
Anti-Müller-Hormon (AMH)	Weitgehend Zyklusunabhängig Sinnvoll am 3.–7. Tag	1–8 µg/l < 1 µg/l: eingeschränkte ovarielle Reserve < 0,5 µg/l: stark eingeschränkte Fertilität > 5 µg/l: V. a. PCOS	V. a. reduzierte ovarielle Reserve; prämature Ovarialinsuff., PCOS, vor IVF zur Abschätzung des Response

17.2.5 Ultraschall

Unverzichtbar für die Kontrolle des Spontanzyklus u. das Zyklusmonitoring beim stimulierten Zyklus. Der einzig sichere Ovulationsnachweis gelingt nur durch Ultraschall (bzw. Laparoskopie) (▶ Abb. 17.2). Sprungreifer Follikel: Ø ca.18–20 mm, unter Clomifen-Stimulation ca. 18–22 mm (▶ Abb. 17.3).

Untersuchungsablauf u. Beurteilung ▶ 22.1.1 u. ▶ 22.2.1.

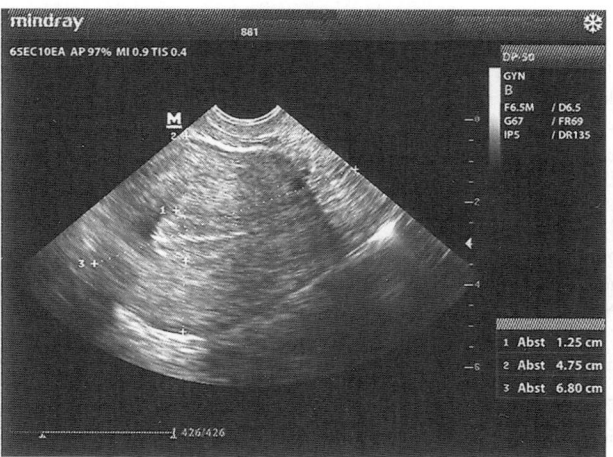

Abb. 17.2 Vaginalsonografische Darstellung des Corpus uteri zur Zyklusmitte mit 12,5 mm hoch aufgebautem Endometrium. Typisch für die periovulatorische Zyklusphase ist die Darstellung des hyperreflektiven Mittelechos in der Mitte des Endometriums. [M453]

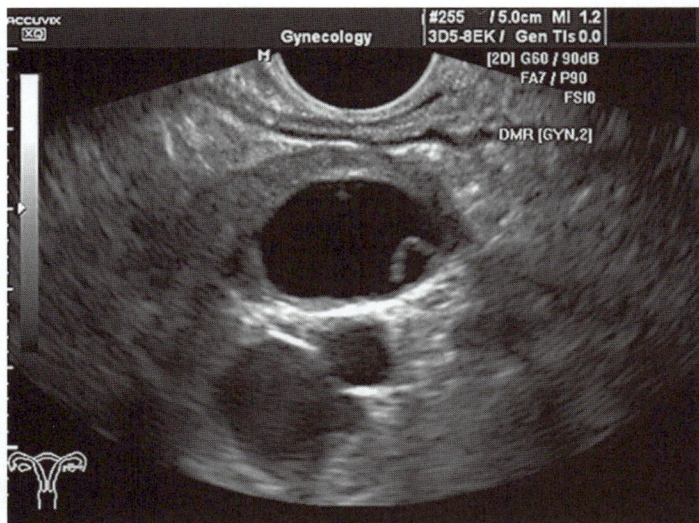

Abb. 17.3 Ovar mit sprungreifem Follikel [M455]

17.2.6 Funktionstests

Gestagen-Test

Definition Auslösung einer Entzugsblutung nach vorheriger sekretorischer Umwandlung durch Gestagene zum Nachweis eines bereits vorher unter endogenem Östrogeneinfluss proliferierten Endometriums.

Indikationen Prim. o. sek. Amenorrhö; Terminierung der Menstruation (Verschiebung o. Vorverlegung).

Durchführung Nach Graviditätsausschluss Gabe von
- Dydrogesteron 2 × 10 mg/d p. o. über 10 d (Duphaston®)
- Medroxyprogesteronacetat 5 mg/d p. o. über 10 d (MPA Gyn 5)

Beurteilung
- **Pos.:** Entzugsblutung setzt innerhalb von ca. 3–7 d nach Absetzen der Gestagene ein. Test gilt auch bei geringer Blutung als pos.
- **Neg.:** keine Blutung, z. B. bei ungenügendem Endometriumaufbau infolge von Östrogenmangel (Ovarialinsuff.), Verlust des Endometriums (z. B. nach mehreren Kürettagen = Asherman-Fritsch-Sy.) o. Uterusfehlbildung (s. u.)

Östrogen-Gestagen-Test

Definition Nachweis von funktionsfähigem Endometrium.

Indikationen Prim. o. sek. Amenorrhö bei neg. Gestagen-Test.

Durchführung Nach Graviditätsausschluss Gabe eines Östrogen-Gestagen Präparats (z. B. Cyclo-Progynova®).

Beurteilung
- **Pos.:** Blutungen – auch geringe – innerhalb 1 Wo. nach Absetzen der Östrogene u. Gestagene
- **Neg.:** keine Blutung V. a. fehlendes funktionsfähiges Endometrium (rudimentärer Uterus bei Mayer-Rokitansky-Küster-Hauser-Sy.; Z. n. mehrfachen Abrasiones, Synechien, Z. n. Tbc). ggf. Wdh. des Tests mit doppelter Östrogendosis; ggf. Hysteroskopie

LH-RH-Test

Definition Überprüfung der Stimulierbarkeit des Hypophysenvorderlappens (HVL) durch Gabe von LH-RH.

Indikation V. a. hypothalamisch-hypophysäre Ovarialinsuff.

Durchführung Blutentnahme (LH, FSH) vor LH-RH Gabe, dann Gonadorelin 0,1 mg langsam i. v. (z. B. Relefact® LH-RH). Blutentnahme (LH, FSH) 20, 40 u. 60 min danach, fakultativ nach 2 u. 3 h.

Beurteilung ▶ Abb. 17.4.
- **Pos.:** LH-Anstieg nach 20–40 min auf das 4-Fache. Nach Leyendecker kann unterschieden werden in:
  - Adulte (normale) Reaktion: Sekretion von LH > FSH (Geschlechtsreife)
  - Präpuberale Reaktion: Sekretion LH ≅ FSH (Kindesalter)
- **Neg.:** keine Sekretion von LH u. FSH bei schwerer hypothalamisch-hypophysärer Amenorrhö, Läsion von Hypothalamus u. Hypophysenstiel

Dexamethason-Test

Definition Differenzierung einer Überfunktion der Nebennierenrinde (NNR). Bei Hyperandrogenämie wird der adrenale Anteil durch Dexamethason gehemmt, sodass der verbleibende Hormonanteil den Ovarien zuzurechnen ist.

Indikationen Hyperandrogenämie; V. a. NNR-Überfunktion (NNR-Tumor).

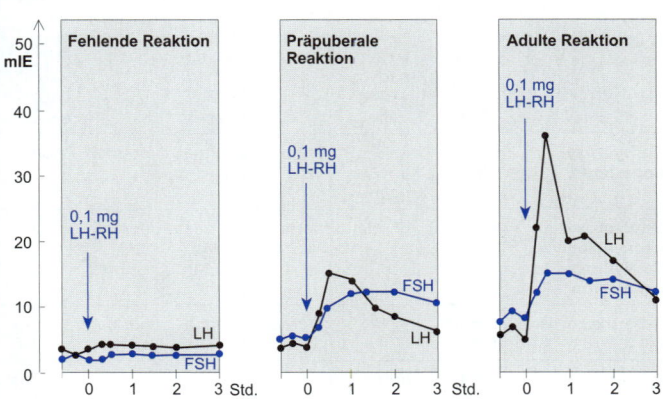

Abb. 17.4 LH-RH-Test [L190]

Durchführung des Kurztests (Night-Suppression-Test): Dexamethason 2 mg p. o. (z. B. Fortecortin®) um 23:00 Uhr. Am nächsten Morgen 8:00–9:00 Uhr Bestimmung von Kortisol (DHEA-S, Androstendion, Testosteron, 17α-OH-Progesteron, Progesteron, in Verbindung mit Vorwerten am Vortag).

Beurteilung des Kurztests
- Kortisolsuppression < 30 µg/l: normal
- Kortisolsuppression > 30 µg/l: V. a. autonomen Hyperkortisolismus

ACTH-Kurztest

Definition Stimulation der Steroide der NNR. Nachweis eines Steroidbiosynthesedefekts. Gerade Late-Onset-AGS-Veränderungen lassen sich oft nicht durch die einfache Serumbestimmung nachweisen.

Indikationen Hyperandrogenämie mit V. a. adrenale Genese, V. a. prim. o. sek. NNR-Insuff., Nachweis eines Enzymdefekts in der Nebenniere (V. a. AGS ▶ 19.3).

Durchführung
- 8:00 Uhr morgens nüchtern in der 1. Zyklushälfte Bestimmung von Kortisol, DHEA-S, 17α-OH-Progesteron, 17α-OH-Pregnenolon, 21-Desoxykortisol, 11-Desoxykortisol, Kortikosteron, Desoxykortikosteron
- Gabe von 25 IE ACTH (Synacthen® Injektionslsg.) i. v.
- Hormonbestimmung 30, 60 u. 120 min nach Injektion

Beurteilung
- Anstieg des Kortisol i. S. um > 100 ng/ml bzw. Verdopplung des Ausgangswertes nach 60 min schließt homozygoten Enzymdefekt weitgehend aus.
- Ein heterozygoter Enzymdefekt muss bei einem Anstieg von 17α-OH-Progesteron um > 2,5 ng/ml angenommen werden (▶ Tab. 17.2).

Tab. 17.2 Beurteilung des ACTH-Kurztests

	21α-Hydroxylase-Mangel (80 %)		11β-Hydroxylase-Mangel (10 %)		3β-Hydroxysteroid-Dehydrogenase-Mangel (10 %)	
	Nativ	60 min nach ACTH-Gabe	Nativ	60 min nach ACTH-Gabe	Nativ	60 min nach ACTH-Gabe
17α-Hydroxyprogesteron	normal bis ↑	↑ Δ > 2,5 ng/ml	normal bis ↑	normal	normal	normal
17α-Hydroxypregnenolon vs. 17α-Hydroxyprogesteron	normal	normal	normal	normal	normal bis ↑	↑
21-Desoxykortisol	normal bis ↓	↓	normal	normal	normal bis ↑	↑
11-Desoxykortisol	normal	normal	normal bis ↑	↑	normal	normal

Tab. 17.2 Beurteilung des ACTH-Kurztests *(Forts.)*	
Kortisol-Anstieg nach ACTH-Gabe	Beurteilung
≥ 20 µg/dl = 550 nmol/l (Δ > 100 ng/ml)	Normal: Ausschluss einer NNR-Insuff.
Überschießender Anstieg	M. Cushing
Abgeschwächter Anstieg	Sek. NNR-Insuff. 21α-Hydroxylase-Mangel
Kein Anstieg	NNR-Atrophie (Kortison-Dauertherapie?) M. Addison

Clomifen-Test

Indikation Überprüfung der hypothalamisch-hypophysären Funktion.

Durchführung Basale Blutentnahme am 5. ZT (LH u. Estradiol), Clomifen 50 mg/d p. o. (z. B. Clomifen ratiopharm® 2 × 1 Tbl.) vom 5.–9. ZT, Bestimmung von LH u. Estradiol am 10. ZT.

Beurteilung
- Pos.: Anstieg von LH u. Estradiol nach 5 d auf mind. das Doppelte
- Gleichzeitiger LH- u. Estradiolanstieg → intakte Hypothalamus-Hypophysen-Ovar-Achse
- LH-Ausschüttung ↑, Estradiol konstant → nicht ansprechende Ovarien
- Mangelhafter LH-Anstieg → Störung im Bereich von Hypothalamus u. Hypophyse

17.2.7 Zervixindex nach Insler (Insler-Score)

Indikationen Beurteilung der Zervixschleimqualität als indir. Parameter der Follikelreifung. Zur Beurteilbarkeit eines Postkoital-PCT, Sims-Huhner-) o. Postinseminationstests (PIT) muss der Zervix-Score mind. 8 Punkte betragen (▶ Tab. 17.3).

Prinzip Unter zunehmendem Östrogeneinfluss des heranreifenden Follikels (max. während Ovulation) nimmt die Zervixschleimmenge zu u. die Viskosität ab → Schleim wird spinnbar u. bildet beim Trocknen auf dem Objektträger Kristalle im Farnkrautmuster (▶ Abb. 17.5).

Tab. 17.3 Insler-Score				
Punktezahl	0	1	2	3
Zervikalsekretmenge	kein Sekret	wenig Sekret	vermehrt glänzender Tropfen im CK	reichlich Sekret fließt spontan aus dem CK
Muttermundweite	Geschlossen	geschlossen	teilweise offen, leicht sondendurchgängig	offen, Os externum klaffend
Spinnbarkeit	Keine	auf ¼ der Scheidenlänge	gut ½ der Scheidenlänge	sehr gut bis vor die Vulva

554 17 Sterilität

Tab. 17.3 Insler-Score *(Forts.)*				
Punktezahl	**0**	**1**	**2**	**3**
Farnkrautphänomen	keines	feine Linien an einigen Stellen	gutes Farnkrautphänomen mit seitlichen Verzweigungen	volles Farnkrautphänomen über das gesamte Präparat
Beurteilung	Periovulatorisch • optimal: 10–12 Punkte • mäßig: 8–10 Punkte • schlecht: < 8 Punkte			

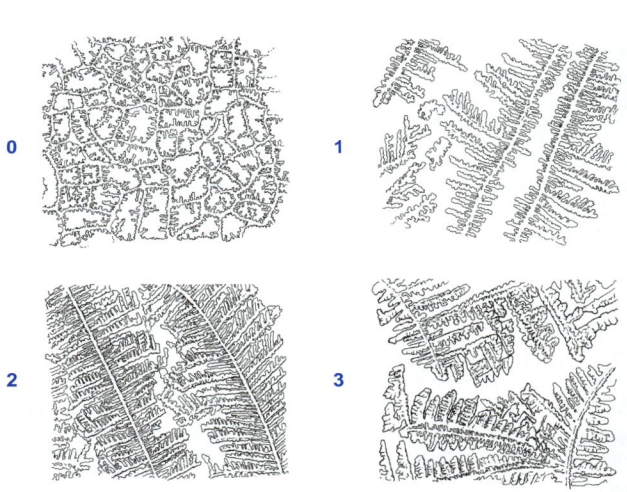

Abb. 17.5 Ausprägung des Farnkrautphänomens [L190]

17.2.8 Spermaanalyse (Spermiogramm)

▶ Tab. 17.4.

Tab. 17.4 Diagnostik des infertilen Mannes	
Anamnese	Genitale Vorerkr. (z. B. Mumps-Orchitis), genitale OPs
Klinische Untersuchung	Morphologie äußeres Genitale, Mammae (Gynäkomastie?), Behaarungstyp
Sonografie	Skrotalsono, ggf. transrektale Sono.: Veränderungen an Neben-/Hoden, Samenstrang, Prostata, Samenblasen
Endokrinologische Diagnostik	FSH, LH, Testosteron, Prolaktin, TSH

Tab. 17.4 Diagnostik des infertilen Mannes *(Forts.)*	
Ejakulationsdiagnostik	Spermiogramm (s. u.)
Genetische Diagnostik	Bei klin. u. anamnestischen Auffälligkeiten z. B. Chromosomenuntersuchung

> Ejakulat besteht aus Spermien u. Sekret der Samenblasen, Prostata u. in geringem Maße der bulbourethralen Cowper-Drüsen. Aufgrund hoher intraindividueller Schwankungsbreite mind. 2(–3) Spermiogramme während 3 Mon. untersuchen.

Ejakulat

Gewinnung Erfolgt unter standardisierten Bedingungen. Nach sexueller Karenzzeit von 2–7 d Gewinnung des Ejakulats am Ort der Untersuchung durch Masturbation u. Auffangen in einem sterilen Gefäß (ausnahmsweise auch körperwarmer Transport binnen max. 1–2 h möglich).

Bestimmung der folgenden Parameter (▶ Tab. 17.5; ▶ Tab. 17.6):
- Konsistenz
- Farbe
- Geruch
- pH-Wert
- Volumen
- Spermienkonzentration u. -dichte
- Spermienmotilität u. -morphologie
- Spermienvitalität
- Leukozytenkonzentration
- MAR-Test (MAR: „mixed antigobulin reaction")

> Spermienparameter außerhalb der Normwerte bedeuten nicht zwangsläufig Infertilität, da Übergänge fließend sind! Andererseits besteht ggf. gerade auch bei WHO 2010 bereits innerhalb der Norm eine reduzierte Fertilität; Grenzwerte entsprechen der 5. Perzentile (▶ Tab. 17.7)!

Tab. 17.5 Physikalisch-chemische Eigenschaften des Ejakulats		
Parameter	Normalwerte (WHO)	Interpretation
Ejakulatvolumen	2–8 ml	Maß für androgenabhängige funktionelle Aktivität der akzessorischen Geschlechtsdrüsen
Konzentration	> 15 Mio. Spermien/ml	normale Spermiogenese
pH-Wert	7,0–7,8	pH > 8 → V. a. akut entzündliche Adnexerkr.
Geruch	kastanienblütenähnlich	süßlich, faulig → V. a. bakt. Kontamination (z. B. *E. coli*)
Farbe	milchig-weiß	• gelblich-gallertig → Pyospermie • rötlich → Hämospermie
Verflüssigung	15–30 min	fehlende Verflüssigung bei path. Prostatasekret o. Verschluss der Bläschendrüsen

17 Sterilität

Tab. 17.6 Spermamotilität (WHO-Klassifikation 1999) [W798]

WHO-Gruppe	Beschreibung
A	Progressivmotilität ≥ 25 μm/s bei 37 °C Progressivmotilität ≥ 20 μm/s bei 20 °C
B	Progressivmotilität ≤ 25 μm/s bei 37 °C Progressivmotilität ≤ 20 μm/s bei 20 °C
C	Keine Progressivmotilität, < 5 μm/s
D	Vitale, immotile Spermatozoen

25 μm entsprechen 5 Kopflängen o. der Hälfte einer Schwanzlänge, Untersuchung an 200 Spermatozoen. Normal: Gruppe A > 25 % der Spermien, Gruppe A + B > 50 % der Spermien

Tab. 17.7 Referenzwerte für ein Spermiogramm nach WHO 2010 [W798]

Ejakulatvolumen	≥ 1,5 ml (1,4–1,7)
pH-Wert	≥ 7,2
Spermienkonzentration	≥ 15 Mio. Spermatozoen/ml
Spermiengesamtzahl	≥ 39 Mio. Spermatozoen
Beweglichkeit	≥ 40 % gesamt, 32 % progressiv motile Spermatozoen
Morphologie	Kein Referenzwert angegeben, aber der Hinweis, dass bei < 15 % Normalformen die Fertilisierungsraten in vitro absinken (früherer Referenzwert: mind. 30 % Normalformen)
Anteil lebender Spermien (Eosin-Test)	≥ 50 %
Spermatozoen-AK-Bestimmung	
MAR	< 50 % Spermien mit anhaftenden Partikeln
Immunobead-Test (IBT)	< 50 % Spermien mit anhaftenden Partikeln
Leukozyten	< 1 Mio./ml
α-Glukosidase	≥ 20 (mU/Ejakulat)
Fruktose	≥ 13 (μmol/Ejakulat)
Zink	≥ 2,4 (μmol/Ejakulat)

Beurteilung ▶ Tab. 17.8.

Tab. 17.8 Terminologie

Aspermie	Kein Sperma
Hypospermie	Zu wenig Sperma (< 2 ml)
Hyperspermie	Zu viel Sperma (> 8 ml)
Azoospermie	Keine Spermatozoen

Tab. 17.8 Terminologie *(Forts.)*	
Kryptozoospermie	Nur vereinzelt Spermatozoen (< 100.000 Spermien)
Oligozoospermie	< 15 Mio. Spermatozoen/ml
Polyzoospermie	> 250 Mio. Spermatozoen/ml
Asthenozoospermie	Verminderte Motilität < 50 % (Morphologie u. Anzahl o. B.)
Teratozoospermie	> 50 % abnorme Spermatozoen
Nekrozoospermie	Nur tote Spermatozoen
OAT-Sy.	Oligo-Astheno-Teratozoospermie

17.2.9 Postkoitaltest (PCT), Postinseminationstest (PIT), Kurzrok-Miller-Test

Postkoitaltest (Sims-Huhner-Test)

Indikation V. a. Penetrationsstörung der Spermien durch den Zervixmukus.

Differenzialdiagnosen Schlechte Mukusqualität durch ungenügende Östrogenstimulation (Dysmukorrhö); Zervizitis (Mykoplasmen, Chlamydien); Z. n. Zervixverletzung (z. B. Emmet-Riss); Z. n. Konisation; Sperma-AK.

Durchführung Periovulatorisch (Insler-Score > 8) Entnahme von etwas Zervixschleim, möglichst hoch aus dem CK 6–12 h nach Koitus; Beurteilung der Spermienbeweglichkeit u. -anzahl unter dem Mikroskop (Nativ auf Objektträger; 400-fache Vergrößerung).

Auswertung
- Pos.: > 7 vorwärts bewegliche Spermien pro Gesichtsfeld
- Eingeschränkt: 2–6 vorwärts bewegliche Spermien
- Neg.: unbewegliche o. keine Spermien

17.2.10 Hysteroskopie und Hysterokontrastsonografie

Hysteroskopie

Definition Uterusspiegelung zur Beurteilung des Cavum uteri.

Indikationen V. a. intrauterine Synechien, Septen, submuköse Myome, Korpuspolypen (Tubenostienfreiheit), Uterusfehlbildungen. V. a. Asherman-Fritsch-Sy.

Vorbedingung Durchführung in der 1. Zyklushälfte, vag. Desinfektion.

Durchführung
- Kurznarkose bei Mini-Hysteroskopie nicht erforderlich
- Palpation, Einstellung der Portio, Desinfektion, Einführen des Hysteroskops (Optik). Zervixdilatation bei Mini-HSK nicht erforderlich
- Auffüllung des Cavum uteri mit Ringer-Lsg. o. CO_2-Gas
- Beurteilung des Cavum uteri

Mit dem Hysteroskop sind auch gezielte Gewebsentnahmen, Abtragungen von Septen, Myomen u. Polypen möglich (bei erforderlicher monopolarer

Koagulation muss e'lytfreie Flüssigkeit zum Spülen u. zur Dilatation verwendet werden, z. B. Purisole®). Inzwischen sind bipolare Resektoskope verfügbar, Dilatation meist bis Hegar 9 erforderlich.

Hysterokontrastsonografie

Definition Narkosefreie sonografische Kontrastdarstellung des Cavum uteri u. der Tuben; heute bevorzugt ggü. Hysterosalpingografie (keine Strahlenbelastung), Komb. von Mini-Hysteroskopie möglich. Goldstandard bei V. a. Tubenverschluss ist aber die diagn. Laparoskopie mit Chromohydropertubation (aussagefähiger, keine Strahlenbelastung, aber OP-Belastung). (▶ 17.2.11).

Indikationen Darstellung des Cavum uteri bei V. a. intrauterine Adhäsionen (Synechien), Septen, Myome, V. a. Dehiszenzen nach Sectio. Ausschluss eines Tubenverschlusses u. Lokalisation desselben (z. B. intramural, isthmisch, ampullär).

Voraussetzung
- Durchführung in der 1. Zyklushälfte (7.–10. ZT)
- Ggf. antibiotische u./o. antiseptische Vorbehandlung der Vagina mit Vaginalzäpfchen (z. B. Fluomizin®, Vagihex®)
- Ausschluss entzündlicher Adnexerkr. (Palpation, BSG, Leukos, CRP)
- Ausschluss einer Kolpitis (Nativzytologie), Reinheitsgrad (▶ 13.3.5)

Durchführung
- Ggf. analgetische Vorbehandlung (Ibuprofen, Buscopan®); Schmerzen können Tubenspasmus auslösen
- Bimanuelle Untersuchung, gründliche Desinfektion von Vagina u. Portio
- Einführen eines blockbaren HKSG-Katheters
- Unter vag. Sono Insufflation von z. B. aufgeschäumtem Gelafundin®

Beurteilung Tuben durchgängig: KM fließt bds. in die freie Bauchhöhle ab.

> - NW: sehr selten Risiko der Keimverschleppung, KM-Unverträglichkeit
> - NW: häufig periodenartige Unterbauchschmerzen, Kreislaufreaktionen
> - Tubenspasmus kann Tubenverschluss vortäuschen (nicht bei Narkose)!
> - Falsch neg. Befunde auch bei starker Darmüberlagerung möglich
> - Hohe untersucherabhängige Varianz

17.2.11 Diagnostische Laparoskopie mit Chromopertubation

Definition Bauchspiegelung zur Beurteilung des inneren Genitales u. gleichzeitiger Überprüfung von Tubendurchgängigkeit u. Eiabnahmemechanismus.

Indikationen V. a. Tubenverschluss, Verwachsungen im kleinen Becken mit Behinderung des tubaren Eiabnahmemechanismus, Endometriose, Genitalfehlbildung, vor Refertilisierungs-OP, Unterbauchschmerzen unklarer Ursache, Ovarialtumoren (PCO).

Voraussetzung
- Durchführung in der 1. Zyklushälfte
- Antibiotische u./o. antiseptische Vorbehandlung der Vagina mit Vaginalzäpfchen (Fluomizin®, Vagihex®)
- Ausschluss einer Kolpitis (Nativzytologie), Reinheitsgrad (▶ 13.3.5)

Durchführung Zusätzlich Anlegen des Schultze-Apparats an die Portio o. intrauterin kleinen Blasenkatheter o. Foley-Katheter (Ch. 8) einlegen u. blocken. Spritzen von Methylenblau (mit Ringer-Lsg. verdünnt 1 : 100 bzw. 1 : 1.000) über den Adapter unter laparoskopischer Kontrolle des Blauaustritts aus dem Fimbrientrichter.

17.3 Normaler Zyklus

17.3.1 Definition

Zeitspanne zwischen dem 1. Tag der Menses u. dem Tag vor Einsetzen der nächsten Menstruationsblutung. Dauer 28 ± 3 d (▶ 15.1.1).
Während der Geschlechtsreife der Frau unterliegt die hormonelle Stimulation zyklischen Schwankungen. Die erste Zyklushälfte (Follikelphase) ist durch die Wirkung des von den heranreifenden Follikeln produzierten Östrogens charakterisiert, während die 2. Zyklushälfte (Lutealphase) nach der Ovulation (Eisprung) durch das vom Gelbkörper produzierte Progesteron bestimmt wird.
Schwankungen der Zyklusdauer spielen sich überwiegend in der Follikelphase ab, während die Lutealphase weitgehend konstant 12–14 d beträgt.

17.3.2 Physiologie

Dem ovariellen Regelkreis gehören an: Hypothalamus, Hypophyse (Adenohypophyse) u. Ovarien (▶ Abb. 17.6).

Die pulsatile Freisetzung des Gonadotropin-Releasing-Hormons (GnRH) induziert Synthese, Speicherung u. eine ebenfalls pulsatile Ausschüttung der Gonadotropine FSH u. LH aus dem HVL.

Die GnRH-, FSH- u. LH-Ausschüttung wird durch die Steroidhormonkonz. im Blut über pos. u. neg. Feedbackmechanismen reguliert. Als Folge der abfallenden Hormonproduktion des zugrunde gehenden Gelbkörpers bewirkt der prämenstruelle FSH-Anstieg die Stimulation einer neuen Follikelgeneration. LH stimuliert die Androgenproduktion in den Granulosazellen. FSH stimuliert das Follikelwachstum u. induziert die Aromatisierung von Androgenen zu Östrogenen in den Granulosazellen. FSH u. Östrogene führen synergistisch zu einem Anstieg der FSH-Rezeptoren am Follikel (▶ Abb. 17.7).

Nach Selektion des dominanten Follikels (genauer Mechanismus nicht bekannt) bewirkt dessen stark ansteigende Estradiolproduktion (Sekretion) durch einen neg. Feedbackmechanismus eine Unterdrückung der FSH-Sekretion u. eine Atresie der anderen stimulierten Follikel, begleitet von einem langsamen Anstieg der LH-Spiegel.

Eine ausreichend hohe Estradiolkonz. induziert in Zyklusmitte über einen pos. Feedbackmechanismus den sog. LH-Peak, durch den es ca. 34–36 h später zur Ovulation u. Luteinisierung der Granulosazellen kommt. Der Rest des Follikels wird vaskularisiert; es entsteht das Corpus luteum, das seine größte Aktivität am 7.–8. Tag nach dem LH-Gipfel mit einer tgl. Produktionsrate von ca. 25 µg/l Progesteron erreicht. Bleibt eine Konzeption aus, bildet sich das Corpus luteum ca. 2–3 d vor Beginn der Menses zurück, was zur Hormonentzugsblutung u. zum erneuten Anstieg des FSH u. damit zur Stimulation einer neuen Follikelgeneration führt (Hormonregulation, ▶ Abb. 17.6).

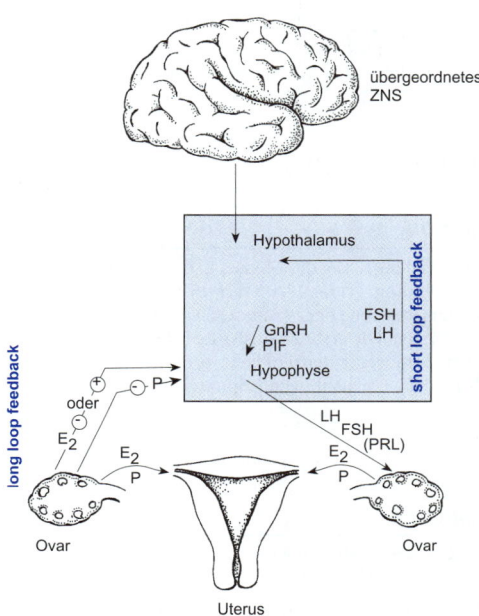

Abb. 17.6 Hormonregulation zwischen Hypothalamus, Hypophyse und Ovar [L190]

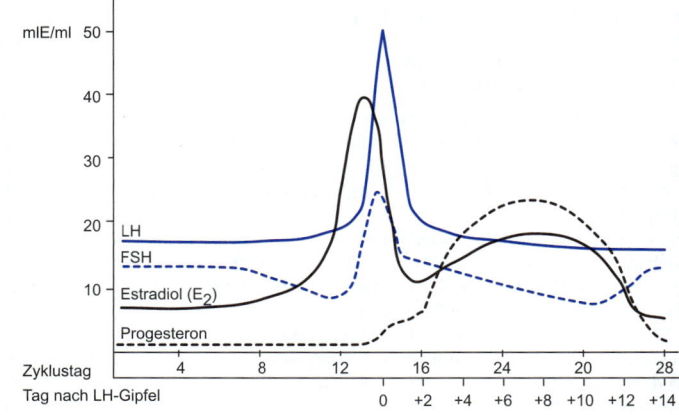

Abb. 17.7 Hormonverlauf im normalen weiblichen Zyklus [L190]

17.4 Sterilitätsursachen und Therapie

17.4.1 Ursachen

Die Ursachen der Sterilität sind vielfältig u. können neben den weiblichen Faktoren mit uterinen, tubaren, ovariellen o. hormonellen Ursachen auch die männlichen u. häufig auch die komb. Probleme einschließen. Eine Ovarialinsuff. kann im Bereich von Hypothalamus, Hypophyse, Ovarien, Nebenniere (NN) o. Schilddrüse liegen. Corpus-luteum-Insuff., Anovulation, Oligo- u. Amenorrhö sind Ausdruck der zunehmenden Ovarialinsuff. in Abhängigkeit von der Schwere der zugrunde liegenden Störung (Diagnostikschema, ▶ Abb. 17.8).

17.4.2 Primäre Ovarialinsuffizienz

Primäre Ovarialinsuffizienz

Diagnostik Allg. ▶ 17.2; FSH, LH, AMH, Estradiol, US, ggf. Laparoskopie, Chromosomenanalyse, Rö-Handaufnahme (Knochenalter); Nieren-Sono, i. v. Pyelogramm (Fehlbildungen von Nieren u. ableitenden Harnwegen).

Therapie Komb. Östrogen-Gestagen-Ther. (z. B. Cyclo-Östrogenal®, Cyclo-Progynova®, o. transdermal z. B. mit Gynokadin® 1–2 Hübe u. Utrogest® 100 mg/d); op. Entfernung der Gonaden bei 46,XY, da hohes Entartungsrisiko (> 30 %). Op. Scheidenplastik (Neovagina); bei hyposensitiven Ovarien manchmal hoch dosierte FSH/HCG-Ther. zur Behandlung der Sterilität erfolgreich!

Reine Gonadendysgenesie

Definition Familiär gehäufte, isolierte Gonadendysgenesie infolge einer Entwicklungsstörung ohne zusätzliche Fehlbildungen.

Klinik Amenorrhö, Mammae u. Genitale hypoplastisch.

Diagnostik FSH u. LH ↑, AMH ↓, Estradiol (E_2) ↓. Chromosomal 46,XX.

Testikuläre Feminisierung

Definition „Hairless woman" o. Pseudohermaphroditismus masculinus infolge angeborener Androgenresistenz verschiedener hormonabhängiger Gewebe. Häufigkeit 1 : 20.000.

Klinik Normaler weibl. Habitus, Fehlen der Axillar- u. Schambehaarung, prim. Amenorrhö, Sterilität, Hochwuchs, Leistenhoden, Uterus u. Ovarien fehlen.

Diagnostik Mammae o. B., FSH u. LH normal, Estradiol ↓. Chromosomal 46,XY; männliche Testosteronspiegel.

Ullrich-Turner-Syndrom

Definition Intersexform bei gonosomaler Monosomie, häufig mit weiteren Fehlbildungen kombiniert. Häufigkeit: 1 : 2.500–7.500.

Klinik Prim. Amenorrhö, Mammae, äußeres Genitale u. Uterus hypoplastisch, Kleinwuchs, Pterygium colli, Schildthorax, tiefer Haaransatz im Nacken, Nierenfehlbildungen.

Diagnostik FSH u. LH ↑, AMH ↓, Estradiol ↓. Chromosomal 45,X0 o. Mosaik 46,XX/45,X0.

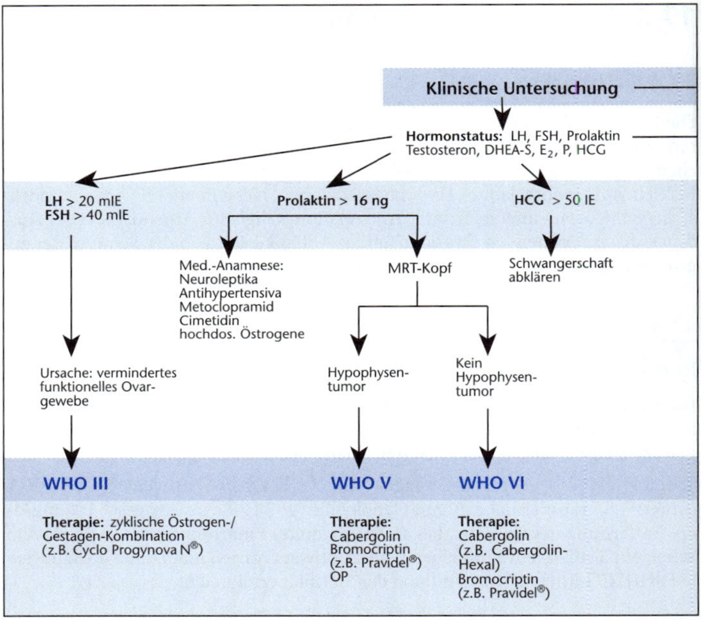

17 Sterilität

Abb. 17.8a Schema zur Amenorrhö-Diagnostik mit WHO-Klassifikation [L190]

Swyer-Syndrom

Definition Genetische, ausschließlich die Gonaden betreffende Entwicklungsstörung.

Klinik Prim. Amenorrhö u. Sterilität, hypoplastische Scham- u. Axillarbehaarung; hypo- o. aplastische Mammae, Klitorishypertrophie, Vulva sonst normal, Uterushypoplasie, Streak-Gonaden (strangförmige, rudimentäre Gonadenanlagen).

Diagnostik FSH u. LH ↑, AMH ↓, Estradiol ↓. Chromosomal 46,XY.

 Bes. hohes Entartungsrisiko der Gonadenrudimente (> 30 %).

Ovarhypoplasie

Definition „Climacterium praecox", prämature Ovarialinsuff., vorzeitige ovarielle Erschöpfung.

Klinik FSH u. LH ↑, AMH ↓, Estradiol ↓, klimakterische Beschwerden, sek. Amenorrhö.

Hyposensitive Ovarien (Resistant-Ovary-Syndrom)

Definition Gonadotropin-Rezeptoren im Ovar vermindert (immunol.? chromosomal?).

17.4 Sterilitätsursachen und Therapie

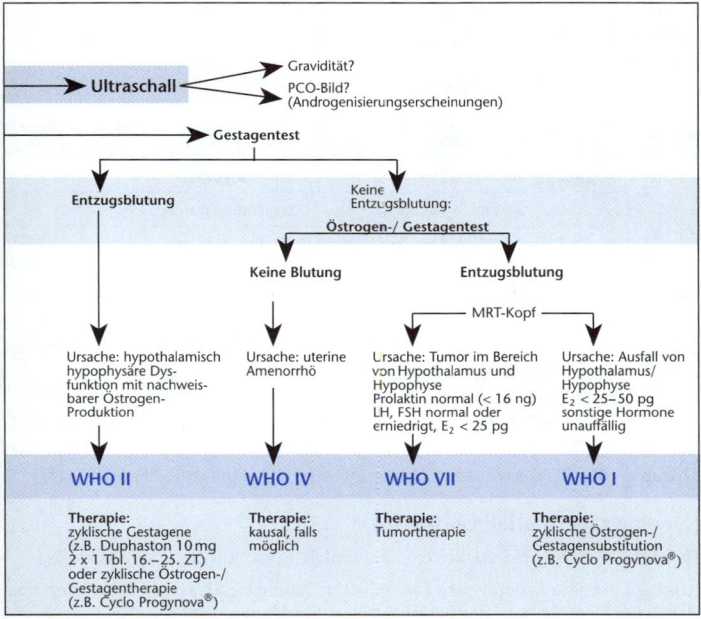

Abb. 17.8b Schema zur Amenorrhö-Diagnostik mit WHO-Klassifikation [L190]

Klinik Amenorrhö.

Diagnostik FSH u. LH ↑, Estradiol schwankend.

> **Ausnahme**
> Gynatresie (Mayer-Rokitansky-Küster-Sy. ▶ 20.7.8), rudimentärer Uterus u. Scheidenaplasie (obere ⅔) infolge einer Hemmungsfehlbildung.
> - **Klinik:** prim. Amenorrhö u. Sterilität, Kohabitationsunfähigkeit, Mammae u. Ovarien normal
> - **Diagn.:** FSH, LH u. Estradiol o. B.; gehäuft Aortenaneurysmen, Nierenfehlbildungen. Chromosomal 46,XX

17.4.3 Sekundäre Ovarialinsuffizienz

Hypothalamische Ovarialinsuffizienz

Definition Verminderte GnRH-Sekretion o. Störung der pulsatilen Freisetzung.

Ätiologie Ausgeprägter psychogener Stress, Hunger („Notstand"), Anorexia nervosa, Tumoren, traumatische Läsionen, Meningoenzephalitiden, Kallmann-Sy. (verminderte o. fehlende GnRH-Sekretion mit Anosmie bei Aplasie des Bulbus olfactorius). Medikamente, z. B. Psychopharmaka (Phenothiazine).

Klinik Corpus-luteum-Insuff., Oligo-, Amenorrhö, Gewichtsschwankungen (Abnahme), Kopfschmerzen, Schwindel, Seh- (Tumoren) u. Riechstörung (Kallmann-Sy.).
Schweregradeinteilung ▶ Tab. 17.9.

Tab. 17.9 Schweregradeinteilung der hypothalamischen Ovarialinsuffizienz			
Grad	I	Gestagen-Test pos.	Clomifen-Test pos.
	II	Gestagen-Test pos.	Clomifen-Test neg.
	III	Gestagen-Test neg.	Clomifen-Test neg.
	III a, b, c	GnRH-Test ▶ 17.2.6	

Diagnostik FSH, LH, Estradiol, Prolaktin, Gestagen-, Clomifen- u. GnRH-Test (▶ 17.2.6), ggf. Bildgebung (z. B. MRT).
Die Diagn. darf erst nach Ausschluss aller anderen Ursachen (Hyperandrogenämie, Hyperprolaktinämie, Hyper- o. Hypothyreose, Diab. mell., M. Cushing) gestellt werden.

Therapie Bei Kinderwunsch Clomifen, HMG/HCG, pulsatile LH-RH-Ther.

Hypophysäre Ovarialinsuffizienz

Definition Häufig bei unzureichender GnRH-Sekretion des Hypothalamus.

Ätiologie Echte hypophysäre Ovarialinsuff. häufig durch Hypophysenadenome, die durch Verdrängung des funktionstüchtigen Hypophysengewebes zum Hypogonadotropismus führen.
- Tumoren: Prolaktinom (Prolaktin ↑), eosinophiles Adenom (STH ↑ → Akromegalie), basophiles Adenom (ACTH ↑ → M. Cushing), Kraniopharyngeom (hormonell inaktiv)
- HVL-Insuff. („idiopathisch", Stress, Psychopharmaka): verminderte Hormonsekretion, gestörte (fehlende) Pulsation von FSH- u. LH-Sekretion
- Sheehan-Sy. ▶ 19.4

Klinik Amenorrhö. Bei Sheehan-Sy. Adynamie, Agalaktie (p. p.!), verminderte Achsel- u. Schambehaarung, Pigmentverlust, Libidoverlust (▶ 19.4).

Diagnostik
- Hormontests: Gestagen-, Clomifen-, LH-RH- u. TRH-Test, Kortisol-Tagesprofil, ACTH-Dexamethason-Test, MRT, Gesichtsfelduntersuchung
- Testauswertung: Zytologie u. Endometrium atrophisch, FSH, LH, E_2 ↓, Gestagen-Test neg., im LH-RH- u. Clomifen-Test schwache o. keine Gonadotropinfreisetzung, normale Reaktion des Ovars auf HMG-Stimulation → hypophysäre Ovarialinsuff.
  - Zusätzlich Prolaktin ↑ → Prolaktinom
  - Zusätzlich STH ↑ → eosinophiles Adenom
  - Zusätzlich ACTH ↑ → basophiles Adenom
  - Zusätzlich TSH ↓, ACTH ↓ → Sheehan-Sy.

Therapie Hormonsubstitution, z. B. Cyclo-Progynova®, transdermal z. B. mit Gynokadin® 1–2 Hübe u. Utrogest® 100 mg/d. Bei Kinderwunsch FSH niedrig dosiert z. B. 50 IE, beginnend vom 3. ZT (Dosis nach Effekt; serol. E_2-Kontrolle, Ultraschall), bis zur Follikelreifung (18–20 mm). HCG 5.000–10.000 IE i. m. zur Ovulationsauslösung.

Hyperprolaktinämische Ovarialinsuffizienz

Definition Im Rahmen der Sterilitätsabklärung ist die Prolaktinbestimmung unbedingt erforderlich, da ca. 20 % der Pat. mit Amenorrhö o. a. Zyklusunregelmäßigkeiten eine Hyperprolaktinämie aufweisen.

Pathogenese Eine Hyperprolaktinämie bewirkt:
- Verminderte Sekretion von FSH u. LH
- Störung der pulsatilen LH-Sekretion
- Verminderte Reaktionsfähigkeit des Ovars auf FSH u. LH
- Stimulation der Milchdrüsen

Ätiologie
- **Physiol.:** Stress, Hypoglykämie, körperliche Arbeit, Reizung der Brustwarzen (Mammapalpation?), Koitus, Grav., postpartale Laktation, Schlaf (auf dem Bauch liegend)
- **Weitere Ursachen:** Chiari-Frommel-Sy. (p. p. persistierende Galaktorrhö u. Amenorrhö), Hypophysentumoren, Sarkoidose, Hypophysenstieldurchtrennung, Leberzirrhose, Nierenversagen, Enzephalitis, ektope Sekretion maligner Tumoren, prim. Hypothyreose (stimulierender Einfluss von TRH auf die Prolaktinzelle)

Klinik Corpus-luteum-Insuff., Anovulation, sek. Oligo-, Amenorrhö, Polymenorrhö, Sterilität, Galaktorrhö, Gesichtsfeldausfälle (Hirsutismus).

Diagnostik
- LH, FSH, fT_3, fT_4, basales TSH, Prolaktin (▶ Tab. 17.10), Sella-Rö-Schichtaufnahme (Tumor?), CCT, Gesichtsfelduntersuchung, evtl. MRT (Makroprolaktinämie)
- Mikroprolaktinom: (< 1 cm Ø, Prolaktin häufig > 50–250 µg/l bzw. 1.060–5.700 U/l): normale Sella turcica o. sehr diskrete Veränderungen
- Makroprolaktinom (> 1 cm Ø, Prolaktin häufig > 250 µg/l bzw. 5.300 U/l): generell Vergrößerung der Sella turcica

Tab. 17.10 Normwerte Prolaktinspiegel

Prolaktinspiegel	µg/l, ng/ml	mIU/ml
Nicht schwanger	3,9–25,4	102–496
Schwangerschaft 1. Trim.	≤ 50	200–4.050
Schwangerschaft 2. Trim.	≤ 100	950–5.640
Schwangerschaft 3. Trim.	≤ 200	1.100–7.400
Stillende Frauen	< 42	< 870
Postmenopause	1,8–20,3	102–496

Medikamente/Substanzen, die eine Hyperprolaktinämie verursachen können
- Phenothiazine (z. B. Atosil®, Neurocil®)
- Trizyklische Antidepressiva (z. B. Saroten®)
- Butyrophenone (z. B. Haldol®)
- Thioxanthen-Derivate (z. B. Truxal®)
- Methyldopa (z. B. Presinol®)
- Metoclopramid (z. B. Paspertin®)

- Ovulationshemmer (▶ 18.4.1, ▶ 18.5)
- Cyproteronacetat (z. B. Androcur®)
- Cimetidin (Tagamet®)
- Domperidon (Motilium®)
- Heroin, TRH

Therapie ▶ Tab. 17.11.
- **Dopaminagonisten:**
  - 1. Wahl: Cabergolin, Dosierung stufenweise ansteigend 0,25–3 mg/Wo. In Einzelfällen weitere Dosissteigerung bis 11 mg/Wo. erforderlich (z. B. Dostinex®), Einnahme nach dem Essen, Hauptdosis abends (NW: Hypotonie!) **oder:**
  - Bromocriptin (z. B. Pravidel®), Dosierung stufenweise ansteigend über 1–2 Wo. von 2,5 mg/d p. o. bis 10–15 mg/d p. o. **NW:** Hypotonie (14 %), Synkope, Übelkeit, Erbrechen, Magen-Darm-Beschwerden, Appetitlosigkeit, Müdigkeit etc.
  oder:
  - Lisurid 0,5 mg/d p. o. (z. B. Dopergin®)
  - Bei Makroadenomen in 50–80 % Dauerther. erforderlich u. zur präop. Tumorverkleinerung. Bei Therapieresistenz zunächst Steigerung der Dosis bis zum max. Tolerablen vor OP
- **Transsphenoidale selektive Adenomektomie:** dringend indiziert:
  - Vor einer Schwangerschaft bei **therapieresistenten** Makroadenomen
  - Bei raschem Gesichtsfeldausfall
  - Bei schnellem Adenomwachstum
  - Bei Dopaminagonisten-Unverträglichkeit
- ! Radiother. nur noch bei Versagen der op. u. medikamentösen Behandlung bei Makroadenomen indiziert

Tab. 17.11 Dosierung von Bromocriptin und Lisurid in Abhängigkeit vom Prolaktinspiegel

Prolaktinspiegel		Bromocriptin-Dosis (z. B. Pravidel®; g/d p. o.)	Lisurid-Dosis (z. B. Dopergin®; g/d p. o.)
U/l	µg/l		
496–630	25–30	1 × 2,5	1 × 0,1
630–840	30–40	2 × 2,5	2 × 0,1
840–1.260	40–60	2 × 5	2 × 0,2
1.260–2.100	60–100	3 × 5	3 × 0,1
> 2.100	> 100	3 × 5–10	3 × 0,1–0,2

Prolaktinom und Schwangerschaft

Das Prolaktinom stellt keine generelle Gegenindikation für das Eintreten einer Schwangerschaft dar. Laborwerte ▶ Tab. 17.10.

Veränderung von Prolaktinomen während der Schwangerschaft
- **Mikroprolaktinome**: 4–5 % asympt. Tumorvergrößerung, 1–2 % sympt. Tumorvergrößerung (Sehstörungen, Kopfschmerzen)

- **Makroprolaktinome:** ca. 9 % asympt. Tumorvergrößerung ca. 15 % Tumorvergrößerung mit Symptomen

Monitoring Gesichtsfeldüberprüfung u. ggf. MRT bei Kopfschmerzen u./o. Visusstörungen (keine Prolaktinbestimmung, da in Grav. kaum zu interpretieren!).

Therapie Entfällt bei asympt. Mikroprolaktinom o. Makroprolaktinom, sonst bei Gesichtsfeldausfall, Wachstumsprogredienz des Tumors.
- **Prolaktinhemmer:** in Absprache mit Neurochirurgen z. B. Bromocriptin 2 × 5 mg/d p. o. (z. B. Pravidel®) o. Cabergolin 0,25–3 mg/Wo. **NW auf die Schwangerschaft:** bisher keine kongenitalen Defekte bekannt, normale körperliche u. geistige Entwicklung der Kinder
- **Chir. Intervention** nur in ausgewählten Fällen

! Stillen ist sowohl bei Mikro- als auch bei Makroprolaktinomen möglich.

Hyperandrogenämische Ovarialinsuffizienz

Definition Das i. R. der Sterilitätsbehandlung wichtigste, mit Hyperandrogenämie einhergehende Krankheitsbild ist das **Sy. der polyzystischen Ovarien (PCOS),** früher Stein-Leventhal-Sy. Das PCOS ist in 40–60 % vergesellschaftet mit einer NNR-Hyperplasie (DHEA-S), in 20 % mit einer leichten Begleithyperprolaktinämie (Prolaktin); DD der Hyperandrogenämie ▶ 19.4.
Zwei der folgenden Kriterien müssen erfüllt sein: 1. PCO-Bild, 2. Oligo- o. Anovulation, 3. klin. o. laborchem. Zeichen eines Hyperandrogenismus (nach Ausschluss anderer Endokrinopathien) (entsprechend der Konsensuskonferenz der European Society of Human Reproduction and Embryology [ESHRE] u. der American Society for Reproductive Medicine [ASRM]).

Pathogenese Weitgehend ungeklärt, vermutlich führt eine vermehrte gemischt adrenale u. ovarielle Androgenproduktion (Aromatasemangel der Granulosazellen?) über eine extraglanduläre Umwandlung in Estron u. Estradiol durch einen pos. Feedbackmechanismus zu erhöhten LH-Werten, die wiederum die Androgenproduktion stimulieren. Häufig bei Adipositas (▶ Tab. 17.12).

Klinik Amenorrhö (15–77 %), Oligomenorrhö, Sterilität (35–94 %), Adipositas, Hirsutismus, Vergrößerung der Ovarien auf das 2- bis 5-Fache mit glatter, verdickter Kapsel, zahlreichen, oberflächlich gelegenen kleinen Follikeln (US-Befund) u. Vermehrung der Theca interna. Akne, Seborrhö (▶ Abb. 17.9).

Diagnostik LH ↑, FSH normal, LH-/FSH-Quotient > 2, AMH, Testosteron, Androstendion, Dihydrotestosteron u. 17α-OH-Progesteron ↑, DHEA-S ↑ o. nor-

Tab. 17.12 Adipositas: Stadieneinteilung (BMI) [W798]	
Normalgewicht	18,5–24,9
Mäßiges Übergewicht	25,0–29,9
Adipositas Grad I	30,0–34,9
Adipositas Grad II	35,0–39,9
Adipositas Grad III	≥ 40,0

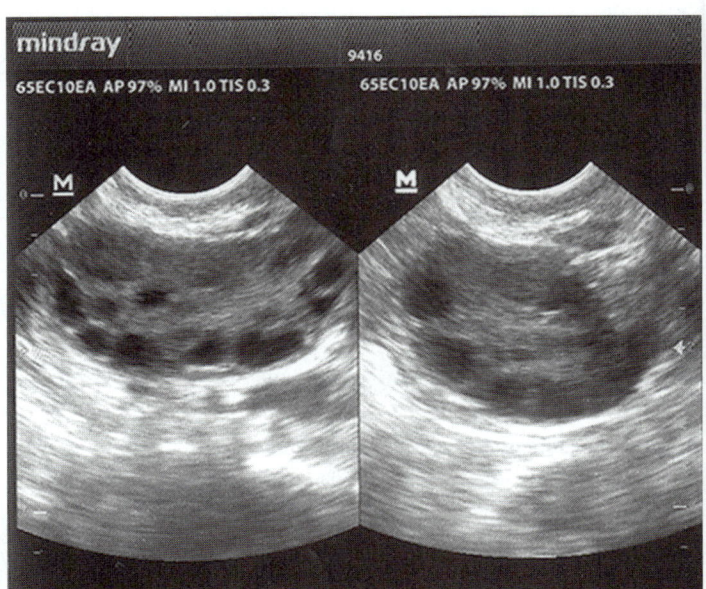

Abb. 17.9 Typisches vaginalsonografisches Bild eines PCOS mit vielen kleinen randständigen Follikeln [M453]

mal. SHBG, Progesteron, Estradiol, Prolaktin, Ultraschall (typisches PCO-Bild zu Zyklusbeginn am 1.–3. ZT), Laparoskopie (weißlich-glatt, fibrosierte Kapsel).

Therapie Bei Kinderwunsch:
- **Lifestyle-Modifikation mit Gewichtsreduktion, Low-Carb-Diät, Sport.**
- **Clomifen:** 50–100 mg/d p. o. vom 5.–9. ZT (z. B. Clomifen ratiopharm®) **oder:**
- **FSH/HCG:** vom 3.–5. ZT bis zur ausreichenden Follikelstimulation Startdosis 50 IE/d s. c.; evtl. alternativ Stimulation mit HMG 75 IE/d s. c. **Cave:** schlechte Steuerbarkeit mit enger ther. Breite mit Überstimulationssy. (OHSS) u. höhergradiger Mehrlingsgrav.! Hoher zeitlicher u. finanzieller Aufwand.
- **Metformin bei Insulinresistenz** (Dos. ▶ Tab. 17.13), Einnahme bis Eintritt der Schwangerschaft. Therapievorlauf ca. 5 Wo. vor Beginn des Zyklusmonitorings (**cave:** Off-Label-Use → Privatrezept). Zum Ausschluss einer (latent) diab. Stoffwechsellage vorher oGTT (▶ 5.2.6). Bei auffälligem oGTT o. zuvor Abklärung Insulinresistenz durch Bestimmung HOMA-Index (HOMA-Index = Insulin (nüchtern, µU/ml) × BZ (nüchtern, mg/dl)/405; Insulinresistenz bei > 2,5) Vorstellung beim Diabetologen bei Auffälligkeit! GI-NW (Übelkeit, Diarrhö) können zum Therapieabbruch führen.
- **Myo-Inositol** 2 mg u. 200 µg Folsäure (Clavella®) als Nahrungsergänzungsmittel in manchen Studien gleich effektiv wie Metformin, besser verträglich.
- **Glukokortikoide:** Dexamethason 0,25–0,75 mg/d p. o. abends (z. B. Fortecortin®) o. Prednison 5 mg/d p. o. (z. B. Prednisolon®) zusätzlich v. a. bei adrenaler Komponente.

17.4 Sterilitätsursachen und Therapie

Tab. 17.13 Metformin: Dosierung

Körpergewicht	1. Wo. (mg/d)	2. Wo. (mg/d)
< 60 kg	1 × 500	2 × 500
> 60 kg	1 × 850	2 × 850
> 100 kg o. BMI > 35,0	1 × 1.000	2 × 1.000

- **Pulsatile GnRH-Behandlung:** etwa 2,5–20 µg GnRH/Puls alle 90–120 min über GnRH-Pumpe i. v. (z. B. Zyklomat® mit Lutrelef® 3,2 mg), Off-Label u. sehr teuer.
- **OP in Ausnahmefällen:** Laparoskopie u. punktuelle Koagulation der Ovarialkapsel u. der oberflächlichen Follikel (nach Gjönnaess) o. sog. „Laserdrilling". Erfolg beruht wohl auf der Verminderung von androgenproduzierendem Ovarialgewebe, ist aber nicht von langer Dauer (Kinderwunsch bald realisieren). **Cave:** erhebliche Reduktion der ovariellen Reserve möglich!

Lutealphaseninsuffizienz (LPI; Corpus-luteum-Insuffizienz)

Definition Die LPI ist kein eigenständiges Krankheitsbild, sondern Symptom unterschiedlicher Formen der Ovarialinsuff. Bei Frauen mit Fertilitätsstörungen u. habituellen Aborten liegt sie in mehr als 15 % vor.

Pathogenese Die LPI ist immer Folge einer aus unterschiedlichen Gründen gestörten Follikelreifung: Störung der pulsatilen GnRH-Sekretion, FSH prä- u. postmenstruell ↓, Hyperprolaktinämie, Hyperandrogenämie, Hypo- u. Hyperthyreose, Diab. mell.

Klinik Prämenstruelle Schmierblutungen, treppenförmiger Temperaturanstieg, verkürzte hypertherme Phase (< 10 d) (▶ Abb. 17.10), Serum-Progesteron ↓ (< 10 µg/l), Diskrepanz der Endometriumentwicklung zur Zyklusphase im histol. Befund > 2 d.

Diagnostik BTK, Progesteronspiegelbestimmung am 4., 6. u. 8.–10. hyperthermen Tag (Mittelwert > 10 µg/l) (▶ 17.2.10). Zyklusmonitoring (▶ Abb. 17.11).

Therapie Verbesserung der Follikelphase durch:
- **Clomifen** 50–150 mg/d p. o. vom 5.–9. ZT (z. B. Clomifen ratiopharm®)
- **FSH-Stimulation** mit Ovulationsauslösung durch 10.000 IE HCG. Bei weiterbestehender Insuff. HCG-Substitution in der 2. Zyklushälfte, z. B. ab 3. hy-

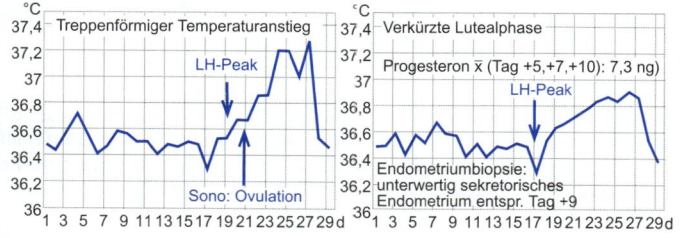

Abb. 17.10 BTK bei Lutealphaseninsuffizienz [L190]

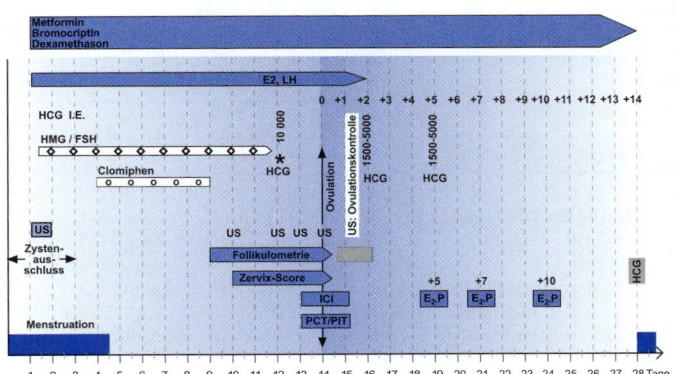

Abb. 17.11 Zyklusmonitoring [L157]

perthermen Tag 1.500–2.500 IE/d o. 5.000 IE am Tag +2 u. +5 nach Ovulation. **Cave:** HCG-Substitution nur unter sonografischer Ovarkontrolle, da Zystenentstehung u. OHSS möglich (▶ 17.4.4). **Cave:** Nach HCG-Injektion wird der Schwangerschaftstest falsch positiv!
- **Progesteronsubstitution** (Utrogest®, Progestan®, Famenita®): 2–3 × 1–2 Tbl. vag. (Resorption u. Verträglichkeit bei vag. Applikation besser) Lutinus®, Crinone® vag.; Prolutex® s. c.

LUF-Syndrom („luteinized unruptured follicle")

Definition Nach regelrechter Follikelreifung bleibt die Ovulation aus (Eizelle verbleibt im Follikel), und es kommt zur Luteinisierung des nicht gesprungenen Follikels. Häufigkeit: sporadisch in ca. 5 % der Zyklen, bei Sterilitätspat. in ca. 10 %.

Ätiologie Die Ätiologie ist noch unklar; häufig E_2- u. LH-Gipfel am selben Tag. FSH bleibt über den Ovulationszeitpunkt hinaus ↑. Vermehrt bei Endometriose u. Adhäsionen im kleinen Becken u. bei Frauen mit hoher Stressbelastung. Häufig sog. „ungeklärte Sterilität".

Klinik Unterbauchschmerzen (bei LUF-Zysten), Zyklustempostörungen.

Diagnostik
- Sono: Follikelpersistenz über Ovulationszeitpunkt hinaus, keine freie Flüssigkeit im Douglas-Raum. Zyste, die wenige Tage nach LH-Anstieg echodichter wird u. evtl. mit einem „soliden Ovarialtumor" verwechselt werden kann
- Hormone: Progesteronspiegel selten normal, meist ↓ (< 5 µg/l); BTK: Lutealphase normal

Therapie Sono: Zystenkontrolle zu Beginn des nächsten Zyklus. Sollte die LUF-Zyste noch vorhanden sein → Gabe eines gestagenbetonten OH (z. B. Marvelon®, ▶ 18.4.1, ▶ 18.5). Sollte zum nächsten Zyklusbeginn die LUF-Zyste immer noch zu sehen sein ggf. → für 1 Mon. Gestagenther., z. B. MPA 2 × 5 mg/d p. o. (MPA Gyn®).

Bisher kein sicheres Therapiekonzept zur Rezidivvermeidung möglich: Clomifen, FSH/HCG, In-vitro-Fertilisation.

17.4.4 Therapie der Follikelreifungsstörung

Antiöstrogene
Unter den Antiöstrogenen weist Clomifen die höchste Ovulations- (75 %) u. Schwangerschaftsrate (35 %) auf.

Dosierung Clomifen (Clomhexal®): Standard 50 mg/d, kann ggf. bis 150 mg mg/d p. o. gesteigert werden; vom z. B. 5.–9. ZT.

Wirkmechanismus Stimulation der GnRH-Sekretion des Hypothalamus führt über einen LH- u. FSH-Anstieg zur Follikelreifung.

Nebenwirkungen Ungünstige Wirkung auf Zervixschleim, Mehrlingsschwangerschaften (2–30 %), Abort (20–25 %), Hitzewallungen, Unterleibsschmerzen, Schwindel, Brustspannen, Gewichtszunahme, Kopfschmerzen (dosisabhängig). Keine erhöhte Fehlbildungsrate.
Falls unter Clomifen-Stimulation eine Dysmukorrhö auftritt: Estradiol (z. B. Estradiol 2-1 A Pharma®) 1–0–1 als Vaginaltbl. zugeben. Ovulation mit 5.000–10.000 IE HCG (z. B. Brevactid®) auslösen. Bei immer noch schlechtem Zervixmukus o. niedrigem Endometrium (< 8 mm) Estradiol 2–0–2 Tbl. intravag. o. IUI (**cave:** vag. Anwendung ist „Off-Label-Use").

Gonadotropine
Definition FSH frei dosierbar über Pen o. „Multidose" (Gonal®, Ovaleap®, Puregon®):
- HMG: LH/FSH, Amp. je 75 IE/ml (Menogon®)

Zur Stimulation der Ovarialfunktion wird menschliches postmenopausales Gonadotropin verwandt (HMG), das zu etwa gleichen Teilen FSH u. LH enthält. Pat. mit PCO (erhöhte endogene LH-Spiegel) können auch mit reinem FSH stimuliert werden. Zur Ovulationsauslösung verwendet man HCG (z. B. Ovitrelle®, Brevactid®).

Indikationen Hypogonadotrope Pat., Clomifen-neg. Pat., mangelhafte Follikelreifung nach Clomifen-Ther.; ungünstiger Zervixfaktor, LPI trotz Clomifen/HCG (s. o.) kontrollierte Überstimulation für IVF.

Dosierung FSH, HMG und HCG
- Normogonadotrope Pat.: ab 2.–3. ZT (nach sonografischem Ausschluss ovarieller Zysten).
- FSH 50 IE im sog. Step-up-Protokoll mit Steigerung von z. B. 25 IE/Wo.
- HMG 75 IE/d s. c. (z. B. Menogon®), ggf. ab 8. ZT Dosierung ≥ 150 IE/d, je nach Follikelwachstum (Kontrolle durch Sono u. E_2-Spiegel).
- Wenn Leitfollikel 18–19 mm Ø u. nicht mehr als 3 sprungreife Follikel vorhanden sind → Ovulationsauslösung mit 10.000 IE HCG s. c. (im monophasischen Zyklus findet man bei sprungreifem Follikel serol. ein E_2 von 250–400 mg/l pro Follikel). **Cave:** Falls HCG-Gabe zur Ovulationsauslösung zu früh erfolgt, kann ein LUF provoziert werden (s. o.).
- Bei hypogonadotropen Pat. u. LH Spiegel < 1 µg/l ist die Zugabe von LH sinnvoll (z. B. HMG®, Luveris® 75 IE).

> **Überstimulationssyndrom (OHSS)**
> Auftreten meist ca. 3–8 d nach HCG-Gabe. Spontane Rückbildung der Symptome mit Einsetzen der Menstruation. Falls eine Grav. eingetreten ist, können die Symptome über 6–8 Wo. persistieren u. aggravieren (stat. Beobachtung ggf. über die gesamte Zeit!).

> **Einteilung in 3 Schweregrade**
> - Leicht: Estradiol-Serumspiegel > 1.500 ng/l, Ovarialvergrößerung bis 5 cm (Häufigkeit 8–23 %)
> - Mäßig: Aszites, zusätzlich gespannte Bauchdecken, Übelkeit, Erbrechen (Häufigkeit 6–7 %)
> - Schwer: Ovarialzysten > 5 cm, Aszites, Hydrothorax, Hämokonz. (HK > 45 %), Blutgerinnungsstörungen (Häufigkeit ca. 2 %)
>
> **Therapie**
> **Prophylaxe u. Therapieversuch mit Cabergolin, z. B. 1 mg/Wo.:**
> - Leicht bis mäßig: amb. Versorgung bei kurzfristiger Kontrolle; Anstrengung vermeiden, Verzicht auf GV (**cave:** Stieldrehung der Ovarien), hohe Flüssigkeits- u. Proteinzufuhr, ggf. Heparinisierung
> - Mäßig bis schwer: stat. Aufnahme; tgl. BB, Hkt, E'lyte u. Gerinnung kontrollieren; Heparinisierung (!), Gewichtskontrolle (!), Ein-/Ausfuhrbilanz; E'lyte- u. kontrollierte i. v. Flüssigkeitszufuhr, ggf. Humanalbumin, keine Diuretika
>
> ! Thrombembolien (hoher Hkt?), Ovarialruptur (intraperitoneale Blutung, Stieldrehung, Oligo- bis Anurie)

17.4.5 Zervixfaktor

Definition Zähflüssiger Zervixschleim kann zu einer gestörten Spermienpenetration u. dadurch zu eingeschränkter Fertilität führen.

Physiologische Funktion
- Alkalischer Zervixschleim schützt Spermatozoen vor ungünstigem saurem Scheidenmilieu.
- Bereitstellung energiereicher Substrate für die Spermatozoen.
- Verbesserung des Spermientransports in das Uteruskavum zum optimalen Konzeptionszeitpunkt bzw. Hemmung des Transfers außerhalb der periovulatorischen Phase.
- Reservoirfunktion für Spermien in den Zervixkrypten.
- Selektion zwischen normalen u. abnormalen Spermien.
- Östrogene erhöhen die Spermatozoenspeicherung durch vermehrte Mukusproduktion, Zunahme u. Vergrößerung der Krypten.

Ätiologie
- Zervixschleimproduktion ↓ durch mangelnde ovarielle Östrogenproduktion
- Mukusunverträglichkeit (fraglich immunol. bedingt durch AK gegen Spermien)
- Dysmukorrhö: ungenügende Mukusbildung der Zervix auf eine ausreichende Östrogenproduktion (Risse, Narben, Z. n. nach Konisation)
- Inf. (Mykoplasmen, Chlamydien)

Diagnostik
- Spermiogramm (▶ 17.2.8)
- Klin. Untersuchung: Portiooberfläche (z. B. Risse, Narben), Zervixstrikturen (z. B. Geburtstraumen)
- Zytologie (▶ 15.2.3), Kolposkopie (▶ 15.2.2), Nativabstrich (▶ 13.2.3), Mikrobiologie (▶ 13.3) inkl. Suche nach Pilzen, Chlamydien, Mykoplasmen, Ureaplasma urealyticum
- Bewertung des Zervixschleims (Zervixindex) nach Insler-Score (▶ 17.2.7)
- PCT o. PIT (▶ 17.2.9)

Therapie
- Östrogene: am besten lokal (z. B. Ovestin®-Vaginalzäpfchen 1 × 1/d) ab 8. ZT bis zur Ovulation. Falls ohne Erfolg, Estradiol 1–3 × 2 mg/d p. o. vom 8.–12. ZT (z. B. Estradiol 2 mg Jenapharm®)
- FSH 50 IE im sog. Step-up-Protokoll mit Steigerung von z. B. 25 IE/Wo. bei Follikelreifungsstörung
- Homologe intrauterine Insemination (▶ 17.5.1) bei Dysmukorrhö u./o. Sperma-AK
- Bei Inf. Kolpitisther. (▶ 13.3.5)

17.4.6 Tubare und uterine Sterilität

Definition Eingeschränkte Tubendurchgängigkeit u. -motilität, Störungen des Uteruskavums. Tubenfaktor (tubare Sterilität) → ca. ⅓ der weiblichen Sterilitätsursachen.

Ursachen
- Tubenverschluss: Sakto-, Hydro-, Pyosalpinx, isthmisch o. intramural (15–20 %) o. peripherer Tubenabschnitt (Infundibulum, Ampulle: ca. 80 %). Ursächlich hierfür sind Salpingitiden infolge aufsteigender Inf., z. B. bei Kolpitis (häufigste Ursache), Kupfer-IUP, nach intrauterinen Eingriffen, p. p.; Endometriose; intramurale Polypen; Z. n. Laparotomie (v. a. bei Z. n. Appendektomie); Tubenwinkelmyome; resorbierte Tubargrav.
- Tubenmotilitätsstörungen bei peritubaren u./o. periovariellen Adhäsionen mit Störung des Eiabnahmemechanismus o. Eitransports (hohe Inzidenz von ca. 90 % nach Genital-Tbc → Migrantinnen aus Osteuropa/Afrika)
- Uterine Fehlbildungen (▶ 20.7.5)
- Intrauterine Adhäsionen (Synechien, z. B. postop.), intrauterine Septen

Diagnostik
- Nachweis von Ovulationen (Sono), normalem Spermiogramm u. pos. PCT
- Hysteroskopie: sicherste Aussage über uterinen Faktor, Synechien, Septen können in gleicher Sitzung entfernt werden, ggf. ergänzt durch Endometriumbiopsie
- Hysterokontrastsonografie (HKSG): gute Aussage über Uterusfehlbildungen, intrauterine Tumoren (Myome), Lokalisation des Tubenverschlusses
- Laparoskopie mit Chromopertubation: gute Aussage über Tubendurchgängigkeit, Adhäsionen im kleinen Becken, peritubare o. ovarielle Adhäsionen, Myome (außer submukös), Ovaranomalien, Endometriose (Goldstandard)

Therapie In-vitro-Fertilisation (▶ 17.5.2), wenn möglich auch mikrochir., rekonstruktive Sterilitätslaparotomie o. -laparoskopie (▶ 17.5.5) erwägen, hysteroskopische Septum- o. Myomresektion (▶ 17.2.11).

17.4.7 Andrologischer Faktor

Etwa 50 % der sterilen Partnerschaften sind mehr o. weniger durch männliche Fertilitätsstörungen bedingt → Beurteilung des männlichen Partners gehört zur Primärdiagn. bei einem sterilen Paar (> 1 J. Kinderwunsch ohne eingetretene Schwangerschaft bei regelmäßigem GV). Die Betreuung des Mannes bei Sub- o. Infertilität erfolgt meist in der Andrologie bzw. bei androl. versierten Gynäkologen, Urologen o. Dermatologen.

Ätiologie
- Prim. Hodenschaden: genetische Ursachen (z. B. Klinefelter-Sy.), Z. n. Orchitis, Intoxikationen (Blei, Kadmium), Medikamente (Zytostatika, Hormone), Überwärmung des Hodens (Varikozele, Leistenhoden)
- Sek. Hodenschaden: HVL-Insuff., Hyperprolaktinämie
- Störungen im Bereich der Samenwege: Stenose o. Verschluss, z. B. bei Z. n. Adnexitis; retrograde Ejakulation
- Androgensubstitution, z. B. „Doping"

Anamnese
- Allgemeinerkr.: endokrine u. stoffwechselbedingte Störungen, Diab. mell., Lebererkr., Hypertonie, Kinderkrankheiten (Mumpsorchitis), Hodenhochstand, Leistenhoden, Geschlechtskrankheiten, OP, Doping (Bodybuilding)
- Berufsanamnese: Stress, Umweltschadstoffe (Strahlen, Lösungsmittel, Toxine)
- Sexualanamnese: Pubertät, Koitusfrequenz, Potenzstörungen, Dauer des Kinderwunsches, gezielte Kohabitation zum Ovulationszeitpunkt

Diagnostik
Körperliche Untersuchung
- Inspektion: Körperproportionen beachten mit Muskel- u. Fettverteilung, Kopf-, Bart-, Körper- u. Genitalbehaarung, Genitalhaarbegrenzung (horizontal glatt → weibl., dreieckig zum Nabel ziehend, auf beide Oberschenkel übergehend → männlicher Typ), Penis (Größe, Form); Phimose o. Fehlbildung (z. B. Hypospadie)
- Palpation: Lage, Größe, Konsistenz u. Form von Hoden u. Nebenhoden (Größenbestimmung z. B. mit Orchidometer nach Prader), Untersuchung des Skrotums → z. B. Varikozele (V.-spermatica-interna-Insuff.), Brustuntersuchung (z. B. Gynäkomastie)
- Rektale Untersuchung mit Palpation der Prostata

Spermauntersuchung
- PCT, PIT ▶ 17.2.9, Spermaanalyse ▶ 17.2.8
- MAR-Test („mixed antiglobulin reaction test"): IgG-AK-Bestimmung
  - **Durchführung:** 1 Tr. frisches Ejakulat wird auf Objektträger mit 1 Tr. IgG beschichteter Latexpartikel u. 1 Tr. Antiserum gegen menschliches IgG vermischt. Durch die Latexpartikel kommt es bei Vorhandensein von AK zur Agglutination. Berechnet wird der prozentuale Anteil beweglicher Spermatozoen, an denen Latexpartikel haften.
  - **Beurteilung:** > 40 % → immunol. Infertilität wahrscheinlich. 10–40 % → V. a. immunol. Infertilität. Bei pos. Ausfall wird ein spezifischerer Test durchgeführt.
- Mikrobiol. Untersuchungen: bei V. a. Adnexitis (im Spermiogramm vermehrt Bakterien, Leukos) entweder am frisch gewonnenen Ejakulat o. am Prostatasekret (nach rektaler Prostatamassage)
- Immunol. Untersuchungen: Spermatozoen-Auto-AK (IgA) im Serum u. Seminalplasma

Apparative Diagnostik
- Sono: bei jeder Hoden- u. Nebenhodenschwellung, unsicheren Palpationsbefunden, ungeklärter Gynäkomastie o. Prolaktinämie, HCG-Erhöhung etc.
- Doppler-Sono: V. a. Varikozele, ggf. auch **Phlebografie** mit gleichzeitiger Sklerosierung

17.4 Sterilitätsursachen und Therapie

- Spermiogramm aus dem Urin: bei V. a. retrograde Ejakulation (kann auch zur Insemination aufgearbeitet werden; aber stark reduzierte Erfolgsaussicht ▶ 17.5.1)
- Retrograde Urethrografie, Urethrozystoskopie: bei V. a. organische Veränderungen (z. B. Harnröhrenstriktur, -divertikel, Klappenbildung, Fehlbildungen)
- Hodenbiopsie: bei V. a. Verschlussazoospermie (Azoospermie bei klin. normalem äußerem Genitale u. unauffälligen Hormonwerten)
- Humangenetische Untersuchung: bei V. a. Klinefelter-Sy. (47,XXY) mit kleinem Hodenvolumen u. erhöhten Gonadotropinen oder V. a. CFTR-Mutation

> Wichtigstes diagn. Kriterium ist das Spermiogramm (▶ 17.2.8), anhand dessen auch der Therapieerfolg gemessen wird (▶ Tab. 17.14). Da die Spermatogenese etwa 80 d dauert, ist eine Therapiekontrolle nach etwa 3 Mon. sinnvoll.

Tab. 17.14 Ursachen für pathologisches Spermiogramm (▶ 17.2.8) [W798]

Oligozoospermie	Asthenozoospermie
• Hodenhypoplasie/-atrophie • Varikozele • Exogene Noxen: Nikotin, Medikamente, Toxine • Erschöpfungsreaktion infolge gehäufter Ejakulationen, red. Karenzzeit	• Spermatozoen-Schwanzdefekte • Relativer Androgenmangel • Wärmeschäden (Varikozele, Fieber) • Spermatozoen-AK • Toxine, Medikamente (z. B. Nitrofurantoin, Gentamicin), Adnexitis • Stress, idiopathisch
Teratozoospermie	**Azoospermie**
• Spermatozoendefekte • Varikozele • Medikamente • Stress, idiopathisch	• Verschluss der Samenwege • Hodenparenchymschäden • Retrograde Ejakulation

Therapie

Die Therapieentscheidung richtet sich nach der funktionellen Diagn., die das Spermiogramm ergibt, mit Ausnahme organischer Veränderungen, die op. zu korrigieren sind, oder Hormonmangelzuständen. Therapieziel ist die Verbesserung der Spermaqualität (Spermatozoendichte, -motilität, -morphologie). Ausschalten von Noxen wie Medikamenten (s. o.) u. Nikotin.

Medikamentöse Therapie

- Antibiose, antiinflammatorische Therapie; keimabhängig, ggf. Entzündungshemmung mit NSAR
- Antiöstrogene: Clomifen 25–50 mg/d p. o. (z. B. Clomifen ratiopharm®) mit Pausen über 6–12 Mon. o. Tamoxifen 20 mg/d p. o. (z. B. Tamoxifen AL®) über 6–10 Mon. **Ind.:** Oligozoospermie
- Kortikosteroide: Prednisolon 5 mg/d p. o. (z. B. Decortin® H), Partnermitbehandlung. **Ind.:** immunol. bedingte Sterilität
- Gonadotropine: parenterale Applikation von FSH u. LH. **Ind.:** hypogonadotroper Hypogonadismus

Operative Therapie
- Verschluss der Samenwege: op. Wiederherstellung der Durchgängigkeit. Die besten Ergebnisse werden durch Refertilisierungs-OP bei Z. n. Vasektomie erreicht.
- Varikozele: hohe Ligatur der V. spermatica interna o. Versuch der Sklerosierung bei der Phlebografie.
- Invasive Spermiengewinnung durch mikrochir. epididymale Spermienaspiration (MESA) u./o. testikuläre Spermienextraktion (TESE).

Insemination (▶ 17.5.1); ICSI (▶ 17.5.3).

17.5 Spezielle therapeutische Maßnahmen

17.5.1 Artifizielle Insemination

Voraussetzungen Die artifizielle **homologe Insemination** wird überwiegend aus idiopathischer, zervikaler u. androlog. Ind. durchgeführt. Vor Beginn einer Inseminationsbehandlung Klärung der Tubenfunktion u. Ausschluss einer unzureichenden Koitusfrequenz u. -technik (vag. Penetration des Penis, Sexualanamnese). Die Ergebnisse zweier Spermiogramme im Abstand von 3 Mon. sowie ggf. Postkoitaltests sollten vorliegen.

Die **heterologe Insemination** mit Spendersperma ist unter bestimmten Voraussetzungen möglich. Sie muss von den Paaren selbst bezahlt werden (200–1.000 Euro pro Zyklus), und es müssen entsprechende rechtliche Vorgaben beachtet werden. Eine suffiziente psychosoziale Beratung sollte einer Behandlung vorausgehen.

Indikationen
- **Inadäquater Zervixschleim:** Dysmukorrhö, Sperma(-Auto)-AK, mehrfach neg. PCT, Z. n. Konisation
- **Mäßig reduzierte Spermaqualität:** Oligo-, Astheno-, Teratospermie, Hyper-, Hypovolämie
- **Spermadeponierungsstörungen:** Genitalfehlbildungen, Impotentia coeundi, Vaginismus
- **Ungeklärte Sterilität**

> **Cave:** Die intrauterine Inseminationsbehandlung stellt eine „Übertragung von Gewebe" im Sinne des Transplantationsgesetzes (TPG) u. der EU-Geweberichtlinie dar. Entsprechend sind die Voraussetzungen u. Auflagen des TPG u. die zugehörigen Verordnungen u. Richtlinien bei der Durchführung zu erfüllen!

Inseminationstechnik (ambulante Durchführung)
- **Intrauterine Insemination (IUI):** Für die intrauterine Insemination sollte kein natives Ejakulat, sondern nur aufbereitetes Spermienkonzentrat verwendet werden. Einstellung der Portio; Anhaken der Portio vermeiden (nur bei starker Ante- o. Retroflexio o. Zervixstenose selten erforderlich). Steriles Einführen eines Inseminationskatheters (Embryotransferkatheter [teuer!], alternativ: NG-Ernährungssonde [wesentlich preiswerter] o. wiederverwendbare starre Knopfkanülen [nicht empfehlenswert, häufig Irritation des Endometriums]). Der Katheter wird in das Cavum uteri bis in den Fundus zart vorge-

schoben, wo das Spermienkonzentrat (Volumen 0,1–0,5 ml!) ausgespült wird. US-Lagekontrolle (transabdom.) des Katheters bei voller Blase möglich, aber nicht obligat.

> Volle Harnblase streckt den Uterus, somit ist die Penetration des CK zur Insemination problemlos möglich. Anschließend 15–30 min Beckenhochlagerung. Risiko aufsteigender Inf. 0,5 %.

- **Intrazervikale Insemination (ICI):** Die Splitejakulat-Fraktion o. ein Teil des Ejakulats wird mit Inseminationskatheter o. Knopfkanüle in den CK eingebracht, ohne dass der innere MM überschritten wird.
- **Portiokappe (z. B. nach Fikentscher und Semm):** Sie wird durch Unterdruck an der Portio gehalten. Über einen Kunststoffschlauch wird ein Unterdruck erzeugt u. das Ejakulat in die Portiokappe gespült. ½ h Beckenhochlagerung. Nach 6 h kann die Kappe von der Frau nach Ausgleich des Unterdrucks durch Öffnen des Schlauchs problemlos entfernt werden.
- **Intravaginale Insemination:** Einbringen von nativem Ejakulat in die Scheide, z. B. mit einer Einweg-Knopfkanüle. Kann auch von Pat. selbst zu Hause durchgeführt werden. **Ind.:** Impotentia coeundi.
- **Zeitpunkt der Insemination:** Durch Zyklusmonitoring (sonografische Follikulometrie, LH-Bestimmungen i. S. oder i. U.) sollte der Ovulationszeitpunkt genau bestimmt werden. Da die Ovulation etwa 30 h nach Beginn des serol. LH-Anstiegs zu erwarten ist, wird die erste Insemination optimalerweise am Tag des LH-Anstiegs durchgeführt. Je nach Befund kann auch eine Ovulationsinduktion zur Optimierung des Zeitpunkts erfolgen.

Spermagewinnung und -aufbereitung

> Das Ejakulat sollte nach 2–7 d Karenz in einem sterilen Gefäß aufgefangen werden. Umgehende Weiterverarbeitung unmittelbar nach der Verflüssigung. Sperma warm halten (nicht über 37 °C!).

- **Spermawaschung:** Zentrifugation des Gesamtejakulats mit 200 G für 10 min nach Vermischung mit Kulturmedium im Verhältnis 1 : 1 bis 1 : 3; Resuspension des Pellets in einer kleinen Menge frischen Kulturmediums. Diesen „Waschprozess" 2–3 × wdh. Dadurch erreicht man eine Spermienkonzentrierung ohne qualitative Ejakulatverbesserung. Lediglich die mikrobiol. Kontamination des Ejakulats wird durch das antibiotikahaltige Kulturmedium reduziert.
- **„Swim-up":** Spermienselektion, indem die Spermien durch Eigenbewegungen aus dem Pellet in frisches Kulturmedium aufschwimmen. Nach vorheriger Zentrifugation u. Waschung (s. o.) werden die sedimentierten Spermien mit 0,3–0,5 ml frischem Medium überschichtet u. für 30–60 min bei 37 °C inkubiert. Der pipettierte Überstand enthält fast ausschließlich motile u. morphol. intakte Spermien (fast ohne andere zelluläre Bestandteile). **Nachteil:** hoher Spermamengenverlust (bis 90 %).
- **Filtration durch Glaswollfilter:** 15 mg Glaswolle werden in einer Tuberkulinspritze zunächst mit 3 ml Kulturmedium durchgespült. Bei anschließender Passage des Ejakulats bleiben avitale u. membrandefekte Spermien an der Glaswolle hängen. **Vorteil:** schnell durchführbar, Spermaverluste ca. 70 %,

Steigerung der motilen Zellen, Reduktion der Viskosität. **Nachteil:** keine vollständige Beseitigung der zellulären u. azellulären Ejakulatpartikel.
- **Splitejakulat:** Gewinnung des Ejakulats in 2 o. 3 Fraktionen, wobei die 1. Fraktion meist bis zu 90 % der Gesamtspermazahl bei geringer Prostaglandinkonz. u. Viskosität enthält (in 6 % enthält 2. Fraktion die höchste Spermienkonz.). Splitejakulate sind wegen ihres hohen Prostaglandinanteils nicht für die IUI geeignet!

17.5.2 In-vitro-Fertilisation (IVF)

Definition
Extrakorporale Befruchtung einer Eizelle mit einer Samenzelle im Labor. Für die IVF werden mehrere Follikel punktiert, um mehrere Eizellen zur Verfügung zu haben, da die Schwangerschaftsrate bei mehreren befruchtungsfähigen, reifen Eizellen deutlich ansteigt. Dies erfordert eine kontrollierte Überstimulation mit Gonadotropinen. Die Schwangerschaftsrate pro Embryotransfer beträgt dabei 24 % u. nimmt mit dem Alter der Pat. ab (> 40 J. 10–15 %). Insgesamt kann von einer Rate von 17 % Lebendgeburten pro begonnener Stimulation ausgegangen werden. Das Risiko für Mehrlingsschwangerschaften ist, abhängig von der Anzahl transferierter Embryonen, erheblich ↑: Zwillingsgrav. in 23 %, Drillingsgrav. in 3,9 % d. F., Abortrate ca. 20 %, EUG-Rate ca. 3 %.

Voraussetzung
- Regelung u. a. durch Embryonenschutzgesetz; Richtlinie Reproduktionsmedizin (LÄK, G-BA)
- Die Kosten werden derzeit von der GKV für bis zu 3 erfolglose Versuche zu 50 % nur in folgenden Situationen übernommen:
  - Verheiratete Paaren **und**
  - Partnerin zwischen 25. u. 40. Lj **und**
  - Partner zwischen 25. u. 50. Lj.

Indikationen
Tubarer Faktor; androl. Subfertilität, Endometriose, idiopathische Sterilität.

Komplikationen
- Stimulation: funktionelle Ovarialzysten (▶ 16.7), Gefahr der Stieldrehung, OHSS (▶ 17.4.4)
- Transvag. Follikelpunktion: selten Organverletzung (Harnblase, Darm), sehr selten Verletzung von Blutgefäßen mit intraabdom. Blutungen, Inf. mit Abszessbildung u. Peritonitis

Kontrollierte ovarielle Überstimulation
Bei der kontrollierten ovariellen Überstimulation werden grundsätzlich drei Prinzipien kombiniert: die Stimulation mit Gonadotropinen (FSH, LH), die Verhinderung der vorzeitigen Ovulation mit GnRH-Analoga o. GnRH-Antagonisten sowie die Ovulationsinduktion mit HCG o. GnRH-Analoga.

Langprotokoll Hypophyse wird vor Gonadotropin-Stimulation durch GnRH-Analoga-Gabe „entleert", sodass keine vorzeitigen Ovulationen durch spontane LH-Ausschüttung der Hypophyse auftreten. Weiterer Vorteil: Synchronisation der Follikelreifung (▶ Abb. 17.12).

17.5 Spezielle therapeutische Maßnahmen

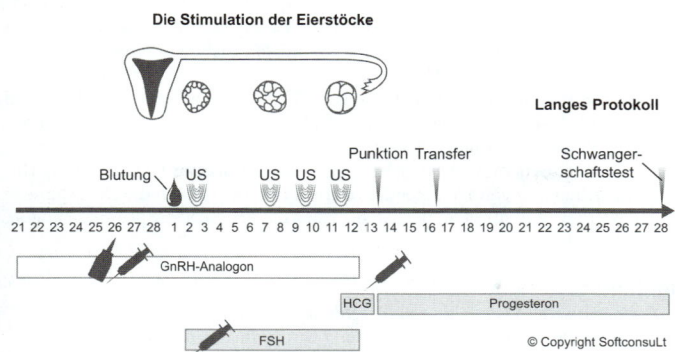

Abb. 17.12 Langprotokoll [L231/V643]

Vorbehandlung mit GnRH-Analoga: einmalige s. c. Depotinjektion mit z. B. 3,6 mg Goserelin (z. B. Zoladex®-Fertigspritze) o. 3,57 mg Leuprorelin (z. B. Enantone®-Gyn Monatsdepot) o. 3,75 mg Triptorelin (Decapeptyl® Gyn) am 20. ZT. **Alternativ:** tgl. s. c. mit 0,1 mg Triptorelin (z. B. Decapety-IVF® 0,1 mg) o. pernasale Applikation mit 2 × 0,2 mg/d Nafarelin (z. B. 2 × 1–2 Hübe Synarela®) ab dem 20. ZT. 10 d nach Beginn der GnRH-Analoga-Gabe ist von einer Blockade der Hypophyse auszugehen.

Kurzprotokoll Beim Kurzprotokoll erfolgt die Stimulation mit FSH o. HMG wie im Langprotokoll. Zur Suppression der vorzeitigen Ovulation werden ab ca. Tag 5 bis zur Ovulationsinduktion GnRH-Antagonisten (Orgalutran®, Cetrotide®) gegeben (▶ Abb. 17.13). Die Vorteile liegen v. a. in einer geringeren Rate an OHSS.

Individualisierte Stimulationsprotokolle Es steht heute eine Vielzahl an Variationen der klassischen Stimulationsprotokolle zur Verfügung, die auf die individuel-

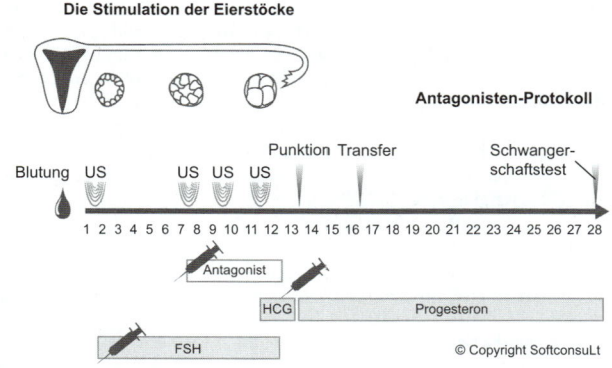

Abb. 17.13 Kurzprotokoll [L231/V643]

len Parameter der Pat. zugeschnitten werden. Durch Modifikation von Medikation, Stimulationsdosis u. Stimulationsdauer wird auf spez. Parameter der Pat. reagiert, um bei möglichst geringem Risiko optimale Ergebnisse zu erzielen.

Stimulation mit FSH o. HMG:
- z. B. zu Beginn mit 2 Amp. HMG (z. B. à 75 IE Menogon®) o. 150 IE FSH (z. B. Puregon®, Gonal®, Ovaleap®, Bemfola®). Dosierung ab dem 5–7. ZT nach serol. E_2-Kontrolle u. sonografischem Follikelwachstum individuell festlegen.
- Bei exponentiellem E_2-Anstieg bzw. guter sonografischer Follikelreifung Dosis beibehalten. Bei ungenügender ovarieller Antwort kann die Dosis gesteigert werden; ggf. muss im nächsten Zyklus das Stimulationsprotokoll angepasst werden.

Monitoring
- **Sonografischer Ovarialzystenausschluss** vor Stimulationsbeginn.
- **Zyklusmonitoring:** Die Follikelreifung wird während des gesamten Zyklus unabhängig vom Stimulationsmodus ab dem 8.–10. ZT über mehrere sonografische u. serol. Kontrollen überwacht.

Ovulationsauslösung
Ovulationsauslösung mit z. B. 10.000 IE HCG (z. B. 2 Amp. Brevactid® 5.000 o. 1 × 1 Ovitrelle®): bei > 3 Follikeln > 18 mm Durchschnittsgröße (i. Allg. E_2-Wert ≥ 1.000 ng/l; ein sprungreifer Follikel produziert ca. 200–400 ng/l E_2).

Follikelpunktion (FP)
Optimaler Punktionszeitraum 34–36 h nach HCG-Gabe, als transvag. FP. Einführen des Vaginalschallkopfs mit Punktionsvorrichtung. Einstellung eines möglichst kurzen Punktionsweges des zu punktierenden Ovars. Einbringen der Nadel in den jeweiligen Follikel u. Aspiration der Follikelflüssigkeit. Eine laparoskopische FP unter Intubationsnarkose ist sehr seltenen Ind. (z. B. Ovarien von vag. nicht erreichbar) vorbehalten.

Kultivierung
Noch während der FP werden die ersten Punktate auf Eizellen unter dem Mikroskop untersucht. Nach Aufbereitung werden Spermien zu den Eizellen (▶ 17.5.1) in Nährkulturmedium gegeben u. unter spez. Bedingungen inkubiert. Nach 16–20 h können Vorkerne mikroskopisch dargestellt werden. Falls mehr als 3 Eizellen befruchtet werden können, dürfen max. so viele Zygoten weiter inkubiert u. zu Embryonen entwickelt werden, wie der Pat. übertragen werden sollen. Als Embryo im Sinne des Embryonenschutzgesetzes gilt bereits die befruchtete, entwicklungsfähige menschliche Eizelle vom Zeitpunkt der Kernverschmelzung an. Da die Kryokonservierung von Embryonen in D (bis auf Ausnahmen) verboten ist, werden überzählige Eizellen bereits im Pronukleusstadium zur Verwendung in einem späteren Zyklus tiefgefroren.

Embryotransfer
40–72 h nach der FP werden max. 3 Embryonen u. Kulturmedium über einen speziellen Transferkatheter unter sterilen Kautelen in das Uteruslumen eingebracht.

Lutealphasensubstitution
Im Rahmen der GnRH-Behandlung kommt es regelmäßig zu einer LPI. Eine Lutealphasensubstitution (LPS) erhöht daher signifikant die Schwangerschaftsrate.

Die gebräuchlichste Medikation zur LPS sind Progesteron u. HCG. Dabei ist der Einsatz von HCG o. alternativ Progesteron grundsätzlich als äquipotent zu beurteilen, jedoch liegt der Vorteil beim Einsatz von Progesteron im signifikant niedrigeren Risiko für die Entwicklung eines OHSS.

 Bei OHSS keine weitere HCG-Substitution (▶ 17.4.4).

17.5.3 Intrazytoplasmatische Spermieninjektion (ICSI)

Definition Bei ICSI wird das Spermium unter mikroskopischer Kontrolle dir. in das Zytoplasma einer Eizelle injiziert. Die Zona pellucida wird dabei mech. penetriert, da bei reduzierter Spermienaktivität die Akrosomreaktion (Andauen der Zona pellucida durch das Spermienköpfchen zum Eindringen in die Eizelle) häufig nicht möglich ist.

Indikationen
- Androl. Faktor: schwere Asthenoteratozoospermie, OAT-Sy., Teratozoospermie mit < 10 % normaler Morphologie (▶ 17.2.8, ▶ 17.4.7): < 5 Mio. Spermien/ml o. < 10 Mio. motile Spermien
- Immunol. Sterilität
- Keine Fertilisation bei konventioneller IVF
- Kryokonserviertes Sperma nach systemischer Erkr. des Mannes o. Hodentumor

Vorgehen
- Stimulation u. Gewinnung der Eizellen wie bei IVF (▶ 17.5.2).
- Gabe der Eizellen in ein spezielles Nährmedium; die die Eizelle umgebenden Kumuluszellen werden enzymatisch u. die die Eizelle umschließende Corona radiata wird unter mikroskopischer Kontrolle mech. entfernt.
- Inkubation nach mehrfachem Waschen im Nährmedium.
- Mikroinjektion des frisch gewonnenen o. kryokonservierten Spermiums bei Körpertemp. Die Eizelle wird mit der Haltepipette angesaugt u. zur Injektion mit der eigens hergestellten Glaspipette festgehalten. Bei 200-facher Vergrößerung wird ein Spermatozoon in das Zytoplasma der Eizelle eingespült.
- Weiterbehandlung wie bei IVF (▶ 17.5.2).

17.5.4 Invasive Spermagewinnung: MESA/TESE

Definitionen
- **MESA** (mikrochir. epididymale Spermienaspiration): op. Gewinnung von Spermatozoen für eine IVF/ICSI dir. aus dem Nebenhoden
- **TESE** (testikuläre Spermienextraktion): op. Gewinnung von Spermatozoen für eine IVF/ICSI aus einer Hodenbiopsie

Indikation
- **MESA**: Azoospermie bei Verschluss o. Aplasie des Ductus deferens o. des Ductus epididymus o. nach Epididymitis, nach erfolgloser Vasotomie, bei retrograder Ejakulation, bei Z. n. Wirbelsäulenverletzung mit Querschnittsproblematik
- **TESE**: z. B. Nebenhodennarben, Spermiogenesestörung bis zur fokalen Spermiogenesehemmung bzw. Nekrozoospermie, erfolglose MESA

Durchführung Damit eine ausreichende Spermatozoenanzahl zum Zeitpunkt der Follikelpunktion vorliegt, wird der Eingriff i. Allg. vor Beginn der Stimulation durchgeführt, die Proben werden kryokonserviert.
- **MESA:** mikrochir. Eröffnung des Tubulus im prox. Nebenhoden, Inhalt wird aspiriert
- **TESE:** Hodenbiopsie in LA. Isolation der Spermatozoen o. Spermatiden unter dem Mikroskop. Spermaaufbereitung nach Zentrifugation mit Nährmedien

Befruchtung der Oozyte durch ICSI (▶ 17.5.3).

> **!** Bilaterale Aplasie des Ductus deferens gehäuft bei Konduktoren der zystischen Fibrose. Bei Homozygotie des Paares zystische Fibrose des Kindes. Deshalb ist genetische Beratung u. Untersuchung des Paares für MESA u. TESE indiziert.

17.5.5 Mikrochirurgische Sterilitätslaparotomie

Zielsetzung
- Wiederherstellung einer regelrechten, funktionellen Topografie im kleinen Becken
- Unbehinderte Tubenpassage
- Vermeiden erneuter OP-bedingter Verwachsungen (ungehinderter Eiabnahmemechanismus)

Offene Eingriffe werden zunehmend durch minimalinvasive Verfahren ersetzt.

> **Deutschsprachige Nomenklatur (Frantzen u. Schloesser 1982) der OP-Verfahren**
> - **Adhäsiolyse:** Ovario-, Salpingo-, Fimbriolyse (Lösen von Verwachsungen)
> - **Fimbrioplastik:** Eingriffe an endständig inkomplett verschlossenen Tuben
> - **Salpingostomie:** Eingriffe an endständig komplett verschlossenen Tuben
> - **Resalpingostomie:** Rezidiveingriff nach vorgenommener Eröffnung einer endständig komplett verschlossenen Tube
> - **Neosalpingostomie:** ampulläre Tubeneröffnung mit partieller Ampullenresektion u. Bildung eines neuen Ostiums, da nicht genügend intakte Schleimhaut vorhanden ist
> - **Tubenanastomosen**

Durchführung Mikrochir. Vorgehen mit Lupe o. OP-Mikroskop; kontinuierliche Spülung des OP-Gebiets mit Ringer-Laktat; exakte Blutstillung mittels Hochfrequenzmikroelektrode; Verwendung feinsten Nahtmaterials (6/0- o. 8/0-Vicryl- o. Nylonfäden).

> **Ergebnisse**
> - Geburtenrate: ca. 20 %
> - Tubargraviditäten: ca. 8,6 %
> - Abortrate: ca. 4,0 %
> - Refertilisierungsrate (nach Sterilisation): bis zu 50 %!

Ultraschall-Kennwerte für die fetale Wachstumsdynamik (Biometrie)

	BPD [mm]	FOD [mm]	KU [mm]	Gewicht [g]	AQU [mm]	AAP [mm]	AU [mm]	Fe [mm]
SSW	50%	50%	50%	50%	50%	50%	50%	50%
12	20	23	76	–	19	18	58	9
13	24	28	90	–	23	21	68	12
14	28	33	104	–	26	24	79	15
15	31	38	117	–	29	28	89	18
16	35	43	131	–	32	31	99	21
17	39	48	144	–	36	34	110	24
18	43	52	157	–	39	37	120	27
19	46	57	169	–	42	41	130	30
20	50	61	182	–	45	44	140	32
21	53	65	194	–	49	47	151	35
22	56	69	205	–	52	50	161	38
23	60	73	217	–	55	54	171	41
24	63	77	228	700	58	57	182	43
25	66	80	239	800	62	60	192	46
26	69	84	249	900	65	64	202	49
27	72	87	259	1.000	68	67	212	51
28	74	90	269	1.100	72	70	223	53
29	77	93	279	1.250	75	73	233	56
30	79	96	288	1.400	78	77	243	58
31	82	99	296	1.600	81	80	253	60
32	84	101	305	1.800	85	83	264	63
33	86	104	313	2.000	88	86	274	65
34	89	106	321	2.250	91	90	284	67
35	91	108	328	2.550	94	93	295	69
36	93	110	336	2.750	98	96	305	71
37	94	112	342	2.950	101	99	315	73
38	96	114	349	3.100	104	103	325	75
39	98	116	355	3.250	108	106	236	76
40	99	117	361	3.400	111	109	246	78

Abkürzungen:
BPD = Biparietaler Durchmesser
FOD = Frontookzipitaler Durchmesser
KU = Kopfumfang
AQU = Abdomenquerdurchmesser
AAP = Abdomen-anterior-posterior-Durchmesser
AU = Abdomenumfang
Fe = Femurdiaphysenlänge

Angegeben sind die durchschnittlichen Angaben (50%-Perzentilen) für die mitteleuropäische Bevölkerung je Schwangerschaftswoche (SSW). Im Einzelfall können die Messwerte erheblich von den Zahlen abweichen, ohne pathologisch sein zu müssen.

Normtabelle vaginale Sonografie (1. Trimenon)

Schema modifiziert nach Rempen, Angaben in abgeschlossener SSW + Tag

mm	CHD	SSL	BPD	mm	CHD	SSL
1	–	–	–	31	8 + 2	9 + 5
2	4 + 6	6 + 0	–	32	8 + 3	9 + 6
3	5 + 0	6 + 1	6 + 6	33	8 + 3	9 + 6
4	5 + 1	6 + 2	7 + 1	34	8 + 4	10 + 0
5	5 + 2	6 + 3	7 + 3	35	8 + 5	10 + 1
6	5 + 2	6 + 4	7 + 5	36	8 + 6	10 + 2
7	5 + 3	6 + 5	8 + 0	37	9 + 0	10 + 2
8	5 + 4	6 + 6	8 + 2	38	9 + 1	10 + 3
9	5 + 5	7 + 0	8 + 4	39	9 + 2	10 + 4
10	5 + 5	7 + 1	8 + 6	40	9 + 3	10 + 5
11**	5 + 6	7 + 2	9 + 1	41	9 + 4	10 + 5
12	6 + 0	7 + 3	9 + 3	42	9 + 5	10 + 6
13	6 + 1	7 + 4	9 + 5	43	9 + 6	11 + 0
14	6 + 2	7 + 5	10 + 0	44	9 + 6	11 + 0
15	6 + 2	7 + 6	10 + 2	45	10 + 0	11 + 1
16	6 + 3	7 + 6	10 + 4	46	10 + 1	11 + 2
17	6 + 4	8 + 0	10 + 6	47	10 + 2	11 + 2
18	6 + 5	8 + 1	11 + 1	48	10 + 3	11 + 3
19	6 + 6	8 + 2	11 + 3	49	10 + 4	11 + 4
20	6 + 6	8 + 3	11 + 5	50	10 + 5	11 + 4
21	7 + 0	8 + 4	12 + 0	51	10 + 6	11 + 5
22	7 + 1	8 + 5	12 + 2	52	11 + 0	11 + 5
23	7 + 2	8 + 5	12 + 4	53	11 + 1	11 + 6
24	7 + 3	8 + 6	12 + 6	54	11 + 2	12 + 0
25	7 + 4	9 + 0	13 + 1	55	11 + 3	12 + 0
26	7 + 4	9 + 1	13 + 3	56	11 + 4	12 + 1
27	7 + 5	9 + 2	13 + 5	57	11 + 5	12 + 1
28	7 + 6	9 + 3	–	58	11 + 6	12 + 2
29	8 + 0	9 + 3	–	59	12 + 0	12 + 3
30	8 + 1	9 + 4	–			

Abkürzungen:
CHD = Chorion-Höhlen-Durchmesser
SSL = Scheitel-Steiß-Länge
BPD = Biparietaler Durchmesser

**Tabelle so benutzen:
Wenn SSL = 11 mm (in der Tabelle unterlegt), dann ist der Embryo 7 SSW + 2 Tage alt.

18 Kontrazeption

Kay Goerke

18.1 Pearl-Index 584
18.2 Periodische Enthaltsamkeit und Coitus interruptus 585
18.2.1 Voraussetzungen 585
18.2.2 Methode nach Knaus-Ogino 585
18.2.3 Temperaturmethode 586
18.2.4 Billings-Methode 587
18.2.5 Symptothermale Methoden 587
18.2.6 Coitus interruptus 587
18.2.7 Zykluscomputer 588
18.3 Mechanische und chemische Verhütungsmethoden 588
18.3.1 Diaphragma 588
18.3.2 Vaginalschwamm 590
18.3.3 Intrauterinpessar (IUP, Intrauterinspirale; Intrauterine Device, IUD), Intrauterinsystem (IUS) 590
18.3.4 Kondom (Präservativ) 594
18.3.5 Spermizide 594
18.3.6 Sterilisation 595
18.4 Hormonelle Kontrazeption 598
18.4.1 Orale Ovulationshemmer 598
18.4.2 Minipille, Depotgestagene 603
18.4.3 Vaginalring 604
18.4.4 Hormonpflaster 605
18.4.5 Postkoitale Kontrazeption (Morning-after-Pill) 605
18.5 Übersicht über Ovulationshemmer 606
18.5.1 Hinweis 606
18.5.2 Ein-Phasen-Präparate 606
18.5.3 Zwei-Phasen-Präparate 607
18.5.4 Drei- und Vier-Phasen-Präparate 607
18.5.5 Minipillen (reines Gestagen) und Morning-after-Pill 607

18.1 Pearl-Index

Dient zum Vergleich der Versagerquoten unterschiedlicher kontrazeptiver Maßnahmen: Zahl der ungewollten Konzeptionen pro 1.200 Anwendungsmon. (sog. 100 Frauenjahre) (▶ Tab. 18.1).

Tab. 18.1 Zuverlässigkeit verschiedener Kontrazeptiva	
Methode	**Pearl-Index**
Essure® System (intratubare Spiralen)	0,05
IUS (Gestagenspirale, z. B. Mirena®)	0,1
Tubenligatur	< 0,2
Pille	0,2–0,5
Depotgestagene	0,5
Zykluscomputer	0,7–6
Hormonpflaster	0,9
Morning-after-Pill	1
Temperaturmethode	1–3
IUP	2
Diaphragma + Spermizid	2
Minipille	3
Kondom	3–3,6
Diaphragma	5
Spermizide	8–36
Vaginalschwamm	15
Periodische Enthaltsamkeit	15–20
Billings-Methode	20–25
Coitus interruptus	25–35

Ungeschützter Geschlechtsverkehr (GV): Pearl-Index von ca. 80

Aktuelle Leitlinie im Internet unter: www.leitlinien.net

18.2 Periodische Enthaltsamkeit und Coitus interruptus

18.2.1 Voraussetzungen

- Biol. Voraussetzungen: beschränkte Befruchtungsfähigkeit der Gameten (Eizelle 6–12 h; Spermien 2–3 d) sowie Bestimmbarkeit des Ovulationstermins
- Prinzip: sexuelle Abstinenz während der fruchtbaren Tage

18.2.2 Methode nach Knaus-Ogino

> Die periodische Enthaltsamkeit ist nur bei weitgehend stabilem Zyklus der Frau praktikabel. Da bei den meisten Frauen die Zykluslänge leicht schwankt, sollten zur Berechnung der fruchtbaren u. unfruchtbaren Tage Aufzeichnungen über 12 Menstruationszyklen herangezogen werden.

Berechnung

> Die Zeit der Abstinenz ist bei Knaus 3 d kürzer als bei Ogino, was zwar eher zumutbar erscheint, aber dafür mit einer etwas geringeren Sicherheit einhergeht (Pearl-Index 15–20). Keine NW o. KI

Ogino Ovulation zwischen dem 16. u. 12. Tag vor Einsetzen der darauf folgenden Menstruation. Nimmt man eine max. Lebensdauer der Spermien von 3 d an, ergibt sich eine fertile Phase, die sich vom 19. bis zum 12. Tag vor der nächsten Menstruation erstreckt.

> **Berechnungsbeispiel für Zyklusintervalle von 26–30 d**
> - Erster fruchtbarer Tag = kürzester Zyklus – 18
> - Letzter fruchtbarer Tag = längster Zyklus – 11
> - **Beispiel:**
>   26- bis 30-tägige Zyklen: 26–18 = 8 (ZT), 30–11 = 19 (ZT) → **fertile Phase** 8.–19. ZT!

Knaus Ovulation am 15. Tag vor der darauf folgenden Menses. Fertile Phase: Zeitraum von 3 d vor bis 1 d nach der Ovulation. Auf der Basis von 12 Menstruationszyklen ergibt sich daraus folgende Berechnung:

> - Erster fruchtbarer Tag = kürzester Zyklus – 17
> - Letzter fruchtbarer Tag = längster Zyklus – 13
> **Beispiel:**
> 26- bis 30-tägige Zyklen: 26–17 = 9 (ZT), 30–13 = 17 (ZT) → **fertile Phase** 9.–17. ZT!

18.2.3 Temperaturmethode

> Mithilfe der Morgentemperatur (Basaltemperatur, nach **mind. 6 h Bettruhe**) gelingt es, den Ovulationstermin mit einer Genauigkeit von 1–2 d auch bei unterschiedlich langen Zyklen zu bestimmen (▶ Abb. 18.1).

Während in der ersten Zyklushälfte (Follikelphase) niedrige Temperaturen (z. B. 36,5–36,8 °C) vorliegen, kommt es mittzyklisch zu einem Temperaturanstieg um 0,2–0,6 °C. Infolge des thermischen Effekts des Progesterons bleibt das Temperaturniveau in der 2. Zyklushälfte bis zum Einsetzen der nächsten Menstruation bei 37,0–37,3 °C erhalten.

> **WHO-Definition (1966)**
> Signifikanter Temperaturanstieg, wenn Temperatur an 3 aufeinanderfolgenden Tagen um mind. 0,2 °C höher liegt als an den vorangegangenen 6 Tagen. Ovulation durchschnittlich 0–2 Tage vor Temperaturanstieg.

Prinzip Beschränkung der Kohabitationen ausschließlich auf die sicher unfruchtbaren Tage vom 3. Tag nach dem Temperaturanstieg bis zur Menstruation. Erweiterte Form: Kohabitation auch in weniger zuverlässig unfruchtbaren Phasen vom 1. ZT (Beginn Menstruation) bis 6 d vor dem frühesten gemessenen Temperaturanstieg.

Durchführung
- Temperatur morgens **vor** dem Aufstehen unter Ruhebedingungen messen.
- Die Nachtruhe sollte möglichst ≥ 6 h betragen haben.
- Temp. möglichst zur gleichen morgendlichen Tageszeit messen.
- Nur rektale, orale o. vag. Messung zulässig, möglichst mit Digitalthermometer.
- Nach der Messung möglichst umgehende Eintragung des Messwerts in die Basaltemperaturkurve (BTK). Besonderheiten (z. B. Erkältung, Fieber o. Schlafentzug) sollten vermerkt werden.

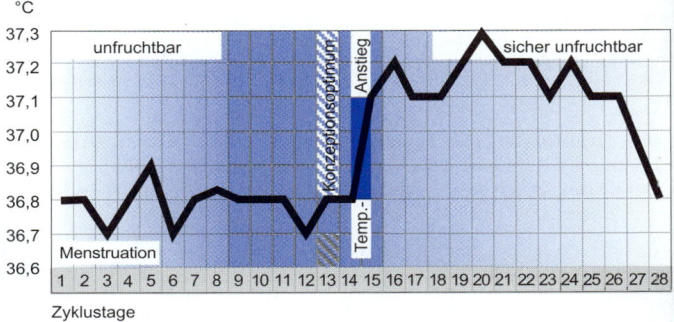

Abb. 18.1 Basaltemperaturkurve zur Berechnung der fertilen Phase [L190]

Bewertung
- **Vorteile:** absolut unschädlich, keine Verträglichkeitsprobleme, keine Beeinträchtigung der späteren Fertilität, keine Kosten, keine NW o. KI
- **Nachteile:**
  - Führen einer BTK, tgl. Temperaturmessen vor dem Aufstehen
  - Längere Abstinenz erforderlich o. zusätzliche Kontrazeption in der Follikelphase (z. B. Kondom)
  - Beeinträchtigung der Zuverlässigkeit z. B. durch Erkältungskrankheiten
  - Kaum durchführbar bei „Schichtarbeit" bzw. häufiger Nachtarbeit
  - Nicht praktikabel bei unregelmäßigem Zyklus u. Stillperiode
- **Zuverlässigkeit:** Pearl-Index 1–3. Absoluter Empfängnisschutz bei ausschließlichem GV ab 3. Tag nach Temperaturerhöhung (Pearl-Index 1). Erweiterte Form → Pearl-Index 3

18.2.4 Billings-Methode

Prinzip Die durch den präovulatorischen Estradiolanstieg bedingte Zunahme der zervikalen Sekretion wird von manchen Frauen als verstärkter klarer Fluor empfunden u. als „Ovulationsindikator" benutzt.

Durchführung Sexuelle Abstinenz an Tagen, an denen Abgang von flüssigem Zervixschleim aus der Vagina beobachtet wird, einschl. 4 d nach max. Schleimabgang.

Bewertung
- **Vorteile:** ▶ 18.2.3, Temperaturmethode
- **Nachteile:**
  - Ovulation auch bei insuff. Zervixschleimproduktion möglich (▶ 17.4.5)
  - Vermehrter Mukus auch bei anovulatorischem Zyklus (z. B. Follikelpersistenz), Beurteilung durch vag. Fluor u. Ejakulat erschwert
- **Zuverlässigkeit:** hoher Pearl-Index von 20–25

18.2.5 Symptothermale Methoden

Prinzip Komb. aus Temperaturmethode ▶ 18.2.3 u. Beurteilung des zervikalen Schleims ▶ 8.2.4. Verbesserte Compliance durch PC-basierte Programme o. Apps.

Durchführung Es gibt verschiedene Methodenregeln (z. B. sensiplan, NFP, NER, TCOYF, NKG, Sympto), die unterschiedliche Messmethoden der Temp. u. unterschiedliche Kategorisierungen des Zervikalsekrets beinhalten.

Bewertung
- Ab Herbst 2017 kommt eine in einem Vaginalring gehaltene Kapsel auf den Markt, welche die Temp. kontinuierlich misst u. über den PC (USB-Schnittstelle) ausgelesen wird. Dies minimiert Messfehler (OvulaRing®).
- **Pearl Index:** 0,9 (NER) – 1,6 (sensiplan). Für die meisten Methoden liegen allerdings keine Sicherheitsstudien vor.

18.2.6 Coitus interruptus

Unterbrechung der Kohabitation durch Zurückziehen des Penis aus der Vagina vor der **Ejaculatio seminis**. Pearl-Index 25–35.

18.2.7 Zykluscomputer

Prinzip Nachweis von Östrogen u. Lutealhormon i. U. mittels Teststreifen → unfruchtbare u. fruchtbare Tage werden angezeigt. Pearl-Index 0,7–6.

Kontraindikationen Die Methode ist in folgenden Situationen ungeeignet:
- Frauen, die in den letzten 3 Mon. entbunden bzw. gestillt haben
- Frauen mit endokrinen Störungen
- Innerhalb der ersten 3 Mon. bei einem Wechsel von oralen Kontrazeptiva auf computergestützte Empfängnisverhütung

Anwendung Der 1. Tag der Periode wird in den Computer eingegeben. Anschließend werden jeden Tag die fruchtbaren bzw. die unfruchtbaren Tage angezeigt. An fraglich fruchtbaren Tagen muss der Morgenurin mittels Teststreifen geprüft werden.

Geräte Persona®, Baby-Comp® u. Lady-Comp®.

Bewertung Ein Nachteil der Methode ist die relativ umständliche Handhabung, zudem ist sie vergleichsweise teuer. Relativ unsichere Methode. Besser geeignet für Frauen mit Kinderwunsch zur Bestimmung der fertilen Zyklusphase.

18.3 Mechanische und chemische Verhütungsmethoden

18.3.1 Diaphragma

Formen Das Diaphragma besteht aus einem mit Gummi (Latex!) überzogenen flexiblen Metallring u. einer Membran aus dünnem, nachgiebigem Gummi. Erhältlich in verschiedenen Größen (Ø 45–105 mm in Abstufungen zu je 5 mm).

Prinzip Vag. Barrieremethoden dienen in erster Linie als Träger (Carrier) für das Spermizid (▶ 18.3.5). Durch das Diaphragma wird die Cervix uteri von einem Spermizidfilm überzogen, der die Migration der Spermien post ejaculationem in den alkalischen Mukus der Cervix uteri verhindert. Verbleiben die Spermien in der Vagina, werden sie durch das saure Scheidenmilieu immobilisiert.
Zusätzlich kommt dem Diaphragma eine dir. Barrierefunktion zu, wobei aber wegen Kontraktionen der Vagina eine vollständige Abdichtung der Scheide unmöglich ist.

Kontraindikationen
- Anatomisch: Vagina duplex o. septa, Prolaps uteri et vaginae
- Rezid. Kolpitiden o. Zystitiden
- Latexallergie, alternativ latexfreies Diaphragma (z. B. Fa. Femidom)
- Spermizidunverträglichkeit (mehrere Präparate ausprobieren!)

Präparate
- Caya® (Einheitsgröße), Diaphragma (zwischen 60 u. 90 mm in 5-mm-Schritten erhältlich)
- FemCap® (Portiokappe: 3 Größen: 22, 26 u. 30 mm)

Bestimmung der richtigen Größe Der Arzt palpiert mit Zeige- u. Mittelfinger der Untersuchungshand im hinteren Scheidengewölbe u. misst die Distanz zum Arcus pubis (Schambogen; am Finger abgemessen), die dem erforderlichen Diaphragmadurchmesser entspricht (▶ Abb. 18.2). Bei der Probeanwendung sollte der Arzt den richtigen Sitz des von der Frau selbst eingeführten Diaphragmas mind. 1 × überprüfen.

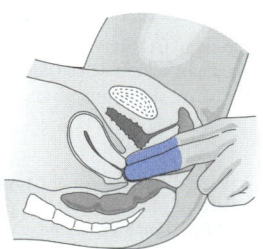 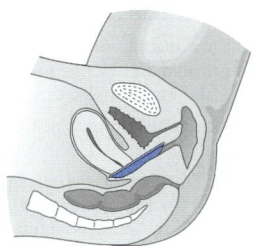

Abb. 18.2 Diaphragma [L157]

- Diaphragma zu groß → dauerndes Druckgefühl; das Diaphragma wirft Falten; Partner spürt weiche Gummimembran
- Diaphragma zu klein → unzuverlässige Abdichtung des Diaphragmas; verrutscht leicht, Partner spürt Metallring

Anwendung Nach Bestreichen des Diaphragmarandes an der konkaven Seite mit Spermizid (1 TL) wird der Ring zusammengedrückt u. in die Vagina eingeführt.

- **Richtige Position:** Das Diaphragma soll ventral hinter der Symphyse u. sakralwärts im hinteren Scheidengewölbe liegen (▶ Abb. 18.2). Bei korrekter Lage ist die Zervix durch das Diaphragma fühlbar. Der Spalt zwischen Symphysenbogen u. Diaphragmavorderrand sollte für einen Finger eingängig sein.
- **Einführen:**
  - **Technik:** selbstständige Diaphragmaeinführung liegend, mit angezogenen Beinen, im Stehen o. in der Hocke möglich. In stehender Position soll das Diaphragma horizontal, in liegender Position vertikal platziert werden, anfangs tgl. üben
  - **Zeitpunkt:** mind. 10 min u. höchstens 2 h vor dem GV bei leerer Blase. Findet der Koitus später als 2 h nach Applikation des Diaphragmas statt, sollte zusätzliches Spermizid verwandt werden. Das Diaphragma muss mind. 6 h nach GV in situ belassen, aber nach längstens 24 h entfernt werden. Reinigung mit warmem Wasser u. Seife, keine Desinfektionsmittel

Nebenwirkungen Vag. Irritation o. lokale Entzündung mit vermehrten HWI, häufig hämorrhoidale Beschwerden.

Bewertung
- **Vorteile:** relativ unabhängig vom Zeitpunkt des Koitus, für den Partner nicht fühlbar, keine systemischen NW, Schutz gegen aszendierende Keime
- **Nachteile:**
  - Verlust der zervikalen Sensation
  - Notwendigkeit, am eigenen Genitale zu manipulieren
  - Kontrazeption lässt sich zeitlich nicht vom GV bzw. Vorspiel trennen → Verlust der Spontansexualität
  - Notwendigkeit, das Einsetzen zu üben
  - Zusätzliche Verwendung eines Spermizids erforderlich
  - Bei zu langer Liegedauer Kolpitis möglich
- **Zuverlässigkeit:**
  - Anwendungsdauer < 2 J. → Pearl-Index 5
  - Anwendungsdauer > 2 J. u. Frauen > 35 J. → Pearl-Index 2,1

18.3.2 Vaginalschwamm

Form Der Vaginalschwamm besteht aus Polyurethan u. ist mit dem Spermizid Nonoxynol 9 getränkt. Er ist zum Einmalgebrauch gedacht u. kann selbstständig mit der Hand o. mithilfe eines Applikators vag. eingeführt u. vor der Zervix platziert werden.

Prinzip Immobilisierung u. Abtötung der Spermien.

Bewertung
- **Vorteile:** Einführungstechnik einfach, Wirkungsdauer 24 h unabhängig von der Anzahl der Kohabitationen, wird vom Partner nicht gespürt
- **Nachteile:** Irritation der Vaginalhaut, nur international bestellbar
- **Zuverlässigkeit:** Pearl-Index 15

18.3.3 Intrauterinpessar (IUP, Intrauterinspirale; Intrauterine Device, IUD), Intrauterinsystem (IUS)

Formen Die IUP bestehen aus Polyethylen, einigen ist Bariumsulfat beigesetzt (im Rö darstellbar). Bei den Kupfer-IUP ist der Schaft mit 0,2–0,4 mm dickem Kupferdraht umwickelt.
Es gibt auch andere Formen der Kupfer-IUP wie die Kupferkette (Gynefix®) o. den Kupferperlenball (IUB™ Kupferperlen-Ball) sowie Spiralen mit Silber- u. Goldanteil.

Prinzip Multifaktoriell, unterschiedliche Hypothesen in Diskussion:
- Endometriale Leukozytose (Anhäufung von polymorphkernigen Leukos u. Makrophagen) soll die Implantation verhindern u. die Anzahl der aszendierenden Spermien reduzieren.
- Kupferionen wird eine spermizide Wirkung zugeschrieben.
- Fremdkörperreizbedingte Freisetzung intrauteriner Prostaglandine → Vasokonstriktion der Arteriolen u. evtl. zusätzlich Störung der Tubenkontraktilität.
- IUP-Wechsel alle 3 J., Nova T® alle 5 J., Goldlily® alle 7 J., Goldlily double® alle 10 J.

Anwendung
- Aufklärung über Risiken u. NW u. schriftliche Einverständniserklärung
- Legen des IUPs durch geübten Arzt
- Vor der Einlage des IUP Palpation (Uterusposition) u. gyn. Spekulumeinstellung. Nach Möglichkeit aktueller zytol. Abstrich (Pap, ▶ 15.2.3) u. sonografische Sondenlängenbestimmung (▶ 22.1.1)
- Einlage des IUPs während der Menstruation (2.–4. ZT), zur Zyklusmitte (periovulatorische CK-Öffnung) o. in der Zeit zwischen Ende der Menstruation u. vor dem 19. ZT wegen geringerer Expulsionsrate (Ausstoßung)
- Nativpräparat: Ausschluss einer Kolpitis (▶ 13.2.3, ▶ 13.3.5)
- Insertion nur unter sterilen Bedingungen: Vagina u. Portio mit aseptischer Lsg. (z. B. Braunol®, Octenisept®-Lsg.) reinigen
- Anhaken der Portio an der vorderen Muttermundlippe mit Kugelzange u. Strecken des Uterus sowie Messung der Uterussondenlänge
- Dilatation des CK i. d. R. nicht erforderlich (wenn doch, Hegarstifte 4–5. **Cave:** schmerzhaft!)
- IUP in das vorgesehene Führungsrohr (Applikator) einschieben, Einstellung der Arretierung auf die individuelle Sondenlänge u. vorsichtiges Einführen des Applikators bis zum spürbaren Widerstand des Fundus uteri

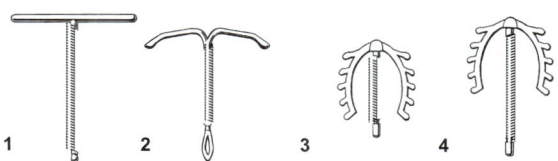

Abb. 18.3 IUP: **1** = Nova T® (Schering), **2** = IUP Kupfer T (Cilag), **3** = Multiload® Cu 250 short (Nourypharma), **4** = Multiload® Cu 250 (Nourypharma) [L190]

- Zurückziehen des Applikators, Mandrin belassen, wird zuletzt entfernt
- Kürzen der IUP-Fäden auf ca. 1,5–2 cm
- Sonografische Lagekontrolle des IUP (IUP-Fundusabstand max. 20 mm) unmittelbar nach Insertion, nach der 1. Periodenblutung, dann weiter alle 6 Mon.

Präparate ▶ Abb. 18.3.
- Multiload® 375 (375 mm² Kupferumwicklung)
- femena® Intrauterinpessar
- femena® Gold-Intrauterinpessar (Kupferdraht mit Goldkern)
- Nova T® Kupferdraht mit Silberkern. Kupferoberfläche 200 mm²
- Goldlily® Gold-Kupfer-Legierung, 240 mm², Goldlily double® 525 mm²
- Gynefix® Kupferkette, die im Fundus uteri mit einem Knoten am oberen Ende des Fadens verankert wird, Kupferoberfläche 200 mm²

Kontraindikationen
- **Absolut:** Schwangerschaft, nicht abgeklärte Menometrorrhagien (Genital-Ca!), großer Uterus myomatosus, Uterusanomalien (Uterus bicornis, arcuatus etc.), rezid. Genitalinf. (Adnexitiden), hypoplastisches Genitale (Sondenlänge < 5,5 cm), Kupferallergie, Immunsuppression
- **Relativ:** Alter < 20 J. (Gefahr der Subfertilität durch aufsteigende Inf.), Z. n. Extrauteringravidität (EUG)
  - Lokal: narbige Zervixstenose, Hypermenorrhö
  - Systemisch: Blutgerinnungsstörungen, anamnestisch rheumatische Endokarditis, Diab. mell., Anämie, immunsuppressive Ther.

> - Die IUP-Einlage sollte frühestens 6–8 Wo. p. p. erfolgen, da die Insertion unmittelbar p. p. (auch post sectionem) mit einer hohen Ausstoßungsrate verbunden ist (14,8 %).
> - Die IUP-Einlage nach Interruptio soll angeblich mit keiner höheren KO-Rate verbunden sein, sieht man von einer verstärkten u. schmerzhaften Menstruationsblutung ab. Dieses Vorgehen ist bei Nulliparae nicht zu empfehlen.

Nebenwirkungen
- Blutungsanomalien: In 5–20 % muss das IUP während des ersten Jahres wegen Blutungen gezogen werden. Nach dem ersten Jahr erhebliche Abnahme dieser KO
- Genitalinf.: Endomyometritis, Adnexitis (Adnexitisinzidenz ↑ von 3,4 auf 5,2 pro 100 Frauenjahre)

- IUP-Expulsionen: etwa 5 von 100 IUP-Trägerinnen pro Jahr (am häufigsten während der ersten beiden Zyklen, Nullipara > Multipara)
- EUG: Inzidenz auf 4 % ggü. 0,8 % bei Normalkollektiv erhöht
- Perforation: etwa 1/1.000 Insertionen. Bei Perforation in die freie Bauchhöhle muss IUP wegen des Risikos schwerer Darm-KO entfernt werden → **„lost IUP"**
- Vasovagale Reaktion bei der Insertion (Bradykardie, RR-Abfall)

Bewertung
- **Vorteile:** hohe Zuverlässigkeit, keine systemische Wirkung, Reversibilität, unabhängig vom GV, für Pat. weitgehend „wartungsfrei" (mit Ausnahme ½-jährl. Kontrollen)
- **Nachteile:** Infektionsrate ↑, Hypermenorrhö, evtl. Zwischenblutungen
- **Zuverlässigkeit:** Pearl-Index 2

Intrauterine Gravidität bei liegendem IUP

Wird das IUP belassen u. die Schwangerschaft ausgetragen, ist mit folgenden KO zu rechnen:
- Bis zu 50 % Spontanabortrate (max. im 2. Trim.)
- Infektionsrisiko ↑
- Frühgeburtenrate 4-fach ↑ (Fehlbildungsrate, Häufigkeit des intrauterinen Fruchttods o. der Plazentainsuff. nicht erhöht)

Aufgrund der o. g. Risiken sollte unmittelbar nach Feststellung der Schwangerschaft geprüft werden, ob das IUP entfernt werden kann:
- IUP ist nach kaudal disloziert, Fruchtblase liegt darüber → relativ gefahrlose IUP-Entfernung möglich.
- IUP liegt direkt neben o. oberhalb der Fruchtblase → mind. 10-proz. Risiko, die Fruchtblase zu verletzen u. einen Abort zu induzieren.
- Bei Fortsetzung der Schwangerschaft ist die Keimbestimmung der Vaginalflora u. ggf. eine spezielle Kolpitis-Ther. erforderlich (▶ 13.3.5).

Postkoitale IUP-Insertion

Wirkt durch Nidationshemmung.

Anwendung Einsetzen des IUPs bis max. 5 d nach dem vermuteten Eisprung (unabhängig von zwischenzeitlicher GV-Häufigkeit).

Bewertung
- Vorteile: keine Übelkeit, keine Zyklusstörungen, auch bei KI gegen Hormone möglich
- Nachteile: Risiko der Induktion einer Adnexitis
- Zuverlässigkeit: > 95 %

Gestagen-Spirale (Intrauterinsystem, Mirena® Jaydess®, Kyleena®)

Besteht aus einem T-förmigen Kunststoffkörper, ummantelt mit einem Levonorgestrel (LNG) enthaltenden Hormonzylinder (Mirena®: 52 mg, Jaydess®: 13,5 mg).

Prinzip Lokale Uteruswirkung: Die kontinuierliche LNG-Freisetzung wirkt nicht systemisch, der Zyklus wird weiterhin von der ovariellen Steroidhormonsynthese bestimmt, sodass das IUS (▶ 18.3.3) nicht wie die Minipille wirkt.
- Progesterontypische Wirkung auf den Zervixmukus: niedrige Viskosität → Hemmung der Spermienaszension (▶ 17.2.7)
- Suppression der Endometriumproliferation (Nidationshemmung)
- Hemmung der Spermienmotilität in Uterus u. Tuben

Anwendung Die Einlage sollte frühestens 6 Wo. p. p. erfolgen, da die Insertion unmittelbar p. p. (auch post sectionem) mit einer hohen Ausstoßungsrate verbunden ist. Die IUS-Einlage nach Interruptio ist nicht mit einer erhöhten KO-Rate verbunden. Postkoitale Insertion zur Kontrazeption im laufenden Zyklus nicht sinnvoll, da keine ausreichende Nidationshemmung.
Max. Liegedauer: Mirena®, Kyleena®: 5 J., Jaydess®: 3 J.

Kontraindikationen
- Absolute KI: nicht bekannt
- Relative KI:
  - Narbige Zervixstenose nach OP (Konisation, Geburtstrauma)
  - Junge Nulliparae
  - Frauen mit Uterusatrophie
- Bei KI gegen andere sichere Methoden aber möglich. Jaydess® ist deutlich kleiner als Mirena®, eher auch für Nulliparae geeignet

Nebenwirkungen
- Schmierblutungen in den ersten 3–6 Mon. bei gleichzeitiger Reduktion der Menstruationsstärke u. -dauer. Bei Jaydess® häufige, kontinuierliche Schmierblutungen (niedrigere LNG-Abgabe).
- EUG: Inzidenz deutlich niedriger als bei IUP (ca. 2 %).
- Kosten werden nicht von den GKV übernommen (wie bei allen kontrazeptiven Maßnahmen bei Pat. > 20. Lj).
- Rate ektopischer Schwangerschaften unter IUS beträgt 0,06 auf 100 Frauenjahre.
- Sollte unter Anwendung von IUS eine Schwangerschaft eintreten, wird empfohlen, die Gestagenspirale zu entfernen, da das Risiko für einen Abort bzw. vorzeitige Wehen wie bei jedem in situ belassenen intrauterinen Kontrazeptivum zunimmt.

> IUS sind nicht als postkoitales Kontrazeptivum wirksam.

Bewertung
- **Vorteile:**
  - Extrem hohe Zuverlässigkeit: höchste Sicherheit aller reversiblen Methoden, entspricht der Sicherheit der Sterilisation
  - Volle Reversibilität
  - Reduktion der Blutungsstärke (gerade bei Frauen mit Hypermenorrhö, z. B. auch unter IUP)
  - Sichere Kontrazeption über 3–5 J. nach Insertion, ohne weitere Maßnahmen
  - Deutlich seltener aszendierende Genitalinf. durch zähflüssigen Zervixschleim
  - Amenorrhö bei 10–20 % innerhalb von 3 J.
- **Nachteile:**
  - Einlage mit der Insertionshilfe gewöhnungsbedürftig
  - Höhere Kosten initial, monatl. Kosten etwa identisch mit Cu-IUP o. OH

Pearl-Index 0,1 (!)

18.3.4 Kondom (Präservativ)

Das Kondom verhindert die Ejakulation des Samens in Vagina u. Zervix. Auch mech. Schutz gegen verschiedene Infektionskrankheiten (z. B. Aids).

Anwendung
- Das Kondom bereits zu Beginn des GV über den erigierten Penis stülpen
- Beschädigung (z. B. durch Fingernägel) vermeiden
- Keine Wiederverwendbarkeit desselben Kondoms
- Entfernung des Penis aus der Vagina in noch erigiertem Zustand unter Festhalten des Kondoms

Bewertung
- **Vorteile:**
  - Gute Zuverlässigkeit bei korrekter Anwendung
  - Keine systemischen NW, keine KI
  - Leicht zu beschaffen (Kondome sollten jedoch wegen der besseren Lagerung in Apotheken gekauft werden)
  - Einbeziehung des männlichen Partners in die Empfängnisverhütung
  - Mikrobiol. Schutz vor Gonokokken, Trichomonaden, *Treponema*, Chlamydien, Protozoen u. HIV, nicht vor Herpesviren
  - Unter Umständen auch Schutz vor Zervix-Ca (▶ 15.7) bzw. CIN (▶ 15.5)
- **Nachteile:** mögliche Verminderung der Spontaneität beim GV, verminderte Sensitivität für den Mann, physische u. psychische Barriere zwischen beiden Partnern, Gefahr der Ruptur
- **Zuverlässigkeit:** in hohem Maße von der korrekten Anwendung abhängig, Pearl-Index: 3–3,6

Wenn das Kondom während der Kohabitation (Koitus) platzt, sollte eine postkoitale Kontrazeption (IUP-Insertion, „Morning-after-Pill") erwogen werden (▶ 18.4.5).

18.3.5 Spermizide

Prinzip Schaum, Tbl., Zäpfchen, Cremes o. Gele, die Spermien immobilisieren, abtöten u. das Eindringen der Spermien in den Zervixkanal verhindern. Die Spermizide werden zwar zu einem geringen Teil über die Vagina resorbiert, systemische Effekte sind aber nicht nachweisbar. Obwohl Einzelbeobachtungen über fetale Fehlbildungen nach Anwendung von Spermiziden vorliegen, besteht aufgrund großer Untersuchungen kein Anhalt für einen teratogenen Effekt.

Anwendung Vag.-Ovula, -Tbl. u. -Zäpfchen sollen 10 min vor dem GV in die Scheide eingeführt werden. Gele u. Cremes werden mithilfe eines Applikators intravag. appliziert. Ejakulation sollte möglichst innerhalb der nächsten 60 min stattfinden.

Bewertung
- **Vorteile:** keine systemischen NW, leichte Handhabung, Reversibilität. Anwendung nur, wenn auch wirklich eine Kontrazeption benötigt wird

- **Nachteile:** störendes Wärmegefühl in der Vagina, Manipulation kurz vor dem GV, selten vag. Reizerscheinungen
- **Zuverlässigkeit:** Pearl-Index 8–36

Präparate Spermizide Cremes sind derzeit in D nur noch als Reimporte über die Apotheke erhältlich (z. B. Ortho-Creme® aus Großbritannien).

18.3.6 Sterilisation

> Eine op. Sterilisation sowohl der Frau als auch des Mannes sollte nur dann in Erwägung gezogen werden, wenn eine irreversible Kontrazeption gewünscht wird. In jedem Fall ist neben einer ausführlichen Aufklärung der Pat. über mögliche Risiken des Eingriffs u. die Versagerquote eine schriftliche Einwilligung erforderlich.

Wie alle kontrazeptiven Maßnahmen ist auch die Sterilisation keine Leistung der GKV u. wird nur in Ausnahmefällen bei med. Ind. auf Antrag übernommen. Bei erneutem Kinderwunsch (z. B. neuer Partner) zahlt die Kasse keinerlei Kinderwunschbehandlung o. Refertilisation.

Sterilisation des Mannes (Vasektomie)

Definition Op. Unterbindung (meist in Lokalanästhesie) des Ductus deferens.

Prinzip Vermindert lediglich den Spermientransport nach außen, Hormonproduktion der Hoden, sexuelles Empfinden, Potentia coeundi, Erektion u. Ejakulation werden nicht beeinträchtigt. Das Ejakulat besteht nur noch aus Sekret der Prostata u. Samenblasen u. sollte keine Spermien mehr enthalten.

Komplikationen Skrotalhämatom, Inf., Samengranulome.

Kontraindikationen Varikozele, Hydrozele, Hernie, epididymale Zyste, Hämophilie, Diab. mell.

Zuverlässigkeit 1 von 400 operierten Männern bleibt zeugungsfähig (z. B. durch Unterbindung einer falschen anatomischen Struktur).

> - Unbedingt Ejakulatuntersuchung 6 Wo. nach OP, da im Bereich der unteren Samenwege noch Spermiendepots bestehen können
> - Bei Wunsch nach Refertilisierung Versuch der mikrochir. Rekanalisierung des Ductus deferens durch Anastomosierung (Refertilisierungsrate 65–70 %)

Sterilisation der Frau (Tubenligatur)

> Die Sterilisation der Frau durch Tubenligatur o. Entfernung der Tuben ist abgesehen von der Hysterektomie eine der sichersten Verhütungsmethoden. Sie wird nicht mehr von der Krankenkasse bezahlt.

18 Kontrazeption

Prinzip Verhinderung des Eitransports vom Ovar ins Cavum uteri u. damit des Zusammentreffens von aszendierenden Spermien mit dem befruchtungsfähigen Ei. Der Eingriff sollte in der 1. Zyklushälfte durchgeführt werden, um einer Lutealgrav. (schon eingetretenen) Befruchtung vorzubeugen.

Indikationen Wunsch nach endgültiger Empfängnisverhütung bei definitiv abgeschlossener Familienplanung. Aus rein kontrazeptiven o. med. Gründen (schwere Varikosis, Nikotinabusus bei > 35 Lj, OH-Unverträglichkeiten, Hypertonus u. a.). **Cave:** zurückhaltende Ind. bei Pat. < 30 Lj!

Kontraindikationen Akute entzündliche Prozesse (Adnexitis, Ileitis terminalis), V. a. ausgedehnte Adhäsionen (schlechte Einsehbarkeit, Verletzungen), hämorrhagische Diathese, eingeschränkte OP-Fähigkeit.

Methoden
- **Laparoskopische Tubensterilisation:** am häufigsten durchgeführte Methode. Kann durch bipolare Hochfrequenzkoagulation, alternativ durch Thermokoagulation (Schwachstrom), mit Kunststoffclips (nach Hulka, Bleier) o. mit Silasticringen (Fallope-Rings) erfolgen.
- **Kolpozöliotomie:** Zugang von vag. durch den Douglas-Raum. Verfahren sollte auf spezielle Ind. beschränkt werden (z. B. Laparoskopieversager bei Adipositas per magna, ausgeprägte Retroflexio uteri, V. a. ausgeprägte intraabdom. Adhäsionen). Nachteil: höheres Infektionsrisiko.
- **Per Laparotomie:** Tubenligatur i. R. einer aus anderer Ind. durchgeführten Laparotomie, z. B. Sectio, Ovarialzysten-OP. Die Laparotomie allein zur Durchführung einer Tubenligatur ist obsolet!
- **Essure®-Verfahren:** unter hysteroskopischer Sicht Einbringen von zwei Spiralen mit Kunststoffkern in die Tuben-Anfangsteile; danach erfolgt eine Fibrosierung der Eileiter. Vorteile: keine Narkose notwendig, keine Verletzungsgefahr wie bei Laparotomie, sehr niedriger Pearl-Index: 0,05. Nachteile: Wirksamkeit erst nach 6 Wo. Korrekte Lage muss durch Rö-Bild gesichert werden.

Technik der Laparoskopie
- Desinfektion des Mittelbauchs nach gründlicher Reinigung des Nabels.
- 3–5 mm große Inzision der Haut u. des subkutanen Fettgewebes in der subumbilikalen Nabelgrube.
- Senkrechtes Eingehen mit der **Veressnadel** bis auf den Faszienwiderstand. Während die Bauchdecke mit der li. Hand eleviert wird, wird die Veressnadel in einem Winkel von 45° durch die Faszie u. das Peritoneum vorgeschoben (bei zu flachem Vorschieben rutscht die Nadel an der Faszie entlang!). Aspirationsprobe.
- Insufflation von **CO_2-Gas** (ca. 3–4 l). Kontrolle der richtigen intraperitonealen Lage: Nadel gut beweglich, Insufflationsdruck 12–14 mmHg, Perkussion (Aufhebung der Leberdämpfung zeigt gleichmäßige intraperitoneale Gasverteilung an). Obligate Durchführung weiterer Sicherheitstests, z. B. **Perl-Probe:** Durchstechen der Bauchdecke mit dünner Nadel u. aufgesetzter Kochsalzspritze → Injektion von NaCl 0,9 %, Aspiration von CO_2 (dadurch sind evtl. an der vorderen Bauchwand Darmschlingen erkennbar).
- Entfernung der Veressnadel, Erweiterung der Stichinzision auf 1 cm.
- Eingehen mit dem Trokar unter langsam drehenden Bewegungen, Einführen der Optik durch Trokar, Beurteilung des Situs in Kopftieflagerung.
- Einführen der Koagulationszange, Fassen der Tube etwa 2 cm lateral des Tubenabgangs u. mehrmalige Koagulation; gleiches Vorgehen auf der anderen

Seite. **Cave:** Branchen der Koagulationszange müssen frei sein von Darm, Blase, Peritoneum. Zusätzliche Durchtrennung der Eileiter bzw. Tubenteilresektion verbessert die kontrazeptive Sicherheit nicht. Neueren Studien zufolge erhöht sich damit sogar das Risiko eines Sterilisationsversagens auf das 3-Fache.
- Evtl. Entnahme eines Tubenteilstücks zum histol. Nachweis.
- ! Aus forensischen Gründen empfiehlt sich eine Fotodokumentation des OP-Situs o. ein histol. Nachweis kompletter Tubenteilresektate!
- Rückzug des Laparoskops unter Sicht, Ablassen des Pneumoperitoneums (dabei Pat. wieder waagerecht lagern), Entfernung des Trokars, Verschluss der Wunde durch jeweils 1–2 Subkutan- u. Hautnähte. Steriler Verband.
- Entfernung der Fäden am 5. Tag. Bei resorbierbaren Fäden (z. B. Monocryl®) keine Fadenentfernung erforderlich.

Komplikationen
- Narkoserisiko (0,16 ‰)
- OP-Risiko (Darmläsion 0,42 ‰, Blutungen 0,44 ‰, Inf. 0,16 ‰)
- Libidoverminderung (5 %; ▶ 21.2.4)
- Reduzierte Ovarialfunktion (verminderte Gefäßanastomosen zwischen A. ovarica u. A. uterina durch zu ausgedehnte Koagulation der Mesosalpinx)
- Psychische Probleme (2–5 %; ▶ 21.2.4)

Bewertung
- **Vorteile:** hohe antikonzeptive Sicherheit, keine endokrine Belastung o. systemische Wirkung, laparoskopische Inspektion des inneren Genitales.
- **Nachteile:** im Prinzip irreversibel, op. Eingriff in Narkose mit kurzem stationären Aufenthalt bzw. ambulant, postop. „Muskelkater" u. Schulterschmerzen durch Phrenikusreizung.
- **Zuverlässigkeit:** Pearl-Index 0,2–1,8. Die statistische Versagerrate bei bipolarer Eileiterkoagulation bzw. Eileiterentfernung liegt bei < 1 pro 1.000 Eingriffe, bei nachgeburtlichen Sterilisationen bei 7,5 pro 1.000 Eingriffe.

In Anlehnung an einen Vorschlag der *International Planned Parenthood Federation* sollten **Aufklärung u. Einverständniserklärung** folgende Punkte enthalten:
- Aufklärung über die Art der Sterilisation (Clip, Koagulation, Tubenteilresektion etc.)
- Irreversibilität
- Versagermöglichkeit
- OP- u. Narkoserisiko
- Im Fall einer Schwangerschaft EUG-Risiko ↑
- Alternative Verhütungsmöglichkeiten

Refertilisierung
Die Refertilisierung ist nur mittels mikrochir. OP-Verfahren möglich (End-zu-End-Reanastomosierung o. Tubenreimplantation). Die Refertilisierungsrate steht in dir. Zusammenhang mit der nach Anastomosierung erreichbaren Tubenlänge. Die Schwangerschaftsrate liegt bei 40–50 % nach Tubenkoagulation, aber bis zu 83 % nach Clipsterilisation.

Die Refertilisierungs-OP wird nicht von der gesetzlichen Krankenkasse finanziert.

18.4 Hormonelle Kontrazeption

18.4.1 Orale Ovulationshemmer

Prinzip
- Zentrale Hemmung der Ovulation durch Hemmung der pulsatilen Sekretion der Gonadotropin-Releasing-Hormone (GnRH) aus dem Hypothalamus sowie der hypophysären Gonadotropin-Freisetzung (FSH + LH).
- Behinderung der Nidation durch Hemmung der endometrialen Proliferation u. verfrühten, aber vollständigen sekretorischen Transformation.
- Hemmung der Spermienaszension durch Verminderung der Zervixschleimproduktion, Zunahme der Viskosität sowie der proteolytischen Enzyme.
- Beeinflussung der Tubenfunktion.
- Die kontrazeptive Wirkung wird in erster Linie durch das Gestagen gewährleistet, eine adäquate Komb. mit EE ist v. a. zur Zykluskontrolle wesentlich.

Maßnahmen vor Verordnung eines OH
- Sorgfältige Anamnese: Medikamenteneinnahme, Rauchen, familiäre Häufung von Herz-Kreislauf-Erkr., Diab., Gerinnungsstörungen (Thrombosen!); Gerinnungsdiagn. erforderlich (AT III, Protein C + S)
- Gyn. Untersuchung mit Zervixzytologie
- RR-Kontrolle

Regelmäßige empfohlene Kontrolluntersuchungen unter OH-Einnahme
- NW erfragen (Gewichtszunahme, Übelkeit, Zwischenblutungen), RR-Kontrolle
- ½-jährlich zytol. Portio- u. Zervixabstrich
- ½-jährlich Palpation der Mammae u. vag. Palpationsbefund
- Bei Frauen > 40 J.: Lipidstatus (Gesamtcholesterin < 240 mg/dl; HDL > 45 mg/dl; LDL < 160 mg/dl; Triglyzeride < 200 mg/dl)

Präparate
Die Kombinationspillen bestehen aus einer östrogenen u. einer gestagenen Komponente. Variationen entstehen durch:

Unterschiedliche Derivate
- **Östrogene Komponente:** Ethinylestradiol (EE) o. Mestranol (beide sind Derivate des stärksten natürlichen Östrogene, des Estradiols)
- **Gestagene Komponente:** Lynestrenol, Norethisteronacetat, Norgestimat, Norethisteron, Cyproteronacetat, LNG, Norgestrel, Chlormadinonacetat, Gestoden, Desogestrel

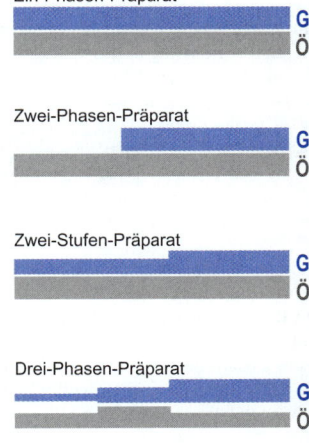

Abb. 18.4 Schema Östrogen- und Gestagendosierungen bei den verschiedenen OH-Typen [L190]

Dosierung Die EE-Dosis schwankt zwischen 20 u. 50 µg, die des Mestranols zwischen 50 u. 100 µg. Die Dosierung des Gestagens ist variabel u. hängt von der Potenz der jeweiligen Substanz ab (▶ Abb. 18.4).

Abgestufte Dosierung innerhalb eines Zyklus
- **Ein-Phasen-Präparate:** konstante Östrogen-/Gestagenkomb. an allen 21 Einnahmetagen (▶ 18.4.2)
- **Zwei-Phasen-Präparate:** enthalten während der 1. Einnahmephase (7 d) nur Östrogene, in der 2. Phase (15 d) zusätzlich Gestagene (▶ 18.4.4)
- **Zwei-Stufen-Präparate:** enthalten bereits während der 1. Phase (11 d) eine niedrige Gestagendosis, die in der 2. Phase (10 d) bei gleichbleibender Östrogendosis (▶ 18.4.3) erhöht wird
- **Drei-Phasen-Präparate:** Hormondosierung wird dem natürlichen Zyklus angepasst (▶ 18.4.5):
  - 1. Phase (z. B. 6 d): niedriger Östrogen- u. Gestagenanteil
  - 2. (mittlere) Phase: leicht erhöhte Östrogen- u. Gestagenkomponente
  - 3. Phase: Reduktion des Östrogenanteils bei gesteigertem Gestagenanteil

Nebenwirkungen
▶ Tab. 18.2.
- Hypertonus: Inzidenz, bei vorbestehendem labilem Hypertonus unter OH-Einnahme eine manifeste Hypertonie zu entwickeln, liegt bei 5 %.
- Glukosetoleranz ↓, aber keine erhöhte Diabetesinzidenz.
- Gefäßerkr.: Thrombembolien, Apoplexie, Koronarangiopathien.
- „Post-Pill-Amenorrhö" = Oversuppression-Sy. 1–1,5 %.
- Bei den heute üblichen komb. oralen Kontrazeptiva mit niedrigem Östrogengehalt (<< 50 µg EE) wird das Thrombembolierisiko vom Gestagenbestandteil beeinflusst: für Pillen der 2. Generation mit LNG VTE-Häufigkeit 20 Fälle pro 100.000 Frauen pro Jahr, bei den Pillen der 3. Generation mit Desogestrel VTE-Häufigkeit bis zu 40 Fälle pro 100.000 Frauen pro Jahr. Desogestrel VTE-Häufigkeit bis zu 40 Fälle pro 100.000 Frauen pro Jahr.
- **Erkrankungsinzidenz ↑:** für Hypertonus, Koronarangiopathien, Rosazea, Ulcus ventriculi, Zystitis, Budd-Chiari-Sy., Thrombembolien, Leberadenomen, Vitiligo, ulzeröser Kolitis, Zervizitis, epileptischen Anfällen, Apoplexie, Chloasma, Gingivitis, Cholelithiasis, Porphyrie, Otosklerose.
- **Erkrankungsinzidenz ↓:** für Ovarial-Ca, Endometrium-Ca, Adnexitis, Endometriose, benignen Ovarialtumoren, Anämie, Duodenalulkus, Myasthenia gravis, Schilddrüsenerkr., rheumatoider Arthritis, Sklerodermie, Hypermenorrhö, Dysmenorrhö, PMS, Hirsutismus, Akne, benignen Brusterkr.
- Umstritten ist die langfristige Auswirkung oraler OH auf die Inzidenz des Mamma- u. Zervix-Ca. In über 50 retrospektiven Fall-Kontroll-Studien u. großen prospektiven epidemiol. Untersuchungsreihen wurde keine Zunahme des Mamma-Ca-Risikos unter OH ermittelt. Bei einigen zahlenmäßig sehr kleinen Fallgruppen, z. B. jungen Frauen o. Nulliparae, wurde in einigen Studien eine geringe Risikozunahme gefunden, in anderen dagegen nicht!

Tab. 18.2 Nebenwirkungen oraler Ovulationshemmer	
Eher östrogenbedingt	**Eher gestagenbedingt**
• Kopfschmerzen • Übelkeit • Ödembildung • Gewichtszunahme	• Müdigkeit • Depression • Gewichtszunahme • Libidoverlust

18 Kontrazeption

> **Sofortiges Absetzen der OH in folgenden Situationen**
> - Migräneanfälle, akut auftretende Sehstörungen
> - Akut auftretende thrombembolische Symptome
> - Auftreten eines Ikterus
> - Wachstum von Myomen, Endometrioseherden o. Knoten in der Brust
> - Zunahme epileptischer Anfälle
> - Akute Entgleisung des Kohlenhydratstoffwechsels
> - Eintreten einer Schwangerschaft
> - Längere Immobilisierung (z. B. ca. 6 Wo. vor großen OP)

Bewertung
- **Vorteile:**
  - Höchste erreichbare Sicherheit, Reversibilität der Kontrazeption
  - Keine Vorbereitungshandlungen vor dem sexuellen Kontakt erforderlich
  - Meist gute Verträglichkeit u. Akzeptanz
  - Ohne Bedenken bei jungen Mädchen u. Nulliparae anwendbar
  - Nützliche NW s. o.
- **Nachteile:**
  - Tgl. Einnahme erforderlich
  - Zyklusstörungen möglich (v. a. während der ersten 3 Anwendungsmon.)
  - KI (▶ Tab. 18.3) u. unerwünschte NW (s. o., ▶ Tab. 18.2)
- **Zuverlässigkeit:** Pearl-Index 0,2–0,5

Spezielle Fragen zur OH-Einnahme
- Immer mehr Frauen nehmen OH im Langzyklus ein. Geeignetes Langzyklus-Schema ist die kontinuierliche Einnahme von 4 OH-Packungen, d. h. tgl. Einnahme eines monophasischen Kombinationspräparats über insges. 84 d, ge-

Tab. 18.3 Kontraindikationen der oralen Ovulationshemmer

Absolute Kontraindikationen	Relative Kontraindikationen
• Grav. • Z. n. tiefer Venenthrombose TVT o. Embolie • Z. n. Apoplex, Z. n. Herzinfarkt, zerebrale o. retinale Gefäßleiden, periphere Durchblutungsstörungen • Hypertonus > 160/100 mmHg • Hormonempfindliche maligne Tumoren (Mamma-Ca, Endometrium-Ca) • Insulinpflichtiger Diab. mit Gefäßveränderungen o. mehr als 10-jährigem Bestehen • Cholestatische Leberfunktionsstörungen • Homozygote Faktor-V-Mutation	• Starke Varikosis • Diab. mell. • Epilepsie • MS • Porphyrie • Otosklerose • Endometriose • Stillen (nur reine Gestagene verwenden) • Starke Pigmentierung • Ulcus ventriculi • Ulzeröse Kolitis
• Z. n. Schwangerschaftsikterus, akute o. chron. persistierende Hepatitis • Z. n. Herpes gestationis • Sichelzellenanämie • Ungeklärte Genitalblutungen • Raucherinnen > 35 J.! • Vorausgegangene o. bestehende Lebertumoren (Adenom, fokale noduläre Hyperplasie [FNH])	• Adipositas • Uterus myomatosus (keine östrogenbetonten Präparate) • Melanom

18.4 Hormonelle Kontrazeption

Tab. 18.4 Unerwünschte Wirkungen und Gegenmaßnahmen

Unerwünschte Wirkung	Maßnahme
Zwischenblutungen	• Postmenstruell: Verordnung von Sequenzpräparaten • Prämenstruell: östrogenbetonte Präparate • Mittzyklisch: EE 25–50 µg/d p. o., zusätzlich über 4–6 d (z. B. Ethinylestradiol 25 µg Jenapharm®), beginnend 2 d vor dem ZT, an dem normalerweise die Zwischenblutungen auftreten
Chloasma	Abendliche Pilleneinnahme, sodass höchste Steroidhormon-Konz. nachts auftreten; evtl. Sonnencreme mit Lichtschutzfaktor
Übelkeit	OH abends nach dem Essen einnehmen
Reduzierte Libido	Wechsel auf östrogenreichere Pille (z. B. Neo-Eunomin®)
Gewichtszunahme	Wechsel auf Präparat mit niedrigerem Östrogengehalt
Brustspannen	Präparatwechsel auf gestagenbetonte Pille (z. B. Marvelon®)
Ausbleiben der Abbruchblutung trotz regelmäßiger Pilleneinnahme	• Nach Ausschluss einer Grav. Fortsetzung der Pilleneinnahme nach üblicher (i. d. R. 7-tägiger) Pillenpause • Übergang auf ein östrogenbetoneres Präparat, falls das Ausbleiben der Blutung als störend empfunden wird

folgt von 7 d Pillenpause. Vorteil des Langzyklus ist eine Reduktion der Anzahl der Entzugsblutungen u. die Vermeidung der in der Pillenpause vorkommenden Hormonschwankungen mit psychischen u. somatischen Beschwerden sowie die erhöhte kontrazeptive Sicherheit. Weitere Ind. für die Anwendung des Langzyklus sind: Endometriose, Menorrhagien, Dysmenorrhöen, hämorrhagische Diathesen, Uterusmyome, PCOS, Migräne in der Pillenpause sowie PMS. Geeignet sind v. a. dienogesthaltige Pillen.
- Pillen können auch komplett kontinuierlich eingenommen werden, 1-wöchige Pause nur bei Durchbruchsblutungen.
- NW u. Gegenmaßnahmen ▶ Tab. 18.4.

Tipps beim Präparatwechsel
- Umsteigen von höher auf niedriger dosiertes Präparat → Einnahmebeginn am 1. Tag der Periodenblutung (kürzeres pillenfreies Intervall, z. B. nur 2 d)
- Umsteigen von niedrig dosiertem auf höher dosiertes Präparat → 7-tägige Einnahmepause kann eingehalten werden

Menstruationsverschiebung
Am besten mit Ein-Phasen-Präparaten:
- Vorverlegen: Pille max. 7 d vor Beginn der Pillenpause absetzen → 2–3 d später Entzugsblutung.
- Hinausschieben: Fortsetzen der Pilleneinnahme mit der 2. Packung ohne Pillenpause; bei Sequenzial-, Phasen- u. Stufenpräparaten (s. o.) ist nur die 2. Hälfte der Pillenpackung (mit Östrogen- u. Gestagenanteil) geeignet. **Cave:** Drei-Phasen-Präparate sind zur Menstruationsverschiebung nicht zu empfehlen.

Tab. 18.5 Orale Kontrazeptiva bei Fernreisen

Morgendliche Einnahme

Hinflug			Zielort/Route	Rückflug		
Abflugtag	Nächster Tag	Ab 2. Tag		Abflugtag	Nächster Tag	Ab 2. Tag
morgens wie gewohnt	morgens	morgens	**Nordamerika Ostküste** Hinflug ca. 10:00 Uhr Rückflug ca. 18:00 Uhr	morgens wie gewohnt	nach Ankunft	morgens
	nach Ankunft	morgens	**Nordamerika Westküste** Hinflug ca. 11:00 Uhr Rückflug ca. 15:00 Uhr	morgens wie gewohnt	nach Ankunft in D	morgens
	vor Ankunft z. B. in Dubai	abends statt morgens	**Australien** Hinflug ca. 21:00 Uhr Rückflug ca. 14:00 h	vor Ankunft z. B. in Malaysia	abends in D	morgens
	vor Ankunft z. B. in Tokio	abends statt morgens	**Japan** Hinflug ca. 13:00 Uhr Rückflug ca. 21:30 Uhr	abends wie gewohnt	nach Ankunft in D	morgens
	vor Ankunft z. B. in Rio	morgens	**Südamerika** Hinflug ca. 22:00 Uhr Rückflug ca. 18:00 Uhr	morgens wie gewohnt	vor Ankunft in D	morgens

Pilleneinnahme einmal vergessen
- Während der ersten 14 Einnahmetage → Pilleneinnahme fortsetzen, keine kontrazeptive Sicherheit mehr gewährleistet, zusätzliche Maßnahme erforderlich
- Während der letzten 7 Einnahmetage → keine Beeinträchtigung der kontrazeptiven Wirkung, aber Zyklusstörungen möglich. Pilleneinnahme fortsetzen

Medikamenteninteraktion
Abschwächung der Pillenwirkung durch:
- Antibiotika: z. B. Ampicillin, Tetrazykline, Cephalosporine, Cotrimoxazol/Trimethoprim-Komb.
- Antikonvulsiva: z. B. Carbamazepin, Phenytoin, Primidon
- Barbiturate, Rifampicin

Pille und Schwangerschaft
- Fertilität nach Absetzen der Pille unverändert (nach 6 Mon. ist bei 80 % der Frauen eine Konzeption eingetreten)
- Oversuppression-Sy. (Post-Pill-Amenorrhö) in 1–1,5 % (v. a. bei Frauen, die bereits vor Einnahme der Pille labile Zyklusverhältnisse hatten)

- Abortrate, Frühgeburtenfrequenz u. Fehlbildungsrate sind nach Einnahme der Pille unverändert
- Keine Häufung von Fehlbildungen bei Grav. unter OH-Einnahme

Pille und Stillen
Der kontrazeptive Schutz durch Stillen ist nicht verlässlich. Orale Kontrazeptiva dürfen während der Stillzeit nur als reines Gestagenpräparat, z. B. Desogestrel (Cerazette®) angewandt werden. Mit Aufnahme des GV meist ca. 6 Wo. p. p. sollte auch der kontrazeptive Schutz geklärt sein.
Gründe gegen die Einnahme von Ovulationshemmern in der Stillzeit:
- Östrogenbedingte Volumenreduktion der Muttermilch um bis zu 42 %, bes. bei vorbestehender Laktationsschwäche.
- Keine Beeinträchtigung der Milchmenge durch Gestagene.
- Übergang der Hormone in die Muttermilch: Bei Einnahme von 50 μg/d EE sind diese in der Muttermilch nicht nachweisbar.

! Antiandrogene Gestagene (z. B. Cyproteronacetat, Chlormadinonacetat) sollten während der Stillzeit nicht eingesetzt werden.

Pille und Reisen
Fernreisen ▶ Tab. 18.5.

18.4.2 Minipille, Depotgestagene

Minipille

Prinzip
- Hemmung der Spermienaszension durch Veränderung u. Verminderung von Zervixschleim u. Endometrium
- Abschwächung des mittzyklischen LH-Gipfels, aber Hemmung der Ovulation nur in max. 40–50 %

Kontraindikation Leberadenome, steroidabhängige Karzinome, Z. n. Chorion-Ca, aktive Leberkrkr., EUG.

Anwendung Kontinuierliche tgl. Einnahme einer niedrigen Gestagendosis, die $1/6$–$1/10$ der Menge eines üblichen Ein-Phasen-Präparats beträgt. Keine Einnahmepause.

Präparate Desogestrel 0,075 mg (z. B. Cerazette®, Damara®, Desirett®, Desofemono®; Evakadin®, Feanolla®, Jubrele®, onefra sanol®, Solgest®) LNG 0,03 mg (Microlut®, 28mini®).

Bewertung
- **Vorteile:** kein kardiovaskuläres Risiko → kann auch Frauen mit Diab. mell., Hypertonus, Adipositas u. > 35 J. verordnet werden, keine Laktationshemmung → Gestagenpille + Laktation zusammen fast 100 % Konzeptionsschutz, keine Migräneverschlechterung
- **Nachteile:** Zyklusunregelmäßigkeit bei 30–60 % der Frauen (meist Schmierblutungen), Ovarialzysten, Einhaltung der gleichen Einnahmezeit (Pilleneinnahme darf max. 3 h verschoben werden, da ansonsten keine sichere Kontrazeption mehr gewährleistet ist u. zusätzliche Barrieremethoden erforderlich werden)
- **Zuverlässigkeit:** Pearl-Index 3

> ¾ der ungewollten Schwangerschaften beruhen auf Einnahmefehlern. Regelmäßige Einnahme erforderlich, keine Pausen > 12 h

Depotgestagene

Prinzip Über eine Veränderung der pulsatilen Gonadotropin-Ausschüttung kommt es zur Ovulationshemmung, allerdings weniger ausgeprägt als unter oralen OH. Daher bleibt endogener Östrogenspiegel ausreichend hoch. Daneben bewirken sie eine Transformation des Endometriums u. verändern den Zervixschleim.

Kontraindikation Schwangerschaft, schwere arterielle Erkr., unklare genitale Blutungen, aktive Lebererkr.

Anwendung Die Präparate werden während der ersten 5 ZT in 2- o. 3-monatl. Abständen i. m. (frühestens 4–5 Wo. p. p.) bzw. alle 3 J. s. c. (z. B. li. Oberarm) in Lokalanästhesie verabreicht.

Präparate Im deutschsprachigen Raum stehen lang wirksame Depotgestagene nur in mikrokristalliner o. öliger Injektionsform bzw. als über 3 J. wirkendes Langzeit-Gestagenstäbchen (Implanon®) von 40 × 2 mm Größe zur Verfügung:
- Medroxyprogesteronacetat (MPA) Depo-Clinovir® 150 mg, Sayana® 104 mg
- Norethisteronenanthat 200 mg (Noristerat®)
- Etonogestrel 68 mg (Implanon®)

Bewertung
- **Vorteile:** hohe Verlässlichkeit, Verminderung von Dysmenorrhö, Adnexitiden, epileptischen Anfällen, fraglich auch Migräne, keine Hemmung der Laktation, auch bei Diab. mell. o. Hypertonus anwendbar
- **Nachteile:** oft erhebliche Zyklusunregelmäßigkeiten über einen langen Zeitraum (Schmierblutungen, sehr selten Amenorrhö), Gewichtszunahme, Kopfschmerzen, Libidoverlust, Depressionen, Akne, Seborrhö, verzögertes Einsetzen der Fertilität (aufgrund einer Kumulierung des Gestageneffekts bis 1–2 J. nach Absetzen des Präparats), selten Galaktorrhö. Entfernen von Implanon® teilweise sehr schwer
- **Zuverlässigkeit** (Pearl-Index): Implanon®: 0; MPA: 0,3–1,2; Norethisteronacetat: bis 3,6

18.4.3 Vaginalring

Prinzip Applikation von Östrogenen (EE 15 µg/d) u. Gestagenen (Etonogestrel 120 µg/d) über einen flexiblen, vag. applizierten Ring (NuvaRing®, GinoRing®).

Kontraindikation Grav., schwere thrombembolische Prozesse in der Anamnese.

Anwendung Applikation des Rings (flexibel, Durchmesser 5,4 cm) durch die Frau selbst intravag. während der Menstruation. Ring bleibt über 3 Wo. liegen, wird dann durch die Frau wieder entfernt. Der Ring bleibt auch während des GV liegen, kann aber ohne Beeinträchtigung der kontrazeptiven Sicherheit bis zu 3 h am Tag entfernt werden.

Präparat NuvaRing®, Circlet®, GinoRing®.

Bewertung
- **Vorteile:** durch lokale Applikation der Östrogene u. Gestagene niedrige Dosierung der Hormone mit guter Wirksamkeit
- **Nachteile:** erhöhte Thromboserate (durch Etonogestrel) wie bei allen östrogen-/progesteronhaltigen OH
- **Zuverlässigkeit:** Pearl-Index 0,4–0,65

18.4.4 Hormonpflaster

Prinzip Pflaster mit kontinuierlicher Abgabe von Östrogen u. Gestagen (Norelgestromin 6 mg, EE 600 µg), z. B. EVRA® Transdermales Pflaster.

Anwendung Erstes Pflaster mit Beginn der Menstruation kleben, nach 1 Wo. u. nach 2 Wo. wechseln (jeweils am selben Wochentag). Danach 1 Wo. Pause mit Abbruchblutung. Die pflasterfreie Zeit sollte max. 7 d betragen.

Kontraindikationen und Nebenwirkungen
- Wie bei oralen hormonellen Kontrazeptiva (▶ 18.4.1)
- Erhöhtes Thromboserisiko!
- Bei KG > 90 kg nur eingeschränkter Schutz

Pearl-Index 0,9

18.4.5 Postkoitale Kontrazeption (Morning-after-Pill)

Prinzip Verschieben des Ovulationszeitpunkts.

Kontraindikation Grav., Herpes gestationis, schwere thrombembolische Prozesse.

Präparate und Anwendung
- Gestagene: LNG (1,5 mg (1 Tbl.) z.B. in PiDaNa®, Postinor®) innerhalb von 12 h, max. aber 72 h nach GV einnehmen
- Progesteron-Rezeptorblocker: Ulipristalacetat 30 mg (ellaOne® 1 Tbl.), Einnahme bis zum 5. Tag nach GV möglich. Nur zur Notfallkontrazeption geeignet
  – Andere hormonelle Kontrazeptiva (oral, Vaginalring, Pflaster) absetzen
  – Doppelte Dosis (3 g, 2 Tbl.) o. alternativ Kupfer-IUP-Einlage (▶ 18.3.3) zu empfehlen bei
    – Adipositas (BMI > 30)
    – Einnahme von Antiepileptika, Tuberkulostatika, HIV-Therapeutika, Antimykotika, pflanzlichen Präparaten mit Johanniskraut
- ▶ Tab. 18.9 („Postkoitalpille").

Nebenwirkungen Übelkeit (seltener Erbrechen) in 75 %, Brustspannen, Menstruationsvorverlegung o. -verzögerung (bei 22 %).

Bewertung
- **Zuverlässigkeit:** bei rechtzeitiger Anwendung ca. 98 %
- **Rezeptfrei** in der Apotheke erhältlich (in D/A/CH)

- Genaue Zyklusanamnese → Ausschluss einer Schwangerschaft
- Ggf. HCG-Serumbestimmung (o. Ultraschall) zum sicheren Ausschluss einer Frühgrav.

- Aufklärung über Versagerrate
- Keine erhöhte Fehlbildungsrate, aber fraglich erhöhte EUG-Rate bei ungewollt eintretender Grav.
- Follow-up-Untersuchung nach 3–4 Wo. empfehlen
- Als Notlösung gedacht; sollte nur einmal im Zyklus angewandt werden
- Kann auch in der Stillzeit verwendet werden

Diese Beratung wird jetzt vom Apotheker im Laden durchgeführt ...

Postkoitale IUP-Insertion ▶ 18.3.3.

18.5 Übersicht über Ovulationshemmer

18.5.1 Hinweis

Ind. ▶ 18.4 (Kontrazeption), Indikationseinschränkung ▶ 18.4.1.
▶ Tab. 18.6, ▶ Tab. 18.7 u. ▶ Tab. 18.8 erheben keinen Anspruch auf Vollständigkeit (EE = Ethinylestradiol-Gehalt in Milligramm).

18.5.2 Ein-Phasen-Präparate

Tab. 18.6 Ein-Phasen-Präparate (Angaben in Klammern: Ethinylestradiol-Gehalt in Mikrogramm; sog. Mikropillen: EE-Gehalt < 0,05 mg; fett markiert: laktosefreie (und damit auch vegane) Präparate

Gestagen	Präparate (Beispiele)
Chlormadinonacetat (2 mg)	Belara® (30), Bellissima® (0,03), Chavira® (30), **Enriqa**® (30), Madinette® (30), Minette® (30), Solera® (30)
Cyproteronacetat (2 mg)	Diane 35® (EE: 35) *(nicht zur reinen Kontrazeption zugelassen, auf Kassenrezept nur bei Androgenisierungserscheinungen)*
Desogestrel (0,15 mg)	Desmin® 20/30 (20/30), Desofemine® 20 Nova (20), Lovelle® (20), Marvelon® (30), Munalea® 20/30 (20/30), previva sanol® 20/30 (20/30)
Dienogest (2 mg)	Dienovel® (30), Finic® (30), Luvyna® (30), **Maxim**® (30), Mayra® (30), Sibilla® (30), **Valette**® (30), Velafee® (30)
Drospirenon (3 mg)	Aida® (20), Daylette® (20), Drosfemine® (20), Drospifem 20/30® (20/30), Maitalon® 20/30 (20/30), Petibelle® (30), Velmari Langzyklus® (20), Yasmin® (30), Yasminelle® (20), YAZ® (20), Yiznell® (30)
Gestoden (0,075 mg)	Aidulan® (30), Femovan® (30), Minulet® (30) Yaluvea® (EE: 15 µg, Gestoden 0,06 mg)
Levonorgestrel (0,1–0,15 mg)	Asumate® 20/30 (20/30), Evaluna® 20/30 (20/30), Femigoa® (30), Femikadin® 20/30 (20/30), Gravistat® (50), Kleodina® (30), Leios® (20), Levomin® 20/30 (20/30), Maexeni 20/30® (20/30), Microgynon® (30), Minisiston® (30), Minisiston 20 fem® (20), Miranova® (20), MonoStep® (30), Onarelle® (30)

18.5 Übersicht über Ovulationshemmer

Tab. 18.6 Ein-Phasen-Präparate (Angaben in Klammern: Ethinylestradiol-Gehalt in Mikrogramm; sog. Mikropillen: EE-Gehalt < 0,05 mg; fett markiert: laktosefreie (und damit auch vegane) Präparate *(Forts.)*

Gestagen	Präparate (Beispiele)
Nomogestrolacetat (2,5 mg)	Zoely® (1,5 mg *Estradiol*)
Norgestimat (0,25 mg)	Cilest® (30)
Norethisteron (0,5 mg)	Conceplan M® (30), Eve 20® (20)

18.5.3 Zwei-Phasen-Präparate

Tab. 18.7 Zwei-Phasen-Präparate

Name (D)	Östrogen	Gestagen
Biviol®	EE 30/40 µg	Desogestrel 0,025/0,125 mg
Neo-Eunomin®	EE 50 µg	Chlormadinonacetat 1/2 mg

18.5.4 Drei- und Vier-Phasen-Präparate

Tab. 18.8 Drei- und Vier-Phasen-Präparate

Name (D)	Östrogen	Gestagen
Nova Step® Trigoa® Triquilar® Trisiston®	EE 30/40/30 µg	LNG 0,05/0,075/0,125 mg
Novial®	EE 35/35/30 µg	Desogestrel 0,05/0,1/0,15 mg
Synphasec®	EE 35 µg	Norethisteron 0,5/1/0,5 mg
Qlaira®	EV 3/2/2/1 mg	Dienogest 0/2/2/0 mg

18.5.5 Minipillen (reines Gestagen) und Morning-after-Pill

- **Minipillen:**
  - Desogestrel 0,075 mg, 28 Tbl.: Cerazette®, Damara®, Desirett®, Feanolla®, Jubrele®, Solgest®
  - Levonorgestrel 30 mg, 28 Tbl: 28 mini®
- **Morning-after-Pill:** ▶ Tab. 18.9.

Tab. 18.9 Postkoitalpille

Name (D)	Tbl.	Östrogen	Wirkstoff	Name (A)	Name (CH)
PiDaNa® Navela® Postinor®	1	–	LNG 1,5 mg	Vikela®	NorlevoUno®
ellaOne®	1	–	Ulipristalacetat 0,3 mg	ellaOne®	ellaOne®

19 Endokrinologie
Axel Valet

19.1 **Klimakterium** 610
19.1.1 Symptome und Differenzialdiagnose 610
19.1.2 Diagnostik 610
19.1.3 Therapie 611
19.1.4 Osteoporose 615
19.2 **Hormonpräparate zur prä-, peri- oder postmenopausalen Therapie** 617
19.2.1 Hinweis 617
19.2.2 Zyklische Präparate 618
19.2.3 Kontinuierliche Präparate 618
19.2.4 Östrogenpräparate 619
19.2.5 Östrogen-Androgen-Kombination 621
19.2.6 Gestagenpräparate 622
19.2.7 Andere Präparate 622
19.3 **Adrenogenitales Syndrom (AGS)** 623
19.3.1 Definition 623
19.3.2 Klinik 623
19.3.3 Diagnostik 624
19.3.4 AGS und Schwangerschaft 625
19.4 **Sheehan-Syndrom** 625
19.5 **Weibliche Alopezie** 626
19.6 **Androgenisierungserscheinungen** 628

19.1 Klimakterium

19.1.1 Symptome und Differenzialdiagnose

- **Menopause**: letzte von den Eierstöcken gesteuerte Menstruationsblutung. Sie findet durchschnittlich im Alter von 52 J. statt.
- **Klimakterium**: Übergangsphase von der Geschlechtsreife in den nicht mehr fortpflanzungsfähigen Zustand („Wechseljahre"). Durchschnittlich dauert diese Übergangsphase etwa 10–15 J. Frauen machen das Klimakterium i. d. R. zwischen dem 45. u. 55. Lj durch.
- **Perimenopause**: 2 J. vor u. nach der Menopause.
- **Prämenopause**: Zeitraum von 4–5 J. vor der Menopause, gekennzeichnet durch Follikelreifungsstörungen, Gelbkörperinsuff. u. Anovulation.
- **Postmenopause**: Zeitraum ab 1 J. nach der Menopause mit abnehmenden Wechseljahrsbeschwerden. Dauert ca. 10–15 J. an u. endet mit dem Eintritt ins sog. Senium.

Ursache
Erschöpfung der Eierstockfunktion durch Follikelatresie. Die bei der Geburt angelegten 300.000–500.000 Primordialfollikel sind zu Beginn des Klimakteriums bereits weitgehend degeneriert. Während die zentralen Regulationsmechanismen von Hypothalamus u. Hypophyse funktionsfähig bleiben, erlischt die Ansprechbarkeit der Ovarien auf gonadotrope Reize.

Symptome
- Dysfunktionelle Blutungen: Anovulation, Lutealphaseninsuff., einfache (früher glandulär-zystische) Hyperplasie (▶ 15.6.1)
- Paroxysmale vasomotorische Beschwerden: Hitzewallungen (bei 70 %), Schweißausbrüche (bei 50 %), fleckige Hautrötungen (Kopf, Hals)
- Neurovegetative Beschwerden: Kopfschmerzen, Schwindel, Parästhesien; Herzklopfen, Schwächegefühl
- Psychosomatische Beschwerden: Müdigkeit, Leistungsabfall, Schlaflosigkeit, Reizbarkeit, Nervosität, Depression, psychosexuelle Störungen. Neurotische Störungen (bis zu 10 %)
- Osteoporose (chron. Rücken- u. Extremitätenschmerzen)
- Gewichtszunahme
- Atrophie im Urogenitalbereich: Lichen sclerosus (▶ 13.4); Vaginalatrophie; Kohabitationsbeschwerden (▶ 21.2.5); Colpitis senilis (▶ 13.3.5); Ektropium der Urethra; Urethrozystitis

19.1.2 Diagnostik

Anamnese; Inspektion (Vulva, Vagina); zytol. Abstrich nach Papanicolaou mit Proliferationsgrad nach Schmitt. Atrophie beim Reifeindex des Vaginalepithels (zytol. Hormongrad 1–2). **Labor:** Estradiol (< 20 pg/ml → keine Blutung mehr), Estron (< 40 pg/ml → keine Blutung mehr), FSH (> 50 mIE/ml → hypophysärer Versuch der max. ovariellen Stimulation).

19.1.3 Therapie

Indikationen
Vegetativ klimakterische Beschwerden, bedingt durch den Ausfall der ovariellen Hormonproduktion. Bei Climacterium praecox sollte auf jeden Fall über einen langen Zeitraum substituiert werden (mind. bis zum normalerweise physiol. Eintritt des Klimakteriums mit ca. 52 J.). HRT u. ERT wirksamste Primär-, Sekundär- u. Tertiärprävention der Osteoporose. Derzeit vom BfARM nur für Sekundärprophylaxe bei Unverträglichkeit anderer Medikamente (Alendronat, Risedronat, Strontium Ranelat, Teriparatid) zugelassen. Ausführliche Erörterung u. gemeinsame Risikoabwägung mit der Pat. (leicht erhöhte Inzidenz für Mamma-Ca, s. u.), regelmäßige Überprüfung der Ind., wenigstens 1 ×/J.

Hormonelle Substitutionstherapie
- Bei nicht hysterektomierten Frauen durch Östrogene in Komb. mit Gestagenen (HRT), bei hysterektomierten Frauen allein mit Östrogenen (ERT).
- Bei dysfunktionellen Blutungen muss jeder hormonellen Ther. ein histol. Malignomausschluss durch diagn. Hysteroskopie u. frakt. Abrasio vorausgehen.
- Bei Osteoporose zusätzlich für ausreichende Bewegung sowie elektrolyt- u. eiweißreiche Ernährung sorgen, Kalzium- u. Vit.-D-Zufuhr.

Kontraindikationen
- **Absolute KI:** Thrombembolie, östrogenabhängige Malignome (Mamma-Ca, Endometrium-Ca), Lebererkr. (path. Leberwerte?), Z. n. Schwangerschaftshepatose, nicht ausgeheilte Hepatitis, Enzymopathien (Rotor-, Dubin-Johnson-Sy.), Hirngefäßerkr., Porphyrien, schwere Hypertonie, Lupus erythematodes, Meningeome, Allergie gegen Wirk- u. Hilfsstoffe
- **Relative KI:** schwerer Diab. mell., Migräne, Epilepsie, Myome, kardiale u. nephrogene Ödeme, proliferierende Tbc, Mastopathie

Studienlage
Insb. nach Veröffentlichung der Studie des Women's Health Institute (WHI 2002) kam es zu großer Verunsicherung bei der HRT-/ERT-Verordnung, die auf europäischer u. nationaler Ebene auch zur Veränderung der Medikamentenzulassung führte, leider nicht immer evidenzbasiert. Durch exaktere Auswertungen mit Berücksichtigung von Subgruppenanalysen wurden jedoch die meisten damaligen Aussagen der WHI-Studie relativiert.
Primär wurde in der WHI-Studie ein erhöhtes **Myokardinfarktrisiko** gefunden. Dies bestand jedoch nur bei Frauen im 1. J. nach Einnahme, mit kardiovaskulären Risiken u. bei > 20 J. zurückliegender Menopause (> 70 J alte Pat. bei HRT-Beginn!). Bei Frauen < 60 J. HRT-/ERT-Beginn fand sich eine 40-proz. Risikoverminderung → Alter der Pat. bei der Ind. berücksichtigen („window of opportunity"). Diese Aussage wird durch die *Nurses Health Study* bestätigt (Follow-up > 30 J., HRT-Start zwischen 30. u. 55. Lj, > 120.000 Frauen eingeschlossen): 30–50 % weniger Myokardinfarkte, auch bei Frauen mit kardiovaskulärem Risiko, damit signifikante Verbesserung sowohl unter HRT als auch ERT (alleinige Östrogenther.).
Bzgl. der Erhöhung des **Mammakarzinomrisikos** kann noch keine abschließende Aussage getroffen werden. Unter HRT mit synthetischen Gestagenen scheint die Inzidenz des Mamma-Ca erhöht zu sein. Es ergab sich für die komb. HRT mit synthetischen Gestagenen eine signifikante Zunahme des Brustkrebsrisikos (RR: 1,8; normales Risiko 1,0); dies entspricht dem erhöhten Risiko einer späten Erst-

gebärenden (z. B. Risikoerhöhung bei Adipositas: 2, familiäre Belastung: 4, frühe Menarche, späte Menopause: 2). Gegenwärtig muss man davon ausgehen, dass auf 10.000 Frauen unter 5-jähriger HRT-Einnahme zwei Mamma-Ca mehr gefunden werden als in einer Placebogruppe. Unter ERT zeigte die WHI-Studie ein erniedrigtes Risiko für Mamma-Ca. Ob dies tatsächlich so ist, müssen weitere Studien belegen. Nicht nur die französische E3N-Studie zeigt ein niedriges Mamma-Ca-Risiko unter transdermaler ERT mit oraler Applikation eines mikronisierten (natürlichen) Progesterons (z. B. Utrogest®, Famenita®). Der letzten Auswertung der E3N-Studie zufolge muss die Proliferation des Endometriums aber mit 200 mg Progesteron verhindert werden, unter der bis dato empfohlenen 100-mg-Behandlung waren Endometrium-Ca aufgetreten.

Sicher ist (durchgängig durch die unterschiedlichsten Studientypen), dass die Mortalität durch Mamma-Ca unter HRT nicht erhöht ist. Pathophysiol. geht man von einer begünstigenden Wirkung auf das Wachstum schon vorhandener Mamma-Ca aus, eine Induktion von Mamma-Ca ist tumorbiol. u. aufgrund der Datenlage nicht vorstellbar.

Geblieben sind eine Erhöhung des thrombembolischen Risikos v. a. der oralen Ther., eine leichte Erhöhung für zerebrale (meist ischämische) Insulte (nicht in allen Studien), vermehrte Gallenwegs-/Gallenblasenerkr. (nach aktueller Datenlage nicht bei transdermaler Applikation). Nach der Esther-Studie findet sich keine Erhöhung des thrombembolischen Risikos bei transdermaler Östrogengabe. Ein Nutzen auf kognitive Funktionen (z. B. Alzheimer-Erkr.) ist aufgrund der noch schlechten Datenlage nicht belegbar.

Durch die Entschuldigung der Autoren der sog. WHI-Studie im vergangenen Jahr wegen der weltweiten Fehlinterpretation ihrer Studie (N Engl J Med 2016; 374: 803–806) erlebt die HRT derzeit eine Renaissance.

Fazit: Dosis so niedrig wie nötig wählen, möglichst transdermale Östrogenther. mit natürlichem Progesteron p. o. kombinieren. Ther. nur bei Ind.
Falls lediglich lokale Beschwerden wie genitaler Pruritus bei vulvärer Atrophie im Vordergrund stehen: lokale Ther. mit Estriolpräparaten (Supp. u./o. Creme).

Durchführung

Prämenopause
- Niedrig dosierte Ovulationshemmer (OH) bei zusätzlichem Kontrazeptionswunsch (z. B. Marvelon®, Microgynon®, Triquilar®). Wegen des erhöhten Thromboserisikos bei zunehmendem Lebensalter besser: Kontrazeption über Levonorgestrel-IUS (Mirena®), Cu-IUP (z. B. Femena®) o. Sterilisation einer der Partner u. HRT, bei Levonorgestrel-IUS (Mirena®) ERT, da intrauterine Progesteronabgabe durch das IUS als ausreichend gilt.
- Wenn kein Kontrazeptionswunsch mehr besteht, Östrogen-Gestagen-Komb. (z. B. Gynokadin Gel 1–2 Hübe/d o. Lenzetto® Östrogenspray 1–2 Hübe/d vom 1.–21. Tag) u. Progesteron (z. B. Famenita® 200 mg 1 × 1 Tbl./d vom 10.–21. Einnahmetag) o. Gestagene allein vom 16.–25. ZT (dient hauptsächlich der Zyklusregulierung, z. B. Famenita® 200 mg). Natürliches Progesteron am besten vor dem Zubettgehen, da zusätzliche Schlafförderung. Östrogendosis kann auf 3 Hübe gesteigert werden, aber erst nach 4-wöchentl. Intervall, da bis dahin noch ein Wirkungseintritt mit Reduktion der Symptome zu erwarten ist.

Peri- und Postmenopause

Dosierung ▶ Tab. 19.1.

Tab. 19.1 Dosierung (mg/d) bei klimakterischen Beschwerden	
Ethinylestradiol	0,002
Estradiolvalerat	1,0–2,0
Konj. Östrogene	0,6–1,25
Estradiol (mikronisiert)	2,0
Estriol, Estriosuccinat	2,0–4,0

- **Transdermal:**
  - Estradiolgel (z. B. Estreva® Gel, Gynokadin® Dosiergel 1 Hub/d o. 1–0–1 Hub/d bzw. Gynokadin® Gel 1 cm o. 1–0–1 cm, Dosierung nach Effekt) o. Estradiolgel (Lenzetto®) auf die Innenseite des Oberarms einreiben/aufsprühen. Enthält kein Gestagen, bei nicht hysterektomierter Pat. zusätzlich Progesteron p. o. verordnen, z. B. mikronisiertes Progesteron 200 mg/d (Utrogest® 1 × 2 Kps., Famenita® 200 mg)
  - **Perimenopause:** Gynokadin® Gel: 0,6 mg Estradiol pro g Gel: 1–2 Hübe (nach Effekt) u. Famenita® 200 mg mikronisiertes Progesteron 1 × 1 Tbl. vom 10.–21. Einnahmetag
  - **Postmenopause:** kontinuierliche Kombinationsther. ohne 7-tägige Einnahmepause (Vorteil: kein Hormonmangel in der Einnahmepause, keine Entzugsblutung): Gynokadin® Gel/Lenzetto® Spray 1–2 Hübe/d u. natürliches Progesteron (z. B. Famenita® 200 mg 1 × 1 Tbl./d)
  - Estradot®: Pflaster mit Estradiolabgabe von 25/37,5/50/75/o. 100 µg pro 24 h
  - Estragest®: Estradiol + Norethisteronacetat bzw. Progesteron 100 mg/d (Utrogest® Kps.) monophasisch, um Abbruchblutung zu verhindern

> **Cave:** Die transdermale (perkutane) Östrogensubstitution wird derzeit favorisiert, da hierdurch die Östrogendosis deutlich reduziert werden kann u. nicht wie bei der peroralen Gabe eine überwiegende Umwandlung in das nicht wirksame Östron erfolgt. Der empfohlene Estradiol-Serumspiegel soll zwischen 30 u. 60 pg/ml liegen. Außerdem wird der First-Pass-Effekt der Leber vermieden (niedrigere Leberbelastung).

- **Oral:** Östrogen-Gestagen-Komb. vom 1.–25. ZT:
  - Kliogest®: Estradiol 2 mg, Estriol 1 mg u. Norethisteronacetat 1 mg vom 1.–28. ZT (Vorteil: durch Gestagen-Dauergabe entfällt die von vielen postmenopausalen Frauen als lästig empfundene Abbruchblutung) oder
  - Klimonorm®: Estradiolvalerat 2 mg/d, zusätzlich Levonorgestrel 150 µg vom 10.–21. ZT

> **Cave:** Konj. Östrogene beinhalten mehrere Östrogene (equine Ö.), die im menschlichen Organismus nicht vorkommen.

- **Lokal:** z. B.
  - Ovestin® Vaginalovula: 0,5 mg Estriol/Ovulum o.
  - Ovestin® Vaginalcreme: 1 mg Estriol/g Salbe o.
  - Oekolp® Vaginalcreme: 1 mg Estriol/g Salbe o.
  - Oekolp® forte Ovula: 0,5 mg Estriol/Ovulum
- **Nichthormonell:**
  - In Ausnahmefällen befristete Ther. mit Tranquilizern bei starken Wechseljahrbeschwerden, z. B. Oxazepam 5–10 mg/d p. o. (Adumbran®) o. Temazepam 10–30 mg/d p. o. (Remestan®)
  - Gute ther. Effekte auf Hitzewallungen haben Serotonin-Wiederaufnahmehemmer (SRI): Paroxetin 20 mg/d (z. B. Paroxetin AL®), Fluoxetin 20 mg/d (z. B. Fluoxetin Ratio®), Venlafaxin 37,5 mg/d (z. B. Trevilor®) u. Gabapentin 600 mg/d (z. B. Neurontin®). Langfristige Einnahme bzgl. Unbedenklichkeit nicht geklärt. **Cave:** Off-Label-Use; SRI haben gastrointestinale NW u. mindern die Konz. von Tamoxifen. Möglichkeit der Behandlung von vegetativ klimakterischen Beschwerden bei KI zur Hormonther.

> **Tipps zur Verordnung von Hormonpräparaten**
> - Nur bei bestehender Ind. verordnen.
> - Die natürlichste Applikation ist die transdermale Estradiolvalerat-Gabe in Komb. mit mikronisiertem Progesteron.
> - Vor Verordnung bei Risikopat. Bestimmung von Leberwerten, Lipid- u. Gerinnungsstatus.
> - Alleinige Östrogendauerther. bei nicht hysterektomierten Frauen obsolet, geht mit erhöhter Endometrium-Ca-Inzidenz einher.
> - Bei komb. Östrogen-Gestagen-Ther. ist das Risiko, an einem Endometrium-Ca zu erkranken, vermindert.
> - Bei länger als 1 Jahr zurückliegender Menopause kontinuierliche Östrogen-Gestagen-Ther., ohne Pause → keine Entzugsblutung.
> - Bei Atrophie des Urogenitalbereichs gute Erfolge mit lokaler Estriolther. (z. B. Ovestin®-Vaginalovula, Ovestin®-Vaginal-Creme) o. lokaler Estradiolther. (Linoladiol® N Creme). Unter Lokalther. mit Estriol keine Besserung vasomotorischer Beschwerden, kein Schutz vor Osteoporose, kein erhöhtes Risiko für Endometrium-Ca.

Bewertung ▶ Tab. 19.2.

Tab. 19.2 Bewertung der niedrig dosierten Hormontherapie

Nachteile und NW	Vorteile
Vor allem bei zu hoher Dosierung: • Magenbeschwerden mit Übelkeit • Schmerzhafte Schwellung der Brüste • Ödeme, Gewichtszunahme • Krämpfe in den Beinen • Kopfschmerzen • Uterine Blutungen	• Drastische Verminderung des Osteoporoserisikos • Signifikante Reduktion des KHK-Risikos bei frühzeitigem Beginn innerhalb von 4–5 J. nach der Menopause, späterer Beginn erhöht das kardiovaskuläre Risiko • Vermindertes Risiko für kolorektale Ca (zweithäufigstes Malignom der Frau) u. wahrscheinlich für das Endometrium-Ca bei ausreichender Gestagensubstitution

19.1 Klimakterium

Wirkungen ▶ Tab. 19.3.

Tab. 19.3 Wirkung verschiedener Östrogene auf die Zielorgane

Substanz, Applikationsweg	Tagesdosis	Zielorgan				
		Psychovegetativum	Urogenitalsystem	Knochen	Herz-Kreislauf	Endometrium
17β-Estradiol p. o.	1–2 mg	+	(+)	+	+	+
Konj. Östrogene p. o.	0,3–1,25 mg	+	(+)	+	+	+
17β-Estradiol transdermal, Pflaster	50–100 µg	+	(+)	+	+	+
17β-Estradiol transdermal, Gel	0,5–1,5 mg	+	(+)	+	+	+
Estriol p. o.	1–2 mg	(+)	+	–	–	–

Sog. **Phytoöstrogene** (z. B. Extrakte aus Mönchspfeffer, Cemicifuga racemosa, Isoflavone von Soja u. Rotklee) können in ausreichender Dosierung (z. B. 70–140 mg/d Rotklee) vegetative vasomotorische Beschwerden lindern. Sie haben nach aktueller Datenlage keine Langzeiteffekte zur Verbesserung des kardiovaskulären Risikos o. der Osteoporoseprotektion. Nachtkerzenöl, Ginseng, Kava-Kava (vom Markt genommen), Dong Quai u. Yamswurzelextrakte haben keine placebokontrollierte Verbesserung bei vasomotorischen Beschwerden gezeigt.

19.1.4 Osteoporose

Definition Mit Frakturen einhergehende erworbene Verminderung der Knochenmasse je Volumeneinheit Knochen, bezogen auf die Normwerte der Altersgruppe.

Einteilung
- **Generalisierte Osteoporose:**
  - Typ I: spongiosabetonter Knochenmassenverlust am Stammskelett (z. B. postmenopausale Osteoporose mit Wirbelkörperfrakturen)
  - Typ II: Spongiosa u. Kompakta betreffender Knochenmassenverlust mit Manifestation auch an den langen Röhrenknochen (z. B. senile Osteoporose mit Schenkelhals- u. Radiusfraktur)
- **Lokalisierte asymmetrische Osteoporose:** z. B. M. Sudeck

Unterscheidung zwischen:
- High-Turnover: Knochenmassenverlust bei gesteigertem Umbau
- Low-Turnover: Knochenmassenverlust bei reduziertem Umbau

Klinik und Stadieneinteilung
- I: Keine Beschwerden, uneingeschränkte Mobilität
- II: Schmerzen, uneingeschränkte Mobilität
- III: Schmerzen, eingeschränkte Mobilität

- **IV:** Immobilität einer Körperregion durch Schmerzen o. drohende bzw. eingetretene Frakturen
- **V:** Allg. Immobilität durch Schmerzen u./o. drohende bzw. manifeste neurol. KO

Risikofaktoren
- Frakturanamnese
- Abnahme der Körpergröße (> 4 cm seit 25. Lj, > 2 cm seit der letzten Messung)
- Niedriges Körpergewicht (BMI < 20)
- Schwere chron. Leber- u. Niereninsuff.
- Glukokortikoideinnahme (> 7,5 mg Prednison-Äquivalenz > 6 Mon.)
- Hyperthyreose
- Malabsorptionssy. (z. B. M. Crohn)
- Rheumatoide Arthritis
- Prim. Hyperparathyreoidismus
- Vermehrte Stürze (z. B. bei neurol. Erkr., visuellen Problemen, BZ-, Blutdruckschwankungen, Alkohol-/Drogenabusus, medikamentöser Ther.)
- Weibl. Geschlecht

Diagnose
- **Rö:** BWS u. LWS a. p. und seitlich (konventionell) zur Feststellung von Deformierungen u. Frakturen. Allerdings kein Messverfahren zur Einschätzung der Osteoporose
- **Knochendichteanalytik:** Quantifizierung des Mineralsalzgehalts bestimmter Skelettareale:
  - Single-Photon-Absorptiometrie (distaler Radius)
  - Dual-Photon-Absorptiometrie
  - Quantitative Computertomografie (QCT)
  - Dual-Energy-X-Ray-Absorptiometrie (DEXA) = Goldstandard
  - Knochendichtemessung mittels US mit zwei verschiedenen Messmethoden: Messung an Ferse o. Finger (mittlerweile etabliert, als Screeningmethode von der US-amerikanischen FDA favorisiert)
  - Auswertung:
    – Osteopenie: T-Score zwischen −1 u. −2,5
    – Osteoporose: T-Score < −2,5
- **Labor:** BSG, CRP, Blutbild, Kalzium, Phosphat, AP, GGT, Eiweißelektrophorese, Krea, TSH. Für die sog. Biomarker gibt es derzeit noch keine verbindliche Empfehlung
- **Histologie:** Untersuchung von Knochenbiopsien

Differenzialdiagnose ▶ Tab. 19.4.

Tab. 19.4 Differenzialdiagnose Osteoporose – Osteomalazie			
Laborwerte		Osteoporose	Osteomalazie
Serum	Kalzium	normal	normal bis ↓
	Phosphat	normal	normal bis ↓
	AP	normal bis ↑	↑
	Parathormon	normal	↑ bis normal
Urin	Kalzium	normal bis ↑	↓ bis normal
	Phosphat	normal	normal
	Hydroxyprolin	normal	↑

Therapie
Die Ther. einer Osteoporose im Sinne einer Sekundärprophylaxe weiterer Frakturen sollte nach osteoporosebedingter Fraktur u./o. einem T-Wert < –2 durchgeführt werden. Rasche Therapieeinleitung wegen des hohen Risikos einer z. B. Folgewirbelsäulenfraktur. Wichtige Umfeldbehandlungen sind Sturzvermeidung (Behandlung der Grunderkr., Hüftprotektoren, gutes Schuhwerk, ausreichende Beleuchtung, Vermeiden von Stolperfallen) u. Bewegungsther., Gehtraining.

- **Bisphosphonate:** z. B. Alendronat (Fosamax®) 70 mg/Wo. p. o. (bzgl. Knochendichte kein Unterschied zwischen tgl. Einnahme von 10 mg p. o. u. wöchentl. Applikation). Einnahme vor dem Essen, mit viel Flüssigkeit, am besten im Stehen. Bei akuten osteoporosebedingten Schmerzen können notfalls Bisphosphonate i. v. gegeben werden, z. B. Zoledronsäure (Zometa® 4 mg; 4 mg/5 ml auf 100 ml 0,9 % NaCl o. 5 % Glukoselsg. als 15- bis 30-min-Infusion (**cave:** Off-Label-Use, da Zulassung nur zur Behandlung von tumorösen Skeletterkr.), i. Allg. tritt auch eine schnelle Wirkung bei p. o. Ther. ein.
- **Östrogene:** ▶ 19.2.4.
- **Kalzium u. Vit. D:** Kalzium ist für den Knochenstoffwechsel essenziell, begünstigt das trabekuläre u. kortikale Knochenwachstum. Dosis: 1.000–1.500 mg/d. Vit. D. erhöht die Ca-Resorptionsrate, Tagesdosis 400–800 IE/d.
- **Physiother. Maßnahmen, elektrother. Anwendung.**

> Bei akuten osteoporosebedingten Schmerzen können im Notfall Bisphosphonate i. v. gegeben werden, in allen anderen Fällen tritt auch eine schnelle Wirkung bei peroraler Gabe ein.

Prophylaxe
- Regelmäßige körperliche Aktivität (Immobilisierung führt zu Knochenschwund).
- **Hormonsubstitution** (▶ 19.1.3): Hormonther. mit Östrogenen ist eine gesicherte prophylaktische Maßnahme gegen Osteoporose u. schützt signifikant vor Frakturen, insb. auch vor der Oberschenkelhalsfraktur!
- **Diätetische Beratung:** ausreichende Kalziumaufnahme (etwa 1.000 mg/d), ausgewogene Eiweiß- u. Fettaufnahme (Fleischkonsum zugunsten von Fisch- u. Pflanzeneiweiß reduzieren), Nikotin u. Alkohol meiden

> Als nichtendokrine Ther. ist Clonidin für die Behandlung klimakterischer Hitzewallungen u. Schweißausbrüche zugelassen (z. B. bei KI zur Hormonther.). Dos. 2 × 0,025 mg/d p. o., nach 14 d ggf. stufenweise erhöhen auf max. 2 × 0,075 mg/d p. o. **Cave:** keine Erfahrungen bei Z. n. Mamma-Ca!

19.2 Hormonpräparate zur prä-, peri- oder postmenopausalen Therapie

19.2.1 Hinweis
Ind. ▶ 19.1.
Die nachfolgenden Tabellen erheben keinen Anspruch auf Vollständigkeit.

19.2.2 Zyklische Präparate

▶ Tab. 19.5, ▶ Tab. 19.6, ▶ Tab. 19.7.

Tab. 19.5 Zyklische Präparate mit niedrigerer Östrogendosis

Präparat	Packungsgröße pro Zyklus	Inhaltsstoffe
Femoston® 1 mg/10 mg	14 Tbl. +14 Tbl.	1 mg Estradiol; 1 mg Estradiol + 10 mg Dydrogesteron
Presomen® 28 comp. 0,3	14 Drg. +14 Drg.	0,3 mg konj. Östrogene; 0,3 mg konj. Östrogene + 5 mg Medrogeston
Presomen® 28 comp. 0,6	14 Drg. +14 Drg.	0,6 mg konj. Östrogene; 0,6 mg konj. Östrogene + 5 mg Medrogeston

Tab. 19.6 Zyklische Präparate mit höherer Östrogendosis

Präparat	Packungsgröße pro Zyklus	Inhaltsstoffe
Climen®	11 Drg. +10 Drg.	2 mg Estradiolvalerat; 2 mg Estradiolvalerat + 1 mg Cyproteronacetat
Cyclo-Progynova®	11 Drg. +10 Drg.	2 mg Estradiolvalerat; 2 mg Estradiolvalerat + 0,5 mg Norgestrel
Femoston® 2 mg/10 mg	14 Tbl. +14 Tbl.	2 mg Estradiol; 2 mg Estradiol + 10 mg Dydrogesteron
Klimonorm®	9 Drg. +12 Drg.	2 mg Estradiolvalerat; 2 mg Estradiolvalerat + 0,15 mg Levonorgestrel
Östronara®	16 Tbl. +12 Tbl.	2 mg Estradiolvalerat; 2 mg Estradiolvalerat + 0,075 mg Levonorgestrel

19.2.3 Kontinuierliche Präparate

▶ Tab. 19.7, ▶ Tab. 19.8.

Tab. 19.7 Kontinuierlich kombinierte Präparate

Präparat	Packungsgröße pro Zyklus, Darreichungsform	Inhaltsstoffe
Activelle®	28 Tbl.	1 mg Estradiol + 0,5 mg Norethisteronacetat
Cliovelle®	28 Tbl.	2 mg Estradiol + 1 mg Norethisteronacetat
Climodien®	28 Tbl.	2 mg Estradiolvalerat + 2 mg Dienogest
Femoston® conti 1 mg/5 mg	28 Tbl.	1 mg Estradiolvalerat + 5 mg Dydrogesteron

19.2 Hormonpräparate zur prä-, peri- oder postmenopausalen Therapie

Tab. 19.7 Kontinuierlich kombinierte Präparate *(Forts.)*

Präparat	Packungsgröße pro Zyklus, Darreichungsform	Inhaltsstoffe
Indivina® 1 mg/2,5 mg	28 Tbl.	1 mg Estradiolvalerat + 2,5 mg MPA
Indivina® 1 mg/5 mg	28 Tbl.	1 mg Estradiolvalerat + 5 mg MPA
Indivina® 2 mg/5 mg	28 Tbl.	2 mg Estradiolvalerat + 5 mg MPA
Kliogest® N	28 Tbl.	2 mg Estradiol + 1 mg Norethisteronacetat
Lafamme® 1 mg/2 mg	28 Tbl.	1 mg Estradiolvalerat + 2 mg Dienogest
Lafamme® 2 mg/2 mg	28 Tbl.	2 mg Estradiolvalerat + 2 mg Dienogest

Tab. 19.8 Kontinuierliche kombinierte transdermale Präparate

Präparat	Darreichungsform	Inhaltsstoffe
Fem 7 conti®	4 Pflaster	1,5 mg Estradiol + 0,525 mg Levonorgestrel (Freisetzung 50 µg/d E_2 + 7 µg/d Nela)
Estramon conti® 30/95	8 Pflaster 24 Pflaster	Estradiol 30 µg + Norethisteron 95 µg
Estramon conti® 40/130	8 Pflaster 24 Pflaster	Estradiol 40 µg + Norethisteron 103 µg

19.2.4 Östrogenpräparate

> Östrogen-Monopräparate sollten als Dauerther. nur bei hysterektomierten Pat. angewendet werden, da ansonsten ein erhöhtes Risiko für die Entwicklung eines Endometrium-Ca besteht.

Orale Präparate ▶ Tab. 19.9; transdermale Präparate ▶ Tab. 19.10; lokal anwendbare Präparate ▶ Tab. 19.11.

Tab. 19.9 Orale Östrogenpräparate

Präparat	Darreichungsform	Inhaltsstoffe
Estradiol		
Estradiol® Fem Jenapharm	Tbl.	2 mg Estradiolvalerat
Estrifam® 1 mg	Tbl.	1 mg Estradiol

Tab. 19.9 Orale Östrogenpräparate (Forts.)

Präparat	Darreichungsform	Inhaltsstoffe
Estradiol		
Estrifam® 2 mg	Tbl.	2 mg Estradiol
Gynokadin®	Tbl.	2 mg Estradiolvalerat
Progynova® mite	Tbl.	1 mg Estradiolvalerat
Progynova®	Tbl.	2 mg Estradiolvalerat
Estriol		
Oekolp®	Tbl.	2 mg Estriol
Ovestin® 1 mg Tbl.	Tbl.	1 mg Estriol
Konjugierte Östrogene		
Presomen 28® 0,6	28 Drg.	0,6 mg konj. Östrogene

Tab. 19.10 Transdermale Östrogenpräparate

Präparat	Darreichungsform	Inhaltsstoffe
Dermestril® 25	4-Tage-Pflaster	2 mg Estradiol
Dermestril® 50	4-Tage-Pflaster	4 mg Estradiol
Dermestril-Septem® 25	7-Tage-Pflaster	2 mg Estradiol
Dermestril-Septem® 50	7-Tage-Pflaster	5,16 mg Estradiol
Dermestril-Septem® 75	7-Tage-Pflaster	7,5 mg Estradiol
Estramon® 25	4-Tage-Pflaster	2 mg Estradiol
Estramon® 37,5	4-Tage-Pflaster	3 mg Estradiol
Estramon® 50	4-Tage-Pflaster	4 mg Estradiol
Estramon® 75	4-Tage-Pflaster	6 mg Estradiol
Fem® 7/50	7-Tage-Pflaster	1,5 mg Estradiolhemihydrat
Gynokadin® Gel	Gel	1,5 mg Estradiolhemihydrat
Gynokadin® Dosiergel	Gel	1,5 mg Estradiolhemihydrat
Sisare® Gel mono 0,5 mg	Gel	0,5 mg Estradiolhemihydrat
Sisare® Gel mono 1 mg	Gel	1 mg Estradiolhemihydrat
Lenzetto®	Spray	1,53 mg Estradiol (entsprechend 1,58 mg Estradiol-Hemihydrat)

19.2 Hormonpräparate zur prä-, peri- oder postmenopausalen Therapie

Tab. 19.11 Lokal anwendbare Östrogene

Präparat	Darreichungsform	Inhaltsstoffe
Estriol-Creme		
Estriol Wolff®	50/100 g Creme	1 g Creme = 0,5 mg Estriol
Oekolp®	25/50 g Salbe	1 g Creme = 1 mg Estriol
Oestro-Gynaedron® M 0,5	50 g Creme	1 g Creme = 0,5 mg Estriol
Oestro-Gynaedron® M 1,0	50 g Creme	1 g Creme = 1 mg Estriol
Ovestin® 1 mg	50 g Creme	1 g Creme = 1 mg Estriol
Xapro®	35/50 g Creme	1 g Creme = 1 mg Estriol
Estriol-Ovula		
Estriol Ovulum Jenapharm®	10/20 Ovula	1 Ovulum = 0,5 mg Estriol
Oekolp® Ovula	10/20 Ovula	1 Ovulum = 0,03 mg Estriol
Oekolp forte® Ovula	10/20 Ovula	1 Ovulum = 0,5 mg Estriol
Ovestin® Ovula	7/15 Ovula	1 Ovulum = 0,5 mg Estriol
Estradiol-Creme		
Linoladiol® N	25/50 g Creme	1 g Creme = 0,1 mg Estradiol
Linoladiol® H	25 g Creme	1 g Creme = 0,05 mg Estradiol + 0,04 g Prednisolon
Estradiol-Vaginaltabletten		
Vagifem®	15 Vag.-Tbl.	1 Vag.-Tbl. = 0,025 mg Estradiol
Estradiol-Vaginalring		
Estring®	1 Vaginalring (zur 3-monatigen Anwendung)	1 Vaginalring = 10 g Estradiol

19.2.5 Östrogen-Androgen-Kombination

▶ Tab. 19.12.

Tab. 19.12 Kombiniertes parenterales Östrogen/Androgen

Präparat	Darreichungsform	Inhaltsstoffe
Gynodian® Depot (über Auslandsapotheke, z. B. Österreich zu beziehen)	Amp./Spritzamp. (für 1-monatige Anwendung)	1 ml = 4 mg Estradiolvalerat + 200 mg Prasteronenantat

19.2.6 Gestagenpräparate

Orale Präparate ▶ Tab. 19.13; parenterale Präparate ▶ Tab. 19.14; transdermale Präparate ▶ Tab. 19.15.

Tab. 19.13 Orale Gestagenpräparate

Präparat	Darreichungsform	Inhaltsstoffe
Progesteron		
Utrogest®	Kps.	100 mg mikronisiertes Progesteron
Famenita® 100 mg	Kps.	100 mg mikronisiertes Progesteron
Famenita® 200 mg	Kps.	200 mg mikronisiertes Progesteron
Progesteron-Derivate		
Androcur® 10	Tbl.	10 mg Cyproteronacetat
Androcur®	Tbl.	50 mg Cyproteronacetat
Nortestosteron-Derivate		
MPA GYN® 5	Tbl.	5 mg MPA
Nortestosteron-Derivate		
MPA 250 Hexal (nicht zur Substitutionsbehandlung)	Tbl.	250 mg MPA (Medroxyprogesteronacetat)
MPA 500 Hexal (nicht zur Substitutionsbehandlung)	Tbl.	500 mg MPA (Medroxyprogesteronacetat)

Tab. 19.14 Parenterale Gestagenpräparate (i. m.!) (Ind.: z. B. Abortbestrebungen)

Präparat	Darreichungsform	Inhaltsstoffe
Proluton-Depot®	Amp.	1 Amp. = 1 ml = 250 mg Hydroxyprogesteroncaproat

Tab. 19.15 Transdermale Gestagenpräparate

Präparat	Darreichungsform	Inhaltsstoffe
Progestogel	Gel	1 g = 10 mg Progesteron

19.2.7 Andere Präparate

Zur Osteoporosetherapie
Selektive Östrogen-Rezeptor-Modulatoren (SERM).

Präparat Raloxifen (Evista®). **Cave:** Präparat leider sehr teuer, keine Verbesserung vasomotorischer Beschwerden. Nur zur Osteoporosether. zugelassen.

Indikationen Zur Osteoporosether. bei lang postmenopausalen Pat., bei denen auf jeden Fall das Risiko einer erneuten uterinen Blutung ausgeschlossen werden soll. Auch hier perkutane Estradiolgabe evtl. plus Utrogest im Langzyklus möglich, niedrigere Estradiolspiegel anstreben als peri-/postmenopausal.

Wirkungsweise Raloxifen ist ein Benzothiophen-Derivat, wirkt als SERM u. hat agonistische u. antagonistische Wirkungen auf östrogenempfindliches Gewebe (antagonistische Wirkung an Mamma u. Uterus, aber agonistische Wirkung am Knochen). Günstige Wirkung auf LDL-Cholesterin, Lipoprotein u. Fibrinogen.

19.3 Adrenogenitales Syndrom (AGS)

19.3.1 Definition

Kongenitaler (autosomal rezessiv) o. erworbener Enzymdefekt der NNR (21-Hydroxylase, 3β-Hydroxysteroid-Dehydrogenase, 11β-Hydroxylase), der zu vermehrter Androgenproduktion führt (▶ Abb. 19.1).

19.3.2 Klinik

Bei den betroffenen homozygoten Individuen mit 21-Hydroxylase-Defekt (80 % des AGS) unterscheidet man klin. folgende **Schweregrade:**
- Klassischer 21-Hydroxylase-Defekt: Häufigkeit 1 : 5.000–15.000 Lebendgeburten; bereits präpartal Virilisierungserscheinungen; zum Zeitpunkt der Geburt bestehen Maskulinisierung des weiblichen Genitale u./o. Salzverlustsy.
- Nichtklassischer 21-Hydroxylase-Defekt (= „Late-Onset-AGS", partielles AGS, erworbenes AGS): Häufigkeit 1 : 1.000 extreme Variation des klin. Bildes. Bei Geburt meist unauffällig, Entwicklung von Androgenisierungser-

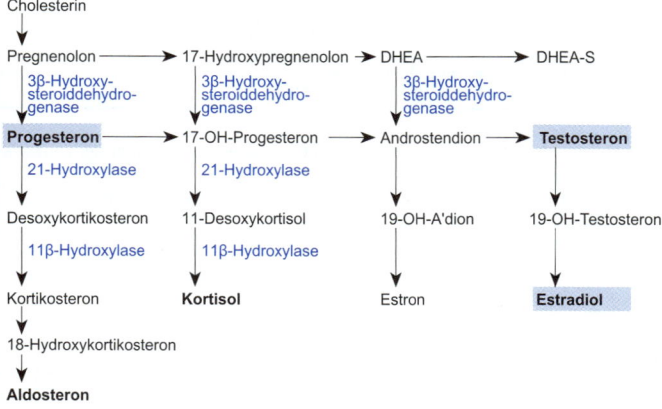

Abb. 19.1 Relevante Hormonproduktion beim AGS. Bei einem Enzymdefekt kommt es zum Substratstau vor dem Defekt. [L190]

Tab. 19.16 Formen des adrenogenitalen Syndroms

	11β-Hydroxylase-Defekt (10 %)	21-Hydroxylase-Defekt (80 %)	3β-Hydroxysteroid-Dehydrogenase-Defekt (10 %)
Genitale	Intersex	Intersex	Weiblich
Klinik	Virilisierung, Hypertonie mit kardiovaskulären Spätfolgen, PCO, Hypokaliämie	**Typ A:** Virilisierung ohne Salzverlustsy. **Typ B:** Virilisierung mit Salzverlust (bei Salzverlust: Erbrechen mit Schockzeichen in der 2.–3. Lw), Axilla- u. Schambehaarung bereits im Kindesalter, vermehrtes Wachstum u. beschleunigte Knochenreifung → kindlicher Hochwuchs bei geringer Endgröße, Akne, Hirsutismus, Alopecia androgenetica	Geringe Virilisierung, Klitorishypertrophie, z. T. Salzverlustsy.
Diagnostik	Desoxykortison ↑, 11-Desoxykortisol ↑, Testosteron ↑, Androstendion ↑, Kortisol ↓, Kortison ↓	17-OH-Progesteron ↑, Testosteron ↑, Androstendion ↑, Kortisol ↓, Aldosteron ↑. Bei Salzverlust: Aldosteron ↑, Plasma-Renin-Aktivität ↑, Na⁺ ↓, K⁺ ↑; metabolische Azidose, 17-OH-Progesteron-Bestimmung im FW bei familiärer Belastung möglich	DHEA-S ↑, 17-OH-Progesteron ↑ (bei milden Formen erst nach ACTH-Stimulation nachweisbar ▶ 17.2.6), Kortisol ↓
Therapie	• Substitutionsbehandlung (durch endokrinol. versierten Internisten): Hydrokortison 30–50 mg/d p. o. auf 3 Einzelgaben verteilt: morgens 50 %, mittags 15 %, abends 35 % der Tagesdosis • Behandlung der ovariellen Ausfallserscheinungen: Östrogen-Gestagen-Ther. mit 1,25 mg natürlichen Östrogenen u. Medrogeston 5 mg/d p o. (z. B. Presomen comp.®) für 21 d, 7 d Pause		
		Bei Salzverlust (Typ B): Fludrokortison 0,1–0,2 mg/d p. o.	
	Je nach Befund op. Korrektur des äußeren Genitale		

scheinungen während Kindheit, Pubertät o. Adoleszenz. Bisher kein Salzverlustsy. beschrieben.
- Kryptische Form: keine o. nur milde Androgenisierungserscheinungen (äußerlich unauffällig, evtl. Zyklusstörungen, Amenorrhö).
- Heterozygote Merkmalsträger können postpubertal kryptisch sein o. Androgenisierungserscheinungen entwickeln.

Formen ▶ Tab. 19.16.

19.3.3 Diagnostik

ACTH-Test ▶ 17.2.6.

19.3.4 AGS und Schwangerschaft

Humangenetische Beratung
- Möglichst vor der Grav. serol. u. molekulargenetische HLA-Typisierung u. DNA-Analyse des Indexfalls, der Eltern, evtl. Geschwister
- Biochem. Nachweis der Heterozygotie der Eltern durch ACTH-Test (▶ 17.2.6). Beweisend sind:
  - 17-OH-Progesteronanstieg > 260 ng/ml
  - 17-OH-Progesteron/11-Desoxykortikosteron-Quotient > 12

Diagnostik in der Schwangerschaft
- Chorionzottenbiopsie (CVS, ▶ 4.2.7), Maßnahme der 1. Wahl, Durchführung in der 9.–11. SSW. Molekulargenetische DNA-Diagn. u. zytogenetische Geschlechtsbestimmung, Unterbrechung der Kortisonther. nicht erforderlich
- Amniozentese (▶ 4.2.6) bei KI o. Unmöglichkeit von CVS. Steroidanalyse im FW (17-OH-Progesteron u. Androstendion), zusätzlich zytogenetische Geschlechtsbestimmung. Kortisonther. 5 d vorher unbedingt absetzen!

Pränatale Therapie
Ziel ist eine Verminderung der Virilisierung des äußeren Genitale weiblicher Feten.

„AGS-Risikograviditäten"
- Bekannte AGS-Familie mit gesichertem 21-Hydroxylase-Defekt (Indexfall)
- Nachgewiesene Heterozygotie der Eltern ohne Indexfall

Zeitpunkt „Blind" so früh wie möglich (ab 5.–6. SSW) bei allen „AGS-Risikograviditäten", da eine pränatale Diagn. erst später möglich ist.

Durchführung Dexamethason (passiert die Plazentaschranke unverändert) 3 × 0,5 mg/d p. o. (z. B. Fortecortin®), bei weiblichem Fetus kontinuierlich während der gesamten Grav., bei männlichem Fetus schrittweise Reduzierung der Dexamethason-Dosis um 0,5 mg jeden 2. Tag.

Nebenwirkungen Bei der Mutter stärkere Gewichtszunahme, Ödeme, Blutdruckanstieg, Müdigkeit, vermehrte Körperbehaarung; beim Kind keine NW.

Therapiekontrolle
- 4-wöchentl. Kortisol u. Estriol im mütterlichen Serum bestimmen
- Bei Geburt DNA-(HLA-)Typisierung im Nabelschnurblut
- P. p. Reduktion der Dexamethason-Dosis (s. o.), Kinderendokrinologen hinzuziehen
- 5. LT: Bestimmung von 17-OHP u. Plasma-Reninaktivität beim NG → Therapiebeginn mit Hydrokortison 12–15 mg/m² KOF

19.4 Sheehan-Syndrom

Definition Das Sheehan-Sy. ist eine der Ursachen der hypophysären Ovarialinsuff. (▶ 17.4.3). Durch unzureichende Gonadotropinsekretion fehlt die ovarielle Stimulation, sodass es zur Amenorrhö kommt. Da der gesamte Hypophysenvorderlappen (HVL) betroffen ist, findet sich auch eine Hypothyreose.

Ursache Postpartale ischämische Nekrose des HVL durch einen Spasmus der Infundibulararterien, z. B. aufgrund eines Schocks. Bleiben hierbei 30 % des HVL funktionell erhalten, kommt es nicht zu Ausfallerscheinungen.

Klinik Amenorrhö, p. p. Agalaktie, Hypothyreose mit Adynamie, Hypoglykämie, Libidoverlust, Brustatrophie, Verlust der sek. Schambehaarung.

Diagnostik
- Zentrale Hormone: LH, FSH, TSH, Prolaktin
- Periphere Hormone: E_2, Progesteron, fT_3, fT_4
- Hormon-Tests:
  - LHRH-Test (▶ 17.2.6) → neg. (fehlender LH-Anstieg)
  - TRH-Test neg. (fehlender TSH-Anstieg)
- Rö: seitliche Aufnahme der Sella turcica, CCT
- Gesichtsfeldbestimmung: z. A. einer Chiasmakompression

> **TRH-Test**
> **Durchführung:**
> - Blutentnahme für TSH basal, fT_4 u. fT_3
> - 200 µg TRH i. v.
> - Blutentnahme nach 30 min
>
> **Interpretation:**
> - TSH-Anstieg normal 2–20 mIE/l
> - Fehlender Anstieg: Hypophyseninsuff., latente Hyperthyreose (bei normalem fT_4)
> - Überschießender Anstieg: Hypothyreose (kein Anstieg bei sek. hypophysärer Hypothyreose, s. o.)

Therapie
- Kinderwunsch: Stimulation mit Gonadotropinen (▶ 17.4.4)
- Kein Kinderwunsch: zyklische Östrogen- u. Gestagensubstitution (z. B. Cyclo-Progynova®)

19.5 Weibliche Alopezie

Einteilung
- Effluvium: Verlust von mehr als 100 Haaren pro Tag
- Alopezie: Verlust von > 60 % der Haare

Ätiologie Häufigste Ursache des Haarausfalls bei der Frau ist eine vererbte Überempfindlichkeit der Haarwurzeln gegen Testosteron (Alopecia androgenetica, „female pattern"). Menopause, Schwangerschaft o. Pilleneinnahme begünstigen bisweilen einen Haarausfall. Weitere Ursachen: konsumierende Erkr., Hyperthyreose, Medikamenteneinnahme, extremer Stress, traumatische Erlebnisse. Seltenere Ursachen: androgenproduzierende Tumoren (Ovar, NNR), AGS, PCO.

Differenzialdiagnosen
- **Diffuser Haarausfall:** Der ganze Kopfbereich ist mehr o. weniger betroffen, es liegt i. d. R. keine Störung der Kopfhaut vor („nicht vernarbend"). Meist fallen vermehrt Haare aus, die sich in der „Abstoßungsphase" befinden (Telogenhaare):

19.5 Weibliche Alopezie

- Bei der Frau nach der Geburt eines Kindes
- Postpubertär meist bei Mädchen zwischen 16 u. 20 J.
- Zeitlich begrenzt aufgrund von Krankheiten, Diäten, Medikamenten, umweltbedingten Schadstoffen
- Anhaltend bei Mangelerscheinungen (Eisen, Zink, Folsäure, Vit. B_{12}) u. Stoffwechselstörungen
- **Umschriebener Haarausfall:** Nur bestimmte Stellen der Kopfhaut sind betroffen.
  - Nicht „vernarbend" (keine Zerstörung der Haarfollikel):
    – Alopecia areata (auch kreisrunder Haarausfall)
    – Andere Formen, z. B. nach mech. Belastung (Frisur, Kopfbedeckungen, Aufliegen des Kopfes bei Bettlägerigen)
  - „Vernarbend" (mit Zerstörung der Haarfollikel)
    – Im akuten Stadium oft mit infektiösen Prozessen verbunden
    – Im Endzustand als „Pseudobelade Brocq" durch fehlende Haarfollikel gekennzeichnet

Diagnostik
- Erhöhte Testosteronspiegel sind selten, i. d. R. sind alle anderen Laborparameter im Normbereich. Bei sichtbaren Androgenisierungs- o. gar Virilisierungszeichen (▶ 19.6) Hormondiagn. sinnvoll (Testosteron, SHBG, Androstendion, DHES, 17α-OH-Progesteron zum Ausschluss eines Late-Onset-AGS, FSH, LH [FSH/LH-Ratio > 2 bei PCOS], E_2, Progesteron, TSH, fT_3, fT_4)
- Trichogramm durch den Dermatologen
- Evtl. Kopfhautbiopsie

Therapie Produkte ▶ Tab. 19.17.

Tab. 19.17 Verfügbare Produkte zur Alopeziebehandlung (O = oral, L = lokal)

Frauen und Männer		
Alpicort/-F®	Zwei verschiedene Produkte mit Kortison ohne bzw. mit Estradiol für Männer bzw. Frauen	L Kein Kassenrezept!
Azelainsäure (Skinoren®)	5-α-Reduktasehemmer	L
Regaine® Frauen/Männer Lsg.	Zwei verschiedene Produkte für Männer bzw. Frauen, 1 ml = 50 mg bzw. 20 mg Minoxidil	L Kein Kassenrezept!
Frauen		
Cyproteronacetat (Androcur®)	Antiandrogene Hormonther. für Frauen. **Cave:** strenge Kontrazeption erforderlich	O
Cyproteronacetat mit EE (Diane® 35)	„Pille" mit antiandrogenen Eigenschaften, nur zur Therapie von Androgenisierungserscheinungen zugelassen	O
Chlormadinonacetat mit EE (Belara®, Neo-Eunomin®)	„Pille" mit antiandrogenen Eigenschaften	O
Dienogest mit EE (Valette®)	„Pille" mit antiandrogenen Eigenschaften	O

Tab. 19.17 Verfügbare Produkte zur Alopeziebehandlung (O = oral, L = lokal)
(Forts.)

Frauen und Männer		
Frauen		
Drospirenon mit 0,03 mg EE (Yasmin®, Petibelle®)	„Pille" mit antiandrogenen Eigenschaften	O
Drospirenon mit 0,02 mg EE (Yasminelle®, AIDA®)	„Pille" mit antiandrogenen Eigenschaften	
Spironolacton (Aldactone® usw.)	Antiandrogen – nicht für diese Ind. zugelassen (Off-Label-Use, kein GKV-Rezept ausstellen!)	O

- Hormonsubstitutionsbehandlung (▶ 19.1.3) o. hormonelle Kontrazeption mit Östrogen- u. Antiandrogenwirkung (Diane® 35, Valette®, Belara®), evtl. zusätzlich Cyproteronacetat (Androcur®) ▶ 19.4
- 1 × tgl. Anwendung von alphatradiolhaltigem Haarwasser (Ell-Cranell alpha®, kein Kassenrezept!)
- Falls nach 3–6 Mon. kein Therapieerfolg, evtl. Heilversuch mit 2- o. 5-proz. Minoxidil-Lsg. (Regaine® Frauen, morgens u. abends 1 ml auf die betroffenen Stellen der Kopfhaut auftragen, kein Kassenrezept!). **NW:** verstärkte Behaarung an der seitlichen Stirnregion möglich

> Bei komb. Pillen mit den Gestagenen Drospirenon, Desogestrel u. Gestoden (Gestagene der 3. u. 4. Generation) berichtet die FDA von einem fast 6- bis 7-fach erhöhten Risiko für Thrombose, Apoplex, Herzinfarkt, Hirnödem o. Lungenembolie im Vgl. zu Frauen, die nicht hormonell verhüten. Neuere Studien bestätigen dies nicht; so findet die EURAS/LASS Studie (n = 58.674) keine Risikozunahme für thrombembolische Ereignisse für Drospirenon vs. Levonorgestrel. Ähnliche Daten liegen mittlerweile auch für Dienogest vor (INAS-SCORE-Study). Nachteil der FDA-Meldungen ist, dass diese lediglich auf der Meldung unerwünschter Ereignisse besteht, ohne dass die Pat. – wie in einer Studie – nach ihrem Risiko stratifiziert werden (z. B. BMI, Raucher, pos. thrombembolische Familienanamnese etc.).

19.6 Androgenisierungserscheinungen

Ätiologie
Erhöhtes Androgenangebot durch:
- NNR: NNR-Hyperplasie, M. Cushing, AGS (kongenital o. erworben, ▶ 19.3), NNR-Adenom, NNR-Ca, ektope ACTH-Sekretion z. B. bei Bronchial-Ca
- Ovar: PCO, Ovarhyperplasie, Arrhenoblastome, Hiluszelltumoren, virilisierende Lipoidzelltumoren, Thekome, Nebennierenresttumor; Mischtumoren
- Hypophysentumoren
- Medikamente: ACTH, Anabolika, Androgene, Azetazolamid, Danazol, Diazoxid, Diuretika, Glukokortikoide, Hydantoine, 19-Nortestosteron-Derivate, Metopiron, Penicillamin
- Intersexualität: V. a. Pseudohermaphroditismus masculinus

- Erhöhte Endorganempfindlichkeit: Zielorgane der Androgene (z. B. Haarfollikel, Talgdrüsen) sprechen vermehrt auf Androgene an. Entweder durch gesteigerte Rezeptorempfindlichkeit ggü. Testosteron bzw. Dihydrotestosteron (DHT) o. durch erhöhte Aktivität der 5α-Reduktase (erhöhte intrazelluläre Bereitstellung von 5-DHT)

Klinik
- Androgenisierung: Akne, Seborrhö, Hirsutismus u. Alopezie (Haarausfall > 100–150 Haare tgl.)
- Virilisierung: stärkste Form der Androgenisierung mit Umdifferenzierung des Körpers in männlicher Richtung. Neben Akne, Seborrhö u. Hirsutismus auch Zyklusstörungen, Tieferwerden der Stimme, Klitorishypertrophie, Alopecia androgenetica („Geheimratsecken", Hinterhauptglatze), Veränderung der Körperform (breite Schultern, Zunahme der Muskelmasse an den Extremitäten)

Hirsutismus
Vermehrte Körperbehaarung an Prädilektionsstellen: Oberlippe, Kinn, Linea alba, Pubes, Oberschenkel, perimamillär. In fortgeschrittenem Stadium Umwandlung des Flaumhaars in dickeres pigmentiertes Terminalhaar. Schweregrade ▶ Tab. 19.18.

Hypertrichose
Androgenunabhängiger vermehrter Haarwuchs (feines Terminalhaar) am gesamten Körper ohne Präferenz der Gesichts- o. Sexualbehaarung. Tritt im Zusammenhang mit Tbc, Spina bifida („Fellchen" in der Lumbalregion) u. Poliomyelitis auf.

Tab. 19.18 Einteilung des Hirsutismus in Schweregrade

Grad	Beschreibung
I	Haarstraße vom Genitalbereich zum Nabel, Oberlippenbehaarung, perimamilläre Behaarung
II	Zusätzlich an Kinn u. Oberschenkelinnenseite
III	Zusätzlich Behaarung prästernal, an Rücken, Gesäß u. Schulter

Diagnostik
- **Anamnese:** Beginn u. Dauer des Haarausfalls bzw. der vermehrten Behaarung o. des Tieferwerdens der Stimme. Anzahl der ausgefallenen Haare pro Tag (100–150/d ist normal), Medikamentenanamnese.
- **Labor:** Estradiol, Progesteron, DHEA, DHEA-S, Kortisol (adrenale Hormonproduktion), LH/FSH-Quotient u. Androstendion, (freies) Testosteron, SHBG, 17-Hydroxypregnenolon, 17-Hydroxyprogesteron, 21-Desoxykortisol (AGS), Kortisol-Tagesprofil 8:00 u. 22:00 Uhr (path.: Wert um 22:00 Uhr > 50 % des Morgenwerts). E'lyte (Magnesium u. Zink), Serum-Eisen, Ferritin, ACTH-Dexamethason-Test (▶ 17.2.6).
- **Trichogramm** (Haarwurzelmuster, durch Dermatologen): Bei Alopecia androgenetica finden sich viele Haarfollikel in der Telogenphase (Ruhephase).
- **Sono:** Ovarien (z. B. PCO-Bild), Nebennieren (z. B. Hyperplasie, Tumor).
- **Rö:** Sella turcica, CCT.

> Tumorverdacht bei postpuberalem Hirsutismus, rascher Progredienz, starker Ausprägung mit Virilisierung, Testosteron > 2 ng/ml Serum, DHEA-S > 7 ng/ml Serum, schlechte Supprimierbarkeit durch Dexamethason.

Therapie

Bei Androgenisierung
Diane 35® vom 1.–21. ZT Cyproteronacetat (CPA) 2 mg u. Ethinylestradiol (EE) 35 μg/d p. o.

- **Orale Kontrazeptiva:** bei ovarieller u gemischter Androgenisierung u. Wunsch nach Kontrazeption. **Präparate u. Dos.:**
  - Neo-Eunomin®: vom 1.–11. ZT EE 50 μg u. Chlormadinonacetat 1 mg p. o.; vom 12.–22. ZT EE 50 μg u. Chlormadinonacetat 2 mg p. o.
  - Belara® monophasisch 21 d EE 30 μg u. Chlormadinonacetat 2 mg p. o.
  - Valette® monophasisch 21 d EE 30 μg u. Dienogest 7 mg p. o.
- **Antiandrogene:** bei ovarieller u. gemischter Androgenisierung u. Wunsch nach Kontrazeption. **Präparat u. Dos.:** Cyproteronacetat 10 o. 50 mg (Androcur®)
  - ! Tipp: Androcur® 10 mg zusätzlich zu Diane® 35 vom 1.–15. Diane®-Einnahmetag (s. o.)
  - ! Kontrazeption erforderlich! (bei gleichzeitiger Einnahme von Diane® 35 Kontrazeption vorhanden)
  - Nach ≥ 9 Mon. Behandlung mit Cyproteronacetat besserte sich die Akne bei ≥ 90 %, die Seborrhö bei ca. 85 %, der Hirsutismus bei ca. 65 % u. die androgenetische Alopezie bei ca. 40 % der Pat.
- **Medroxyprogesteronacetat (MPA):** bei ovariellem Hirsutismus (PCOS). **Präparat u. Dos.:** Medroxyprogesteronacetat 30–40 mg/d p. o. oder 400 mg i. m. alle 3 Mon.
- **Kortikoide:** bei adrenaler o. gemischter Androgenisierung u. gleichzeitigem Kinderwunsch (▶ 17.4.3; AGS ▶ 19.3). **Präparate und Dos.:**
  - Dexamethason 0,5–2,5 mg/d p. o. (z. B. Fortecortin®)
  - Prednisolon 5–20 mg/d p. o. (z. B. Decortin® H)
  - Hydrokortison = Kortisol 20–30 mg/m² KOF tgl. p. o. (z. B. Hydrocortison 10 mg Jenapharm®)
- **Spironolacton:** bei gemischtem u./o. idiopathischem Hirsutismus u. Kinderwunsch o. KI gegen Kontrazeptiva. **Präparat u. Dos.:** Spironolacton 100 mg/d p. o. (Aldactone®50) für 21 d, dann 7 d Pause

Bei Alopezie
Estradiolbenzoat 0,005 g lokal (Alpicort F®), Proteine/Vit. (Pantovigar®), Zink (oral) 400–600 mg (Zinkorotat®), Haarwasser (Rp: Oleo ricini 1,0; PEG 400 1,0; E_2-Valerat 0,02; Solutio cordes ad 100).

Bei Akne
- **Systemisch:** Tetrazykline 2 × 500 mg/d p. o. (z. B. Tetrazyklin-Wolff® 500), orale, antiandrogene OH, z. B. Diane® 35, Neo-Eunomin®
- **Lokal:** Tretinoin 0,05 % 1–2 ×/d (z. B. Airol® Roche Creme), Benzoylperoxid 1 ×/d (z. B. Aknefug®-Oxid 3 %/5 %/10 %); Schwefel 1–2 ×/d (z. B. Aknichthol®); Salicylsäure 2 ×/d (z. B. Aknederm® Salbe)

20 Kinder- und Jugendgynäkologie
Joachim Steller

20.1	**Leitsymptome und Differenzialdiagnosen** 633		**20.5**	**Störungen der Brustentwicklung** 646
20.1.1	Genitaler Pruritus 633		20.5.1	Normale Brustentwicklung 646
20.1.2	Fluor 633		20.5.2	Fehlende oder verzögerte Brustentwicklung 646
20.1.3	Schmerzen im Unterbauch 634		20.5.3	Vorzeitige oder überschießende Brustentwicklung 647
20.1.4	Genitale Blutungen 635		20.5.4	Fehlbildungen und Fehlentwicklungen 647
20.2	**Diagnostik** 636		20.5.5	Mammatumoren 647
20.2.1	Anamnese 636		**20.6**	**Blutungsstörungen** 648
20.2.2	Gynäkologische Untersuchung 636		20.6.1	Normalbefunde 648
20.2.3	Vaginoskopie 637		20.6.2	Vaginale Blutungen vor der Menarche 648
20.2.4	Hormondiagnostik 637		20.6.3	Weitere Blutungen vor der Menarche 648
20.2.5	Gynäkologische Zytodiagnostik 638		20.6.4	Blutungsstörungen nach der Menarche 649
20.2.6	Sonografie 638		**20.7**	**Angeborene Fehlbildungen** 650
20.2.7	Röntgen 639		20.7.1	Häufigkeit 650
20.2.8	Pelviskopie 639		20.7.2	Hymenalatresie 650
20.3	**Physiologie der Pubertät** 639		20.7.3	Anogenitale Fehlbildungen 651
20.3.1	Präpubertät: 8. bis 12. Lebensjahr 640		20.7.4	Vaginalseptum, Vaginalaplasie 651
20.3.2	Pubertät: 12. bis 15. Lebensjahr 641		20.7.5	Fehlbildungen des Uterus 652
20.3.3	Adoleszenz: 15. bis 20. Lebensjahr 641		20.7.6	Gonadendysgenesie 652
20.4	**Pubertätsstörungen** 641		20.7.7	Virilisierung des äußeren Genitales 653
20.4.1	Häufigkeit 641		20.7.8	Mayer-Rokitansky-Küster-Hauser-Syndrom 654
20.4.2	Pubertas praecox 642			
20.4.3	Pubertas tarda 642			
20.4.4	Hochwuchs 644			
20.4.5	Kleinwuchs 645			

20.8	**Genitale Infektionen** 655		20.12	**Genitaltumoren im Kindes- und Jugendalter** 659
20.8.1	Übersicht 655		20.12.1	Häufigkeit 659
20.8.2	Ätiologie 655		20.12.2	Benigne Tumoren 659
20.8.3	Klinik 655		20.12.3	Maligne Tumoren 660
20.8.4	Diagnostik 655		**20.13**	**Sexueller Missbrauch und Misshandlung** 660
20.8.5	Unspezifische Vulvovaginitis 656		20.13.1	Epidemiologie 660
20.8.6	Spezifische Vulvovaginitis 656		20.13.2	Anamnese 660
20.8.7	Andere Vulvovaginitiden 656		20.13.3	Klinik (misshandlungstypische Symptome) 661
20.9	**Verletzungen** 657		20.13.4	Diagnostik 661
20.10	**Fremdkörper** 658		20.13.5	Therapie 662
20.11	**Präpubertaler Lichen sclerosus** 658			

20.1 Leitsymptome und Differenzialdiagnosen

20.1.1 Genitaler Pruritus

> Mit über 60 % häufigstes Beschwerdebild in der Kinder- u. Jugendgynäkologie. Häufiger wird die Verdachtsdiagnose einer genitalen Mykose gestellt. In der hormonellen Ruheperiode beim jungen Mädchen ist diese jedoch nahezu ausgeschlossen (Ausnahme: Immunsuppression, Diabetes, lange Antibiotikather.).

Klinik Rötung der Vulva, Kratzspuren, perianale Rötung, gelbliche Beläge, Begleitfluor.

Differenzialdiagnosen
- Pruritus ohne Fluor, evtl. mit Kratzspuren, Miktionsbeschwerden, Begleitfollikulitis → V. a. unspez. Vulvovaginitis (▶ 20.8.5)
- Windeldermatitis, z. T. mit dunkelrotem Randsaum bei konfluierenden Herden → DD: bakt. Inf. (*E. coli,* Strept., Staph., Impetigo contagiosa), *Candida*-Infektion; ▶ 20.8
- Nissen in Genitalbehaarung, Kratzspuren → Skabies, Pediculosis pubis (▶ 13.3.7)
- Perianale Kratzspuren, Würmer im Stuhl → Oxyuren (▶ 20.8.7)
- Pruritus mit gelb-grünlichem Begleitfluor → V. a. Trichomonaden- o. Chlamydieninf. (▶ 20.8.6)
- Wärzchen am Introitus o. paraurethral → V. a. Kondylome (▶ 13.3.3). Condylomata acuminata durch Inf. mit HPV-6, -11, -16 u. -18, bei Kindern auch mit HPV-1, -2 u. -3 (Hautwarzen) im Anogenitalbereich, → Molluscum contagiosum (Dellwarzen), harmlose Viruserkr. (Molluscipoxvirus)
- Ulzerationen: V. a. Herpes-simplex-Inf. ▶ 6.5
- Weißliche Hautveränderungen mit persistierendem anogenitalen Juckreiz, Rhagaden u. vulvären Missempfindungen: V. a. präpubertaler Lichen sclerosus (▶ 20.11)
- In der Kindheit Begleitvulvovaginitis bei Inf. der oberen Atemwege, Nase, Ohren oder i. R. klassischer Kinderkrankheiten. *Candida*-Inf. in der hormonellen Ruheperiode eher selten

20.1.2 Fluor

> Physiol. ist der Fluor neonatorum bis zum 5. Tag p. p. durch Restwirkung der mütterlichen Sexualhormone. Im Vordergrund steht das Erkennen der Grunderkr., da der Fluor meist nur ein Symptom darstellt.

Ursachen ▶ 15.1.4.
- **Vag. Fluor**:
  - Seröser, selten blutiger Fluor → V. a. unspez. Entzündungen
  - Weißlich-bröckeliger Fluor → V. a. Soor
  - Wässriger Fluor → V. a. B-Streptokokken
  - Eitrig-blutiger, übel riechender Fluor → V. a. Fremdkörper (z. B. Murmel)

- Gelblich-seröser Fluor, zusätzlich Kratzspuren → V. a. Parasiten, dir. Erregernachweis im Mikroskop o. auf Klebestreifen
- Seröser bis eitriger Fluor → V. a. Allgemeininf., Symptome verschwinden nach der Inf.
- Dünnflüssiger, gräulich-weißlicher Fluor, fischartiger Geruch → V. a. *Gardnerella-vaginalis*-Inf. (▶ 13.2.3)
- Blutiger, fötider Fluor → vag. Inf. bei Fremdkörper
- **Zervikaler u. korporaler Fluor**:
  - Blutiger, fötider Fluor → Malignome von Uterus u. Vagina, extrem selten (z. B. vag. Rhabdomyosarkome des Kleinkinds)
  - Blutiger Fluor → Chlamydienzervizitis, sehr lange Persistenz (bis zu mehreren Jahren), von der Mutter unter der Geburt erworben
  - Gelblicher Fluor → hämatogen übertragene Urogenital-Tbc (sehr selten)
  - Nur geringer Begleitfluor → Condylomata acuminata, virusbedingte Läsionen (HPV) im Bereich von Vulva, Vagina u. Zervix

Therapie (je nach Ursache)
- Hygienemaßnahmen: häufiges Wechseln der Baumwollunterwäsche, thermische Desinfektion der Wäsche bei 90 °C über 10 min o. 85 °C über 15 min
- Vermeiden von Sandkasten, Planschbecken u. Whirlpools bis zur Abheilung, keine enge Kleidung, parfüm- u. seifenfreie Waschlotionen, Trockenhalten des Genitales
- Bei Fremdkörpern Vaginoskopie (▶ 20.2.3) u. Entfernen des Fremdkörpers
- Bei unspez. Entzündung sympt. Lokalther. mit Antiseptika (z. B. Betaisodona® vaginal supp., Kamillensitzbäder), zusätzlich hormonhaltige Cremes wegen des physiol. Hormonmangels (z. B. Estriol, Ovestin®-Creme). Kinderapplikatoren rezeptieren! Hormonbehandlung nicht länger als 10–14 d
- Neomycin®-Lsg. intravag. 1 × abends
- Bei bakt. Inf. systemische Antibiose nach Erregernachweis mit Penicillin (z. B. Ampicillin ratiopharm®) o. Cephalosporinen, z. B. Cefaclor (z. B. Panoral®-Saft)

20.1.3 Schmerzen im Unterbauch

> Beim Sgl. u. Kleinkind überwiegen die extragenitalen Ursachen (Verdauungsprobleme, Magen-Darm-Inf., Zystitis, Appendizitis). Die Schmerzlokalisation wird häufig nur sehr ungenau angegeben (oft z. B. Nabelgegend). Dysmenorrhöen sind die häufigsten Beschwerden in der Postmenarche.

Anamnese
- **Allg. Anamnese:** Stuhlverhalten (weiche Stühle, Obstipation, Diarrhö) Miktionsverhalten (Pollakisurie, Harnverhalt), Appetitlosigkeit u. Erbrechen, Inf. in Schule o. Kindergarten, Medikamenteneinnahme
- **Gyn. Anamnese:** Fluor als NG (falls nicht, auf genitale Fehlbildungen, Hymenalatresie achten), bei eitrig-blutigem Fluor an intravag. Fremdkörper denken. Brust- u. Schamhaarentwicklung (mensesartige Beschwerden bei vorzeitiger Genitalreifung); bei älteren Mädchen nach Menarche u. Sexualkontakten fragen (Adnexitis, EUG, Ovarialtorsion). In der Kindheit liegen die Ovarien außerhalb des kleinen Beckens; Torsion der Mesosalpinx z. B. beim Sport leichter möglich

- **Prim. Dysmenorrhö** (häufig): Auftreten ca. 1–2 J. nach der Menarche. Ursache oft „essenziell", d. h. aufgrund von Dysregulationen im Prostaglandinstoffwechsel
- **Sek. Dysmenorrhö** (selten): tritt erst Jahre nach der Menarche auf. Ätiol.: Adnexitis, Endometriose, stielgedrehte Adnexe, Adhäsionen nach Appendektomie, venöse Stauungshyperämie u. a.
- **Familienanamnese:** auch an sexuellen Missbrauch denken (▶ 20.12)
- **Schmerzanamnese:** regelmäßig ca. alle 4 Wo. wie bei Dysmenorrhö, ohne dass die Menarche bislang aufgetreten ist → V. a. Molimina menstrualia

Diagnostik
- Temperaturerhöhung (rektal-axilläre Differenz)
- Inspektion: Mund u. Rachen (z. B. Tonsillitis, Angina geht häufig mit Unterbauchschmerzen einher), Nabel- u. Leistenregion (z. B. Hernien)
- Auskultation: Lunge (z. B. Pneumonie, ▶ 1.2.3, ▶ 3.1.8), Darmgeräusche: Peristaltik ↑ → Enteritis; Peristaltik ↓ → Peritonitis, Ileus
- Palpation: Hepatosplenomegalie, epigastrischer Druckschmerz, Abwehrspannung
- Urinstatus: Hinweis auf HWI
- Vag. Untersuchung (nur nach der Menarche): Anhalt für Adnexitis (typisches Adnexitiskollektiv 15–19 J.); Anhalt für EUG (▶ 16.3) o. stielgedrehte Adnexe
- Rektale Untersuchung: Resistenzen (z. B. Ovarialtumor), Blut am Fingerling (z. B. Invagination), bei der rektalen Untersuchung kann selten auch ein vag. Fremdkörper festgestellt werden (bei Kindern wegen Schmerzhaftigkeit eher verzichtbar!)
- Sono ▶ 20.2.6

20.1.4 Genitale Blutungen

Diagnostik Bei juveniler Blutungsstörung genaue Aufklärung (Ursachen ▶ Tab. 20.1), Zyklusbeobachtung (Kalender u. BTK), nur bei Polymenorrhöen Zyklusregulierung (▶ 20.6). **Cave:** Zyklus meist erst 2–3 J. nach Menarche regelmäßig u. ovulatorisch.
- Inspektion: Blutung aus Vagina o. Zervix. DD: Blutung aus Blase o. Rektum
- Rektale, bimanuelle Palpation (▶ Abb. 20.1): Uterus vergrößert (Schwangerschaft, Abort), Eileiter verdickt (Adnexitis, EUG), Ovarialtumor

Tab. 20.1 Blutungsursachen		
Entwicklungsperiode	**physiologisch**	**pathologisch (Vorgehen)**
Neugeborenes	Abbruchblutung (mütterliche Hormone)	Verletzung
Ruheperiode	Keine	Trauma, Kolpitis, Fremdkörper (→ Vaginoskopie u. Extraktion), Pubertas praecox (▶ 20.4.2), Tumor (→ Sono u. CT)
Reifungsperiode (Pubertät)	Menarche, Menses, Defloration	Traumatische Defloration (▶ 20.9), Traumata, Kolpitis, juvenile Blutungsstörung, Abort (→ HCG-Nachweis, Sono ▶ 5.6), EUG (→ Laparoskopie mit tubenerhaltender OP ▶ 16.3)

- Vaginoskopie (▶ 20.2.3): bei V. a. Verletzung o. Fremdkörper
- Fluordiagn. ▶ 20.1.2
- Labor: Hb, HCG, Hormonanalysen nur bei Pubertas praecox (▶ 20.4.2)
- Ultraschall: Bei Virgo Abdominalschall durch volle Blase o. Perineal-Sono. Bei menstruierenden Mädchen, die Tampons benutzen, ist ein Vaginalschall meist möglich. Achten auf Ovarialzysten, Ovarialtumor, Endometriumhöhe, Uterusgröße, freie Flüssigkeit im Bauchraum; bei Mädchen mit Sexualkontakt → DD Schwangerschaft intra- o. extrauterin

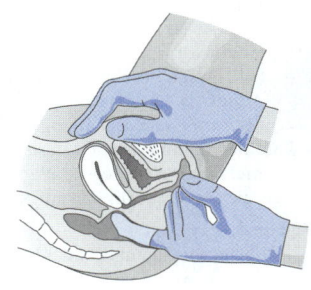

Abb. 20.1 Rektoabdominale Palpation [L157]

20.2 Diagnostik

20.2.1 Anamnese

- **Familienanamnese:** z. B. Menarche der Mutter, atypische Genitalentwicklung (Hirsutismuszeichen o. Ä.)
- **Eigenanamnese:** Exposition durch östrogenhaltige Nahrungsmittel, Kosmetika, „Pille", Medikamente. Seit wann Brustentwicklung? (▶ 20.3), Entwicklung der Schambehaarung (▶ 20.3), Virilisierung, Menarche; Größen- u. Gewichtsentwicklung, Wachstumsschub, Bauchschmerzen (z. B. Ovarialtumor, Stieldrehung des Ovars), Dysmenorrhöen (prim., sek.), Zyklusstörungen, Hirsutismus

20.2.2 Gynäkologische Untersuchung

- Sgl. u. Kleinkinder werden entweder auf einer Wärmematte (Beine ggf. in der Hüfte fixiert) untersucht o. besser auf dem Schoß der Mutter, Kinder u. Jgl. i. d. R. auf dem normalen gyn. Stuhl, möglichst in Steinschnittlage.
- Im Kleinkindalter lassen sich in Knie-Ellenbogen-Lage häufig Hymen, hintere Kommissur sowie der anale Dilatationsreflex besser beurteilen.
- Bei der Inspektion des äußeren Genitale achten auf: abnorme Behaarung, Klitorishypertrophie, Kratzeffekte, Entzündungszeichen, Fluor, Verletzungen.
- Introitus vaginae durch Spreizen der Labia majora mit Zeige- u. Mittelfinger der li. Hand des Untersuchers darstellen.
- Das kindliche Hymen lässt sich durch Erhöhung des intraabdom. Drucks, z. B. durch Husten, Pressen o. Aufblasen eines Luftballons, leichter darstellen.
- Vaginoskopie ▶ 20.2.3.
- Abstrichdiagn. ▶ 20.2.5.
- Die Palpation des Abdomens beim Kind kann erleichtert werden, wenn es z. B. seine Hand auf die des Untersuchers legt u. „mituntersuchen" kann.
- Ab dem 10. Lj ist eine digitale vag. Untersuchung mit einem Finger meistens möglich.
- Abdom. u. vag. Sono ▶ 20.2.6, beim Kleinkind u. Kind ggf. Perineal-Sono.

20.2.3 Vaginoskopie

> Untersuchung grundsätzlich ohne Narkose o. Sedierung möglich. Bei Kleinkindern u. Sgl. kann häufig darauf verzichtet werden. Sedierung nur bei Fremdkörperentfernung nötig, z. B. mit Diazepam 5 mg rektal (z. B. Diazepam-Desitin® rectal tube).

Indikationen Rezid. Kolpitiden, Blutung, Fremdkörperverdacht, Pubertas praecox, Tumorverdacht, V. a. sexuellen Missbrauch. Keine Ind.: Fluor, Menarche.

Vorgehen (▶ Abb. 20.2).
- Auswahl des geeigneten Vaginoskops (5–12 mm)
- Je nach Alter des Kindes Lagerung auf gyn. Stuhl, auf Untersuchungsliege o. Schoß der Mutter, Ablenkung u. Beruhigung durch Vertrauensperson
- Anfeuchten des angewärmten Vaginoskops mit warmem Wasser
- Spreizen der Labien mit der li. Hand
- Kind husten, pressen o. Luftballon aufblasen lassen
- Vorsichtiges Einführen des Vaginoskops
- Entfernen des Trokars u. Inspektion von Vagina u. Portio, evtl. weiteres Vorschieben des Instruments unter Sicht bis zur Portio
- Unter langsamem Zurückziehen Inspektion der gesamten Vagina
- Bei Fluor u./o. Blutung: bakt. Abstriche u. Zytologieentnahme

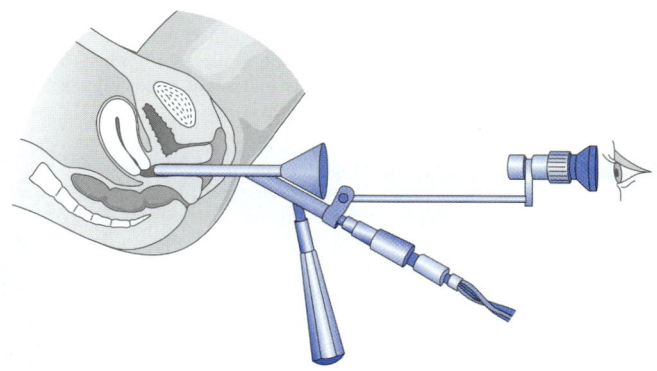

Abb. 20.2 Vaginoskopie [L157]

20.2.4 Hormondiagnostik

▶ Tab. 20.2.

Tab. 20.2 Präpubertäre Serumhormonspiegel beim Kind		
Untersuchung	**Normwert**	**Aussage**
HCG	< 5 IE/l	Grav.: HCG ↑ (auch an EUG denken!)

Tab. 20.2 Präpubertäre Serumhormonspiegel beim Kind *(Forts.)*

Untersuchung	Normwert	Aussage
LH	< 1 IE/l	**Pubertas praecox vera:** → FSH ↑, LH ↑, Estradiol ↑ **Pseudopubertas praecox:** → Estradiol ↑, Testosteron ↑ **AGS:** → FSH, LH, Testosteron ↑, DHEA-S ↑, Kortisol ↓
FSH	< 1 IE/l	
Estradiol	< 12,5 ng/l	
Testosteron	< 0,6 µg/l	
17-OH-Progesteron	< 2 µg/l	
DHEA	1,5–8,0 µg/l	
DHEA-S	< 2,5 mg/l	
Prolaktin	3–16 µg/l	
TSH	< 0,1 mIE/l	
LH-RH-Test (Gabe von 25 µg LH-RH/m² KOF = Relefact®)	nur geringer FSH- u. LH-Anstieg	LH-Anstieg mind. 4-fach, FSH-Anstieg mind. 2,5-fach → **Hinweis auf Pubertas praecox**

Dexamethason-Test (▶ 17.2.6); Hormondiagn. bei der Frau (▶ 17.2.4)

20.2.5 Gynäkologische Zytodiagnostik

Durchführung Abstriche von Vulva, Vagina u. Portio zur zytol. Diagn. sowie zur Funktionsdiagn. (Beurteilung des Proliferationsgrades des Epithels) können in jedem Lebensalter durchgeführt werden. Sie sollten ggf. unter vaginoskopischer Sichtkontrolle erfolgen (▶ 13.2.3).

> **Besonderheiten der Kinder- und Jugendgynäkologie**
> - Die Vaginalzytologie eines NG zeigt wegen der Wirkung der transplazentar übertragenen mütterlichen Östrogene ein hoch aufgebautes Zellbild, Intermediärzellen, Superfizialzellen mit sauberem Präparathintergrund.
> - In der hormonellen Ruheperiode (< 8. Lj) findet man hauptsächlich Parabasalzellen (Zusatzkriterium zur Beurteilung einer Pubertas praecox bzw. Pseudopubertas praecox ▶ 20.4.2).
> - In der Präpubertät (8. bis 12. Lj) u. Pubertät (12. bis 15. Lj) nehmen die Parabasalzellen ab, an ihre Stelle treten die Intermediär- u. Superfizialzellen sowie der Nachweis von Döderlein-Stäbchen mit physiol. Fluor.

20.2.6 Sonografie

(auch ▶ 22.1).

Durchführung In der Kinder- u. Jugendgynäkologie häufig nur abdom. o. perineal möglich. Als Schallfenster wird beim Abdominalschall die gefüllte Blase benutzt.
- Vaginalschall bei Kleinkindern nicht möglich
- Bei Jgl. vag. Sono in Abhängigkeit vom Hymen oft möglich (Tamponbenutzung)

! Abdominalschall: Kinder Fruchtsaft trinken lassen, kein Mineralwasser, da die Kohlensäure schnell zu Völlegefühl führt. Schallkopf selbst halten lassen, angewärmtes Gel benutzen

Beurteilung
- Uterus: kontinuierliches Wachstum bis zur Pubertät (Länge bis 10. Lj < 4,5 cm, bis 13. Lj < 6 cm), häufig gestreckt (Retroversio ausschließen), Fehlbildungen (Uterus duplex, arcuatus) ausschließen (▶ 20.7.5)
- Endometrium: bis zur Pubertät strichförmig, danach zyklusabhängig (▶ 22.1)
- Ovarien: Wachstum bis zur Pubertät auf 2,5 cm, auf Symmetrie achten
  - Zysten: solitär o. multipel, ein- o. beidseits, glatt begrenzt, septiert, evtl. solide Anteile
  - Ovarialtumoren: Größe, Struktur (zystisch, solide, zystisch-solide?)
- Aszites, Flüssigkeit (Blut?) im Douglas-Raum

20.2.7 Röntgen

! Zurückhaltung bei Beckenübersichten wegen der im Vergleich zu anderen Rö-Untersuchungen hohen Gonaden-Strahlenbelastung!

Indikationen
- Skelettalterbestimmung (Rö li. Hand): Diagn. von Entwicklungs- u. Reifungsstörung (Pubertas praecox ▶ 20.4.2; Pubertas tarda ▶ 20.4.3).
- Hypophysendarstellung: Bei V. a. Hypophysentumoren (z. B. Prolaktinom); beurteilt wird die Ausweitung u. Begrenzung der Sella turcica (▶ 17.4.3); besser MRT
- Urogramm: bei urogenitalen Entwicklungsstörungen, z. B. Aufstau, Reflux, Ureter- o. Urethraklappen, Doppelanlagen, jedoch nicht bei Nierenfunktionseinschränkung

20.2.8 Pelviskopie

Durchführung Wie im Erw.-Alter, ggf. mit 5-mm-Optik. Lediglich bei Sgl. u. Kleinkindern ist ein spezielles Instrumentarium erforderlich.

Indikationen Genitale Fehlbildungen, V. a. Intersexualität (Stranggonaden), rezid. prim. o. sek. Dysmenorrhöen, solide o. solid-zystische Unterleibstumoren, Penetrationsverletzung, V. a. Adnexitis o. Appendizitis, V. a. Endometriose, hypergonadotrope Amenorrhö.

Kontraindikationen Narkoseunfähigkeit (z. B. schwere Herzvitien).

20.3 Physiologie der Pubertät

Zu Beginn der Pubertät nimmt die Sensibilität der hypothalamischen Zentren ggü. Sexualhormonen ab. Die dadurch bedingte erhöhte GnRH-Freisetzung stimuliert die Hypophyse u. die Ovarien zu ansteigender Hormonsekretion. Die Östrogenbildung der Ovarien setzt im 8.–9. Lj ein. In der Nebenniere kommt es zu einer selektiven Änderung der adrenalen Biosynthese zugunsten von DHEA u. DHEA-S.

20.3.1 Präpubertät: 8. bis 12. Lebensjahr

- Einsetzen des Wachstumsschubs
- Hüftrundung, das Becken nimmt weibliche Formen an, Verdickung des Mons pubis
- Wachstum der Vagina, mehrschichtiger Aufbau des Vaginalepithels
- Später beginnendes Uteruswachstum, beginnendes Follikelwachstum
- Auftreten des ersten Daumensesambeins (Menarche ca. 2 J. später zu erwarten)

Thelarche (10. bis 11. Lj) Knospen der Brust als erstes äußeres Zeichen zunehmender ovarieller Östrogenbildung.

> **Beurteilung der Brustentwicklung nach Tanner**
> ▶ Abb. 20.3.
> - **B1:** keine palpable Drüse
> - **B2:** Brustknospe. Warzenhof vergrößert, Drüse vorgewölbt im Bereich des Warzenhofs
> - **B3:** Drüse größer als Warzenhof
> - **B4:** weitere Vergrößerung der Drüse, der Warzenhofbereich hebt sich gesondert von der übrigen Drüse ab
> - **B5:** reife Brust. Zurückweichen der Warzenhofvorwölbung in die allg. Brustkontur

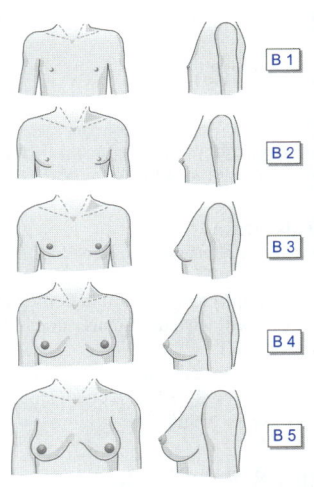

Abb. 20.3 Brustentwicklung nach Tanner [L157]

Pubarche (11. bis 12. Lj) Auftreten der Schambehaarung als Ausdruck der zunehmenden Androgenbildung. 1–2 J. später folgt das Wachstum der Axillarbehaarung.

> **Beurteilung der Schambehaarung nach Tanner**
> ▶ Abb. 20.4.
> - **P1:** keine Behaarung
> - **P2:** wenige Schamhaare an den Labia majora
> - **P3:** kräftige Behaarung von umschriebener Ausdehnung
> - **P4:** kräftige Haare wie beim Erw., aber geringere Ausdehnung
> - **P5:** Ausdehnung wie beim Erw., kräftige Behaarung, nach oben horizontal begrenzt
> - **P6:** zum Nabel ansteigende Schambehaarung u. Übergreifen auf die Oberschenkel

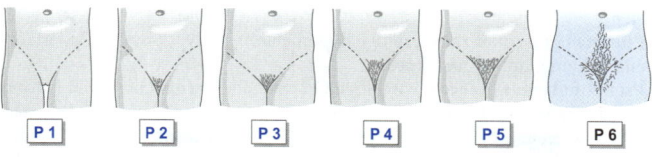

Abb. 20.4 Schambehaarung nach Tanner [L157]

20.3.2 Pubertät: 12. bis 15. Lebensjahr

- Pigmentation der Brustwarze, Entwicklung des äußeren Drüsenkörpers
- Höhepunkt des puberalen Wachstumsschubs (max. 8 cm/J.). Zum Zeitpunkt der Menarche ist noch mit Größenwachstum von 8–10 cm zu rechnen.
- Auftreten der Axillarbehaarung, Zunahme der Schambehaarung.
- „Physiol." Fluor (zunehmende Östrogenproduktion; ▶ Tab. 20.3).
- Weiteres Uteruswachstum (Korpus-Zervix-Relation ändert sich von 1 : 2 auf 2 : 1!).

Menarche (13. Lj)
- Erste ovariell gesteuerte uterine Blutung
- Meistens Östrogenentzugsblutung nach monophasischem (nichtovulatorischem) Zyklus

Tab. 20.3 Serumspiegel von Estradiol und DHEA in der Pubertät

Serumspiegel	Kind	Beginnende Pubertät
Estradiol (pg/ml)	< 10	> 40
DHEA (ng/ml)	< 1,5	> 1,5

20.3.3 Adoleszenz: 15. bis 20. Lebensjahr

Zunehmend ovulatorische Zyklen, Feminisierung der Körperformen, Abschluss der weiblichen Beckenformung, Epiphysenschluss durch zunehmende Östrogenwirkung. Wachstumsabschluss, gehäuft Akne.

20.4 Pubertätsstörungen

20.4.1 Häufigkeit

Normvarianten der Pubertät treten in ca. 3 % d. F. auf, path. Störungen der Pubertät erheblich seltener. Bei Mädchen mit prim. Amenorrhö, sonst normaler Pubertätsentwicklung u. Abschluss der Thelarche > 2,5 J. genitale Fehlbildung ausschließen.

20.4.2 Pubertas praecox

Formen
- **Pubertas praecox vera:** vorzeitige hypothalamisch-hypophysäre Pubertätsentwicklung; immer isosexuell.
- **Pseudopubertas praecox:** vorzeitige Geschlechtsentwicklung durch autonome Hormonproduktion; iso- u. heterosexuell. Östrogene bewirken bei Mädchen isosexuelle, bei Jungen heterosexuelle Pseudopubertas praecox. Androgene sind Ursache einer isosexuellen Pubertätsstörung von Jungen u. einer heterosexuellen Entwicklung von Mädchen.

Ätiologie
- Pubertas praecox vera: Hirntumoren, Z. n. Meningitis/Enzephalitis, Hirntrauma, McCune-Albright-Sy., M. Recklinghausen, Sturge-Weber-Sy.
- Pseudopubertas praecox: Enzymdefekte der NNR, hormonproduzierende Tumoren der NNR, des Ovars, exogene Hormoningestion (z. B. Einnahme der Pille von Mutter o. Schwester)

Klinik Prämature Thelarche, Pubarche, Adrenarche, Menarche, Virilisierungszeichen, Fluor, Mamillensekretion, Körpergröße im oberen Perzentilenbereich, Hautveränderungen (z. B. Café-au-Lait-Flecken bei M. Recklinghausen, Hämangiome beim M. Sturge-Weber).

Diagnostik
- Sexuelle Reifezeichen nach Tanner (▶ Abb. 20.3, ▶ Abb. 20.4)
- Vag. Abstrich zur Bestimmung des Hormongrades (▶ 15.2.3)
- Sono: Größe von Uterus, Ovarien (z. B. Follikel, Tumor) u. NNR
- Hormonanalysen (▶ 20.2.4): FSH, LH, Estradiol, Testosteron, Androstendion, DHEA-S, TSH, Prolaktin. LH-RH-Test (▶ 17.2.6)
- Rö, CCT: Hypophysenregion (z. B. Hirntumor), Rö li. Hand (Knochenalter)
- ! DD: prämature Thelarche, prämature Pubarche, familiärer Hochwuchs, AGS

Therapie
- **Ind.:** Menarche vor dem 7. Lj, schnelles Wachstum, schnelle Zunahme der sek. Geschlechtsmerkmale innerhalb von 6 Mon. Ther. nur durch Spezialisten!
- Bei **Pubertas praecox vera:** GnRH-Superagonisten zur Senkung der FSH- u. LH-Spiegel, z. B. mit Buserelin 3–6 × 100 μg/d intranasal (z. B. Profact® nasal) o. Depotpräparat Goserelin 3,6 mg s. c. (z. B. Zoladex®) alle 4 Wo.
- Bei **Pseudopubertas praecox:**
  - Evtl. Tumorexstirpation (▶ 16.8)
  - Evtl. Ther. des AGS ▶ 19.3
  - Exogene Hormonsubstitution/-ther. (je nach Störung) abklären (z. B. Einnahme der Pille der Mutter/älteren Schwester)

20.4.3 Pubertas tarda

Definition Bei gesunden Mädchen nach 13,5 Lj sind noch keine Pubertätszeichen vorhanden o. die begonnene Pubertätsentwicklung steht länger als 18 Mon. still. Zeitbedarf für das Durchlaufen der Pubertät vom Stadium B2 bis zur Menarche (oder von den ersten Zeichen der Pubesbehaarung bis zum Erreichen eines Tanner-Stadiums Ph5) > 5,0 J.

Ätiologie
- Hypothalamisch-hypophysäre Unterfunktion durch verzögerte Ausreifung der Sexualzentren bei einigen Allgemeinerkr. (z. B. Malignome), massivem Gewichtsverlust, Unterernährung (Anorexia nervosa ▶ 21.2.1), isoliertem hereditärem GnRH-Mangel (in Komb. mit Anosmie: Kallmann-Sy.), Hypophysentumoren (hypothalamisch-hypophysäre Achse unterbrochen)
- Prim. hypergonadotrope Ovarialinsuff. Bei Turner-Sy. (45, X0), reine (46, XY o. Mosaik) o. gemischte Gonadendysgenesie (z. B. 45, X0/46, XY), gonadotropinresistenten Ovarien *(resistent ovary syndrome)* u. echtem Hermaphroditismus (Koexistenz ovariellen u. testikulären Gewebes)

Klinik Ausbleibende Brustentwicklung, keine o. kümmerliche Ausbildung der Sekundärbehaarung, prim. Amenorrhö, fehlende Ausprägung der weiblichen Körperform, muldenförmiger Damm, enge Vagina, hypoplastischer Uterus.

Diagnostik Rö der Hand, Sono der Ovarien u. des Uterus, MRT.
- BB, BSG, GOT, GPT, GGT, AP, Krea, Gesamt-Eiweiß, IgA, Zöliakie-Laborparameter, Urinstatus
- TSH, fT$_4$
- LH, FSH, Estradiol/Testosteron, Prolaktin
- GnRH-Test: Gabe von 25 μg GnRH i. v. (LH nach 4 h < 4 IU/l = hypogonadotroper Hypogonadismus, ≥ 4 IU/l = Normalbefund)
- Molekulargenetische Zusatzuntersuchungen, Chromosomenanalyse ▶ 4.2
- Rö der Sella, diagn. Laparoskopie nach erfolgloser hormoneller Substitution mit neg. Gestagen- u. Östrogentest (evtl. mit Ovarbiopsie). Bei V. a. Anorexia nervosa, ▶ 21.2.1

Therapie
- **Ziel:** Behebung des Östrogendefizits → Entwicklung einer normalen Brust u. Sekundärbehaarung, bei der hypothalamisch-hypophysären Unterfunktion durch verzögerte Ausreifung der Sexualzentren auch Entwicklung normaler Fertilität
- **Vorgehen: Pubertätsinduktion bei Mädchen:**
  - Estradiolvalerat 0,2 mg/d über 6 Mon., anschließend
  - Estradiolvalerat 0,5 mg/d über 6–12 Mon., anschließend
  - Estradiolvalerat 1–1,5 mg/d plus Chlormadinonacetat* 2 mg/von Tag 1–14 ab dem 2. J.
  - Estradiolvalerat 2 mg/d plus Chlormadinonacetat* 2 mg/von Tag 1–14 ab dem 3. J. (*alternativ: Dydrogesteron 10 mg [z. B. als Femoston® 2/10] o. mikronisiertes Progesteron 200 mg Tag 1–14 abends o. Progesteron 100 mg (z. B. Utrogest®) im Langzyklus):
    – Ggf. Langzeitther. bis zum 50. Lj erforderlich, ggf. transdermale Estradiol-Ther.
    – Wenn möglich ursächliche Ther., z. B. OP eines Hypophysentumors
    – Substitution mit Schilddrüsen- u./o. Nebennierenhormonen
    – Op. Entfernung der rudimentären Gonaden wegen des erhöhten Entartungsrisikos bei Turner-Sy. mit Streak-Gonaden (Mosaik 45, X/46, XY)

> **!** Bei hypergonadotropen Formen Infertilität!

20.4.4 Hochwuchs

Physiologie Die Durchschnittsgröße erw. Frauen in D beträgt 168 cm. Eine zu erwartende Körpergröße oberhalb der Durchschnittsgröße plus 3-facher Standardabweichung (d. h. > 185 cm) wird vielfach als Behandlungsindikation angesehen.
Eine genaue Abschätzung der prospektiven Endgröße erfolgt unter Einbeziehung der elterlichen Größe anhand der Tabellen von Bailey u. Pinneau (1954: www.grosswuchs.de/2c.htm).

Ätiologie bei Mädchen
- Familiärer Hochwuchs: häufigste Ursache. Skelettalter stimmt mit chronol. Alter überein. Somatomedin fakultativ erhöht, sonst alle endokrinol. Parameter normal. Gewichtsperzentile im Vergleich zu Größenperzentile eher niedrig, Eltern groß
- Endokriner Hochwuchs:
  - Hypophysärer Hochwuchs (eosinophiles Adenom)
  - Pubertas praecox, Pseudopubertas praecox
  - Hyperthyreose
- Adiposogigantismus: Gewicht u. Größe oberhalb der 97. Perzentile, Wachstumsgeschwindigkeit beschleunigt, Knochenalter akzeleriert, Gewicht der Eltern oft auch hoch, meist alimentär bedingt.
- Chromosomenanomalien bzw. syndromal: Homozystinurie, Marfan-Sy.
- Konstitutionelle Beschleunigung von Wachstum u. Entwicklung: frühnormale Pubertät, entsprechend akzeleriertes Knochenalter, prospektive Größe normal.

Diagnostik
- **Anamnese:** Größe der Familienmitglieder, Größe bei Geburt, frühere Erkr. (ZNS, Traumen, Entzündung)
- **Klin. Untersuchung:** Körperproportionen, Fettverteilung, Ist-Länge u. Ist-Gewicht (Vergleich mit dem Perzentil ▶ Abb. 20.5), radiol. Knochenalterbe-

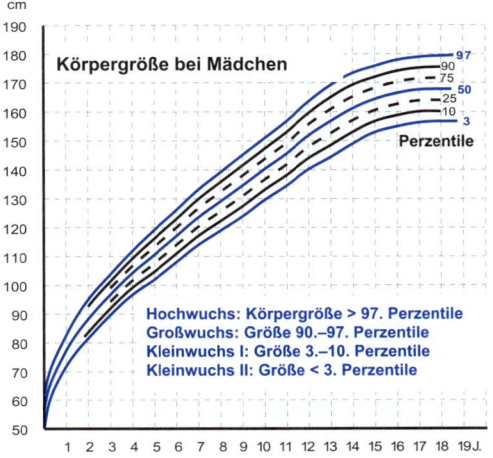

Abb. 20.5 Körpergröße bei Mädchen [L190]

stimmung anhand der Handwurzelknochen (≙ Lebensalter ± 1 J.), Pubertätsstadium (s. o.)
- **Labor:**
  - Somatotropes Hormon (STH) = Human Growth Hormone (HGH): normal < 1–3 ng/ml, ↑ > 5–10 ng/ml. Bei hormonproduzierendem Tumor bis 2.000 ng/ml möglich. Evtl. erhebliche tageszeitliche Schwankungen!
  - Basal-fT$_4$, fT$_3$, TSH, Schilddrüsen-AK, TRH-Test
  - Glukosebelastungstest: Bestimmung des Serum-STH vor sowie 60 min u. 120 min nach Glukose 100 g p. o. → normal STH-Abfall auf < 5 ng/ml, andernfalls V. a. Hypophysenadenom (▶ 17.4.3)

Therapie Östrogene bremsen das Wachstum durch Förderung der Skelettreifung u. Hemmung des Knorpelwachstums.
- **Behandlungsbeginn:** möglichst vor dem Pubertätswachstumsschub (d. h. Knochenalter < 12 J. u. vor der Menarche)
- **Behandlungsdauer:** 1,5–2 J., bis das Knochenalter von 15,5 J. erreicht ist, da dann das Wachstumspotenzial nur noch 0,7 % der Endgröße beträgt
- **Präparate:** Östrogene (z. B. Ethinylestradiol [EE] 0,2–0,5 mg/d p. o.) plus Gestagene:
  - Medroxyprogesteronacetat 5 mg/d p. o. (z. B. MPA Gyn® HEXAL) zusätzlich vom 15.–25. ZT oder
  - Chlormadinon 2 mg/d p. o. (z. B. Chlormadinon® 2 mg fem) zusätzlich vom 15.–25. ZT oder
  - Progesteron (z. B. Utrogest®) 200–300 mg/d zusätzlich vom 15.–25. ZT o. 100 mg/d im Langzyklus
- **NW:** Striae, Appetit- u. Gewichtszunahme, Wadenkrämpfe, Varikosis, Dys- u. Hypermenorrhö, Kopfschmerzen u. Übelkeit (meist vorübergehend), Fluor, Haarausfall, Hirsutismus, Ödeme

> Wachstumseinsparung hängt v. a. vom Zeitpunkt des Therapiebeginns ab. Unter optimalen Bedingungen kann eine Reduktion der Körpergröße um 6–8 cm erreicht werden. Die Therapiedauer beträgt 12–15 Mon. bis zum Epiphysenschluss.

20.4.5 Kleinwuchs

Definition
Abweichen der Körperlänge unter das 3. Perzentil, Diagnosestellung meist schon im frühen Kindesalter.

Familiärer Kleinwuchs
Neben der konstitutionellen Entwicklungsverzögerung häufigste Form des Kleinwuchses. Beginn im Säuglingsalter. Knochenreifung u. Pubertätsentwicklung meist ungestört.

Konstitutionelle Entwicklungsverzögerung
Absinken der Körperlänge bis zum 2. o. 3. Lj. Durch verspäteten Pubertätsbeginn deutlicher Kleinwuchs zwischen dem 12. u. 15. Lj.
Ther.: frühe Pubertätsinduktion mit Östrogenen (z. B. Femoston® 1 mg) über 3–6 Mon. Ggf. Anabolikather. mit Oxandrolon 0,05 mg/kg KG/d.

Genetisch bedingter (primärer) Kleinwuchs

Diagnostik Häufig durch Nachweis charakteristischer Stigmata u. Organveränderungen. Häufigste Ursache ist das Turner-Sy. (▶ 4.4.3), seltenere Ursachen sind Noonan-Sy., Prader-Willi-Sy., Russell-Silver-Sy., Williams-Beuren-Sy., Trisomie 21, A- o. Hypochondroplasie u. Osteogenesis imperfecta.

Therapie
- Wachstumshormon Somatotropin (z. B. Norditropin®) 0,71,0 mg/kg KG/d. Behandlungsbeginn möglichst im Kindesalter bis zum Epiphysenschluss, bei Turner-Sy. 1,3–2,0 mg kg KG/d
- Ggf. Östrogene: Estradiolvalerat 10–20 mg/kg KG/d (z. B. Gynokadin® Tbl.) einschleichend dosieren
- Zyklische Gestagengabe:
  - Medroxyprogesteronacetat 5 mg/d p. o. (z. B. MPA Gyn® HEXAL) zusätzlich vom 15.–25. ZT oder
  - Chlormandinonacetat 2 mg/d vom 15.–25. ZT oder
  - Progesteron (z. B. Utrogest®) 300 mg/d vom 14.–25. ZT o. 100 mg/d im Langzyklus

Sekundärer Kleinwuchs

Ätiologie
- Hormonell bedingt: Wachstumshormonmangel infolge eines Hypophysen- o. Hypothalamustumors, z. B. Kraniopharyngeom, Dysgerminom, von ZNS-Fehlbildungen, ZNS-Inf. o. ZNS-Traumata
- Chron. Erkr.: z. B. M. Crohn, Nierenerkr., hämatol. Erkr., juvenile rheumatoide Arthritis, Diab. mell., Essstörungen

Therapie Behandlung der Grunderkr., in ausgewählten Fällen sowie bei Wachstumshormonmangel Substitution des HGH Somatotropin (z. B. Norditropin®) 0,2–0,5 mg kg KG/d.

20.5 Störungen der Brustentwicklung

20.5.1 Normale Brustentwicklung

Zwei Drittel aller termingeborenen Mädchen zeigen in den ersten LT eine Schwellung der Brustdrüsen, teilweise mit Bildung von Hexenmilch. Das Maximum der Anschwellung besteht um den 10. LT u. ist auf die Wirkung mütterlicher u. kindlicher Steroidhormone zurückzuführen und unbedenklich.

Die Entwicklung der weiblichen Brust beginnt etwa zwischen dem 10. u. 11. Lj mit der Knospung der Brüste (= Thelarche ▶ 20.3) und ist etwa 2–4 J. nach der Menarche abgeschlossen.

20.5.2 Fehlende oder verzögerte Brustentwicklung

Ausbleibende Brustentwicklung

Ätiologie Gonadendysgenesie (▶ 17.4.2), adrenogenitales Sy. (AGS, ▶ 19.3), 5-Reduktasemangel (selten), Kallmann-Sy. (▶ 20.4.3).

Therapie Substitution der fehlenden Steroide u. Kortikoide.

Verzögerte Brustentwicklung

Ätiologie Häufig i. R. einer konstitutionell bedingten Pubertas tarda (▶ 20.4.3). Meist komb. mit Amenorrhö u. somatischen Entwicklungsverzögerungen.

Therapie Sofern der Altersrückstand mehr als 2 J. beträgt, Einleitung einer Östrogen-Gestagen-Komb.-Ther. mit z. B. CycloÖstrogynal® (1–3 Tbl./d).

20.5.3 Vorzeitige oder überschießende Brustentwicklung

Definition Vorzeitige Knospung der Brust vor dem 8. Lj.

Ätiologie Gesteigerte Empfindlichkeit des Brustdrüsengewebes ggü. Östrogenen.

Diagnostik Röntgenol. Bestimmung des Knochenalters, LH-RH-Test (▶ 17.2.6). Ein LH-/FSH-Quotient < 1 spricht für die prämature Thelarche.

Differenzialdiagnosen Bei der prämaturen Thelarche ist nur der Brustdrüsenkörper vergrößert, die Mamille ist unbeteiligt. Bei der (Pseudo-)Pubertas praecox (▶ 20.4.2) sind auch die Mamillen vergrößert.

Prognose Bei Auftreten vor dem 2. Lj oft vollständige Rückbildung, bei späterem Auftreten Rückbildung meist verzögert bzw. Übergang in die Pubertät.

20.5.4 Fehlbildungen und Fehlentwicklungen

Amastie

Definition Völliges Fehlen des Brustdrüsengewebes, ggf. mit fehlender Brustwarze (Athelie). Gleichzeitig ist einseitige Nierenaplasie möglich.

Ätiologie X-chromosomal rezessiv vererbter Gendefekt.

Therapie Plastischer Aufbau nach dem 16. Lj.

Makromastie

Die juvenile Makromastie beruht wahrscheinlich auf einer erhöhten Rezeptorempfindlichkeit des Brustdrüsengewebes ggü. normalen Hormonspiegeln (▶ 12.6.4).

20.5.5 Mammatumoren

Ätiologie
- Infektiös bedingt (Neugeborenenmastitis, Mastitis non puerperalis)
- Benigne Neubildung: juvenile Fibroadenome, fibrozystische Mastopathie
- Maligne Neubildungen: myeloische leukämische Infiltrate, Mamma-Ca, Mammasarkome

Differenzialdiagnosen
- Maligne Tumoren treten im Kindes- u. Jugendalter sehr selten auf, differenzialdiagn. sind sie allerdings immer auszuschließen. Bei leukämiekranken Kindern können knotige Infiltrate in der Brust auftreten.
- Benigne Tumoren: Juvenile Fibroadenome sind bei jungen Mädchen am häufigsten, sie können eine beträchtliche Größe erreichen (Riesenfibroadenome). Daneben können auftreten: Lipome, Fibrome, Adenome u. Milchgangpapillome.

Therapie Je nach Ursache lokal, antibiotisch, systemisch oder operativ, möglichst immer brusterhaltende Ther. Bei jungen Mädchen oft spontane Rückbildungen zellreicher Fibroadenome möglich. Op. Maßnahmen, wenn erforderlich, möglichst erst nach Abschluss der Brustentwicklung.

20.6 Blutungsstörungen

20.6.1 Normalbefunde

Mittleres Menarchealter in Deutschland 12,9 J. Die Tendenz zur Akzeleration scheint gestoppt zu sein. „Schwellengewicht" etwa 48 kg. In den ersten 2–3 J. sind unregelmäßige, anovulatorische Zyklen normal!

> Vag. Blutungen in der sog. „hormonellen Ruheperiode" sind stets path. u. müssen abgeklärt werden.

20.6.2 Vaginale Blutungen vor der Menarche

Ätiologie
- Entzündliche Veränderungen an Vulva u. Vagina (> 50 % d. F.)
- Verletzungen, Fremdkörper u. Tumoren
- Spontan auftretend (passagere Östrogenisierung)
- Extragenitale Ursachen (Urethralpolypen, Rhagaden, anale Erkr.)

Diagnostik Anamnese, Inspektion, Vaginoskopie, Ultraschall.

Therapie Nach Ursache.

20.6.3 Weitere Blutungen vor der Menarche

Einteilung und Ätiologie
- Konstitutionelle Pubertas praecox (= frühnormale Menarche): Bei 0,6 % aller Mädchen beginnt die Reifeentwicklung im 8. Lj = Normvariante. Ther. nicht erforderlich
- Idiopathische Pubertas praecox: bei 75 % aller Mädchen mit Pubertas praecox
- Pubertas praecox bei ZNS-Tumoren: hypothalamische Hamartome, Gliatumoren, Meningeome, Kraniopharyngeome
- Pseudopubertas praecox: durch vorzeitige ovarielle Östrogenproduktion (HCG- o. LH-produzierende Tumoren, östrogenproduzierende Tumoren der NNR o. der Ovarien)
- Durch exogene Östrogenzufuhr

Diagnostik
- Anamnese (erste Pubertätszeichen vor vollendetem 8. Lj bzw. erste Regelblutung vor dem 9. Lj)
- Allgemeinbefund mit Tanner-Stadien (▶ 20.3)
- Leitsymptome der Pubertas praecox: Thelarche, Akzeleration des Längenwachstums u. der Skelettreife, Pubarche, vermehrter Schweißgeruch, Menarche
- US: Beurteilung von Uterusgröße, Endometrium, Ovarialvolumen u. -binnenstruktur

- Hormonanalytik: Bestimmung von FSH, LH, Prolaktin, Estradiol, DHEAS, 17-OH-Progesteron, Androstendion, Testosteron
- GnRH-Test (Goldstandard): Gabe von 25 µg GnRH i. v. zur Differenzierung zwischen hypothalamisch u. hypophysär bedingten Hypogonadismusformen; Differenzierung zwischen konstitutionellen Entwicklungsverzögerungen (LH-, FSH-Anstiege nachweisbar) u. hypogonadotropem Hypogonadismus (LH-/FSH-Anstieg nicht nachweisbar)
- Zentrale Pubertas praecox: stimulierter LH/FSH-Quotient > 1, LH-Anstieg ≥ 5 mIU/ml
- Pseudopubertas praecox: stimulierter LH/FSH-Quotient < 1
- Bildgebende Verfahren: Rö li. Hand (Knochenalter), CT, MRT

Therapie
- Zentrale Pubertas praecox: medikamentös mit einem GnRH-Agonisten, z. B. Leuprorelinacetat Depot 3,75 mg s. c alle 28 d (Enantone® Monats-Depot); Dosis: bei Kindern < 20 kg KG ½ Dosis.
- Therapiemonitoring: Bewertung der Tanner-Stadien in 3- bis 6-monatigen Abständen sowie Knochenalterbestimmung. Bei Fortschreiten der Brustentwicklung (meist im Zusammenhang mit Fortschreiten des Knochenalters) erneuter GnRH-Test zur Überprüfung der Suppression der Hypothalamus-Hypophysen-Gonaden-Achse. Bei eindeutigem klin. Stopp der Pubertätsachse GnRH-Test nicht erforderlich
- Pseudopubertas praecox: medikamentöse Ther. abhängig von der zugrunde liegenden Erkr.
- Chir. Ther.: bei hypothalamisch/hypophysären Tumoren, großen Ovarialzysten: chir. (neurochir., laparoskopische) Entfernung bzw. Resektion
- Prämature Thelarche: keine Ther. erforderlich, Normvariante

20.6.4 Blutungsstörungen nach der Menarche

> **Juvenile Dauerblutung = zyklusunabhängige** andauernde **Blutung** in der Adoleszenz

Diagnostik
- Zyklusanamnese: Blutungen in den letzten 6 Mon. (Zeitpunkt, Stärke, Dauer erfragen), Virgo intacta
- Hormoneinnahme: z. B. Pille
- Labor: bei V. a. Entzündung Leukos, CRP, BSG, Chlamydienserologie; bei möglicher Grav. HCG i. S. (pos. > 5 IE); Hormontests meist überflüssig, ggf. LH, FSH, Prolaktin, E_2, freies Testosteron
- Inspektion: z. B. Verletzungen, Blutung mit Koagel- u./o. Gewebsabgang. Zytodiagn.
- Palpation: Uterusgröße, Druckdolenz, Konsistenz (z. B. aufgelockert bei Grav.)
- Sono ▶ 20.2.6, ▶ 22.1

Therapie
- Oligomenorrhö: ab 16. Lj Gestagenprophylaxe vom 15.–25. ZT, z. B. mit Chlormandinon 2 mg/d. Bei Intervallen bis zu 35 d ist keine Ther. erforderlich
- Polymenorrhö: Gestagenbehandlung zur Verlängerung des Zyklusintervalls z. B. mit Chlormandinon 2 mg/d, „Pille" nur bei gleichzeitigem Kontrazeptionswunsch

- Dauerblutung: keine Abrasio durchführen! Hormoneller Blutungsstopp bei hoch aufgebautem Endometrium mit Dydrogesteron 10 mg über 14 d. Bei flachem Endometrium EE 50 µg/d p. o. (z. B. Ethinylestradiol 2 × 25 µg Jenapharm®) u. Chlormandinon 2 mg/d über 14 d
- Hypermenorrhö: bei Verhütungswunsch o. Anämie (Hb < 12 mg/dl) „Pille", sonst i. d. R. keine Ther. notwendig
- Hypomenorrhö: Pat. über Harmlosigkeit aufklären, keine Ther.
- Dysmenorrhö: Aufklärung über Häufigkeit (fast 50 % aller Adoleszentinnen!); behandlungsbedürftig sind nur 10 % (mehrtägiger Schulausfall, starke psychische Beschwerden):
  – Spasmolytika, z. B. Propyphenazon 500 o. Butylscopolamin 10–20 mg p. o. oder Supp. bei Bedarf (z. B. Buscopan®) oder
  – Prostaglandinsynthesehemmer (wirksamer!): Ibuprofen 200–400 mg p. o. bei Bedarf (z. B. Gyno-Dolgit®)
  – Kontrazeptiva im Langzyklus z. B. Microgynon®, Miranova®, bei gleichzeitigem Kontrazeptionswunsch

20.7 Angeborene Fehlbildungen

20.7.1 Häufigkeit

Betrifft 5 % der kindergyn. Pat.

20.7.2 Hymenalatresie

Definition Verschluss der Hymenalplatte wahrscheinlich durch Persistenz der Membran am Müller-Hügel. Häufige Fehlbildung, Formen ▶ Abb. 20.6.

Klinik
- Bei NG fehlt der mehr o. weniger ausgeprägte vag. Fluor.
- KO: Hämatokolpos, „Unterbauchtumor", Molimina menstrualia (= schmerzhafte zyklische Krämpfe ohne Blutung nach außen).

Diagnostik
- Inspektion bei intraabdom. Druckerhöhung (z. B. Schreien des Sgl., Hustenstoß beim Kleinkind, Aufblasen eines Luftballons) → vag. Sekretaustritt (▶ 20.4).

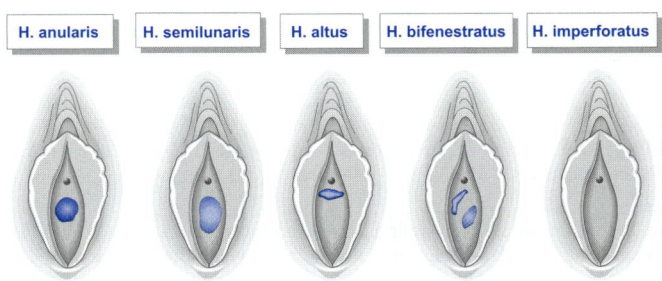

Abb. 20.6 Formen der Hymenalatresie [L157]

- Ggf. kleine Labien spreizen u. Hymen u. Vagina mit Knopfsonde sondieren (Ausschluss einer suprahymenalen Atresie).
- Im Zweifelsfall Vaginoskopie ▶ 20.2.3.
- Bei vollständigem Hymenalverschluss kann die Vaginalplatte infolge eines Mukokolpos mehr o. weniger vorgewölbt sein.

Therapie
- Nach Diagnosestellung zirkuläre o. sternförmige Teilexzision in Narkose (die alleinige Inzision ist wegen der Verklebungsgefahr nicht ausreichend)
- Salbennachbehandlung (z. B. mit Bepanthen®-Salbe, Ovestin® Creme)
- Bei FG zuwarten, da spontane Kanalisierung möglich

Labiensynechie (= Verklebung der kleinen Labien) stellt keine Fehlbildung dar! Typische häufige Erk. In der hormonale Ruheperiode bei trockener Genitalhaut. Daher zinkhaltige Pasten zur Pflege vermeiden. *Ätiol.:* mangelnde o. übertriebene Hygiene, physiol. Hormonmangel. *Ther.:* lokale Salbenmassage mit Östrogen (z. B. Ovestin® Creme) 1–2×/d mit leichtem Druck einmassieren über max. 6 Wo. Nach spontaner Lösung 1–3 ×/Wo. über weitere 2 Wo.

20.7.3 Anogenitale Fehlbildungen

Definition Hemmungsfehlbildungen der Kloake.

Klinik Analverschluss, sehr häufig komb. mit Fisteln zum Urogenitalsystem. Zahlreiche Varianten (auch Fisteln ohne Atresie möglich).

Komplikationen Darmverschluss, Inkontinenz, keine Kohabitationsfähigkeit, rezid. HWI, große psychische Belastung.

Therapie Immer operativ in den ersten LT durch spezialisierten Kinderchirurgen o. Kinderurologen.

20.7.4 Vaginalseptum, Vaginalaplasie

Das Vaginalseptum ist häufig von weiteren Urogenitalfehlbildungen begleitet, z. B. Uterus duplex mit zwei Portiones. Vaginalaplasie am häufigsten beim Mayer-Rokitansky-Küster-Hauser-Sy. (Häufigkeit 1 : 5.000) mit normalen Ovarien (▶ 20.7.8)!

Klinik Prim. Kohabitationsbeschwerden; äußeres Genitale u. Mammae unauffällig; normaler weiblicher Habitus.

Diagnostik Inspektion, Vaginoskopie, bei Vaginalaplasie auch Laparoskopie (Gonaden, Uterus).

Therapie Septumresektion. Bildung einer Neovagina (z. B. nach Veccietti); OP sollte erst in der Geschlechtsreife bei Kohabitationswunsch durchgeführt werden, da sonst postop. hohe Atresiegefahr.

20.7.5 Fehlbildungen des Uterus

Definition Entstehen meist in der 10.–17. SSW durch fehlende Fusionierung der beiden Müller-Gänge. Unterschieden werden Aplasie, Septumbildung sowie Doppelfehlbildungen (symmetrisch, asymmetrisch), ▶ Abb. 20.7.

Klinik Vor Eintreten der Menarche oft symptomlos. Später ggf. prim. Amenorrhö, Dysmenorrhö, Unterbauchbeschwerden, Dyspareunien. Bei asymmetrischen Doppelbildungen (z. B. rudimentäres Uterushorn) o. Uterusfehlbildungen in Komb. mit Vaginalaplasien typische Symptome der Abflussbehinderung nach der Menarche (Dysmenorrhöen, Hämatokolpos, Hämatometra u. a.). *KO:* wiederholte (habituelle) Spontanaborte (≥ 3 Aborte in Folge), vorzeitige Wehen, Frühgeburt, Lageanomalien des Fetus, Infertilität.

Diagnostik Inspektion u. Palpation (▶ 20.2.2), Sono (▶ 20.2.6, ▶ 22.1), evtl. Vaginoskopie (▶ 20.2.3), HSK u. HSG (▶ 17.2.10), (Chromo-)Laparoskopie, i. v. Pyelogramm (in 9 % renale Begleitfehlbildungen).

Therapie
- Bei Fehlen von Kohabitations- o. Blutungsstörungen i. d. R. keine Ther.
- Bei Kinderwunsch u. Uterusaplasie → keine Ther. möglich
- Je nach Abflussbehinderung ggf. op. Korrektur (z. B. Vaginalseptumkorrektur)
- Bei Uterus unicornis gleichfalls keine op. Ther., Schwangerschaft möglich
- Bei Uterus bicornis Schwangerschaft möglich; i. d. R. keine OP
- Bei Uterus septus o. subseptus ggf. hysteroskopische Septumresektion. Evtl. prophylaktische Cerclage ab der 14. SSW (▶ 5.11.3)

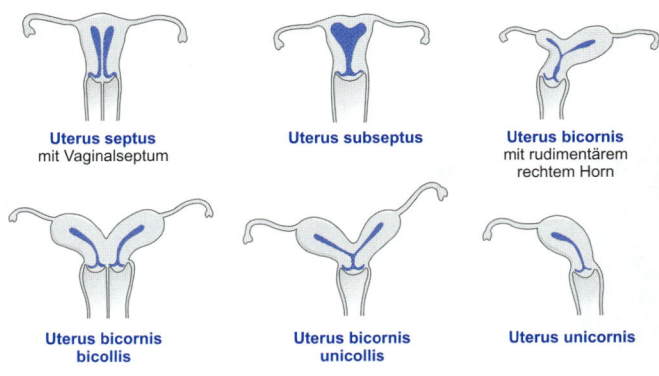

Abb. 20.7 Uterusfehlbildungen [L157]

20.7.6 Gonadendysgenesie

Turner-Syndrom (X0)

Klinik Kleinwuchs, weiter Mamillenabstand, Flügelfell, Schildthorax, Aortenisthmusstenose, prim. Amenorrhö. Oft funktionsuntüchtige „Stranggonaden", häufig Sterilität.

Diagnostik Chromosomenanalyse (Mosaik möglich). Jährlich Hormonanalysen: Östrogen niedrig, FSH u. LH hoch (hypergonadotroper Zustand → im Alter von 5–10 J. normal); Wachstumshormon (STH), T_3/T_4 u. TSH, Krea, Harnstoff. Laparoskopie; Rö-Handwurzel zur Knochenalterbestimmung.

Therapie
- Hormonsubstitution (Osteoporoseprophylaxe/Entwicklung sek. Geschlechtsmerkmale) ab 12. Lj mit schwach dosierten Östrogenen, z. B.
  - Femoston®® comp. 1 mg/d oder
  - Estradot® 25 plus orales Gestagen alle 2–3 Mon., z. B. Medroxyprogesteronacetat 5 mg/d p. o. (z. B. MPA Gyn® HEXAL) o. Chlormandinon 2 mg über 10–14 d
- Ab dem 15. Lj Ein- o. Zwei-Phasen-Ther. (z. B. CycloOestrogynal®)
- Wachstumshormonsubstitution (bei Mangel, nicht obligat) ab 8.–9. Lj mit Somatotropin 0,2–0,5 mg kg KG/d s. c. (z. B. Genotropin®, Norditropin®)
- Behandlungsversuch mit Anabolika möglich

Swyer-Syndrom (XY-Dysgenesie)

Klinik Phänotypisch weiblich, fehlende sek. Geschlechtsmerkmale, Amenorrhö, Stranggonaden, keine weiteren Organfehlbildungen.

Therapie Entfernung der Stranggonaden, da in bis zu 30 % Entartungen vorkommen (Dysgerminome). Hormonelle Substitution mit Ein- o. Zwei-Phasen-Präparaten.

20.7.7 Virilisierung des äußeren Genitales

Für die Ausprägung ist Zeitpunkt der Androgenexposition (intra- o. extrauterin) wichtig.

Klinik Klitorishypertrophie (▶ Abb. 20.8) bis zur Pseudopenisbildung möglich, Hypospadie (Mündung der Harnröhre in der vorderen Scheidenwand), Epispadie (Spaltung von vorderer Urethralrinne u. Klitoris), männlicher Behaarungstyp. **KO**: Harnverhalt, Inkontinenz, Reflux.

Diagnostik Inspektion, Sondierungsversuch von Urethra u. Vagina, Vaginoskopie, Sono von Nieren u. Harnblase, Hormonanalysen i. S. (▶ 20.2.4).

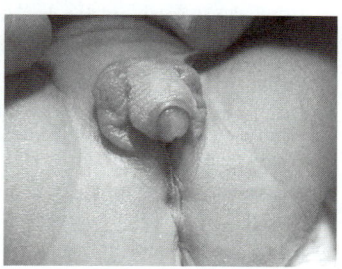

Abb. 20.8 Klitorishypertrophie bei weiblichem NG mit AGS [M454]

Therapie Versuch der op. Korrektur (z. B. Klitorisplastik, verschiedene kontinenzherstellende bzw. -erhaltende OPs).

Androgenisierung

Androgenisierung bei jungen Mädchen zu > 50 % durch AGS (▶ 19.3).

Ätiologie Autosomal-rezessiv vererbte Enzymstörung, 21-Hydroxylasemangel (häufigste Form), 11β-Hydroxylasemangel, 3β-OH-Dehydrogenasemangel.

Klinik Vorzeitige Adrenarche, Klitorishypertrophie, Hirsutismus, prim. Amenorrhö, Kleinwuchs.

Diagnostik Testosteron, DHEA-S, 17-OH-Progesteron. Kortisol, ACTH-Test.
Therapie Dexamethason 0,5 mg/d.

20.7.8 Mayer-Rokitansky-Küster-Hauser-Syndrom

Definition Aplasie der Vagina bei rudimentärem Uterus. Häufigkeit: 1 : 5.000 weibliche NG.

Klinik
- Fehlen des physiol. Fluors (neonatal, präpubertal, pubertal)
- Prim. Amenorrhö
- Erfolglose Kohabitationsversuche
- Normale Entwicklung der sek. Geschlechtsmerkmale
- Eindeutig weibliche psychosexuelle Prägung

Diagnostik Diagnosestellung erfolgt meist erst in der Pubertät nach Ausbleiben der Menstruation o. seltener nach frustranen Kohabitationsversuchen:
- Inspektion: normaler Hymenalsaum, muldenförmig ausgeprägter Introitus vaginae mit nachfolgend verschlossener Scheide
- Rektale Untersuchung: Uterus nicht palpabel
- Sono: Uterus nicht nachweisbar, regelrecht angelegte Ovarien in Höhe der Linea terminalis
- Diagn. Laparoskopie: quere Uterusleiste, die meist bds. in muskulären Uterusknospen von Erbsen- bis Kirschgröße endet; Tuben regelrecht bis hypoplastisch, Ovarien normal groß
- Chromosomenanalyse: nicht unbedingt erforderlich, in den meisten Fällen normaler weiblicher Karyotyp (Chromosomenaberrationen sehr selten)
- Diagn. der Nieren u. ableitenden Harnwege: in etwa 38 % mit Fehlbildungen der Nieren u. ableitenden Harnwege kombiniert. Häufig einseitige Nierenagenesien, einseitige dystope Niere, Nierenhypoplasie, auch Nierendoppelbildung u. Ureter fissus
- Diagn. des Skelettsystems: Bei ca. 20 % der Pat. mit MRKH-Sy. finden sich Fehlbildungen des Skelettsystems, am häufigsten Blockwirbelbildungen im HWS- u. oberen BWS-Bereich

Differenzialdiagnose Testikuläre Feminisierung durch Inspektion („hairless women") u. ggf. Chromosomenanalyse (46, XY) auszuschließen.

Therapie Ziel ist die Bildung einer kohabitationsfähigen Neovagina. Dies ist aufgrund der hohen Schrumpfungstendenz der Neovagina dann sinnvoll, wenn eine Partnerschaft besteht.
- Mechanische Methode: Dehnung des Scheidenblindsacks nach Frank
- Operative Methoden:
  - Chir. Methoden mit Hauttransplantation
  - Chir. Methoden mit Epithelialisierung von der äußeren Haut her
  - Chir. Methoden mit Darmtransplantation
- Laparoskopisch assistierte Anlage einer Neovagina nach Vecchietti, die für die Pat. mit am wenigsten invasive Methode, Kohabitationen sind 3–4 Wo. postop. möglich u. für den dauerhaften Therapieerfolg entscheidend

20.8 Genitale Infektionen

20.8.1 Übersicht

> Etwa 40–60 % der Pat. der kindergyn. Sprechstunde kommen wegen einer Vulvovaginitis.
> Die Ursachen der Vulvovaginitis werden vom hormonellen Entwicklungsstand der Mädchen beeinflusst. Das atrophische, nicht östrogengeschützte Vaginalepithel kleiner Mädchen ist bes. empfindlich ggü. unspez. bakt. Inf. Candidamykosen sind eher selten!

20.8.2 Ätiologie

Ursachen ▶ Tab. 20.4.

Tab. 20.4 Ätiologie genitaler Infektionen vom 1.–18. Lebensjahr		
Alter	**Infektion**	**Ursachen**
Neugeborenes	Soorvulvitis, Chlamydienzervizitis	Inf. im Geburtskanal bei STD der Mutter
Säugling	Windeldermatitis	Feuchte Kammer, Soor
Kleinkind	Sandkastenvulvitis, Fremdkörpervaginitis	Mech. Irritation u. bakt. Kontamination bei Hormonmangel
Schulkind	Vulvovaginitis	Genitale Beteiligung bei Inf. der oberen Luftwege bzw. bei mangelnder Hygiene
Pubertät	Physiol. Fluor	Östrogenbedingt
Adoleszenz	Adnexitis	STD, Begleitadnexitis bei Appendizitis

20.8.3 Klinik

- NG u. Sgl.: überwiegend Soorvulvitis u. Windeldermatitis.
- Kleinkinder u. Kinder: überwiegend unspez. Vulvovaginitis (fehlender Östrogenschutz des Epithels), daneben die häufig mechanisch bedingte „Sandkastenvulvitis" bzw. Fremdkörpervulvitis.
- Ab dem 10. Lj: häufige *Gardnerella*-Inf., in der (Prä-)Pubertät u. Adoleszenz überwiegen mit zunehmender Östrogenisierung u. Aufnahme sexueller Kontakte die spez. Vulvovaginitis (häufig β-hämolysierende Streptokokken der Gruppe A). Therapie nach Keim- u. Resistenzbestimmung (Metronidazol, systemische o. lokale Antibiotikatherapie).

20.8.4 Diagnostik

- Anamnese: z. B. Rötung, Juckreiz, Brennen beim Wasserlassen. Einsetzen der Beschwerden nach Sandkasten, Schwimmbad o. in Begleitung anderweitiger Erkr. (Inf. der oberen Atemwege, Nase o. Ohren, HWI, Kinderkrankheiten)

- Inspektion des äußeren Genitales möglichst mit Kolposkop (ggf. Betupfen mit 5-proz. Essigsäure ▶ 13.2.2)
- Bei V. a. unspez. Vulvovaginitis Keimabstrich nur bei Persistenz o. im Rezidiv
- Nativpräparat: Pilze, Trichomonaden, Leukos, Bakterien (▶ 13.2.3, ▶ Abb. 13.3)
- Keimabstrich: Vaginalsekretentnahme immer aus dem hinteren Scheidengewölbe, ggf. Chlamydienabstrich (▶ 15.2.4)
- Vaginoskopie (▶ Abb. 20.2) immer bei blutigem Fluor (Fremdkörper, Tumor) sowie bei therapieresistentem u. rezid. Fluor
- Klebestreifentest bei V. a. Oxyuren
- V. a. spez. Inf.: klin. u. mikrobiol. Untersuchung der Familienmitglieder veranlassen. Auch an sexuellen Missbrauch denken!

20.8.5 Unspezifische Vulvovaginitis

E. coli und Enterokokken (Mischflora) Seröser bis weißlicher Fluor, häufigste Ursache. **Ther.:** Änderung der Hygienegewohnheiten (nicht zu häufiges Waschen, pH-neutrale Seife verwenden, Trockenhalten des Genitales, keine Synthetikwäsche, keine zu engen Jeans o. Ä.). Immer Darmparasiten ausschließen (Stuhlkultur, Klebestreifentest). Lokale Hautpflege. I. d. R. keine antibiotische Ther.

Problemkeime Erreger z. B. Strept., Staph., *Proteus*, Klebsiellen. Gelber bis eitriger Fluor. **Ther.:** lokale Antibiose mit Vaginalcreme o. -supp. (ggf. vom Apotheker anzufertigen), z. B. Clindamycincreme, Nifurantin 10 mg Supp., Oxytetracyclin 100 mg Supp., vor dem 3. Lj ggf. mit den entsprechenden ophthalmol. o. otol. Therapeutika in 4- bis 6-facher Dosierung je nach Antibiogramm. Zur Unterstützung Kaliumpermanganat-, Tannolact®-Sitzbäder; ggf. bakteriostatische Salbe (Leioderm-P®-Creme). Im Rahmen von Inf. im HNO-Bereich häufig keine vag. o. genitale Ther. erforderlich.

20.8.6 Spezifische Vulvovaginitis

Trichomonadeninfektion Häufig reichlich gelblich-grünlicher Fluor. Diagn. ▶ 15.1.4.

Gardnerella vaginalis Dünnflüssig gräulicher Fluor mit unangenehmem fischartigem Geruch (Aminkolpitis ▶ 13.3.5). **Ther.:** Kinder Metronidazol (z. B. Clont®) 10–20 mg/kg KG/d p. o. über 7 d, Jgl. 3–4 × 250 mg/d p. o. über 7 d.

Gonorrhö Kann in allen Entwicklungsphasen auftreten u. imponiert durch reichliche eitrige Sekretion aus der Scheide. Übertragung durch Schmierinf. o. sexuelle Kontakte. Diagn.: ▶ 13.3.6. **Ther.:** Benzylpenicillin-Procain u. Benzylpenicillin-Na (z. B. Retacillin®) Einmaldosis. Sgl. 400.000–600.000 IE/d, Kinder im 1.–3. Lj 600.000–800.000 IE/d, im 4.–10. Lj 600.000–1 Mio. IE/d, Kinder > 10 J. 2–4 Mio. IE/d.

Chlamydien Übertragung ausschließlich durch sexuelle Kontakte. Klin. Zeichen sind Unterbauchschmerzen, Kontaktblutungen, gelblicher Fluor, hohe Leukozytenzahlen im Abstrichpräparat. Diagn. u. Ther. ▶ 13.3.5.

20.8.7 Andere Vulvovaginitiden

- **Parasiten** (Oxyuren, Skabies): häufig bei Kindergarten- u. Schulkindern. Nachweis mittels Klebestreifen (Oxyuren), mikroskopisch (Skabies). **Ther.:** Anthelminthika z. B. Mebendazol 2 × 100 mg/d p. o. (z. B. Vermox®) über 3 d, bei Skabies Lindan über 2 d extern (z. B. Jacutin®-Emulsion ▶ 13.3.7)

- **Pilze** (häufige Ursache der Windeldermatitis bei Kleinkindern u. Sgl.): Übertragungsweg durch vertikale Inf. o. Schmierinf., gehäuft nach systemischer Antibiotikagabe o. begleitend bei chron. Erkr. Nachweis durch typisches Nativpräparat (▶ 13.2.3), evtl. Pilzkultur. **Ther.:** lokal Clotrimazol (z. B. Canesten®-Salbe u. Ovula) o. Nystatin (Multilind®-Salbe). Windeln häufig wechseln. Ther. mind. 10 d nach Abklingen der Symptome fortsetzen, häufig Rezidive
- **Mech., chem. o. allergische Ursachen** („Sandkastenvulvitis"): synthetische Unterwäsche, ungeeignete Seifen o. Waschlotionen, aber auch bei Adipositas durch Scheuern der Oberschenkel u. des Genitales. **Ther.:** Erkennen u. Vermeiden der Ursache, Hygieneaufklärung
- **Allgemeininf. u. Systemerkr.:** bei Diab. mell., Lichen sclerosus et atrophicans, nach Pneumonien, Anginen häufig unspez. Begleitfluor. Eine Ther. des Begleitfluors ist nicht nötig, da er nach Abheilung der Grunderkr. von selbst stoppt. Bei Diab. mell. konsequente BZ-Einstellung

> Komplikationen sind häufig rezid. Reizzustände durch übertriebene Vorsicht u. häufiges Waschen, nur sehr selten Keimaszension.

20.9 Verletzungen

Ätiologie
- Meist Unfälle: Fahrradlenker bei Sturz, Geräteturnen
- Eingeführte Fremdkörper
- Sexualdelikte (meist innerhalb der Familie o. Verwandtschaft; ▶ 20.13)
- Beschneidungen mit Verstümmelung u./o. Inf. der Vulva (häufig in ostafrikanischen Ländern!) → Entfernung von Klitoris, kleinen und z. T. auch großen Labien ohne Narkose o. Blutstillung! Große Nachblutungs- u. Infektionsgefahr, häufig lebenslanger Kohabitationsschmerz

Diagnostik
- Inspektion: Austastung der Wunden mit sterilen Sonden
- Urin: M-Urin untersuchen, Blasenkatheterisierung z. A. einer Blasenläsion (blutiger Urin, Harnverhalt), Zystoskopie
- Rektale Untersuchung: z. B. Blut am Fingerling: V. a. Perforation → Rektoskopie
- Vaginoskopie (▶ 20.2.3), unverzichtbar bei V. a. penetrierendes Trauma. Verbindung zu Rektum o. Blase ausschließen, abgebrochene Restfremdkörper entfernen
- Rö-Beckenübersicht, z. B. Frakturen, Anhalt für freie Luft (Perforation)

Therapie
- Beruhigen von Kind u. Eltern
- Abwartendes Verhalten bei Prellungen u. Schürfungen; Kühlung mit Eisbeutel, Östrogencreme (z. B. Estriol, Ovestin®)
- Bei ausgeprägtem Hämatom mit Fluktuation Spaltung in Narkose: kleine Inzision, Ausspülen der Wunde mit z. B. mit Betaisodona®/NaCl 0,9 %, nur bei großen Wunden Einlage einer Redon-Drainage mit Sog über 2–3 d
- Postop. Kamillensitzbäder, Paracetamol 2–3 × 125 mg/d p. o. (z. B. Paracetamol-CT®)

- Op. Ther. bei Verletzung der ableitenden Harnwege: suprapubischer Katheter bei Harnröhrenbeteiligung, (zystoskopische) Naht bei Blasenläsionen
- Interdisziplinäre op. Ther. (Chirurg, Urologe, Gynäkologe) bei perforierenden Verletzungen
- Bei Verletzungen durch weibliche Beschneidung (Infundibulation) → Versuch der op. Korrektur im Kindesalter (z. B. Klitorisplastik)

Komplikationen
Inf. mit sek. Wundheilung, Synechien (z. B. Labien/Vagina), Adhäsionen, Fistelbildung (z. B. Vagina-Darm; Vagina-Blase), bei perforierender Verletzung: akutes Abdomen mit Schocksymptomatik (▶ 3.4).

20.10 Fremdkörper

Anamnese „Doktorspiele", gezielt nach Gegenständen fragen, z. B. Stifte, Murmeln, Spielfiguren, Knöpfen, Haarspangen. **Cave:** Aus Schuldgefühl verschweigen viele Kinder die Symptome; Anamnese deshalb evtl. ohne Mutter erheben.

Klinik   Plötzliche Schmerzen, übel riechender, blutiger Fluor.

Komplikationen   Synechien, Fisteln, aufsteigende Inf.

Diagnostik   Rektale Untersuchung (Größe, Beweglichkeit des Fremdkörpers), bei jedem Fremdkörperverdacht vaginoskopieren (▶ 20.2.3), Sono wenig hilfreich. Abdomenübersicht nur bei akutem Abdomen (freie Luft → V. a. Perforation).

Therapie
- Vaginoskopische Extraktion mittels Fasszange. Sedierung z. B. mit Diazepam 5 mg rektal (z. B. Diazepam-Desitin®rectal tube) meist ausreichend. Ein runder Fremdkörper (Murmel) lässt sich oft transanal ausstreichen.
- Antiphlogistische Nachbehandlung über 2 d z. B. Diclofenac 2 × 25 mg/d Supp. (z. B. Voltaren®) o. ASS 1 × 100 mg/d (z. B. ASS TAD® 100 protect) o. Paracetamol 2–3 × 125 mg/d Supp. (z. B. Paracetamol-CT®)
- Hormonelle Behandlung mit Östrogen (z. B. Estriol, Ovestin® Creme) über 4–5 d
- Penetrierende Fremdkörper: Laparoskopie/Laparotomie evtl. komb. mit vag. Vorgehen

20.11 Präpubertaler Lichen sclerosus

Erstes Auftreten im Alter von 4–6 J. Häufigkeit 1 : 900–1 : 1.100. Klin. Manifestation i. d. R. im Anogenitalbereich, bei bis zu 15 % zeigen sich extragenitale Manifestationen an den Oberschenkelinnenseiten o. in der Axilla. Oft verursacht eine auch nur geringe Hyperkeratose heftigen Juckreiz. Die Erkr. verläuft chron., schubweise mit z. T. längeren Ruheperioden. Partielle o. vollständige Rückbildungen sind möglich. Ätiologie weitgehend ungeklärt, vermutlich multifaktoriell mit autoimmuner, genetischer u. hormonaler Komponente.

Diagnostik
- Inspektion: weißliche Hautveränderungen achtförmig um Anus- u. Genitalregion, Rhagaden, Rötungen u. Hauteinblutungen. Im Frühstadium glänzen-

de Hautrötung (Erythem) mit/ohne fleckförmiger Depigmentierung, z. B. periklitorial o. im Bereich der kleinen Labien.
- Oft verursacht eine nur minimale Hyperkeratose heftigen Juckreiz.
- Im Vollbild der Erkr. mit Fissuren, Rhagaden, Einblutungen, Depigmentierungen sowie irreversibler Zerstörung der Vulvaarchitektur mit Atrophie der kleinen Labien.
- Da keine Neigung zur malignen Entartung besteht, kann auf eine Biopsie verzichtet werden.

Therapie
- Keine kausale Therapie möglich. Mittel der Wahl ist topische Anwendung eines hochpotenten Kortikoids (z. B. Clobetasolproprionat Creme 0,05 %, z. B. Dermoxin Creme®). Ausreichende rückfettende Pflege des Anogenitalbereichs
- Gute Ergebnisse mit progesteronhaltigen Salben 1 ×/d über 3 Wo., dann 1–2 ×/Wo. (RP: 1 % MPA-Pulver o. 1 % natürliches Progesteron + 30 mg neutrale Salbenbasis)

20.12 Genitaltumoren im Kindes- und Jugendalter

20.12.1 Häufigkeit

Tumoren des Genitales machen in der Kinder- u. Jugendgynäkologie nur etwa 1 % aller Genitaltumoren aller Altersstufen aus.

20.12.2 Benigne Tumoren

Vulva Hymenalfibrom (Fibroma pendulans, kapilläre u. kavernöse Hämangiome, Angiokeratome, Lymphangiome, Retentionszysten. Therapie i. d. R. operativ.

Vulva und Vagina Condylomata acuminata (▶ 13.3.3), Übertragung meist durch sexuelle Kontakte. (**Cave:** Übertragung über Türgriffe belegt). Bei Inf. muss kein sexueller Kontakt/Missbrauch vorliegen. Dysontogenetische Zysten (aus dem Müller- u. Gartner-Gang-Epithel). Therapie i. d. R. operativ.

Vagina Condylomata acuminata (▶ 13.3.3), Endometriose (▶ 15.4.4), Adenosis vaginae (aus Resten des Müller-Gang-Epithels). Bleibt spontane Rückbildung bis zum ca. 18. Lj aus, Laser- o. Kryother.

Zervix Condylomata acuminata (▶ 13.3.3), Endometriose (▶ 15.4.4), zervikale intraepitheliale Neoplasie (CIN I–III, ▶ 15.5).

Korpus Leiomyome (im Kindes- u. Jugendalter Ausnahme), Blasenmole (nur i. R. einer Grav., ▶ 5.7.1).

Tube und Ovar Die meisten Adnextumoren im Kindes- u. Jugendalter sind benigne: funktionelle Zysten (▶ 16.7; Follikelzysten, Luteinzysten, Endometriosezysten), Keimzelltumoren (Dermoidzyste ▶ 16.7), epitheliale Tumoren (seröses Kystom), Stromatumoren (selten), entzündliche o. postentzündliche Adnextumoren (▶ 16.5, ▶ 16.7), Stieldrehungen der Adnexe, Tubargrav. (▶ 16.3), Paraovarialzysten. **DD:** Urachuszyste. **Ther.:** Bei NG zunächst 2–3 Wo. abwarten; bei Kleinkindern u. Kindern i. d. R. op. Abklärung (Pelviskopie), ab dem 12. o. 13. Lj (Menarche) Versuch einer endokrinen Ther. mit Gestagenen, z. B. Chlormandinon 2 mg/d p. o. über 3 Mon., alternativ monophasischen OH, z. B. Microgynon®, über 3 Mon.

20.12.3 Maligne Tumoren

Vulva Extrem selten: Adeno-Ca (aus Resten des paramesonephritischen Gewebes), Plattenepithel-Ca, endodermale Sinustumoren, maligne Melanome, embryonale Rhabdomyosarkome.

Vagina Selten: wie oben, zusätzlich Klarzell-Adenokarzinom, Sarcoma botryoides (Traubensarkom). Am häufigsten bei Kleinkindern < 2 J. u. in der Adoleszenz, vorwiegend mit zervikalem Befall.

Zervix Zervix-Ca (▶ 15.7).

Korpus Chorionepitheliom (Chorion-Ca) ▶ 5.7.2; mesodermale Mischtumoren (Auftreten im 4.–18. Lj, selten).

Tube und Ovar Zystadeno-Ca, unreife Teratome (embryonales Teratom), Stromazell-Ca (Theka- u. Granulosazell-Ca), Neurofibrosarkome, Rhabdomyosarkome.

> Bei Malignitätsverdacht (auch ▶ 16.2) i. d. R. op. Abklärung, möglichst in Zusammenarbeit mit einem kinderonkol. Zentrum.

20.13 Sexueller Missbrauch und Misshandlung

20.13.1 Epidemiologie

Die Prävalenzrate für sexuellen Missbrauch liegt bei Mädchen zwischen 8 u. 12 %, bei Jungen zwischen 2 u. 8 %. Die Dunkelziffer ist groß; Täter am häufigsten Männer in Familie, Verwandtschaft sowie Freundeskreis der Eltern. Die Hälfte der Kinder ist jünger als 7 J. Verleugnung u. Verdrängung machen die Diagn. oft schwierig.

> - Vorsichtige Befragung, auch ohne Familienangehörige. Bei mehrfachen Einbestellungen sollte ein konstanter Untersucher das Kind betreuen.
> ! Bei der Inspektion können Normalbefunde vorliegen. Keine Untersuchung gegen den Willen des Kindes! Ausnahme: versorgungspflichtige Verletzungen.
> - Verhalten des Kindes bei Untersuchung, z. B. sehr verspannt u. ängstlich o. betont forsch u. zugewandt, sexualisiertes Verhalten o. Sprache.

20.13.2 Anamnese

Psychische Auffälligkeiten; psychosomatische Störungen wie Schlafstörungen, Enuresis, Defäkationsprobleme, unklare Bauchschmerzen, Appetitlosigkeit, Desinteresse, Konzentrationsstörungen, Schulprobleme, Lernstörungen.

20.13.3 Klinik (misshandlungstypische Symptome)

- Hämatome untypischer Lokalisationen u. mit untypischer Form (z. B. Griffmarke, Striemen)
- Verbrühungen mit typischem Verteilungsmuster
- Kontaktverbrennungen mit typischem Verletzungsmuster (z. B. Fingerkuppen ausgespart, Muster durch Zigaretten, Bügeleisen etc.)
- Fesselmarken, Kneif-, Kratz- u. Bissspuren
- Multiple Frakturen ohne plausiblen Unfallmechanismus u. unterschiedlichen Alters, bei kleinen Kindern auch mit begleitenden Subduralhämatomen (Battered-Child-Sy.)
- Beim Sgl. Subduralhämatome mit retinalen Blutungen u. geringen äußeren Verletzungszeichen (Schütteltrauma).
- Abdom. Verletzungen wie bei stumpfen Bauchtraumen
- Augenverletzungen mit Monokelhämatom, subkonjunktivale Blutungen
- Verletzungen im HNO-Bereich, Lippenhämatome
- Auffällige Befunde im Genital- u. Analbereich
- Beim präpubertären Kind gesicherte Inf. mit Chlamydien, *Herpes genitalis*, Trichomonaden, Hepatitis B
- Schwangerschaft bei Mädchen < 16 J.

20.13.4 Diagnostik

Inspektion Weite u./o. Einrisse des Hymens, Weite u. Tonus des Anus; außerdem auf Schleimhautrisse u. anale Blutungen achten. Inspektion der extragenitalen Regionen u. des Körpers auf Hämatome, Schürfungen, Kratz-Biss-Spuren, auffällige Häufung von Frakturen, da häufig neben sexuellem Missbrauch auch weitere körperliche Misshandlungen vorliegen. Fotodokumentation! Typische Aussagen: Kind sei ungeschickt, falle häufig.

Positiver analer Dilatationsreflex Beim Spreizen der Pobacken klafft der Anus spontan, Rektumschleimhaut ist bis zu 1 min sichtbar bzw. abwechselnde Kontraktion u. Dilatation des Anus. Bei chron. Missbrauch bleibt der Anus > 1 min geöffnet.

Vaginoskopie (▶ 20.2.3): Anhalt für intravag. Verletzungen.

Labor HIV, Lues, Hepatitis (ggf. zu späterem Zeitpunkt wdh.), sexuell übertragbare Inf. (Aminkolpitis, Chlamydien, Kondylome, Herpes).

> **Für gerichtsmedizinische Untersuchungen**
> ▶ 13.8.
> - Körperliche Untersuchung bei V. a. akuten Missbrauch (≤ 48 h) sofort, sonst abwarten, um das Kind nicht zusätzlich zu traumatisieren
> - Vaginal-, Rektal-, Mundabstrich auf Spermien: mind. je 4 Watteträger, Lufttrocknung, wenn kein sofortiger Versand (Gerichtsmedizin am Ort) möglich
> - Schamhaare auskämmen (fremde Haare)
> - Kleidung asservieren (Blut- u. Spermaspuren)
> - Fotodokumentation
> - Evtl. Samenspuren durch UV-Licht auf Haut/Kleidung suchen u. mit feuchtem Watteträger asservieren

20.13.5 Therapie

> Die Abwendung psychischer Kurz- u. Langzeitschäden hat höchste Priorität.

Eine enge Zusammenarbeit mit dem Kinderarzt o. -psychiater ist dringend notwendig. Evtl. kann eine Familienther. eingeleitet werden. Die Entfernung des Kindes aus der Familie kann durch Verlust der weiteren menschlichen Bezugspersonen sehr traumatisch erlebt werden, sodass die Hauptsorge der psychischen u. physischen Betreuung in der Familie gelten sollte.

Eine Pflicht zur Anzeige besteht in Deutschland nicht, wohl aber in Österreich u. in manchen Schweizer Kantonen. In begründeten Fällen **kann** der Arzt nach § 34 StGB (rechtfertigender Notstand) jedoch Anzeige erstatten. Bei unsicherer Beweislage können ohne Einschaltung der Kriminalpolizei auch das Jugend- u. das Gesundheitsamt in die weitere Betreuung einbezogen werden.

> Die unberechtigte Anschuldigung „Kindesmissbrauch" ist häufiger Gegenstand bei Sorgerechtsentscheidungen u. wird manchmal von unprofessionellen „Kinderschutzorganisationen" in Zusammenarbeit mit Behörden gegen Eltern erhoben. Die vermeintlichen „Täter" können ebenso wie die Kinder zu Opfern langwieriger Auseinandersetzungen o. Ermittlungen werden.
> - Bei akuter Gefährdung des Kindes muss eine Güterabwägung zwischen verschiedenen Rechtsgütern u. ethischen Normen erfolgen. Der Schutz des Kindes u. die Wahrung seiner Rechte auf körperliche u. seelische Unversehrtheit sind ein höheres Rechtsgut als die ärztliche Schweigepflicht u. die Zustimmung der Sorgeberechtigten.
> - ! Alle Formen der Kindesmisshandlung u. schwerer Vernachlässigung sind Straftatbestände, eine Anzeigepflicht besteht allerdings nicht.

21 Psychische und psychosomatische Probleme

Kay Goerke und Axel Valet

- **21.1 Grundlagen** 664
- 21.1.1 Einführung 664
- 21.1.2 Begriffsdefinitionen 664
- 21.1.3 Hinweise auf psychosomatische Krankheitsursachen 665
- 21.1.4 Gesprächsführung 665
- **21.2 Gynäkologie** 666
- 21.2.1 Anorexia nervosa 666
- 21.2.2 Zyklusstörungen und Unterbauchbeschwerden 667
- 21.2.3 Prämenstruelles Syndrom (PMS) 668
- 21.2.4 Sterilität 669
- 21.2.5 Klimakterium 669
- **21.3 Geburtshilfe** 670
- 21.3.1 Psychische Probleme in der Gravidität 670
- 21.3.2 Geburt 671
- 21.3.3 Wochenbett 671

21.1 Grundlagen

21.1.1 Einführung

Die heutige, weitgehend somatisch geprägte Medizin tendiert zur Betrachtung der Pat. als Summe ihrer somatischen Probleme. Psychische u. soziale Einflüsse auf körperliche Erkr. werden von vielen Ärzten u. großen Teilen der Bevölkerung als nebensächlich o. unbegründet abgetan. Deshalb sollten mögliche psychische o. psychosomatische Ursachen von Beschwerden immer mit äußerster Behutsamkeit angesprochen werden, um eine Stigmatisierung zu vermeiden.

> **!** Fassbare körperliche Ursachen von gyn. Beschwerden dürfen nicht übersehen werden. Andererseits muss bei psychosomatischen Erkr. möglichst frühzeitig eine entsprechende Diagn. u. Ther. eingeleitet werden, um eine Chronifizierung mit gestörtem Arzt-Pat.-Verhältnis, häufigem Arztwechsel u. unbefriedigendem Behandlungsverlauf zu vermeiden.

21.1.2 Begriffsdefinitionen

- **Konversion:** unbewusste Abwehr u. Umwandlung von konflikthaften Triebwünschen (z. B. Sexualität, Angst, Wut, Aggression) in körperliche Symptome. Häufig assoziiert mit Unterbauchschmerzen, Vaginismus.
- **Larvierte Depression:** Körperliche Symptome (häufig Schmerzen) stehen im Vordergrund einer endogenen Depression. Meist sind zusätzlich Ängste, Antriebsstörung o. traurige Verstimmungen erkennbar.
- **Burnout-Syndrom:** Zustand emotionaler Erschöpfung u. reduzierter Leistungsfähigkeit. Pat. fühlt sich ausgebrannt, schwach, lustlos, Fehlen von Erholungsmöglichkeiten. Bes. betroffen sind Menschen in sozialen Berufen, Krankenschwestern, Ärzte, Lehrer, die neben ihrer hohen Leistung auch persönliches Engagement einbringen. Form einer Depression. Unbehandelt mit erhöhtem Suizidrisiko.
- **Simulation:** absichtliches Vortäuschen nicht vorhandener Symptome. Dient meist dem Erreichen eines sek. Krankheitsgewinns (z. B. Krankenhausaufenthalt, Pat. wird von allen gepflegt, erfährt mehr Zuwendung; Arbeitsunfähigkeitsbescheinigung, Rentenbegehren).
- **Psychosen:** Erkr. mit erheblicher Beeinträchtigung der psychischen Funktionen. Man unterteilt die Psychosen ätiologisch in:
  - Organisch: z. B. nach Trauma, Inf., Stoffwechselerkr., durch Alkohol, Drogen
  - Endogen: z. B. Schizophrenie, schwere Affektstörungen, endogene Depression
  - Paranoid: mit Wahnerscheinungen im Vordergrund
  - Reaktiv: können kürzlich vorausgegangenem Erlebnis zugeschrieben werden
  - Zykloid: phasisch verlaufende endogene Psychose
- **Neurose:** Symptome sind Ausdruck eines in der Kindheitsentwicklung verwurzelten seelischen Konflikts (z. B. Angst-, Zwangs-, Konversionsneurose).

21.1.3 Hinweise auf psychosomatische Krankheitsursachen

- Eine somatische Ursache lässt sich nicht finden o. erklärt die Beschwerden nur unzureichend.
- Wechselnde Untersuchungsbefunde bei unterschiedlichen Untersuchern o. im zeitlichen Verlauf.
- Lange Krankheitsgeschichte. **Cave:** Umkehrschluss möglich, d. h., somatische Ursache wird lange Zeit auf Psyche geschoben.
- Therapieresistenz o. plötzliches Verschwinden der Beschwerden ohne Ther.
- Psychovegetative Begleiterkr. (z. B. Schlafstörungen, Schweißausbrüche, Herzbeschwerden).
- Suggestibilität. **Cave:** Unsicherheit der Pat. kann Suggestibilität vortäuschen.
- Belastende Familienanamnese, aktuell schwierige Lebenssituation.
- Zusätzliche psychische Beschwerden (Ängste, Zwänge, Depressionen, innere Unruhe).
- Beschwerden stehen in zeitlichem Zusammenhang mit Hintergrundkonflikten (Partnerschaft, Familie, Sexualität, Beruf).
- Häufiger Arztwechsel.

21.1.4 Gesprächsführung

Zielsetzung Ziel des Erstgesprächs ist es, ein Vertrauensverhältnis zwischen Arzt u. Pat. aufzubauen. Hierzu ist eine störungsfreie Gesprächssituation ohne Zeitdruck absolut notwendig. Zunächst sollte der Arzt eine abwartende, zuhörende Haltung einnehmen. In weitere Gespräche ggf. den Partner einbeziehen.

Prinzipien
- Med. Fachvokabular unbedingt vermeiden (wirkt dominierend u. distanzierend).
- Offene Fragen allg. Art stellen, Zurückhaltung bei gezieltem Erfragen pathognomonischer Symptome (z. B. „Erzählen Sie doch erst einmal mit eigenen Worten, welche Probleme Sie hergeführt haben").
- Wertende Äußerungen vermeiden (auch nonverbaler Art; z. B. Hochziehen der Augenbrauen, Mimik).
- Bei ausweichenden Antworten möglichst nicht gleich konkret nachfragen, sondern zu einem späteren Zeitpunkt noch einmal auf das Thema zurückkommen.
- Begriffe wie psychisch, psychosomatisch genau erklären, um keine Stigmatisierung hervorzurufen. Oft sind diese Begriffe für die Pat. sehr neg. besetzt (Simulation, geistige Behinderung). Wörter wie „seelische Belastung" o. „Traurigkeit" verwenden.
- Pausen als Mittel der Gesprächsführung nutzen. Die meisten Menschen fangen nach einer Gesprächspause aus eigenem Antrieb wieder zu reden an.
- Keine Krankheitsbilder in die Pat. „hineindiagnostizieren". Dies ruft Ohnmachtsgefühle hervor, unter denen die Pat. sowieso schon leidet.
- Interaktionsverhalten in der Arzt-Pat.-Beziehung beachten. (Welche Wünsche u. Bedürfnisse traut sich die Pat. evtl. nicht zu artikulieren o. sind ihr selbst nicht bewusst?)
- Einfühlendes Verständnis zeigen u. die eigene Emotionalität zur Konfliktbewältigung benutzen (z. B. durch Sätze wie „Das kann ich gut verstehen" o. „In Ihrer Situation würde ich mich aber ähnlich fühlen"). **Cave:** Eigenes „Coming-out" selten einsetzen, wirkt sonst aufgesetzt u. wird nicht akzeptiert.

- Keine zu frühe Konfrontation bzgl. der Psychogenese, dies führt häufig zu einer Befundverschlechterung.

Vorgehen
- Art, Ausmaß, Entwicklung u. mögliche Ursachen der Beschwerden klären (z. B. „Sie haben sich doch sicherlich auch selbst Gedanken über die Beschwerden gemacht. Können Sie sich erklären, womit das Problem zusammenhängen könnte?").
- Aktuelle Lebenssituation erfragen; hierbei die Pat. in Ruhe mit ihren eigenen Worten die Umstände schildern lassen.
- Erstmalige Symptommanifestation sowie damalige soziale u. psychische Rahmensituation erfragen (Partnerschaft, Beruf, Familie).
- Eigenverantwortlichkeit der Pat. stärken (Frage nach dem subjektiven Krankheitsverständnis, z. B. „Wie könnten wir das Problem denn Ihrer Meinung nach gemeinsam angehen?").
- Eigene Gefühle genau beobachten u. in Bezug auf die Pat. reflektieren. Bei Antipathie o. dem Gefühl der Überforderung von Folgegesprächen eher Abstand nehmen.
- Weitere notwendige Schritte konkret vereinbaren (Termin bei Psychiater, Psychotherapeuten, -somatiker, Erziehungsberatung), da meist Schwellenangst.

21.2 Gynäkologie

21.2.1 Anorexia nervosa

Definition Ernstes Krankheitsbild, bei dem durch restriktives Essverhalten u. a. Verhaltensweisen ein Gewichtsverlust selbst herbeigeführt u. das Untergewicht willentlich aufrechterhalten o. verstärkt wird. KG mind. 15 %. unter dem für Geschlecht, Größe u. Alter zu erwartenden Gewicht, bei Erw. BMI < 17,5 kg/m². Bei Kindern u. Jgl. Unterschreiten der 10. Altersperzentile. Trotz bestehenden Untergewichts Angst, zu dick zu sein u./o. ausgeprägtes Bestreben nach „Schlankheit". Um KG zu reduzieren, wird die Nahrungszufuhr eingeschränkt (Vermeidung von Fetten bzw. Kohlenhydraten). Evtl. exzessive sportliche Betätigung, selbstinduziertes Erbrechen o. Abführmittelmissbrauch.

Klinik
- Magersucht bis zur Kachexie bei Nahrungsverweigerung, häufig komb. mit provoziertem Erbrechen, abwegige Appetitgelüste mit bulimischen Phasen
- Obstipation, oft Gebrauch von Abführmitteln (→ Gefahr der Hypokaliämie)
- Hypotonie, evtl. orthostatische Dysregulation
- Amenorrhö, oft prim., Pubes u. Mammae häufig nur schwach entwickelt, ansonsten unauffälliges äußeres Genitale
- Psychischer Befund meist mit Verleugnung des Krankheitsbildes („heile Welt"); es bestehen jedoch häufig verdeckte Beziehungsprobleme (Eltern, evtl. auch Geschwister, selten Partner), sehr leistungsbereite Mädchen, oft mit hohen ethisch-moralischen Ansprüchen

Diagnostik
- Primärdiagn. durch Kinder- u. Jugendpsychiater o. geschulten Frauenarzt:
  - Körpergröße u. Körpergewicht (Bewertung mithilfe des BMI o. mit Perzentilenkurven bei Jgl.)
  - Blutdruck u. Puls

- Zur Abschätzung der vitalen Gefährdung:
  - Körpertemperatur
  - Inspektion der Körperperipherie (Durchblutung, Ödeme)
  - Auskultation des Herzens, Orthostasetest
  - EKG
- Labor: BB, Harnstoff, E'lyte, Krea, Leberwerte, Blutglukose, Urinstatus, FSH u. LH normal bis leicht ↓, E_2 < 30 µg/l, Albumin (Unterernährung)
- DD: sicherer Ausschluss organischer Erkr. (z. B. konsumierende Tumoren, Hirntumoren, Hyperthyreose, M. Addison, GIT-Affektionen, Psychosen anderer Genese mit Anorexie als Begleitsy.)

Therapie Behandlungsoptionen: stat., teilstat./tagesklin. u. amb. Setting.
- Diät: diätetische Behandlung mit ausreichender Kalorien- u. Eiweißzufuhr, notfalls Sondenernährung
- Psychother. nach Stabilisierung o. Besserung des körperlichen Verfalls
- Hormonsubstitution: z. B. Femoston® 1/10 über mind. 3–6 Mon., dann Auslassversuch
- Ther. entsprechend der S3-Leitlinie Essstörungen, Diagnostik u. Therapie, Stand: 2010 (www.awmf.org/leitlinien/detail/ll/051-026.html)

21.2.2 Zyklusstörungen und Unterbauchbeschwerden

Ätiologie Neben den rein somatischen Ursachen (z. B. für irreguläre Blutungen, ▶ 15.1.1) sind psychische u. psychosomatische Ursachen häufig: z. B. chron. Überforderung o. Überlastung in Beruf o. Haushalt, Eheprobleme, Probleme mit der Rollenidentifikation als Frau, allg. psychovegetative Erschöpfung.

Klinik Neurovegetative Beschwerden in Form von spastischen Muskelkontraktionen, irregulären Blutungen u. Hypersekretion der Zervix werden auch als Pelveopathia vegetativa o. Pelveopathia spastica bezeichnet. Auftreten i. d. R. während der Geschlechtsreife mit Altersgipfel bei etwa 30 J.

Diagnostik
- Psychosomatische Klärung v. a. bei Komb. mit chron. Unterbauchschmerzen ohne fassbare Organveränderungen erwägen
- Schmerzkalender führen
- Mögliche DD ausschließen:
  - Leukozyten, BSG, CRP, Temp. ↑ → Adnexitis (▶ 16.4)
  - Schmerzmaximum prämenstruell → Endometriose (▶ 15.4.4)
  - Hypermenorrhö, Dysmenorrhö → Myome (▶ 15.4.1)

Therapie
- Zunächst somatische Ursachen ausschließen; bei Unterbauchschmerzen ggf. diagn. Laparoskopie, bei Zyklusstörung ggf. Hormonanalyse, diagn. Hysteroskopie u. fraktionierte Abrasio durchführen
- Eine deutliche Besserung der Symptome ist oft schon durch die Aufklärung über die Ursache der Beschwerden möglich (Befreiung von der Angst vor schweren Erkr.). Psychosomatisch orientiertes Gespräch anbieten
- Die oft wünschenswerte Veränderung der ursächlichen Lebensumstände ist meist nicht o. nicht sofort möglich. In diesen Fällen eine sympt. medikamentöse Ther. (z. B. Buscopan®, Ibuprofen) u./o. eine Psycho- o. Verhaltensther. anstreben

- Evtl. eine Kur o. einen Urlaub mit Trennung von Familie o. Beruf anstreben, ggf. Arbeitsplatzwechsel
- Ggf. Selbsthilfegruppen in die Ther. einbeziehen, balneolog. physikalische Ther., Antidepressiva

21.2.3 Prämenstruelles Syndrom (PMS)

Definition In jedem Monatszyklus auftretendes komplexes Beschwerdebild bei Frauen, das 4 d bis 2 Wo. vor dem Eintreten der Regelblutung einsetzt. Bis zu 8 %. der Frauen mit bes. starker Form (prämenstruelle dysphorische Störung, PMDS), mit Behinderungen von Arbeitsumfeld u. sozialen Kontakten.

Ätiologie Nicht eindeutig geklärt. Hormonelle Ursachen (Progesteronmangel, Schilddrüsenunterfunktion) können nur bedingt verantwortlich gemacht werden. Bei vielen Frauen spielen psychosoziale Schwierigkeiten (Partnerkonflikte, familiäre Probleme, berufliche Überlastung) o. psychiatrische Probleme (manisch-depressive Verstimmung, Angstzustände) eine Rolle. Auch diese sind jedoch nicht ausschließlich verantwortlich.

Klinik
- Psychische Symptome: Müdigkeit, Reizbarkeit, labiler Gemütszustand, Hypersensibilität u. Konzentrationsprobleme, Antriebslosigkeit, Hyperaktivität, Ruhelosigkeit, Depressionen o. manische Phasen, Angstzustände, Aggressivität, grundloses Weinen/Lachen, vermindertes Selbstwertgefühl
- Somatische Symptome: z. B. Blähungen, Empfindlichkeit der Brust, Blutungsstörungen, Akne, Appetitveränderungen (Heißhunger, Appetitverlust), Kopfschmerzen, Gewichtszunahme durch Wasseransammlungen im Gewebe, Hautveränderungen, Übelkeit u. Kreislaufbeschwerden, Durchfall, Krämpfe im Unterbauch, Rückenschmerzen, erhöhte Sensibilität auf Reize (Licht, Berührung, Lärm, Geruch, Zeit- u. Arbeitsdruck), Schmerzen im Bereich der Geschlechtsorgane u. im kleinen Becken beim GV (Dyspareunien)

> Psychisch-emotionale u. physische prämenstruelle Veränderungen sind häufig (ca. 80 % d. F. in der Geschlechtsreife).

Therapie Meist sympt. mit einer Komb. aus körperlicher Aktivität u. Medikamenten:
- Regelmäßige körperliche Aktivität.
- Drospirenon- o. desogestrelhaltige OH (▶ 18.5).
- Akupunktur scheint gute Erfolge zu versprechen.
- Bei Erfolglosigkeit obiger Maßnahmen u. deutlicher Ödembildung kann Spironolacton (z. B. Aldactone®) o. Alprazolam 3 × 0,5 mg/d p. o. (z. B. Tafil®) als Psychopharmakon eingesetzt werden.

> Diätetische Maßnahmen (Koffein u. Schokolade meiden, mehr ungesättigte Fettsäuren zu sich nehmen) haben nur sehr begrenzten Erfolg. Yamswurzel-Extrakte wurden erfolgreich eingesetzt.

21.2.4 Sterilität

Siehe auch ▶ 17.

Ätiologie Am häufigsten sind hypothalamisch-hypophysäre Störungen (▶ 17.4.3) u. Störungen des Sexuallebens. Wahrscheinlich sind die meisten ungeklärten Sterilitätsursachen dem Tubenfaktor zuzuordnen (z. B. Eiauffang- u. Eitransportmechanismus, intratubare Spermien-AK).

Die psychischen u. psychosomatischen Ursachen der Sterilität werden wahrscheinlich in ihrer Bedeutung derzeit überschätzt. Eine intensive Sterilitätsdiagn. u. -ther. kann sich jedoch früher o. später neg. auf das psychische Wohlbefinden des Paares auswirken u. dann selbst zur Sterilitätsursache werden.

Psychische Probleme bei Sterilität
- Extreme zeitliche Beanspruchung der Frau durch Sterilitätsbehandlung
- Dauernder Wechsel zwischen Hoffnung auf eine Schwangerschaft u. Enttäuschung bei Einsetzen der Menstruation
- Sexualität wird nur noch als Mittel zur Konzeption gesehen
- Normales, spontanes Sexualleben kaum noch praktiziert („Sex auf Kommando"), obwohl in früher Follikelphase u. in Lutealphase uneingeschränkt möglich
- Kinderwunsch wird zum zentralen u. alleinigen Thema in der Partnerschaft
- Probleme des Rollenverständnisses u. der Akzeptanz der Frau durch Reduktion auf die generative Funktion
- Minderung des Selbstwertgefühls der Frau durch „Misserfolge"
- Schuldgefühl des Mannes bei androlog. Sterilitätsursache (erheblicher Therapieaufwand für die Frau bis hin zur ICSI, ▶ 17.5.3)

Sterilitätsbehandlung Der Umgang mit diesen Problemen erfordert eine ausgeprägte Sensibilität aller Beteiligten. Vor Beginn einer umfangreichen Sterilitätsther. (z. B. Stimulationszyklen):
- Mit dem Paar die Motivation für die aufwendige Behandlung besprechen. Die Partner sollten v. a. klären, warum sie Kinder haben wollen u. wie ein Weiterleben auch ohne Kinder aussehen könnte.
- Unbedingt auf die evtl. auftretenden psychischen Probleme hinweisen. Ein Verharmlosen der anstehenden Schwierigkeiten hilft nicht.

Während der Behandlung:
- Vor Beginn einer weiteren, invasiveren Therapiestufe jeweils erneut auf Chancen u. Risiken hinweisen.
- Bei „Misserfolgen" möglichst mit dem Paar u. nicht mit der Frau allein ein einfühlsames Gespräch suchen, wobei emotionale Nähe u. Mitfühlen meist mehr helfen als sachlich-med. Erklärungen.
- Zur psychischen Stabilisierung hat sich eine Therapiepause („Verschnaufpause") nach spätestens 9–12 Mon. o. vor Beginn einer intensiveren Stufe der Ther. (z. B. vor IVF) über 3–6 Mon. sehr bewährt. Das Paar hat dann Gelegenheit, die Beziehung zueinander zu stabilisieren u. die nächsten anstehenden Schritte mit allen Konsequenzen nochmals zu überdenken.

21.2.5 Klimakterium

Auch ▶ 19.1.

Klinik Bedingt durch die hormonelle Umstellung (v. a. Wegfall der Östrogene) während der Wechseljahre treten bei vielen Frauen psychische Veränderungen mit einer Tendenz zu depressiven Verstimmungen auf. Außerdem kommt es zum Auftreten neurovegetativer Beschwerden (Schlaflosigkeit, Hitzewallungen, Kopfschmerzen, Herzklopfen). Der Hormonabfall wird häufig als Ausfallsymptomatik empfunden. Bei ca. ⅓ der Frauen treten starke vasomotorische Beschwerden auf, bei einer Vielzahl eine urogenitale Symptomatik.

Erschwerende Faktoren
- Angst vor dem Älterwerden
- Evtl. nachlassende Libido, gleichzeitig beginnende Atrophie im Genitalbereich mit Kohabitationsbeschwerden; Angst vor mangelnder Attraktivität für den Sexualpartner
- Wegfall der Ovarialfunktion u. Ausbleiben der Regelblutung führt zur Änderung des Rollenbilds als Frau
- Häufig gleichzeitige Lösung der Kinder vom Elternhaus
- Evtl. Tabuisierung des Themas („darüber spricht man nicht")

Therapie Bei stärkerer psychischer u./o. somatogener Symptomatik sollte der Pat. eine endokrine Ther. (perkutane Estradiol-Substitution plus natürliches Gestagen [Utrogest®]) angeboten werden. Bei Schlafstörungen zusätzlich eine abendliche Gestagensubstitution (200–400 mg Progesteron, z. B. 2–4 Kps. Utrogest® 1–2 Kps./d o. Femenita® 200 1 Kps./d).

Neben der medikamentösen Ther. (▶ 19.1.3, ▶ 19.2), v. a. der hormonellen Substitution, sollte die Frau zunächst über die Reversibilität der körperlichen Symptome aufgeklärt werden. Evtl. ist auch hier ein einfühlsames Gespräch im Beisein des Partners hilfreich. In Ausnahmefällen Einleitung einer psychother. Behandlung im Sinne einer Verhaltensther. Echte neurotische Störungen treten in dieser Altersgruppe extrem selten auf; hier muss eine fachärztlich-psychiatrische Behandlung erfolgen.

21.3 Geburtshilfe

21.3.1 Psychische Probleme in der Gravidität

> Der Eintritt einer Grav. bedeutet für nahezu jede Frau zunächst eine Auseinandersetzung mit der eigenen Rolle. Hieraus kann sich zum einen eine Veränderung in der Partnerbeziehung ergeben, zum anderen machen die meisten Schwangeren eine Phase der ambivalenten o. ablehnenden Haltung ggü. dem Ungeborenen durch, die wiederum zu Schuldgefühlen führen kann. Diese Prozesse können für die Frau mehr o. weniger bewusst ablaufen.

Klinik
- Hyperemesis gravidarum (▶ 5.8.1)
- Partnerkonflikte
- Angst vor kindlichen Fehlbildungen
- Ablehnung der Schwangerschaft, Angst vor körperlicher Veränderung (Verlust des Schönheitsideals)
- Abnahme der Libido, Neigung zu depressiven Verstimmungen
- Extreme, auch kurzfristige Stimmungsschwankungen, evtl. Manifestation einer larvierten Depression
- Vorzeitige Wehentätigkeit

Therapie Häufig reichen die Erklärung der Harmlosigkeit der Symptome u. der Hinweis auf die Tatsache, dass fast alle Schwangeren ähnliche Probleme haben, aus. Evtl. können häufigere Sono-Kontrollen zur Beruhigung beitragen (**cave:** wird von den Krankenkassen nicht finanziert!). Medikamentöse Ther. außer bei Hyperemesis gravidarum selten notwendig, Antidepressiva nur nach Vorstellung der Pat. bei einem Psychiater u. dann auch nur sehr zurückhaltend.
Vorzeitige Wehentätigkeit zunächst medikamentös behandeln (▶ 5.11). Durch Arbeitsunfähigkeitsbescheinigung bzw. stat. Aufnahme wird die Pat. häufig ihrem akuten Problemfeld entzogen.

21.3.2 Geburt

Siehe auch ▶ 8.
Die Geburt stellt für die Frau, aber auch für den Partner in körperlicher wie in psychischer Hinsicht eine extreme Ausnahmesituation dar. Neben der Angst vor Geburtsablauf u. Schmerzen sowie dem evtl. Verlust der Selbstkontrolle spielen bei vielen Frauen auch unbewusste Ängste vor einer Fehlbildung o. einer Schädigung des Kindes unter der Geburt eine wesentliche Rolle. Außerdem ist nach der Geburt die familiäre Situation völlig verändert, was zu Partnerkonflikten führen kann. Die psychischen Konflikte der Frau können sich sehr unterschiedlich äußern (von völligem Rückzug bis zu offener Aggression, z. B. ggü. Partner o. Hebamme).

Prophylaktische und unterstützende Maßnahmen
- Einfühlsame Betreuung vor u. unter der Geburt, ruhige, ausgeglichene, familiäre Atmosphäre im Kreißsaal schaffen
- Ausreichende Geburtsvorbereitung mit Erklärung der physiol. Abläufe. Bewusste Einbeziehung des Partners o. der Vertrauensperson in den Geburtsablauf, alle notwendigen Maßnahmen erklären u. mit der Frau/dem Paar besprechen
- Ausreichende Analgesie unter der Geburt (▶ 8.4)
- Auf Wünsche der Frau unter der Geburt, soweit vertretbar, eingehen
- Betreuung der Frau durch dieselben Personen während der Geburt (im Schichtdienst häufig problematisch)
- Emotionale Nähe aufbauen u. zeigen

21.3.3 Wochenbett

Siehe auch ▶ 10. ▶ Tab. 21.1.

Psychische Probleme in Grav. u. Wochenbett sind meist depressiver Natur, die sich in unterschiedliche Krankheitsbilder unterteilen. Häufig manifestieren sich diese erst nach Entlassung von der Entbindungsstation.

Ätiologie Die Ursache der postpartalen psychischen Störungen ist auch heute noch ungeklärt. Vielfach werden die reduzierten Östrogen- u. Progesteron- sowie der Tryptophan-Serumspiegel nach Geburt der Plazenta als Auslöser vermutet. Dies ist wahrscheinlich aber nur für den *Maternity Blues* gültig. Prolaktin scheint ebenfalls eine auslösende o. verstärkende Rolle (v. a. bei Manien u. manisch-depressiven Psychosen) zu spielen; es gibt Berichte über einen pos. ther. Effekt mit

Tab. 21.1 Psychische Probleme in Gravidität und Wochenbett

	Postpartale (= puerperale) Psychose	Maternity Blues („Heultage")	Postpartale depressive Neurose
Inzidenz	0,1–0,3 %	≤ 50 %	≤ 15 %
Risikofaktoren	Puerperalpsychose bei vorangehenden Schwangerschaften (50 %. Wdh.-Risiko), manisch-depressive Psychose/Schizophrenie in der Eigenanamnese, Psychosen in der Familienanamnese, Durchschlafstörungen	Labile o. narzisstische Persönlichkeitsstruktur, Schlafentzug (durch Betreuung des NG)	Erstgebärende (70 %.), präpartale Depression, Schwangerschaftskonflikte in der Frühschwangerschaft (Ambivalenz zur Schwangerschaft, Interruptiogedanke), Alter < 20 J., unverheiratet, ≥ 6 Geschwister im mütterlichen Elternhaus, Trennung von einem o. beiden Elternteilen (**Broken Home**), niedriges Selbstwertgefühl, Partnerschaftsprobleme, finanzielle Probleme, Unzufriedenheit mit Beruf
Beginn	3. Tag p. p. bis 1 Mon. p. p. Häufigkeitsgipfel: 3.–14. Tag p. p.	1. Tag p. p. bis 6 Wo. p. p. Häufigkeitsgipfel: 2.–4. Tag p. p.	6 Wo. p. p. bis 1 J.
Klinik	Rastlosigkeit, Kopfschmerzen, starke Stimmungsschwankungen (auch ggü. Kind), Verwirrtheit, Realitätsverlust, Trübsinn, Depression, Ideenflucht, Halluzinationen, Agitiertheit	Milde Depression, Angst, Weinerlichkeit, Kopfschmerzen, Müdigkeit, Erregbarkeit, Gefühl, die Versorgung des NG nicht zu bewältigen, spontane Remission ohne Ther.	Starkes Weinen; Inkompetenzgefühl, das Kind gut zu versorgen; ungewöhnliche Müdigkeit, Anorexia, Schlafstörungen, reduzierte Libido, Ambivalenz ggü. dem Kind, hypochondrische Fehlhaltung
Suizidrisiko	Hoch	Sehr gering	Gering
Kindstötungsrisiko	Erhöht	Sehr gering	Gering
Therapie	Durch Psychiater! Hospitalisierung, möglichst mit Rooming-in, Neuroleptika, Psychother., soziale Unterstützung (z. B. bei Wohnungssuche), Betreuung des Sgl. organisieren (Pflegemutter)	Unterstützung durch die Familie wichtig: Erläuterung über die Normalität des Maternity Blues durch den Geburtshelfer	Durch Psychiater! Medikamentös, Psychother., soziale Unterstützung, Pflegemutter zur Betreuung des Sgl., bei schwerer Depression: stat. Behandlung
Prognose unter Therapie	Gut für die erste psychotische Episode, jedoch hohe Rezidivgefahr von ≥ 50 % bei der nächsten Geburt	Sehr gut	Sehr unterschiedlich, je nach psychodynamischer Ursache

Bromocriptin. Familien- u. Zwillingsstudien unterstützen die These, dass eine genetische Disposition sowohl bei der manisch-depressiven als auch bei der schweren depressiven Puerperalpsychose besteht.

> **!** Bei einem geringen Anteil psychotischer Pat. tritt eine Schizophrenie auf; diese hat aber bei Erstmanifestation als postpartale Schizophrenie eine bessere Prognose als unabhängig vom Wochenbett.

Früherkennung Für den Verlauf wichtig ist die frühzeitige Erkennung psychischer Probleme. Gerade hierbei kommt dem nachbetreuenden Gynäkologen und v. a. den Hebammen eine wichtige Rolle zu, denn häufig entwickeln sich die Puerperalpsychose u. die postpartale Neurose erst nach der stat. Entlassung. Deshalb sollte gerade bei der Wochenbettabschlussuntersuchung nach 4–6 Wo. das psychische Wohlbefinden erfragt werden. Wegen des hohen Suizidrisikos sollte ein Psychiater lieber einmal zu viel als einmal zu wenig konsultiert werden.
Nicht zu unterschätzen ist die Rolle des Pädiaters. Er sollte der Mutter auf jeden Fall das Gefühl der mütterlichen Kompetenz vermitteln u. bei Problemen der Mutter-Kind-Beziehung frühzeitig an ein psychisches Problem denken.
Bei Unklarheit über die Ursache einer mütterlichen depressiven Verstimmung o. Anzeichen einer Ambivalenz der Mutter ggü. dem Kind sollte(n) auf jeden Fall die Krankenhausentlassung verzögert u. entsprechende Maßnahmen (psychiatrisches Konsil, Sozialdienst, evtl. Jugendamt) eingeleitet werden.

22 Ultraschall

Kay Goerke und Roland Axt-Fliedner

22.1 Gynäkologische Ultraschalldiagnostik 676
22.1.1 Untersuchungstechniken und Untersuchungsablauf 676
22.1.2 Benigne Erkrankungen 677
22.1.3 Maligne Erkrankungen 679
22.1.4 Sonografische Leitsymptome 680

22.2 Geburtshilfliche Ultraschalldiagnostik 682
22.2.1 Sonografisches Zyklusmonitoring 682
22.2.2 Ultraschall als Schwangerschaftstest 683
22.2.3 Indikationen zu Ultraschalluntersuchungen in der Schwangerschaft 683
22.2.4 Plazenta und Zervix 688
22.2.5 Geburtshilfliche Doppler-Sonografie 689
22.2.6 Leitsymptome fetaler Erkrankungen 692

22.1 Gynäkologische Ultraschalldiagnostik
Kay Goerke

22.1.1 Untersuchungstechniken und Untersuchungsablauf

Untersuchungstechnik

Vaginal
- **Voraussetzungen:** ≥ 5-MHz-Vag.-Sektorschallkopf
- **Vorteile:** gute Auflösung, Organe in „natürlicher" Lagebeziehung zueinander, dynamische Effekte wie Verschieblichkeit o. Komprimierbarkeit von bestimmten Strukturen nutzen!
- **Nachteile:** eingeschränkte Übersicht; bei Kindern nicht, bei Virgines u. Frauen mit ausgeprägt atrophischer Vagina nur bedingt einsetzbar

Abdominal
- **Voraussetzungen:** volle Harnblase, 3- bis 10-MHz-Sektorschallkopf
- **Vorteile:** gute Übersicht, da größere Prozesse problemlos in ihrer Ausdehnung nach kranial verfolgt werden können
- **Nachteile:** geringe Auflösung, Lageveränderungen der Organe durch die erforderliche Blasenfüllung müssen berücksichtigt werden, optimale Blasenfüllung manchmal nicht erreichbar (z. B. bei Harninkontinenz)

 Hysterosonografie u. rektaler Zugangsweg nur bei speziellen, z.B. onkol. Fragestellungen

Untersuchungsablauf

Bei normaler Anatomie des inneren Genitales
- **Vulva:** von perineal einsehbar
- **Vagina:** von perineal bedingt, von abdom. in den kranialen ⅔ gut beurteilbar
- **Uterus:** Darstellung im sagittalen Längsschnitt zur Feststellung der Lage (antevertiert, anteflektiert, gestreckt, retrovertiert, retroflektiert; ▶ Abb. 22.1) u. zur Größenmessung (Länge und a.-p. Durchmesser, Sondenlänge vor geplanter OP o. Einlage eines IUP) sowie Beurteilung des Endometriums (Höhe beider Endometriumlagen zusammen, ggf. Kavumspreizungen subtrahieren, Abgrenzbarkeit zum Myometrium, Struktur). Beurteilung der äußeren Uteruskontur im Längs- u. Querschnitt auf Unregelmäßigkeiten, Doppelbildungen, Abgrenzung zu Harnblase u. Darm. Altersabhängige Größe ▶ Tab. 22.1
- **Douglas-Raum:** Blick auf die Stromgebiete der uterinen Gefäße u. die Adnexabgänge
- **Ovarien:** Lateral des Uterus in Anlehnung an die A. u. V. iliaca interna aufsuchen, Identifikation durch die ovarielle Gefäßversorgung (A. u. V. ovarica). Messung von 3 Durchmessern (dazu Ovar in 2 Ebenen darstellen), Überprüfung auf Seitendifferenzen u. Strukturauffälligkeiten (Korrelation zum Zyklus, altersabhängige Größe ▶ Tab. 22.1); die meisten kleineren Zysten am Ovar sind Follikel o. zystische Corpora lutea) (vgl. ▶ 17, ▶ Abb. 17.3)
- **Tuben:** Im Normalzustand kann nur der Adnexabgang dargestellt werden.
  Cave: Verwechslung von Tube u. Lig. rotundum möglich

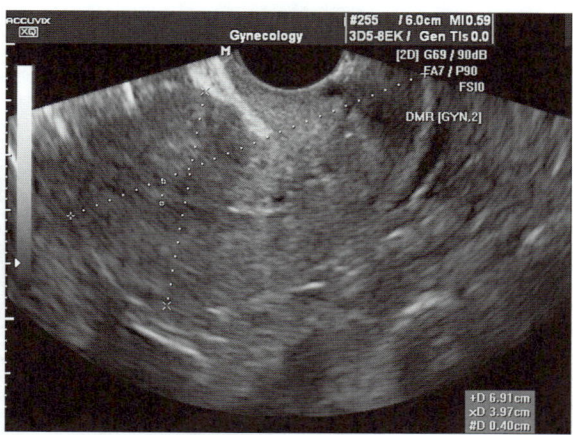

Abb. 22.1 Antevertiert/anteflektiert liegender Uterus von 6,91 cm Länge, mit 3,97 cm a. p. Durchmesser, 0,4 cm hohem Endometrium [M455]

Tab. 22.1 Uterus- und Ovarialgröße in Abhängigkeit von der Lebensphase			
Lebensphase	Uterus		Ovarialvolumen (cm³)
	Länge (cm)	a.-p. Durchmesser (cm)	
Präpubertät	3–5	1,5–2	0,3–0,5
Reproduktionsphase	6–8	3–4	4–7
Postmenopause	wieder rückläufig		3–4

Bei Verdacht auf pathologische Befunde
Umschriebene path. Prozesse, aber auch sonstige reproduzierbar darzustellende Auffälligkeiten auf Organzugehörigkeit, Größe bzw. Ausdehnung (3 Durchmesser in 2 Ebenen), Berandung, Abgrenzbarkeit von u. Verschieblichkeit zu Nachbarorganen sowie Binnenstruktur und, sofern möglich, Vaskularisation untersuchen u. dokumentieren (in Wort u. Bild!).

Beispiel: Li. an A. u. V. iliaca interna liegender, 5,5 cm × 4 cm × 3,5 cm großer Tumor, nur teilweise glatt begrenzt, kaum komprimierbar, mäßig mobil, überwiegend zystisch erscheinend, radspeichenartige dünne Septen. Histologie: Ovarialkystom.

22.1.2 Benigne Erkrankungen

Häufige benigne Erkr. u. Auffälligkeiten an den einzelnen Genitalorganen. (**Cave:** Sonografisch sind keine histol. gesicherten Diagnosen möglich!).

Vulva Bartholin-Zysten bzw. -Abszesse = Empyeme (!) (Ausdehnung, Kolliquationsgrad).

Vagina Zysten in Vaginalwand, Fremdkörper bei Kleinkindern, Tampons.

Zervix Retentionszysten (durchaus nicht selten bis 1 cm Ø).

Uterus
- **Myome** je nach Lokalisation (submukös, intramural, subserös) als rundliche, hyporeflektive Gebilde, z. T. mit schalenartigem Aufbau, seltener verkalkt o. partiell zystisch erweicht (▶ Abb. 22.2).
- **Endometrium:** Gutartige Veränderungen des Endometriums zeigen sich sonografisch meist nur durch eine übernormale Endometriumhöhe, die beobachteten strukturellen Auffälligkeiten sind eher unspezifisch.
- **IUP:** korrekter Sitz, Entfaltung der Seitenteile, nach IUP-Typ fragen! (▶ Abb. 22.3).
- **Intrauterine Fruchtanlage:** intakt o. gestört (zeitgerechte Entwicklung, Vitalitätszeichen).
- **Blasenmole, Chorionepitheliose:** keine zeitgerechte intrauterine Fruchtanlage bei dafür sehr hohem HCG (DD: EUG). **Tipp:** Vaskularisation von Trophoblast (radiär) u./o. Corpus luteum (ringförmig) überprüfen.

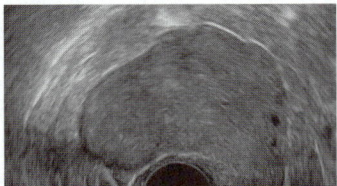

Abb. 22.2 Uterus mit intramuralem Myom [T192]

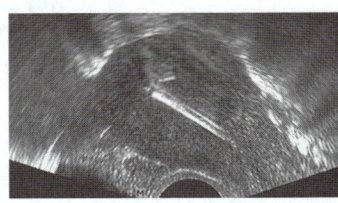

Abb. 22.3 Uterus mit innen liegendem IUP [T192]

Tube
- **Saktosalpinx:** schlauch- bis flaschenartig aufgetriebene, längliche zystische Struktur im Adnexbereich mit neg. Dopplerflow (DD: Varizen → pos. Dopplerflow)
- **Tubargravidität (EUG):** zystisch-solide Struktur im Adnexbereich, die nicht dem Ovar entspricht, bei pos. HCG u. fehlender intrauteriner Fruchtanlage; pos. Herzaktion extrauterin relativ selten nachweisbar. Diagnosesicherung u. Ther. per Laparoskopie (▶ 16.3)

Ovar
- **Zysten:** Follikelzysten, Corpus-luteum-Zysten mit typischer ringförmiger Vaskularisation, PCOS (▶ Abb. 22.4)
- **Kystom:** oft sehr großer, gekammerter, zystisch(-solider) Tumor
- **Teratom, Dermoid:** vielfältiges Erscheinungsbild, solid o. solid-zystisch mit kalkdichten Anteilen, Spiegelbildungen zwischen verschiedenen Bestandteilen o. kaum

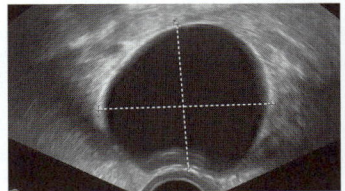

Abb. 22.4 Ovarialzyste [M454]

von Darmschlingen zu differenzierendes Aussehen (▶ Abb. 22.5)
- **Fibrom:** solides, meist recht homogenes Aussehen. DD: gestieltes Myom

Adnexe Sowohl i. R. einer Adnexitis als auch einer Endometriose können Konglomerattumoren im Adnexbereich ohne mögliche weitere Organzuordnung auftreten (**DD:** ausgeprägte Verwachsungen im kleinen Becken). Auf verstärkte Gefäßzeichnung u. freie Flüssigkeit achten (unspez. Zeichen, dennoch nützlich für die Diagnosefindung!).

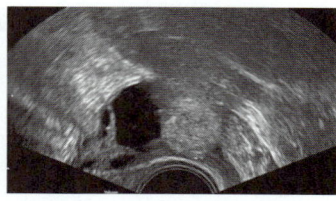

Abb. 22.5 Dermoid mit unterschiedlich dichten Binnenstrukturen [T192]

22.1.3 Maligne Erkrankungen

Ultraschall als Suchverfahren für Endometrium- und Ovarialkarzinome

Doppelte Endometriumhöhe ≥ 8–10 mm u. prozentualer Anteil des Endometriums am a.-p. Durchmesser des Uterus ≥ 30–33 % sowie Ovarialdurchmesser > 3,5–4 cm³ gelten in der Postmenopause als path. (Abklärung!) (▶ Abb. 22.6).

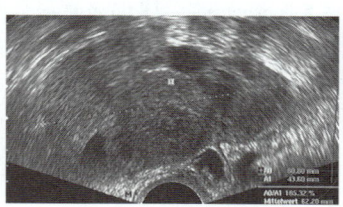

Abb. 22.6 Sonografisches Bild eines Ovarialkarzinoms [T192]

Ultraschall als Stagingmaßnahme bei gynäkologischen Malignomen

Vaginal-Sono u. Sono von abdom. mit gefüllter Harnblase!
- Größe u. Ausdehnung des jeweiligen Tumors
- Übergreifen auf benachbarte Organe, bes. Harnblase (von abdom. mit gefüllter Blase schallen) u. Parametrien (z. B. seitendifferente Verplumpung)
- Verschieblichkeit gegen benachbarte Organe, insb. Darmschlingen
- Suche nach Sekundärveränderungen durch das Malignom, z. B. Aszites, starre Darmschlingen, Omentum-majus-Infiltrat (subfaszial gelegenes, starres, brettartiges Gebilde), Nierenaufstau, Lebermetastasen
- Verlaufskontrollen postop. o. während bzw. nach anderen Therapiemaßnahmen (exakte Dokumentation in Wort u. Bild unerlässlich)

Merz-Score

Dignitätseinschätzung des Ovarialtumors ▶ Tab. 22.2.

Tab. 22.2 Score zur Dignitätseinschätzung des Ovarialtumors (nach Merz) [F800-001]			
	Punkte		
Kriterium	0	1	2
Binnenstruktur	–	einfach	komplex

Tab. 22.2 Score zur Dignitätseinschätzung des Ovarialtumors (nach Merz) [T800-001] (Forts.)

	Punkte		
Grenzen	glatt	gering irregulär	deutlich irregulär
Wanddicke	≤ 3 mm	3–5 mm	> 5 mm o. nicht messbar
Binnenechos im zystischen Anteil	keine	regelmäßig	unregelmäßig
Septen (Dicke)	keine	≤ 3 mm	> 3 mm
Form des soliden Anteils	ohne solide Anteile	glatt	unscharf
Echogenität des soliden Anteils	ohne solide Anteile	regelmäßig	unregelmäßig
Schallphänomene hinter dem Tumor	Echoverstärkung	Partielle Schallauslöschung	komplette Schallauslöschung
Aszites	keiner	wenig	deutlich
Lebermetastasen, Peritonealkarzinose	nicht sichtbar	nicht sicher beurteilbar	nachweisbar

Gebildet wird die Summe der Score-Punkte. < 9: eher benigne; ≥ 9: eher maligne

22.1.4 Sonografische Leitsymptome

DD ▶ Tab. 22.3.

Tab. 22.3 Differenzialdiagnose sonografischer Leitsymptome im kleinen Becken mit weiterführenden Sono-Tipps

„Zystisch" imponierender Tumor

Harnblase	Urethra, Uretermündungen, Jet-Phänomen beim Urineinstrom, Befundänderung nach Miktion
Harnblasendivertikel	Zusammenhang mit der Blase, Befundänderung nach Miktion
Ovarialzyste	Gefäße, originärer Parenchymrest o. ipsilaterales Ovar nicht getrennt davon abgrenzbar
Paraovarialzyste, Peritonealzyste	Ipsilaterales Ovar abgrenzbar
Kystom	Gekammerter, septierter Tumor
Dermoidzyste	Solide randständige Zapfen, Spiegelbildungen zwischen unterschiedlichen Binnenstrukturen, kalkdichte Echos
Saktosalpinx	Ipsilaterales Ovar abgrenzbar, neg. Dopplerflow, keine Peristaltik
Megaureter	Ipsilaterales Ovar abgrenzbar, peristaltische Wellen
Varize	Ipsilaterales Ovar abgrenzbar, pos. venöser Dopplerflow

Tab. 22.3 Differenzialdiagnose sonografischer Leitsymptome im kleinen Becken mit weiterführenden Sono-Tipps *(Forts.)*

"Solide" imponierender Tumor	
Myom	Zusammenhang mit dem Uterus (Gefäße!), schalenartiger Aufbau, kalkdichte Areale
Ovarialtumor	Gefäße, originärer Parenchymrest o. ipsilaterales Ovar nicht getrennt davon abgrenzbar
Eingeblutete Zyste	Spontane o. zyklusbedingte Änderungen, schleierartige Binnenechos
Tumorrezidiv	Häufig fehlende Organzugehörigkeit, Vaskularisation abklären
Lymphknotenmetastasen	Relativ gut abgrenzbar, eher homogene Binnenechos, entlang von Gefäßen

"Zystisch-solide" imponierender Tumor	
Ovarialtumor	Gefäße, originärer Parenchymrest o. ipsilaterales Ovar nicht getrennt davon abgrenzbar
Endometriose	Häufig ohne erkennbare Organzugehörigkeit
Regressiv verändertes Myom	Zusammenhang mit dem Uterus, nach weiteren Myomen suchen
Entzündlicher Konglomerattumor	Ovar u. Tube nicht voneinander zu trennen, freie Flüssigkeit, verstärkte Gefäßzeichnung, Druckdolenz
Darmschlinge (inkarzeriert)	"Tumor" mit Kokardenphänomen, Haustrierungen, Peristaltik
Stielgedrehter Tumor	Bizarre Tumorformationen, Vaskularisation mittels Doppler abklären (Nachweis schließt aber Stieldrehung nicht aus!)
Extrauteringravidität	Keine intrauterine Grav. erkennbar, freie Flüssigkeit, ipsilaterales Ovar abgrenzbar, Corpus luteum in einem Ovar, extrauterine Herzaktion, evtl. aufgetriebener Tubenabschnitt
Iliakalarterien-Aneurysma	Zusammenhang mit großen Gefäßen, pos. (atypischer) Dopplerflow

"Kokardenphänomen", hier: echodichtes Zentrum, echoarmer Rand	
Darmschlinge	Fehlende Abgrenzbarkeit in der zweiten (Längs-)Ebene, Haustrierungen, Peristaltik, Vaskularisation nur in der Wand
Muskulatur	Überprüfung der Schnittebene! Symmetrischer Befund kontralateral
Beckenniere	Anamnese! Ipsilaterale Niere nicht in loco typico abgrenzbar
Partiell verkalktes Myom	Zusammenhang mit dem Uterus, evtl. weitere Myome erkennbar
Dermoid	Ipsilaterales Ovar nicht abgrenzbar
Stielgedrehter Tumor (peripheres Ödem)	Anamnese! Druckdolenz, bizarre Tumorformationen, Vaskularisation abklären

Tab. 22.3 Differenzialdiagnose sonografischer Leitsymptome im kleinen Becken mit weiterführenden Sono-Tipps *(Forts.)*

„Freie Flüssigkeit"	
Rupturierte Zyste (Zystenflüssigkeit, Blut)	Zystenbalg, Corpus luteum
Benigner Ovarialtumor (Aszites)	Tumornachweis
Maligner Ovarialtumor (Aszites)	Tumornachweis, Hinweise auf Peritonealkarzinose o. Lebermetastasen
Extrauteringravidität (Blut)	Kein Anhalt für intrauterine Grav., Corpus luteum in einem Ovar, EUG-Korrelat in Form eines Tumors o. extrauteriner Herzaktion
Adnexitis (Exsudat, Blut)	Konglomerattumor, Druckdolenz
(Perforierte) Appendizitis (Exsudat, Pus, Blut)	Darstellbare Appendix, extraintestinales Gas, Uterus u. Ovarien unauffällig
Z. n. OP (Spülflüssigkeit, Blut)	Anamnese!

22.2 Geburtshilfliche Ultraschalldiagnostik

Roland Axt-Fliedner

22.2.1 Sonografisches Zyklusmonitoring

- Postmenstruell: Ausschluss von Ovarialzysten aus vorherigen Zyklen (2.–5. ZT)
- Proliferationsphase: Verbreiterung des hyporeflektiven Endometriumechos mit Mittelecho u. Follikelwachstum (Ø bis zu 2 mm/d)
- Periovulatorisch: sprungreifer Follikel (2–2,5 cm Ø), evtl. mit Cumulus oophorus, schlaufenförmig hoch aufgebautes Endometrium (> 8 mm) → Verschwinden des Follikels u. Ersatz durch meist reflexreich-ringförmige Corpus-luteum-Struktur, ggf. etwas Flüssigkeit im Douglas-Raum als Ovulationszeichen
- Sekretionsphase: Endometrium meist echodichter u. homogener als in der Proliferationsphase, Corpus luteum kann sich zystisch umwandeln (ringförmige Vaskularisation)
- ! Schwangerschaftseintritt: Zunahme der Endometriumdicke bis > 2 cm, auch ohne Fruchtblasennachweis, Corpus luteum konstant nachweisbar, kann sich aber in seiner Struktur verändern

22.2.2 Ultraschall als Schwangerschaftstest

Ab dem sicheren Nachweis einer Grav. unterliegt die Schwangere den Mutterschaftsrichtlinien, die auch den Einsatz der Sonografie in der Schwangerschaft festlegen (▶ 5.3.3).
- Fruchtblasen-Nachweis (intrauterin): vaginalsonografisch ab 30.–31. Tag p. m., mit 2 mm Ø (HCG: 750–1.000 mIE/ml, je nach Bestimmungsmethode)
- Dottersack-Nachweis: etwa 4–5 mm große, extraamnial gelegene Ringstruktur, nachweisbar zwischen der 5. u. 10. abgeschlossenen SSW (größere [=„hydropische"] o. kleinere Dottersackdurchmesser sind progn. ungünstig)
- Herzaktion-Nachweis: in Einzelfällen sonografisch ab dem 38./39. Tag p. m.; ab dem 42.–44. Tag p. m. routinemäßig nachweisbar. Ab einer SSL von 5–6 mm ist der vaginalsonografische Nachweis obligat zu fordern!
- Embryo-Nachweis: ab der 4. (abgeschlossenen) SSW mit 2–5 mm SSL

Ausführliche Tabelle der Messgrößen → hinterer Klappentext

22.2.3 Indikationen zu Ultraschalluntersuchungen in der Schwangerschaft

Gem. Mutterschaftsrichtlinien: Ultraschallscreening im B-Mode

8+0 bis 11+6 SSW (1. Screening) Bilddokumentation der Biometrie (ein Maß) u. kontrollbedürftiger Befunde:
- Intrauteriner Sitz ja/nein
- Embryo darstellbar ja/nein
- Mehrlinge ja/nein, monochorial ja/nein (T-Sign), dichorial (λ-Zeichen) (▶ Abb. 22.7a-d)
- **Biometrie I:**
  - Scheitel-Steiß-Länge (SSL) o. biparietaler Durchmesser (BPD) (▶ Abb. 22.7e)
  - Auffälligkeiten ja/nein (▶ Abb. 22.7f)
  - Zeitgerechte Entwicklung ja/nein

18+0 bis 21+6 SSW (2. Screening)
A. Sonografie mit Biometrie ohne systematische Untersuchung der fetalen Morphologie, Bilddokumentation von vier der in Biometrie II genannten Maße sowie kontrollbedürftiger Befunde:
- Einlingsschwangerschaft ja/nein
- Herzaktion ja/nein
- **Biometrie II:**
  - BPD
  - FOD (frontookzipitaler Durchmesser) o. Kopfumfang (KU) (▶ Abb. 22.7g)
  - Abdomen/Thorax-quer-Durchmesser (ATD) u. Abdomen/Thorax-a.-p.-Durchmesser (APD)

  oder
  - Abdomen/Thorax-Umfang (AU) (▶ Abb. 22.7h)
  - Femurlänge (FL)

- Zeitgerechte Entwicklung ja/nein
- Hinweiszeichen für Entwicklungsstörungen:
- Fruchtwassermenge
- Körperliche Entwicklung
- Plazentalokalisation u. -struktur

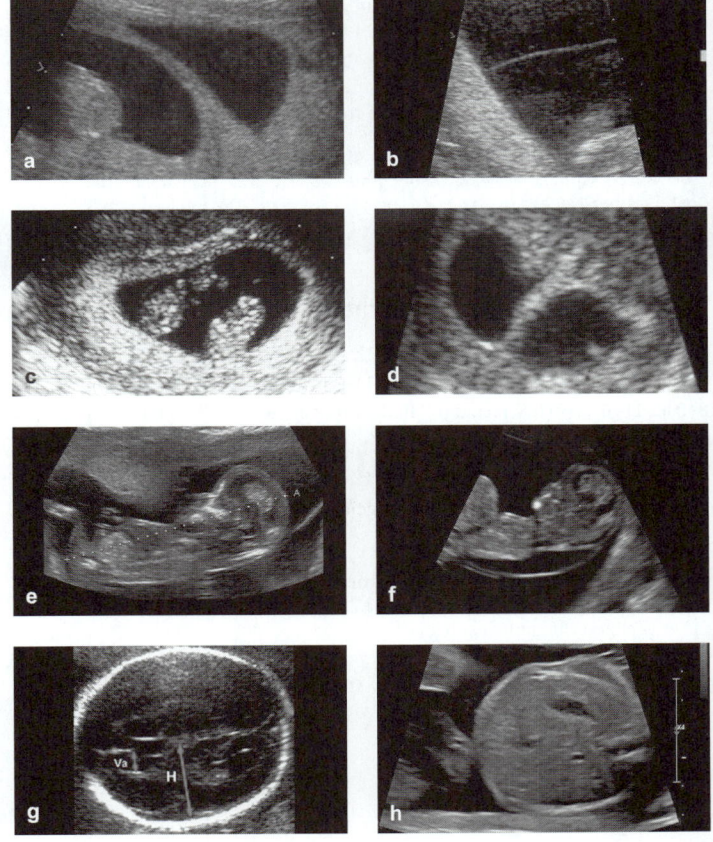

Abb. 22.7 Gemini, NT-Messung, Fetometrie [P463]:
a) T-Sign bei monochorialer, diamnialer Zwillingsanlage 10. SSW,
b) Lambda-Zeichen bei dichorialer, diamnialer Zwillingsschwangerschaft,
c) Monochoriale, diamniale Zwillingsanlage 10. SSW,
d) Dichoriale, diamniale Zwillingsanlage,
e) Scheitel-Steiß-Längenmessung im 1. Trimenon, 13. SSW,
f) Erweiterte Nackentransparenz bei einem Feten mit Omphalozele, 12. SSW,
g) Messebene zur Kopfbiometrie, 2. Trimenon,
h) Messebene zur Abdominalbiometrie, 2. Trimenon

22.2 Geburtshilfliche Ultraschalldiagnostik

B. Sonografie mit Biometrie u. systematische Untersuchung; zusätzlich zu A Beurteilung der folgenden fetalen Strukturen:
- Kopf:
  - Ventrikelauffälligkeiten (▶ Abb. 22.8a–d)
  - Auffälligkeiten der Kopfform (▶ Abb. 22.8e–g)
  - Darstellbarkeit des Kleinhirns (▶ Abb. 22.8h)

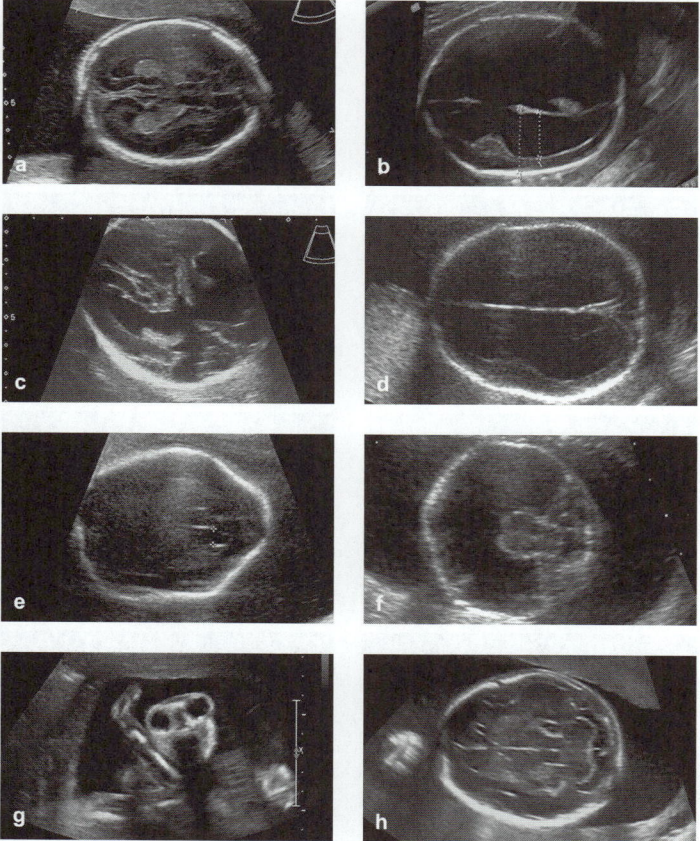

Abb. 22.8 Intrakranielle Auffälligkeiten [P463]:
a) Normale Ventrikelweite
b) Ausgeprägte Ventrikulomegalie beidseits
c) Ventrikulomegalie bei Schizenzephalie
d) Ventrikulomegalie mit Reduktion des Kortex
e) Lemon-Sign bei Spina bifida
f) Runde Kopfform bei Holoprosenzephalie
g) Auffällige Kopfform bei Anenzephalie, Frontalschnitt
h) Hantelförmige Darstellung des Kleinhirns, Normalbefund

- Hals/Rücken: Unregelmäßigkeit der dorsalen Hautkontur (▶ Abb. 22.9a)
- Thorax:
  - Auffällige Herz-Thorax-Relation (▶ Abb. 22.9c)
  - Linksseitige Herzposition (▶ Abb. 22.9d)
  - Persistierende Arrhythmie (▶ Abb. 22.9e)
  - Darstellbarkeit des Vierkammerblicks (▶ Abb. 22.9a, f–h)

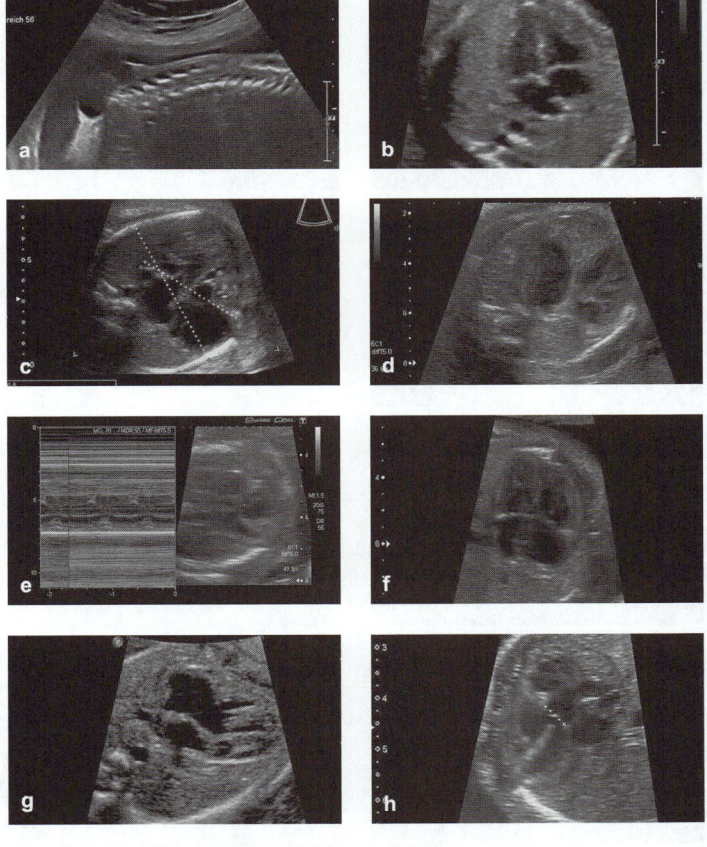

Abb. 22.9 Spina bifida, kardiale Fehlbildungen [P463]:
a) Spina bifida als Myelomeningozele,
b) Normaler Vierkammerblick, normale Herz-Thorax-Relation,
c) Kardiomegalie bei Steißbeinteratom,
d) Rechtsseitige Herzposition bei linksseitiger Zwerchfellhernie, Magen und Herz in einer Ebene darstellbar,
e) AV-Block III. Grades, Bradyarrhythmie,
f) AVSD, gemeinsame AV-Klappe auf einer Ebene,
g) Hypoplastisches Linksherz,
h) Fallot-Tetralogie, reitende Aorta ascendens über Ventrikelseptumdefekt (VSD)

- Rumpf:
  - Konturunterbrechung an der vorderen Bauchwand (▶ Abb. 22.10a,b)
  - Darstellbarkeit des Magens im linken Oberbauch (▶ Abb. 22.10c)
  - Darstellbarkeit der Harnblase (▶ Abb. 22.10d)

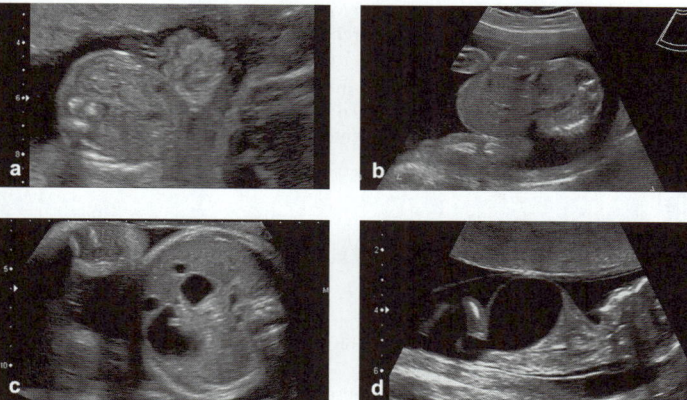

Abb. 22.10 Fehlbildungen innerer Organe, Plazentationsstörungen [P463]
a) Gastrochisis
b) Omphalozele
c) Double-Bubble, Duodenalstenose bei Trisomie 21
d) Megacystis (> 15 mm) bei LUTO aufgrund posteriorer Urethralklappen

28+0-31+6 SSW (3. Screening) Maße u. Kriterien wie unter IIA, Bilddokumentation wie unter IIA.

Indikationen zur sonografischen Feindiagnostik:
- Auffällige US-Befunde bei der ersten o. zweiten Screeninguntersuchung
- Differenzierung u. Prognoseeinschätzung fetaler Anomalien
- Bei anamnestischer Belastung
- Psychische Belastung
- Alternative zur invasiven Diagnostik
- Sonografische Führung bei invasiver Diagnostik

Qualitätsanforderungen der sonografischen Fehlbildungsdiagnostik inkl. der Aufklärungspflicht vor u. nach der Untersuchung bei DEGUM nachzulesen. Die Anforderungen des Gendiagnostik- u. Schwangerschaftskonfliktgesetzes sind zu beachten.

Doppler-sonografische Untersuchungen
Indikationen:
- V. a. intrauterine Wachstumsretardierung
- Hypertensive Schwangerschaftserkr.
- Z. n. Mangelgeburt/IUFT
- Z. n. Präeklampsie/Eklampsie
- Auffälligkeiten der fetalen Herzfrequenzregistrierung
- Begründeter Verdacht auf Fehlbildung/fetale Erkr.
- Mehrlingsschwangerschaft bei diskordantem Wachstum
- Abklärung bei V. a. Herzfehler/Herzerkr.

22.2.4 Plazenta und Zervix

Plazenta

Placenta praevia Ausschließen o. nachweisen. Der Nachweis, aber auch schon der Verdacht muss deutlich sichtbar im Mutterpass vermerkt werden. Pat. eingehend über einen solchen Befund aufklären (sofortige Krankenhauseinweisung bei Blutung, keine vag. Untersuchungen).

Plazentainsertionsstörungen Placenta increta, percreta (▶ Abb. 22.11a). Als das verlässlichste Zeichen zur Diagnose der Placenta increta gilt das Vorhandensein irregulärer Plazentalakunen mit turbulentem Flow. Meist besteht diese im vorderen unteren Uterinsegment.

> Eine gefüllte Harnblase erleichtert die transabdom. u. transvag. Untersuchung. Die Blasenfüllung bietet ein ideales Ultraschallfenster.

Pathologie des Nabelschnuransatzes
- Vasa praevia: Gefäße in unmittelbarer Nähe des inneren MM bei Insertio velamentosa o. Placenta bipartita (▶ Abb. 22.11b, c). Farbdoppler-Sono erleichtert die Diagnose
- Insertio velamentosa: Nabelschnuransatz in den Eihäuten, Diagnose: frei verlaufende Gefäße in den Eihäuten (▶ Abb. 22.11d)

Risikofaktoren: Placenta praevia, Placenta bipartita, monochoriale Zwillingsschwangerschaft, singuläre Nabelschnurarterie, assistierte Reproduktion.

Das Risiko bei Insertio velamentosa u. Vasa praevia besteht in der Ruptur der Nabelschnurgefäße bei Blasensprung. Bei Vasa praevia ist eine Sectio caesarea erforderlich, möglichst zwischen 35. u. 36. SSW, bei Insertio velamentosa u. Insertion im unteren Uterinsegment vermehrt path. CTGs.

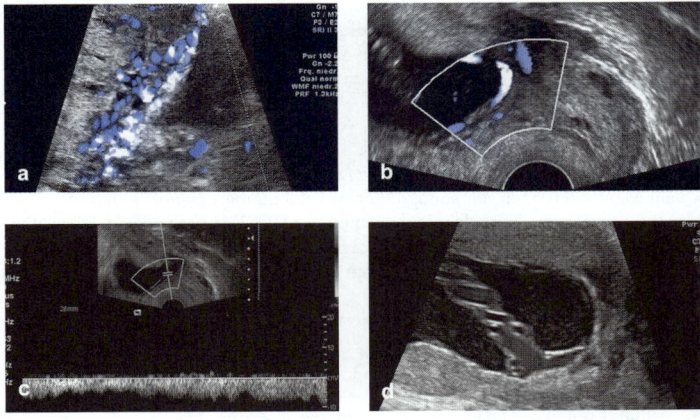

Abb. 22.11 Plazentationsstörungen, Pathologie des Nabelschnuransatzes [P463]
a) Placenta increta mit pathologischen Gefäßen an der Harnblasenwand
b) Vasa praevia
c) Nabelvenenfluss zum Nachweis fetaler Gefäße
d) Insertio velamentosa

Zervix

Längenmessung CK auf ganzer Länge darstellen. Längenmessung als Absolutwert klin. kaum verwertbar, wohl aber bei Verlaufskontrollen. Eine gefüllte Harnblase führt zu falsch hohen Werten durch Druck auf das untere Uterinsegment. Am realistischsten sind vaginalsonografisch ermittelte Werte bei entleerter Harnblase (▶ Abb. 22.12a, b).

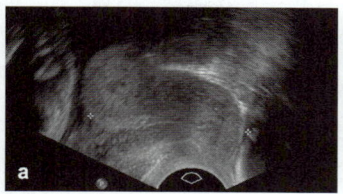 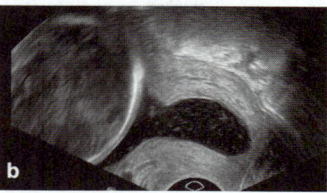

Abb. 22.12 Zervixbefunde und normale Doppler-Sonografie [P463]
a) Zervixlänge, transvaginal,
b) Trichterbildung, transvaginal

Muttermund Trichterförmige Öffnungen des inneren MM sind bei Zervixverschlussinsuff. o. vorzeitiger Wehentätigkeit progn. schlecht, im Einzelfall aber durchaus reversibel.

Cerclage Die intraop. Sono bei Anlage einer Cerclage ist sinnvoll, auch wenn sie derzeit selten genutzt wird. Oft liegen die Fäden aus Unsicherheit über die lokalen Verhältnisse zu weit kaudal, dadurch üben sie kaum eine Wirkung aus u. reißen leichter ein.

22.2.5 Geburtshilfliche Doppler-Sonografie

Definition Aufzeichnung der Strömungsprofile verschiedener Gefäße des fetomaternalen Versorgungssystems, die sich unter path. Bedingungen in typischer Weise verändern). Für risikolose Schwangerschaften bislang nicht als Screeningmethode empfohlen. Unterscheide CW-Doppler („continuous wave"), PW Doppler („pulsed wave"), Farbdoppler, Powerdoppler.

Indikationen Gemäß Mutterschaftsrichtlinien:
- V. a. intrauterine Wachstumsretardierung (▶ 5.13)
- Schwangerschaftsinduzierte Hypertonie, EPH-Gestose (▶ 5.9.1)
- Z. n. Mangelgeburt, IUFT
- Z. n. Präeklampsie, Eklampsie
- Auffälligkeiten der fetalen Herzfrequenz
- Begründeter V. a. Fehlbildung o. fetale Erkr. (▶ 5.16)
- Mehrlingsschwangerschaft mit diskordantem Wachstum (▶ 5.12)
- V. a. Herzfehler o. Herzerkr. sowie fetale Arrhythmie

Durchführung
Qualitative Signalanalyse in der tgl. Praxis
Messgrößen sind:
- Systolisches Maximum (A)
- Enddiastolisches Maximum (B)
- Mittlere Maximalgeschwindigkeit ($V_{mean\ max}$)

- Winkelunabhängige Messform durch Bildung von dimensionslosen Indizes:
  - Resistance Index (RI): (A–B)/A
  - A/B-Ratio: A/B
  - Pulsatilitätsindex (PI): (A–B)/V_{mean}

Technik u. Aussagefähigkeit
- A. umbilicalis: freie Nabelschnurschlinge; Maß für fetoplazentaren Widerstand (▶ Abb. 22.13a)
- A. uterina: Schallkopf längs in der Leistenbeuge aufsetzen, Aufsuchen der A. iliaca externa, Kippen des Schallkopfes nach medial; Maß für maternofetalen Widerstand (▶ Abb. 22.13b)
- Fetale Aorta (spielt untergeordnete Rolle): Paramedianschnitt; Maß für fetale Hämodynamik
- A. cerebri media: Circulus Willisii an der Schädelbasis aufsuchen, Maß für fetale Hämodynamik (▶ Abb. 22.13c)
- Ductus venosus: Am Abgang aus der intraabdom. V. umbilicalis aufsuchen im Längs- o. Querschnitt; Maß für die fetale Hämodynamik (▶ Abb. 22.13d)

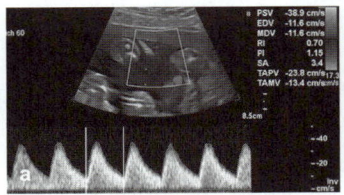
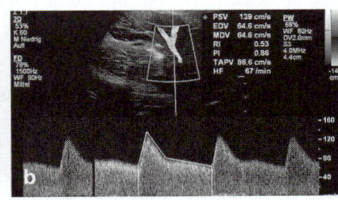
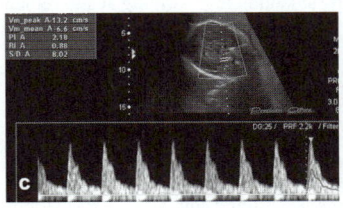
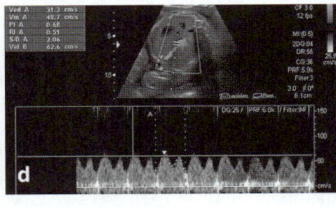

Abb. 22.13 Zervixbefunde und normale Doppler-Sonografie [P463]
a) Niedrige Pulsatilität in der A. umbilicalis,
b) Unauffällige A. uterina,
c) A. cerebri media,
d) Ductus venosus

Fehlerquellen Reproduzierbarkeit gegeben, wenn:
- Normofrequenz
- Keine fetalen Atembewegungen
- Sample Volume gefäßabdeckend
- Wandfilter adjustieren
- Schallwinkel möglichst < 15°
- Mind. 3, besser 5 gleiche Zyklen

Sicherheitsaspekt
- Bioeffekt, thermische u. mech. Messgröße
- US-Exposition so kurz wie möglich (ALARA-Prinzip)
- Dopplermodus erst einschalten, wenn das Gefäß visualisiert ist

22.2 Geburtshilfliche Ultraschalldiagnostik

- Ausnutzen von Postprocessing u. Videoaufzeichnung statt Expositionsverlängerung

Doppler-Sonografie in der Frühschwangerschaft

- A. uterina:
  - Notching u. Widerstandsindizes (PI/RI) – Korrelation mit Trophoblastinvasion
  - Risikokalkulation für Präeklampsie in Komb. mit maternaler Serumdiagnostik (PAPP-A/PLGF) u. RR-Messung
  - Präeklamsieprophylaxe durch ASS 100 mg/d (ASPRE-Studie)
- Ductus venosus:
  - Neg./reverser Fluss in der a-Welle – Hinweiszeichen für chromosomale Anomalie, Herzfehlbildung (▶ Abb. 22.14)

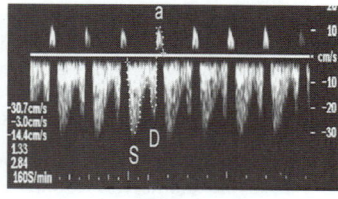

Abb. 22.14 Pathologische Doppler-Befunde bei IUGR/Anämie [P463]: Negative a-Welle Ductus venosus

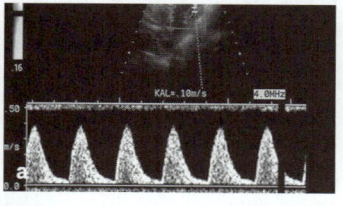
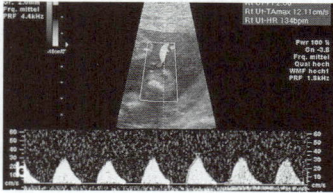
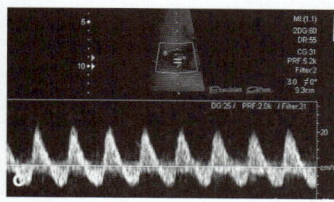
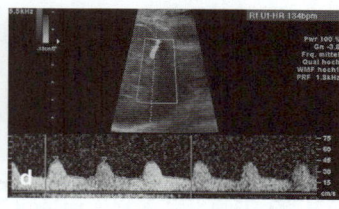
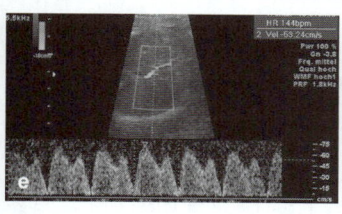
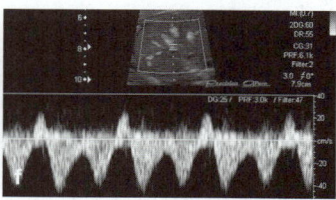

Abb. 22.15 Pathologische Doppler-Befunde bei IUGR/Anämie [P463]:
a) Pulsatilitätserhöhung,
b) Absent Enddiastolic Flow,
c) Reverse Flow,
d) Brain-sparing-Effekt in der A. cerebri media, IUGR 26. SSW,
e) Absinken der a-Welle im Ductus venosus, IUGR,
f) Reverse Flow der a-Welle

- Trikuspidalinsuffizienz: Hinweiszeichen für Herzfehlbildung u./o. chromosomale Anomalie

Doppler-Sonografie bei IUGR
- A. umbilicalis: Widerstandserhöhung bis zum Absent Enddiastolic Flow (ARED) o. Reverse Flow, zeigt hochgradige Pathologie an (▶ Abb. 22.15a–c)
- Brain-sparing-Effekt – Regulationsmechanismus des Feten zur Adaptation auf chron. Hypoxämie, Absinken der Widerstandsindizes in der A. cerebri media (▶ Abb. 22.15d)
- Bei bevorstehender Dekompensation auch Abnahme der a-Welle im Ductus venosus bis zum Reverse Flow der a-Welle (▶ Abb. 22.15e, f)
- Ind. zur Entbindung nur in Gesamtschau biophysikalisches Profil, Doppler-Sono, Biometrie, Schwangerschaftsalter

Doppler-Sonografie bei V. a. Anämie
- Quantitative, nicht qualitative Analyse der hyperdynamen Kreislaufsituation. Bestimmung der V_{max} in z. B. der A. cerebri media
- Grad der Anämie korreliert mit den Blutflussgeschwindigkeiten (▶ Abb. 22.16)

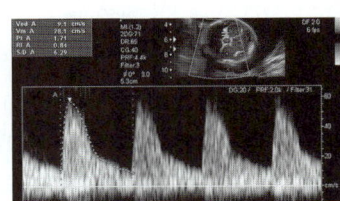

Abb. 22.16 Pathologische Doppler-Befunde bei IUGR/Anämie [P463]: V_{max}-Erhöhung über > 1,5 MoM bei Anti-D-Konstellation

Doppler-Sonografie am Termin
- Komb. aus CTG, biophysikalischem Profil, Doppler-Sono der A. umbilicalis u. der A. cerebri media zur Überwachung
- **Aa. uterinae:** Information über das uteroplazentare Strombett

22.2.6 Leitsymptome fetaler Erkrankungen
- Konturstörungen ▶ Tab. 22.4
- Strukturstörungen ▶ Tab. 22.5

Tab. 22.4 Konturstörungen

Struktur	Veränderung	Differenzialdiagnosen
Kalotte	Anenzephalus Exenzephalus Mikrozephalus Kleeblattschädel Hypomineralisierte Schädelknochen	Meckel-Gruber-Sy. (zystische Nieren) Trisomie 18/13, Infektionen Prämature Schädelnahtsynostose, thantophore Dysplasie Osteogenesis imperfecta
Hals u. Nacken	Verdickte Nackenfalte (im 2. Trim.: transversal > 5 mm) Erhöhte Nackentransparenz (1. Trim.)	V. a. Chromosomenstörungen, z. B. Trisomie 21, Monosomie X0, Trisomie 13/18, Noonan-Sy.

Tab. 22.4 Konturstörungen (Forts.)

Struktur	Veränderung	Differenzialdiagnosen
	Zystisch-septiertes Nackenödem o. Nacken-/Halszysten	V. a. Hydrops fetalis, V. a. Chromosomenanomalie (z. B. Turner-Sy., Trisomie 18), Noonan-Sy.
Ventrale Rumpfwand	Omphalozele	Beckwith-Wiedemann-Sy. (fetale Makrosomie), Tipp: Karyotypisierung (insb. bei kleiner Omphalozele)
	Gastroschisis	Tipp: Karyotyp i. d. R. normal, AFP i. S. u. im FW ↑
Dorsale Rumpfwand-/ Rückenkontur	Spina bifida	Rachischisis, Meningomyelozele Tipp: AFP ↑, ACHE pos.; Hydrozephalus, Lemon-/Banana-Sign
	Steißbeinteratom	

Tab. 22.5 Strukturstörungen

Struktur	Veränderung	Differenzialdiagnosen
Kopf	Ventrikelerweiterung	Hydrozephalus (z. B. symmetrisch, Hydrocephalus internus, externus o. e vacuo), Spina bifida, Ausschluss Kolpozephalie bei Balkenagenesie, Ausschluss intraventrikulärer Raumforderungen z. B. durch Zysten, Tumoren
	Hirnblutung (schlechte Prognose)	
	Plexus-choroideus-Zysten (gute Prognose bei spontaner Rückbildung) **Tipp:** Verlaufskontrollen, tritt keine Rückbildung ein → Karyotypisierung sowie maternale CMV-Serologie	
Thorax	Intrapulmonale Zysten	Zwerchfellhernie, bronchogene Zysten, zystisch-adenomatoide Fehlbildungen der Fetallunge, bronchopulmonaler Sequester
	Auffällige Befunde am Herzen	Rhythmusstörungen, Herzfehler
Abdomen	Magenblase übermäßig gefüllt	GIT-Stenosen o. -Atresien
	Double-Bubble-Phänomen (= Duodenalstenose mit aufgeweitetem Magen u. Duodenum), Darmschlingen übermäßig stark gefüllt	Analatresie, M. Hirschsprung, Malrotation, Volvulus, Mukoviszidose; kann kurz vor dem Partus, aber auch ohne bes. Ursache o. Bedeutung auftreten
	Magenblase (auch nach Kontrolle) nicht darstellbar	Anhydramnie, Ösophagusatresie **Cave:** Eine volle Magenblase schließt eine Ösophagusatresie nicht aus, da ösophagotracheale Fisteln möglich sind
	Nierenzysten (solitär o. multipel, uni- o. bilateral)	Markpyramiden
	Hydronephrose (uni- o. bilateral)	Nebennieren (kein Pyelon!)

Tab. 22.5 Strukturstörungen (Forts.)

Struktur	Veränderung	Differenzialdiagnosen
	Harnblase auch nach mehrfacher Kontrolle nicht darstellbar (relativ unabhängig von der FW-Menge)	Nierenagenesie, Nierenfehlbildungen
	Zystischer Unterbauchtumor	♀ → V. a. Ovarialzyste ♂ → V. a. untere obstruktive Uropathie (Prune-Belly-Sy.) bei fetaler Urethralklappe
Extremitäten	Verkürzt bzw. dysproportioniert	V. a. multiple Syndrome, Skelettdysplasien
	Verbogen o. frakturiert	V. a. Osteogenesis imperfecta, aber auch andere Syndrome
	Haltungs- o. Bewegungsanomalien	Kleinhirnstörungen Gyrierungsstörungen Akinesiesequenzen
Fruchtwasser	Oligo- o. Anhydramnie	Blasensprung, Potter-Sy. **Tipp:** Instillation von FW-Ersatz (z. B. Normofundin® sK) zur besseren Beurteilbarkeit des Feten Zum Ausschluss eines Blasensprungs ggf. zusätzliche Instillation von Indigokarmin **Cave:** Kein Methylenblau verwenden, da embryotoxisch u. evtl. sek. intestinale Atresien auslösend
	Polyhydramnie	Lippen-Kiefer-Gaumenspalte bzw. Schluckstörungen, GIT-Stenosen o. -Atresien, Spina bifida, Hydrozephalus-Komplex, intrauterine Infekte, Hydrops fetalis, diab. Fetopathie **Tipp:** Je nach Befund Amniozentese zu diagn. Zwecken **Cave:** Entlastungspunktionen können starke Wehen auslösen!
Plazenta	Verdickt, aufgelockert, zystische Anteile	Infektionen, Lakunen (ohne path. Bedeutung), Blasenmole/Partialmole, Einblutungen, retroplazentare Gefäßräume (Doppler pos.!), partiale Lösungsbezirke (Doppler neg.) **Cave:** Karyotyp der Plazenta muss nicht dem des Feten entsprechen (z. B. plazentares Mosaik)

Index

Symbole
3β-Hydroxysteroid-Dehydrogenase-Defekt 624
11β-Hydroxylase-Defekt 624
21-Hydroxylase-Defekt 624
§ 218 129

A
AB0-Blutgruppenbestimmung 59, 60
Abdomenuntersuchung 10
Abführmittel 8
Abortinduktion 181, 182
Abort(us) 27
- Definition 133
- febriler 135, 136
- habitueller 136
- imminens (drohender) 133, 134
- incipiens 134
- inkompletter 134
- kompletter 134
- septischer 135, 136
- Wiederholungsrisiko 137
Abrasio, fraktionierte 493
Abruptio 129
Abstillen 346
Abstrich 54
- Chlamydien 492
- Harnröhre 54
- Neue Münchner Nomenklatur 490
- Tuboovarialabszess 524
- Zervix 524
Abszess
- Mamma 347, 406
- tuboovarieller 533
Abwehrlordose 329
ACE-Hemmer 74
A. cerebri media 690
- Brain-sparing-Effekt 691
- Doppler-Sonografie 690
Acetylsalicylsäure 41
- Absetzen vor OP 21
AChE-Bestimmung 96
Achillessehnenreflex 15
Aciclovir, bei Herpes genitalis 440
Acrodermatitis chronica atrophicans Herxheimer 222
ACTH-Kurztest 552
ACTH-Test 624
Adduktorenreflex 15
Adenokankroid 515
Adenokarzinom 515
Adenomatoide Malformation der Lunge 356
Adenomyom 496
Adenomyosis uteri interna 486
Adhäsiolyse 582

Adipositas
- Ovarialinsuffizienz 567
- Stadien 567
Adiposogigantismus 644
Adnexe
- Douglas-Punktion 526
- Labor 527
- Leitsymptome 522
- Palpation 523
- Röntgen 525
- Sonografie 679
Adnexitis 523, 530
- DD 529
- Diagnostik 524, 530
- Therapie 531
Adnextumoren
- Erwachsene 534, 537
- Kindes- u. Jugendalter 659
Adoleszenz 641
Adrenogenitales Syndrom 623, 637
- Diagnostik 624
- Formen 624
- Schwangerschaft 625
- Schweregrade 623
- Therapie 625
AFI (amniotic fluid index) 117
Ahlfeld-Zeichen 277
Aids 204
Aids-definierende Krankheiten 447
Akne, Therapie 630
Akupunktur, Geburt(svorbereitung) 286, 287
Akutes Abdomen
- DD 90
- Leitsymptome 88
Akutes Koronarsyndrom 71
- Erstmaßnahmen 71
- Schmerz 70
Akzelerationen 265
Alkoholabhängigkeit 30
- Folgeerkrankungen 32
Alkohol, Schwangerschaft 124
Alkoholentzugsdelir
- Symptome 30
- Therapie 30, 32
Alopecia androgenetica 626
Alopezie 626
- DD 626
- Diagnostik 627
- Therapie 627, 630
Alpha1-Blocker 74
ALTE (apparent life-threatening event) 388
Amastie 647
Amenorrhö 485
- Diagnostik 562, 563
- Post-Pill- 599, 602
Aminkolpitis 441, 656

Aminosäuren, parenterale Ernährung 65
Amitriptylin, Schmerztherapie 42
AmniCheck 301
Amnioninfektionssyndrom 302
Amnionizität 167
Amniozentese 95
- vs. Chorionzottenbiopsie 97
Amöbenruhr 226
Analatresie 383
Analgetika
- antipyretische 40
- Geburtsschmerzen 283
- Schwangersch./Stillz. 234, 235
Analverschluss 651
Anämie
- Doppler-Sonografie 692
- fetale
-- Doppler-Befunde 691, 692
Anämie, Neugeborenes 360
Anamnese 3
- geburtshilfliche 3
- gynäkologische 3
- präpartale 262
Anaphylaktischer Schock 86
Androgenisierung 523, 624, 653
- Diagnostik 629
- Therapie 630
- Ursachen 628
Androstendion, Bestimmung 548
Anenzephalie 685
Anenzephalus 103
Angina-Pectoris-Schmerz 70
Anhydramnion 118
Anonyme Geburt 261
Anorexia nervosa 666
Antazida, Schwangersch./Stillz. 237
Anthelminthika, Schwangersch./Stillz. 236, 237
Antiallergika, Schwangersch./Stillz. 237
Antiandrogene 630
Antiarrhythmika, transplazentare Applikation 175
Antibiotika
- Neugeborenes 376
- Schwangersch./Stillz. 238
Antidiabetika, Schwangersch./Stillz. 239
Antidiarrhoika, Schwangersch./Stillz. 252
Antiemetika, Schwangersch./Stillz. 240
Antiepileptika-Embryofetopathie 101
Antihistaminika, Schwangersch./Stillz. 237
Antihypertensiva, Schwangersch./Stillz. 241, 242
Antihypotonika, Schwangersch./Stillz. 243

Index

Antikoagulanzien
- direkte orale (DOAK) 21
- neue orale (NOAK) 21
- Schwangersch./Stillz. 244

Antikonvulsiva, Schwangersch./Stillz. 240, 241

Antikörper-Suchtest 59, 114

Anti-Müller-Hormon, Bestimmung 548

Antimykotika, Schwangersch./Stillz. 245

Antiöstrogene 571

Antiphlogistika, Schwangersch./Stillz. 246

Antipyretika, Schwangersch./Stillz. 234

Antitussiva, Schwangersch./Stillz. 246, 247

Anzephalus 308

Aortendissektion, Schmerz 70

Aorten(isthmus)stenose 382

Apgar-Index 355

Appendizitis
- akute 79
- DD 529
- Schwangerschaft 80

Armlösung
- klassische 331
- nach Bickenbach 330, 331
- nach Lövset 330

Armvorfall 305

Arnold-Chiari-Malformation 379

Aromatasehemmer, Mammakarzinom 425

Aromatherapie, Geburt(svorbereitung) 287, 288

ART (antiretrovirale Therapie) 448

Arterielle Hypertonie 72
- Diagnostik 72
- Einteilung 73
- Schweregrade 73
- Stufentherapie 73
- Therapie 72

Arzneimittel
- delirogene 28
- mit Auswirkungen auf Narkose/OP 21, 22

Arztbrief
- geburtshilflicher 25
- gynäkologischer 24

Arzt-Patient-Verhältnis
- Gesprächsführung 665
- Krisensituationen 17

Aspermie 556

Asphyxie 367

Aspiration
- Fruchtwasser 357
- Mekonium 357

Asthenozoospermie 556, 575

Asthma bronchiale 76
- Infektexazerbation 77
- Stufentherapie 77

Asynklitismus 300

Aszites, bei Malignom 49

Aszitespunktion 51
- Durchführung 51
- Untersuchung Punktat 51

AT1-Rezeptor-Blocker 74

Atemnotsyndrom, Frühgeborenes 357

Atemstillstand 79

Atemwegsobstruktion, Neugeborenes 365

Athelie 647

Atosiban 164

Atypische duktale Hyperplasie 416

A. umbilicalis
- Doppler-Sonografie 690

Auskultation 13

Austreibungsperiode 276

A. uterina
- Doppler-Sonografie 690, 692

Azidose
- fetale 306
- Neugeborenes 356

Azoospermie 575

B

Babinski-Reflex 16

Bachblütentherapie, Geburt(svorbereitung) 286, 287

Baer-Handgriff 277

Bakteriurie 81
- Schwangerschaft 149

Bardenheuer-Schnitt 348

Barrett-Mukosa 145

Bartholinitis 437

Basaltemperatur 586

Basaltemperaturkurve 547

Basendefizit 272

Basenüberschuss 356

Basishormonstatus 548

Battered-Child-Syndrom 661

Bauchhautreflex 16

Beatmung, Neugeborenes 362, 363, 366

Beckenausgang 273

Beckenbodengymnastik 351

Beckenbodentonus 468

Beckenendlagen 293
- Armlösung 330, 331
- äußere Wendung 295, 296
- Diagnostik 294
- Geburtsleitung 295
- Management 294
- Manualhilfe nach Bracht 329
- Risiken 293, 328
- Sectio-Indikationen 295

Beckenhöhle 273

Beckenmaße, innere 113

Beckenringlockerung 348

Beckenvenenthrombose 348

Beinvenenthrombose, Therapie 75

Belastungsinkontinenz 471
- Pathogenese 472
- Stadien 472
- Therapie 477
- TVT-Plastik 477

Beruhigungsmittel, Geburt 283

Beschneidung 657

Betablocker 72
- kardioselektive 73

Betäubungsmittelanforderungsschein 20

Betäubungsmittelrezept 19, 20

Betäubungsmittelverordnung 19

Bettruhe 4

Bilirubin-Enzephalopathie 371

Billings-Methode, Kontrazeption 587

Biopsie
- offene (Mamma) 403
- Sentinel-Lymphknoten 419

Biotinidasemangel, Neugeborenes 102

BI-RADS-Klassifikationssystem 400

Bishop-Score 179, 180

Bisphosphonate, bei Osteoporose 617

Bizepssehnenreflex 15

Blasenhalsdeszensus 474, 475

Blasenkatheter 55
- suprapubisch 56
- transurethral 55

Blasenmole 138, 139
- Sonografie 678

Blasenpunktionsurin 53

Blasen-Scheiden-Fistel 482

Blasensprung 275
- vorzeitiger 301

Blastopathien 93

Blut
- Rhesus-System 60
- Transfusion 56

Blutdruck
- Messung 9
- Schwangerschaft 146

Blutentnahme
- bei Sepsis 53
- Nabelschnur 59

Blutgruppenbestimmung 59, 60

Blutkulturen, Abnahme 53

Blutpräparate 57, 58
- Virusinaktivierung 63

Blutröhrchen, Zusätze 47

Blutung
- genitale 87
- – Kinder/Jgl. 635
- intrakranielle, Neugeborenes 384
- intraventrikuläre 384
- postpartale 314
- subgaleale 386
- sub partu 288
- vaginale 484
- – Kinder/Jgl. 648
- Wochenbett 341
- Zervixkarzinom 512

Blutungsstörungen 485
- juvenile 635
- Kinder/Jgl. 648
- nach Menarche 649
- vor Menarche 648

Blutverlust 84

Borderline-Tumoren 536
Borreliose 222
– Symptome 223
– Therapie 224
Bracht-Manualhilfe 329
Brachymenorrhö 485
Bradykardie, fetale 265
BRCA1-Gen 405
Bromocriptin 346, 673
– Hyperprolaktinämie 566
Bromthymol-Test 301
Bronchospasmolytika, Schwangersch./Stillz. 246, 247
Brudzinski-Zeichen 16
Brust
– Selbstuntersuchung 397
– tubuläre/tuberöse 410
Brustentwicklung 640, 646
– Fehlbildungen/-entwicklungen 647
– gestörte 646
– überschießende 647
– vorzeitige 647
Bulimie 666
Bulking Agents, Inkontinenz 480
Buprenorphin 42
– Pflaster 42
Burnout-Syndrom 664
Buschke-Löwenstein-Tumor 230

C

Cabergolin 346
CA-MRSA (community acquired methicillin resistant staph. aureus) 35
Candida albicans 231
Candidose
– Neugeborenes 389
– Schwangerschaft 231
Caput succedaneum 386
Carbamazepin, Schmerztherapie 43
Cerclage 165
– Sonografie 689
cffDNA 94
Chemotherapie
– Mammakarzinom 424, 425
– Zervixkarzinom 512
Chiari-Frommel-Syndrom 565
Chlamydia trachomatis
– Schwangerschaft 219
– Therapie 220
Chlamydien
– Abstrich 492
– Kinder/Jgl. 656
– Kolpitis 441
– Schwangerschaft 121
– Screening 492
– Zervizitis 634, 655
Chloasma gravidarum 109
Chorionepitheliom 140
Chorionepitheliose
– Sonografie 678
Chorionizität 167
Chorionkarzinom 140
– Diagnostik 141
– Klassifikation 141
– Therapie 142

Chorionzottenbiopsie 96, 97
Chrobak-Test 434
Chromopertubation, Sterilitätsdiagnostik 558
Chromosomenanomalien
– autosomale 99
– gonosomale 100
– numerische 96, 98
– Risiko 100
– strukturelle 98
CID-Syndrom 191
CIN (zervikale intraepitheliale Neoplasie) 505
Claviculafraktur, Neugeborenes 385
Climacterium praecox 562, 611
Clinging DCIS 416
Clipsterilisation 596
Clomethiazol, bei Alkoholabhängigkeit 31, 32
Clomifen-Test 553
Clonidin
– Alkoholhängigkeit 31
– Hitzewallungen 617
Clopidogrel 244
Clue Cells 436
CMV (Zytomegalievirus) 191
Co-Analgetika 6
Codein 41
Coeliotomia vaginalis 596
Coitus interruptus 585, 587
Collins-Test 433
Condylomata acuminata 438, 633
– Kinder/Jgl. 659
– Zervix 495
Condylomata lata 443
Conjugata vera 113
Cooper-Band 478
Corpus luteum 559
– Zysten 534
Corpus-luteum-Insuffizienz 569
Corpus uteri
– Myome 496
– Polypen 499
– Sonografie 549
Corynebacterium vaginale 436
Coryza syphilitica 444
Couvelaire-Syndrom 291
Coxsackie-Viren 211
Coxiella burnetii 224
Cranium bifidum 103
Credé-Handgriff 278, 314, 315
Cri-du-chat-Syndrom 99
CTG
– Auswertung 264, 265, 269
– Durchführung 263
– FIGO-Score 268
– Fischer-Score 267
– Prinzip 263
Cumarin-Embryopathie 244
Cutis marmorata 389
Cystosarcoma phylloides 408

D

Dammriss 316
– Lokalanästhesie 285
– Nachbehandlung 316

– Naht 316
– Wundsanierung 349
Dammschnitt 320
Dammschutz 276
Darmlumeninfektion 226
Dauerblutung, juvenile 649, 650
Dawes-Redman-Kriterien, CTG 269
DCIS (duktales Carcinoma in situ) 416
Delir 28
– alkoholbedingt 30
– Behandlung 29
– CAM-ICU 29
– medikamentenbedingt 28
– Prävention 29
– Symptome 28
Depotgestagene 604
Depression 664
– Schwangerschaft 670
Dermatika, Schwangersch./Stillz. 249
Dermoid 523
– Sonografie 678
Dermoidzyste 536
Descensus genitalis 466
– Alloplastik 470
– Diagnostik 468
– Einteilung 466
– Klinik 468
– konservative Therapie 469
– operative Therapie 469, 470
– Oxford-Skala 468
– POPQ-Einteilung 466, 467
Desinfektion, Haut 46
Deszensusprophylaxe 342
Detrusor-Überaktivitätsinkontinenz 473
Dexamethason
– Schmerztherapie 43
– Test 551
Dezelerationen 265
– prolongierte 266
– variable 265, 266
DHEA(-S) 639
– Bestimmung 548
– Pubertät 641
Diabetes mellitus
– Neugeborenes 390
– Zystitis 81
Diabetische Embryopathie 390
Diaphragma 588
Diät 4
Diclofenac 41
Dihydralazin 74
Dilatationsreflex, analer 661
DIN (duktale intraepitheliale Neoplasie) 416
Distensionszystozele 468
Diuretika, Schwangersch./Stillz. 249, 250
Doppler-Sonografie, Geburtshilfe 689
Double-Bubble-Phänomen 693
Douglas-Punktion 526
Down-Syndrom 99
Doxepin 43

Drainage
- Blasenkatheter 55
- postoperativ 56
Dranginkontinenz 472
Drogenabhängigkeit, Schwangerschaft 124
Drogenabhängige 650
Ductus venosus, Doppler-Sonografie 690, 691
Duodenalatresie 383
Durchgangssyndrom, postoperatives 33
Dysgerminom 653
Dysmenorrhö 485, 635
- Jugendliche 650
Dysmorphie-Fehlbildungssyndrom 100
Dyspareunie, psychosomatisch bedingte 668
Dysplasie
- HPV 492
- Mamma 408
- Zervix 505
Dyspnoe, akute 71
Dysrhaphie 103

E
Early-Onset-Sepsis 377
Ebstein-Epithelperlen 389
Edwards-Syndrom 99
EHP-Gestose 72
Eierstockabszess 533
Eigenblutspende 59
Eileiterabszess 533
Einstellung 109
Einstellungsanomalien 298
Ejakulat 555
- Eigenschaften 555
- Gewinnung 555
Eklampsie 152
- Intensivtherapie 156
- Therapie 155
Ektoparasiten, Genitale 449
Ektopie 495
- Uterus 487
Elterngeld 129
Elternzeit 128
Embolisation
- Myome 498
Embryo 580
Embryopathien 93, 178
- diabetische 178
Embryotransfer, IVF 580
Endometriose 523
- Aktivitätskriterien 504
- Diagnostik 503
- Dysmenorrhö 486
- Einteilung 500
- ENZIAN.Klassifikation 502, 503
- Infiltrationsausmaß (Raumachse) 503
- rASRM-Klassifikation 501
- Therapie 504
Endometrioseherde
- Einteilung 501
- peritoneale 500
- vaginale 434

Endometritis 499
- Antibiose 343
- synzytiale 140
- Wochenbett 343
Endometrium, Sonografie 549, 678
Endometriumhyperplasie
- atypische 507
- einfache (glandulär-zystische) 506
- komplexe (adenomatöse) 506
Endometriumkarzinom
- Diagnostik 514
- Diagnostikstandards 516
- FIGO-Klassifikation 515
- Histologie 515
- Nachsorge 517
- östrogenassoziiertes 514
- östrogenunabhängiges 514
- Präkanzerose 506
- Prognose 518
- Sonografie 679
- Strahlentherapie, adjuvante 518
- Therapie 517
- TNM-Klassifikation 515
Endomyometritis, postpartale 343
Entbindung 323
Enterobiasis 226
Enterothorax 356
Enteroviren 211
Enterozele, OP 469
Enthaltsamkeit, periodische 585
Entlassung
- Arztbrief 24, 25
- poststationäre Versorgung 25
- zu klärende Fragen 23
Entwicklungsstörungen
- fetale 692, 693
Entwicklungsverzögerung, konstitutionelle 645
Entzugsdelir 30
ENZIAN-Klassifikation, tiefe Endometriose 502, 503
EPH-Gestose 151
Episiotomie
- Anästhesie 322
- Naht 322, 323
- Techniken 321
- Wundheilungsstörungen 349
Epispadie 653
Erb-Duchenne-Lähmung 385
Ernährung
- Neugeborenes 368
- parenterale 64
Eröffnungsperiode 275
- Spasmolytika 283
Erreger
- ESBL-bildende 35
- multiresistente 35
Erstgespräch 665
Ersttrimester-Screening 95
Erysipel 429
Erythema infectiosum 200
Erythema migrans 222
Erythrozytenkonzentrate 58
ESBL-bildende Erreger 35
Essigsäureprobe 487

Essstörungen 666
Essure®-System 596
Estradiol
- Bestimmung 548
- Pubertät 641
- Zyklus 559
Eutrophes Kind 355
Everolimus, Mammakarzinom 426
Extrauteringravidität 527
- DD 529
- Diagnostik 528
- HCG-Werte 114
- Sonografie 528
- Therapie 529
Extremitätenfehlbildungen, DD 101
Extremitätenuntersuchung 11

F
Fallhand 386
Fallot-Tetralogie 382
Farnkrautphänomen 553, 554
Fat epithelial atypia 416
Feeding on Demand 346
Fehlbildungen
- anogenitale 651
- fetale 177, 307
- genetisch bedingte 309
- Gonadendysgenesie 652
- kardiovaskuläre 382
- Kinder/Jgl. 650
- Mayer-Rokitansky-Küster-Hauser-Syndrom 654
- Neugeborenes 378
- Operationstermine 383
- urogenitale 651
- Uterus 652
- Virilisierung 653
Fehlbildungssyndrome
- Extremitäten 101
- faziale 100
- innere, DD 101
- Kleinwuchs 101
- Leitsymptome 100
- neurologische Auffälligkeiten 101
Fehlgeburt 133
Feigwarzen 437
Felderung, Uterus 488
Feminisierung, testikuläre 654
Fenoterol 164
Fentanyl-Pflaster 42
Fertilitätsstörungen, männliche 573
- Diagnostik 574
- Therapie 575
Fetalblutanalyse (FBA) 271, 272
Fetale Pulsoxymetrie 269
Fetales Alkoholsyndrom 124
Fetofetales Transfusionssyndrom 169
Fetopathien 93, 178
- diabetische 158
Fette, parenterale Ernährung 65
Fibroadenom 407
Fibroadenoma phylloides 408

Index

Fibrom
- Sonografie 679

Fibromyom 496

Fighting-Twin-Syndrom 171

FIGO-Score, CTG 268

Filzlaus 450

Fimbrioplastik 582

Fischer-Score, CTG 267

FISH (Fluoreszenz-in-situ-Hybridisierung) 96

Fistelinkontinenz 482

Fitz-Hughes-Curtis-Syndrom 530

Fluor 432
- Beurteilung 633
- DD 432
- Diagnostik 486
- korporaler 634
- neonatorum 633
- physiologischer 641
- Therapie 634, 659
- Ursachen 633
- vaginaler 633
- zervikaler 486, 634

Flupirtin 41

Follikel 559
- Sonografie 550

Follikelatresie 610

Follikelphase 559
- Temperatur 586

Follikelpunktion, IVF 580

Follikelreifungsstörung, Therapie 571

Follikelzyste 534

Folsäure 103, 123
- Spina-bifida-Prophylaxe 380

Formuladiät 68

Formula-Nahrung 368

Forzepsentbindung 326
- Traktionsrichtung 325, 326
- Vor- und Nachteile 325

Fototherapie
- Indikation 372
- Prinzip 372

Frauenmilch 346

Fremdkörper(entfernung), Kinder/Jgl. 633, 634, 636, 637, 658

Fremdkörpervaginitis 655

Fremdkörpervulvitis 655

Fremdreflexe 15

Fresh Frozen Plasma 58

Frischblutkonserve 58

Fruchttod, intrauteriner 182

Fruchtwasseraspiration 357

Fruchtwasserdepot, größtes 118

Fruchtwasserembolie 317

Fruchtwasserindex 117

Fruchtwasservolumen 117
- AFI-Tabelle 118
- SDP-Tabelle 118

Frühabort 114, 133

Frühgeborenes 355, 374
- Nabelvenenkatheter 366, 367
- Surfactantmangel 357

Frühgeburt
- Cerclage 165
- Lungenreifeförderung, pränatale 166

- Prognose 374
- Risikofaktoren 375
- Symptome 160
- Tokolyse 161
- Ursachen 375
- Versorgung 375

Frühgeburtlichkeit 162, 374
- Vaginosen 230

Frühgestosen 143

Fruktoseintoleranz, parenterale Ernährung 65

Fruktose, parenterale Ernährung 65

FSH (follikelstimulierendes Hormon)
- Bestimmung 548
- Zyklus 559

Fulvestrant, Mammakarzinom 426

Fundusstände 110

Fußfehlstellungen 379

Fuß- oder Knielage 293, 294

G

Galaktografie 401

Galaktosämie, Neugeborenes 102

Gametopathien 93

Gardnerella vaginalis 436, 656

Gaskin-Manöver 328

Gastritismittel 252

Gastroschisis 178, 383, 384

Geburt
- Analgesie 280
- anonyme 261
- Armvorfall 305
- außerklinische 280
- Austreibungsperiode 276
- Beckenendlagen 293, 328
- dorsoposteriore Einstellung 299
- Einstellungsanomalien 298
- Eröffnungsperiode 275
- Gesichtslage 298
- hoher Gradstand 299
- komplementärmedizinische Maßnahmen 285
- Lagerungsregel 275
- Litzmann-Obliquität 300
- Mechanik 273
- Mehrlinge 309
- Nachblutungen 314
- Nachgeburtsperiode 277
- operative Eingriffe, Aufklärung 320
- Phasen 273
- psychische Probleme 671
- Schmerzleitungsbahnen 281
- Sectio caesarea 332
- Stirnlage 298
- tiefer Querstand 299
- Uterusruptur 305
- vaginal-operative 323
- Verlauf 274
- Verletzung 316
- vertrauliche 261
- Vorderhauptslage 297

Geburtseinleitung 311
- mechanisch 312

- medikamentös 312
- Sectio 313
- Voraussetzungen 311

Geburtsgewicht 374

Geburtshilfliche Notfälle, DD 89

Geburtsmaße 358

Geburtsschmerzen
- Analgetika 283
- Leitungsanästhesie 281

Geburtsstillstand 300

Geburtstermin, Berechnung 119

Geburtstraumata 383

Geburtsvorbereitung 124

Gendiagnostikgesetz 92

Genetische Beratung
- Durchführung 92
- Indikationen 92
- Rahmenbedingungen, gesetzliche 92

Genitale
- Inspektion 11
- Palpation 12

Genitale Blutung 87

Genitalinfektionen
- Ätiologie 655
- Diagnostik 655
- Kinder/Jgl. 655

Genitaltuberkulose 532

Genitaltumoren
- benigne 659
- Kinder/Jgl. 659
- maligne 660

Genopathien 93

Gerinnungsfaktorenkonzentrate 58

Geschlechtskrankheiten 442

Gesichtsanomalien, DD 100

Gesichtslage 298

Gesprächsführung, psychische/psychosomatische Probleme 665

Gestagene
- Klimakterium 622
- Kontrazeption 598
- Mammakarzinom 426
- Präparate 622

Gestagen-Spirale 592
- Nebenwirkungen 593
- Vor- und Nachteile 593

Gestagen-Test 550

Gestationsalter 359

Gestationsdiabetes 158
- Neugeborenes 390
- Risiken 158
- Risikofaktoren 116
- Screening(befunde) 115, 116
- Therapie, Überwachung 158

Gestationshypertonie 151

Gestationsthrombozytopenie 175

Gewalt, sexualisierte 461

Gigantomastie 410

Glomerulonephritis 150

Glukose, parenterale Ernährung 64

Glukosebelastungstest 645

Glukosetoleranztest, oraler 115

GnRH-Agonisten, Mammakarzinom 425

GnRH-Analoga, In-vitro-
 Fertilisation 579
GnRH-Freisetzung 639
GnRH-Superagonisten 642
GnRH-Test 649
Gonadendysgenesie 561, 652
Gonadoblastome 536
Gonadotropine 571
Gonadotropin-Releasing-
 Hormon 559
Gonorrhö 444
– Kinder/Jgl. 656
– Prädilektionsstellen 444
Gordon-Reflex 16
Gradstand, hoher 299
Graviditätsmakromastie 410
Gregg-Syndrom 189
Gürtelrose 194
Guthrie-Test 369
Gynatresie 563

H

Haarausfall 626
Habitueller Abort 136
Hackenfuß 379
Haemophilus vaginalis 436
– Kolpitis 441
Hairless woman 561, 654
Haloperidol, psychotische
 Symptome bei Alkohol-
 hängigkeit 31
Halsuntersuchung 9
Haltung, Kindsteile
 zueinander 109
Hamartom 408
Hämatom
– Gewaltanwendung 462
– retroplazentares 291
Hamilton-Handgriff 315
Hämorrhagischer Schock 84
Hände, Untersuchung 9
Harlekin-Phänomen 389
Harmony-Test® 94
Harninkontinenz 471
– altersbedingte 482
– Diagnostik 473
– Einteilung 471
– extraurethrale 473, 482
– maskierte 468
– medikamentöse Therapie 477
– medikamentös provozierte 472
– operative Therapie 477
Harnröhrenabstrich 54
Harnwegsinfektion, Therapie 481
Haut
– Desinfektion 46
– Inspektion 8
HBV-Exposition 39
HCG (humanes Choriongonado-
 tropin) 113
– Extrauteringravidität 528
– Schwangerschaft 114
Hegar-Zeichen 118
Hellin-Regel 167
HELLP-Syndrom 152, 157
Heparin
– niedermolekulares 4, 5
– Schwangersch./Stillz. 244

– unfraktioniertes 4
Hepatitis A 205
– Prophylaxe 206
– Schwangerschaft 206
Hepatitis B 207
– Diagnostik 208
– Impfung 370
– Prophylaxe 39, 208
– Schwangerschaft 207
– Stadien 208
– Übertragung 446
Hepatitis C 209
– Exposition 39
– Expositionsprophylaxe 210
– Schwangerschaft 209
– Therapie 210
Hepatitis E 210
Herpes genitalis 200, 439
– Diagnostik 199
– Schwangerschaft 197
Herpes neonatorum 198, 199
Herpes-simplex-Virus-
 Infektion 197
– Diagnostik 198
– Neugeborenes 389
– Prophylaxe 200
– Therapie 199
Herpes zoster 194, 197
Herz
– Auskultation 13
– Auskultationsareale 13
– Herzgeräusche, Stärkegrade 13
– Klappenfehler 14
Herzdruckmassage,
 Neugeborenes 361, 363
Herzfehler, kongenitale
– Diagnostik 382
– Einteilung 382
– Pulsoxymetrie 359
Herzfrequenz, fetale 264
– Akzeleration 265
– antepartale Tachykardie 264
– automatisierte CTG-
 Auswertung 269
– Bradykardie 265
– Frühdezeleration 265
– Oszillationsamplitude/-
 frequenz 266, 267
– prolongierte Dezeleration 266
– Spätdezeleration 265
– ST-Strecken-Analyse 269
– Typ-0-Dezeleration 266
Herzinfarkt 71
Herzinspektion 10
Herzrhythmusstörungen
– fetale 173
– transplazentare Therapie 175
Herzton 13
Heultage 672
HGH (human growth
 hormone) 645
Hinterhauptslage, hintere 299
Hirnstammaudiometrie
 (AABR) 370
Hirsutismus 547, 629
– idiopathischer 630
– postpuberaler 630

– Schweregrade 629
– Therapie 630
Hitzewallungen 614
HIV-Exposition
– medikamentöser
 Prophylaxe 38
– PEP-Empfehlungen 37
– Sofortmaßnahmen 38
HIV-Infektion/Aids 446
– antiretrovirale Therapie 205,
 448
– Diagnostik 448
– Klassifikation 447
– Schwangerschaft 204
– Stadien 446
– Surrogatmarkerdiagnostik 448
Hochwuchs 644
– Ätiologie 644
– Diagnostik 644
– Therapie 645
Holoprosenzephalie 685
Homöopathie,
 Geburt(svorbereitung) 286,
 287
Hormondiagnostik, Kinder 637
Hormonersatztherapie
– Dosierung 613
– Durchführung 612
– Klimakterium 611
– Kontraindikationen 611
– Östrogene, Wirkungen 615
– Phytoöstrogene 615
– Präparate 617
– Studienlage 611
– Tipps 614
– Vor- und Nachteile 614
Hormonpflaster 605
Hormonpräparate
– Gestagene 622
– kontinuierliche, komb. 618
– Östrogen-Androgen 621
– Östrogene 619
– transdermale 619
– zyklische, viel Östrogen 618
– zyklische, wenig Östrogen 618
Hormonregulation, Zyklus 560
Hormonstatus 548
Hormonverlauf, Zyklus 560
Hörscreening 370
HPV (humanes
 Papillomavirus) 229
– Abstrich 492
– Impfung 439, 507
– Kondylome 495
– Zervixkarzinom 507
Humanes Papillomavirus 507
Humangenetische Beratung 92
Hydrops fetalis 170, 174, 201,
 363, 371
– Amniozentese 96
Hydroxylasemangel 653
Hydrozephalus 104, 177, 308
– posthämorrhagischer 384
Hymenalatresie 650
Hyperandrogenämie 567
Hyperbilirubinämie 370, 371
– Diagnostik 371
– Fototherapie 372

Index

Hyperemesis gravidarum 143
- Medikamente 240
Hypermenorrhö 485
- Jugendliche 650
Hyperprolaktinämie 565
- medikamentöse Ursachen 565
- Therapie 566
Hyperspermie 556
Hypertensive Krise, Soforttherapie 75
Hypertonie
- arterielle 72
- primäre 72
- pulmonale, Neugeborenes 357
- schwangerschaftsinduzierte 151
- symptomatische 72
Hypertrichose 547, 629
Hypertrophes Herz 355
Hypoglykämie 86
Hypoglykämischer Schock 86
Hypomenorrhö 485
- Jugendliche 650
Hypophyse
- Röntgen 639
- Tumoren 643
Hypospadie 653
Hypospermie 556
Hypothermie, Neugeborenes 367
Hypothyreose, Neugeborenes 102
Hypotrophes Kind 355
Hypovolämischer Schock 84
- Stadien 85
Hypoxietachykardie 264
Hysterektomie
- Myome 499
- Piver-Stadien 510
- Zervixkarzinom 510
Hysterokontrastsonografie 558
Hysterosalpingografie 558
Hysteroskopie 493, 557
Hysterosonografie 676

I

Ibuprofen 41
ICSI (intrazytoplasmatische Spermieninjektion) 581
Icterus neonatorum 370
- Diagnostik 371
- Einteilung 371
- Fototherapie 372
Ikterus, Schwangerschaft 148
Ileus e graviditate 147
Impetigo 389
Impfungen
- Neugeborenes 370
- Schwangerschaft 125
Implantatregister 420
Indometacin 41, 164
Infektionen
- Auswirkungen auf Mutter/Fetus/Kind 186, 188
- Bluttransfusion 63
- genitale, Kinder/Jgl. 655
- Harnwege 80
- Haut 389
- Meldepflicht 34

- Neugeborene 375
- Schwangerschaft 186
- vaginale 436
- Wunddeshiszenz, Wochenbett 349
Infertilität 546
Infundibulation 658
Injektionen, intra- oder periurethrale 480
Insemination
- artifizielle 576
- heterologe 576
- homologe 576
- intrauterine 576
- Techniken 576
- Zeitpunkt 577
Insertio velamentosa 291
Insler-Score 553
Interruptio 129
Intrauterinpessar/-system 590
- Gestagen 592
- Kontraindikationen 591
- Nebenwirkungen 591
- postkoitale Insertion 592
- Präparate 591
- Schwangerschaft 592
- Sonografie 678
Introitussonografie 474
Intubation, Neugeborenes 363, 365
In-vitro-Fertilisation 578
- Follikelpunktion 580
- Komplikationen 578
- Kurzprotokoll 579
- Langprotokoll 578, 579
- Lutealphasensubstitution 580
- Ovulationsauslösung 580
- Präimplantationsdiagnostik 93
Involutio 342
IORT (intraoperative Radiotherapie), Mammakarzinom 423
ISSVD-Nomenklatur, Vulvaneoplasien 451
IUD/S (intrauterine device/system) 590
IUFT (intrauteriner Fruchttod) 182
IUGR (intrauterine growth retardation) 172
- Doppler-Sonografie 691, 692
IUP 590

J

Jackson-Phänomen 394, 398
Jarisch-Herxheimer-Reaktion 217

K

Kallmann-Syndrom , 563
Kaltenbach-Schema 484
Kalziumantagonisten 74
Kardiopulmonale Reanimation, Neugeborenes 361
Kardiotokografie 263
Kariesprophylaxe 368

Karminativa, Schwangersch./Stillz. 252
Karyotypisierung
- Eltern 94
- embryonale 94
Katheterisation, transurethrale 55
Katheterurin 53
Keimstrang-Stroma-Tumoren 536
Keimzelltumoren 536
Kephalhämatom 386
Kernig-Zeichen 16
Kernikterus 370
Kinder- und Jugendgynäkologie
- Blutungsstörungen 648
- Brustentwicklungsstörungen 646
- Diagnostik 636
- Fehlbildungen 650
- Genitalinfektionen 655
- Genitaltumoren 659
- Leitsymptome 633
- Missbrauch 660
- Pubertät, Physiologie 639
- Pubertätsstörungen 641
- Verletzungen 657
Kindesmissbrauch 662
Kinetokardiotokografie (K-CTG) 268
Kleinwuchs 645
- DD 101
Kletterfuß 379
Klimakterium 610
- Clinidin 617
- Hormonersatztherapie 611, 613
- Osteoporose 611, 615
- psychische Probleme 669
- Symptome 610
- Therapie 611, 617
Klinefelter-Syndrom 100
Klitorishypertrophie 653
Klitorisplastik 658
Klumpfuß 379
Klumpke-Lähmung 385
Knaus-Ogino-Methode, Kontrazeption 585
Kniebeugen-Belastungstest 270
Knielage 294
Knochenalterbestimmung 645
Knochendichteanalytik, Osteoporose 616
Koanalgetika 6, 42
Koffein, Schwangerschaft 124
Kohlenhydrate, parenterale Ernährung 64
Kokkenkolpitis 441
Kolonkontrasteinlauf, Adnexe 525
Kolpitis 440, 589
- Schwangerschaft 226
Kolporrhaphie 470
Kolposkopie 433, 434, 487
- Befunde 488
- Kondylome 495
Kolposuspension nach Burch 477, 478

Index

Kolpozöliotomie 596
Kondom 594
Kondylome 229
– Prophylaxe 439
– Syphilis 495
– Therapie 438
– Vagina 437
– Zervix 495
Konisation 493, 494
Kontaktblutung 484
Kontrazeption
– Billings-Methode 587
– chemische/mechanische 588
– Coitus interruptus 587
– Depotgestagene 604
– hormonelle 598
– Hormonpflaster 605
– Intrauterinpessar/-system 590
– Knaus-Ogino-Methode 585
– Kondom 594
– Minipille 603
– Ovulationshemmer, orale 598
– Pearl-Index 584
– postkoitale 594, 605, 607
– Scheidendiaphragma 588, 589
– Spermizide 594
– Sterilisation 595
– symptothermale Methoden 587
– Temperaturmethode 586
– Vaginalring 604
– Vaginalschwamm 590
– Wochenbett 351
– Zykluscomputer 588
Kontrollierte ovarielle Überstimulation 578
Konversion 664
Kopfentwicklung, Geburt 276
Kopflösung nach Veit-Smellie 332
Kopfschwartenelektrode 263
Kopfuntersuchung 9
Körpergröße 644
Korpuspolypen 499
Korpustumoren, Kinder/Jgl. 659
Kortikosteroide, Schwangersch./Stillz. 248
Krampfanfälle
– Neugeborenes 387
– Therapie 387
– Typen 387
Krankenakten, Einsichtsrecht 18
Krankheitsursachen, psychosomatische 665
Krätze 226, 450
Krebsfüßchen 399
Kreislaufstillstand 79
Kreißsaalaufnahme 261
Krisensituationen 17
Kristeller-Handgriff 277, 325, 326, 330
Kryptozoospermie 556
Kuldoskopie, Adnexe 526
Kürettage 493
Kurzrok-Miller-Test 557
Küstner-Zeichen 277
Kystom
– Sonografie 678

L

Labiensynechie 651
Lachgas, Geburt 285
Lackmusprobe 301
Lageanomalien
– Beckenendlagen 293
– Querlage 296
– Schädellagen, regelwidrige 297
Lage des Kindes 109
Laktationsamenorrhö 341
Lambda-Zeichen 167, 169
LA-MRSA (livestock acquired methicillin resistant staph. aureus) 35
Lanz-Druckpunkt 80
Lapatinib, Mammakarzinom 427
Larvierte Depression 664, 670
Larynxpapillom 229, 230
Lasègue-Zeichen 16
Lassbefall 226
Lävulose, parenterale Ernährung 65
Laxanzien, Schwangersch./Stillz. 250, 251
LBW (low birth weight infant) 374
Lebendgeburt 27
Leberlabor, Schwangerschaft 148
Leichenschauschein 26
Leishmaniose 225
Leitungsanästhesien 281, 282
Lemon-Sign 685
Leopold-Handgriffe 109, 111, 294
Leptotrix 436
Leukoplakie 432, 433
– Uterus 488
Levatoravulsionen 468
Levatorkontraktionen, Oxford-Skala 468
LGA (large for gestational age) 355, 375
Lhermitte-Nackenbeugezeichen 17
LH (luteinisierendes Hormon)
– Bestimmung 548
– Zyklus 559
LH-RH-Test 551
Lichen sclerosus 450
– präpubertaler 658
LIN (lobuläre intraepitheliale Neoplasie) 415
Lipidzelltumoren 536
Lipom 408
Lippen-Kiefer-Gaumen-Spalte 378
Listeriose 218
– Neugeborenes 390
– Prophylaxe 219
– Therapie 219
Lisurid, Hyperprolaktinämie 566
Litzmann-Obliquität 300
Lochien 342
– Endometritis 343
– Farbe 342
– Stau 345
Lochiometra 345

Lokalanästhetika, Geburtsschmerzen 283
Lues 443
Lues connata 216, 443
– Diagnostik 216
– praecox/tarda 216
– Therapie 217
LUF-Syndrom (luteinized unruptured follicle) 570
Lumpektomie 417
Lungenembolie, akute 76
Lungenreifeinduktion 164
– pränatale 166
Lungenuntersuchung 14
Lutealphase 559
Lutealphaseninsuffizienz 569, 580
Luteinzysten 534
Lyme-Arthritis 222
Lyme-Borreliose 222
Lymphdrainage 458
Lymphknotenuntersuchung 11
Lymphochoriomeningitis 212
Lymphödem
– Mammakarzinom 429
– Zervixkarzinom 513
Lymphome, maligne 536
Lymphonodektomie 419
Lymphzysten 512
Lynch-Syndrom 515

M

Madenwurm 226
Magen-Darm-Mittel, Schwangersch./Stillz. 251, 252
Magensonde 67
– Komplikationen 68
Makroadenom 566
Makromastie 410
– juvenile 647
Makroprolaktinom 567
Makrosomie 179
Malaria 225, 228
– Therapie 229
Malignom, Sonografie 679
Mamillenrekonstruktion 421
Mamillensekretion 395
Mamillenstimulationstest 271
Mamma
– aberrata 409
– Abszess 347, 406
– accessoria 409
– alloplastische Rekonstruktion 420
– angeborene Erkrankungen 409
– Aufbauplastik 421
– autologe Rekonstruktion 420
– B-Klassifikation von Stanzbefunden 416
– DD 394
– duktale Veränderungen 416
– Dysplasie 408
– Fistelungen 406
– Hautveränderungen 395
– Inspektion 395
– klinische Untersuchung 396
– Knoten 394
– Lappenplastiken 420

- Leitsymptome 394
- lobuläre Veränderungen 415
- Lymphabflussgebiete 419
- Lymphknotenstationen 419
- MRT 403
- Orangenhaut 398
- Palpation 398
- Reduktionsplastik 410
- Schmerzen 395, 396
- Zysten 407

Mammabiopsie 403
- Befundklassifikation 404
- Schnittführungen 404

Mammakarzinom 411
- adjuvante Therapie 423
- Antikörpertherapien 427
- Bestrahlungsfelder 422
- BRCA1-Gen-Mutation 405
- brusterhaltende Therapie 417
- Chemotherapie 424, 425
- Diagnostik 412
- Einteilung 411
- Grading 412
- Hormontherapie 425
- inflammatorisches 412
- klinische Nachsorge 429
- lobuläres 412
- Lymphödem 429
- Mastektomie 418
- metastasiertes 423, 428
- Metastasierungsorte 428
- orale Ovulationshemmer 599
- palliative Radiotherapie 423
- psychosoziale Nachsorge 430
- Quadrantenverteilung 412
- Risikofaktoren 411
- Staging 412, 413
- Strahlentherapie 422
- TNM-Klassifikation 413
- Vorläuferläsionen 415

Mammasarkom 408
Mammasonografie 401, 402
- Beurteilungskriterien 402
Mammatumoren, Kinder/Jgl. 647
Mammografie 398
- BI-RADS 400
- Herdbefunde 400
- Karzinom 399
- Makroverkalkungen 401
- Parenchymmuster 400
- Vergleich Sonografie 402
Mangelgeburt 375
Manualhilfe nach Bracht 329
MAR-Test 574
Maskenbeatmung, Neugeborenes 363
Massivtransfusionen 61
Mastektomie 418
Mastitis
- nonpuerperalis 406
- Prophylaxe 347
- puerperalis 346
- Therapie 347
Mastodynie 407
Mastopathia cystica fibrosa 408
Maternity Blues 341, 671, 672
Mayer-Rokitansky-Küster-Hauser-Syndrom 651, 654

Mayer-Rokitansky-Küster-Syndrom 563
McBurney-Druckpunkt 80
McRobert-Manöver 327
Medikamente 28
Megacystis 687
Mehrlingsgravidität 167
- Besonderheiten 309
- Betreuung 169
- Geburtsleitung 309, 310
- Komplikationen 168
- Lage zueinander 310
- Plazentationstypen 170
Meigs-Syndrom 536
Mekoniumaspiration 357
Meldepflicht 34
Menarche 641
- frühnormale 648
Meningomyelozele 379, 383
Meningopolyneuritis Garin-Bujadoux-Bannwarth 222
Meningozele 103, 379
Menopause 610
Menorrhagie 485
Menstruation
- Dysmenorrhö 485
- Verschiebung 601
Meptazinol, Geburtsschmerzen 280, 285
Merz-Score, Ovarialtumoren 679
MESA (mikrochirurgische epididymale Spermienaspiration) 576, 581
Metamizol 41
Metastasen
- Mammakarzinom 428
- Ovar 536
- Zervixkarzinom 513
Metformin 568
- Absetzen vor OP 21
- Dosierung 569
Methyldopa 74
Metoclopramid 240
Metrorrhagie 485
Michaelis-Raute 112
Mikroblutanalyse (MBU) 271
Mikromastie 410
Mikropille 606
Mikroprolaktinom 566
Mikrozephalie 177
- Zikavirus-Infektion 203
Milben 450
Milcheinschuss 346
Milchgangpapillom(atose) 408
Milchgangsekretion 401
Milien 389
Minipille 603, 607
Mini-Schlingen 479
Misgav-Ladach-Sectio 335
Misoprostol
- Abortinduktion 182
- Wehenauslösung 313
Missbrauch, sexueller 660
Missed Abortion 134, 135
Misshandlung 660
- Diagnostik 661
- Familientherapie 662

- gerichtsmedizinische Untersuchung 661
- typische Symptome 661
Mittelstrahlurin 53
Mole, invasive (destruierende) 139
Molimina menstrualia 635, 650
Monosomie 98
Morbus haemolyticus neonatorum 371, 372
Morning-after-Pill 605, 608
Moro-Reflex, Plexuslähmung 385
Morphin 42
Moxibustion, Geburtsvorbereitung 285
MRE (multiresistente Erreger) 35
- Diagnostik 36
- Risikofaktoren 36
- Therapie 36
MRGN (multiresistente gramnegative Erreger) 35
MRSA (methicillinresistenter Staph. aureus) 35
MRT (Magnetresonanztomografie)
- Mamma 403
- Strahlenbelastung 106
MSSA (methicillinsensibler Staph. aureus) 36
Mukoviszidose-Screening 369
Müller-Gänge 652
Mundtherapeutika, Schwangersch./Stillz. 253
Muskeleigenreflexe 15
Muttermund, Sonografie 689
Mutterpass 120, 262
Mutterschaftsrichtlinien 128
Mutterschutzgesetz 127
Mykoplasma-Infektion 221
- Neugeborenes 222
- Schwangere 222
Mykoplasmen 441
Mykosen, Schwangerschaft 231
Myome
- Corpus uteri 496
- histologische Einteilung 498
- in statu nascendi 485
- Schwangerschaft 180
- Sonografie 678
- Zervix 496
Myomenukleation 498
Myometritis 499

N

Nabelinfektion 389
Nabelschnur
- Blutentnahme 59
- Dopplersonografie 174
- Nabelschnur-Bilirubin 372
Nabelschnurvorfall 304
Nabelvenenkatheter 366, 367
Nachgeburtsperiode 277
- manuelle Expression 277
- Nachbehandlung 278
- pathologische 278
Nachwehen 342
Nackenfalte 95
Nackentransparenz 95, 171

Naegele-Regel 119
Naegel-Obliquität 300
Nährstoffbedarf 64
Nahrungskarenz 4
Nasse Lunge 357
Nativabstrich 435
Nativzytologie 434, 435
Natural Family Planning 547, 587
Neisseria gonorrhoeae 444
Nekrozoospermie 556
Neosalpingostomie 582
Neovagina 654
Nervendehnungsschmerz 16
Neue Münchner Nomenklatur, Abstrich-Klassifikation 490
Neugeborenenreanimation 361
– Algorithmus 361
– Durchführung 362, 363
– Medikamente 363
– Monitoring 362
Neugeborenenscreening 102, 369
– erweitertes 102
Neugeborenensepsis 376
Neugeborenes
– Akne 389
– Anämie 360
– Apgar-Index 355
– Atemstörungen 356
– Blutzuckerüberwachung 390
– Erstuntersuchung 357
– Exanthem, toxisches 389
– Früherkennung 369
– Hautinfektionen 389
– Hautveränderungen, physiologische 389
– Herzfehler, kongenitale 359
– Hörscreening 370
– Ikterus 370
– Impfungen 370
– Infektionen 375
– intrakranielle Blutungen 384
– Intubation 363, 365
– Krampfanfälle 387
– multifaktoriell bedingte Krankheiten 383
– Nabelvenenkatheter 366, 367
– Polyglobulie 360
– Pulsoxymetrie-Screening 359
– Streptokokkeninfektion 377
– Umbilikalarterien-pH 356
– Untersuchung 355
– Vaginalzytologie 638
– Vitamin-D-Prophylaxe 368
– Vitamin-K-Prophylaxe 369
– Vorsorgeuntersuchung 358
– Zerebralparese 307
– Zustandsbeurteilung 355
Neuralrohrdefekte 103
Neurosen 664
– postpartale 672, 673
Neurozystizerkose 226
Nierenagenesie 308
Nierenaufstau
– Schwangerschaft 149
– Zervixkarzinom 512
Nierenkolik 82
– Therapie 82
Nierensteine 82

Nierenuntersuchung 11
Nierenversagen, akutes 149
Nifedipin 164
Night-Suppression-Test 552
Nikotin, Schwangerschaft 124
NIPT (nichtinvasiver Pränataltest) 94
NIV (noninvasive mechanical ventilation) 366
NNRTI (nichtnukleosidale Retrotranskriptasehemmer) 257, 258
NOAK (neue orale Antikoagulanzien) 21, 244
NO-Donatoren 164
Nondisjunction 98
Non-Stress-Test 269
Notfälle
– geburtshilfliche 89
– gynäkologische 87
Notfallkontrazeption 605
Notfallsectio, Einsatzplan 337
Notfalltransfusion 61
Notsectio, fetale Azidose 307
NSAID (nichtsteroidale Antiphlogistika) 40
NSAR (nichtsteroidale Antiphlogistika/-rheumatika)
– Schwangersch./Stillz. 234, 246
NT-Screening 95
Nukleosidanaloga 258

O
OAT-Syndrom 556
Obduktion 27
oGTT (oraler Glukosetoleranztest) 115, 117
– diagnostischer 116
Ohrakupunktur 287
OHSS (ovarielles Hyperstimulationssyndrom) 571
Oligo-Astheno-Teratozoospermie 556
Oligohydramnion 117, 118, 170
Oligomenorrhö 485
– Jugendlich 649
Oligozoospermie 556, 575
Omphalozele 178, 381, 383, 687
On-Demand-Analgesie, pumpengesteuerte 43
Opazitäten 399
OP-Hysteroskop 557
Opiate/Opioide 284
– Geburt 283
– schwächere 41
– Schwangerschaft 124
– starke 41
Oppenheim-Reflex 16
Organogenese 97, 98
ORSA (oxacillinresistenter Staph. aureus) 35
Osmolarität, Parenteralia 66
Ösophagusatresie 380, 383
Osteomalazie 616
Osteopenie 616
Osteoporose
– DD 616
– Diagnostik 616

– Klimakterium 611, 615
– Prävention 611
– Prophylaxe 617
– Risikofaktoren 616
– Therapie 617, 622
Östradiol 571
Östrogen 559
– Entwicklungsverzögerung 645
– Entzugsblutung 641
– Hochwuchs 645
– Kontrazeption 598
– lokal anwendbare Präparate 621
– orale Präparate 619
– transdermale Präparate 620
– Wirkung 615
Östrogen-Androgen-Präparate 621
Östrogen-Gestagen-Test 550
Östrogen-Rezeptor-Modulatoren, selektive 622
Oszillationen, saltatorische 267
Oszillationsamplitude 266, 267
Oszillationsfrequenz 266
Ovar
– Follikel 550
– Größe 677
– Sonografie 550, 678
Ovarhypoplasie 562
Ovarialfibrom 536
Ovarialinsuffizienz 561
– hyperandrogenämische 567
– hyperprolaktinämische 565
– hypophysäre 564, 625
– hypothalamische 563
– primäre 561
– primär hypergonadotrope 643
– Schweregrade 564
– sekundäre 563
Ovarialkarzinom 535, 537
– BRCA-Mutation 543
– Chemotherapie 540, 541
– endokrine Therapie 542
– histologische Klassifikation 538
– Klassifikation, histologische 537
– Nachsorge 543
– operative Therapie 539
– platinresistentes 542, 543
– platinsensibles 542, 543
– Rezidive 542, 543
– Second-Line-Therapie 542
– Sonografie 679
– Strahlentherapie 542
– TNM-/FIGO-Klassifikation 538
Ovarialkystom 523
Ovarialtumor 523, 534
– Borderline-Veränderungen 536
– Kinder/Jgl. 659
– Merz-Score 679
– Schwangerschaft 536
– Verteilung 535
– WHO-Klassifikation 535
Ovarialvenenthrombose 348
Ovarialzyste 534
– stielgedrehte 534

Index

O

Ovarien
- hyposensitive 562
- Metastasen 536
- polyzystische 567

Oversuppression-Syndrom 599, 602

Ovula Nabothi 495

OvulaRing® 587

Ovulation 559, 586

Ovulationsauslösung, IVF 580

Ovulationshemmer, orale 598
- Drei-Phasen-Präparate 599, 607
- Einnahmetipps 601
- Ein-Phasen-Präparate 599
- Fernreisen 602
- Kombinationspillen 598
- Kontraindikationen 600
- Langzyklus-Schema 600
- Menstruationsverschiebung 601
- Nebenwirkungen 599
- Östrogen-Gestagen-Dosierung 598, 599
- Präparatewechsel 601
- sofortiges Absetzen 600
- Stillzeit 603
- UAW 601
- und Schwangerschaft 602
- Vier-Phasen-Präparate 607
- Vor- und Nachteile 600
- Wechselwirkungen 602
- Zwei-Phasen-Präparate 599, 607
- Zwei-Stufen-Präparate 599

Oxford-Skala, Levatorkontraktionen 468

Oxytocin-Belastungstest 270

Oxytocin, Geburtseinleitung 312

Oxyuren 656

Oxyuriasis 633

P

Paget-Karzinom 412

Paget-Krankheit 412, 452

Palpation
- Adnexe 523
- rektoabdominale 636

Palpociclib, Mammakarzinom 427

Pankreatitis, akute 70

Panorama-Test® 94

Papanicolaou-Färbung 488, 489

Papillomaviren, humane 229

PAP-Test 488, 489

Paracetamol 40, 234

Parasitosen
- Schwangerschaft 225
- Therapie 226

Parazentese 51

Parenterale Ernährung
- Durchführung 65
- Stufenkonzept 66
- Substrate 64

Partialmole 139

Parvovirus B19 200

Pätau-Syndrom 99

Patellarsehnenreflex 15

Patientenaufnahme 3

Patientin
- alkoholabhängige 30
- bewusstseinsgestörte 28
- sterbende 26
- suizidale 32
- verwirrte 33

PCA (patient controlled analgesia) 43

PCO-Syndrom 534, 567, 630
- Sonografie 568
- Therapie 568

PDA 281

Pearl-Index 584

Pediculosis pubis 449, 450

Pelveopathia spastica/vegetativa 667

Pelviskopie, Kinder/Jgl. 639

Periduralanästhesie 281, 283

Perihepatitis 530

Perikarditis, Schmerzen 70

Perimenopause 610
- Hormonersatztherapie 613
- Hormonpräparate 617

Perinealsonografie 474

Peripartale Hämorrhagie 278
- Maßnahmen 279

Peritonealkarzinom 537

Peritonealpunktion 51

Perkussion 13

Perl-Probe 596

Pertuzumab, Mammakarzinom 427

Pethidin 41
- Geburtsschmerzen 284

Pfropfeklampsie/-gestose 157

Phenylketonurie, Neugeborenes 102

Phytoöstrogene, Klimakterium 615

Phytotherapie, Geburt(svorbereitung) 287, 288

PID (pelvic inflammatory disease) 530

Piritramid 41

Piskacek-Zeichen 118

Placenta accreta 317

Placenta adhaerens 317

Placenta increta 317

Placenta praevia 288, 289, 688
- Einteilung 288
- Sonografie 688
- Therapie 289

Plasma, Virusinaktivierung 64

Plasmodium 228

Plazenta
- Ablösungsmodus 277
- Lösungsstörungen 316
- Lösungszeichen 277
- Schwangerschaft 117
- Sonografie 688
- sonografische Beurteilung 117
- vorzeitige Lösung 290

Plazentabett-Tumor 140

Plazentationsstörungen 687, 688

Pleuraerguss 78
- Malignom 48

Pleurapunktion 49, 50
- Durchführung 49

Plexuslähmung
- obere 385
- untere 385

Plötzlicher Kindstod 388

PMS (prämenstruelles Syndrom) 668

Pneumonie 78

Polioviren 211

Polydaktylie 378

Polyglobulie, Neugeborenes 360

Polyhydramnion 117, 118, 170

Polymastia
- completa 409
- glandularis 409

Polymenorrhö 485
- Jugendliche 649

Polypen, Corpus uteri 499

Polythelie 409

POPQ (pelvic organ prolapse quantification system) 466, 467

Portiokappe 577

Postasphyxie-Syndrom 367

Postexpositionsprophylaxe, HIV 37, 38

Postinseminationstest 557

Postkoitalpille 605, 608

Postkoitaltest 557

Postmenopause 610
- Hormonersatztherapie 613
- Hormonpräparate 617

Post-Pill-Amenorrhö 599, 602

Potter-Sequenz 308

Präazidose 271

Prädelir 32

Präeklampsie 72, 152
- Doppler-Sonografie 691

Praena-Test® 94

Präimplantationsdiagnostik 93

Prämenopause 610
- Hormonersatztherapie 612
- Hormonpräparate 617

Prämenstruelles Syndrom 668

Pränatale Diagnostik 93
- Röteln 190
- Stoffwechselkrankheiten 102

Pränatale Schädigung 93, 97

Präpubertät 638, 640

Präservativ 594

Problemkeime 656

Problempatientin 28

Progesteron 164, 559
- Bestimmung 548

Prolaktin 671
- Bestimmung 548, 565
- Normwerte 565

Prolaktinom, Schwangerschaft 566

Prolaps 466

Propfeklampsie/-gestose 152

Prostaglandin-Belastungstest 270

Prostaglandine
- Abortinduktion 181
- Geburtseinleitung 312

Proteaseinhibitoren 258

Pruritus 432
- genitaler 633
Psammomkörperchen 527
Pseudobelade Brocq 627
Pseudogestationssack 528
Pseudohermaphroditismus masculinus 561
Pseudomyxoma peritonei 536
Pseudopubertas praecox 637, 642, 648
Psychische/psychosomatische Probleme 664
Psychopharmaka, Schwangersch./Stillz. 254, 255
Psychosen 664
- postpartale 672
Ptyalismus gravidarum 143
Pubarche 640
Pubertas praecox 642, 647
- Einteilung 648
Pubertas praecox vera 637, 642
Pubertas tarda 642
Pubertät 638, 641
- Induktion 643
- Physiologie 639
- Störungen 641
Pubertätsmakromastie 410
Pubesbehaarung 640, 641
Pudendusblock 282, 283
Puerperalpsychose 673
Puerperalsepsis 344
- Laborkontrolle 345
Pulmonale Anpassungsstörung 357
Pulmonalstenose 382
Pulsationszystozele 468, 473
Pulsmessung 9
Pulsoxymetrie, fetale 269
Pulsoxymetrie-Screening 359
Punktierung, Uterus 488
Punktion
- Aszites 51
- Douglas-Raum 526
- Pleura 49, 50
Pyelografie, intravenöse 525
Pyelonephritis 81
- auswärts erworben 81
- gravidarum 149
- im KH erworben 81
Pyodermie 389
Pyramidenbahnläsion 15, 16

Q
Q-Fieber 224
Quadrantektomie 417
Querlage 296
- verschleppte 296, 297
Querschnitt nach Pfannenstiel 333
Querstand, tiefer 299
Quetschhahnphänomen 468, 474

R
Rachentherapeutika, Schwangersch./Stillz. 253
Rachischisis 103
Rachitisprophylaxe 368

Radiotherapie
- Endometriumkarzinom 518
- intraoperative 423
- Komplikationen 511
- Kontaktbestrahlung 511
- Mammakarzinom 422, 423
- palliative 423
- Perkutanbestrahlung 511
- Zervixkarzinom 511
Radiusperiostreflex 15
Ramadan 126
Randsinusblutung 292
RDS-Prophylaxe 166
Reanimation, Neugeborenes 361
Redon-Drainage 56
Refertilisierung 597
Reflexe 15
- pathologische 16
Reflexinkontinenz 473
- Therapie 481
Reifezeichen 359
Reifungsperiode 635
Reizwehen 342
Rektoskopie 52
Rektozele, OP 469
Rektumnaht 316
Renofaziale Dysplasie 308
Resalpingotomie 582
Resistant-Ovary-Syndrom 562
Retentio placentae partialis/totalis 316, 317
Retransfusion 59
Retropubisches Band (TVT) 477
- Komplikationen 479
Rezeptausstellung 18
Rhesus-Blutgruppenbestimmung 59
Rhesusprophylaxe 122, 373
- antepartale 373
- postpartale 373
Rhesus-System 60
Rhinologika, Schwangersch./Stillz. 256
Riesenfibroadenom 647
Rinderbandwurm 226
Ringelröteln 200
- Diagnostik 201
- Prophylaxe 202
- Therapie 202
Ritgen-Handgriff 277
Rivaroxaban 244
Rizinus(öl) 251, 313
Robinson-Drainage 56
Röntgendiagnostik
- Adnexe 525
- Kinder/Jgl. 639
- Strahlendosis, Schwang. 105
Röteln 188
- Diagnostik 190
- Prophylaxe 191
Rötelnembryopathie 188, 189
Rubella 188
Rubin-Manöver 328
Rückbildungsgymnastik 342
Ruheperiode, hormonelle 635, 638
Rüsselbrust 410

S
Saktosalpinx
- Sonografie 678
Salicylate 234
Salpingitis 530
Salpingotomie 582
Sandkastenvulvitis 655, 657
Sarcoma botryoides 660
Sarkom, Uterus 519
Sauggglockenentbindung 324
Säugling, Ernährung 368
Scabies 450, 656
Schädellagen, regelwidrige 297
Schambehaarung 640, 641
Schambogenwinkel 112
Schanker
- harter 443
- weicher 445
Scheiden-Damm-Riss 316
Scheidendiaphragma 588, 589
- Größenbestimmung 588
Scheidenhämatom 350
Scheidenriss, Lokalanästhesie 285
Scheitelbeineinstellung, hintere 300
Schilddrüsentherapeutika, Schwangersch./Stillz. 256, 257
Schiller-Jodprobe 487, 494
Schizophrenie, postpartale 671, 673
Schlafmittel 8
Schlauchbrust 410
Schleimhäute, Inspektion 8
Schlingenoperation 479
Schmerzen
- chronische 40, 43
- Mamma 395
- neuropathische 43
- Patient-Controlled Analgesia (PCA) 43
- retrosternal 70
- Unterbauch 522
- Uterus 485
- Vagina 432
Schmerztherapie 6
- Adjuvanzien 42
- Koanalgetika 6
- Stufenschema 40
- Tumorpatienten 40
- WHO-Stufenschema 7
Schmierblutung 485
Schnüffelstellung 364
Schock
- anaphylaktischer 86
- Diagnostik 83
- hämorrhagischer 84
- hypoglykämischer 86
- hypovolämischer 84
- klinisches Bild 83
- septischer 84
- Therapie 83
Schröder-Zeichen 277
Schulterdystokie 327
- externe Maßnahmen 327
- interne Maßnahmen 328
- juristische Anforderungen 328
- Plexuslähmung, obere 385

Schulterentwicklung, Geburt 277
Schultergeradstand, hoher 327
Schulterquerstand, tiefer 327
Schultze-Apparat 559
Schütteltrauma 661
Schwangerenvorsorge 121
Schwangerschaft
- adrenogenitales Syndrom 625
- Antikörper-Suchtest 114
- antiparasitäre Therapie 226
- Beratung 120, 122
- Berufstätigkeit, Mutterschutzregelungen 127
- ektope 527
- Ernährung 122
- Fasten 126
- Fehlbildungsuntersuchung 122
- Folsäuresubstitution 122, 123
- Frühgestosen 143
- gastrointestinale Erkrankungen 147
- Genuss-/Suchtmittel 124
- Geschlechtsverkehr 124
- Gewichtszunahme 124
- HCG-Werte 113
- Impfungen 125
- Infektionen 186
- IUP, liegendes 592
- kardiale Vorerkrankungen 146
- Kontraktionsfrequenz, physiologische 161
- Labordiagnostik 120
- Lebererkrankungen 148
- Medikamente 234
- Mehrlinge 167
- Nierentransplantierte 150
- Noxen 93
- Ovarialtumor 536
- physiologische Veränderungen 145
- Prolaktinom 566
- psychische Probleme 672
- Reisen 126
- renale Komplikationen 149
- Rhesusprophylaxe 122, 373
- Rh-Sensibilisierung 114
- Spätgestosen 151
- Sport 127
- Strahlenexposition 104, 106
- Terminüberschreitung 178
- Übertragung 178
- Ultraschallscreening 120, 122
- Unfälle 183
- Untersuchungen 109, 119
- Uterusmyome 180
- Zervixkarzinom 513
Schwangerschaftsabbruch
- Beratung 130
- chirurgischer 131
- Indikationen 130
- IUP nach 591
- medikamentöser 131, 132
Schwangerschaftscholestase, intrahepatische 148
Schwangerschaftsfettleber 148
Schwangerschaftsinduzierte Hypertonie 72
Schwangerschaftsstreifen 109

Schwangerschaftszeichen 118
Schweinebandwurm 226
SDP (single deepest pocket) 118
Sectio caesarea
- Anästhesie 280, 281, 336
- Durchführung 333
- fetale Azidose 307
- intraperitonealis supracervicalis 332
- Misgav-Ladach-Technik 335
- Notfallsectio 337
- postoperative Überwachung 335
- Vorbereitungen 333
Sedativa
- delirogener Effekt 28
- Unruhe, Angst 31
Senium 610
Sensibilitätsuntersuchung 16
Sentinel-Lymphknoten-Biopsie 419
Sepsis
- Neugeborenes 376
- puerperale 344
Septischer Schock 84
- Therapie 85
SERM (selektive Östrogen-Rezeptor-Modulatoren) 622
Sexualhormone, Schwangersch./Stillz. 248
Sexualisierte Gewalt 461
Sexuelle Nötigung 461
Sexueller Missbrauch 660
- Diagnostik 661
- Familientherapie 662
- gerichtsmedizinische Untersuchung 661
- Schwangerschaftsabbruch 130
Sexuell übertragbare Krankheiten 443
SGA (small for gestational age) 355, 375
SHBG (sexualhormonbindendes Globulin)
- Bestimmung 548
Sheehan-Syndrom 564, 625
Sichelfuß 379
SIDS (sudden infant death syndrome) 388
SIH (schwangerschaftsinduzierte Hypertonie) 72, 151
- Diagnostikalgorithmus 153
- Klassifikation 151
- Risikofaktoren 151
- Schweregrade 152
- Therapie 155
Sims-Huhner-Test 557
Simulation 664
Single-Incision-Schlingen 479
Skelettalterbestimmung 639
Sodbrennen, Schwangerschaft 127, 145
Somatotropin 646
Sondenernährung 67
Sonografie 120
- Ersttrimester-Screening 95
Soor 389

Soorkolpitis 435, 436, 440
Soorvulvitis 655
Sorbit, parenterale Ernährung 65
Spaltbildung, Wirbelsäule 379
Spasmolytika
- Geburt 283
- Schwangersch./Stillz. 234
Spätabort 133
Spätgestosen 151
Sperma
- Analyse 554
- Filtration 577
- invasive Gewinnung (MESA/TESE) 581
- Swim-up 577
- Untersuchung 574
- Waschung 577
Spermadeponierungsstörungen 576
Spermamotilität 556
Spermieninjektion, intrazytoplasmatische 581
Spermiogramm 554, 575
- Beurteilung 556
- pathologisches 575
- Referenzwerte 556
Spermizide 594
Sphinkternaht 316
Spina bifida 104, 178, 379, 686
- aperta 103
Spinalanästhesie 282
Spirale 590
Splitejakulat 578
Spontanpneumothorax
- Neugeborenes 357
- Schmerz 70
Spotting 485
Spulwurm 226
Stammzellkonservierung, Nabelschnur 59
Stanzbiopsie (Mamma) 403
- Befunde 404
- B-Klassifikation 416
Status asthmaticus, Therapie 77
STD (sexually transmitted diseases) 443
Stein-Leventhal-Syndrom 567
Steißbeinteratom 686
Steiß-Fuß-Lage 293
Steißlage, reine 293, 294
Steißteratom 178, 308
Stellung des Kindes 109
Sterilisation 351
- Aufklärung 597
- Frau 595
- Mann 595
Sterilität 546, 669
- andrologischer Faktor 573
- Diagnostik, Frau 546
- Diagnostik, Mann 554
- Funktionstests 550
- Hormonstatus 548
- Labor 548
- Laparoskopie mit Chromopertubation 558
- Leitsymptome 546
- primäre 546
- psychische Ursachen 669

- sekundäre 546
- Therapie 561, 669
- tubare 573
- Untersuchung 546
- Ursachen 561
- uterine 573

Sterilitätsanamnese 546
Sterilitätslaparotomie, mikrochirurgische 582
STH (somatotropes Hormon) 645
Stillvorbereitung 127
Stillzeit
- Kontrazeption 603
- Medikamente 234

Stirnlage 298
Stoffwechselkrankheiten, pränatale Diagnostik 102
Strahlenbelastung 104
- MRT 106
- Röntgendiagnostik 105
- Schwangerschaft 104, 106
- Ungeborenes 105

Strahlendermatitis 511
Strahlenkolitis 512
Strahlenproktitis 512
Strahlentherapie 511
Strahlenzystitis 511
Stranggonaden 652, 653
Streptokokken, β-hämolysierende der Gruppe B 377
Stressdruckprofil, Inkontinenz 476
Stresstest 270
Striae 109
ST-Strecken-Analyse, fetales EKG 269
Stuck twin 170
Stuhlprobe 18
Subarachnoidalblutung 384
Subduralblutung 384
Subfertilität 546
Suizid(alität) 32
Surfactantmangel 357
Swyer-Syndrom 562, 653
Symptothermale Methoden, Kontrazeption 587
Syndaktylie 378
Syphilis 216, 443
- Diagnostik 216
- Kondylome 495
- kongenitale 217
- Neugeborenes 389
- Schwangerschaft 216
- Serologie 444
- Therapie 217

T
Tachykarde Herzrhythmusstörungen, Schmerzen 70
Tachykardie, fetale 264
Tachypnoe, transiente 357
Talgdrüsenhyperplasie, akneiforme 389
Tamoxifen
- Mammakarzinom 426
- Ovarialkarzinomrezidiv 542

Tanner-Stadien
- Brustentwicklung 640
- Schambehaarung 640, 641

Temperaturmethode, Kontrazeption 586
Teratom 523
- Sonografie 678

Teratozoospermie 556, 575
Terminüberschreitung 178
TESE (testikuläre Spermienextraktion) 576, 581
Testikuläre Feminisierung 561
Testosteron, Sterilitätsdiagnostik 548
Thelarche 640, 646
- prämature 647

Thorakoepigastrischer Lappen, Mamma-Aufbauplastik 421
Thoraxuntersuchung 9
Thrombophlebitis, Verweilkanüle 48
Thrombose
- tiefe Beinvenen 75
- Wochenbett 348

Thromboseprophylaxe 4
Thrombozytenkonzentrate 58
Thrombozytentransfusion 61
Thrombozytopenie 175
Tiefe Beinvenenthrombose 75
Tilidin-Naloxon 41
TNM-/FIGO-Klassifikation
- Endometriumkarzinom 515
- Ovarialkarzinom 538
- Zervixkarzinom 508

Todeszeichen 26
Tokolyse 161
- Durchführung 163
- Medikamentendosierung 164

Toluidinprobe 433
ToRCH 186
Totale parenterale Ernährung 67
Totenbescheinigung 26
Totgeburt 27, 133
Toxoplasmose 213, 225
- Diagnostik 214
- Prophylaxe 215
- Therapie 215

Traktionszystozele 468, 473
- OP 469

Tramadol 41
- Geburtsschmerzen 285

TRAM (transversaler Rectusabdominis-Lappen), Mamma-Aufbauplastik 420, 421
Transformationszone, atypische (Uterus) 488
Transfusion
- Aufklärung 61
- Bedside-Test 60
- Blutgruppenkompatibilität 60
- Blutkomponenten 57
- Dokumentationspflicht 64
- Durchführung 60
- Durchführungsbestimmungen 57
- Eigenblut 59
- Infektionsrisiko 63

- intrauterine 202
- massive 61
- Nabelschnurblut 59
- Notfall 61
- Thrombozyten 61
- Verweigerung 62
- Voraussetzungen, administrative 56

Transfusionsgesetz 56
Transfusionsreaktionen 62
Transitorisch evozierte otoakustische Emissionen (TEOAE) 370
Transobturatorband 477, 479
Trastuzumab, Mammakarzinom 427
Traubensarkom 660
Treponema pallidum 216
TRH-Test, Sheehan-Syndrom 626
Trichomonaden 436
- Kinder/Jgl. 656

Trichomonadenkolpitis 442
Tripeldiagnostik 94
Tripper 444
Trisomie 309
- autosomale 98
- Ersttrimester-Screening 95
- gonosomale 98
- Pränataldiagnostik 94
- Risiko 100

Trizepssehnenreflex 15
Trophoblasterkrankungen 138, 140
- Chemotherapie 142
- FIGO-Risikoscore 142
- TNM-Klassifikation 141

Trophoblastpersistenz 530
Trophoblasttumor, epitheloider 140
Tubarabort 528
Tubargravidität, Sonografie 678
Tubarruptur 528
Tubenkarzinom 537
Tubenkoagulation 351
Tubenligatur
- Aufklärung 597
- Bewertung 597
- laparoskopische 596
- Methoden 596

Tube, Sonografie 678
Tuboovarialabszess 85, 533
- Abstrich 524

Tubusgrößen, Neugeborenes 364
Tumoren
- axilläre 395
- genitale 432, 659
- hormonproduzierende 523
- maligne, Kinder/Jgl. 660
- Mamma 408, 647
- mesenchymale 408
- Ovar 534

Tumorschmerzen, WHO-Stufenschema 7
Turner-Syndrom 99, 100, 646, 652
Turtle-Neck-Phänomen 327

Tütenbrust 410
TVT (tiefe Venenthrombose), Therapie 75
Twin Peak Sign (T-Sign) 167, 170

U

Überlaufinkontinenz 473
– Therapie 481
Überstimulationssyndrom 571
Übertragung 179
Übertragung, Schwangerschaft 355
Ulcus molle 445
Ulipristalacetat
– Myomtherapie 496
– postkoitale Kontrazeption 605
Ulkusmittel 252
Ullrich-Turner-Syndrom 561
Ultraschall
– abdominal 676
– Adnexe 524, 679
– benigne Erkrankungen 677
– Fehlbildungen innerer Organe 687, 688
– Geburtshilfe 689
– geburtshilfliche 682
– intrakranielle Auffälligkeiten 685
– Introitus 474
– kardiale Fehlbildungen 686
– Kinder/Jgl. 638
– Konturstörungen 692
– Leitsymptome 680
– maligne Erkrankungen 679
– Mamma 401, 402
– Merz-Score 679
– Ovar 678
– PCO-Syndrom 568
– perineal 474
– Plazenta 688
– Plazentationsstörungen 687, 688
– pränatal 692, 693
– Schwangerschaft 120
– Schwangerschaftsnachweis 683
– Spina bifida 686
– Strukturstörungen 693
– Tube 525, 678
– Untersuchungsablauf 676
– Uterus 677, 678
– vaginal 676
– Zervix 689, 690
– Zyklusmonitoring 549, 550, 682
Ultraschalldiagnostik, fokussierte 498
Ulzeration, Genitale 432
Umbilikalarterien-pH 356
Umwandlungszone, Uterus 488
Unterbauchbeschwerden 667
Unterbauchschmerzen 88
– Anamnese 634
– DD 90, 522
– Diagnostik 635
– Kinder/Jgl. 634
– Vier-Quadranten-Einteilung 88
– Wochenbett 341

Untersuchung
– allgemeine körperliche 8
– Arbeitstechniken 46
– gynäkologische 11
– Kinder 636
– Neugeborenes 355, 357
– neurologische 15
– präpartale 262
– rektovaginale 12
– Schwangerschaft 109, 119
– vaginale 121
Ureaplasma-Infektion 221
– Neugeborenes 222
– Schwangere 222
Urethradruckprofil 476
Urethra, hypotone 477
Urethritis 81
Urge-Inkontinenz 472, 476
– Therapie 480
Urindiagnostik 475
Urinprobe 53
Urogenitalfehlbildungen 651
Urogramm 639
Urometrie 477
Urosepsis 82
Usual ductal hyperplasia 416
Uterus
– Abstrichklassifikation 490
– Diagnostik 486
– duplex 651
– Fehlbildungen 652
– Größe 677
– Größe p. p. 342
– Inspektion 486
– Kolposkopie 487
– Kompression, manuelle 315
– Leitsymptome 484
– myomatosus 497
– Palpation 487
– Polypen 499
– Schmerzen 485
– Sonografie 677, 678
– Zytologie 488, 489
Uterusatonie 314
– Therapie 279, 315
Uterusmyome
– Diagnostik 497
– histologische Einteilung 498
– Schwangerschaft 180
– Therapie 498
Uterusrückbildung 342
– Endometritis 343
– Endomyometritis 343
– physiologische 342
– verzögerte 340, 343
Uterusruptur 305
Uterussarkom 519

V

Vagina
– DD 432
– Leitsymptome 432
– Mischflora 656
– Zytologie, Neugeborenes 638
Vaginalblutung
– atypische 484
– DD 90

– Leitsymptome 484
– vor der Menarche 648
Vaginalkarzinom 458
– Diagnostik 459
– Einteilung 459
– Nachsorge 461
– Stadieneinteilung 460
– Therapie 460
Vaginalmykose, Schwangerschaft 231
Vaginalring 587, 604
Vaginalschwamm 590
Vaginaltumoren, Kinder/Jgl. 659
Vaginose, bakterielle 230
Vaginoskopie, Kinder/Jgl. 637
VaIN (vaginale intraepitheliale Neoplasien) 459
Vakuumbiopsie, Mamma 403
Vakuumextraktion 324
– Traktionsrichtung 325
– Vor- und Nachteile 325
Varizella-Zoster-Virus (VZV) 194
Varizellen
– Diagnostik 195
– Infektionsrisiko 194
– Prophylaxe 196
– Therapie 195, 196
Vasektomie 595
Veit-Smellie-Manöver
– Kopflösung 332
– obere Plexuslähmung 385
Vena-cava-Kompressionssyndrom 271
Venenkatheterspitze 55
Venenpunktion
– Durchführung 47
– Komplikationen 48
– Verweilkanüle 46, 47
Venenthrombosen, Wochenbett 348
Ventrikelerweiterung 693
Ventrikelseptumdefekt 382
Ventrikulomegalie 685
Veressnadel 596
Vergewaltigung/sexuelle Nötigung 461
– Befunderhebung 462
– Gespräch 461
– Untersuchung 463
Verhütung 588
Verletzungen, Kinder/Jgl. 657
Vertrauliche Geburt 261
Verweilkanüle 46, 47
– Durchflussraten 47
– Komplikationen 48
Verwirrtheit
– alkoholbedingt 30
– postoperative 33
– Ursachen 33
VIN (vulväre intraepitheliale Neoplasien)
– ISSVD-Nomenklatur 451
– Therapie 452
Virilisierung 629
– adrenogenitales Syndrom 623
– äußeres Genitale 653

Virostatika, Schwangersch./Stillz. 257, 258
Virushepatitis 205
Vitamin-D-Prophylaxe 368
Vitamin-K-Prophylaxe 369
VLBW (very low birth weight infant) 374
Vollblutkonserve 58
Volumenmangelschock 84
Vorderhauptslage 297
– hintere 300
Vorhofseptumdefekt 382
Vorsorgeuntersuchungen, Neugeborenes 358
Vorzeitige Plazentalösung 290
– Therapie 291
Vorzeitiger Blasensprung
– Antibiotikaprophylaxe 302
– Diagnostik 301
– Vorgehen 302
VRE (vancomycinresistente Enterokokken) 35
Vulvahämatom 350
Vulvakarzinom 454
– Diagnostik 454
– Nachsorge 458
– operative Therapie 456
– postoperative Radiatio 457
– Prognose 458
– Stadieneinteilung 455
– Therapie 456
Vulvamelanom 453
Vulvaneoplasien 451
Vulväre intraepitheliale Neoplasie 451
Vulvatumoren, Kinder/Jgl. 659
Vulvitis 436
– DD 437
Vulvoskopie 433, 434
Vulvovaginitis 655
– Kinder/Jgl. 655, 656
– spezifische 655, 656
– unspezifische 655, 656

W

Wachstumsretardierung, intrauterine 172, 692
Wachstumsschub, pubertaler 641
Wächter-Lymphknoten-Biopsie 419
Wehen
– Nachgeburt 277
– vorzeitige 160
Wendung, äußere 295, 296
Wet Lung 357
Windeldermatitis 389, 633, 655, 657
Windpocken 194
Wirbelsäulenuntersuchung 11

Wochenbett 340
– Beratung 350
– endokrine Umstellung 341
– Entlassungstermin 350
– Ernährung 351
– Folgeschwangerschaft 351
– Komplikationen 340
– Kontrazeption 351
– Leitsymptome 340
– Mastitis puerperalis 346
– normales 342
– psychische Probleme 671, 672
– Temperaturerhöhung 340
– Unterbauchschmerzen 341
– vaginale Blutung 341
– Wundheilungsstörungen 349
Wochenfluss 342
Woods-Manöver 328
Wunddehiszenz, Wochenbett 349

X

X/Y-Analyse 94
XY-Dysgenesie 653
Xylit, parenterale Ernährung 65

Z

Zangemeister-Handgriff 110
Zangenentbindung 326
Zerebralparese, Neugeborenes 307
Zervikale intraepitheliale Neoplasie (CIN) 505
Zervix
– Abstrich 524
– Dysplasie 505
– Myome 496
– Sonografie 689
– Veränderungen, gutartige 495
Zervixfaktor 572
Zervixindex nach Insler 553
Zervixinsuffizienz 160
Zervixkarzinom 507
– Blutung 512
– Chemotherapie 512
– Diagnostik 507
– FIGO-Klassifikation 508, 509
– Hysterektomie 509
– Komplikationen 512
– Kontaktbestrahlung 511
– Metastasierung 513
– Nachsorge 513
– orale Ovulationshemmer 599
– Perkutanbestrahlung 511
– Prävention 507
– Schwangerschaft 513
– Screening 490
– Stadien 509
– Stadieneinteilung 508
– Strahlentherapie 511
– TNM-Klassifikation 508

Zervix-Korpus-Kürettage 493
Zervixpolyp 496
Zervixschleim 587
– inadäquater 576
Zervix-Score 180
Zervixtumoren, Kinder/Jgl. 659
Zikavirus-Infektion 202
ZNS-Tumoren, Pubertas praecox 648
Zwerchfellhernie 383
Zwillingsschwangerschaft
– Besonderheiten 167
– Einteilung 167
– Fetometrie 684
– NT-Messung 684
– Plazentationstypen 167, 170
Zwischenblutungen 601
Zygozität 167
Zyklus
– Anamnese 546
– Definition 559
– Hormonregulation 559, 560
– Hormonverlauf 560
– Monitoring, sonografisches 682
– Ovulationstermin 585
– Physiologie 559
– postpartal 341
– Temperaturmessung 586
– Tempus-/Typusstörungen 484
Zykluscomputer 588
Zyklusmonitoring 570
– Sonografie 549
Zyklusstörungen, psychosomatische 667
Zyklusunregelmäßigkeiten 485
Zysten
– dysontogenetische 659
– intramammäre 407
– Ovarial- 534
– Ovar, Sonografie 678
Zystennieren, kongenitale 150
Zystitis 80, 481
– Schwangerschaft 81
– Therapie 81
Zystoskopie 52
Zystotonometrie 475
Zystozele, OP 469
Zytodiagnostik, Kinder/Jgl. 638
Zytologie, Uterus 489
Zytomegalie 191
– Diagnostik 192
– Infektions-/Schädigungsrisiko 191
– Prophylaxe 193
– Symptome 192
– Therapie 193
Zytostatika, Schwangersch./Stillz. 258

Weitere Titel der Klinikleitfaden-Reihe*

Titel	Auflage	ET	ISBN	€ (D)	€ (A)	sFr
Allgemeinmedizin	8.	2017	978-3-437-22447-8	74,99	77,10	101,-
Anästhesie	8.	2017	978-3-437-23893-2	49,99	51,40	67,-
Ärztl. Bereitschaftsdienst	4.	2017	978-3-437-22422-5	49,99	51,40	67,-
Chirurgie	6.	2015	978-3-437-22453-9	49,99	51,40	67,-
Chirurgische Ambulanz	4.	2015	978-3-437-22942-8	49,99	51,40	67,-
Dermatologie	3.	2011	978-3-437-22302-0	59,95	61,70	81,-
Innere Medizin	13.	2016	978-3-437-22191-0	49,99	51,40	67,-
Intensivmedizin	9.	2016	978-3-437-23763-8	49,99	51,40	67,-
Kardiologie	6.	2014	978-3-437-22284-9	49,99	51,40	67,-
Labordiagnostik	6.	2018	978-3-437-22235-1	49,99	51,40	67,-
Leitsymptome Differenzialdiagnosen	1.	2017	978-3-437-24891-7	29,99	30,90	41,-
Med. Rehabilitation	1.	2011	978-3-437-22406-5	44,95	46,30	61,-
Nachtdienst	5.	2015	978-3-437-22272-6	49,99	51,40	67,-
Neurologie	6.	2017	978-3-437-23144-5	49,99	51,40	67,-
Notarzt	8.	2017	978-3-437-22465-2	49,99	51,40	67,-
Orthopädie Unfallchirurgie	8.	2017	978-3-437-22474-4	49,99	51,40	67,-
Pädiatrie	10.	2017	978-3-437-22255-9	49,99	51,40	67,-
Palliative Care	6.	2018	978-3-437-23315-9	49,99	51,40	67,-
Psychiatrie Psychotherapie	6.	2017	978-3-437-23149-0	44,99	46,30	61,-
Schmerztherapie	1.	2005	978-3-437-23170-4	39,99	41,20	54,-
Sonographie Angiographie	1.	2014	978-3-437-24930-3	49,99	51,40	67,-
Sonographie Gastroenterologie	1.	2012	978-3-437-24920-4	39,95	41,10	54,-

* Stand April 2018, Preisänderungen vorbehalten